Partager le plaisir d'apprendre

Guide d'intervention éducative au préscolaire

Mary Hohmann, David P. Weikart,
Louise Bourgon et Michelle Proulx

Préface de Madeleine Baillargeon

Partager le plaisir d'apprendre

Guide d'intervention éducative au préscolaire

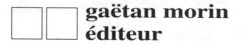

gaëtan morin
éditeur

Données de catalogage avant publication (Canada)

Hohmann, Mary

Partager le plaisir d'apprendre : guide d'intervention éducative au préscolaire

Traduction de : Educating young children.
Comprend des réf. bibliogr.

ISBN 2-89105-759-7

1. Apprentissage par l'action. 2. Éducation de la première enfance – Méthodes actives. 3. Perry Preschool Project (Ypsilanti, Mich.). 4. Enfants et adultes. 5. Éducation préscolaire – Méthodes actives. 6. Garderies – Activités. I. Weikart, David P. II. Bourgon, Louise, 1950- . III. Proulx, Michelle, 1944- . IV. Titre.

LB1027.23.H6414 2002 371.3'8 C00-940953-X

Toutes les photos, y compris celle de la couverture, sont tirées de l'édition originale américaine anglaise. Elles ont été prises par **Gregory Fox**.

Traitement graphique de la couverture : **Robert Dolbec**

Révision linguistique : Jean-Pierre Leroux et Claire Campeau

Gaëtan Morin Éditeur ltée
171, boul. de Mortagne, Boucherville (Québec), Canada J4B 6G4
Tél. : (450) 449-2369

Imprimé au Canada 3 4 5 6 7 8 9 0 1 2 11 10 09 08 07 06 05 04 03 02

Dépôt légal 4e trimestre 2000 – Bibliothèque nationale du Québec – Bibliothèque nationale du Canada

REMERCIEMENTS

L'élaboration de l'approche éducative présentée dans cet ouvrage repose sur la richesse et la continuité d'échanges soutenus entre des praticiens et des chercheurs préoccupés par la qualité des services offerts à la petite enfance. C'est grâce à leurs efforts concertés et à la confiance mutuelle qu'ils se sont vouée que cette approche peut rejoindre un public aussi large que celui auquel nous offrons ce livre.

Après une première lecture de *Educating Young Children*, il y a quelques années, nous avons conclu que cet ouvrage pourrait faciliter la compréhension du concept de l'apprentissage actif et des stratégies éducatives qui en découlent. Nous remercions donc David P. Weikart et Mary Hohmann, qui ont réuni des individus de formations différentes autour d'un même rêve : faire en sorte que chaque enfant puisse devenir l'acteur principal de son développement.

C'est à Stéphane Lavoie, éditeur, que nous avons exposé notre désir de rendre *Educating Young Children* disponible à la communauté de langue française. Et c'est avec enthousiasme et détermination qu'il a soutenu notre projet d'adaptation et de traduction. La facture du livre, nous la devons à Christiane Desjardins. Elle a minutieusement participé à la relecture et à la conception graphique en plus de coordonner le travail de production. M. Lavoie et Mme Desjardins ont travaillé avec rigueur tout en gardant le souci de rendre l'ouvrage accessible et agréable à lire.

La préface de Madeleine Baillargeon est à l'image de sa carrière de professeure et de chercheure. Elle met en relief ses préoccupations pour la continuité et la qualité des services offerts aux enfants, pour le travail de collaboration entre les éducatrices, les parents et les chercheurs et pour la qualité de la formation offerte aux étudiants qui se destinent à une carrière auprès de la petite enfance.

Nous tenons à rendre hommage à toutes ces personnes. C'est en collaboration avec elles que nous avons choisi les mots susceptibles d'inviter le lecteur au plaisir d'apprendre avec les enfants.

Les auteures

Avertissement

Dans cet ouvrage, le masculin est utilisé comme représentant des deux sexes, sans discrimination à l'égard des hommes et des femmes et dans le seul but d'alléger le texte.

PRÉFACE

Les personnes responsables de l'éducation des jeunes enfants, dans le cadre des milieux de l'éducation préscolaire, font constamment face au dilemme de stimuler le développement des enfants tout en ne le forçant pas au-delà des capacités et du rythme caractéristiques du jeune âge. La recherche d'un juste équilibre assurant le développement harmonieux sur les plans tant affectif que social, cognitif et physique est un souci constant de la pratique quotidienne, souvent débattu par les parents, les organismes gouvernementaux et la société en général. Les intervenantes se trouvent souvent tiraillées entre leur savoir pratique et les exigences larges et très peu explicites des programmes gouvernementaux, parfois précisées de façon douteuse par les fabricants de matériel et les maisons d'édition. La publication de cette traduction de l'un des programmes d'éducation des jeunes enfants les plus réputés vient, au contraire, répondre très adéquatement à cette recherche d'un équilibre entre des pratiques convenant bien aux différents besoins du développement et la gestion d'un groupe de jeunes enfants dans la vie de tous les jours. Je salue le travail patient et minutieux que les traductrices rendent ainsi accessible à toute la communauté de la petite enfance et les en remercie chaleureusement.

Le programme High/Scope est d'un très grand intérêt pour les milieux francophones de la petite enfance. Il a notamment inspiré le programme *Jouer, c'est magique* du ministère de la Famille et de l'Enfance du Québec. Il est à l'origine de l'affirmation répandue selon laquelle un dollar investi dans les services à la petite enfance en rapporterait six à l'âge adulte. En effet, il s'agit là d'une conclusion tirée d'une étude économique de ses coûts et bénéfices à long terme. Quoi qu'il en soit, ce programme mérite l'attention de quiconque souhaite réfléchir sur l'action éducative auprès des jeunes enfants et être à jour en matière de programmation préscolaire. En ces temps de croissance rapide et de changements importants dans les services de garde et d'éducation offerts aux jeunes enfants, la question de leurs contenus éducatifs est incontournable. À cet égard, ce document est susceptible de fournir des éléments de réflexion et d'inspiration qui s'avèrent très pertinents.

Parmi les très nombreuses équipes qui se sont formées dans les années 1960, années fastes de l'éducation compensatoire américaine, celle de High/Scope est l'une des très rares à être restées actives jusqu'à aujourd'hui. En effet, David Weikart et son équipe ont continué à travers toutes ces années à intervenir auprès des jeunes enfants et de leurs familles, à évaluer les résultats de leurs interventions et à ajuster leur façon de faire. Il y a donc eu une évolution qui s'est reflétée dans le contenu de leur manuel de base, soit le programme même, objet de cette publication.

Mes premiers contacts avec le programme High/Scope remontent au début des années 1970. La rédaction de mon mémoire de maîtrise sur les interventions préscolaires en milieux défavorisés m'avait alors amenée à lire plusieurs textes sur le projet d'origine, soit le Perry Preschool Project (Weikart, 1964), conçu pour prévenir l'échec scolaire constaté chez les élèves des zones les plus pauvres d'une municipalité située près de Detroit au Michigan. Ce projet s'adressait à des enfants de 3 et 4 ans dont le développement montrait de sérieux retards. Les enfants fréquentaient une maternelle au programme dit « d'orientation cognitive », reposant sur des principes inspirés de Piaget. Le travail se poursuivait à la maison, afin d'impliquer la famille et d'individualiser l'intervention selon la situation de chacun des enfants.

À cette époque, les programmes expérimentaux destinés aux jeunes enfants de milieux défavorisés poussaient comme des champignons aux États-Unis, et la plupart d'entre eux, y compris le Perry

Preschool Project, affichaient des résultats très prometteurs. L'idée de les comparer s'imposa donc rapidement. L'équipe de Weikart (1969) fut parmi les premières à entreprendre une des nombreuses études comparatives qui se firent alors.

La plupart des études comparatives conclurent que les programmes structurés autour d'une conception de l'éducation préscolaire permettaient aux enfants qui les avaient fréquentés de faire des progrès significativement plus élevés que ceux des groupes témoins. Cependant, ces gains à court terme, généralement évalués par des tests d'intelligence et de rendement scolaire, s'estompaient dans les premières années du primaire, comme l'ont démontré les premières études longitudinales.

Plusieurs équipes modifièrent peu à peu leur perspective et avec elle leurs manières d'évaluer. Elles introduisirent l'idée d'une sorte d'histoire de vie de leurs sujets, retraçant leur cheminement scolaire et social. Plusieurs d'entre elles formèrent le Consortium for Longitudinal Studies qui fit faire, par des évaluateurs indépendants, une sorte de méga-analyse de leurs 14 divers projets d'intervention préscolaire menés en milieux défavorisés de différentes parties des États-Unis (Lazar, Darlington, Murray, Royce et Snipper, 1982). High/Scope était du nombre et a aussi continué d'être l'objet de relances de la part de l'équipe de Weikart. Lors de la dernière, la moyenne d'âge des « enfants » était de 27 ans (Schweinhart, Barnes et Weikart, 1993). Parallèlement, l'équipe d'Ypsilanti a poursuivi les études comparatives commencées en 1969. Lors de la dernière, les enfants étaient de jeunes adultes de 23 ans (Schweinhart et Weikart, 1997). Nous disposons donc de données très abondantes, obtenues sur une période de plus de 30 ans, sur ce programme et sur quelques autres auxquels on peut le comparer.

L'équipe de High/Scope n'est pas la seule à avoir obtenu des résultats positifs à long terme. Mais elle fait partie de ce petit peloton de programmes qui ont pu constater chez leurs sujets un parcours scolaire et social plus normal (et des vies probablement plus heureuses) que chez ceux des groupes témoins qui n'avaient pas bénéficié d'interventions préventives avant leur entrée à l'école primaire.

Par ailleurs, la dernière étude comparative des chercheurs de High/Scope arrive à une conclusion qui me semble d'une très grande importance pour les tenants d'une éducation préscolaire centrée sur le développement global des enfants, dont je suis. Cette étude rend compte de trois relances, soit à l'âge de 10 ans, de 15 ans et de 23 ans, auprès des enfants répartis dans trois programmes, soit le High/Scope, l'enseignement direct (DISTAR) et la prématernelle traditionnelle centrée sur le développement social. Pendant la première dizaine d'années, il ne se dégage à peu près aucune différence entre les trois groupes aux mesures de type intellectuel et scolaire. Aux relances subséquentes, on ne trouve encore aucune différence dans la plupart des dimensions évaluées, sauf dans le comportement social plus déviant des sujets du programme d'enseignement direct, à 15 ans et encore davantage à 23 ans. Je partage l'interprétation des auteurs qui imputent ces résultats à la présence d'objectifs et d'activités touchant le développement social tant dans leur programme que dans celui de la prématernelle traditionnelle, tous deux centrés sur l'enfant, contrairement à l'approche directive du programme qui est plutôt exclusivement consacré à l'enseignement de matières, à la manière scolaire traditionnelle.

L'équipe de High/Scope n'a pas hésité à puiser à diverses sources et à intégrer au programme actuel des dimensions qui n'étaient pas aussi présentes à l'origine. Ainsi en est-il de l'attachement et de l'estime de soi. Pour ma part, je ferais certains autres ajouts et adaptations, comme sans doute le feront les personnes qui s'y référeront pour alimenter leurs propres réflexions et interventions auprès des jeunes enfants. Selon la conviction profonde que j'ai acquise au cours de ma carrière en éducation préscolaire, les approches les plus pertinentes et les plus efficaces invitent les praticiens et les praticiennes d'abord et avant tout à une réflexion sur leur action. Il faut prendre conscience de la portée de ses gestes et de leur cohérence avec ses propres valeurs éducatives, apprendre à se connaître et intégrer en se les réappropriant les principes, les concepts et les applications proposés. C'est dans cette perspective que ce document peut être très utile au personnel des diverses formes d'éducation préscolaire. Il leur fournit un exemple d'un programme efficace, touchant les enfants, les relations adultes-enfants et la place des parents, élément souvent négligé de nos services à la petite enfance. Je les invite donc tant à leur propre critique qu'à celle de ce programme pour l'enrichir d'autres sources et l'adapter selon leur propre expertise à la situation des enfants qu'ils desservent.

Madeleine Baillargeon

RÉFÉRENCES

LAZAR, I., R. DARLINGTON, H. MURRAY, J. ROYCE et A. SNIPPER (1982). « Lasting Effects of Early Education », *Monographs of the Society for Research in Child Development*, vol. 47, n°s 2-3, série n° 195.

SCHWEINHART, L.J., H.V. BARNES et D.P. WEIKART (1993). « Significant Benefits : The High/Scope Perry Preschool Study through Age 27 », *Monographs of the High/Scope Educational Research Foundation*, n° 10, Ypsilanti, Mich., High/Scope Press.

SCHWEINHART, L.J., et D.P. WEIKART (1997). « The High/Scope Preschool Comparison Study through Age 23 », *Early Childhood Research Quarterly*, vol. 12, n° 2, p. 117-143.

WEIKART, D.P. (1964). *Perry Preschool Progress Report*, Ypsilanti, Mich., Ypsilanti Public Schools.

WEIKART, D.P. (1969). *Ypsilanti Preschool Curriculum Demonstration Project*, Ypsilanti, Mich., High/Scope Research Foundation.

TABLE DES MATIÈRES

PARTIE III

Des expériences clés pour le développement de l'enfant

INTRODUCTION

L'apprentissage actif au préscolaire

Dans le cadre de l'approche éducative High/Scope au préscolaire, les adultes et les enfants partagent le pouvoir. Nous reconnaissons que le pouvoir d'apprendre appartient à l'enfant, d'où l'importance accordée aux méthodes d'apprentissage actif. Lorsqu'on reconnaît que l'apprentissage naît d'un élan intérieur, on accède à un équilibre déterminant en éducation. Alors, le rôle de l'adulte se résume à soutenir et à guider les enfants dans leurs aventures et leurs expériences axées sur l'apprentissage actif. Je crois que c'est ce qui explique la réussite de notre programme.
DAVID P. WEIKART, 1995.

En adoptant les principes de l'apprentissage actif, l'approche éducative proposée dans le présent ouvrage s'inscrit dans une longue tradition pédagogique qui reconnaît l'importance de considérer l'enfant dans la perspective globale de son développement, de son histoire et de son environnement physique et humain. Au Québec, grâce entre autres aux ouvrages de Paré (1977a et b), de Paquette (1976, 1982, 1985a et b) et d'Angers (1984) qui s'inscrivent dans la tradition constructiviste des Dewey, Decroly et Claparède, plusieurs éducatrices[1] du préscolaire ont élaboré leurs pratiques pédagogiques dans l'optique suivante: « Dans un apprentissage significatif, c'est tout l'être qui est touché. » (Paré, 1977a, p. 23.) Elles ont reconnu que « seul l'individu peut apprendre; on ne peut apprendre à sa place [...]. L'important est qu'il regarde, compare, raisonne » (Giordan, 1998, p. 23 et 32). Ainsi, elles ont placé la personne au cœur du processus éducatif et elles ont tenté « de créer les conditions nécessaires pour permettre aux enfants d'actualiser leurs potentialités » (Dalceggio, 1991).

Outre le courant pédagogique centré sur l'apprenant, celui du cognitivisme teinte aussi l'approche de l'apprentissage actif, par l'importance qu'il accorde à la recherche du sens donné aux apprentissages. Cette recherche de sens relève de la métacognition:

> [Elle] a pour but d'élargir le champ de conscience de l'apprenant, et donc sa capacité à faire des liens et à réutiliser ce qu'il sait dans des contextes différents. Une telle pratique permet d'agir de façon plus réfléchie. (Barth, 1993, p. 15-19.)

Le programme éducatif élaboré par la fondation High/Scope pour le préscolaire – désigné dans le présent ouvrage par le terme « programme favorisant l'apprentissage actif » – est fidèle aux deux courants pédagogiques contemporains relatifs

1. Pour faciliter la lecture et tenir compte du contexte de l'éducation préscolaire, le terme « éducatrice » sera désormais utilisé pour désigner tant l'éducateur que l'éducatrice.

à l'apprentissage, soit le courant centré sur l'apprenant et les moyens d'apprendre et celui qui est centré sur les stratégies cognitives de l'apprenant. De plus, il permet de répondre aux objectifs du programme pédagogique préscolaire québécois.

La réforme québécoise de l'éducation préscolaire et l'apprentissage actif

En 1997, l'annonce d'une politique familiale par la ministre québécoise Pauline Marois transforme complètement l'organisation et la mission des services de garde. D'aucuns croient que la multiplication des places disponibles et l'accessibilité financière sont les changements les plus importants de cette politique. Cependant, une nouveauté beaucoup moins médiatisée a un impact des plus importants sur les services de garde québécois : un programme pédagogique unique imposé par le Ministère, dont l'approche sera harmonisée avec celle du nouveau programme des classes de maternelle. Le Ministère reconnaît ainsi la mission éducative des services de garde. De plus, il exige de ces derniers qu'ils agissent en tant que ressources auprès des familles et qu'ils soutiennent les parents.

Déterminé à mettre rapidement en place sa réforme, le ministère de la Famille et de l'Enfance décide d'élaborer le programme éducatif des centres de la petite enfance en s'inspirant de programmes existants pour des clientèles semblables et appliqués dans des contextes similaires. En effet, l'élaboration d'un programme éducatif relève d'un processus long et complexe qui exige un engagement à l'égard d'une philosophie éducative globale, une connaissance poussée de la croissance et du développement humains, la capacité d'approfondir et d'interpréter le corpus toujours croissant des recherches portant sur l'apprentissage et l'enseignement, une expérience pratique auprès des enfants et une compréhension de leurs intérêts. Le Ministère puise alors les fondements de son programme cadre dans les principes pédagogiques de l'apprentissage actif élaborés par la fondation High/Scope, qui a déjà fait ses preuves tant au Québec qu'à l'étranger.

Dans ce contexte, cette publication permettra aux intervenants en éducation préscolaire de connaître les fondements et les stratégies d'application de l'apprentissage actif. Ils pourront y trouver des sources d'inspiration et de réflexion pour s'approprier cette approche.

Quelles sont les origines ce cette approche ? En quoi consiste-t-elle ? Est-elle efficace ? Comment l'appliquer ? Voilà autant de questions auxquelles cette introduction apporte des réponses.

Les origines du programme High/Scope au préscolaire

Bien qu'aujourd'hui l'approche High/Scope soit utilisée dans divers milieux desservant les enfants d'âge préscolaire, elle fut initialement conçue en 1962 par David P. Weikart pour répondre aux besoins des enfants « à risques » des quartiers défavorisés d'Ypsilanti au Michigan. Weikart élabora ce projet en réponse au taux d'échec persistant des jeunes du secondaire des quartiers les plus défavorisés de cette ville. Préoccupé par ce phénomène, il entreprit d'étudier les causes de ces faibles résultats et chercha les moyens d'y remédier. Il conclut que le faible taux de réussite aux tests d'intelligence reflétait davantage une préparation inadéquate aux exigences scolaires que les capacités intellectuelles réelles des élèves. Il nota également une corrélation entre le faible taux de réussite scolaire et le taux d'absentéisme des élèves du primaire dans les quartiers défavorisés.

Au cours de ses recherches, Weikart envisagea la possibilité d'une intervention précoce auprès des enfants de 3 et 4 ans, intervention qui pourrait se faire à l'extérieur du cadre usuel des écoles publiques. Son objectif était de préparer les enfants d'âge préscolaire provenant des milieux défavorisés à la réussite scolaire. À cette fin, Weikart obtint l'autorisation d'engager des professeurs et des personnes-ressources afin de démarrer le premier programme d'éducation préscolaire du Michigan financé par l'État.

Une fois les enseignants embauchés et les locaux trouvés, un autre problème se posa, soit le choix d'une approche pédagogique. Les maternelles et les garderies du temps mettaient surtout l'accent sur le **développement socio-affectif** des enfants (Sears et Dowley, 1963). Après avoir pris en considération les besoins particuliers des enfants visés par le projet, on jugea nécessaire d'ajouter une dimension relative au **développement intellectuel** des enfants. Le programme devait avoir un volet cognitif qui favoriserait la réussite scolaire future des enfants. Comme une telle approche de l'éducation préscolaire ne semblait pas exister, on consulta des experts qui recommandèrent de renoncer au projet, jugeant que les enfants de 3 et 4 ans ne possédaient pas la maturité intellectuelle et émotionnelle requise pour fonctionner dans un tel environnement pédagogique.

En réaction à cette recommandation, David P. Weikart décida de modifier ses plans plutôt que d'abandonner le projet. Il mit donc sur pied un projet de recherche élaboré avec soin dans le but de comparer les progrès des enfants inscrits au programme préscolaire à ceux d'enfants qui ne vivaient pas cette expérience d'éducation. Cependant, la question de l'élaboration du programme demeurant entière, Weikart et son équipe s'entendirent sur trois principes fondamentaux à respecter pour élaborer un programme préscolaire efficace :

1. Une théorie cohérente de l'enseignement et de l'apprentissage doit guider le processus d'élaboration du programme.
2. Les éléments théoriques et pratiques du programme doivent soutenir la capacité de chaque enfant à développer ses aptitudes et ses talents individuels en favorisant l'apprentissage actif.
3. Les éducateurs, les chercheurs et les administrateurs doivent former un partenariat face à tous les aspects de l'élaboration du programme afin d'assurer l'équilibre entre la théorie et la pratique.

Forts de ces principes, Weikart, les éducateurs, les administrateurs et les psychologues concernés par le projet se tournèrent vers les écrits de Jean Piaget. C'est un résumé des travaux de Piaget paru dans *Intelligence and Experience*, un ouvrage de J. McVicker Hunt (1961), qui les amena à s'intéresser à ses recherches sur le développement de l'enfant. La théorie de Piaget venait clairement appuyer l'orientation philosophique de l'apprentissage actif qu'avait adoptée l'équipe chargée d'élaborer le programme éducatif pour les enfants de 3 ans et 4 ans. Celle-ci s'en inspira pour mettre au point les méthodologies, les objectifs et les contenus. Graduellement, l'équipe se scinda en deux factions, l'une composée de chercheurs qui préconisaient une interprétation littérale de la théorie de Piaget, l'autre composée d'éducateurs qui favorisaient une interprétation pratique façonnée par leurs observations quotidiennes des enfants et leur désir d'inclure certaines méthodes traditionnelles de la maternelle. Sous la direction de David P. Weikart, les chercheurs s'engagèrent dans une recherche poussée des travaux de Piaget, pendant que les éducateurs, eux, continuaient de réfléchir à la façon d'intégrer la théorie à la pratique quotidienne (Weikart et autres, 1971 ; Hohmann, Banet et Weikart, 1979).

Au fur et à mesure que l'équipe progressait dans son travail auprès des enfants et dans ses rencontres quotidiennes, le cadre du programme se dessinait. Il reposait sur un processus de **planification-action-réflexion**. Les éducateurs donnaient aux enfants le temps de planifier leurs activités de jeu, de les réaliser, puis de réfléchir à ce qu'ils avaient fait. Un autre aspect important du programme résidait dans l'**intérêt porté aux parents**. Lors de visites à domicile, les éducateurs partageaient avec les parents leurs idées sur l'apprentissage et le développement des enfants sans jamais enseigner directement ni aux parents ni aux enfants. Ils favorisaient la réflexion des parents sur l'éducation, tandis que les parents les informaient des intérêts et des besoins des enfants et des familles.

En 1970, David P. Weikart quitta le regroupement des écoles publiques d'Ypsilanti et créa la High/Scope Educational Research Foundation. S'intéressant toujours à l'apprentissage actif et au développement cognitif, il se concentra sur l'approche préscolaire (alors appelée *cognitively oriented curriculum*) qu'il avait conçue avec son équipe dans le cadre du Perry Preschool Project. Le personnel de la fondation High/Scope continue encore aujourd'hui de développer et de promouvoir cette approche d'apprentissage actif auprès de la petite enfance. Le présent ouvrage regroupe les fruits de ce travail et fournit les lignes directrices pour l'élaboration et la réalisation de programmes d'apprentissage actif de qualité à l'intention des jeunes enfants. Voyons brièvement les principes directeurs de cette approche.

L'approche High/Scope au préscolaire : « la roue de l'apprentissage »

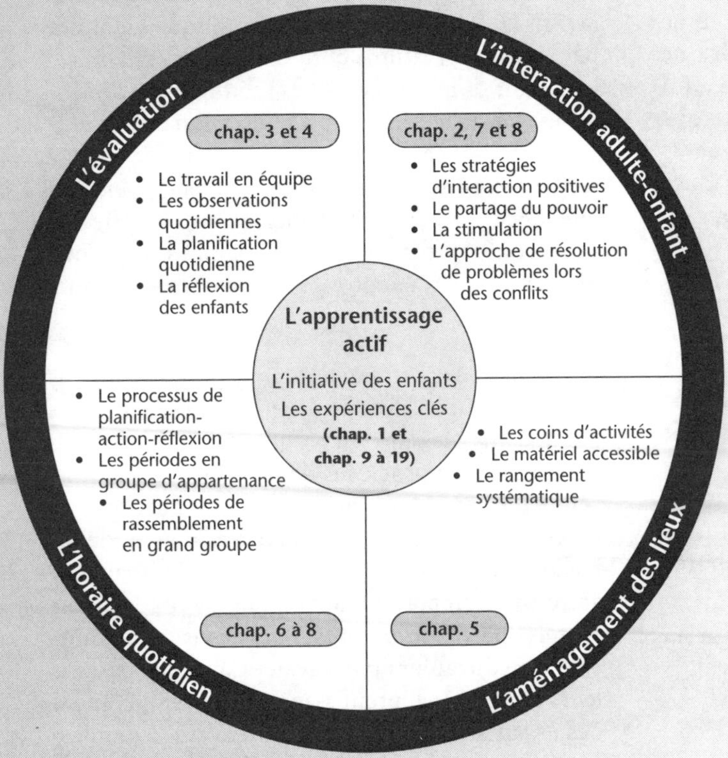

« La roue de l'apprentissage » High/Scope et le présent ouvrage

L'apprentissage actif

Chapitre 1
L'apprentissage actif et la construction des connaissances chez l'enfant
Chapitre 12
L'estime de soi et les relations interpersonnelles
Partie III
Des expériences clés pour le développement de l'enfant (chapitres 9 à 19)

L'interaction adulte-enfant

Chapitre 2
Un climat de soutien démocratique : les fondements d'une interaction adulte-enfant positive
Chapitre 7
Le processus de planification-action-réflexion
Chapitre 8
Le groupe d'appartenance, les rassemblements, les jeux extérieurs et les transitions

L'aménagement des lieux

Chapitre 5
Aménager les lieux de façon à favoriser l'apprentissage actif

L'horaire quotidien

Chapitre 6
L'horaire quotidien : la structure de l'apprentissage actif
Chapitre 7
Le processus de planification-action-réflexion
Chapitre 8
Le groupe d'appartenance, les rassemblements, les jeux extérieurs et les transitions

L'évaluation

Chapitre 3
L'importance des liens qui se tissent entre la famille et les milieux éducatifs favorisant l'apprentissage actif
Chapitre 4
Travailler en équipe : l'indispensable coopération entre les adultes pour favoriser l'apprentissage actif

Les principes directeurs du programme préscolaire High/Scope

Les principes qui guident le travail quotidien des éducateurs qui appliquent l'approche High/Scope auprès de la petite enfance sont inscrits sur « la roue de l'apprentissage » préscolaire. Cette section présente brièvement chacun de ces principes, qui seront approfondis dans les chapitres suivants.

L'apprentissage actif

L'apprentissage actif permet aux enfants de construire une connaissance sur laquelle se fonde la compréhension de leur univers. L'émergence de cette compréhension résulte de l'expérience directe et immédiate de la réalité et de la réflexion qui accompagne cette expérience. L'apprentissage actif repose donc sur l'**initiative personnelle.** Les jeunes enfants se laissent guider par leur désir inné d'explorer : ils cherchent des réponses à leurs interrogations sur les gens, les objets, les événements et les idées qui éveillent leur curiosité, ils résolvent les problèmes qui freinent leurs projets et ils conçoivent de nouvelles stratégies d'expérimentation.

En donnant suite à leurs intentions, les enfants s'engagent inévitablement dans des **expériences clés d'interactions continues et créatives avec des personnes, du matériel et des idées qui favorisent leur développement intellectuel, affectif, social et physique.** Par exemple, les expériences clés engagent les enfants dans des jeux de mots, des jeux de rôles et de faire-semblant, la construction de relations avec les autres enfants et les adultes, l'expression de leur créativité par le mouvement, la chanson, le tri, l'association, l'énumération et l'assemblage d'objets et l'anticipation d'événements. Le succès de l'approche High/Scope au préscolaire repose sur le soutien des initiatives des enfants et sur la compréhension des situations d'apprentissage à la lumière des expériences clés. Les expériences d'apprentissage actif ont un impact sur tous les aspects du travail auprès des enfants et constituent le cœur du programme préscolaire.

L'interaction adulte-enfant

L'apprentissage actif repose sur des interactions positives entre les adultes et les enfants. Conscients de l'importance d'offrir aux jeunes enfants un climat de confiance, les adultes s'efforcent d'offrir une présence rassurante lorsqu'ils communiquent et jouent avec les enfants. Tout au long de la journée, guidés par une compréhension du mode de pensée et de raisonnement des enfants, les adultes adoptent des stratégies d'interaction positives telles que partager le pouvoir avec les enfants, se concentrer sur leurs forces, les stimuler, établir des relations positives avec eux, soutenir leur jeu et adopter une approche de résolution de problèmes lors des conflits. Ainsi, lorsqu'un enfant parle d'un sujet qui l'intéresse, l'adulte l'écoute attentivement et ne formule que des commentaires et des observations pertinents. Ce style d'interaction permet aux enfants d'exprimer librement et en toute confiance leurs pensées et leurs sentiments, de choisir l'orientation et le contenu de la conversation et d'expérimenter un dialogue d'égal à égal avec l'adulte. Les adultes favorisent la coopération et l'approche de résolution de problèmes pour composer avec toutes les situations courantes plutôt que l'utilisation de l'éloge, de la punition ou de la récompense.

L'aménagement des lieux

L'effet majeur de l'environnement physique sur le comportement des enfants et des adultes justifie la **grande importance accordée à l'aménagement et au choix du matériel** des maternelles et des services de garde. Un environnement d'apprentissage actif offre aux enfants de multiples occasions de faire des choix et de prendre des décisions. Aussi les éducatrices organisent-elles l'espace de jeu en différents **coins d'activités** afin de maintenir l'intérêt des enfants pour les jeux d'eau et de sable, les jeux de construction, les jeux de faire-semblant et les jeux de rôles, le dessin et la peinture, la « lecture » et l'« écriture », la sériation et la classification d'objets, les jeux psychomoteurs, le chant et la danse. Ces coins d'activités offrent du **matériel** abondant et varié que les enfants peuvent choisir d'utiliser à leur guise pour jouer et réaliser des projets et des expériences. Du matériel de récupération, des objets provenant de la nature, du matériel acheté ou fabriqué de façon artisanale offrent chaque jour aux enfants de belles occasions de s'engager délibérément et de manière créative dans des expériences clés. Afin que tout ce matériel soit accessible et que les enfants puissent l'utiliser de façon autonome, les éducatrices organisent un **rangement systématique** sur des étagères à la portée des enfants et dans des boîtes transparentes dont le contenu est identifié par des images ou des pictogrammes que les enfants pourront lire.

L'horaire quotidien

En plus d'aménager le local, les éducatrices élaborent un **horaire quotidien stable et propice à**

l'apprentissage actif. Cet horaire permet aux jeunes enfants de se situer dans le temps et leur donne le pouvoir de se prendre en main. L'horaire quotidien accorde une place de choix au **processus de planification-action-réflexion** grâce auquel les enfants peuvent exprimer leurs intentions, les réaliser puis réfléchir à ce qu'ils ont fait. Les éducatrices déclenchent ce processus en posant une question appropriée, par exemple « Qu'est-ce que tu aimerais faire ? ». Chaque enfant élabore et présente son projet puis l'actualise, ce qui peut durer aussi peu que quelques minutes ou aussi longtemps qu'une heure. Durant cette période d'ateliers libres, les enfants choisissent souvent des jeux de rôles ou de faire-semblant, des jeux de construction avec des blocs ou des activités d'arts plastiques, au terme desquels les éducatrices encouragent les enfants à faire un retour sur leurs expériences. Les enfants peuvent alors réfléchir à ce qu'ils ont fait en échangeant avec leurs pairs et l'éducatrice ou par tout autre moyen, tel le dessin. La **période en groupe d'appartenance** encourage les enfants à explorer et à expérimenter avec du matériel nouveau ou familier que les éducatrices ont choisi en fonction de l'intérêt des enfants, en fonction des expériences clés ou en fonction d'événements particuliers. Pendant la **période de rassemblement en grand groupe**, tant les enfants que les éducatrices peuvent amorcer des activités comme des mises en scène d'histoires, des discussions de groupe, des chansons, de la danse créative, des jeux et des projets coopératifs. Grâce à cet horaire quotidien commun axé sur diverses possibilités d'apprentissage actif, les enfants et les adultes acquièrent un sentiment d'appartenance à une communauté.

L'évaluation

L'évaluation est un processus qui regroupe une série de tâches que les éducatrices effectuent pour s'assurer que toutes les ressources et les énergies disponibles sont mises au service de l'observation des enfants, des interventions éducatives et du processus de planification. Un **travail d'équipe** quotidien qui s'appuie sur le soutien mutuel des adultes concernés constitue une base solide pour les éducatrices qui travaillent ensemble. Tous les jours, une équipe restreinte formée des membres du personnel qui collaborent plus étroitement recueille des informations précises, explicites et exactes au sujet des enfants en observant ces derniers et en intervenant auprès d'eux. Les membres consignent dans des **rapports anecdotiques** ce qu'ils voient et entendent. Cette équipe restreinte – que nous appelons la cellule de soutien mutuel – détermine un **temps de rencontre quotidien** pour discuter de la planification d'activités. Les éducatrices partagent alors leurs observations des enfants et les analysent au regard des expériences clés afin d'élaborer les stratégies d'intervention pour la journée suivante. À l'occasion, la cellule de soutien mutuel utilise les informations recueillies pour compléter l'évaluation de chacun des enfants au regard d'une expérience clé particulière. Les éducatrices tirent de leurs observations et de leurs discussions quotidiennes l'information nécessaire pour remplir leurs fiches d'évaluation. L'évaluation est donc directement liée au travail d'équipe et à la ferme volonté de soutenir l'enfant dans les expériences qu'il vit à partir de ses champs d'intérêt et de ses forces.

Les cinq principes directeurs de cette approche – l'apprentissage actif, les interactions positives entre les adultes et les enfants, l'aménagement stimulant l'apprentissage, un horaire quotidien stable et l'évaluation des enfants par la cellule de soutien mutuel – constituent le cadre de référence de l'approche High/Scope. Cet ouvrage explique chacun de ces principes et suggère aux éducatrices des moyens pour les mettre en pratique dans le cadre de leur travail auprès de jeunes enfants.

On peut comparer ces principes directeurs à ceux que le ministère de la Famille et de l'Enfance[2] a retenus pour le programme pédagogique réglementaire, à savoir :

> [...] l'unicité de chaque enfant, son développement global et intégré, son rôle actif dans son propre développement, le jeu comme modalité privilégiée d'apprentissage et de développement ainsi que la collaboration essentielle entre le personnel éducateur et les parents.

De plus, « l'aménagement par coins d'activités, le fonctionnement par ateliers et le mode d'intervention démocratique du personnel éducateur[3] » qui

2. Ministère de la Famille et de l'Enfance. *Programme éducatif des centres de la petite enfance*, Les Publications du Québec, 1997, p. 35.

3. *Ibid.*, p. 36.

sont préconisés pour l'application des principes pédagogiques ministériels font partie intégrante de l'approche de l'apprentissage actif.

De même, le programme révisé de la maternelle québécoise reprend cette conception de l'enfant comme moteur de ses apprentissages à partir de ses actions et de sa réflexion. En effet, l'objectif général du programme se lit ainsi[4] :

> Permettre à l'enfant de 4 ou 5 ans de développer des compétences d'ordre psychomoteur, affectif, social, cognitif et méthodologique relatives à la connaissance de soi, à la vie en société et à la communication. L'enfant, soutenu par l'intervention de l'enseignante ou de l'enseignant, s'engage dans des situations d'apprentissage tirées de son monde du jeu et de ses expériences de vie pour qu'il devienne un élève actif et réfléchi dans ses apprentissages.

Par ailleurs, les valeurs préconisées par le programme des maternelles – confiance en soi, autonomie, sens des responsabilités, respect, entraide, coopération, engagement, persévérance – sont aussi mises de l'avant dans l'approche de l'apprentissage actif.

Les principes directeurs et les valeurs sous-jacentes au programme High/Scope ont sûrement influé sur le choix ministériel. De plus, la réputation de cette approche n'est plus à faire, et ses effets sur les enfants sont bien documentés.

L'efficacité du programme High/Scope au préscolaire

Depuis plusieurs années, les chercheurs ont étudié la valeur de l'approche High/Scope pour les enfants du préscolaire en recueillant des données tant sur les expériences du projet Perry Preschool High/Scope que sur celui du High/Scope Preschool Curriculum Demonstration. Entre 1989 et 1992, les chercheurs de la fondation High/Scope ont aussi mené une évaluation du projet de formation des éducateurs High/Scope pour étudier les résultats de leur programme de formation. Cette section résume les résultats de ces recherches et explique comment l'approche engendre des retombées bénéfiques pour les enfants, les familles, et même pour la société.

Les avantages du programme High/Scope

Les plus récentes données (Schweinhart et autres, 1993) sur les retombées de l'approche High/Scope proviennent de l'étude de dossiers et d'entrevues menées auprès d'anciens élèves qui ont participé au projet Perry Preschool de 1962 à 1967. En plus des informations recueillies directement auprès des anciens élèves au fil des années (les participants avaient 27 ans lors des plus récentes entrevues), les chercheurs ont aussi examiné leurs dossiers scolaires et judiciaires et les registres des services sociaux. En les comparant à un groupe témoin, ils ont trouvé des différences significatives en faveur des jeunes de 27 ans qui ont participé au programme favorisant l'apprentissage actif, sur les plans :

- de l'intégration sociale,
- des revenus et de la situation économique,
- de l'engagement conjugal.

Ces résultats indiquent qu'un programme préscolaire de qualité comme le programme High/Scope peut accroître sensiblement le degré de réussite que les enfants atteindront par la suite et qu'il peut améliorer la qualité de leurs contributions futures sur les plans familial et social. Il semble donc qu'un tel programme préscolaire, privilégiant l'organisation d'activités issues des intérêts des enfants, contribue au développement du **sens des responsabilités** et à l'**intégration sociale**.

Finalement, on a étudié les retombées sur les enfants en observant méthodiquement 97 enfants dans des groupes appliquant le programme High/Scope et 103 autres enfants qui participaient à d'autres programmes préscolaires. Ce dernier volet de la recherche a mis en évidence que les enfants dans les programmes High/Scope démontraient un net avantage au regard de la capacité de prendre des initiatives et d'établir des relations interpersonnelles et au regard du développement intellectuel et moteur. Par ailleurs, les enfants du groupe témoin n'ont obtenu aucun résultat supérieur à ceux obtenus par les enfants des programmes High/Scope au cours de l'ensemble des évaluations qui ont été faites.

4. Ministère de l'Éducation du Québec, *Le programme d'éducation préscolaire*, Les Publications du Québec, 1997, p. 87.

- **Prendre des initiatives et établir des relations sociales.** Les enfants inscrits dans des programmes High/Scope entreprenaient des jeux plus complexes et participaient à un plus grand nombre d'activités proposées par les éducateurs. Leurs relations sociales s'avéraient aussi d'une qualité supérieure à celles des enfants des autres programmes. Ils établissaient un plus grand nombre de relations interpersonnelles et faisaient preuve de coopération avec leurs pairs ; ils démontraient aussi un plus grand sens de l'initiative et une plus grande habileté pour résoudre des conflits interpersonnels.
- **Le développement intellectuel.** Les enfants participant aux groupes High/Scope ont obtenu de meilleurs résultats sur les plans de la représentation créative, de la classification et du langage.
- **Le développement moteur.** Les enfants du programme High/Scope parvenaient mieux à combiner leur capacité d'écoute et leur besoin de bouger, et à concentrer leurs énergies lors d'activités sollicitant leur capacité motrice.

La clé du succès de cette approche

En examinant les résultats des évaluations de l'approche High/Scope, on peut expliquer son succès dans les termes suivants : **Cette approche permet le développement du sens de l'initiative et de dispositions sociales positives chez les enfants d'âge préscolaire dans un environnement stimulant l'apprentissage actif ; elle a des effets positifs sur le développement subséquent des sujets et augmente leurs possibilités de réussite à l'âge adulte.**

Depuis ses débuts avec le projet Perry Preschool, l'approche High/Scope pour le préscolaire a stimulé le sens de l'initiative chez les enfants et le goût du risque. À travers le processus quotidien de planification-action-réflexion, les enfants verbalisent leurs intentions et élaborent leurs projets personnels, ils les concrétisent, puis ils réfléchissent sur leurs réalisations. En tant qu'apprenants actifs, les enfants développent leurs intérêts personnels, trouvent des façons d'obtenir des réponses satisfaisantes à leurs questions et partagent leurs découvertes avec les autres. Grâce au soutien des adultes qui démontrent un intérêt sincère pour ce qu'ils disent et font, les enfants sont capables de construire leur propre compréhension du monde qui les entoure ; de plus, ils acquièrent la conviction qu'ils sont capables d'exercer du pouvoir et augmentent leur satisfaction personnelle. Le programme High/Scope fonctionne bien avec les enfants d'âge préscolaire parce qu'il leur donne les moyens de poursuivre les intérêts intrinsèques qui les animent de façon créative et avec détermination. Ce faisant, les enfants développent leur initiative et leur capacité de prendre des risques, ils stimulent leur motivation, leur curiosité, leur autonomie, leur débrouillardise et leur sens des responsabilités – bref, ils acquièrent des qualités, des attitudes et des habiletés qui leur seront utiles au cours de toute leur vie.

Partager le plaisir d'apprendre

Nous avons tout au long de la traduction et de l'adaptation pensé aux étudiantes, aux éducatrices et aux parents pour qui le moment de lecture se situe souvent après de longues journées de travail. Pour cette raison, l'ouvrage est rédigé dans un vocabulaire très accessible, il est parsemé de situations concrètes et de photos qui facilitent la compréhension de l'approche éducative. Nous souhaitons que la réflexion à laquelle nous convions les lecteurs leur permette de constater qu'ils peuvent apprendre beaucoup des enfants dans une atmosphère de plaisir et nous espérons qu'ils partageront leurs découvertes.

PARTIE I

Une approche pédagogique centrée sur l'apprentissage actif

CHAPITRE 1

L'apprentissage actif et la construction des connaissances chez l'enfant

[...] *l'enfant piagétien apprend par l'action, c'est par l'expérience avec l'objet qu'il construit son savoir* [...].
BARTH BRITT-MARI, 1993.

1.1 L'importance du développement global de la personne dans l'élaboration d'une approche éducative

L'approche pédagogique préconisée dans cet ouvrage est fondée sur la conviction que l'**apprentissage actif** est essentiel au développement intégral de l'être humain et que la richesse de cet apprentissage repose sur un environnement qui offre des **occasions d'apprendre reliées à tous les aspects du développement de l'enfant**. Par conséquent, le but ultime de la pratique éducative auprès de la petite enfance consiste à établir un « cadre de référence ouvert et flexible », un modèle opérationnel souple pouvant soutenir une intervention éducative centrée sur le développement global et adaptée à différents milieux de vie. Ces considérations fondent les hypothèses de base suivantes concernant la croissance et le développement humains :

- L'être humain développe ses capacités selon des séquences prévisibles tout au long de sa vie. Le processus de maturation engendre l'apparition de nouvelles capacités.
- Quoique le développement de la personne soit relativement prévisible, chaque personne présente dès sa naissance des caractéristiques que les interactions quotidiennes avec la réalité viendront renforcer pour en faire une personnalité unique. L'apprentissage est ainsi tributaire des caractéristiques et des habiletés de chaque individu ainsi que des situations de vie uniques qui lui seront offertes.
- Il y a des moments durant le cycle d'une vie où certains types d'apprentissage se font mieux et de façon plus efficace, et où certaines méthodes éducatives conviennent mieux que d'autres.

Dans la perspective du développement global de la personne, si l'on suppose que le changement est à la base de l'existence, que chaque personne est unique et qu'il y a des moments plus propices que d'autres à certains types d'apprentissage, l'éducation peut se définir selon trois critères. Ainsi, une expérience, une méthode ou une intervention éducative, peu importe si l'initiative est prise par l'adulte ou par l'enfant, s'avère adéquate dans la mesure où :

1. elle stimule et favorise l'utilisation des capacités de l'apprenant lors de l'apparition de celles-ci à un stade donné du développement ;
2. elle encourage et aide l'apprenant à élaborer ses propres champs d'intérêt, à acquérir des habiletés et à concevoir et à réaliser ses projets ;
3. elle présente les expériences d'apprentissage au moment où l'apprenant est le plus apte à maîtriser, à généraliser et à retenir ce qu'il apprend, et à relier cet apprentissage à des expériences passées et à des attentes quant à l'avenir.

De plus, l'apprentissage est considéré comme une **expérience sociale** impliquant des interactions riches de sens. Comme les enfants apprennent à des rythmes différents et ont des champs d'intérêt et des expériences qui leur sont propres, ils auront plus de chances de développer tout leur potentiel si on les incite à interagir et à communiquer librement avec leurs pairs et avec les adultes. Ces expériences sociales surviennent dans le contexte d'activités fondées sur la réalité, planifiées et entreprises par les enfants, ou par le biais d'activités amorcées par l'adulte et à l'intérieur desquelles les enfants pourront s'exprimer, faire des choix et exercer leur leadership.

1.1.1 Apprentissage et changement sur le plan du développement

L'approche éducative favorisant l'apprentissage actif s'inspire en grande partie des travaux de Jean Piaget et de ses collègues sur le développement cognitif (1969, 1970), ainsi que de la philosophie d'éducation progressive de John Dewey (1933, 1963). Selon ces deux théoriciens, le développement humain se construit graduellement au cours d'une série de stades ordonnés et hiérarchisés. La démarche de l'apprentissage actif propre au préscolaire s'attarde plus spécifiquement à ce que Piaget nomme le **stade préopératoire**, qui se situe entre la **période sensorimotrice** (poupons et trottineurs) et la **période des opérations concrètes** (niveau de l'école primaire). Les tenants de l'éducation progressive et ceux du développement cognitif conçoivent l'apprentissage comme un **changement sur le plan du**

développement global de la personne. La vision de l'éducation progressive peut se traduire comme un « changement actif des schèmes de pensée provoqué par l'expérience de la résolution de problèmes » (Kohlberg et Mayer, 1972, p. 455). Elle postule aussi que le but ultime de l'éducation doit être de soutenir les interactions naturelles des enfants avec les personnes et l'environnement, parce que ce processus d'interaction stimule le développement « en présentant des problèmes ou des conflits réels et résolubles » (*ibid.*, p. 454).

Dans la même perspective, les **cognitivistes** décrivent l'apprentissage comme un processus à l'intérieur duquel l'enfant agit et interagit avec le monde immédiat pour construire un concept de la réalité de plus en plus élaboré. En vivant ses expériences, l'enfant se forme une idée incomplète de la réalité, ce qui le mène à établir des conclusions contradictoires ; le processus de résolution de ces contradictions provoque chez lui une réflexion et un apprentissage de plus en plus complexes. Par exemple, pour Clara, toutes les balles qui sont rondes rebondissent : « Ma balle de pâte à modeler est ronde. Elle va rebondir. » Après quelques expériences, Clara se rend compte de la contradiction – la balle de pâte à modeler est ronde, mais elle colle au plancher lorsqu'elle la lance par terre –, elle reconnaît le besoin de construire une façon de penser différente qui prendra en considération ses anciennes et ses nouvelles observations : « Ma balle bleue rebondit, mais celle qui est en pâte à modeler ne rebondit pas. » Il faut noter que même si Clara a ajusté son concept de la réalité pour s'accommoder de la nouvelle information, l'explication qu'elle apporte est encore incomplète, parce que les changements dans les étapes du développement apparaissent lentement, petit à petit. Selon le psychologue du développement John H. Flavell (1963, p. 50), les enfants « peuvent intégrer les éléments de la réalité dans la mesure où leurs structures mentales peuvent les assimiler sans changements radicaux ».

Le processus d'apprentissage peut se résumer ainsi : c'est une interaction des actions orientées par les objectifs de l'apprenant avec l'environnement qui influence ces actions. Les enfants construisent leur propre modèle de la réalité, et celui-ci se transforme en fonction des nouvelles expériences et de la confrontation avec le point de vue des autres.

1.1.2 L'apprentissage actif : un processus physique et mental complexe

L'adoption de cette vision de l'apprentissage comme étant un processus de changement sur le plan du développement permet de définir de la façon suivante l'apprentissage actif : **l'apprentissage actif est un processus par lequel l'enfant, en agissant directement sur les objets et en interagissant avec les personnes, les idées et les événements, construit une nouvelle compréhension de son univers.** Personne ne peut expérimenter ou construire la connaissance à la place de l'enfant.

Dans ce livre, le concept d'apprentissage actif s'articule autour de quatre éléments essentiels : l'action directe sur les objets ; la réflexion sur les actions ; la motivation intrinsèque, l'invention et la généralisation ; la résolution de problèmes. Nous illustrerons l'application de chacun de ces quatre éléments par des activités qu'expérimentent des enfants du préscolaire.

A. L'action directe sur les objets

L'apprentissage actif dépend de l'utilisation que l'on fait du **matériel**, que ce soit des objets de récupération, des objets trouvés, des objets provenant de la nature, des objets d'usage courant, des jouets, des appareils de toutes sortes ou des outils variés. Il débute quand le jeune enfant manipule les objets en utilisant son corps et tous ses sens pour les découvrir. Le fait d'agir sur les objets apporte à l'enfant quelque chose de **réel** pour penser et pour communiquer avec les autres. Les expériences **concrètes** avec le matériel et les personnes permettent la formation graduelle des concepts abstraits chez l'enfant. Flavell (1963, p. 367) mentionne ceci :

> Les enfants agissent réellement sur le matériel, ce qui compose la base de leur apprentissage ; les actions sont aussi concrètes et directes que le matériel le permet.

B. La réflexion sur les actions

L'action en elle-même n'est pas suffisante pour apprendre. Pour comprendre leur monde immédiat, les enfants doivent interagir de façon **réfléchie** avec celui-ci. La compréhension du monde peut

> **L'importance d'une résolution de problèmes autonome**
>
> Les expériences dans lesquelles les enfants du préscolaire arrivent à produire certains effets, contrairement à celle qui consiste à regarder la télévision, sont essentielles au développement de la pensée, parce que la logique de l'enfant se construit à partir des efforts qu'il fait pour interpréter les informations recueillies au cours de telles expériences ; l'interprétation d'une nouvelle information modifie les structures interprétatives mêmes de l'enfant à mesure qu'il s'efforce d'élaborer un modèle interne plus logique de la réalité. Par conséquent, si nous voulons que les enfants du préscolaire résolvent les problèmes de façon intelligente, il semble évident que pour y arriver il faut leur offrir de multiples occasions de résoudre des problèmes qui les intéressent, c'est-à-dire des problèmes qui se dégagent de leurs propres tentatives pour comprendre le monde.

s'échafauder lorsque les actions sont engendrées par le besoin de vérifier une idée ou de trouver des réponses à des questions. Un jeune enfant qui essaie d'attraper une balle est placé devant une question comme celle-ci : « Hum ! je me demande ce que fait cette chose. » En agissant, c'est-à-dire en empoignant la balle, en la goûtant, en la mâchant, en la laissant tomber, en la poussant, en la roulant et en réfléchissant sur ses actions, l'enfant commence à répondre à sa question et à construire une compréhension personnelle de ce que fait la balle. Autrement dit, les actions de l'enfant et la réflexion sur ses actions suscitent le développement de la pensée et de la faculté de comprendre. Par conséquent, l'apprentissage actif présuppose les deux composantes suivantes : une **activité physique** interactive avec les objets, qui a pour but de produire un effet, et une **activité mentale** d'interprétation de ces effets et d'inclusion de cette interprétation dans une compréhension du monde plus complète.

C. La motivation intrinsèque, l'invention et la généralisation

Dans la perspective de l'apprentissage actif, l'élan pour apprendre vient vraiment de l'intérieur de l'enfant. Les intérêts personnels de l'enfant, ses questions et ses intentions conduisent à l'exploration, à l'expérimentation et à la construction de nouvelles connaissances et d'une nouvelle compréhension du monde. Les enfants qui apprennent activement sont des questionneurs et des inventeurs. Ils émettent des hypothèses (« Je me demande comment je peux faire tenir sur mon dos ce bloc qui me servira de bouteille de plongée sous-marine. »), puis ils vérifient celles-ci en utilisant et en combinant des matériaux d'une façon qu'ils jugent signifiante. En tant qu'inventeurs, les enfants créent des solutions et des productions uniques : « J'ai essayé d'attacher le bloc avec un lacet, mais il tombait toujours. Avec un ruban adhésif, il tient. »

Les créations des enfants peuvent parfois être désordonnées, instables ou dénuées de sens pour les adultes. Cependant, il ne faut pas oublier que le processus par lequel les enfants pensent et réalisent ces créations est le moyen qui leur permet de comprendre le monde. Il importe aussi de reconnaître que les erreurs des enfants (« Le lacet ne retient pas le bloc. ») sont aussi importantes que leurs succès, car elles apportent des informations essentielles à leurs hypothèses de départ. L'apprentissage actif se définit donc comme un processus évolutif et inventif par lequel les enfants combinent du matériel, des expériences et des idées pour produire des effets qui sont nouveaux pour eux. Les adultes tiennent souvent pour acquises les lois de la nature et de la logique, alors que chaque enfant les découvre par lui-même comme s'il était le premier à le faire.

D. La résolution de problèmes

Les expériences dans lesquelles les enfants obtiennent un effet qu'ils ont prévu ou non s'avèrent déterminantes pour le développement de leur habileté à penser et à raisonner. Quand les enfants éprouvent des problèmes concrets – que ce soit parce qu'ils obtiennent des résultats inattendus ou qu'ils butent contre des obstacles pendant la réalisation de leur projet –, le processus de conciliation de l'imprévu et du connu stimule l'apprentissage et le développement. Par exemple, Roberto, un enfant qui fait semblant de cuisiner une soupe, essaie de fermer le chaudron avec un couvercle. Il s'attend à ce que le couvercle couvre entièrement l'ouverture du chaudron, mais le couvercle tombe dans la soupe et éclabousse sa main. Roberto sait par expérience que le couvercle doit s'ajuster au chaudron ; alors il essaie plusieurs autres couvercles jusqu'à ce qu'il trouve celui qui convient, celui qui ne tombe pas dans la soupe. Par la répétition d'expériences de ce genre, il apprendra à considérer la dimension de n'importe quel couvercle en relation avec la dimension de l'ouverture du contenant.

1.1.3 Le rôle de soutien des éducatrices dans l'apprentissage actif des enfants

Sachant que les enfants apprennent par le biais de leurs expériences et de leurs découvertes, quel est le rôle des éducatrices dans un environnement préconisant l'apprentissage actif ? Au sens large, elles **soutiennent le développement** et, de ce fait, elles visent avant tout à favoriser l'apprentissage actif chez l'enfant. Elles ne **disent** pas à l'enfant quoi et comment apprendre ; elles l'**autorisent** plutôt à prendre en charge son propre apprentissage.

Les jeunes enfants et les adultes pensent différemment

Apprendre à comprendre le monde est un processus lent et graduel par lequel les enfants essaient d'intégrer de nouvelles observations à ce qu'ils savent déjà ou à ce qu'ils croient comprendre de la réalité. Ils arrivent alors à des conclusions singulières, conclusions qui, du point de vue de l'adulte, peuvent être perçues comme des erreurs. Les intervenants auprès des enfants doivent reconnaître que cette façon de penser fait partie du processus d'apprentissage actif et accepter que les enfants ne raisonnent pas comme des adultes. Avec le temps, la pensée des enfants s'apparentera à celle des adultes. Afin d'illustrer la différence entre la pensée des adultes et celle des enfants du préscolaire, nous vous présentons quelques faits.

C'est vivant ! « Ça court après moi ! » s'exclame Erika, âgée de 4 ans, tandis qu'elle s'éloigne d'un filet d'eau qui coule. Elle tente d'apprendre à partir d'une expérience directe. La distinction entre le vivant et le non-vivant n'est pas toujours évidente pour les jeunes enfants. Pour eux, le mouvement équivaut souvent à la vie, et ils se demandent quand les animaux ou les parents qui sont morts vont revivre.

Des définitions concrètes. Lors d'une causerie, les enfants parlent de l'orage survenu la nuit précédente. L'éducatrice s'exclame : « C'était un très gros orage, il pleuvait des cordes.
– Je ne les ai pas vues, les cordes, dehors ce matin. Où sont-elles tombées ? demande Jérôme.
– Est-ce qu'il pleuvait des cordes à danser aussi ? » ajoute Chantal.

Les jeunes enfants construisent le sens des mots à partir de leurs propres expériences. Aussi ont-ils pensé qu'il pleuvait de vraies cordes, car ils n'avaient jamais remarqué que lors de gros orages la pluie ne tombe pas en fines gouttes, mais comme de longues cordes d'eau.

Un mélange de pensée intuitive et de pensée scientifique. « Regarde, mon aimant attrape les clous, dit Élise à son ami Thomas.
– On attrape des clous parce que nos aimants ont beaucoup de pouvoirs.
– Mais ils ne peuvent pas attraper ces bâtons. Ils n'ont pas tant de pouvoirs que ça. »

Élise et Thomas ont construit leurs idées à partir d'observations attentives (les aimants attrapent les clous mais non les bâtons), d'intuition et d'imagination (les aimants attrapent certains objets parce qu'ils ont des pouvoirs spéciaux).

Une chose à la fois. Étant donné que les enfants se concentrent généralement sur une chose à la fois, ils ne font habituellement pas de formulation du genre « aussi… et ». Par exemple, Charles demande à son amie Vanessa si elle possède un animal domestique ; elle répond qu'elle n'en a pas. Cette réponse n'empêche pas Charles de lui demander si elle possède un chat. Lorsque Vanessa répond qu'elle n'a pas de chat, Charles demande si elle a un chien. Vanessa répond qu'elle a un chien et Charles lui confie qu'il a un chien aussi. Ni l'un ni l'autre ne se soucie du fait que le chien de Vanessa est également un animal domestique.

Juger selon les apparences. Les jeunes enfants ont tendance à porter des jugements sur les quantités en se basant sur les apparences. Par exemple, ils affirment qu'un 5 sous vaut plus qu'un 10 sous parce qu'il est plus gros. Ils peuvent aussi penser que si l'on verse 250 millilitres de jus dans deux verres de formes différentes, il y a plus de jus dans le petit verre parce que le petit verre est plein et que le grand verre ne l'est pas.

En adoptant ce rôle, elles ne sont pas seulement actives et participantes, elles sont aussi des observatrices qui réfléchissent ; **elles sont consciemment des observatrices participantes.**

Pendant que les enfants interagissent avec le matériel, les personnes, les opinions, les concepts et les événements pour construire leur propre compréhension de la réalité, **les éducatrices les observent et interagissent avec eux afin de découvrir leurs modes de réflexion et de raisonnement.** Elles s'efforcent de cerner les champs d'intérêt et les habiletés propres à chaque enfant afin d'offrir un

Les expériences clés

La représentation créative et l'imaginaire
- Reconnaître les objets en utilisant ses cinq sens (le toucher, la vue, l'ouïe, le goût et l'odorat).
- Imiter des gestes, des mouvements et des sons.
- Associer des modèles réduits, des figurines, des illustrations et des photographies à des lieux, à des personnes, à des personnages, à des animaux et à des objets réels.
- Imiter, faire des jeux de rôles et faire semblant.
- Fabriquer des sculptures et des structures avec de l'argile, des blocs et d'autres matériaux.
- Dessiner et peindre.

Le développement du langage et le processus d'alphabétisation
- Parler avec les autres de ses expériences personnelles significatives.
- Décrire des objets, des événements et des corrélations.
- Jouer avec les mots : écouter des histoires, des comptines et des poèmes, inventer des histoires et faire des rimes.
- Écrire de diverses façons : en dessinant, en gribouillant, en dessinant des formes qui ressemblent à des lettres, en inventant des symboles, en reproduisant des lettres.
- Décoder des supports de lecture variés : lire des livres d'histoires et d'images, des signes et des symboles, ses propres écrits.
- Dicter une histoire à un adulte.

L'estime de soi et les relations interpersonnelles
- Faire des choix et les exprimer, élaborer des projets et prendre des décisions.
- Résoudre les problèmes qui surgissent au cours des périodes de jeu.
- Développer son autonomie en répondant à ses besoins personnels.
- Exprimer ses sentiments à l'aide de mots.
- Participer aux activités de groupe.
- Être sensible aux sentiments, aux intérêts et aux besoins des autres.
- Créer des liens avec les enfants et les adultes.
- Concevoir et expérimenter le jeu coopératif.
- Résoudre les conflits interpersonnels.

Le mouvement
- Bouger sans se déplacer : se pencher, se tortiller, vaciller, balancer les bras.
- Bouger en se déplaçant : courir, sauter, sautiller, gambader, bondir, marcher, grimper.
- Bouger avec des objets.
- Exprimer sa créativité par le mouvement.
- Décrire des mouvements.
- Modifier ses mouvements en réponse à des indications verbales ou visuelles.
- Ressentir et reproduire un tempo régulier.
- Suivre des séquences de mouvements en respectant un tempo commun.

La musique
- Bouger au son de la musique.
- Explorer et reconnaître des sons.
- Explorer sa voix.

soutien et des défis adaptés. Il s'agit là d'un rôle complexe dans lequel l'éducatrice se perfectionne à mesure qu'elle devient plus habile à reconnaître et à satisfaire les besoins de développement de chaque enfant. En résumé, les éducatrices soutiennent les enfants :

- en organisant l'environnement et l'emploi du temps de façon à favoriser l'apprentissage actif ;
- en établissant un climat propice aux interactions sociales positives ;
- en encourageant les initiatives, la résolution de problèmes et la réflexion explicite chez les enfants ;
- en observant et en interprétant les actions de chaque enfant à la lumière des principes de développement concrétisés par les expériences clés de l'apprentissage actif ;
- en planifiant des expériences basées sur les actions et les champs d'intérêt des enfants.

L'objectif premier de ce livre est de décrire en détail ces aspects du rôle de l'éducatrice. Voilà

au préscolaire

- Développer le sens de la mélodie.
- Chanter des chansons.
- Jouer avec des instruments de musique simples.

La classification

- Explorer, reconnaître et décrire les similitudes, les différences et les caractéristiques des objets.
- Reconnaître et décrire les formes.
- Trier et apparier.
- Utiliser et décrire un objet de différentes façons.
- Tenir compte de plus d'une caractéristique d'un objet à la fois.
- Discriminer les concepts « quelques » et « tous ».
- Décrire les caractéristiques qu'un objet ne possède pas ou indiquer la catégorie à laquelle il n'appartient pas.

La sériation

- Comparer les attributs (plus long/plus court, plus gros/plus petit).
- Ordonner plusieurs objets selon une série ou une séquence et en décrire les particularités (gros/plus gros/encore plus gros, rouge/bleu/rouge/bleu).
- Associer un ensemble d'objets à un autre par essais et erreurs (petite tasse, petite soucoupe/moyenne tasse, moyenne soucoupe/grande tasse, grande soucoupe).

Les nombres

- Comparer le nombre d'objets de deux ensembles afin de comprendre les concepts « plus », « moins » et « égal ».
- Associer deux ensembles d'objets selon une correspondance de un à un.
- Compter des objets.

L'espace

- Remplir et vider.
- Assembler et démonter des objets.
- Modifier la forme et la disposition des objets (emballer, entortiller, étirer, empiler, inclure).
- Observer des personnes, des lieux et des objets à partir de différents points d'observation.
- Expérimenter et décrire l'emplacement, l'orientation et la distance dans des lieux diversifiés.
- Expliquer les relations spatiales dans des dessins, des illustrations, des photographies.

Le temps

- Commencer et arrêter une action à un signal donné.
- Expérimenter et décrire des vitesses de mouvement.
- Expérimenter et comparer des intervalles de temps.
- Prévoir, se rappeler et décrire des séquences d'événements.

pourquoi le texte est parsemé d'exemples illustrant des stratégies pour soutenir l'enfant.

1.1.4 Les expériences clés : un cadre de référence pour comprendre l'apprentissage actif

L'approche éducative favorisant l'apprentissage actif repose sur un ensemble de convictions concernant l'apprentissage et l'intervention pédagogique. Les éducatrices qui partagent ces convictions déterminent le contenu de leur programme éducatif à partir d'expériences clés qui **s'articulent autour d'une série d'énoncés décrivant le développement social, cognitif et physique de l'enfant de 2 ans 1/2 à 5 ans.** Chaque énoncé met en valeur une expérience d'apprentissage actif essentielle à l'acquisition des habiletés fondamentales qui apparaissent pendant la petite enfance. Ces expériences ne doivent pas être

John Dewey à propos du rôle de l'adulte

« Le problème qui se pose à l'éducateur consiste à préserver le sens de la curiosité, à empêcher l'esprit de devenir blasé par la surexcitation, de s'engourdir sous l'effet de la routine, d'être fossilisé par une instruction dogmatique ou de s'éparpiller au hasard des expériences sans importance. »
(John Dewey, 1933, p. 34.)

comprises comme des sujets et des objectifs d'apprentissage, mais comme des expériences qui font partie de la vie quotidienne de chaque enfant. L'ensemble de ces expériences clés définit les types d'apprentissage que les enfants réalisent en interagissant avec les objets, les personnes, les idées, les concepts et les événements.

Comme les jeunes enfants s'engagent spontanément dans les expériences clés, le rôle des éducatrices consiste d'abord à créer un environnement propice à l'émergence de ces expériences si importantes pour le développement. Par la suite, lorsque les enfants y sont engagés, les éducatrices doivent reconnaître, soutenir, enrichir ces expériences et les poursuivre lorsque c'est possible. **La création d'un environnement riche en expériences clés, accompagnée du soutien approprié de l'éducatrice, constitue un élément essentiel à l'éducation des jeunes enfants.** Les expériences clés sont organisées autour des sphères suivantes : ***la représentation créative et l'imaginaire*; *le développement du langage et le processus d'alphabétisation*; *l'estime de soi et les relations interpersonnelles*; *le mouvement*; *la musique*; *la classification*; *la sériation*; *les nombres*; *l'espace*; *le temps*.** La partie III propose une explication détaillée de chacune de ces expériences.

1.2 La vie dans un environnement favorisant l'apprentissage actif

Jusqu'ici dans ce chapitre, nous avons exposé les grandes lignes de la conception de l'apprentissage actif, introduit ce concept et décrit brièvement le rôle de l'éducatrice qui soutient ce processus. Dans cette section, nous illustrerons l'implantation d'une approche centrée sur l'apprentissage actif dans les milieux préscolaires. Nous décrirons les actions des enfants et des éducatrices dans un environnement organisé en fonction de l'apprentissage actif, les façons dont les éducatrices et les enfants interagissent ainsi que les bénéfices à court terme et à long terme de la participation à un programme d'apprentissage actif.

1.2.1 La participation des enfants dans un environnement organisé en fonction de l'apprentissage actif

A. Les enfants entreprennent des activités à partir de leurs champs d'intérêt et de leurs intentions

Qu'est-ce qui permet d'affirmer que des enfants sont vraiment engagés dans un processus d'apprentissage actif ? Une des principales caractéristiques de ces enfants est qu'ils sont concentrés sur leurs propres actions et pensées. En voici un exemple.

> Jeff quitte la table d'arts plastiques et se dirige vers le chevalet pour prendre de la peinture verte. De son côté, Vanessa se lève pour presser son coude dans la pâte à modeler. Quant à Martin, il place son dessin par terre afin d'avoir plus d'espace. Ces actions provoquent une discussion :
>
> MARTIN. – Hé, Jeff ! Tu n'as pas rangé tes choses.
> JEFF. – Je peinture encore, j'ai besoin du vert.
> MARTIN. – Je peinture encore, moi aussi, et j'ai besoin de toutes les couleurs.
> VANESSA. – Regardez ! Regardez ! Des trous ! J'ai réussi !

Les enfants qui apprennent activement trouvent beaucoup de choses à faire et parlent souvent de ce qu'ils ont l'intention de faire. De prime abord, les éducatrices qui s'attendent à voir des groupes d'enfants calmes et occupés à la même activité au même moment peuvent avoir l'impression que cet environnement est désordonné. Mais celles qui reconnaissent l'importance de soutenir les enfants au cours de leur apprentissage se rendent compte que la **motivation intrinsèque** de l'enfant engendre un principe d'organisation efficace tant chez l'enfant que dans le groupe. Ainsi, un enfant qui a besoin de peinture verte, d'un tablier, d'un autre bloc ou de l'aide d'un ami peut répondre à son besoin de façon autonome parce qu'un environnement centré sur l'apprentissage actif favorise ce type de prise de décisions. Étant donné que les enfants peuvent faire des choix fondés sur leurs préférences et sur leurs interrogations, et qu'ils disposent du temps nécessaire pour donner suite à leurs projets, ils s'investissent intensément et ils expriment librement leurs idées, leurs découvertes et leurs observations. Conséquemment, avec le soutien adéquat de l'éducatrice, ils deviennent les agents actifs de leur propre apprentissage plutôt que les récepteurs passifs d'un apprentissage dirigé par l'adulte.

B. Les enfants choisissent le matériel et décident de son utilisation

Les programmes fondés sur l'apprentissage actif se distinguent par les nombreuses occasions qu'ils donnent aux enfants de faire des choix. Les jeunes enfants sont tout à fait capables de choisir du matériel et de décider de son utilisation. Comme certains éléments du matériel mis à leur disposition sont nouveaux, ils s'en servent souvent à d'autres fins que celles qui leur sont habituellement assignées. Les enfants sont inventifs, ils manipulent le matériel selon leurs préférences et leurs habiletés. Un enfant peut utiliser du ruban adhésif pour attacher des morceaux de papier, tandis qu'un autre s'en servira à l'extérieur pour attacher des cônes de pin, des fleurs séchées, des branches et des cailloux. Prenons l'exemple d'un groupe d'enfants qui s'affairent dans le coin d'arts plastiques avec du papier, de la colle, de la laine et des tubes provenant de rouleaux d'essuie-tout. Chaque enfant peut réaliser une œuvre différente en utilisant le même matériel :

- Denise coupe une pièce de papier en petits morceaux qu'elle place à l'intérieur d'un tube provenant d'un rouleau d'essuie-tout. « Il m'en faut encore plus », dit-elle en se levant pour voir à l'intérieur du tube qu'a déjà rempli sa copine.
- Daniel entoure un tube de carton avec de la laine, puis il met de la colle sur le bout de laine afin de « la faire tenir ».
- Catherine étend de la colle sur son papier et surveille Daniel. « Non, non », lui dit-elle lorsqu'il tente de faire rouler son tube sur le papier de Catherine afin de l'enduire de colle.

Lorsque les enfants sont libres de faire des choix, ils utilisent souvent le matériel de manière inattendue et créative.

- « Je vais faire un long truc pour espionner », annonce Joël en perçant des trous dans deux tubes pour les attacher ensemble.
- Kim coupe un tube en plusieurs anneaux qu'elle colle en rangée sur son papier.

La liberté de faire de tels choix est essentielle à l'apprentissage actif, car c'est en faisant des choix que les enfants découvrent davantage ce qui les intéresse, les questions à se poser, les contradictions à résoudre et les explications acceptables. Les éducatrices qui favorisent l'apprentissage actif comprennent l'importance de faire des choix. C'est pourquoi elles s'efforcent d'inclure au moins un élément de choix dans toutes les activités des enfants, même celles qui consistent à se laver les mains ou à remonter la fermeture éclair d'un manteau, activités que plusieurs adultes peuvent considérer comme fortuites dans un « vrai programme ». Les enfants, après tout, ne font pas de distinction entre le programme régulier et les événements fortuits. Ils abordent la plupart des situations avec le désir de s'y investir. En donnant aux enfants la possibilité de faire des choix dans toutes les activités d'un programme, et non seulement durant les « jeux libres », les éducatrices accroissent leur participation active et par conséquent leurs possibilités d'apprendre.

C. Les enfants explorent activement le matériel avec tous leurs sens

Dans un environnement centré sur l'apprentissage actif, tous les sens sont mis à contribution. Ainsi, le jeune enfant découvre les caractéristiques d'un objet en expérimentant celui-ci : il le prend, le tient, le presse, s'assoit dessus, rampe dessous, le laisse tomber, le brise, le sent, le goûte, le regarde sous tous ses angles et écoute les sons qu'il produit.

Quand les enfants explorent un objet et découvrent ses caractéristiques, ils commencent à comprendre son fonctionnement et l'agencement de ses différentes parties ; ils vont, de ce fait, au-delà des apparences pour composer avec la réalité de l'objet. Quand ils touchent un ananas, le prennent dans leurs mains, le coupent, le découpent et le goûtent, ils se rendent compte que l'extérieur est dur et piquant et que l'intérieur est sucré et juteux ; ils commencent alors à comprendre qu'un objet qui semble repoussant peut avoir bon goût. Même si l'éducatrice leur avait expliqué cela, ils n'auraient pas vraiment saisi les caractéristiques de l'ananas, car les vrais apprentissages s'appuient sur les observations et les découvertes que l'on fait soi-même.

Lors de l'exploration, les enfants répondent à leurs propres questions et satisfont leur curiosité. Dans un environnement favorisant l'apprentissage actif, les adultes respectent le désir d'explorer des enfants et reconnaissent que l'exploration est l'un des moyens d'apprendre les plus importants.

D. Les enfants découvrent des liens par l'action directe avec les objets

À mesure que les enfants se familiarisent avec les objets qui les entourent et les soumettent à des expériences, ils deviennent intéressés à les regrouper. En ce sens, ils découvrent par eux-mêmes les rapports entre les objets et leurs associations possibles. Les enfants apprennent sur les relations entre les objets en trouvant les réponses à leurs propres questions, comme celles-ci : « Qu'est-ce qui arrive quand on met un long collier à un ourson ? » « Qu'est-ce qui arrive si on ajoute un bloc de bois sur la tour de blocs en carton ? » « Qu'est-ce qui arrive si je verse du sable dans le tamis ? » Lorsque Xavier, 2 ans ½, regarde deux boîtes en carton, il n'est pas encore capable de dire laquelle est la plus grosse, la plus large, la plus profonde ou la plus haute. Pour se faire une idée de leurs proportions relatives, il doit manipuler les boîtes, les placer l'une dans l'autre, l'une par-dessus l'autre, entrer à l'intérieur d'elles, les placer côte à côte.

Dans un environnement favorisant l'apprentissage actif, les adultes fournissent aux enfants comme Xavier le temps et l'espace dont ils ont besoin pour découvrir par

Découvrir les relations existant entre les objets

En explorant les objets, les enfants font l'apprentissage des relations qui existent entre eux : une boîte entre dans une autre, le jus peut déborder d'une tasse, un bloc peut se placer sur un autre, un camion peut entrer dans le creux d'un cube, une tour est plus haute qu'une autre, un camion roule plus vite qu'un autre. De simples découvertes comme celles-là fournissent aux enfants les bases requises pour comprendre les concepts de nombre, de logique, d'espace et de temps. Les adultes doivent se retirer et laisser les enfants découvrir par eux-mêmes, ce qui exige de la patience et de la compréhension des besoins de l'enfant en matière de développement.

Sarah assemble de gros blocs Lego. Un des blocs est à l'envers, de sorte qu'elle ne peut le fixer à celui qui se trouve en dessous. Lorsque l'éducatrice tend la main pour l'aider, Sarah l'écarte. « Je vais le faire, je vais le faire », insiste-t-elle. Après bon nombre de tentatives, elle parvient à adapter le bloc en question à celui du dessous, puis en prend un nouveau.

eux-mêmes les liens entre les objets. Ils résistent à la tentation d'aider les enfants à faire quelque chose « correctement » ou de leur montrer comment faire, sachant que cela les priverait de précieuses occasions d'apprentissage et de découverte.

E. Les enfants transforment et combinent le matériel

Une autre façon pour les enfants d'utiliser le matériel consiste à en modifier la consistance, la forme et la couleur. Considérons Ahmed, qui s'amuse dans un carré de sable. Comme il tasse le sable pour remplir son seau jusqu'au bord, le sable se comprime et il est impossible de le verser. Lorsque Ahmed ajoute de l'eau, il constate que le sable dur, sec et comprimé se change en un mélange liquide semblable à de la soupe. Tandis qu'il joue dans le sable humide, la surface lisse et douce se transforme en une série de cratères et de monticules.

Le jeu dans le sable compte parmi les innombrables activités où les jeunes enfants manipulent, transforment et combinent du matériel. En s'engageant dans ce type d'activités, les enfants apprennent à connaître les propriétés non manifestes mais essentielles du matériel. Un enfant apprend, par exemple, qu'une certaine quantité d'argile demeure la même, qu'on la façonne en balle ou qu'on la presse en une mince couche. Les enfants apprennent aussi les relations de cause à effet. Par exemple, un enfant qui fait un nœud au bout d'une corde (la cause) apprend que c'est le nœud qui retient les perles enfilées sur celle-ci (l'effet). En offrant du matériel qui peut prendre différentes formes et en valorisant les efforts des enfants pour transformer et combiner le matériel, les adultes encouragent ce type de découvertes importantes.

F. Les enfants utilisent des outils et de l'équipement adaptés à leur âge

Un environnement centré sur l'apprentissage actif offre aux enfants maintes occasions d'utiliser des outils et de l'équipement destinés à des usages spécifiques. À 3 ans, les enfants peuvent coordonner deux actions ou plus et sont alors capables de se servir d'une grande variété d'outils et d'équipements conçus à leur intention (balançoires, cages à grimper, bicyclettes, brouettes) ou destinés aux adultes (appareils photo, batteurs à œufs, mixeurs, agrafeuses). En manipulant des appareils simples, les enfants développent leur coordination et leur motricité. Examinons, par exemple, les actions qu'implique l'utilisation d'une bicyclette : l'enfant doit simultanément tenir le guidon, le tourner pour se diriger et pédaler. De même, lorsqu'il utilise un marteau, il doit tenir le clou, saisir le marteau, viser et frapper le clou. En utilisant des outils et de l'équipement, les enfants acquièrent des savoir-faire et des aptitudes qui les rendent plus autonomes et capables de résoudre des problèmes de plus en plus complexes.

De toute évidence, les enfants qui utilisent des outils ont de nombreuses occasions de résoudre des problèmes. Ainsi, un enfant cherche un clou assez long pour assembler deux pièces de bois ; un autre cherche un morceau de bois de bonne dimension pour construire une cabane à oiseaux. Les enfants expérimentent aussi les relations de cause à effet : le fait de scier du bois d'un mouvement rapide produit beaucoup de sciure et exige plus d'efforts, le fait de tourner rapidement la manivelle d'un batteur à œufs produit plus de bulles.

Au début, il peut être plus important pour l'enfant de manipuler un outil que de l'employer

Quelques transformations typiques réalisées par les enfants du préscolaire

- Mélanger de la peinture de couleurs différentes.
- Ajouter un colorant alimentaire à l'eau.
- Souffler des bulles de différentes grosseurs.
- Essorer une éponge mouillée.
- Fabriquer une chaîne en papier.
- Plier une couverture de poupée.
- Casser des noix.
- Scier du bois.
- Percer des trous.
- Agiter un tambourin.
- S'installer dans un berceau de bébé.
- Créer un masque à l'ordinateur et l'imprimer.
- Façonner un long rouleau de pâte à modeler.
- Se coiffer d'une perruque.
- Enrouler un fil métallique autour d'un bâton.

Quelques idées de matériel favorisant l'apprentissage actif

Il est important d'accumuler dans votre classe, votre centre ou votre domicile une grande variété d'objets susceptibles d'intéresser les enfants. Avant d'aborder le chapitre 5, qui présente en détail le matériel pouvant appuyer l'apprentissage actif, nous vous offrons ici quelques exemples d'objets pertinents.

Objets pratiques et usuels. Casseroles, pots, batteurs à œufs, mixeurs, papier à lettres, marteaux, clous, agrafeuses, morceaux de bois, draps, pneus, boîtes, livres, papier.

Objets provenant de la nature et objets de récupération. Roches, coquillages, feuilles, sable, retailles de tapis, rouleaux de papier hygiénique, enveloppes.

Outils. Balais, pelles à poussière, vadrouilles, seaux, éponges, marteaux, scies, perceuses manuelles, étaux, clous, vis, agrafeuses, perforatrices, ciseaux, papier, trombones, crics, pompes de bicyclette, pelles, sarcloirs, déplantoirs, brouettes, tuyaux d'arrosage, arrosoirs.

Matières salissantes, collantes, gluantes, dégoulinantes ou molles. Eau, liquide à bulles, cristaux à saveur de fruits, colle, pâte, gouache.

Objets lourds et volumineux. Boîtes, souches, voiturettes, pelles, tas de terre, planches, cages à grimper, gros cubes.

Objets faciles à manipuler. Blocs, perles, boutons, fèves ou pâtes alimentaires, autos miniatures, figurines, animaux en peluche.

correctement. Par exemple, le fait de mettre en marche et d'arrêter un aspirateur, de le pousser et de le tirer, de le diriger, de trouver le moyen de ne pas s'empêtrer dans le fil, de le faire passer sous une table peut être plus important que de nettoyer le tapis.

G. Les enfants développent leur agilité et leur force musculaire

Chez les enfants du préscolaire, l'apprentissage actif se fait avec tout le corps. Les enfants sont enthousiastes lorsqu'ils peuvent utiliser au maximum leur force et leurs capacités physiques. Ils adorent grimper sur des cubes, déplacer des chaises et des tables, lever leurs amis, se rouler par terre, écraser de la pâte à modeler avec leurs coudes, tourner sur eux-mêmes jusqu'à en avoir le vertige, courir, sautiller, sauter, pousser, ramper, crier, murmurer, chanter, se déhancher, lancer, frapper avec les mains et les pieds, escalader, se tortiller. Ces actions font indéniablement partie de la nature des jeunes enfants. S'attendre à ce que les enfants ne bougent pas, c'est comme s'attendre à ce qu'ils ne respirent pas. C'est pourquoi, dans un environnement favorisant l'apprentissage actif, les éducatrices fournissent aux enfants le temps et l'espace nécessaires aux activités qui sont propices au développement de l'agilité et de la force musculaire, et elles mettent à leur portée des objets qu'ils pourront pousser, tirer, lever, frapper et transporter.

Chez les enfants, la capacité vitale de manipuler les objets se développe **en explorant, en transformant et en combinant le matériel, en découvrant des liens, en acquérant des habiletés à l'aide d'outils et d'équipement, en développant leur agilité et leur force musculaire.** Au quotidien, de telles occasions permettent aux enfants d'acquérir une connaissance de base du monde physique : comment celui-ci est fait, comment il fonctionne et quels sont les effets de leurs actions sur lui.

H. Les enfants parlent de leurs expériences

Dans un environnement favorisant l'apprentissage actif, les enfants parlent tout au long de la journée de ce qu'ils font et de ce qu'ils viennent de faire. Ils sont encouragés à entamer la conversation avec les éducatrices, de sorte que celles-ci sont parfois prises au dépourvu. Voici ce que Jacques raconte à l'éducatrice au sujet d'une visite à la ferme :

> J'ai laissé mon lunch dans l'autobus et Marc a dû partager le sien avec moi. Son sandwich était tout

écrasé, comme ça ! Il s'est assis dessus, parce que son père était en retard. Son père était de mauvaise humeur, c'est pour ça que Marc ne lui a pas dit. Comme il était dans le sac, il était encore bon.

Il est clair que l'éducatrice n'avait pas planifié une visite à la ferme afin que Jacques puisse vivre une telle expérience avec un sandwich écrasé. Elle croyait qu'il lui parlerait de la chèvre qu'il avait traite ou des plumes de poules qu'il avait ramassées. Quelle ne fut pas sa surprise de l'entendre parler avec intérêt du sandwich écrasé ! Paula, pour sa part, a parlé de l'œuf qu'elle avait trouvé dans une botte de foin : « Il était là, il n'était pas cassé, mais l'autre était cassé. » Peu importe que les enfants parlent des sandwiches ou des œufs, le processus consistant à mettre des actions en mots demeure le même. Mais les éducatrices consciencieuses peuvent se demander : « Qui a le plus appris ? Paula ou Jacques ? » Chacun d'eux s'est particulièrement intéressé à des aspects différents de cette sortie. Peut-être Paula a-t-elle appris davantage sur les œufs et la paille, et Jacques a-t-il compris ce qui arrive quand on s'assoit sur un sandwich. On peut néanmoins affirmer que tous deux ont vécu une expérience mémorable qui a suscité chez eux un certain étonnement, qu'ils ont eu l'occasion de réfléchir de façon consciente à leur découverte et qu'ils ont pu exprimer leurs réflexions dans leurs propres mots.

Quand les enfants sont libres de parler de leurs expériences importantes, ils recourent au langage afin de traiter des idées et des problèmes qui sont réels et importants à leurs yeux. En communiquant leur pensée par le langage et en écoutant les propos des autres, ils apprennent que leur façon personnelle de parler est efficace et respectée. Dans un environnement favorisant l'apprentissage actif, chaque enfant se fait entendre dans la mesure où son langage reflète ses perceptions, sa pensée et ses préoccupations.

I. Les enfants parlent dans leurs propres mots de ce qu'ils font

Dans un environnement favorisant l'apprentissage actif, les propos des enfants reflètent leurs propres expériences et leur compréhension de la réalité ; ces propos sont souvent caractérisés par une logique qui diffère de celle de l'adulte.

- « Je n'ai pas mis d'animaux dans mon étable, affirme Mélissa. Seulement des chevaux et des vaches. »
- « Cette auto ne peut avancer, murmure Maxime en désignant dans un livre l'image d'une auto vue de profil. Elle a seulement deux roues.
  – Les deux autres roues sont de l'autre côté, explique son père.
  – Non, ce n'est pas vrai ! » s'exclame Maxime en tournant la page.

Pourquoi un adulte devrait-il encourager les enfants à s'exprimer dans leurs propres mots quand il sait que ce qu'ils disent est souvent inexact ? La réponse est simple : parce que les enfants comme Mélissa et Maxime réfléchissent avec les meilleurs moyens qui sont à leur disposition pour l'instant. Même si l'adulte explique à Mélissa que les chevaux et les vaches sont des animaux, un cheval restera pour elle un cheval et non un animal tant qu'elle n'aura pas maîtrisé l'inclusion des classes. Maxime, quant à lui, voit une auto avec deux roues, et comme il n'est pas capable d'imaginer une autre perspective, il croit que son père blague quand il affirme que les deux autres roues sont de l'autre côté de l'auto. Lorsque Maxime tourne la page du livre pour voir « de l'autre côté », il découvre une autre image et non l'autre flanc de l'auto. Mélissa et Maxime croient qu'ils ont raison, car leurs arguments correspondent à leur représentation et à leur perception de la réalité. **Les enfants ont besoin de faire part de leurs observations afin de parler de façon spontanée de ce qu'ils pensent et voient.** À mesure qu'ils progressent et expérimentent de nouvelles contradictions, leurs observations deviennent plus logiques et réalistes, et leur capacité de raisonnement et leur confiance en soi se développent. Simultanément, ils acquièrent l'habitude de parler de ce qu'ils comprennent et de ce qui est important à leurs yeux.

1.2.2 L'intervention des éducatrices dans un environnement favorisant l'apprentissage actif

A. Les éducatrices mettent à la disposition des enfants un matériel varié

On peut être surpris par la variété du matériel mis à la disposition des enfants dans un environnement favorisant l'apprentissage actif. Les éducatrices choisissent d'offrir une telle diversité afin que chacun puisse avoir l'occasion d'effectuer des choix et de manipuler le matériel, soit deux composantes essentielles favorisant l'apprentissage actif. Ce matériel peut comprendre tout objet, familier ou non, susceptible d'intéresser le jeune enfant, à l'exception des objets dangereux ou trop compliqués pour son âge.

Le chapitre 5 présente le matériel susceptible de favoriser le jeu et l'apprentissage ; auparavant, nous examinerons les diverses catégories de matériel particulières à l'apprentissage actif.

Les objets pratiques et usuels qu'utilisent les adultes. Les enfants aiment utiliser les mêmes objets que ceux dont se servent les adultes et qui sont importants pour eux : une boîte à lunch comme celle de leur père, un fer à friser comme celui de leur grande sœur, des boucles d'oreilles comme celles de leur mère, de la mousse à raser comme celle de leur grand-père.

Les objets provenant de la nature et les objets de récupération. Les objets provenant de la nature (des coquillages, des glands, des cônes de pin, etc.) et les objets de récupération (des boîtes en carton, des rouleaux d'essuie-tout, etc.) plaisent aux enfants parce qu'ils peuvent s'en servir de maintes façons et à des fins variées. Ils plaisent aussi aux adultes parce qu'ils sont faciles à obtenir, abondants et souvent gratuits.

Les outils. Les outils ont autant d'importance pour les enfants que pour les adultes, car ils aident à « faire l'ouvrage ». On doit par conséquent procurer aux enfants de véritables outils : des ciseaux, des perforatrices, des outils de menuiserie comme un marteau ou un tournevis, etc. (Il importe que les outils soient en bon état et que les enfants et les adultes respectent les règles de sécurité.)

Les matières salissantes, collantes, gluantes, dégoulinantes ou molles. Les enfants adorent toucher et manipuler du sable, de la colle, de la peinture, de la pâte à modeler et d'autres matériaux du même genre en raison des expériences sensorielles intéressantes qu'ils procurent.

Les objets lourds et volumineux. Les enfants mobilisent tout leur corps, développent leur force motrice et prennent conscience de leurs capacités physiques lorsqu'ils utilisent de gros cubes en bois, des pelles, des brouettes et d'autres objets lourds et robustes de ce type.

Les objets faciles à manipuler. Les objets qui tiennent dans la main comme des boutons, des figurines ou des blocs Lego donnent aux enfants un sentiment de contrôle parce qu'ils peuvent les manipuler avec succès sans l'aide de l'adulte.

B. Les éducatrices fournissent aux enfants l'espace et le temps nécessaires à l'utilisation du matériel

Pour tirer profit du matériel, les enfants ont besoin d'un environnement organisé. De ce fait, le rôle de l'éducatrice, dans un environnement favorisant l'apprentissage actif, consiste à aménager et à équiper les aires de jeu, et à planifier l'horaire quotidien. Les éléments relatifs à l'aménagement et à l'horaire seront expliqués en détail dans les chapitres subséquents, mais auparavant nous aborderons quelques aspects clés du rôle de l'éducatrice concernant ces éléments.

Premièrement, les éducatrices organisent l'environnement en des aires distinctes aménagées autour de centres d'intérêt variés : coin de la maisonnette, coin des arts plastiques, coin des blocs, coin des jeux et jouets, coin de l'eau et du sable, etc. Chaque aire est pourvue d'un équipement abondant ayant un lien avec la forme du jeu.

Deuxièmement, les éducatrices planifient un horaire quotidien régulier qui procure aux enfants des occasions variées d'interaction avec leurs pairs et avec le matériel. La **période d'ateliers libres** occupe une partie importante de la journée ; elle permet aux enfants de travailler avec du matériel de leur choix. La **période en groupe d'appartenance** occupe une autre partie de la journée ; les enfants travaillent alors en groupe restreint en un même lieu et avec un matériel semblable. Même si les éducatrices choisissent le matériel pour cette période, les enfants ont la possibilité de faire des propositions quant au choix, à l'utilisation et à l'ajout de matériel. Lors du **rassemblement**, plus d'un groupe d'appartenance se réunit pour chanter, bouger ou vivre d'autres expériences collectives. La **période de**

Les éducatrices favorisent l'échange verbal lorsqu'elles écoutent les enfants et acceptent ce qu'ils disent plutôt que de les corriger ou de leur poser des questions.

jeux extérieurs est habituellement un moment alloué aux enfants pour qu'ils s'amusent en plein air avec les balançoires, les tricycles, le matériel d'arts plastiques, des objets provenant de la nature, et ainsi de suite. En choisissant le matériel et en planifiant un horaire régulier, les adultes mettent en place les conditions propices à l'apprentissage actif chez les enfants. Une fois que ces conditions sont établies, les éducatrices poursuivent leur participation active en observant les enfants et en appuyant leurs initiatives tout au long de la journée.

C. Les éducatrices cherchent à connaître les intentions des enfants

Dans un environnement favorisant l'apprentissage actif, les éducatrices croient que le fait de connaître les intentions des enfants et d'encourager ceux-ci à les poursuivre est essentiel au processus d'apprentissage. En cherchant à connaître et à comprendre les intentions des enfants, elles renforcent chez eux l'esprit d'initiative et le sentiment de contrôle.

Les éducatrices prennent soin de **reconnaître les choix et les actions des enfants** en leur indiquant bien que ce qu'ils font est important. Elles se laissent souvent guider par les façons de faire des enfants, démontrant par là l'importance qu'elles accordent à leurs projets. Par exemple, quand Sylvain rampe à quatre pattes, l'éducatrice rampe à côté de lui. Quand il s'arrête, l'éducatrice s'arrête aussi. Quand il accélère, elle fait de même afin de rester près de lui. Sylvain et l'éducatrice sourient en savourant ce bon moment.

Dans un environnement favorisant l'apprentissage actif, il est courant pour une éducatrice

d'utiliser le matériel à la manière des enfants, qu'il s'agisse d'empiler des blocs, de rouler la pâte à modeler ou de jouer dans le sable. Ce faisant, elle informe les enfants de façon non verbale de l'importance qu'elle attribue à leurs activités, en plus de leur offrir l'occasion de faire des comparaisons qui stimuleront leur réflexion.

Afin de découvrir les intentions qui se cachent derrière les actions des enfants, **les éducatrices les observent, sans idées préconçues, car ce que les enfants exécutent avec le matériel mis à leur disposition est souvent imprévisible.** Dans l'exemple qu'on trouve à la sous-section 1.3.2, Charlotte, 3 ans, s'applique à adresser des enveloppes en y inscrivant les initiales de leurs destinataires et en collant le rabat. Au lieu de présumer que Charlotte utilisera les enveloppes de façon conventionnelle en y insérant quelque chose, l'éducatrice l'observe attentivement afin de cerner son intention et de l'encourager à poursuivre à sa façon.

En plus de chercher à connaître les intentions des enfants à partir d'observations, **les éducatrices les interrogent à ce sujet.** Elles donnent ainsi aux enfants l'occasion d'exprimer leurs intentions verbalement et de réfléchir sur celles-ci. Par exemple, une éducatrice observe Sébastien assis sur le plancher en train de sabler des morceaux de bois; elle ne peut d'emblée savoir quelles sont ses intentions sans avoir conversé avec lui. Elle s'assoit à ses côtés, prend quelques morceaux de bois qu'il a déjà sablés et fait part de ses observations:

> L'ÉDUCATRICE. – Tu travailles bien fort, Sébastien.
> SÉBASTIEN. – Ouais… c'est mon travail de sabler.
> L'ÉDUCATRICE. – Ah oui ! c'est ton travail.
> SÉBASTIEN. – (tout en continuant de sabler) Je sable ces morceaux de bois (il lance dans une boîte celui qu'il vient de sabler) et je les mets dans cette boîte. Après, c'est Billy qui les attache. Il n'est pas ici maintenant.
> L'ÉDUCATRICE. – Je comprends: tu les sables et Billy les attache.
> SÉBASTIEN. – Mais il est parti chercher d'autre ruban adhésif.

Pour obtenir plus de détails sur la façon de communiquer avec les enfants afin de connaître leurs intentions et leurs projets, reportez-vous au chapitre 7 portant sur la planification avec les enfants, plus précisément à la section 7.6.

D. Les éducatrices sont à l'écoute des enfants et les encouragent à réfléchir

La réflexion de l'enfant sur ses actions s'avère un élément fondamental du processus d'apprentissage actif. En étant à l'écoute de l'enfant et en l'encourageant à former son propre mode de pensée, on renforce ses nouvelles capacités de réflexion et de raisonnement. **Les éducatrices sont à l'écoute des enfants quand ils jouent et quand ils travaillent** parce qu'elles veulent découvrir dans leurs propos spontanés comment ils réfléchissent aux actions qu'ils sont en train de faire. Par exemple, Marc répète « Un pour toi, un pour toi, un pour toi » en plaçant un bloc sur chaque ouverture de sa tour. Sa ritournelle indique qu'il pense à trouver les blocs correspondant aux dimensions de chaque ouverture.

Les éducatrices peuvent aussi inciter les enfants à réfléchir en conversant avec eux sur ce qu'ils font et sur ce qu'ils pensent. Dans un environnement favorisant l'apprentissage actif, des conversations détendues entre éducatrices et enfants surviennent tout au long de la journée. Lorsqu'elles parlent avec les enfants, **les éducatrices se concentrent sur les actions des enfants** au lieu d'introduire des éléments qui n'ont pas de rapport avec la situation. Plutôt que de faire des interprétations ou de poser plein de questions, les éducatrices émettent souvent des commentaires qui reprennent, renforcent ou développent les propos des enfants. Durant ces conversations, les éducatrices font de nombreuses pauses afin de donner aux enfants le temps nécessaire pour réfléchir et trouver les mots qui expriment leur pensée. Notez, par exemple, comment l'éducatrice encourage la réflexion de Carl lors d'une conversation.

> CARL. – J'aime cette musique. Elle est très vite.
> L'ÉDUCATRICE. – Je crois qu'elle nous aide à ranger les blocs très rapidement.
> CARL. – Je vais les mettre dans ce camion et rouler très vite.
> L'ÉDUCATRICE. – Jusqu'à l'étagère des blocs ?
> CARL. – Oui, je vais faire comme mon père. (Il conduit le camion jusqu'à l'étagère, le vide et revient chercher d'autres blocs.)

L'ÉDUCATRICE. – J'ai vu le camion de ton père quand il est venu te reconduire ce matin.
CARL. – (en souriant) Mais le camion de mon père est... gros... trop gros pour entrer ici... Il ne passerait même pas dans la porte!
L'ÉDUCATRICE. – Non, il ne passerait pas dans la porte.
CARL. – Les portes sont assez grandes pour... pour... celui-ci! (Il conduit son camion rempli de blocs jusqu'à la porte et se rend à l'étagère.)

Vous trouverez tout au long de ce livre des stratégies pour converser avec les enfants. Reportez-vous en particulier à la sous-section 7.4.7, qui traite de la phase de réalisation de la période d'atelier.

Comme nous l'avons mentionné plus haut, les éducatrices à l'œuvre dans les milieux favorisant l'apprentissage actif comprennent que si elles veulent susciter la réflexion chez les enfants, elles doivent accepter leurs réponses et leurs explications même si celles-ci sont inexactes. Les habiletés de réflexion et de raisonnement des enfants étant encore en voie de formation, les conclusions qu'ils élaborent sont souvent erronées du point de vue des adultes. Toutefois, si les éducatrices corrigent les enfants constamment, elles les inciteront à garder leurs réflexions pour eux. D'autre part, en acceptant leurs conclusions, elles les encouragent à vérifier leurs idées. Reprenons l'exemple de Clara, qui s'attendait à ce que sa balle de pâte à modeler rebondisse. Elle a fini par conclure que la balle ne rebondissait pas parce qu'elle n'était pas assez ronde. L'éducatrice a accepté sa conclusion et Clara a façonné une autre balle «encore plus ronde» pour vérifier son idée. Après plusieurs essais infructueux, elle a enfin déclaré: «Cette pâte à modeler est trop molle pour rebondir.» L'éducatrice a accepté une autre fois son idée. En acceptant chaque nouvelle hypothèse, elle incite Clara à poursuivre ses essais et sa réflexion.

L'ÉDUCATRICE. – La balle est molle. Peux-tu trouver un moyen de changer ça?
CLARA. – Bon... Si je la laissais... si je la laissais sortie jusqu'à demain!
L'ÉDUCATRICE. – Si tu la laisses à l'air libre?
CLARA. – Oui, elle va devenir plus dure.
L'ÉDUCATRICE. – Est-ce que tu penses qu'elle va rebondir si tu la laisses durcir?
CLARA. – Oui, elle va rebondir. Je la laisse là jusqu'à demain. D'accord?

E. Les éducatrices encouragent les enfants à agir par eux-mêmes

Dans un environnement favorisant l'apprentissage actif, les éducatrices estiment qu'elles facilitent l'apprentissage des enfants en les amenant à résoudre les problèmes qu'ils éprouvent plutôt qu'en faisant les choses à leur place ou en organisant un environnement dépourvu de défis. Elles restent donc patiemment à l'écart pendant que les enfants s'occupent de manière autonome à remonter la fermeture éclair de leur blouson, à faire une boucle, à brasser le jus, à éponger le liquide renversé, à déplacer la poubelle, à faire passer le tricycle par la porte ou à trouver une planche de la bonne longueur pour faire un pont entre deux blocs. Il est évident que les éducatrices pourraient être plus efficaces que les enfants; toutefois, en choisissant d'attendre que ceux-ci agissent par eux-mêmes, elles leur permettent d'imaginer et de mettre en pratique différentes façons de résoudre les problèmes auxquels ils font face.

Dans un milieu favorisant l'apprentissage actif où les enfants manipulent sans cesse du matériel et sont encouragés à prendre des initiatives, les dégâts et le désordre, qui sont inévitables, s'avèrent souvent d'importantes sources d'apprentissage. Didier, par exemple, découvre ce qui se passe lorsqu'il remplit à ras bords son verre de jus. Le jus déborde, se renverse sur la table, sur la chaise et sur le plancher. S'il veut nettoyer les dégâts, il devra prendre assez de serviettes pour éponger tout le liquide. Il devra aussi prévoir la façon de se rendre à l'évier sans que le jus contenu dans les serviettes dégouline sur le plancher. **Les éducatrices se montrent compréhensives lors de tels accidents** parce qu'elles y voient des occasions pour les enfants d'obtenir des satisfactions personnelles et de résoudre leurs problèmes.

Une autre façon d'amener les enfants à résoudre leurs problèmes consiste à **les adresser les uns aux autres lorsqu'ils sont en quête d'aide, d'idées ou d'interlocuteurs** afin qu'ils puissent établir des liens de confiance avec leurs camarades au lieu de toujours demander l'aide de l'adulte. À titre d'exemple, Tania ne se souvient pas de la manière d'imprimer le masque qu'elle vient de créer à l'ordinateur. L'éducatrice lui suggère de demander l'aide de son amie Mia, car celle-ci vient tout juste d'imprimer son masque.

Dans un milieu favorisant l'apprentissage actif, **les éducatrices incitent aussi les enfants à se poser des questions et à y répondre par eux-mêmes.** Habituellement, si un enfant en sait assez pour se poser une question, il connaît aussi quelques éléments de la réponse. Revenons à l'exemple précédent : dans les jours suivants, Tania fait face au même problème. Voici comment a réagi l'éducatrice :

> L'ÉDUCATRICE. – Qu'est-ce que tu as fait hier quand Mia est venue t'aider ?
> TANIA. – J'ai appuyé ici. (Elle pointe le doigt vers une touche du clavier.)
> L'ÉDUCATRICE. – C'est exactement ce que tu as fait ? Qu'est-ce qui s'est passé quand tu as appuyé sur cette touche ?
> TANIA. – Mon masque est sorti. (Elle appuie sur la touche et regarde son masque sortir de l'imprimante.)

Les éléments clés du rôle de l'adulte qui travaille dans un milieu favorisant l'apprentissage actif se résument ainsi : mettre à la disposition des enfants des objets variés, aménager l'espace et planifier l'horaire, chercher à connaître les intentions des enfants, être à l'écoute de ceux-ci et stimuler leur réflexion, encourager les enfants à faire des choses par eux-mêmes. D'autres stratégies de ce genre sont présentées tout au long de cet ouvrage.

Laisser aux enfants le temps de résoudre les problèmes par eux-mêmes

L'éducateur a remarqué que Chad et Félix éprouvaient de la difficulté à couper les longs bouts de ruban adhésif dont ils avaient besoin pour assembler des boîtes, parce que le ruban ne cessait de coller sur lui-même. Plutôt que de leur venir en aide, il les a laissés trouver des idées eux-mêmes. Chaque fois qu'une solution envisagée échouait, les deux garçons en essayaient une autre. Chad a alors collé l'extrémité du ruban adhésif sur le bord de la table en le maintenant, tandis que Félix a déroulé le ruban à la longueur voulue et l'a coupé. Les deux garçons ont ensuite tenu chacun une extrémité du ruban jusqu'à ce qu'ils puissent le fixer à leurs boîtes. Même s'il leur a fallu un bon moment pour résoudre leur problème, leur solution s'est avérée efficace, et grâce au processus de résolution de problèmes, ils ont découvert une propriété du ruban adhésif. L'un et l'autre étaient contents de leur idée, spécialement quand les autres enfants en ont pris connaissance et l'ont adoptée.

1.2.3 Les interactions des éducatrices avec les enfants dans un environnement favorisant l'apprentissage actif

A. Les enfants et les éducatrices agissent et interagissent

Dans un environnement favorisant l'apprentissage actif, les enfants aussi bien que les éducatrices agissent, réfléchissent et résolvent des problèmes tout au long de la journée. Les enfants sont actifs lors du choix du matériel, des activités et des partenaires. Les éducatrices, pour leur part, appuient les activités d'apprentissage entreprises par les enfants et y participent, planifient les expériences de groupe et les démarrent. Tant les enfants que les éducatrices prennent des initiatives et participent à celles des autres en élaborant de nouvelles idées, suggestions et activités. Ces relations de réciprocité et d'échange sont le moteur de l'apprentissage et de l'éducation.

B. Les éducatrices et les enfants font équipe

En vertu de l'apprentissage actif, les éducatrices et les enfants sont des partenaires. Qu'elles participent au jeu des enfants, qu'elles travaillent avec un enfant à résoudre un problème ou qu'elles parlent avec lui de ses propres expériences, les éducatrices voient l'enfant comme un **coéquipier**, s'efforçant ainsi de découvrir ses intentions et l'aidant à réaliser et à pousser plus loin l'activité entreprise. Simone, par exemple, fait rouler des balles de tennis sous une chaise. L'éducatrice se met à plat ventre, de l'autre côté de la chaise, en tenant une balle de tennis. « Attends ! s'exclame Simone. Elles doivent aller par là, dit-elle en indiquant une ligne imaginaire sous la chaise. Pas par là.
– Par là ? » répond l'éducatrice en faisant rouler une balle le long de la ligne indiquée par Simone.

Une relation où des collaborateurs se font réciproquement des concessions appuie davantage le développement de l'enfant qu'une relation où l'éducatrice assume un rôle dominant ou passif en dirigeant, en interprétant, en divertissant ou simplement en surveillant ou en ignorant le travail ou le jeu des enfants. Pour former une équipe avec les enfants, **les éducatrices se placent à leur hauteur, s'intéressent à leurs idées et à leurs champs d'intérêt, et conversent avec eux en privilégiant l'échange et le compromis.**

Lorsqu'elle utilise les stratégies précédentes pour faire équipe avec Simone, l'éducatrice l'amène à comprendre que ce qu'elle fait est apprécié et important, et qu'elle est là pour la soutenir tandis que Simone poursuit son exploration.

Collaborer avec les enfants signifie suivre leurs initiatives.

C. Les enfants et les éducatrices inventent et découvrent

L'apprentissage actif est un **processus continu** et non pas une série de directives qu'il faut suivre. Dans un environnement favorisant l'apprentissage actif, les enfants et les éducatrices inventent, explorent et font des découvertes. Même si les éducatrices ont aménagé l'espace de manière à soutenir les champs d'intérêt et les activités des enfants, elles ne peuvent prédire avec précision ce que les enfants vont faire ou dire, ni comment elles-mêmes vont réagir. Prenons le cas d'une éducatrice tout heureuse d'avoir réussi à brancher une imprimante couleur sur le système informatique qu'utilise son groupe d'enfants. Elle s'attend à ce que les enfants impriment en plusieurs couleurs les masques qu'ils réalisent à l'écran. À la place, ils se servent de l'ordinateur et de l'imprimante exactement de la même façon que du chevalet, du papier et de la peinture : ils couvrent toute la feuille de papier (l'écran) d'une seule couleur. « J'aurais dû y penser ! » s'exclame l'éducatrice en voyant les enfants saisir leurs feuilles couvertes d'une seule couleur. Lorsque l'apprentissage actif est préconisé, les éducatrices et les enfants partagent les surprises et les plaisirs de l'enseignement et de l'apprentissage.

1.2.4 Les effets de l'apprentissage actif

A. La possibilité de faire des choix pour les enfants : une façon d'éviter les conflits entre l'éducatrice et l'enfant

Quand les enfants sont libres de faire des choix et de prendre des décisions, les conflits potentiels entre l'éducatrice et l'enfant sont souvent évités ; cela donne plutôt lieu à des expériences d'apprentissage empreintes de coopération. Quand les éducatrices comprennent que les enfants ont besoin d'être actifs, elles s'emploient à soutenir et à stimuler les

Un processus d'apprentissage « constructif »

L'apprentissage actif est le processus par lequel les enfants construisent une compréhension des choses qui les intéressent. Ainsi, la plupart des enfants de 4 ans ne sont pas en mesure de construire une compréhension des calculs mathématiques parce que celle-ci implique un raisonnement abstrait qui dépasse leurs capacités de raisonnement. Ils peuvent cependant compter des objets, comparer des quantités et établir des relations entre deux choses, et c'est à partir de ces habiletés que naîtra leur compréhension des mathématiques supérieures. De même, si la plupart des enfants d'âge préscolaire ne savent pas encore lire et écrire, ils se passionnent toutefois pour les livres, les histoires, leur propre nom et l'invention d'une écriture de leur cru.

activités amorcées par les enfants au lieu d'essayer de contrôler le comportement de ces derniers. Par exemple, quand elles s'attendent à ce que les enfants expriment leurs choix et prennent des décisions, les enfants qui parlent librement et révèlent leurs intentions ne sont pas perçus comme « perturbateurs ». De même, quand les enfants sont libres de décider de l'utilisation du matériel, elles se montrent disposées à soutenir aussi bien l'enfant qui fait des expériences (il étend de la colle sur le papier et sur ses bras, il la touche, la sent) que celui qui fait de la colle l'usage attendu (il se sert d'elle pour coller deux morceaux de papier dans le but de fabriquer quelque chose). Lorsque les éducatrices éliminent les longues périodes d'attente et d'écoute au profit d'expériences d'apprentissage actif, les enfants concentrent leurs énergies sur l'utilisation du matériel qu'ils ont choisi plutôt que d'adopter un comportement perturbateur.

Lorsque les éducatrices estiment que les comportements exploratoires sont normaux, voire souhaitables, plutôt que de les contester et d'essayer de les éliminer, elles rendent leur propre existence et celle des enfants plus agréables, moins conflictuelles et plus propices à l'apprentissage.

B. Les enfants et les adultes acquièrent de la confiance

Dans un milieu favorisant l'apprentissage actif, les enfants sont libres de prendre des initiatives. Les éducatrices aménagent le local avec le matériel approprié à leur développement et interagissent avec eux pour les aider à explorer leurs champs d'intérêt. Les enfants sont libres de faire des erreurs, car celles-ci leur permettent souvent d'acquérir une compréhension du monde ; les éducatrices ne corrigent pas leurs erreurs, mais au besoin elles remettent en question leur façon de penser et d'agir afin de les amener à se construire une image plus complexe de la réalité. Dans un tel contexte, les jeunes enfants en viennent à éprouver un sentiment de compétence, car ils sont encouragés et soutenus dans leurs actions, leurs choix, leurs comportements exploratoires, leurs réflexions et leurs explications, si élémentaires soient-elles. Les éducatrices aussi se sentent plus compétentes parce qu'elles soutiennent plus qu'elles ne contestent les comportements des enfants et parce que chaque jour elles apprennent des choses sur eux. Voici ce que dit l'une d'elles à ce sujet : « Je ne crie plus après les enfants. Je prête attention à **leurs** préférences au lieu d'essayer de les faire tenir tranquilles et d'exiger qu'ils concentrent leur attention sur **moi.** »

C. Rendus au primaire, les enfants exploitent les expériences d'apprentissage actif vécues au préscolaire

Certaines éducatrices craignent que les enfants inscrits à un programme préscolaire axé sur l'apprentissage actif n'éprouvent des difficultés une fois à l'école. Qu'arrive-t-il à ces enfants lorsqu'ils doivent rester assis à leur pupitre, suivre des consignes détaillées, parler seulement lorsque c'est permis et se concentrer sur des tâches papier-crayon ?

Ces enfants ont tendance à bien s'adapter à l'école parce qu'ils se perçoivent comme étant capables de satisfaire leurs besoins et de résoudre des problèmes. Dans le meilleur des cas, l'école aussi mettra en œuvre l'apprentissage actif. Toutefois, s'il en va autrement, les enfants seront portés à utiliser leurs habiletés à résoudre des problèmes pour s'adapter à ce nouveau style d'enseignement et d'apprentissage, puis ils continueront d'apprendre activement à l'extérieur de l'école. La confiance en soi et la capacité de prendre des décisions que ces enfants ont développées dans un milieu adoptant l'apprentissage actif leur permettront de faire face aux problèmes qui se présenteront à l'école.

Peu importe l'environnement ou les méthodes d'enseignement privilégiés à l'école, les enfants continuent à apprendre en agissant, en réfléchissant, en parlant et en résolvant des problèmes de manière autonome. Par conséquent, il demeure essentiel que les intervenants auprès de la petite enfance défendent la démarche de l'apprentissage actif. Grâce aux expériences qu'ils vivent dans de tels milieux voués à l'apprentissage actif, les enfants acquièrent le sentiment profond de pouvoir comprendre et modifier leur univers, une capacité qui leur sera utile tout au long de leur existence.

1.3 Les ingrédients essentiels de l'apprentissage actif

Dans le but de fournir un cadre de référence aux éducatrices désirant implanter un programme basé sur la philosophie de l'apprentissage actif, nous avons relevé **cinq ingrédients essentiels de l'apprentissage actif**. Ces ingrédients, qui résument les principes de base de l'apprentissage actif, sont faciles à comprendre. En outre, les adultes peuvent les utiliser dans toutes les situations mettant en présence de jeunes enfants afin d'évaluer si telle activité favorise vraiment leur développement et si l'expérience leur permet d'être actifs. Ils peuvent aussi servir à la planification d'activités qui respectent ces deux critères. Ces cinq ingrédients reviendront tout au long du présent ouvrage tandis que s'élaborera l'approche éducative centrée sur l'apprentissage actif:

- **Le matériel.** Le matériel est abondant, adapté à l'âge des enfants et se prête à des usages variés.
- **La manipulation.** L'enfant a l'occasion d'explorer, de manipuler, de combiner et de transformer le matériel qu'il choisit.
- **Le choix.** L'enfant choisit ce qu'il veut faire. Comme l'apprentissage résulte des tentatives qu'il fait pour répondre à ses champs d'intérêt et atteindre les buts qu'il se fixe, il importe de lui donner l'occasion de choisir ses activités et le matériel dont il a besoin.
- **Le langage de l'enfant.** L'enfant décrit ce qu'il est en train de faire. Par le langage, il réfléchit sur ce qu'il fait, intègre de nouvelles informations à ses connaissances antérieures et cherche à coopérer avec ses pairs.
- **Le soutien de l'éducatrice.** L'éducatrice reconnaît et favorise chez l'enfant la réflexion, la résolution de problèmes et la créativité.

1.3.1 L'utilisation des ingrédients essentiels de l'apprentissage actif

Toute personne qui s'occupe de jeunes enfants, de la grand-mère à l'éducatrice, peut utiliser les ingrédients de l'apprentissage actif afin de leur offrir des expériences adaptées à leur développement. Ces ingrédients essentiels s'appliquent aux expériences et aux activités auxquelles participent un ou deux enfants de même qu'aux activités en petit groupe ou en groupe plus important. Tout événement se prête à l'apprentissage actif: une journée structurée formellement, une balade en auto ou une visite au parc. **Dans le contexte des services offerts aux enfants du préscolaire, les ingrédients essentiels de l'apprentissage actif orientent toutes les expériences et toutes les activités auxquelles s'adonnent les éducatrices et les enfants pendant qu'ils sont ensemble.**

Les ingrédients essentiels de l'apprentissage actif servent de guide aux éducatrices lorsqu'elles observent les enfants, planifient des activités à leur intention et interagissent avec eux. L'exemple qui suit illustre l'application de ce cadre de référence lors d'une activité d'écriture entreprise par Charlotte, une enfant de 3 ans. Nous y décrirons comment chaque ingrédient essentiel de l'apprentissage actif détermine les choix de l'éducatrice qui prépare une activité d'écriture pour son groupe et qui intervient de façon particulière auprès de Charlotte.

1.3.2 Une expérience d'apprentissage actif: observer et soutenir Charlotte

Le matériel. Les éducatrices intervenant dans le groupe de Charlotte offrent une grande variété d'objets afin de favoriser et de soutenir l'acquisition des habiletés d'écriture des enfants. Ce matériel comprend des instruments et des fournitures scolaires (crayons, crayons feutre, peinture, pinceaux, gomme à effacer, autocollants, différentes sortes de papier et d'enveloppes), des objets tridimensionnels pour jouer avec les lettres ou faire des lettres (ensemble de lettres, sable, pâte à modeler, argile) et une variété de matériel imprimé (livres de contes préférés, histoires dictées par les enfants et écrites par l'éducatrice, étiquettes de mots correspondant aux contenants de rangement ou à des objets en vue, vieux magazines et catalogues). L'accessibilité de ce vaste assortiment d'objets semble avoir l'effet stimulant recherché par les éducatrices, car Charlotte et plusieurs autres enfants ont choisi de travailler avec certains de ces objets.

> Charlotte prend quelques enveloppes et quelques crayons feutre.

La manipulation. Les éducatrices s'attendent à ce que Charlotte et ses compagnons manipulent le matériel de lecture et d'écriture de différentes façons. Par exemple, les enfants pourraient feuilleter les pages des catalogues, montrer les lettres du doigt et les encercler, dessiner, peindre, imprimer, et ainsi de suite, en explorant par eux-mêmes les formes et les sensations tactiles des lettres. Ils pourraient aussi transformer du matériel pour en faire des lettres. De plus, comme la plupart des enfants ont observé que l'écriture est utile aux adultes pour accomplir différentes tâches (dresser la liste des emplettes, noter les commandes au restaurant, rédiger une lettre, etc.), les éducatrices s'attendent à ce que les enfants veuillent écrire ou faire semblant d'écrire pour les mêmes raisons. L'utilisation que fait Charlotte du matériel mis à sa disposition est caractéristique d'une manipulation active et physique des enfants de son âge ; elle démontre aussi un certain progrès en ce qui concerne sa compréhension de quelques fonctions reliées à l'écriture.

Charlotte semble répéter une suite d'actions :

> - Elle met une enveloppe devant elle, sur la table.
> - Elle prend l'enveloppe de ses deux mains.
> - Elle lèche minutieusement le rabat à trois ou quatre reprises.
> - Elle frappe l'enveloppe du poing pour la sceller.
> - Elle la retourne et dessine sur l'endroit.
> - Elle donne l'enveloppe à quelqu'un.

Le choix. Dans ce groupe, les enfants sont libres d'utiliser tout le matériel d'écriture qui leur plaît durant la période d'atelier inscrite à l'horaire.

> Aucun des autres enfants assis à la table des arts plastiques n'utilise des enveloppes et des crayons feutre. (L'un des enfants dessine, deux autres enfants s'amusent avec des autocollants, un autre s'amuse avec des lettres en bois.) C'est donc par choix que Charlotte utilise les enveloppes.

Pourquoi les enfants ressentent le besoin de faire des choix

« L'argument fondé sur la motivation intrinsèque fournit ce qui pourrait être la justification la plus plausible au fait d'octroyer aux enfants le choix de leurs expériences d'apprentissage. Comme toute personne, un enfant apprend mieux lorsqu'il est intéressé par l'objet d'apprentissage. Si on lui en donne la possibilité, il choisira ce qui l'intéresse. Or, s'il s'intéresse à quelque chose, il sera un agent actif de son développement et non un consommateur passif de connaissances. Après cinquante années de recherches sur le raisonnement de l'enfant, Piaget en est venu à postuler que la participation active de l'enfant à son apprentissage est au cœur du processus de développement. Selon lui, "l'enfant est le principal architecte de son propre modèle de représentation du monde". » (Thomas Likona, 1973.)

Le langage de l'enfant. Pendant que les enfants s'occupent avec le matériel d'écriture, les éducatrices les observent et écoutent attentivement. Elles attendent que les enfants se mettent à parler de ce qu'ils font et prennent soin de ne pas se servir de la parole pour dominer ou contrôler l'expérience des enfants.

> Charlotte est tout à son affaire, mais chaque fois qu'elle a terminé avec une enveloppe, elle la donne à quelqu'un en lui disant : « C'est pour toi. » Je m'assois à sa table et aussitôt elle me donne une enveloppe et dit : « Tiens, Anne, j'ai fait ça pour toi. »

Le soutien de l'éducatrice. Les éducatrices reconnaissent que les enfants d'âge préscolaire commencent à établir un lien entre le langage parlé et le langage écrit ; elles prennent aussi conscience qu'ils peuvent écrire des choses par eux-mêmes. Elles comprennent que l'écriture chez les enfants débute par les gribouillis et les dessins ; puis, après bien des essais et des erreurs, émerge une certaine forme d'écriture reconnaissable. De ce fait, les éducatrices du groupe de Charlotte encouragent l'intérêt et la créativité que manifestent très tôt les enfants à l'égard du processus d'écriture, et ce en soutenant (sans les corriger) toutes les tentatives d'écriture.

> Je me suis assise à la table pour voir ce que les enfants faisaient. Lorsque Charlotte m'a remis une enveloppe, j'ai été très surprise de constater que son dessin était constitué de lettres. Je ne connaissais pas son goût pour les lettres ; je ne savais pas non plus qu'elle pouvait en faire. Sur le devant de mon enveloppe, elle a inscrit plusieurs A. Alors, pour lui démontrer mon intérêt, je lui ai dit : « Charlotte, tu as fait des A sur mon enveloppe !
> – C'est ton nom ! a-t-elle répondu.
> – Oui, c'est mon nom. A comme dans Anne », ai-je répliqué.
>
> Lorsque Charlotte a donné une enveloppe à Linda, celle-ci l'a jetée sur le plancher en disant : « Ce n'est pas comme ça qu'on écrit mon nom. C'est L-I-N-D-A. »
>
> Linda a 5 ans, et il y a un certain moment qu'elle écrit son nom et quelques autres mots. Voulant reconnaître ses habiletés et celles de Charlotte, je lui ai dit : « C'est la façon dont tu épelles ton nom, Linda. Charlotte l'épelle autrement. »
>
> J'ai aussi remarqué que lorsque j'ai commencé à ouvrir mon enveloppe, Charlotte m'a arrêtée en disant : « Non, je l'ai déjà fait. » Comme je voulais respecter ses intentions, j'ai refermé le rabat et j'ai retourné l'enveloppe à l'endroit.
>
> « Est-ce que c'est celle-là que tu voulais me donner ? lui ai-je demandé en regardant le devant de l'enveloppe.
> – Oui. C'est ce que j'ai fait pour toi », m'a-t-elle répondu avant de s'emparer d'une autre enveloppe et de recommencer le même processus. De toute évidence, le plus important pour Charlotte consistait à sceller l'enveloppe et à écrire dessus. Elle n'avait pas l'intention de mettre quelque chose à l'intérieur.

1.3.3 L'apprentissage actif

Dans les chapitres suivants, le concept de l'apprentissage actif continue de guider notre réflexion. Ce concept interviendra plus particulièrement lors des discussions sur la manière dont les éducatrices peuvent créer un climat de soutien démocratique (chapitre 2), collaborer avec les familles (chapitre 3), travailler en équipe à rendre le processus d'apprentissage actif efficace dans leur milieu (chapitre 4), sélectionner et aménager le matériel que les enfants pourront choisir et manipuler (chapitre 5), élaborer un horaire quotidien qui offre aux enfants plusieurs occasions de concevoir, de planifier, de réaliser leurs idées et leurs actions et d'en discuter (chapitres 6, 7 et 8), et utiliser les expériences clés de l'apprentissage actif comme cadre de référence pour interagir avec les enfants (chapitres 9 à 19).

TABLEAU RÉCAPITULATIF

Les ingrédients essentiels de l'apprentissage actif

Le matériel : le matériel est varié et se prête à des usages multiples

- Les enfants utilisent un matériel varié :
  - des objets d'usage courant ;
  - des objets provenant de la nature et des objets de récupération ;
  - des outils ;
  - des matières salissantes, collantes, gluantes, dégoulinantes ou molles ;
  - des objets lourds et volumineux ;
  - des objets faciles à manipuler.
- Les enfants disposent de l'espace nécessaire pour utiliser le matériel.
- Les enfants disposent du temps nécessaire pour utiliser le matériel.

La manipulation : les éducatrices encouragent les enfants à manipuler les objets librement

- Les enfants explorent les objets à l'aide de tous leurs sens.
- Les enfants découvrent les relations par l'expérience directe avec les objets.
- Les enfants transforment et combinent du matériel.
- Les enfants utilisent des outils et de l'équipement adaptés à leur âge.
- Les enfants développent leur agilité et leur force motrice.

Le choix : l'enfant choisit ce qu'il veut faire

- Les enfants entreprennent des activités à partir de leurs champs d'intérêt et de leurs intentions.
- Les enfants choisissent le matériel.
- Les enfants décident de l'utilisation du matériel.

Le langage de l'enfant : l'enfant décrit ce qu'il fait

- Les enfants parlent de leurs expériences.
- Les enfants disent dans leurs propres mots ce qu'ils font.

Le soutien de l'éducatrice : les éducatrices reconnaissent et encouragent les projets, les réflexions, la résolution de problèmes et la créativité des enfants

- Les éducatrices font équipe avec les enfants :
  - Elles se placent à la hauteur des enfants.
  - Elles prêtent attention aux idées et aux champs d'intérêt des enfants.
  - Elles conversent avec les enfants en privilégiant le compromis.
- Les éducatrices cherchent à connaître les intentions des enfants :
  - Elles acceptent les choix et les actions des enfants.
  - Elles utilisent le matériel de la même façon que les enfants.
  - Elles observent ce que font les enfants avec le matériel.
  - Elles s'enquièrent des intentions des enfants.
- Les éducatrices écoutent et encouragent la réflexion des enfants :
  - Elles écoutent les enfants pendant qu'ils jouent ou travaillent.
  - Elles conversent avec les enfants sur ce qu'ils font et sur ce qu'ils pensent.
  - Elles se concentrent sur ce que font les enfants.
  - Elles font des commentaires en reprenant, en reformulant et en alimentant les propos des enfants.
  - Elles font de nombreuses pauses afin de donner aux enfants le temps de réfléchir et de trouver les mots pour exprimer ce qu'ils pensent.
  - Elles acceptent les réponses et les explications des enfants même si celles-ci sont inexactes.
- Les éducatrices encouragent les enfants à agir par eux-mêmes :
  - Elles observent patiemment les enfants et attendent pendant qu'ils s'occupent de façon autonome.
  - Elles se montrent compréhensives face aux erreurs des enfants.
  - Elles adressent les enfants les uns aux autres lorsqu'ils sont en quête d'aide, d'idées ou d'interlocuteurs.
  - Elles incitent les enfants à se poser des questions et à y répondre.

LECTURES COMPLÉMENTAIRES

ALTET, MARGUERITE (1997). *Les pédagogies de l'apprentissage*, Paris, Presses universitaires de France, coll. « Pédagogues et pédagogies ».

DELEDALLE, GÉRARD (1995). *John Dewey*, Paris, Presses universitaires de France.

DELORS, JACQUES (1996). *L'éducation, un trésor est caché dedans*, Paris, Odile Jacob.

GIROUX ST-DENIS, CLAUDETTE (1986). *Les projets d'enfants, un chemin qui a du cœur*, Sainte-Foy, Centre d'intégration de la personne, coll. « Témoignages d'éducateurs ».

ROYER, NICOLE (sous la dir. de) (1995). *Éducation et intervention au préscolaire*, Boucherville, Gaëtan Morin Éditeur.

SCHWEBEL, M. et J. RAPH (1976). *Piaget à l'école*, Paris, Denoël/Gonthier.

CHAPITRE 2

Un climat de soutien démocratique : les fondements d'une interaction adulte-enfant positive

[...] l'image de soi de l'enfant se construit à travers ses interactions avec les autres. On peut se demander en quoi consiste la vraie personnalité de l'enfant. Les adultes en ont une perception ; mais l'enfant aussi a son point de vue. Quelquefois, l'enfant sait mieux que l'adulte qui il est ; mais, à d'autres moments, c'est la perception de l'adulte qui est plus juste. Notre but en tant qu'éducateurs est de collaborer avec l'enfant au développement d'une personne qui soit à la fois valorisée et authentique.
NANCY CURRY et CARL JOHNSON, 1990.

2.1 Comprendre ce qu'est un climat de soutien démocratique

L'apprentissage actif étant un processus social et interactif, le soutien mutuel entre tous les intervenants (adultes et enfants) est son principal agent déclencheur. Dès lors, un des principaux objectifs d'un programme pédagogique qui favorise l'apprentissage actif consiste à mettre en place et à enrichir un environnement pédagogique qui permet aux éducatrices d'interagir positivement avec les enfants. Ces derniers pourront alors travailler, jouer avec leurs pairs et utiliser le matériel à leur disposition dans un climat dépourvu de crainte, d'anxiété, d'ennui ou de négligence. Les résultats de la recherche, les théories psychologiques de même que la pratique dans les milieux éducatifs préscolaires convergent pour démontrer que l'apprentissage actif est un moyen à privilégier. Il permet à l'enfant de construire ses connaissances sur les plans social, affectif, intellectuel et physique. Dans un environnement qui favorise l'apprentissage actif, l'enfant est encouragé à manipuler le matériel, à faire des choix, à planifier ses activités, à prendre des décisions, à discuter de ses réalisations, à réfléchir sur ses actions et à accepter le soutien des adultes et de ses pairs lorsqu'il en ressent le besoin. L'enfant qui s'engage dans ce type d'expérience d'apprentissage augmente sa capacité de réfléchir et de raisonner ainsi que son habileté à se comprendre lui-même et à entrer en relation de façon satisfaisante avec les autres.

Le but de ce chapitre est de clarifier la notion de soutien que l'éducatrice doit fournir aux enfants dans un environnement pédagogique où l'on préconise l'apprentissage actif. Nous définirons d'abord **les maillons de la chaîne des relations humaines**, puis nous examinerons les différents climats que l'éducatrice peut installer dans les relations interpersonnelles et leurs répercussions sur le développement des enfants; de plus, nous énumérerons les objectifs que l'éducatrice doit poursuivre pour soutenir l'enfant dans ses apprentissages. Nous discuterons finalement des stratégies à utiliser pour atteindre ces objectifs qui permettront à l'éducatrice d'intervenir efficacement. Nous élaborerons donc des stratégies à employer pour partager le pouvoir entre les adultes et les enfants, mettre en valeur les habiletés de l'enfant, établir des relations authentiques avec les enfants, soutenir le jeu de l'enfant avec conviction et adopter une approche de résolution de problèmes en vue de faire face aux conflits interpersonnels.

2.1.1 Le développement de l'image de soi à travers l'interaction

Tout au long de son enfance, l'être humain se perçoit à travers les expériences qu'il vit avec des personnes qui sont importantes pour lui. Ces expériences influent aussi sur la façon qu'auront les enfants d'entrer en relation avec d'autres personnes dans diverses situations.

D'après le psychanalyste Erik Erikson (1976), les enfants traversent trois grands stades de développement social et émotif de la naissance à l'âge préscolaire, soit la confiance par opposition à la méfiance, l'autonomie par opposition à la dépendance et au doute et l'initiative par opposition au sentiment de culpabilité. Lorsque les expériences qu'ils vivent avec les adultes favorisent chez eux la confiance, l'autonomie et l'initiative plutôt que la méfiance, la dépendance, le doute et le sentiment de culpabilité, les enfants acquièrent des sentiments durables d'espoir, d'acceptation et de détermination; ils développent ainsi leur capacité de prendre des décisions et de se fixer des objectifs dans la vie.

Au cours de leurs recherches cliniques sur les nourrissons, Stanley et Nancy Greenspan (1985) ont découpé la période entre la naissance et l'âge de 4 ans en six étapes émotionnelles: **l'autorégulation et l'intérêt pour l'univers, la capacité de créer des liens affectifs, l'établissement d'une communication intentionnelle, l'émergence d'une image de soi organisée, la création d'idées émotionnelles et la pensée émotionnelle**. Ces auteurs croient que quatre phénomènes de base influencent le développement de l'enfant: **la régulation, l'harmonie, l'exploration de nouvelles expériences et la pratique**. De plus, ils affirment que le soutien de l'adulte dans des expériences appropriées à l'âge des enfants est essentiel pour construire un climat social et émotionnel qui contribuera à la santé et au développement global de l'enfant. Dans un tel environnement d'apprentissage, l'enfant éprouve un sentiment d'engagement émotif total, de la maîtrise et du pouvoir.

Les recherches menées par le psychanalyste John Bowlby (1978) et la psychologue du développement Mary Ainsworth et ses collègues (Ainsworth et autres, 1978) rappellent pour leur part l'importance du processus d'**attachement**, processus par lequel un enfant crée des liens émotifs qui l'unissent à sa mère, à son père et à d'autres personnes signifiantes qui lui prodiguent des soins régulièrement. L'attachement influe directement sur certains aspects majeurs de la personnalité de l'enfant tels que l'empathie, la sympathie, la résolution de problèmes, la joie de vivre et la sociabilité. D'autres recherches (Lewis, 1986, p. 15) décrivent le processus d'attachement de façon similaire:

> À travers l'établissement de la réciprocité et d'interactions positives et l'émergence de l'image de soi, les enfants sont capables d'établir des relations interpersonnelles qui leur procurent la sécurité nécessaire pour explorer l'univers qui les entoure.

Une fois que le sentiment d'attachement est fortement établi avec les parents ou des personnes qui leur prodiguent régulièrement des soins, les enfants sont prêts à affronter la principale tâche qu'ils ont à réaliser dans leur développement émotionnel. Selon la psychologue Margaret Mahler et ses collègues (Mahler et autres, 1975), cette tâche consiste pour les enfants à construire une vision d'eux-mêmes en tant qu'individus distincts et séparés – mais qui demeurent capables de maintenir un fort sentiment d'attachement.

Il est clair que le soutien continu d'adultes attentifs permet aux enfants de s'épanouir, de se développer, de grandir, d'apprendre et de construire une connaissance opérationnelle de l'univers matériel et social qui les entoure.

2.1.2 Les maillons de la chaîne des relations humaines

La conscience de soi est un concept plutôt abstrait qui se comprend mieux si on le situe par rapport aux cinq composantes de la chaîne des relations humaines garantes de la santé sociale et émotionnelle de l'enfant, telles que répertoriées dans la littérature. Ces cinq composantes sont la capacité de faire confiance, la capacité d'être autonome, la capacité de prendre des risques, la capacité de faire preuve d'empathie et la capacité d'avoir confiance en soi. Elles sont à la base du processus de socialisation qui se développe de la naissance à l'âge adulte. Ces capacités sont particulièrement aptes à s'épanouir dans un environnement favorisant l'apprentissage actif qui stimule l'essor de relations sociales positives.

A. La confiance

La confiance est la conviction profonde qu'un jeune enfant a dans ses propres capacités et dans celles des autres. C'est elle qui lui permet d'explorer son univers et d'agir en étant assuré que les personnes dont il dépend lui apporteront le soutien et l'encouragement nécessaires à sa réussite. Le développement de la confiance commence dès la naissance tandis que les parents et les autres personnes responsables de l'enfant répondent à ses besoins : le nourrir, le langer, le caresser, le bercer, jouer avec lui. Ils permettent ainsi au poupon de se sentir en sécurité. Le trottineur exprimera sa confiance en explorant seul les secrets de la pièce voisine, sans la présence de l'adulte, par exemple. Mais le trottineur a encore besoin de vérifier fréquemment si l'adulte signifiant est toujours là. Par contre, les enfants de 3 ou 4 ans qui ont grandi dans la confiance sont capables de quitter la maison pendant des périodes de plusieurs heures, soit pour aller jouer chez des amis ou pour fréquenter un service de garde. Apprendre à faire confiance à de nouvelles personnes en dehors du cadre familial marque un pas important dans ce groupe d'âge. Dans le domaine des relations humaines, les jeunes enfants étendent aisément leur confiance à de nouveaux adultes et à de nouveaux pairs lorsqu'ils évoluent dans un environnement de soutien.

B. L'autonomie

L'autonomie est la capacité pour l'enfant de prouver son indépendance et d'explorer son univers. Elle permet à un enfant de dire des choses telles que « laisse-moi faire tout seul » ou encore « je voudrais aller voir ce qu'il y a de l'autre côté de la rue ». Bien que les jeunes enfants éprouvent le besoin de sentir un lien très étroit avec leurs parents ou les personnes qui en ont la garde, ils éprouvent aussi le besoin de se former une image de soi en tant que personnes distinctes qui peuvent prendre leurs propres décisions et agir par elles-mêmes. Un exemple de pensée autonome chez un jeune enfant est celui de Nicolas, un poupon qui fait des gazouillis à son ourson en peluche. Nicolas a découvert ainsi une façon très simple de se divertir par lui-même. Les trottineurs qui répondent « non » à tout, sans discernement, démontrent une autre façon de tester leur sens de l'autonomie. Aussi, en découvrant leur nouvelle capacité de se mouvoir seuls, les trottineurs éprouvent un sentiment d'indépendance qui les conduit quelquefois dans des situations problématiques : ils se coincent sous une chaise, sont apeurés par le vacarme des chaudrons qu'ils font tomber de l'armoire, s'emprisonnent dans des vêtements qu'ils ont décidé d'enlever tout seuls. Dans les années qui précèdent l'entrée à l'école, ils sont capables d'effectuer plusieurs tâches par eux-mêmes sans se placer dans des situations aussi fâcheuses, et les adultes devraient les encourager dans leurs entreprises. Les enfants d'âge préscolaire éprouvent beaucoup de fierté à s'habiller seuls, à verser eux-mêmes leur verre de jus, à conduire leur bicyclette, à transporter de grosses boîtes en carton, à « lire » un livre à leur ami. Ce genre d'expériences augmente le sens de l'autonomie chez l'enfant et lui donne le courage de tenter de se dépasser, d'explorer de nouveaux objets, de vivre de nouvelles expériences et d'entrer en relation avec de nouvelles personnes.

C. Le sens de l'initiative et le goût du risque

Le sens de l'initiative et le goût du risque s'observent chez l'enfant qui entreprend une tâche et la poursuit jusqu'au bout, chez celui qui prend en main une situation, chez celui qui prend des décisions et chez celui qui a du contrôle, du pouvoir ou de l'influence sur les objets qui sont à sa portée. Dès la naissance,

La naissance de l'empathie

« Lorsqu'elle a vu un enfant tomber et se faire mal, Hope, une enfant de 9 mois, s'est mise à pleurer et s'est blottie dans les bras de sa mère pour se faire consoler. On aurait dit que c'était elle qui s'était blessée. Lorsque Michel, un enfant de 15 mois, a vu pleurer son ami Paul, il est allé chercher son ourson en peluche préféré et l'a offert à Paul ; comme ça n'a pas consolé Paul, Michel est allé chercher sa doudou dans la pièce voisine.

« Ces petits gestes de sympathie et de tendresse qui ont été observés lors d'études scientifiques amènent les chercheurs à conclure que les débuts du phénomène d'empathie – défini comme la capacité de partager les émotions d'un autre – se situent dès l'âge des poupons, ce qui vient contredire la prétention préalable que l'on a longtemps tenue pour acquise, à savoir que les poupons et les trottineurs étaient incapables d'éprouver de tels sentiments.

« Dans certaines études récentes, les résultats les plus étonnants tendent à démontrer qu'il existe un neurone spécifique chez les primates qui permet expressément de répondre à des expressions d'émotions, une réponse qui pourrait prouver qu'il existe une base neurologique de l'empathie. Ces résultats de la recherche ouvrent la voie à de nouveaux travaux par lesquels les scientifiques tentent de déterminer avec précision les circuits du cerveau qui sont responsables de la transmission des impulsions empathiques. » (Daniel Goleman, 1989, p. 20.)

le goût du risque est présent chez l'enfant dans la mesure où ce dernier fait connaître ses intentions et où il réagit en fonction d'elles. Par exemple, France, 10 mois, voit le porte-clés de sa mère sur un tabouret. Sa figure s'illumine. Elle gazouille et formule le mot qu'elle utilise toujours pour désigner les objets qu'elle trouve intéressants : « dabou-dabou ». Elle rampe jusqu'au tabouret, s'y agrippe des deux mains, puis se relève avec effort. Une fois debout, elle lâche prise pour saisir les clés tant convoitées, mais ce faisant, elle perd l'équilibre et retombe assise sur le sol. Elle ne se décourage pas pour autant : elle tente de se lever de nouveau ; elle s'agrippe de la même façon au tabouret et fixe sur les clés des yeux où se lit sa convoitise. Elle retire alors une seule main du tabouret avec mille précautions, attrape les clés de sa main libérée et les met dans sa bouche. Elle peut alors utiliser ses deux mains pour rétablir son équilibre en se tenant aux pattes du tabouret, s'accroupir et se rasseoir par terre. Une fois assise confortablement sur le sol, elle joue avec les clés qu'elle a mis tant d'ardeur à récupérer : elle les secoue, les met dans sa bouche, les lance par terre et les reprend. Pour leur part, les enfants d'âge préscolaire sont plus audacieux, plus ambitieux dans les projets qu'ils échafaudent ; ils font des projets plus complexes et plus précis que ceux des trottineurs : « Je veux jouer avec les blocs. » « Je vais aller chercher du papier, beaucoup de papier, et je vais recouvrir la boîte que mon père m'a donnée, et je vais découper des trous dedans pour faire des fenêtres : ça va être mon fort à moi et je vais le partager avec José parce qu'il va m'aider. » L'enfant qui s'exprime ainsi a été invité à le faire par son éducatrice. Cette dernière connaît l'importance de faire exprimer par les enfants d'âge préscolaire leurs projets dans leurs propres mots. Ce faisant, elle permet aux enfants de se fixer des objectifs et de prendre confiance dans leur capacité de faire des choix et de prendre des décisions.

Ces enfants agiront pour faire en sorte que leurs désirs se réalisent et ils se percevront eux-mêmes comme des êtres compétents.

D. L'empathie

L'empathie est la capacité qui permet aux enfants de comprendre les sentiments des autres en les mettant en relation avec des sentiments qu'ils ont eux-mêmes éprouvés. Elle aide les enfants à établir des liens d'amitié et à acquérir un sentiment d'appartenance. Les premières étincelles de l'empathie apparaissent dès le plus jeune âge. La psychologue Janet Strayer (1986, p. 50) parle dans les termes suivants de la capacité d'empathie du nourrisson envers ses pairs :

> [...] même si leur compréhension cognitive est limitée, les enfants de 6 mois réagissent avec intérêt et tentent d'entrer en communication avec des enfants de leur âge qui pleurent.

Lorsqu'ils se retrouvent en groupe, par exemple, certains poupons et trottineurs insistent pour jouer à côté d'enfants pour lesquels ils éprouvent plus d'attirance, et ils démontrent des signes de tristesse lorsque leurs amis préférés pleurent. Quelquefois, ils se rapprocheront de leur ami et le caresseront ou ils lui offriront un jouet pour le consoler. De plus, Strayer (1986, p. 50) relate que l'intérêt des poupons s'étend aussi à leurs frères et sœurs, et pas seulement à leurs pairs : « D'après ce que racontent les mères, on estime que, à partir de l'âge de 14 mois, 65 % des poupons démontrent de l'empathie pour les autres enfants de la famille. » En outre, il est reconnu que les jeunes enfants reflètent les sentiments et les humeurs de leurs parents et des personnes qui en ont la garde. Prenons le cas d'Antoine. D'habitude, c'est un bébé qui sourit beaucoup, gazouille et agite les bras et les pieds quand il aperçoit son père qui vient le chercher au service de garde. Pourtant, les jours où son père arrive stressé et irritable, Antoine change de comportement et réprime rapidement ses manifestations de joie habituelles ; il se renferme, se replie sur lui-même, imitant ainsi à sa façon les manifestations de mauvaise humeur de son père. À l'âge préscolaire, les enfants sont capables de démontrer leurs préoccupations pour les autres de plusieurs façons. Comme leurs capacités langagières augmentent, ils expriment de plus en plus leurs sentiments et leur empathie face aux sentiments éprouvés par d'autres en utilisant leurs propres mots : « Tu as des larmes qui coulent sur tes joues... pourquoi as-tu de la peine ? » « Richard a beaucoup de peine parce qu'il a déchiré la photo de sa mère. » « Oh ! Charles sourit parce qu'il va voir son père. »

E. La confiance en soi

La confiance en soi est la capacité de croire dans ses propres habiletés pour agir et contribuer positivement à la société. Elle repose sur un noyau de fierté intérieure qui peut soutenir les enfants à travers les difficultés et les embûches auxquelles ils se heurteront nécessairement au cours de leur vie. La confiance en soi s'établit quand l'enfant évolue dans un environnement qui le soutient dans sa démarche en lui permettant d'exprimer ses champs d'intérêt ainsi que de mettre à l'épreuve ses habiletés et qui lui fournit des occasions de tenter des expériences couronnées de succès. Au cours de leurs recherches sur le développement de l'enfant, les chercheurs Curry et Johnson (1990, p. 3) ont rapporté que certains types d'expériences influent sur la confiance en soi d'un individu :

> Les recherches actuelles tendent à prouver que le fait d'avoir un sentiment bien établi de sa valeur personnelle et d'être confiant et convaincu qu'on peut faire face aux défis de la vie agit de façon préventive par rapport aux risques futurs de délinquance. Les éléments répertoriés jusqu'à maintenant dans les recherches portent à croire que deux types d'expériences ont une influence déterminante dans l'acquisition de la confiance en soi : des relations affectives harmonieuses et solides et la réalisation avec succès de tâches qui ont de l'importance aux yeux de l'individu qui les accomplit.

Par contre, si l'adulte ne mise pas sur la capacité de l'enfant de résoudre lui-même ses problèmes, la réussite risque d'échapper à ce dernier. On peut comprendre que l'adulte soit troublé par l'enfant qui se place dans des situations problématiques – le poupon qui se coince sous sa chaise haute, le trottineur qui pleure sous un amas de chaudrons et d'ustensiles qu'il a tenté de retirer de l'armoire, l'enfant d'âge préscolaire qui renverse du jus sur la table en tentant de s'en verser un verre. Ces situations, qui peuvent sembler négatives à première vue, procurent paradoxalement des moments privilégiés pour faire l'apprentissage de la résolution de problèmes et sont susceptibles d'aider l'enfant à développer sa confiance en soi. Par exemple, si l'adulte soutient l'enfant de façon appropriée et le rassure, le poupon pourra trouver un moyen de sortir de sa prison sous la chaise haute, le trottineur pourra être encouragé à replacer les chaudrons dans l'armoire et l'enfant d'âge préscolaire prendra la responsabilité d'essuyer le jus renversé. Les adultes doivent prendre le temps de voir ces situations avec les yeux de l'enfant. Ils reconnaîtront alors l'importance d'encourager les enfants pour qu'ils commencent à résoudre eux-mêmes leurs problèmes et ils mettront en place des balises pour des expériences d'apprentissage qui construiront chez l'enfant des compétences et le respect de soi.

Par ailleurs, même les très jeunes enfants ne sont pas dupés par les manipulations des adultes et les louanges factices. Ils ne gagneront pas de confiance en soi avec ces stratagèmes. Étudions le cas de David. David est assis dans sa chaise haute et il lance joyeusement sa cuiller par terre chaque fois que sa

Une conception de l'estime de soi

« Même si l'on veut parfois qu'il en soit autrement, on doit convenir que l'estime de soi se construit en fonction de réalités implacables qui sont le résultat des "ce que je peux faire, ce que j'ai déjà fait, ce que je suis devenu...".

« Nous aurions donc avantage à utiliser des méthodes éducatives plus participatives, à miser sur les relations interpersonnelles et à offrir plus souvent aux enfants l'occasion de faire des présentations et d'interagir. Faire parler les élèves, les faire discuter, raconter une histoire ou lire un texte de leur cru à la classe seraient des moyens très efficaces d'attacher ensemble les fils qui tissent l'estime de soi.

« À notre avis, la meilleure chose que l'on puisse faire consiste à enseigner aux enfants dans une atmosphère de compassion et de participation active où le respect de soi se gagne – souvent en surmontant de grandes difficultés – et à les équiper pour qu'ils puissent le gagner. » (Mike Schmoker, 1989, p. 34.)

mère la ramasse et la lui remet. « Ne lance pas ta cuiller, David », répète sa mère chaque fois. Mais David n'écoute pas et continue son petit jeu. La mère retire alors David de sa chaise haute et lui demande de ramasser la cuiller. « Non », répond-il avec fermeté. « Alors, maman va t'aider », dit la mère. Elle prend la main de David, la dirige vers la cuiller et recourbe les doigts de son enfant sur le manche de la cuiller. « Voilà, David est un bon garçon. Il a ramassé sa cuiller », dit la mère d'un ton louangeur et approbateur. « Non, c'est maman », répond David du tac au tac. Cet exemple démontre que la confiance en soi apparaît comme le résultat de ses propres actions et de ses propres décisions. Les enfants, qui semblent comprendre cela, s'attendent à ce que les adultes le comprennent aussi et agissent en conséquence.

2.1.3 Qui a le pouvoir ? Les répercussions des différents styles d'intervention

Dans les services de garde, on utilise différents styles d'intervention. Chacun d'entre eux a comme conséquence d'établir un climat particulier qui a des répercussions sur les enfants. Pour mieux saisir les caractéristiques et les répercussions des principaux styles d'intervention, nous allons comparer entre eux ceux qui sont utilisés le plus fréquemment, à savoir les styles laisser-faire, directif et démocratique. Notons que les interventions d'une même éducatrice auprès d'un même groupe d'enfants ne s'inspirent pas toujours d'un seul style d'intervention. L'éducatrice adopte parfois inconsciemment des comportements caractéristiques de plusieurs styles différents. Nous verrons donc aussi les effets qu'une combinaison de plusieurs styles d'intervention peut avoir sur les enfants.

A. Le style laisser-faire

Une éducatrice qui adopte le style laisser-faire est généralement permissive et elle cède une grande partie du contrôle du groupe aux enfants. L'horaire quotidien est souple et l'organisation matérielle du local est peu structurée, ce qui laisse toute la place au jeu de l'enfant. Dans un tel climat, le jeu est au cœur du programme pédagogique. Les éducatrices laissent intentionnellement les enfants jouer seuls entre eux pour qu'ils puissent entrer en relation les uns avec les autres et manipuler à leur guise le matériel à leur disposition. Elles n'interviennent que si les enfants le leur demandent, pour apporter des informations ou pour restaurer l'ordre lorsque c'est nécessaire.

Ce style d'animation fonctionne bien auprès d'enfants autonomes qui jouent le rôle de leader auprès de leurs pairs et qui sont capables d'aller chercher l'aide de l'adulte lorsqu'ils en ont besoin. Mais, à cause du manque relatif de structure et d'encadrement de l'éducatrice inhérent à cette approche, certains enfants risquent de devenir frustrés. Par exemple, ils peuvent avoir de la difficulté à trouver des choses à faire ; ils peuvent se sentir anxieux, s'ennuyer, être confus, être dominés par un pair ou perdre le contrôle. Par contre, un style laisser-faire offre l'entière liberté aux enfants et respecte leur besoin de jouer pour apprendre ; il reconnaît aussi que le jeu est le moyen privilégié par l'enfant pour apprendre. Certaines éducatrices croient qu'un tel style d'intervention reproduit les conditions de la vie quotidienne et prépare ainsi l'enfant à faire face à la réalité et à développer son instinct de survie.

B. Le style directif

L'approche directive de l'enseignement et de l'apprentissage se caractérise principalement par le fait que l'adulte contrôle entièrement les activités du groupe d'enfants. L'horaire quotidien et l'aménagement du local sont déterminés par l'éducatrice de façon que cette dernière puisse guider efficacement les enfants à travers des séquences d'apprentissage qu'elle a elle-même planifiées. En deux mots, l'éducatrice parle, les enfants écoutent et suivent les consignes. Idéalement, les enfants demeurent cois et attentifs alors que l'éducatrice poursuit des objectifs basés sur l'acquisition d'habiletés et de connaissances. Elle démontre aux enfants la marche à suivre et leur dit ce qu'ils ont besoin de savoir. Les enfants répètent après l'éducatrice, l'imitent et s'exercent jusqu'à ce qu'ils puissent reproduire le modèle présenté par elle ou obtenir un résultat satisfaisant lors d'un test d'évaluation. Les enfants qui ne sont pas capables de rester sans bouger et attentifs pendant la période de démonstration ou de transmission des consignes sont repris publiquement ou isolés, séparés de leurs pairs. Le climat directif récompense les enfants qui aiment suivre des ordres. Ce n'est que lorsqu'ils répondent aux attentes des adultes qu'ils éprouvent un sentiment de réussite. Mais l'éventail des comportements acceptables dans une telle approche est restreint, à tel point que la majorité des enfants ont besoin de la supervision constante de l'adulte pour maintenir leur attention et leur intérêt.

C. Le style démocratique

Le style démocratique prôné par les tenants de l'approche centrée sur l'apprentissage actif prévaut dans les groupes d'enfants d'âge préscolaire où les

Les différents styles d'intervention

Style laisser-faire	Style directif	Style démocratique
• Les enfants exercent le contrôle la plupart du temps tandis que les éducatrices observent et supervisent.	• Les éducatrices exercent entièrement le contrôle.	• Les enfants et les éducatrices partagent le pouvoir.
• Les éducatrices interviennent pour répondre aux demandes, offrir de l'information, restaurer l'ordre.	• Les éducatrices donnent des consignes, des directives, des explications et des informations.	• Les éducatrices observent les forces et les habiletés des enfants, forment un partenariat authentique avec eux, soutiennent leur jeu intentionnel.
• Le programme pédagogique est issu directement du jeu des enfants.	• Le contenu du programme pédagogique est orienté en fonction des objectifs d'apprentissage déterminés par les adultes.	• Le contenu du programme pédagogique provient des initiatives des enfants et des expériences clés favorisant leur développement.
• Les éducatrices valorisent beaucoup le jeu des enfants.	• Les éducatrices valorisent les exercices et les simulations.	• Les éducatrices valorisent l'apprentissage actif des enfants.
• Les éducatrices utilisent des approches diversifiées pour gérer le groupe d'enfants.	• Les éducatrices utilisent des moyens tels que la punition et l'isolement par rapport au groupe comme principales stratégies de gestion du groupe.	• Les éducatrices utilisent une approche de résolution de problèmes pour traiter les conflits interpersonnels.

éducatrices et les enfants partagent le pouvoir. Ils contrôlent ensemble le processus d'enseignement et d'apprentissage. Dans un tel climat, les adultes procurent aux enfants un équilibre réel entre la liberté dont ils ont besoin pour explorer leur univers en tant qu'apprenants actifs et les limites nécessaires pour leur permettre de se sentir en sécurité dans la classe ou le service de garde. Les éducatrices créent un environnement physique ordonné et riche pour soutenir un large éventail de champs d'intérêt et elles établissent un horaire quotidien dans lequel l'enfant peut exprimer ses attentes et réaliser ses projets. Tout au long de la journée, les enfants et les éducatrices prennent tour à tour l'initiative de proposer des expériences d'apprentissage actif basées sur les habiletés des enfants et sur leurs champs d'intérêt. Même au cours des expériences amorcées par les adultes, les enfants font des choix et prennent des décisions au sujet de l'utilisation du matériel et des objectifs à poursuivre au cours des activités. Les éducatrices manifestent leur présence en s'associant aux jeux des enfants en tant qu'égales. Elles s'intéressent véritablement à l'observation, à l'écoute, au dialogue et au travail avec les enfants et elles s'y engagent pleinement; elles encouragent les enfants et les appuient lorsqu'ils résolvent les problèmes qui surgissent pendant la journée. Lorsque des conflits surviennent, les éducatrices ne portent pas de jugements. Elles adoptent plutôt des comportements exemplaires et orientent les enfants dans la résolution de leurs problèmes. Elles accomplissent cette tâche de telle façon que les enfants puissent expérimenter la satisfaction de trouver leurs propres solutions pour régler leurs problèmes et qu'ils soient responsables de l'application de ces solutions. Dans ce climat, les éducatrices, tout comme les enfants, considèrent les problèmes, les erreurs et les conflits comme **des situations positives d'apprentissage actif**.

Les tenants de l'apprentissage actif croient qu'un style d'intervention démocratique est propice au développement harmonieux de l'enfant. C'est précisément ce style d'intervention qui permet aux enfants de s'épanouir dans un environnement qui favorise l'apprentissage actif. Ainsi, il leur permet de se concentrer sur leurs intérêts personnels et sur leurs initiatives individuelles, de tester leurs idées, de parler de leurs réalisations et de résoudre des problèmes à leur mesure par l'application de solutions appropriées à leur âge. Le climat de soutien démocratique qui résulte de ce style d'intervention stimule et renforce l'acquisition continue de la confiance, de l'autonomie, de l'initiative et du goût du risque, de l'empathie et de la confiance en soi.

D. Le passage d'un style d'intervention à un autre

Dans plusieurs groupes d'enfants du préscolaire, le pouvoir passe des mains des enfants à celles des éducatrices sans que ces dernières en prennent conscience. Elles adoptent des attitudes ou des comportements caractéristiques des styles d'intervention laisser-faire, directif et démocratique de façon imprévisible. Voici un exemple typique de l'oscillation entre plusieurs styles d'intervention. La scène décrite se déroule dans un service de garde fictif.

Le Centre de la petite enfance Ratatouille

Un climat démocratique règne dès le début de la journée lors de l'accueil des enfants. Ces derniers se regroupent autour des éducatrices Nicole et Mélanie. Ils racontent joyeusement des histoires, décrivent ce qu'ils ont fait à la maison, reviennent sur les sorties spéciales qu'ils ont faites la fin de semaine précédente, parlent des faits cocasses qui sont survenus, de leurs animaux domestiques, de leur famille, de leurs amis, des choses importantes qui leur sont arrivées récemment.

Ensuite, c'est le moment des jeux libres, et un style laisser-faire s'installe. Les enfants jouent avec le matériel qui est à leur disposition, certains seuls, d'autres en petits groupes; pendant ce temps, Nicole et Mélanie en profitent pour mettre à jour les dossiers des enfants et finaliser le programme de la journée. Deux enfants, Maxim et William, tournent en rond, ne sachant trop à quel jeu s'adonner. Maxim détruit la tour de blocs de Stéphanie, qui se met à pleurer.

À ce moment, Mélanie appelle cinq enfants autour de la table pour l'activité dirigée de la journée, et elle adopte alors un style directif. Étant donné que Mélanie considère cette période comme son temps d'« enseignement », elle dirige cette période comme à la « vraie école ». Elle s'attend à ce que les enfants l'observent et l'écoutent lorsqu'elle leur explique et leur montre comment décorer un bonhomme de neige avec du papier bouchonné. Ensuite, elle distribue à tous les enfants des bonhommes qu'elle a collés sur une feuille. Elle leur donne du papier de soie et leur demande de « remplir leur bonhomme » de papier de soie bouchonné. « Oh, Thomas ! Tu peux faire mieux que ça », s'exclame-t-elle en ajoutant un petit morceau de papier bouchonné sur sa feuille. « Regarde comment je fais... Continue... »

Lorsque les éducatrices adoptent une attitude de soutien avec les enfants, ces derniers apprennent à aimer, à aider et à soutenir leurs pairs.

Le passage d'un style à un autre est monnaie courante dans les services de garde et à la maternelle, et il est parfois inévitable. Cependant, les éducatrices ont tout avantage à prendre conscience du style qu'elles adoptent et à tenter de maintenir un style d'intervention constant pendant toutes les activités de la journée. L'oscillation d'un style à un autre peut provoquer un sentiment d'insécurité chez les enfants, qui ne savent alors pas à quoi s'attendre de la part des éducatrices qui les entourent.

2.1.4 Les effets du style d'intervention démocratique

Les éducatrices qui font des interventions démocratiques de manière constante auprès des enfants construisent une relation égalitaire qui bénéficie à tous : les enfants sont alors plus susceptibles d'apprendre activement et les éducatrices sont plus disponibles pour jouer leur rôle de soutien auprès des enfants.

A. Les enfants et les éducatrices apprennent en toute liberté

Les enfants se sentent motivés pour entreprendre leurs projets personnels lorsqu'ils se retrouvent dans un milieu d'apprentissage où règne un climat démocratique. Les éducatrices y encouragent les enfants à prendre des initiatives pour résoudre eux-mêmes les problèmes qu'ils éprouvent. Elles les stimulent pour qu'ils élaborent de nouvelles expériences d'apprentissage à travers lesquelles ils approfondiront leur conception de l'univers. Dans ce contexte d'ouverture, les enfants apprennent au cours de leurs expériences et construisent leurs propres connaissances. Les éducatrices aussi apprennent : elles reconnaissent les habiletés individuelles de chaque enfant, elles apprennent à interagir avec chaque enfant de façon authentique pour soutenir son développement et elles découvrent les ressources personnelles dont l'enfant dispose, ce qui leur permet de procurer à ce dernier le soutien dont il a besoin.

B. Les enfants expérimentent la satisfaction d'établir des relations interpersonnelles positives

Dans un environnement favorisant l'apprentissage actif, les éducatrices partagent leur pouvoir avec les enfants : elles incitent ceux-ci à résoudre leurs problèmes et elles investissent une large part d'elles-mêmes dans leurs relations avec eux. Elles donnent ainsi des exemples de relations interpersonnelles positives. Les éducatrices qui sont chaleureuses et patientes apprennent aux enfants à apprécier ces qualités et à les démontrer eux-mêmes dans leurs relations avec les autres. Lorsqu'elles accueillent les enfants avec plaisir et respect, ces derniers répondent souvent de la même façon. Bien entendu, même dans un climat démocratique où les éducatrices partagent le pouvoir avec les enfants, les interactions positives chez les personnes ne sont pas automatiques. C'est plutôt à long terme qu'on peut percevoir l'influence d'un tel modèle de relations interpersonnelles basées sur la compréhension et la tendresse.

C. La connaissance du développement de l'enfant permet d'expliquer les comportements de celui-ci

Dans un milieu qui privilégie l'apprentissage actif et un climat de soutien démocratique, les éducatrices expliquent les comportements des enfants en se référant au processus de développement de ces derniers. Même dans les milieux où les adultes et les enfants partagent le pouvoir, les jeunes enfants font face à des conflits interpersonnels – comme les individus de tout âge. Cependant, lorsque le pouvoir est partagé démocratiquement, les éducatrices conçoivent les conflits interpersonnels comme le résultat de la propension de l'enfant à se concentrer sur ses propres intentions et non comme un désir de l'enfant d'être méchant ou dissipé. Pour mieux comprendre ce phénomène, considérons le comportement de Vanessa, une enfant qui vient de fêter ses 3 ans.

Lorsque Vanessa est arrivée au service de garde, elle frappait souvent les autres enfants qui pénétraient dans « son » espace de jeu. L'éducatrice, qui a observé ce comportement, a tenté de le comprendre en jouant le rôle d'alliée indéfectible que les adultes privilégient dans un climat de soutien démocratique. Elle a donc aidé Vanessa à trouver des moyens verbaux en remplacement des coups qu'elle avait choisi de porter. Mais comme elle comprenait aussi le grand besoin de Vanessa de réaliser ses projets individuels, elle a observé les activités de jeu de l'enfant pour discerner celles qu'elle tentait de défendre si ardemment. Vanessa réagissait à l'intrusion des autres lorsqu'elle alignait des animaux en plastique, faisait des pyramides de blocs, remplissait et déversait des contenants dans le bac à sable. L'éducatrice a donc aidé Vanessa à trouver des endroits où elle pourrait réaliser ces activités à l'abri des « envahisseurs » jusqu'au jour où elle serait prête à jouer en interaction avec d'autres enfants.

D. En grandissant, les enfants développent la capacité de faire confiance, d'être autonomes, de prendre des initiatives et des risques, d'être empathiques et d'avoir confiance en soi

Dans un climat de soutien démocratique, les maillons de la chaîne des relations humaines ont plus d'occasions de s'emboîter les uns dans les autres que dans les deux autres climats découlant des styles d'animation que nous avons décrits précédemment. Dans le style directif, les adultes détiennent tout le pouvoir et les enfants ont peu d'occasions d'interagir à leur guise avec d'autres ou de manipuler librement le matériel. Dans le style laisser-faire, par contre, les enfants sont laissés à eux-mêmes la majeure partie du temps; pendant que certains enfants prennent le leadership du groupe et expérimentent la réussite, d'autres peuvent se sentir démunis ou contrôlés par leurs pairs plus entreprenants. Dans un climat de soutien démocratique, les adultes s'efforcent de stimuler les initiatives de chacun des enfants de telle sorte qu'ils puissent acquérir le sens de l'autonomie et la capacité de faire des choix et de prendre des décisions.

2.2 Pour établir un climat de soutien démocratique : cinq principes fondamentaux et des stratégies qui en découlent

Les éducatrices peuvent créer un climat de soutien démocratique en utilisant cinq principes fondamentaux comme balises de leur travail auprès des enfants. Elles stimuleront ainsi chez l'enfant le développement de sa capacité de faire confiance, d'être autonome, de prendre des initiatives et d'avoir le goût du risque, d'être empathique et d'avoir confiance en soi. Les cinq principes fondamentaux sont les suivants :

- Partager le pouvoir entre les éducatrices et les enfants.
- Mettre en valeur les habiletés et les forces des enfants.
- Établir des relations authentiques avec les enfants.
- S'engager à soutenir le jeu des enfants.
- Adopter une approche de résolution de problèmes pour traiter les conflits interpersonnels.

Les adultes peuvent mettre en place un climat de soutien démocratique en incorporant ces principes de soutien quel que soit le milieu, qu'il s'agisse du milieu familial, d'un centre en installation, de la maternelle, d'un service de garde en milieu scolaire, d'un centre de loisirs, d'un terrain de jeu, d'une sortie éducative, d'une halte-garderie ou de toute autre structure dans laquelle peut se trouver un groupe d'enfants. L'approche éducative qui favorise l'apprentissage actif met en pratique les principes fondamentaux de soutien de l'enfant pendant toutes les activités de la journée, quels que soient le moment ou le propos de l'interaction de l'adulte avec l'enfant. Dans les sections qui suivent, nous décrirons de façon détaillée des stratégies que les adultes peuvent utiliser pour établir et maintenir un climat de soutien démocratique.

2.2.1 Partager le pouvoir entre les éducatrices et les enfants

Le partage du pouvoir dans un climat de soutien démocratique exige de la **réciprocité**, c'est-à-dire un véritable échange entre les éducatrices et les enfants. Dans leurs interactions, les enfants et les éducatrices jouent tour à tour les rôles de leader et de participant, les rôles d'enseignant et d'apprenant, les rôles d'émetteur et de récepteur de messages.

Pourquoi les éducatrices doivent-elles partager le contrôle du groupe avec les enfants ? Considérons différentes possibilités. Si les éducatrices laissent tout le pouvoir aux enfants, les enfants les plus audacieux domineront, souvent aux dépens des autres enfants du groupe. Par contre, si elles contrôlent entièrement le groupe, les enfants auront peu d'occasions d'exercer le contrôle de soi ou d'acquérir la capacité de prendre des décisions et de mesurer les conséquences de leurs décisions. Mais si les éducatrices et les enfants partagent le pouvoir et le contrôle, une atmosphère de respect mutuel, de confiance et de réalisation de soi prévaudra. Les éducatrices et les enfants s'entendent pour écouter et appliquer les idées de chacun. Les enfants se sentent en sécurité, agissent de façon autonome et prennent des initiatives et des risques. Comme les enfants ont la possibilité de prendre des décisions, de discuter de leurs choix et des décisions qui les concernent avec les personnes qui les entourent, ils perçoivent ainsi le sens de leur propre pouvoir, tout en reconnaissant leurs limites. Très tôt, ils parviennent à comprendre qu'ils n'ont pas avantage à adopter une attitude passive, puisqu'ils se rendent bien compte qu'ils peuvent agir par eux-mêmes pour réaliser leurs désirs.

Les éducatrices peuvent partager le pouvoir avec les enfants en utilisant les quatre stratégies que nous décrirons maintenant.

A. Saisir les indices que fournissent les enfants

Les éducatrices observent les enfants dans le but de saisir les indices qu'ils leur fournissent et d'agir en fonction des signaux qu'ils émettent dans leurs jeux et leurs conversations avec leurs pairs. Elles installent un climat qui permet aux enfants d'exprimer leurs idées et de réaliser leurs projets ; elles s'associent aux activités des enfants en jouant le rôle d'une partenaire attentive et coopérante, c'est-à-dire d'une personne qui peut les aider sans pour autant prendre en charge leur projet ou les détourner de leur intention première. Voici trois situations où les éducatrices partagent le pouvoir avec les enfants en tenant compte des signaux que ces derniers leur envoient :

> Diane, un poupon, est couchée sur le dos et regarde sa mère. Elle commence à faire du bruit avec sa langue. Lorsqu'elle s'arrête, sa mère lui répond en faisant le même bruit avec sa langue. Diane lui répond ensuite, et elles continuent ainsi leur dialogue jusqu'à ce que Diane se retourne sur le côté, portant son attention sur un petit hochet vert qu'elle peut à peine rejoindre de ses mains.
>
> Manuel, un trottineur, veut apporter son aide au cours d'une tâche réservée aux adultes, soit

Comme elle laisse le leadership du jeu aux enfants, cette éducatrice joue le rôle qu'ils lui ont assigné et elle revêt le costume d'espion qu'ils ont choisi pour elle.

transporter l'eau dans le bac à eau. « Moi, moi », répète-t-il en tentant de prendre le seau rempli d'eau que son éducatrice transporte. Celle-ci dépose le seau par terre, mais il est trop lourd pour Manuel, qui ne peut le déplacer d'un centimètre. Les yeux de l'enfant se remplissent de larmes. « Manuel, dit l'éducatrice, tu pourrais transporter le seau dans le chariot. » La figure de Manuel s'éclaire. Il va chercher le chariot. L'éducatrice et Manuel soulèvent ensemble le seau pour le mettre dans le chariot, et Manuel pousse le chariot jusqu'au bac à eau. Ils transvident ensemble le seau dans le bac à eau. « Encore ! » dit Manuel en retournant au lavabo avec le seau vide dans son chariot.

C'est au tour de Kim et Simon d'agir en tant que « préposés à la collation » aujourd'hui dans leur groupe d'enfants. Ce sont eux qui apportent le jus, les bananes, les verres et des serviettes de table aux enfants assis autour de la table. « Attends une minute, dit Simon. Ces bananes feraient de bons téléphones ! » Simon a attiré l'attention du groupe, mais les enfants ne comprennent pas tout à fait où il veut en venir. Mélanie, l'éducatrice de Simon, observe la confusion qui se lit sur les visages des enfants. Elle prend une banane et la place à son oreille pour en faire un combiné de téléphone. « Dring, dring. Allô, Mélanie ? » dit Simon en empoignant son téléphone-banane, tout content que quelqu'un ait saisi son idée. « Est-ce que tu veux du jus ?
– Oui, s'il vous plaît, répond l'éducatrice dans son téléphone-banane.
– Ça arrive tout de suite », répond Simon. Pendant que Simon verse un verre de jus à son éducatrice, Kim « téléphone » à Sylvie. Le stratagème continue jusqu'à ce que tous les enfants soient servis.

B. Participer aux jeux des enfants en suivant les règles qu'ils inventent

Dans un climat de soutien démocratique, les éducatrices sont réceptives aux suggestions des enfants, attentives à leurs sentiments et ouvertes à leurs idées. Elles mettent de côté leur vision d'elles-mêmes en tant qu'autorité toute-puissante et omnisciente pour devenir des associées à part égale avec les enfants. Elles partagent les intérêts de ceux-ci, leurs plaisirs et leurs désirs créateurs. Elles se laissent guider par les enfants aussi souvent que possible et se laissent porter par leur enthousiasme naturel. Elles planifient les activités du groupe en s'inspirant des habiletés, des talents et des champs d'intérêt des enfants. Elles suivent les consignes des enfants pour s'intégrer à leurs jeux ; elles jouent volontiers les rôles que les enfants leur assignent (« Ta jambe est cassée. Je suis le docteur, alors je vais te la réparer. ») et elles jouent avec les enfants en suivant les règles que ces derniers ont inventées eux-mêmes.

C. Apprendre des enfants

L'apprentissage actif n'est absolument pas une voie à sens unique ! Dans un climat de partage du pouvoir, les éducatrices et les enfants sont tour à tour des enseignants et des apprenants. Les éducatrices apprennent beaucoup en observant les attitudes des enfants. Par exemple, une éducatrice a passé une soirée à apprendre comment fonctionnait le manche à balai d'une console électronique pour présenter un nouveau jeu à l'ordinateur aux enfants de son groupe de 3 et 4 ans. Le lendemain, c'est avec fébrilité qu'elle démontre au groupe d'enfants comment utiliser le manche à balai pour faire bouger l'auto sur l'écran de l'ordinateur. « Laisse-moi faire cela », dit Vincent. En quelques minutes à peine, Vincent arrive à maîtriser la technique que l'éducatrice a pris toute la soirée précédente pour apprendre. Tandis qu'elle observe et admire les talents de Vincent, l'éducatrice se dit qu'elle aurait intérêt à imiter l'attitude enthousiaste de Vincent la prochaine fois qu'elle essaiera des logiciels.

Les enfants peuvent aussi enseigner aux adultes quels sont leurs besoins humains fondamentaux. Une responsable d'un service de garde en milieu familial voit sa fille de 4 ans piquer une colère lorsqu'elle s'aperçoit que les enfants sont allés fouiller dans ses affaires personnelles. La mère et la fille discutent ensemble de ce qui s'est passé. Après que la mère a tenté d'expliquer la situation à l'enfant, elle la laisse seule – bien que l'enfant soit encore de mauvaise humeur – et elle va vaquer à ses occupations dans une pièce voisine. Elle n'a pas sitôt tourné le dos que sa fille vient la retrouver et lui dit : « Tu ne peux pas me laisser toute seule parce que je suis fâchée.
– Oui, tu as raison », répond la mère.

Depuis ce jour, elle se souvient de cette expérience chaque fois qu'un des enfants qu'elle garde est fâché ou de mauvaise humeur et qu'elle est tentée de s'en aller avant que le problème soit vraiment réglé.

D. Renoncer au pouvoir en le cédant délibérément aux enfants

Aux yeux des enfants, les adultes sont gros, grands et puissants. Il y a des moments où les enfants demandent aux adultes d'exercer judicieusement ce pouvoir pour établir et faire respecter des limites raisonnables de façon qu'ils se sentent en sécurité ; il y a aussi des moments où les adultes devraient renoncer à leur pouvoir de façon que les enfants puissent expérimenter le potentiel et les conséquences de leurs idées et de leurs intuitions.

Les éducatrices cèdent le contrôle aux enfants au cours d'une conversation, par exemple, tandis qu'elles font suivre chaque contribution d'un enfant d'une nouvelle contribution de leur part, d'une répétition ou d'une reformulation plutôt que d'une question. En effet, lorsque les adultes posent des questions, ils gardent la plupart du temps le contrôle de la conversation parce que la question elle-même détermine ou limite la réponse de l'enfant. Lorsque l'adulte répond plutôt par une contribution, par une répétition ou par une reformulation, l'enfant garde le contrôle de la communication parce qu'il est alors capable de diriger directement la conversation vers ses champs d'intérêt personnels. Considérons la conversation suivante entre Clara et son éducatrice lors d'une situation que nous avons vue au chapitre 1. Clara était alors incapable de faire rebondir une balle de pâte à modeler :

> CLARA. – Ça ne rebondit pas !
> L'ÉDUCATRICE. – Je vois. Ça ne rebondit pas. (Répétition.)
> CLARA. – Ça colle au plancher. C'est... c'est... plat !
> L'ÉDUCATRICE . – Quand tu la lances, ça ne rebondit pas. Ça colle au plancher et c'est plat. (Reformulation.)
> CLARA. – Je vais en faire une autre, une très ronde, parce que celle-ci ne fonctionne pas.
> L'ÉDUCATRICE . – O.K., je vais te regarder en faire une autre très ronde. Je suis contente d'être venue voir ce que tu faisais. (Contribution.)

Plusieurs situations qui surviennent spontanément au cours d'une journée permettent aux enfants et aux éducatrices de partager le pouvoir dans le groupe. Cependant, les éducatrices peuvent aussi planifier des activités spécifiques qui ont pour but d'expérimenter le partage du pouvoir. Par exemple, au début de l'année, une éducatrice a commencé la période de planification (le moment de la journée où chaque enfant décide de l'activité qu'il veut entreprendre) en demandant à chaque enfant à tour de rôle de décrire son projet personnel. Une fois que les enfants se sont sentis très à l'aise face à ce processus de planification, l'éducatrice a choisi d'utiliser ce moment de la journée pour partager le pouvoir avec eux. Elle a alors demandé aux enfants de s'expliquer leurs projets les uns aux autres. De temps en temps, un enfant remplace l'éducatrice pour demander aux autres enfants d'expliquer leurs projets. À d'autres moments, l'éducatrice demande aux enfants de former des dyades et de discuter de leur projet avec leur partenaire. L'éducatrice participe aussi à cette activité en étant la partenaire d'un des enfants et en aidant les enfants qui sollicitent son soutien ; les enfants assument la responsabilité d'écouter un pair qui décrit un projet et de valider celui-ci.

Le partage du pouvoir est en définitive un processus complexe. Le psychologue Urie Bronfenbrenner (1979, p. 60) estime que les enfants se développent harmonieusement dans un climat de soutien démocratique ; il constate que le pouvoir y oscille entre les enfants et les adultes, et que progressivement les enfants prennent plus le contrôle de leurs actes.

> La participation de la personne en développement à des opérations de plus en plus complexes facilite l'apprentissage et le développement de celle-ci. De plus, lorsque cette personne partage des activités avec une autre personne avec qui elle a tissé des liens émotionnels forts et durables, la balance du pouvoir penche graduellement en faveur de la personne en développement.

Notre but, en tant qu'éducateurs, est de donner du pouvoir à l'enfant en lui accordant autant de soutien et d'encadrement que possible pour qu'il soit en mesure d'exercer ce pouvoir à chaque étape de sa vie.

2.2.2 Mettre en valeur les habiletés et les forces des enfants

L'apprentissage se fait plus facilement lorsque les enfants sont motivés. Ils deviennent motivés lorsqu'ils établissent des objectifs personnels et travaillent à des sujets qui les intéressent. Les éducatrices peuvent créer un climat de soutien en découvrant les champs d'intérêt des enfants, leurs talents, leurs capacités et leurs habiletés, et en s'appuyant sur ces aspects positifs des enfants. Elles commencent par observer les enfants en activité de façon à pouvoir mettre à profit leurs aspirations et leurs champs d'intérêt naturels. Ce comportement des éducatrices qui favorisent l'apprentissage actif contraste avec celui des éducateurs, dans d'autres approches, qui tentent de déceler les points faibles des enfants et qui leur imposent des activités pour combler les lacunes ou pour repousser leurs limites. En règle générale, dans une telle approche corrective, les adultes dépensent beaucoup d'énergie pour stimuler et motiver les enfants afin qu'ils accomplissent des tâches qui ne les intéressent pas nécessairement. Plus les éducatrices tendent à faire pression sur les enfants, plus les enfants sont sur la défensive et deviennent anxieux. Par contre, lorsqu'elles mettent en valeur les habiletés et les forces des enfants, elles n'ont pas besoin de motiver ces derniers : ils sont déjà motivés par eux-mêmes de façon intrinsèque.

Nous présentons dans les lignes qui suivent quelques stratégies que les éducatrices peuvent utiliser pour mettre en valeur les habiletés et les forces des enfants.

A. Déceler les champs d'intérêt des enfants

Lorsque les adultes recherchent et soutiennent les intérêts des enfants, ceux-ci sont libres de poursuivre les activités et les champs d'intérêt qui les motivent déjà beaucoup. Ils sont aussi disposés à tenter des expériences nouvelles qui sont en relation avec leur champ d'intérêt de départ. Prenons l'exemple de Grégoire. Il adore jouer avec des camions. À première vue, il semble reproduire le même jeu d'une fois à l'autre. Toutefois, les éducatrices de son service de garde qui l'ont regardé et écouté attentivement ont découvert que Grégoire possède un répertoire très diversifié de sons associés aux camions, que ce répertoire grandit de jour en jour et qu'il devient de plus en plus complexe. Ses camions imaginaires possèdent cinq vitesses et les sons qu'il fait sont différents pour chacune d'entre elles. Le son qu'il fait pour imiter le camion qui monte une côte très abrupte est étonnamment réaliste. Les éducatrices en concluent que Grégoire s'amuse beaucoup en reproduisant des bruits parce qu'il a de la facilité à distinguer et à imiter les sons. Cette observation les amène à enrichir leur coin de la musique. Depuis ce temps, Grégoire s'intéresse vivement à ce coin. Il y va souvent pour créer ses propres chansons en jouant du xylophone ; ses chansons racontent d'ailleurs des histoires de camions et de convois routiers. De plus, il aime bien la nouvelle chaîne stéréo avec laquelle il peut enregistrer ses bruits de camions.

B. Analyser les situations en adoptant le point de vue des enfants

Les éducatrices ont quelquefois tendance à voir les points forts des enfants avec des sentiments mitigés parce qu'un nouveau sujet qui enthousiasme ceux-ci peut engendrer un surcroît de travail. Cependant, si l'éducatrice analyse les situations qui surviennent en adoptant le point de vue de l'enfant, elle sera vite convaincue que les efforts à fournir seront profitables. Le sentiment de réussite que l'enfant éprouve en expérimentant de nouvelles activités reliées à ses habiletés est plus important et a un effet plus durable que l'inconvénient à court terme que ces situations peuvent causer aux adultes. L'exemple suivant en est une bonne illustration.

Vanessa tente de manger de la soupe avec une cuiller, mais elle est encore maladroite avec sa cuiller, et la soupe dégouline le long de ses bras jusque sur le plancher. Martine, son éducatrice, pourrait être irritée par ces dégâts. Cependant, comme elle saisit l'intention de Vanessa qui est de se nourrir elle-même et non pas de faire des dégâts, Martine se concentre sur les progrès que fait Vanessa dans ses tentatives pour manger toute seule, plutôt que de réagir à la soupe renversée. Elle observe Vanessa et lui sourit pendant que cette dernière poursuit ses efforts. « Regarde Vanessa, dit-elle à son frère aîné, elle utilise une cuiller, tout comme vous, les grands ! » Martine note aussi la nouvelle passion de Vanessa pour en faire part à ses parents lorsqu'ils viendront la reprendre à la fin de leur journée de travail.

C. Informer les parents et les membres du personnel des intérêts des enfants

Le principe consistant à mettre en valeur les habiletés et les forces des enfants plutôt que leurs faiblesses et leurs limites a des répercussions sur les informations que l'on transmet aux autres membres du personnel du service de garde et aux parents. Lorsque les adultes qui travaillent avec les enfants se préoccupent d'abord des limites et des faiblesses des enfants – ce que les enfants ne peuvent pas faire ou ne font pas très bien –, les enfants tout comme leurs parents deviennent souvent récalcitrants et se découragent. Par ailleurs, lorsque les éducatrices mettent en valeur les forces des enfants, ces derniers expérimentent le succès et les parents perçoivent leurs enfants comme des êtres compétents.

Pour illustrer ce phénomène, prenons l'exemple de Mme Charest, la mère de jumeaux très actifs. D'habitude, les adultes lui parlent des jumeaux en soulignant combien ils sont turbulents ; alors elle a tendance à éviter d'entamer la conversation avec les éducatrices lorsqu'elle vient chercher ses enfants au service de garde. Aujourd'hui, Justin et Jérôme jouent joyeusement dans le carré de sable au moment où leur mère arrive. Même si ce comportement est très positif, lorsque leur éducatrice s'approche pour lui parler, Mme Charest a l'impression qu'on va encore lui raconter un mauvais coup.

> Je suis très contente de pouvoir enfin vous parler, commence l'éducatrice. Justin et Jérôme ont eu une grosse journée de travail aujourd'hui. Ils ont utilisé des boîtes en carton pour faire des robots ; ensuite, ils ont construit une maison pour leurs robots dans le coin des blocs. Plusieurs enfants ont vu ce qu'ils

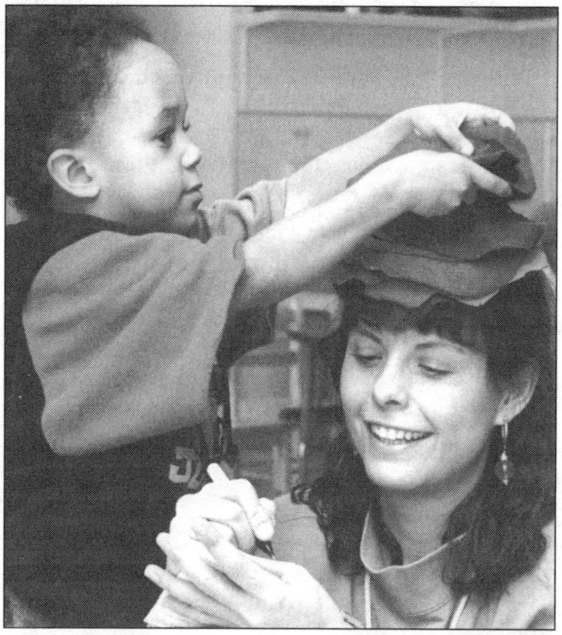

Les éducatrices s'en remettent à l'inspiration des enfants le plus souvent possible. Elles construisent ainsi à partir de l'enthousiasme naturel des enfants.

faisaient et ont demandé à Jérôme et à Justin de leur montrer comment fabriquer un robot. Ils ont aidé les autres enfants en faisant preuve de beaucoup de patience. Ça n'a pas été long qu'on avait quatre robots dans notre coin des blocs !

Mme Charest se sent soulagée et réconfortée ; elle est reconnaissante de voir qu'un adulte perçoit et stimule ce qu'il y a de meilleur chez ses garçons. « Merci, répond-elle. J'ai des boîtes vides à la maison. Ils aimeront peut-être ça s'amuser avec elles. Je vais leur proposer. »

D. Planifier les activités en s'inspirant des forces et des champs d'intérêt des enfants

La plupart des adultes et des éducatrices croient que chaque enfant est unique et, par conséquent, ils s'efforcent d'individualiser leurs méthodes pédagogiques. **Puisque les forces et les champs d'intérêt des enfants sont des manifestations tangibles de leur unicité, la mise en valeur des forces des enfants est la clé de l'individualisation dans un programme centré sur l'apprentissage actif.** Lors des séances quotidiennes de planification des activités, par exemple, la question « Que voulons-nous planifier pour Vanessa, demain ? » est associée avec une discussion sur ce qui a intéressé Vanessa aujourd'hui :

> Aujourd'hui, Vanessa a pris tous les gros animaux de la ferme sur la tablette et les a disposés en cercle sur le plancher autour d'elle. Mais dès que d'autres enfants sont venus la rejoindre, elle a rangé tous les animaux et s'est retirée dans le coin de la relaxation. Elle a fait la même chose avec les petits animaux au cours de la période d'atelier. Demain, on pourrait peut-être mettre en valeur son intérêt pour les animaux et soutenir son besoin d'isolement en utilisant les petits animaux en plastique lors de la période en petits groupes.

(Pour plus de détails sur la planification à partir des forces et des champs d'intérêt des enfants, voir le chapitre 4.)

2.2.3 Établir des relations authentiques avec les enfants

Les adultes, tout comme les enfants, ont des forces et des champs d'intérêt. Dans un climat de soutien démocratique, les habiletés et les passions des éducatrices enrichissent et colorent leurs relations avec les enfants. Elles sont à la base des relations interpersonnelles authentiques qui sont nécessaires pour imprégner d'efficacité et de sincérité l'enseignement et l'apprentissage. Selon le psychologue Carl Rogers (1983, p. 133), l'**authenticité** repose sur

> la transparence de l'animateur, sa volonté d'être une personne entière, d'accepter et de vivre pleinement les sentiments qui l'animent et les idées du moment. Lorsque cette sincérité inclut la mise en valeur, la confiance et le respect de l'apprenant ainsi que la tendresse à son égard, le climat d'apprentissage en est rehaussé. Lorsqu'elle englobe aussi une écoute empathique sensible et fidèle, un climat de liberté stimulante, d'apprentissage et de développement créé par l'individu s'installe véritablement. L'enfant a alors toutes les chances de se développer.

Puisque l'enseignement et l'apprentissage sont des processus d'interaction sociale, il est déterminant que les adultes donnent ce qu'ils ont de meilleur – leur moi véritable – pour exercer une influence positive et soutenante sur les enfants. La réciprocité et le respect mutuel sont inhérents aux relations authentiques ; ils ont un effet immédiat de soutien et de stimulation de la **confiance** chez l'appprenant (« Je sais que Mélanie va me donner tout le temps nécessaire pour répondre ; je sais qu'elle m'écoutera quand je vais parler. ») ; ils favorisent l'**autonomie** (« Je peux le faire moi-même parce que je sais qu'elle sera là pour m'aider si j'ai besoin d'aide. ») ; ils provoquent l'**empathie** (« Jimmy aime se balancer ; moi aussi. ») ; ils suscitent la **confiance en soi** (« Ce que j'ai à dire est important parce que les personnes qui m'entourent m'écoutent quand je parle. »). Le souvenir de relations authentiques perdure chez l'enfant et le guidera longtemps – même plus tard, lorsqu'il établira des relations avec d'autres adultes et avec d'autres pairs dans de nouveaux environnements d'apprentissage.

Puisqu'il n'y a pas de recette qui puisse fonctionner pour tous les adultes et tous les enfants, chaque éducatrice doit puiser dans ses ressources personnelles et engager toutes ses connaissances et toutes ses émotions dans chacune de ses interactions. Nous décrirons maintenant quelques stratégies à privilégier pour établir des relations authentiques.

A. Partager ses passions avec les enfants

Les éducatrices qui adoptent un style démocratique soutiennent et respectent la motivation des enfants lorsque ces derniers réalisent leurs projets personnels. Elles exploitent aussi leurs propres champs d'intérêt. Un jour, un visiteur dans un service de garde était étonné d'entendre chanter un groupe d'enfants de 2 ans. « Ces tout-petits chantent tellement bien. Ils sont si enthousiastes qu'ils veulent tous proposer une nouvelle chanson ! Quel est le secret ? a-t-il demandé.
– Eh bien ! a répondu la coordonnatrice, c'est simple. Chantal, leur éducatrice, adore chanter. Elle chante tous les jours avec les enfants ; alors, pour eux, chanter est la chose la plus naturelle du monde. Avec Chantal, même moi je peux chanter ! »

B. Réagir aux champs d'intérêt des enfants en leur prêtant attention

Les éducatrices observent le plus attentivement possible les champs d'intérêt des enfants parce qu'elles sont convaincues que ceux-ci sont la clé de leur apprentissage : « Regarde ce que j'ai trouvé ! dit Daniel en brandissant une feuille verte brillante.
– Tiens, regarde donc ça, lui répond son éducatrice en se penchant pour mieux examiner la découverte de Daniel.
– Il y a une goutte d'eau qui glisse dessus.
– Où ça ? demande Daniel en se mettant le bout du nez sur la feuille pour voir de plus près.
– Oh ! oui, je la vois ! Je vais tenir la feuille bien droit pour ne pas que la goutte tombe. Hé, regarde, Jean-Charles, une goutte d'eau ! »

C. Donner un feed-back précis aux enfants

Les éducatrices parlent aux enfants du fond de leur cœur ; elles leur communiquent leurs observations, elles rient avec eux et leur font part de leur étonnement en utilisant des termes précis et concrets : « Regarde à quel point ton avion a volé loin cette fois, Thierry ! Je ne savais pas que l'ajout d'un trombone ferait une telle différence ! » Elles avouent aussi honnêtement leur ignorance : « Je ne sais pas ce qui fait grincer la porte tant que cela, Éliane. Allons y jeter un coup d'œil ensemble. »

Les éducatrices écoutent très patiemment. Elles ne présument jamais de ce que veut dire un enfant tant que celui-ci ne l'a pas dit, elles ne prévoient pas la réponse d'un enfant tant qu'il n'a pas fini de s'exprimer : « C'est ma chanson préférée », dit Sylvie en tendant une feuille de papier toute gribouillée à Mélanie, son éducatrice. Sans dire un mot, Mélanie s'agenouille auprès de Sylvie, pour être à sa hauteur. En tenant la feuille de papier de manière qu'elles puissent la voir toutes les deux, elle étudie l'œuvre de Sylvie. « Vois-tu ? » dit Sylvie en pointant un gribouillis au centre de la feuille. « C'est une chanson à propos de mon chien. Ici, il court très vite. Ne va pas dans la rue, mon petit chien. Les autos vont te frapper. Reviens ! Reviens ! Il court vers moi et saute dans mes bras pour me lécher la joue. Petit chien fou ! Reste avec moi. Ne bouge pas d'ici. Je vais prendre soin de toi. Maintenant, chantons ma chanson ensemble, d'accord ?
– D'accord, dit Mélanie. Commence et je vais chanter avec toi. »

Comme Curry et Johnson (1990, p. 3) le rappellent :

> [...] l'authenticité et la précision de leurs réponses aux enfants devraient guider les éducatrices et les enseignantes dans leur travail avec ceux-ci. Un feed-back sincère face aux comportements précis des enfants aidera ces derniers à se développer et à se transformer, beaucoup plus que des commentaires généraux tels que « C'est beau, ce que tu as fait » ou « Bravo ! ».

Les adultes apprécient les conversations qu'ils ont avec les enfants parce qu'elles sont agréables et qu'elles offrent des occasions uniques de découvrir les enfants. Lors d'une conversation avec Antoine, 4 ans, à propos d'un aimant, l'éducatrice utilise des mots tels que « attire » et « repousse ». Antoine lui répond en employant un vocabulaire beaucoup plus concret : « Regarde ce que mon aimant a attrapé ! » L'éducatrice lui répond en employant le vocabulaire d'Antoine : « Ton aimant a attrapé plusieurs clous, mais le mien n'est pas capable d'attraper ces cure-dents ! » Au cours de tels dialogues dont l'objet est centré sur les véritables champs d'intérêt des enfants et sur des événements précis, les enfants et les adultes trouvent des occasions d'enseigner et d'apprendre. Dans ce genre de climat, les enfants acquièrent progressivement l'habitude d'exprimer leurs champs d'intérêt à leurs compagnons de jeu autant qu'aux adultes :

NICOLAS. – Nous, on aime ça jouer dans la boue, hein, Benoît?
BENOÎT. – Oui, on est des amoureux de la boue.
NICOLAS. – On en a partout.
BENOÎT. – J'en ai même dans mes cheveux.
NICOLAS. – Moi aussi. Et j'en ai dans mon soulier.
BENOÎT. – Moi, j'en ai dans mes deux souliers.

D. Poser des questions de bonne foi et répondre avec sincérité

Dans des relations authentiques, lorsque les éducatrices posent des questions, elles le font de bonne foi, c'est-à-dire qu'elles ne posent des questions que si elles n'en connaissent pas les réponses. Ces questions ne servent pas à tester les connaissances des enfants ou à piéger ces derniers.

- « Où sont les ciseaux, Jean-Pierre? Tania en a besoin pour découper sa couronne. »
- « Mélanie, comment est-ce qu'on fait cela? »
- « Je n'ai jamais vu un tel coquillage auparavant, Laura. Où l'as-tu trouvé? »

Les questions qui sont posées de bonne foi démontrent, chez la personne qui les pose, le désir sincère de recevoir et d'écouter les réponses, quelles qu'elles soient:

LUCE. – Mélanie, pourquoi as-tu ce truc, là, sur tes yeux?
L'ÉDUCATRICE. – Tu veux parler de l'ombre à paupières verte sur mes paupières?
LUCE. – Oui, pourquoi en mets-tu?
L'ÉDUCATRICE. – Bien... parce que j'en ai envie. Mes yeux ont l'air plus verts avec cela. Et c'est amusant, comme si je m'en allais à une fête!
LUCE. – Mais ici, ce n'est pas une fête. Ici, c'est... c'est... ici!
L'ÉDUCATRICE. – Je pense que d'être ici avec vous, c'est très amusant.
LUCE. – Comme une fête?
L'ÉDUCATRICE. – Oui. J'ai beaucoup de plaisir avec plein de monde que j'aime.
LUCE. – Moi, j'aime Julien. C'est mon meilleur ami.

Il n'y a pas d'urgence à répondre aux questions qui sont posées de bonne foi. La personne qui pose une question prend une pause, attend patiemment la réponse et accepte le fait que, parfois, il n'y a tout simplement pas de réponse:

L'ÉDUCATRICE. – Pourquoi est-ce que tu as mis beaucoup de couleurs différentes sur ce côté de ta peinture, Chloé, et pas de l'autre côté?
CHLOÉ. – Parce que.

Dans un climat de soutien démocratique, les éducatrices s'efforcent de donner l'exemple en établissant des relations interpersonnelles authentiques. Elles permettent ainsi aux enfants d'établir et de maintenir leurs propres relations authentiques avec d'autres personnes.

2.2.4 S'engager à soutenir le jeu des enfants

Les enfants qui sont exempts de maladie, de malnutrition, de négligence ou d'abus utilisent beaucoup d'énergie pour jouer. Le jeu est une activité plaisante, spontanée, créatrice et imprévisible. Qu'il soit bruyant ou tranquille, salissant ou ordonné, loufoque ou sérieux, fatigant ou relaxant, il représente pour les enfants une activité profondément satisfaisante, agréable, stimulante et gratifiante.

Si l'on demande à des adultes de raconter des souvenirs d'enfance heureux, leur esprit se remplit souvent d'images de jeux: sauter à la corde, jouer à la marelle, faire des gâteaux de boue, grimper aux arbres, nourrir les oiseaux de la basse-cour, jouer à cache-cache, cueillir des fraises dans le potager, s'amuser avec le tuyau d'arrosage, se cacher derrière les rideaux de la salle à manger. Les adultes se rappellent leurs jeux d'enfants parce qu'il s'agissait d'activités qu'ils contrôlaient entièrement et qui, par conséquent, ont eu un impact important sur eux. L'apprentissage qui émerge d'une participation active au jeu est probablement une des principales raisons pour lesquelles les adultes autant que les enfants en redemandent.

Les enfants jouent en raison du besoin qu'ils éprouvent de trouver un sens à leur vie. Ils veulent utiliser tous leurs sens pour découvrir l'univers qui les entoure: « Qu'est-ce que c'est que cette chose bizarre sur la tablette de ma chaise haute? se demande le poupon. Qu'est-ce qu'elle goûte? Qu'est-ce qu'elle sent? Quel bruit fait-elle? Est-elle douce? Qu'est-ce qui arrivera si je la lance par terre ? » Le jeu est le moyen que les enfants ont à leur disposition pour explorer la fonction et le fonctionnement des choses. C'est aussi leur façon d'interpréter les comportements et les goûts des personnes qui sont dans leur voisinage, de donner un sens aux relations interpersonnelles et aux événements difficiles de la vie : « Tu es mort. Tu ne peux pas bouger. Nous allons t'amener à l'hôpital et te faire vivre de nouveau. Maintenant, monte dans cette ambulance, Sébastien. »

Dans un contexte de soutien démocratique, le jeu intègre tous les ingrédients essentiels de l'apprentissage actif, à savoir du **matériel** pour jouer et à manipuler ; des **choix** à faire pour décider à quoi l'on jouera, où, comment et avec qui ; la **description par l'enfant** de ce qu'il fait en jouant ; le **soutien de l'éducatrice** dans le jeu, qui s'étend de la mise en place d'un environnement organisé qui stimule le jeu à la participation active aux jeux des enfants. Dans ces conditions où l'éducatrice soutient leur jeu, les enfants ont plusieurs occasions d'être en contact avec les autres, de les observer et d'imiter ce qu'ils font, d'être audacieux, de se concentrer sur ce qui les intéresse personnellement, de travailler à proximité des enfants de leur choix et de collaborer avec les enfants qu'ils choisissent eux-mêmes, et finalement de converser sur ce qu'ils font et de révéler leurs sentiments. Par conséquent, il y a plusieurs occasions de voir s'épanouir la confiance, l'autonomie, l'initiative et le goût du risque, l'empathie et la confiance en soi. Nous présenterons maintenant deux techniques qui sont à la disposition des éducatrices pour soutenir les jeux des enfants dans un environnement favorisant l'apprentissage actif.

A. Observer et comprendre la complexité du jeu de l'enfant

Les enfants communiquent à travers leurs jeux. Il est donc important que les adultes s'engagent à comprendre le langage complexe du jeu. Ils peuvent y parvenir en observant et en écoutant attentivement les enfants.

Les éducatrices qui observent efficacement les enfants découvrent les formes variées que le jeu peut revêtir. Le jeu devient de plus en plus complexe au fur et à mesure que l'enfant grandit et se développe. De très jeunes enfants pratiquent un **jeu exploratoire**, c'est-à-dire un jeu simple et répétitif où ils explorent les propriétés et les fonctions du matériel et des outils, non pas dans le but d'exécuter un projet, mais simplement pour le plaisir. Cette forme de jeu évolue vers le **jeu constructif**, soit la fabrication de structures et de créations, et vers le **jeu dramatique**, dans lequel les enfants jouent des rôles et inventent des scénarios qui font vivre des situations de leur cru à des animaux ou à des personnages. En vieillissant, les enfants s'initient aux **jeux de règles** ; ils commencent par fixer leurs propres règles, qui sont flexibles, puis ils progressent vers des jeux aux règles officielles plus strictes. Pour soutenir efficacement les enfants dans leurs jeux sans les embêter, les éducatrices doivent pouvoir distinguer les différentes formes de jeux de l'enfant et accepter les conséquences de chacune. (Pour un complément d'information sur les différentes formes de jeux et sur les techniques visant à les soutenir, se référer aux sections 7.3 et 7.4, qui portent sur le travail en atelier libre.)

B. S'amuser avec les enfants

Selon Doris Fromberg (1987, p. 60), « il n'y a pas suffisamment d'adultes souriants et enjoués qui travaillent avec les enfants, des adultes qui soient prêts à accepter avec bonne humeur et patience les liens imprévisibles et les choix que font les enfants ». Les éducatrices enjouées s'assoient par terre et construisent des châteaux de blocs. Elles se font sauver de la maison en flammes et accourent à l'hôpital dans l'ambulance. Elles goûtent à la soupe aux boutons et s'envolent dans une fusée. Elles racontent des histoires, chantent des chansons qu'elles inventent, jouent à cache-cache, glissent et grimpent, s'amusent dans le carré de sable, jouent à la marelle et à la poupée. Certaines éducatrices jouent sagement, d'autres sont plus bruyantes. Certaines adorent chanter, d'autres préfèrent danser, coller des brillants ou fabriquer des objets qui fonctionnent vraiment.

Même les adultes qui se considèrent comme des êtres sérieux se rendent compte de l'intensité du jeu des enfants, participent à celui-ci lorsqu'ils se le permettent et comprennent l'importance de soutenir le jeu des enfants en s'y intégrant. Aussi contradictoire que cela puisse paraître, jouer avec les enfants est

La face cachée du jeu

Il y a des jeux d'enfants qui sont dérangeants, voire troublants. William, un enfant de 4 ans timide, est à genoux par terre, poignardant une poupée avec un tournevis. D'une part, son éducatrice aimerait mettre fin à ce jeu parce qu'elle trouve pénible de voir William jouer ainsi et elle ne veut pas que les enfants aient sous les yeux un exemple de violence, même s'il s'agit d'un jeu. D'autre part, cet enfant joue, il fait semblant – il ne fait de mal à personne, il ne brise pas la poupée, qui est solide, il n'interfère pas dans les jeux des autres – et, à travers ce jeu, il semble exprimer une partie de lui-même que sa timidité ne lui permet généralement pas d'exprimer.

Pendant que l'éducatrice l'observe, un autre enfant vient solliciter William pour qu'il vienne jouer dans le coin de la menuiserie avec lui. William accepte et concentre toute son attention sur son nouveau jeu avec son ami. L'éducatrice est soulagée de voir que William a changé de jeu spontanément, sans qu'elle ait eu à intervenir ; elle se rend compte aussi qu'étant donné que William est habituellement très tranquille, elle l'oublie parfois. Elle prend donc la résolution de l'observer plus assidûment ; elle note aussi qu'elle doit planifier une visite à son domicile pour que la mère de William lui parle plus librement de son fils. Dans ce cas-ci, l'éducatrice de William a l'impression que le jeu de ce dernier lui en dit peut-être plus sur lui qu'elle ne pourrait en apprendre par d'autres moyens.

une activité que les éducatrices qui travaillent dans un environnement favorisant l'apprentissage actif font consciencieusement, avec respect et sérieux, mais elles le font aussi le cœur joyeux et avec beaucoup de satisfaction. Ces éducatrices jouent sans taquiner, déprécier, harceler, rabaisser ou agresser physiquement les enfants. Elles savent qu'à travers le jeu elles soutiennent le processus d'apprentissage actif et l'aspiration naturelle de l'enfant à apprendre.

2.2.5 Adopter une approche de résolution de problèmes pour traiter les conflits interpersonnels

Au cours des jeux des enfants, certains conflits peuvent survenir. Par exemple, Jeanne a en sa possession le morceau de bois que Tania désire ; Philippe et Charles se disputent parce qu'ils veulent tous les deux jouer le rôle du père ; Vanessa donne des coups à quiconque envahit son « territoire ». Dans un climat de soutien démocratique, les éducatrices savent qu'inévitablement les besoins des enfants entreront en conflit les uns avec les autres ; des incidents comme ceux que nous avons mentionnés sont inéluctables, sinon naturels. Elles considèrent les conflits comme des situations privilégiées permettant aux enfants d'acquérir des habiletés de résolution de problèmes. Même si les conflits entre les enfants peuvent importuner les adultes, les éducatrices concentrent leurs énergies pour rendre les enfants capables de trouver les solutions possibles plutôt que de punir ceux-ci parce qu'ils ne possèdent pas encore les compétences sociales appropriées.

L'application d'une approche de résolution de problèmes pour traiter des conflits interpersonnels est une stratégie qui ne produit ses effets qu'à long terme. Les adultes l'utilisent avec les enfants pour les soutenir dans le processus de développement de leurs habiletés sociales à partir de la petite enfance jusqu'à l'âge adulte. Au fur et à mesure que la capacité d'anticipation et de résolution des conflits des enfants se développe, les conflits qu'ils doivent affronter deviennent plus complexes. Toutefois, lorsque les enfants recourent à une approche de résolution de problèmes dès leur jeune âge, ils développent les habiletés sociales nécessaires pour affronter les problèmes de l'âge adulte. Ils prennent l'habitude d'utiliser ces habiletés ; avec les années d'expérience qu'ils acquièrent et grâce au soutien dont ils disposent, ils gagnent de la confiance dans leur capacité de résoudre des conflits interpersonnels.

Lorsque des conflits interpersonnels surviennent, qu'est-ce qui guide les adultes ? Dans le climat de soutien d'un environnement favorisant l'apprentissage actif – dans lequel les adultes sont ouverts, souriants, prévenants, tolérants et authentiques –, les éducatrices utilisent les stratégies décrites ci-dessous pour aider les enfants à résoudre leurs conflits et à devenir plus conscients des répercussions de leurs actes sur les autres.

Il faut du temps et de la patience pour résoudre les situations conflictuelles. Cependant, en utilisant une approche où les enfants participent activement au processus, ces derniers acquièrent plus d'autonomie et de maîtrise de leur univers.

A. Traiter les conflits interpersonnels promptement, sans dramatiser, avec fermeté et patience

Les adultes mettent fin aux comportements agressifs des enfants en leur rappelant les limites à respecter et en décrivant les faits sans porter de jugement : « Vanessa, arrête de frapper Christine. Les coups lui font mal. » Comme le souligne John Dewey (1963, p. 54) :

> Lorsqu'il est nécessaire de parler et d'agir avec fermeté, il faut le faire dans l'intérêt du groupe ; cela ne doit pas donner lieu à une démonstration du pouvoir personnel de l'adulte. C'est ce qui fait la différence entre une intervention arbitraire et une intervention juste et équitable.

Dans certaines situations, les adultes encouragent les enfants à discuter entre eux pour résoudre leurs conflits : « Jeanne, dis à Tania ce que tu veux pour qu'elle sache comment elle peut t'aider. » Curry et Johnson (1990, p. 117) croient que cette stratégie est particulièrement pertinente lorsque les enfants rapportent les comportements des autres :

> Lorsqu'un enfant accourt vers l'adulte dans l'intention de cancaner, la meilleure réponse à lui faire consiste à le renvoyer vers l'autre enfant et à attendre qu'ils discutent ensemble de la situation et trouvent eux-mêmes la solution à leur problème. **Les enfants** se mettent d'accord sur les faits qui causent problème ; **les enfants** décident quoi faire par rapport à cette situation et **les enfants** découvrent comment poursuivre la relation. La maîtrise de soi et l'autonomie se développent vraiment dans un tel contexte !

Au début de ce processus à long terme, les éducatrices demandent des explications aux enfants et écoutent leur version des faits :

> L'ÉDUCATRICE. – Qu'est-ce qui se passe ici ? Vous avez l'air fâchés, tous les deux.
> PHILIPPE. – Je veux être le père. Je l'ai dit le premier.
> CHARLES. – C'est toujours toi qui fais le père. Je veux être grand.
> PHILIPPE. – Je suis le plus grand ! Il ne peut pas être le père, hein ? Il est trop petit.
> L'ÉDUCATRICE. – Dans mon quartier, il y a plusieurs papas. Il y en a des grands et il y en a des petits.
> PHILIPPE. – Oh...
> CHARLES. – Je pourrais être le père et tu pourrais être l'autre père. O.K., Philippe ?
> PHILIPPE. – Ouais... mais il va falloir trouver deux mères.

B. Aider les enfants à faire des relations de cause à effet lorsqu'ils s'engagent dans le processus de résolution des conflits interpersonnels

Les adultes incitent les enfants à faire des relations de cause à effet entre leurs actes et les répercussions que ceux-ci ont sur les autres :

> L'ÉDUCATRICE. – Qu'est-ce qui est arrivé quand tu as parlé à Christine ?
> VANESSA. – Elle a remis mon animal debout.
> L'ÉDUCATRICE. – Alors, quand tu lui as parlé, elle t'a aidée.
> VANESSA. – Pour commencer, elle a pleuré.
> L'ÉDUCATRICE. – Elle a pleuré quand elle a eu mal.
> VANESSA. – Je l'ai frappée et elle a pleuré.

Les éducatrices poussent aussi les enfants à prendre la responsabilité de leurs actes :

> L'ÉDUCATRICE. – Tania, qu'est-ce qui est arrivé à la main de Jeanne quand tu lui as enlevé le morceau de bois ?
> TANIA. – Elle s'est écorchée.
> L'ÉDUCATRICE. – Oui. Maintenant, sa main doit être lavée avec de l'eau et du savon et couverte d'un bandage.
> TANIA. – Je vais aller chercher un bandage. Je vais t'aider à le lui mettre...

Établir des relations de cause à effet et prendre la responsabilité de leurs actes ne sont pas des apprentissages faciles à faire pour les enfants, en particulier pour les plus jeunes, qui vivent dans le moment présent et envisagent souvent les événements de leur seul point de vue. Les enfants ont besoin de plusieurs expériences concrètes pour parvenir à résoudre efficacement leurs conflits avec leurs pairs ; le soutien continu d'un adulte leur est nécessaire pour développer la capacité de prévoir et de négocier efficacement les conflits qui se dressent sur leur chemin. Si on leur donne l'occasion de pratiquer la résolution de conflits interpersonnels dans un climat de soutien, les enfants apprendront à se faire confiance à eux-mêmes pour résoudre des problèmes, à avoir confiance dans le fait que les adultes les aideront quand ils auront besoin de leur appui, à être empathiques et aidants pour les autres et à avoir confiance dans leurs capacités individuelles et collectives pour entretenir des relations interpersonnelles satisfaisantes. (Nous traiterons de façon plus détaillée à la sous-section 12.3.9 des méthodes pour aider les enfants à résoudre leurs conflits interpersonnels.)

Nous avons donc passé en revue les cinq principes fondamentaux du climat de soutien démocratique : **partager le pouvoir entre les adultes et les enfants, mettre en valeur les habiletés et les forces des enfants, établir des relations authentiques avec eux, s'engager à soutenir le jeu des enfants et adopter l'approche de résolution de problèmes pour traiter les conflits interpersonnels.** Lorsque ces principes sont appliqués, un climat de soutien règne ; ce climat permet aux enfants d'acquérir de la confiance, de l'autonomie, de l'initiative et le goût du risque, de l'empathie et de la confiance en soi.

2.2.6 Un exemple de mise en application des principes de soutien : les temps de déplacement

Les éducatrices peuvent appliquer les principes décrits précédemment pour orienter leurs interactions avec les enfants et traiter plusieurs situations de façon positive et soutenante. Voici un exemple de l'application de ces principes.

La plupart des éducatrices assument la responsabilité de faire des déplacements avec leur groupe d'enfants. Elles désirent que ces moments se déroulent de manière sécuritaire et agréable. Dans certains centres, l'aménagement physique complique les déplacements et rend cette tâche plus difficile ; par exemple, la cour se situe de l'autre côté du bâtiment, les toilettes sont au bout du corridor, ou bien l'on doit traverser le vestiaire pour se rendre à la salle à manger, etc. Dans les installations où l'aménagement a été conçu pour mieux répondre aux besoins des enfants, les éducatrices font face au même genre de problèmes lorsqu'elles partent avec leur groupe d'enfants pour aller marcher ou pour faire toute autre sortie. Placer les enfants en rangs et les faire se déplacer en file semble souvent la première solution en vue d'affronter de tels problèmes. Toutefois, pour réussir à faire mettre les enfants en rangs d'une façon ordonnée et à maintenir le silence, on requiert généralement des temps d'attente relativement longs de la part des enfants et l'attention constante des éducatrices est nécessaire. Dans ces conditions, les déplacements deviennent une expérience négative pour toutes les personnes qui y participent. Les éducatrices peuvent inventer des solutions très satisfaisantes pour résoudre ce problème en tentant d'appliquer les principes mis de l'avant dans un climat de soutien démocratique.

A. Partager le pouvoir entre les adultes et les enfants

Nous avons beau penser que les enfants devraient être capables de marcher en rangs ou en file sans parler ni déranger leurs voisins, ils sont généralement peu enclins à le faire naturellement. Les adultes qui choisissent de faire les déplacements de cette façon doivent nécessairement prendre le contrôle entier de l'opération. Comment les éducatrices peuvent-elles changer le climat et partager le pouvoir avec les enfants dans de telles situations ? Une méthode consiste à établir des « amarres ». Par exemple, au cours d'une marche, lorsqu'on place un adulte (ou un enfant désigné comme responsable) à l'avant et un autre à l'arrière du groupe, on permet aux enfants de marcher seuls, avec un ami ou en petits groupes, ou encore avec un adulte pour autant qu'ils demeurent dans l'espace entre les deux adultes ou les deux personnes désignées comme amarres. Lorsque le seul lavabo disponible pour le lavage des mains se trouve au bout du corridor, un adulte peut rester dans les toilettes et un autre dans la salle de jeu ; on envoie les enfants aux toilettes à tour de rôle, individuellement ou en petits groupes. Généralement, lorsqu'on adopte la méthode des amarres, une fois que les adultes cèdent du pouvoir aux enfants, ces derniers se déplacent de façon très satisfaisante d'une amarre à l'autre. Ils savent ce qu'on attend d'eux et apprécient le défi de s'aventurer seuls entre les deux amarres.

B. Mettre en valeur les habiletés et les forces des enfants

Si l'on s'attend à ce que les enfants se placent en file et marchent en silence pendant un temps plus ou moins long, on découvrira leurs difficultés et leurs limites face à une telle pratique. Comment pouvons-nous aborder la même situation en misant sur les habiletés et sur les forces des enfants ? Un bon point de départ consiste à penser à ce que les enfants aiment faire et à ce qu'ils font bien. Par exemple, ils sont peut-être fébriles à l'idée d'aller jouer dehors, même si c'est une longue marche pour des tout-petits de traverser le service de garde et de faire le tour du bâtiment pour se rendre à la cour. Cependant, ils aiment généralement se rendre utiles et transporter des objets. Qu'arriverait-il alors si on leur demandait de transporter des objets dans la cour, seuls ou deux par deux ? De cette façon, le trajet entre le local de jeu et la cour extérieure pourrait mettre en valeur ce que les enfants sont capables de faire plutôt que de révéler ce qu'ils ne réussissent pas très bien.

C. Établir des relations authentiques avec les enfants

En général, l'intention première qui se cache derrière l'exigence du silence dans les déplacements a pour effet d'empêcher les interactions des enfants avec les autres enfants et avec leur environnement. Pour approcher cette situation dans un esprit d'authenticité, on peut considérer le déplacement comme une marche que l'on fait pour le plaisir qu'elle procure et comme l'occasion de savourer une conversation avec des amis et des connaissances. La marche devient alors un moment pour converser, pour faire des observations tout le long du parcours, s'arrêter chez les voisins. Par exemple, un groupe d'enfants du préscolaire s'arrête souvent à la porte du local d'un autre groupe d'enfants pour voir ce qu'ils font et les saluer. Un autre s'arrête chez grand-mère Tremblay pour regarder ses platesbandes fleuries et lui dire bonjour si elle est en train de jardiner ou de se bercer sur sa galerie. (Maintenant qu'elle connaît l'horaire du groupe d'enfants, elle s'organise souvent pour être à l'extérieur et jaser avec les enfants !) Les déplacements peuvent être perçus comme autre chose qu'un mal nécessaire qu'il faut accomplir pour avoir accès à une activité plus agréable. Ils peuvent devenir des activités agréables en soi, particulièrement pour certains enfants qui se sentent quelque peu inhibés lors des activités intérieures où l'espace est limité. Pour ces enfants, les déplacements peuvent constituer un moment de relaxation, voire d'intimité.

D. S'engager à soutenir le jeu des enfants

Des enfants en file indienne qui marchent en silence n'ont plus la possibilité de jouer. En fait, les enfants qui tentent de jouer dans ce contexte se font réprimander. Comment les adultes peuvent-ils troquer l'attitude régimentaire contre une autre attitude qui suscite le jeu, tout en s'assurant que les enfants respectent des limites garantissant leur sécurité et qu'ils ne dérangent pas les autres ? Nous pouvons imaginer plusieurs façons de nous déplacer en faisant un jeu avec des amarres aux deux extrémités du « convoi ». En effet, nous pouvons imaginer que nous sommes des wagons avec des locomotives et des passagers ; que nous sommes des chats furtifs ; nous pouvons porter des chapeaux de voyage spéciaux ; nous pouvons éviter de mettre les pieds sur les lignes ou sur les fentes du trottoir ; nous pouvons adopter tout autre jeu proposé par les enfants. Les enfants qui sont concentrés sur leurs jeux se déplacent joyeusement : il est agréable de sortir avec eux et l'on n'a pas souvent besoin de les rappeler à l'ordre.

E. Adopter une approche de résolution de problèmes pour traiter les conflits interpersonnels

Avec l'appui des adultes, les enfants peuvent trouver eux-mêmes des façons de se déplacer de façon sécuritaire d'un endroit à un autre. Lorsqu'on engage les enfants dans la résolution de problèmes, ils sont plus susceptibles d'appliquer par la suite les solutions qu'ils ont choisies. Lors du rassemblement en grand groupe, Mélanie, l'éducatrice d'un groupe d'enfants de 4 ans, a tenté cette démarche-ci :

> MÉLANIE. – Aujourd'hui, c'est à notre tour d'utiliser le gymnase.
> BERTRAND. – Youpi !
> MÉLANIE. – Tu aimes ça aller au gymnase, Bertrand.
> PLUSIEURS ENFANTS. – J'aime ça... Moi aussi... J'aime beaucoup ça... C'est ce que je préfère...
> MÉLANIE. – Il y a plusieurs personnes dans le groupe qui aiment aller au gymnase.
> CATHERINE. – Mon père va au gymnase. Il a des muscles très forts.
> MÉLANIE. – Nous pouvons tous avoir de gros muscles très forts si nous les utilisons souvent. Mais voici le problème que nous devons résoudre. Comment pouvons-nous nous rendre au gymnase en sécurité et sans faire trop de bruit pour ne pas déranger les autres groupes ?
> SARA. – On peut marcher sur le bout de nos pieds, comme des petites souris. (Elle montre ce qu'elle veut dire.)
> JULIEN. – On peut ramper comme un petit bébé chien et faire un petit bruit comme lui. (Il fait des petits bruits de chiot.)
> FRANCE. – Je veux être un petit chat.
> MÉLANIE. – O.K. Essayons ces idées aujourd'hui. Vous pourrez marcher sur le bout des pieds, ou ramper comme des chiots ou des petits chats.

Les déplacements d'un endroit à un autre peuvent être vus comme un problème ou ils peuvent être perçus comme une occasion en or de résoudre des problèmes en groupe. C'est à vous de choisir.

2.2.7 La relation entre les principes de soutien et les autres éléments du programme pédagogique

Les principes que nous venons de présenter guident les éducatrices lorsqu'elles installent un climat de soutien et tentent de le maintenir. Dans ce climat, les enfants génèrent et construisent leurs propres connaissances, ils élaborent leur compréhension du monde qui les entoure et choisissent les apprentissages qu'ils font. C'est pourquoi ces principes fondamentaux guident l'élaboration de tous les autres éléments du programme pédagogique. Dans le prochain chapitre, par exemple, nous allons étudier comment les principes de partage du pouvoir, de mise en valeur des habiletés des enfants et d'instauration de relations authentiques s'appliquent pour associer les parents dans les services de garde qui favorisent l'apprentissage actif. De la même façon, les stratégies pour améliorer le travail en équipe entre les membres du personnel, qui sont présentées au chapitre 4, sont élaborées à partir de la prémisse que le travail en équipe s'effectue plus efficacement dans un climat de soutien démocratique. Au chapitre 5, nous décrirons l'environnement physique et le matériel nécessaire dans un environnement qui favorise l'apprentissage actif. Nous y examinerons de quelle façon les adultes peuvent partager le contrôle de l'espace avec les enfants de telle sorte que les enfants puissent trouver facilement le matériel dont ils ont besoin, l'utiliser à leur guise et le ranger eux-mêmes. Aux chapitres 6, 7 et 8, nous présenterons les divers regroupements d'enfants qui tissent l'horaire quotidien et le processus de planification-action-réflexion à travers lequel les enfants ont un grand nombre d'occasions de générer des idées créatrices et de partager le pouvoir avec les adultes pour apprendre. Finalement, la partie III de ce livre est entièrement consacrée aux expériences clés ; elle outille les éducatrices pour mieux comprendre les habiletés et les champs d'intérêt habituels des enfants de façon qu'elles puissent les interpréter avec justesse et précision, et construire à partir d'eux. Ainsi, avec les ingrédients essentiels de l'apprentissage actif, les principes fondamentaux de soutien constituent le cadre de référence du programme pédagogique qui est exposé de façon détaillée dans les pages qui suivent.

TABLEAU RÉCAPITULATIF

Les stratégies pour établir un climat de soutien démocratique

Partager le pouvoir entre les adultes et les enfants

- Saisir les indices que fournissent les enfants.
- Participer aux jeux des enfants.
- Apprendre des enfants.
- Renoncer au pouvoir en le cédant délibérément aux enfants.

Mettre en valeur les habiletés et les forces des enfants

- Découvrir les champs d'intérêt des enfants.
- Analyser les situations en adoptant le point de vue des enfants.
- Informer les parents et les membres du personnel des champs d'intérêt des enfants.
- Planifier les activités en s'inspirant des forces et des champs d'intérêt des enfants.

Établir des relations authentiques avec les enfants

- Partager ses passions avec les enfants.
- Réagir aux champs d'intérêt des enfants en leur prêtant attention.
- Donner un feed-back précis aux enfants.
- Poser des questions de bonne foi et répondre avec sincérité.

S'engager à soutenir le jeu des enfants

- Observer et comprendre la complexité du jeu de l'enfant.
- S'amuser avec les enfants.

Adopter une approche de résolution de problèmes pour traiter les conflits interpersonnels

- Traiter les conflits interpersonnels promptement, sans dramatiser, avec fermeté et patience.
- Aider les enfants à faire des relations de cause à effet lorsqu'ils s'engagent dans le processus de résolution des conflits interpersonnels.

LECTURES COMPLÉMENTAIRES

DUCLOS, GERMAIN (2000). *L'estime de soi, un passeport pour la vie*, Montréal, Les éditions de l'Hôpital Sainte-Justine.

GOLEMAN, DANIEL (1997). *L'intelligence émotionnelle. Accepter ses émotions pour développer une intelligence nouvelle*, Paris, Robert Laffont.

GREENSPAN, STANLEY (1998). *L'esprit qui apprend : affectivité et intelligence*, Paris, Odile Jacob.

HENDRICK, JOANNE (1997). *L'enfant : une approche globale pour son développement*, Sainte-Foy, Presses de l'Université du Québec.

ROGERS, CARL R. (1966). *Le développement de la personne*, traduction E.L. Herbert, Paris, Dunod.

CHAPITRE 3

L'importance des liens qui se tissent entre la famille et les milieux éducatifs favorisant l'apprentissage actif

L'école doit évoluer en s'appuyant sur la vie familiale ; elle doit adopter et poursuivre les activités que l'enfant réalise dans son milieu familial. C'est la tâche de l'école d'approfondir et de prolonger le sens des valeurs reliées à la vie familiale de l'enfant.
JOHN DEWEY, 1954.

3.1 La famille : un cadre de référence pour comprendre les enfants

Les éducatrices qui adhèrent au principe stipulant que la vie familiale modèle le jugement, les attitudes et le comportement de chaque enfant s'efforcent de comprendre et de respecter les familles des enfants qu'elles accueillent. Ce faisant, elles incitent les enfants à se percevoir et à percevoir les autres comme les membres actifs d'une société en évolution.

Sans contredit, la vie familiale, dans toute sa complexité, touche les différents aspects du développement de l'enfant. Carol Brunson Phillips (1988, p. 46-47) définit le système ou la culture familiale comme étant « tout ce que fait la famille pour préparer l'enfant à connaître et à comprendre les idées, les valeurs, les convictions et les comportements que partage la cellule familiale. Cette participation à la culture familiale donne à l'enfant le pouvoir d'influencer son environnement et d'avoir un impact sur le monde ». D'après Leslie Williams et Yvonne De Gaetano (1985), codirectrices du programme multiculturel pour les enfants du préscolaire appelé « A Learning Environment Responsive to All » (ALERTA), la culture familiale englobe tout : la nourriture, la danse, la musique, la façon de se vêtir, les arts, le style de vie, les loisirs, les relations sociales, la façon de se soigner, son passé, les fêtes, les coutumes, le langage, les convictions religieuses, les règles de discipline, l'éducation, les attitudes envers les autres, les méthodes d'éducation des enfants.

L'approche éducative favorisant l'apprentissage actif reconnaît l'importance du rôle de la famille au regard du développement de l'enfant. Elle stipule que les enfants doivent se connaître suffisamment (d'où viennent-ils ? qui sont-ils ?) afin d'être bien enracinés dans leur culture familiale. Lorsque les éducatrices et les parents accomplissent adéquatement leur travail en demeurant attentifs, ils donnent aux enfants la possibilité de comprendre leur propre famille et d'apprendre au contact des autres. Les enfants doivent aussi savoir que leur avenir résulte des choix et des décisions qu'ils prennent pour eux-mêmes. Pour atteindre ces objectifs, les éducatrices qui appliquent le programme d'apprentissage actif soutiennent les familles des enfants en s'efforçant :

- de comprendre la culture familiale des enfants ;
- de créer des relations humaines ouvertes entre les enfants et les adultes travaillant au préscolaire ;
- d'influencer positivement la manière de voir, d'entendre et de comprendre des enfants ainsi que leur capacité d'apprendre de leurs pairs ;
- de rendre tous les enfants capables d'agir avec confiance et dans le respect des autres en s'appuyant sur leurs propres décisions et sur leur compréhension des faits.

À la maison, les enfants adoptent les modes d'interaction et les coutumes de leur famille. Toutefois, lorsqu'ils doivent fréquenter des gens dont le langage, les coutumes, les attitudes et les comportements sont différents des leurs, l'environnement peut leur sembler confus, voire hostile. Afin de faciliter le plus possible pour les enfants la transition entre la maison et les milieux d'éducation préscolaire, les éducatrices qui souscrivent au processus d'apprentissage actif font l'hypothèse que les enfants se développent mieux dans un climat de confiance.

3.1.1 L'apprentissage actif : une approche reconnaissant l'importance de la famille

Les ingrédients essentiels de l'apprentissage actif que sont le **matériel**, la **manipulation**, le **choix**, le **langage de l'enfant** et le **soutien de l'adulte** servent de guide à l'approche pédagogique non seulement auprès des enfants, mais aussi auprès des familles.

A. La manipulation du matériel provenant de la maison

Les enfants aiment bien imiter les parents et les autres membres de leur famille : les enfants de fermiers aiment jouer avec une charrette à foin, les enfants de pêcheurs, avec un bateau, et ainsi de suite. Quand les éducatrices connaissent la famille de chaque enfant, elles peuvent enrichir l'environnement préscolaire de matériel et d'outils semblables à ceux qui sont utilisés à la maison ou dans le milieu de travail de leurs parents, tels divers contenants de nourriture, des vêtements et des accessoires ou du matériel de musique et d'arts plastiques. Si les enfants voient les adultes de leur communauté tisser, tricoter, enfiler des perles, faire des courtepointes, des pots de glaise ou travailler le cuir, par exemple, les éducatrices introduiront des métiers à tisser, de la laine, du fil, des tissus, des aiguilles, du ruban, des perles, de la glaise et du cuir pour les enfants. Elles ajouteront aussi des images, des livres et des revues qu'elles auront choisis avec soin afin que les enfants puissent voir et comparer des scènes de vie familiale semblables à la leur ou différentes.

Le choix du matériel par les enfants reflète les expériences vécues à la maison. Cette petite fille fait des « crêpes aux bleuets » comme celles que fait sa grand-mère.

B. Les choix comme reflet de la vie familiale

En encourageant les enfants à choisir leur propres façons de boutonner, d'assembler, de mélanger, de construire, de coller, de tisser, de transporter et d'ordonner, les éducatrices soutiennent le développement de l'estime de soi des enfants et elles leur indiquent qu'ils peuvent agir pour eux-mêmes et pour les autres. Lorsque les enfants choisissent leurs jeux et leurs compagnons de jeux, lorsqu'ils décident de l'utilisation du matériel, ils effectuent souvent des choix qui reflètent les expériences de leur vie familiale. « C'est ici qu'on marche et qu'on transporte des fleurs », ordonne Bérénice. Sa grand-mère étant décédée récemment, elle joue avec d'autres enfants aux funérailles. « C'est ici qu'on place les fleurs sur la terre et qu'on pleure. »

Quand les enfants parviennent à penser et à agir par eux-mêmes, ils peuvent plus facilement discerner les façons de faire qui leur conviennent le mieux. De plus, avant d'accepter les solutions proposées par les autres, ils voudront faire leurs propres essais.

C. Le langage employé à la maison

Étant donné que les jeunes enfants apprennent mieux lorsqu'ils traduisent leurs expériences dans leurs propres mots, il est important qu'ils puissent communiquer leurs observations et leur enthousiasme dans le langage qui est le leur. Voilà pourquoi les éducatrices travaillant au préscolaire profitent de toutes les occasions pour converser avec chaque enfant dans le langage qui est le sien. D'où l'importance :

- d'engager du personnel qui parle la même langue que les enfants ;
- de faire participer comme bénévoles les parents, les grands-parents ainsi que les frères et les sœurs aînés ;
- de passer du temps avec les familles dont la langue maternelle n'est pas le français afin d'apprendre des mots et des phrases de leur langue ;
- d'apprendre une des langues parlées par les enfants du groupe.

L'éducatrice qui reconnaît l'importance de la communication chez les enfants veillera à leur donner toutes les chances possibles de parler avec leurs pairs et les intervenants, peu importe leur langue maternelle. De plus, elle favorisera l'utilisation de la langue maternelle de chacun, car plus les enfants maîtrisent leur langue maternelle, plus ils apprennent facilement une langue seconde.

D. Un soutien respectueux de la part des éducatrices

Des familles différentes ont des modes d'interaction différents. En observant attentivement les enfants lorsqu'ils parlent à leurs parents, les éducatrices peuvent commencer à répondre à des questions telles que les suivantes :

- Quel est l'espace vital minimal requis pour chaque enfant de mon groupe ?
- À quelle distance puis-je m'approcher de chaque enfant pour soutenir son jeu et m'assurer que je ne le dérange pas ?
- Pour capter l'attention de tel enfant, dois-je utiliser le contact visuel, le contact corporel, le geste, l'immobilité ?
- Quels sont les enfants qui ont besoin d'un environnement calme pour être attentifs ?
- Quels sont les enfants qui ne supportent qu'un bref contact visuel ?
- Quels sont les enfants qui recherchent le contact physique ? Quels sont ceux qui le fuient ?
- Comment chaque enfant signale-t-il sa détresse, sa confusion, sa peine, sa joie ?

Voici un exemple éloquent. Lian, 4 ans, cherchait à attirer l'attention de son éducatrice en utilisant les stratégies non verbales qui fonctionnaient avec sa famille et ses amis. Elle regardait l'éducatrice et baissait les yeux quand celle-ci la regardait, puis elle s'approchait d'elle et touchait délicatement ses vêtements. L'éducatrice, qui n'appréciait pas ce mode de communication, désirait que Lian parvienne à exprimer sa requête verbalement. Un jour, alors que Lian tentait depuis plusieurs minutes d'attirer l'attention de son éducatrice, celle-ci choisit d'aller vers un autre enfant qui l'interpellait verbalement. Constatant le désarroi de Lian, l'éducatrice se rendit compte qu'elle ne lui accordait que très peu d'attention et que, de plus, elle connaissait très peu sa famille. Lorsqu'elle parla de ce fait à ses collègues, celles-ci lui suggérèrent d'observer plus attentivement Lian. Plus elle observait Lian et partageait ses observations avec ses collègues, plus elle apprenait à reconnaître et à apprécier le mode de communication discret de Lian, et à y répondre de manière adéquate. Plus elle s'intéressait à Lian, plus celle-ci devenait à l'aise et confiante, et plus elle parlait.

Il est important de s'intéresser aux différents modes de conversation des enfants et d'y donner suite. Parfois, des enfants associent librement des mots, passant d'un sujet à l'autre lors d'une conversation:

> Ma grand-mère s'est cassé la jambe à plusieurs endroits. Elle est aussi cassée et n'a plus beaucoup d'argent, et tante Sarah, elle… elle a de très beaux cheveux comme ça, elle ne peut pas venir parce qu'elle ne travaille plus. Mon père m'a déjà emmenée à son travail.

D'autres enfants parlent d'un sujet, et puis se taisent: « Mon père est tombé sur la tête. Le docteur lui a fait des points et lui a mis un filet sur la tête pour protéger sa coupure. » Même s'il est essentiel d'encourager et d'apprécier la vitalité du premier exemple et la cohérence du second, l'adulte doit s'intéresser à ce que l'enfant dit, sans égard à sa façon de le dire.

3.1.2 Un climat de soutien tenant compte de la famille

L'atteinte d'une saine coopération et d'un sentiment de bien-être avec les familles des enfants repose sur l'instauration d'un climat de soutien au sein du milieu éducatif. Les caractéristiques de ce climat, que nous avons mentionnées au chapitre 2, peuvent s'appliquer à l'élaboration des relations que nous voulons établir avec les familles des enfants qui nous sont confiés. Un climat de soutien reconnaissant l'importance de la famille se caractérise alors par le partage du pouvoir entre les enfants et les éducatrices, l'importance accordée aux forces des enfants et de leur famille, l'authenticité de la part des éducatrices et un intérêt pour les jeux des enfants inspirés de la vie familiale.

A. Le partage du pouvoir entre les enfants et les éducatrices

Dans la mesure où les éducatrices partagent le pouvoir avec les enfants, elles leur permettent d'interagir d'une manière qui leur est coutumière et de se familiariser avec de nouveaux modes d'interaction au contact de leurs pairs et des éducatrices. Le partage du pouvoir offre alors aux enfants la possibilité d'exprimer la diversité de leurs convictions et de leurs attitudes. Cela implique que les éducatrices évitent parfois d'intervenir et de se mêler à la conversation, même si les propos des enfants peuvent leur sembler incongrus, comme dans l'exemple qui suit:

> JENNIE. – Je sais d'où viennent les bébés. La cigogne les apporte, et puis la maman se réveille.
> TIAO. – C'est pas vrai. Les bébés viennent du ventre de la maman.
> JENNIE. – Non ! c'est la cigogne qui les apporte. Mon grand frère me l'a dit.
> LAURENCE. – Je le sais, moi. Les bébés sortent du ventre de la maman, et après la cigogne descend du ciel et leur apporte la vie.
> JENNIE. – Oh !
> TIAO. – D'accord. Maintenant, allons coucher les bébés.

B. L'importance accordée aux forces des enfants et de leur famille

L'importance accordée aux forces des enfants et de leur famille favorise le développement de l'estime de soi des enfants et les aide à résister aux stéréotypes sociaux. Afin de comprendre cette affirmation, considérons l'expérience de Marie, une intervenante auprès d'une famille isolée dans un milieu rural. Jacques, Caroline et leurs enfants vivent dans une petite maison de bois sans fondations, aux murs intérieurs et extérieurs délabrés. La cour est occupée par une multitude de chiens et elle est encombrée de vieilles voitures rouillées et hors d'usage.

> Quand j'ai commencé à visiter cette famille, j'étais terrifiée, raconte Marie. Leur vie était si différente de la mienne. Je n'y ai vu que du négatif. Au fur et à mesure de mes visites, j'en ai appris de plus en plus sur les membres de cette famille. Ils avaient dû affronter plusieurs épreuves. Je me suis mise à admirer leur force, leur courage, leur sens de l'humour,

leur façon de travailler ensemble, leur habileté à jardiner et leur engagement face à l'éducation de leurs enfants. En constatant le reflet de ces forces sur leurs enfants, j'ai commencé à percevoir les capacités de chaque enfant et tout ce qu'ils avaient à offrir. Je voulais que ces enfants se sentent forts et fiers quand ils entreraient à l'école publique, et que les enseignantes les perçoivent ainsi.

Lorsqu'on travaille avec les enfants, il est important de se concentrer sur ce qu'eux et leur famille sont capables de faire. Nous avons la responsabilité de découvrir et de promouvoir les forces des individus qui composent les familles afin que les enfants, leurs pairs et les adultes qui les côtoient les reconnaissent et les valorisent.

C. L'authenticité de la part des éducatrices

Au lieu de minimiser et de nier les peurs et les préoccupations des enfants concernant les différences individuelles, les éducatrices favorisent les discussions directes et honnêtes sur un ton modéré. Elles offrent à l'enfant une écoute attentive et des informations pertinentes sur les façons de composer avec les différences qui les préoccupent. Le scénario suivant décrit justement une conversation entre une éducatrice et un enfant qui fait face à une situation troublante. L'éducatrice saisit cette occasion pour expliquer l'apparence d'un autre enfant afin de susciter la compréhension et l'acceptation de ses pairs.

> LÉA. – Je ne l'aime pas, elle. Elle n'a pas de cheveux.
> L'ÉDUCATRICE. – Marie-Lou a perdu ses cheveux parce qu'elle a subi un traitement à l'hôpital.
> LÉA. – Est-ce que ça lui a fait mal ?
> L'ÉDUCATRICE. – Je ne crois pas, mais elle a été hospitalisée longtemps. Maintenant, elle peut jouer de nouveau avec ses amis.
> LÉA. – Elle a l'air drôle.
> L'ÉDUCATRICE. – Nous sommes habitués à voir des personnes avec des cheveux, mais il y en a d'autres qui les perdent.
> LÉA. – Oui ! comme mon oncle Lucien.
> L'ÉDUCATRICE. – Et comment est-il, ton oncle Lucien ?
> LÉA. – Il n'a pas de cheveux. Il est drôle. Quand il vient à la maison, il joue avec moi à l'ordinateur. C'est mon oncle préféré, je l'aime.
> L'ÉDUCATRICE. – Tu l'aimes, ton oncle Lucien, même s'il n'a pas de cheveux.

À la fin de la journée, Léa est allée voir Marie-Lou et elle lui a demandé de faire un casse-tête avec elle.

D. Un intérêt pour les jeux inspirés de la vie familiale

Le jeu mène souvent les enfants au cœur de leur vie, reflétant ainsi la charge émotionnelle de situations vécues telles que la naissance, la mort de parents ou d'animaux favoris, le mariage, les funérailles, les réunions et les fêtes de famille, les cérémonies et les pratiques religieuses. La mère de Karine, 4 ans, vient d'accoucher à la maison d'un petit garçon. Après la naissance de son petit frère, les jeux de poupées de Karine témoignent de cette expérience. Une autre enfant, Virginie, 5 ans, incite souvent ses compagnes de jeu à « visiter le papa ». Ce jeu implique la fabrication de « biscuits » et d'un « gâteau d'anniversaire », une longue randonnée en voiture pour aller à « l'hôpital de métal », beaucoup de portes « verrouillées et déverrouillées », le transport « des biscuits et du gâteau », la chanson *Bon anniversaire...*, le jeu de cartes, une marche pour nourrir les canards, la dégustation d'une soupe minestrone et une longue randonnée en auto pour le retour à la maison en soirée, pendant laquelle tous les enfants s'endorment. Lorsque les enfants demandent à Virginie ce qu'est un « hôpital de métal » et pourquoi on y enferme les gens, elle explique : « C'est en métal parce qu'il faut enfermer ceux qui sont malades dans leur tête pour ne pas qu'ils tombent en bas de la fenêtre quand ils veulent rattraper l'auto.
– Est-ce que ton père est fou ? demande un enfant.
– Non, il est mon père.
– Pourquoi il est à l'hôpital de métal ?
– Pour ne pas qu'il soit triste... Il est content quand il me voit.
– C'est pour ça que tu vas le voir et que tu lui apportes des choses ?
– Oui. »

3.1.3 Les effets de la valorisation des familles

Quand les intervenants auprès de la petite enfance valorisent les différents styles et traditions des familles, chacun y trouve son bénéfice. Voici quelques-uns de ces bénéfices.

A. Les enfants parlent de leur famille

Lorsque les adultes répondent positivement aux expériences familiales des enfants et à leur manière de communiquer, les enfants ont la chance de parler librement de leur famille.

- « J'ai une façon spéciale d'écrire mon nom chinois. »
- « Ma grand-mère va me dire tout ce qu'elle sait au sujet de Jeannot Lapin. »
- « Je m'ennuie de mon père quand il est à l'hôpital de métal. Je suis contente quand il revient à la maison et qu'il va mieux. »

B. Les enfants considèrent et apprécient les différences familiales

Le fait d'ignorer les différences familiales et individuelles par une déclaration telle que « Tout le monde est semblable » déforme la réalité et inhibe la curiosité naturelle des enfants. Quand le respect des traditions familiales imprègne l'environnement éducatif des tout-petits, ceux-ci peuvent explorer et apprécier les différences qu'ils observent.

ADAM. – On ne met pas un arbre dans notre maison. On allume des chandelles et on a des cadeaux chaque jour, jusqu'à ce que les chandelles soient toutes brûlées.
TALIE. – Je vais le dire à ma mère, parce que nous, on a eu juste une journée de cadeaux.

C. Les enfants et les adultes se perçoivent positivement

Quand les adultes reconnaissent les forces des enfants, les autres enfants font de même.

« Je sais qui peut nous aider. Renée est bonne dans les casse-tête », dit Naomie à Violette.

Tout en étant libres d'exprimer leurs craintes face aux différences des autres, les enfants peuvent apprécier les habiletés de chacun, que ce soit à peindre, à construire une tour, à donner un coup de main à l'ordinateur, à composer une chanson, à faire la maman ou à ranger tous les gros blocs dans une boîte.

D. Les enfants sont libres d'utiliser leur énergie pour croître et se développer

L'anxiété des enfants est atténuée quand les éducatrices les accueillent en utilisant un langage qui leur est familier, quand ils remarquent des similitudes entre la maison, la garderie et la maternelle, quand les éducatrices se concentrent sur ce que font les enfants plutôt que sur ce qu'ils ne font pas, quand elles les encouragent à observer les différences et à en parler sans éprouver de contraintes et sans porter de jugements. Dans une telle atmosphère de soutien, les enfants peuvent se concentrer et profiter du dynamisme et de l'amitié des gens qui les entourent.

3.2 Les stratégies pour comprendre les familles et tisser des liens avec elles : quatre éléments clés

Les éducatrices qui adoptent le programme d'apprentissage actif souhaitent que les enfants soient à l'aise et rassurés lors de la transition de la maison à la garderie ou à la maternelle. Les quatre stratégies qui suivent pourront aider l'éducatrice à faciliter cette transition :

- Se connaître et connaître les racines, les convictions et les attitudes de sa propre famille.
- Apprendre à connaître les styles de vie et les traditions propres aux enfants et à leur famille.
- Créer des relations positives avec les autres.
- Croire au potentiel de chaque enfant.

Tout comme les ingrédients essentiels de l'apprentissage actif, les éléments du climat de soutien et les autres stratégies de ce programme, les stratégies présentées dans cette section s'adressent à tous les adultes intervenant au préscolaire, qu'ils soient éducateurs, professeurs, personnes-ressources, etc. Ces stratégies influencent les interactions de l'adulte avec l'enfant, et ce dans toutes les circonstances.

3.2.1 Se connaître et connaître les racines, les convictions et les attitudes de sa propre famille

Afin de comprendre les coutumes, les convictions et les attitudes des familles, chaque intervenant au préscolaire doit savoir qui il est et ce qui influence sa perception des familles. L'utilisation des stratégies qui suivent, à l'occasion d'une réflexion personnelle ou d'une réunion d'équipe ou de parents, peut aider à comprendre les racines de ses propres croyances au sujet de soi-même ou des autres.

Les éducatrices démontrent leur intérêt pour les jeux inspirés par la vie familiale des enfants en participant activement à ces jeux.

A. Dresser la liste des origines de sa propre famille

Une bonne façon de commencer cette réflexion consiste à s'attarder à ses origines. Où suis-je née ? Où sont nés mes parents, mes grands-parents et mes arrière-grands-parents ? Vous pourriez être surprise de la diversité nationale et régionale en ce qui a trait aux origines des personnes faisant partie de votre arbre généalogique.

B. Examiner ses quoi, ses comment et ses pourquoi

Afin de devenir plus attentif à l'influence de sa propre famille sur soi-même, Williams et De Gaetano (1985) suggèrent d'analyser ses valeurs, ses convictions, ses coutumes et son mode de vie quotidien selon trois catégories : le quoi, le comment et le pourquoi. Ainsi, chaque individu devrait se poser les questions suivantes.

Le quoi. Quelles choses sont réellement importantes pour moi ? Quel genre de musique, d'arts, d'aliments, de vêtements, de danse ou de vie à la maison m'apporte bien-être et réconfort ? Quelles sont mes convictions en matière de religion, d'éducation, d'histoire, de justice et de société ?

Le comment. Comment suis-je comme parent, membre d'une famille ou ami ? Comment suis-je quand je suis malade, quand j'ai du plaisir, quand je célèbre une fête ou une occasion spéciale telle qu'un mariage ? Comment est-ce que j'exprime ce que je ressens et pense à la maison et au travail ?

Le pourquoi. Pourquoi est-ce que je me comporte d'une certaine façon ? Pourquoi est-ce que je crois ce que je crois ? Pourquoi est-ce que j'adopte certaines attitudes particulières ?

C. Demeurer conscient de ses habitudes et de ses préjugés

Un adulte qui jette un regard averti sur lui-même et sur ses expériences familiales peut commencer à comprendre qui il est et ce qui influence sa façon d'interagir avec les enfants et les adultes. Une éducatrice, par exemple, s'aperçoit que son habitude de porter une tenue débraillée afin d'être à l'aise lorsqu'elle joue par terre avec les enfants peut être perçue comme un signe de non-respect ou de nonchalance par certains parents qui doivent se vêtir de façon plus recherchée pour leur emploi. Après réflexion, elle décide de prendre soin de son apparence au début et à la fin de la journée. Elle s'aperçoit aussi qu'elle porte une plus grande attention aux enfants qui parlent beaucoup. Alors, elle apprend à s'occuper davantage des enfants qui s'expriment moins. Elle décide également qu'elle veut acquérir plus de patience envers les familles qui sont plus expéditives ou plus pessimistes qu'elle.

Quand elle reconnaît ses forces et ses préjugés, l'éducatrice peut se rendre compte que la plupart des gens qu'elle fréquente quotidiennement agissent en fonction de forces et de préjugés quelque peu ou radicalement différents des siens. Quand elle reconnaît les convictions qui modèlent sa vie, elle peut commencer à discerner et à comprendre les convictions qui modèlent la vie des enfants de son groupe et de leur famille.

3.2.2 Apprendre à connaître les modes de vie et les traditions propres aux enfants et à leur famille

> Il est impossible de « faire croître » les personnes sans nourrir leurs racines. Vous ne pouvez les mener dans l'avenir sans mettre en valeur leur passé. (Martin Luther King fils.)

S'il est important pour l'éducatrice de se connaître elle-même, il est aussi important qu'elle comprenne les familles des enfants qu'elle reçoit. Le fait de comprendre le quoi, le comment et le pourquoi des enfants inspire les éducatrices quant au choix du matériel et des modes d'interaction qui feront en sorte que les enfants se sentent acceptés et sécurisés dans leur environnement éducatif. Voici quelques stratégies permettant d'apprendre au sujet des familles des enfants.

A. Visiter les familles

La meilleure façon de connaître les valeurs des parents et les aspirations qu'ils entretiennent pour leurs enfants consiste à les visiter à leur résidence. Il est primordial que l'éducatrice fasse un effort pour visiter chaque famille avant ou pendant les premières semaines de fréquentation du service de garde ou de la maternelle. De telles visites lui permettront de voir l'enfant dans sa maison, là où il est le plus à l'aise, et d'apprendre des choses sur ses occupations ou sur ses objets préférés.

Aux États-Unis, certains centres préscolaires réservent généralement du temps pour ce genre de visites, au début et à la fin de chaque période de fréquentation. Les visites à domicile requièrent souvent de l'éducatrice un horaire flexible, spécialement quand la résidence de l'enfant est éloignée du milieu de garde ou de l'école, ou quand les parents travaillent et qu'il s'avère difficile de trouver un moment convenant à tous. Une éducatrice a résolu son problème en faisant de cette visite un préalable à toute inscription. Elle s'est rendu compte que les parents acquéraient alors une motivation assez grande, ce qui les incitait à faire un effort pour trouver un moment convenant à chacun.

Au début de la visite, une fois que l'horaire, la durée et les modalités de cette visite sont déterminés, il est important d'établir un lien de confiance avec la famille en la mettant à l'aise et en tentant de découvrir les forces des parents, leurs valeurs et leurs désirs à l'égard de leurs enfants. Chaque éducatrice adoptera, il va de soi, une approche particulière qui tiendra compte de sa personnalité et des techniques employées pour mettre les gens à l'aise. Si vous visitez une famille pour la première fois ou si vous êtes anxieuse, reportez-vous à l'encadré intitulé « Établir un climat de soutien avec les parents ». Les stratégies proposées pourront guider vos interactions avec les parents et les enfants.

Afin de faciliter la compréhension de l'organisation et du déroulement des visites aux familles, nous vous présentons l'expérience de deux éducateurs, Antoine et Lise, qui partagent le même local. Ils se sont d'abord réservé deux jours et demi pour visiter ensemble les 18 familles des enfants qui formeraient leurs groupes. Ils ont téléphoné à chaque famille pour prendre rendez-vous et expliquer le but de la visite : rencontrer chaque enfant dans son milieu de vie naturel afin de faciliter la transition de la maison à la garderie. Ces appels leur ont permis de planifier des visites d'une durée de 30 à 45 minutes par famille.

En travaillant ainsi à deux, ils peuvent se partager la tâche de la façon suivante : une fois les salutations et les présentations faites, Antoine peut se concentrer sur l'enfant (ou sur les enfants) et Lise, sur les parents. Dans un premier temps, ils recueillent des informations (« Pouvons-nous ajouter vos noms, votre adresse et votre numéro de téléphone à notre liste de parents ? » « Pouvons-nous communiquer ces informations aux autres parents ? » « Seriez-vous disponibles pour nous accompagner lors des sorties avec les enfants ? »). Puis ils parlent de ce que les membres de la famille aiment faire ensemble et des activités préférées des enfants. Même si elle prend des notes, Lise intervient en disant : « Voilà une bonne idée ! Je vais la prendre en note. » ou « Je m'empresse d'écrire cette idée pour ne pas l'oublier. » Quand Antoine et Lise accompagnent les enfants pour la visite de la maison, Lise laisse ses notes aux parents afin qu'ils puissent en prendre connaissance et constater qu'elle n'a porté aucun jugement sur leur maison ou sur leur mode de vie. Voici quelques notes prises par Lise pendant ces visites.

> Daphné : Habite avec sa famille depuis six mois, a été adoptée. Aime les poupées. (M'assurer que les poupées seront visibles lors de la rentrée.)
>
> Félix : Possède plusieurs petites autos. Aime faire des constructions avec des matériaux recyclés et les assembler avec de vrais outils. (Ouvrir le coin de la construction.) Le papa joue de la guitare et chante. (Disponible le vendredi matin pour venir jouer pour les enfants.)
>
> Joël : Aime danser. (Possède plusieurs cassettes et un magnétophone. Peut nous en prêter.)
>
> Alexis : Sa grand-mère travaille à la Pâtisserie Roy. (Assez près de la garderie pour y aller à pied avec les enfants.)
>
> Layla : Aime faire des pâtes. (Mère disponible pour venir faire des pâtes avec les enfants ; apportera le matériel.)
>
> Jeanne et Vincent : La grand-mère élève des poules. (Apportera des poussins dans quelques semaines.)
>
> Tara : Se présente en sari, met de la musique de l'Inde et danse pour nous. (Ajouter des saris dans le coin de la maisonnette, et des cassettes de musique indienne dans le coin de la musique.)
>
> Juan : Vient d'arriver de Colombie, parle espagnol seulement. La famille parle espagnol, le père parle français, il est originaire de Québec. (Apprendre quelques mots d'espagnol et aider Juan à se faire comprendre des autres et à les comprendre.)

B. Participer à la vie communautaire

Après cette première visite, Antoine et Lise continuent d'apprendre des choses sur les familles en participant aux fêtes du quartier, en organisant des rencontres et des événements spéciaux avec des parents tout au long de l'année, en prenant le temps quotidiennement de converser avec eux à l'arrivée et au départ des enfants, lors d'appels téléphoniques et d'autres visites à domicile, parfois même à leur invitation. Comme ces éducateurs résident dans le même quartier que les enfants, il leur arrive parfois de croiser parents et enfants à l'épicerie, à la bibliothèque, au centre sportif, à la piscine, à la patinoire, au restaurant, au comptoir de crème glacée et ailleurs. Par exemple, à la fête des Neiges, ils ont vu le père et la tante de Jeanne et Vincent

Établir un climat de soutien avec les parents

Partager le pouvoir avec les parents

- Donner suite aux initiatives des parents.
- Participer avec les parents en respectant leur façon de faire.
- Apprendre des parents.
- Donner le contrôle de la conversation aux parents.

Se concentrer sur les forces de la famille

- Prêter attention aux champs d'intérêt de la famille.
- Considérer les situations selon la perspective des parents.
- Découvrir les champs d'intérêt des enfants par le biais des parents.
- Faire une planification à partir des forces et des champs d'intérêt de la famille.

Établir des relations authentiques avec les parents

- Montrer un intérêt réel aux parents.
- Tenir compte des champs d'intérêt des parents.
- Écouter les parents avec attention et respect.
- Donner aux parents une rétroaction appropriée.
- Poser des questions honnêtes et répondre aux questions avec franchise.

S'engager à soutenir le jeu en famille

- Encourager les parents à jouer avec leurs enfants.
- Apprendre à connaître la famille en observant et en écoutant les parents et les enfants lorsqu'ils jouent ensemble.

exécuter des danses folkloriques; ils en ont profité pour les inviter à venir danser avec les enfants de leurs groupes.

C. Observer attentivement les enfants sur une base quotidienne

Les visites à domicile et la participation à la vie du quartier sont des moyens essentiels de connaître les familles des enfants d'un groupe, mais ce ne sont pas des activités quotidiennes. Chaque journée fournit à l'éducatrice l'occasion d'observer les jeux et les interactions des enfants, leur façon de s'exprimer, leurs sujets de conversation, leurs préférences. Par exemple, une éducatrice a découvert qu'An-Mei connaissait la calligraphie chinoise en l'observant en train de travailler dans le coin des arts plastiques. Un jour, An-Mei a apporté à la table un petit pinceau et de la gouache noire, et elle a commencé à exécuter des traits. « Qu'est-ce que c'est ? » a demandé Jacques qui était assis de l'autre côté de la table où il faisait un masque de Batman. « C'est mon nom, a répondu An-Mei.
– Ce n'est pas ton nom, dit Jacques en riant. Ton nom commence par un A.
– Non, a répondu An-Mei d'un ton un peu triste. C'est mon nom chinois. C'est ma grand-mère qui me l'a montré.
– Oh ! a répondu Jacques en s'approchant d'elle pour voir de plus près. Sais-tu écrire mon nom chinois ?
– Tu n'as pas de nom chinois », a répliqué An-Mei, très sérieuse.

Jacques a réfléchi un moment, puis ses yeux se sont animés : « Alors, demande à ta grand-mère si elle veut m'en faire un.
– D'accord », a répondu An-Mei avec un sourire.

Plus tard, lors d'une visite de la grand-mère, celle-ci a traduit le nom de Jacques en caractères chinois.

D. Se rapprocher des familles

En plus des visites à domicile, de la participation à la vie communautaire et de l'observation quotidienne des enfants, les éducatrices peuvent se rapprocher des familles et faire en sorte que celles-ci se sentent à l'aise à la garderie ou à la maternelle. Nous vous présentons maintenant quelques stratégies appropriées.

Raconter des anecdotes. Commencez la conversation avec les membres de la famille en racontant des anecdotes ou des histoires qui illustrent les habiletés de l'enfant. Voici un exemple :

> Madame Beauchamp, laissez-moi vous raconter ce qu'a fait Liette aujourd'hui. Elle a passé toute la période d'atelier dans le coin des blocs, où elle a construit une maison comprenant plusieurs pièces pour ses animaux et ses personnages.

Planifier des rencontres avec les parents. Invitez les familles à un déjeuner ou à un souper collectif où chaque famille fournit un élément du repas. Préparez une collation pour les grands-parents. Les membres de la famille peuvent alors se familiariser avec l'environnement éducatif et converser avec d'autres membres du personnel et d'autres parents.

Reconnaître publiquement l'importance des familles. Une éducatrice a réalisé un tableau composé d'une photographie de chaque parent des enfants, qu'elle a accompagnée d'une brève légende. Voici un exemple :

- Gloria Galeano, mère de Maria, 2 ans, et d'Eduardo, 3 ans. Lorsqu'elle ne travaille pas ou ne suit pas de cours, elle aime coudre. C'est elle qui a exécuté la magnifique douillette décorée avec des animaux pour le coin des poupées du groupe des 2 ans. Merci, Gloria !
- Raymonde, mère des jumelles Chloé et Zoé (groupe des 2 ans). Raymonde vient de donner naissance à deux garçons. Je présume qu'elle sera bien occupée à son retour de l'hôpital. Chloé et Zoé ont très hâte d'accueillir leurs petits frères jumeaux.

Converser avec les parents lors de l'arrivée et du départ. Il faut profiter au maximum des moments où les parents viennent reconduire et chercher leurs enfants pour converser avec eux. Des éducatrices d'un centre de la petite enfance ont décidé de se faire un devoir de parler avec les parents lors de ces moments et de les encourager à passer quelques instants avec leurs enfants à la fin de la journée dans le but de faciliter la transition de la garderie à la maison. Il n'est pas rare de voir un père assis par terre en train de faire un casse-tête avec sa petite fille, un petit garçon mener sa mère par la main jusqu'au bac à sable pour lui montrer les routes et les ponts qu'il vient de construire avec son ami ou encore une maman assise dans la chaise berçante pour donner à son bébé un dernier biberon avant le départ.

> C'est tellement plus agréable pour nous deux, dit la maman, quand je nourris Jeanne avant de quitter la garderie. Nous passons un bon moment ensemble. Je prends le temps de lui donner à boire et de la cajoler. Ainsi, lorsque nous arrivons à la maison, nous sommes toutes les deux détendues. Auparavant, Jeanne pleurait parce qu'elle avait faim et que son rythme de vie était dérangé.

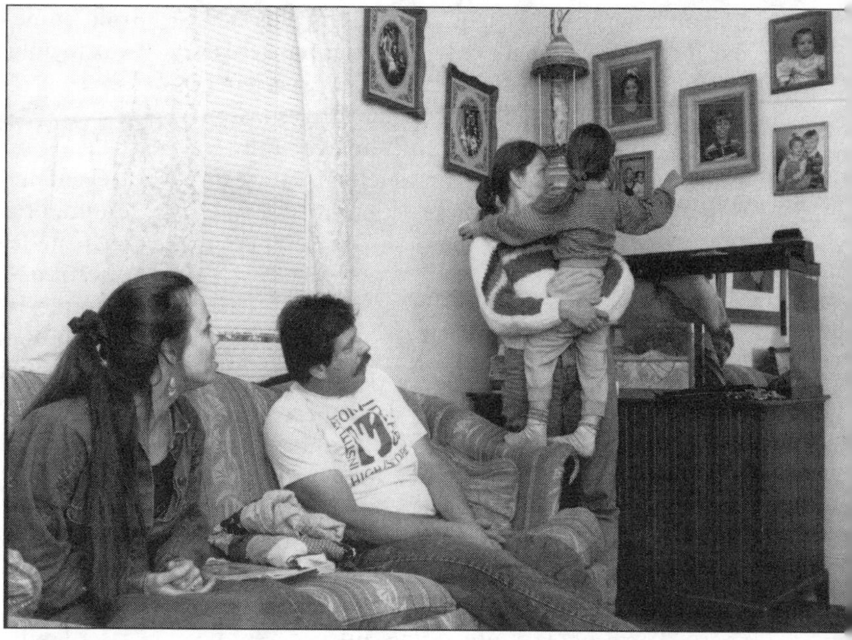

Lorsque les éducatrices visitent les familles, les enfants ont la possibilité de leur montrer des objets importants pour eux: photos de famille, jouets, livres, animaux.

Encourager les membres de la famille à se joindre aux enfants lors des repas et des collations. Dans un autre centre de la petite enfance en milieu de travail, les parents viennent, lors de leur pause, nourrir les bébés, manger avec leur enfant, jouer dans la cour ou raconter une histoire avant la sieste. « Je me sens coupable quand je ne viens pas manger avec Rémi au moins une fois la semaine », affirme un papa.

S'informer mutuellement des événements importants vécus par l'enfant. Les éducatrices ont choisi d'utiliser un calepin qui accompagne l'enfant de la garderie à la maison, et vice versa. Les éducatrices et les parents y notent leurs observations, commentaires ou interrogations en y inscrivant la date. En voici un exemple:

> Lundi le 18 janvier. Simon a eu l'idée de transformer le coin de la maison en un restaurant de frites et poissons. Il a utilisé des pailles et des coquillages pour simuler les frites et les poissons. Cette brillante idée a été reprise par les autres enfants.

Voici ce que la mère de Simon a écrit en retour:

> Simon nous a parlé du « manteau à la fermeture éclair » et de son restaurant. J'ai une suggestion pour la récupération des cartes de Noël. Pourquoi ne pas les coller sur un carton rigide et en faire des casse-tête de quatre, six ou huit morceaux?

Faire parvenir régulièrement aux parents des bulletins de nouvelles. Ces bulletins informent les parents des sorties ou des événements à venir. La cuisinière peut y joindre des informations concernant l'alimentation ou donner une recette appréciée des enfants. On peut y ajouter des anecdotes comme celles-ci:

> À notre sortie au verger d'Émilie jeudi dernier, Nicole a trouvé un nid d'oiseau et elle s'est exclamée: « C'est plein de petites branches et de piquants! J'aime mieux mon lit, c'est plus doux. »
>
> Ramon a capturé un criquet; les enfants étaient heureux de l'observer. Ramon aurait aimé rapporter le criquet à la maison, mais il n'a pas voulu le séparer de sa famille.

Encourager les membres de la famille à se joindre au groupe pour les sorties. Les sorties sont de belles occasions pour les parents, les enfants, les éducatrices et le personnel de converser, de partager des expériences et de se connaître.

3.2.3 Créer des relations positives avec les autres

La connaissance de soi-même, des enfants et de leur famille ouvre la voie à la création de relations humaines positives. Bien qu'il puisse être plus facile d'établir et de maintenir ce type de relations avec les personnes qui ont les mêmes vues et expériences que soi, il est essentiel que les éducatrices fassent preuve d'ouverture et d'honnêteté avec tous les enfants et leur famille. Voici quelques stratégies utiles à l'élaboration de telles relations.

A. Accepter les autres et leur faire confiance

Une des manières d'élaborer des relations de confiance avec les autres est de se percevoir et de percevoir les autres comme les membres d'une même famille humaine. Pensez aux personnes de votre famille immédiate ou élargie : votre conjoint, votre enfant, votre mère, votre ami ou votre tante. Maintenant, en regardant les parents ou vos collègues, imaginez en chacun le conjoint, l'enfant, la mère, l'ami ou la tante d'une autre personne, quelqu'un qui est aussi important pour d'autres que les membres de votre famille le sont pour vous-même. En abordant les choses dans cette perspective, vous serez portée à approcher les enfants et les familles de votre groupe avec le respect et la sollicitude que vous souhaiteriez que l'on accorde aux membres de votre famille.

Cette maman partage avec les enfants sa passion du filage de la laine en leur donnant l'occasion de manipuler le matériel et de faire leurs propres expériences.

B. Valoriser les différences individuelles

L'éventail des différences individuelles est vaste. Il est important de se rendre compte, cependant, que la façon de réagir à ces différences est en partie une question de choix. Chacun peut choisir, par exemple, la façon de réagir aux familles dont un des membres est aveugle, malentendant, homosexuel, en fauteuil roulant, a la tête rasée, aux familles dont la couleur de la peau ou les habitudes alimentaires diffèrent des siennes. Ainsi, lorsqu'on décide de se fermer à de telles différences, on construit des barricades. Mais lorsqu'on décide de valoriser ces différences, on s'offre la possibilité de rencontrer les autres et d'apprendre à leur contact.

Les éducatrices peuvent aider les enfants à valoriser les différences qu'ils observent. Par exemple, quand Martin, 3 ans, tente d'effacer le brun de la peau de Victor, celui-ci dit : « Non, je suis brun comme mon père.

– C'est vrai, ajoute l'éducatrice pour enrichir la conversation. Chaque personne a la peau d'une magnifique couleur. La couleur de votre peau vous vient de votre mère et de votre père à votre naissance.

– Ah ! » ajoute Martin, qui cherche peut-être une manière d'incorporer cette nouvelle idée à son ancienne façon de voir la peau de Victor.

C. Se concentrer sur les forces des individus

Les éducatrices qui se concentrent sur les forces des individus encouragent les enfants à faire de même. Par exemple, l'éducatrice voit Juan, qui vient tout juste d'arriver de la Colombie, comme un enfant vivant, alerte et sociable. Une fois, Juan s'est fâché parce qu'il ne pouvait parler et faire des blagues avec ses pairs comme il le faisait en Colombie. Étant donné que l'éducatrice souhaitait que les enfants perçoivent Juan comme un membre important de leur groupe, elle a lors d'une causerie mis l'accent sur le grand désir de communiquer de Juan plutôt que sur sa frustration. Elle a alors décidé d'apprendre quelques mots et une chanson en espagnol, puis de partager ses apprentissages avec les enfants. Tous les enfants se sont intéressés à la langue espagnole : Juan a appris à pointer le doigt vers les objets afin que les enfants les nomment en français, tandis que les enfants pointaient le doigt vers les objets afin que Juan les nomme en espagnol. L'éducatrice a entrepris un jeu où chacun mimait une émotion, puis la nommait en français ; Juan la nommait en espagnol. Juan s'est vite acclimaté à son nouvel environnement et à la langue française. À mesure que ses pairs se familiarisaient avec l'espagnol, Juan était plus détendu et avait plus de plaisir à participer aux différentes activités.

D. Communiquer de façon claire et honnête

Chaque individu communique avec tout son corps. Par conséquent, il est important pour les enfants et leur famille que les mots utilisés par les éducatrices correspondent à l'expression de leur visage et de leurs gestes. Si elles sont conscientes de leurs paroles et de leurs attitudes, elles pourront transmettre aux enfants des messages clairs. Monica, par exemple, passe beaucoup de temps assise par terre avec les enfants, à les observer, à lire avec eux, à chanter, etc. Les enfants se blottissent souvent contre elle ou s'assoient sur ses genoux. Parce qu'elle désire communiquer aux enfants le fait que tous sont également les bienvenus auprès d'elle, elle s'efforce de cajoler chaque enfant qu'elle tient dans ses bras et demeure attentive à chacun. Quiconque s'assoit sur ses genoux ou se blottit contre elle reçoit le même message non verbal : « Je suis heureuse que tu sois avec moi. » De même, lorsqu'elle rencontre les parents, elle leur accorde toute son attention et leur fait savoir qu'elle est heureuse de parler avec eux au sujet de leur enfant.

3.2.4 Croire au potentiel de chaque enfant

Comme les enfants sont influencés par les attentes des adultes, les éducatrices ont la responsabilité de croire dans le potentiel de chaque enfant qui fréquente le milieu préscolaire où elles travaillent. Voici quelques stratégies permettant d'aider les enfants à exceller.

A. Éviter les étiquettes et les stéréotypes par rapport aux enfants et aux familles

En tant qu'éducatrice au préscolaire, il est important de se concentrer sur les forces des enfants, de valoriser celles-ci et d'en informer les autres, plutôt que de gratifier les enfants d'étiquettes qui limitent leur confiance et celle des autres en leurs capacités et en leurs habiletés.

L'éducatrice doit éviter d'employer les termes suivants lorsqu'elle parle d'un enfant : « défavorisé », « retardé », « pas prêt pour la maternelle », « immature », « agressif », « ayant des difficultés de langage », « tranquille », « sage », « turbulent », « sauvage », « hyperactif ». Elle doit choisir des mots qui ont une résonance positive et qui décrivent de façon précise les forces de l'enfant : « actif », « engagé dans les jeux de rôles », « bon raconteur d'histoires », « capable de résoudre des problèmes », « intéressé par les lettres », « capable de planifier », « habile dans les activités de motricité fine », « possédant un bon sens du rythme ».

B. Percevoir chaque enfant comme étant compétent

Lorsque l'éducatrice perçoit l'enfant comme étant un individu compétent, elle l'aide à développer son potentiel. L'éducatrice a la responsabilité de rechercher et de reconnaître les habiletés de chaque enfant dans la mesure du possible, et de l'aider à se développer au maximum.

C. Croire aux chances de réussite de chaque enfant

L'éducatrice doit croire aux capacités de chaque enfant de faire une bonne planification, de prendre des décisions, de jouer des rôles, de faire des explorations ou de réaliser des constructions avec des blocs. Elle doit maintenir un environnement favorisant l'apprentissage actif où les enfants pourront expérimenter le succès. C'est ce qu'a fait l'éducatrice dans l'exemple qui suit. Dans un centre de la petite enfance desservant une clientèle d'enfants handicapés, certains enfants étaient en fauteuil roulant, d'autres ne pouvaient que ramper ou se cramponner aux meubles, d'autres ne pouvaient parler ou entendre, d'autres regardaient dans le vague. L'éducatrice s'est montrée sceptique lorsqu'on lui a proposé l'approche de l'apprentissage actif: « L'apprentissage actif, le partage du pouvoir, l'approche de la résolution de problèmes, tout cela ne pourra jamais marcher avec ces enfants. » Comme l'éducatrice se concentrait sur les handicaps des enfants, elle ne pouvait reconnaître leur potentiel. Toutefois, lorsqu'elle a offert aux enfants du matériel à manipuler, lorsqu'elle leur a donné la chance de faire des choix et de parler, elle a été bouleversée de constater leur enthousiasme, leur participation et leur excitation. Une fois la porte ouverte sur l'apprentissage actif, l'éducatrice a pu découvrir les forces et les habiletés de chacun.

La compréhension de sa propre motivation et de ses attitudes, la connaissance des enfants et des parents, la création de relations positives, l'intuition de l'excellence chez les autres et soi-même se révèlent des éléments essentiels au soutien des familles. Ces éléments permettent aux éducatrices et aux enfants de se percevoir et de percevoir leurs pairs de façon positive, d'apprécier la contribution et les forces des autres, et de croire en leur unicité comme membres d'une communauté.

3.2.5 Deux exemples de l'utilisation des éléments essentiels au soutien des familles

Voici deux exemples de l'utilisation des éléments essentiels au soutien des familles. Le premier exemple concerne l'approche de la résolution de conflits lorsqu'il s'agit d'établir des limites que les enfants devront respecter. Quant au second exemple, il fait état des observations d'éducatrices qui souhaitent soutenir les expériences familiales d'un enfant.

A. Premier exemple : établir des limites et les faire respecter

Dans n'importe quel milieu centré sur l'apprentissage actif, les enfants ont besoin que les éducatrices établissent des limites claires et raisonnables afin de pouvoir donner suite à leurs projets et à leurs idées de façon sécuritaire et agréable. Il n'est pas rare de voir les adultes, étant donné les différences familiales, diverger d'opinions sur la façon d'établir et de faire respecter de telles limites. Par exemple, une éducatrice peut utiliser l'approche de la résolution de problèmes, tandis que la famille d'un enfant utilise l'approche plus traditionnelle de la punition ou de la récompense. Comment les éléments de soutien de la famille peuvent-ils être utiles dans une telle situation ?

Revoyez votre définition de l'expression « établir des limites ». Rappelez-vous vos expériences d'enfant. Comment les adultes qui s'occupaient de vous établissaient-ils des limites ? Qui les établissait ? Qui les renforçait ? Ces limites étaient-elles cohérentes ? imprévisibles ? Quelles étaient vos réactions ? L'examen de ces expériences issues de l'enfance vous fera prendre conscience des origines de vos attentes par rapport aux limites que vous établissez. Cela vous permettra de réviser les raisonnements et les sentiments qui déterminent le choix des limites que vous voulez faire respecter en tant qu'adulte et professionnelle travaillant auprès de jeunes enfants.

Demandez-vous comment les familles des enfants de votre groupe établissent des limites et les font respecter. Lors d'une visite à domicile ou lors d'une rencontre avec des parents, essayez d'apprendre comment les parents fixent des limites à leurs enfants, comment leurs parents établissaient les limites lorsqu'ils étaient eux-mêmes enfants et comment ils réagissaient à ces limites. Vous découvrirez probablement que lorsqu'ils étaient enfants, ils ont souvent été punis, laissés à eux-mêmes ou ont reçu tel type d'aide pour résoudre leurs conflits.

Créez des relations positives avec les familles malgré les divergences d'opinions sur la mise en place de limites. Une fois que vous vous êtes rappelé vos propres expériences et que vous en savez plus sur l'expérience personnelle des parents, vous êtes sur la bonne voie pour créer des relations positives avec les parents en ce qui concerne la mise en place de limites. Lorsque vous aurez conversé avec les parents, que vous aurez acquis des connaissances sur la façon dont ils ont été éduqués, que vous leur aurez aussi raconté quelques expériences de votre enfance, vous constaterez que les parents ont aussi leur mot à dire dans différentes situations. Vous pourrez alors commencer à apprécier et à commenter leurs forces, leurs souhaits quant au bien-être de leur enfant, leur plaidoyer en sa faveur, leur disponibilité pour parler de questions cruciales, leur franchise quand ils partagent leurs propres expériences. Vous pourrez aussi être claire et honnête quant aux raisons qui motivent votre approche de résolution de problèmes lorsqu'il s'agit d'établir des limites, parce que vous souhaitez donner aux enfants la chance d'apprendre de leurs erreurs, de se sentir heureux de pouvoir résoudre eux-mêmes leurs conflits et de pouvoir trouver des comportements plus appropriés.

Quoique vous et les parents ne puissiez probablement vous entendre parfaitement sur tout, le fait de parler honnêtement ensemble au sujet de la mise en place de limites vous permet d'exprimer votre point de vue et les raisons qui le motivent. Vous pourrez ainsi commencer à vous faire confiance mutuellement en ce qui a trait à vos idées sur ce qui est le mieux pour les enfants.

Croyez au potentiel des enfants et des familles. Vous devez présumer que vos relations avec les parents vont continuer à se développer positivement. Informez-les souvent des préférences et des réussites de leur enfant. Au lieu de penser que tel parent éprouve des difficultés ou n'est pas informé, songez à ses forces : cette personne a une bonne mémoire, elle a l'esprit vif, elle n'hésite pas à s'engager dans de nouveaux projets, elle a le sens de l'humour, elle est généreuse. Concentrez-vous sur ses forces et faites le pari qu'en travaillant étroitement ensemble vous parviendrez à offrir ce qu'il y a de mieux à son enfant.

B. Deuxième exemple : observer et soutenir les expériences familiales de l'enfant

Chaque fois que vous apprenez de nouvelles informations sur les familles (quoi ? comment ? pourquoi ?), notez-les et partagez-les avec vos collègues afin de pouvoir incorporer ces nouvelles connaissances à votre planification quotidienne et à vos interactions. Voici quelques notes prises par les éducatrices responsables de Jacques.

30 août – Le père de Jacques est originaire du Niger. Jacques et sa mère sont nés au Québec. La famille s'est installée à Sherbrooke parce que la mère enseigne à l'université et que le père y poursuit ses études de doctorat. Jacques a visité le Niger avec ses parents ; ils ont aussi vécu à Washington, aux États-Unis. Les parents valorisent beaucoup l'éducation. Ils désirent que Jacques soit stimulé et qu'il puisse apprendre à son propre rythme.

11 septembre – Jacques a apporté une cassette de musique de percussions africaines pour la période de rangement. Cela a incité les enfants à se questionner sur la fabrication des instruments de percussion et sur la façon de jouer avec les mains et non avec des baguettes.

4 octobre – Malgré le fait qu'il s'exprime facilement et soit très imaginatif, Jacques s'intéresse beaucoup à l'expression non verbale des autres enfants : « Chantal ! Lian a besoin de toi. Ça fait longtemps qu'elle te regarde. »

20 octobre – Jacques et Joey mélangent de la gouache brune, noire et blanche pour reproduire la couleur de leur peau.

6 novembre – Jacques réalise une peinture pour sa mère et me demande d'y écrire la note suivante : « C'est moi, je mange de la laitue. C'est mon bébé frère, il n'a pas encore de dents. Il ne mange pas de laitue, il boit du lait et il mange de la purée. »

9 novembre – Jacques est très heureux lorsque la grand-mère d'An-Mei lui apporte son nom écrit en chinois. Il passe de longs moments à reproduire son nom en caractères chinois.

5 décembre – À la collation, Jacques nous informe de la visite prochaine de sa grand-mère nigérienne à l'occasion de son anniversaire. Elle lui racontera l'histoire de Bruno le crocodile et Bruno le lièvre.

3.2.6 Les éléments essentiels au soutien des familles et la suite du programme

Les éléments pouvant aider à comprendre les familles et à tisser des liens avec elles (se connaître soi-même, apprendre des autres, créer des relations positives, croire au potentiel de chaque enfant) mettent en place un climat de soutien et influencent les autres aspects du programme d'apprentissage actif. Le chapitre 4, portant sur le travail en équipe, reprend chacun de ces éléments. Dans le chapitre 5, portant sur l'aménagement, les éducatrices font en sorte que les enfants puissent retrouver un matériel qui leur est familier, comme des livres et des images de familles qui ressemblent à la leur. Les chapitres 6, 7 et 8, qui présentent l'horaire quotidien, illustrent plusieurs façons pour les enfants de travailler et de jouer avec d'autres enfants, quelles que soient les ressemblances ou les différences qui les caractérisent. Les éducatrices apprennent comment soutenir et encourager l'intérêt des enfants pour leurs pairs tout au long de la journée. Les chapitres 9 à 19 décrivent les expériences clés de l'apprentissage actif et discutent des stratégies d'intervention à adopter pour encourager les enfants à explorer leurs champs d'intérêt et à parler de leurs projets dans un langage et un style significatifs pour eux.

La compréhension de l'importance de la famille dans l'éducation des enfants combinée avec les ingrédients de l'apprentissage actif et les éléments de soutien font partie intégrante de la compréhension de la suite du programme, comme le démontreront les chapitres subséquents.

TABLEAU RÉCAPITULATIF

Les stratégies pour comprendre les familles

Se connaître et connaître les racines, les convictions et les attitudes de sa propre famille

- Dresser la liste des origines de sa propre famille.
- Examiner ses quoi, ses comment et ses pourquoi.
- Demeurer conscient de ses habitudes et de ses préjugés.

Apprendre à connaître les modes de vie et les traditions propres aux enfants et à leur famille

- Visiter les familles.
- Participer à la vie communautaire.
- Observer attentivement les enfants sur une base quotidienne.
- Se rapprocher des familles.

Créer des relations positives avec les autres

- Accepter les autres et leur faire confiance.
- Valoriser les différences individuelles.
- Se concentrer sur les forces des individus.
- Communiquer de façon claire et honnête.

Croire au potentiel de chaque enfant

- Éviter les étiquettes et les stéréotypes par rapport aux enfants et aux familles.
- Percevoir chaque enfant comme étant compétent.
- Croire aux chances de réussite de chaque enfant.

LECTURES COMPLÉMENTAIRES

FALARDEAU, ISABELLE et RICHARD CLOUTIER (1986). *Programme d'intégration éducative famille-garderie*, vol. 2, Québec, Office des services de garde à l'enfance, coll. « Diffusion ».

LAVALLÉE, CAROLE et MICHELLE MARQUIS (1999). *Éducation interculturelle et petite enfance*, Sainte-Foy, Les Presses de l'Université Laval.

TOCHON, FRANÇOIS VICTOR (sous la dir. de) (1997). *Éduquer avant l'école. L'intervention préscolaire en milieux défavorisés et multiethniques*, Montréal, Bruxelles, Éducation et formation pratique, Les Presses de l'Université de Montréal, De Boeck Université.

TOCHON, FRANÇOIS VICTOR et JEAN-MARIE MIRON (2000). *Parents responsables*, rapport de recherche RS2436 094 déposé au Conseil québécois de la recherche sociale, Sherbrooke, CRP.

CHAPITRE 4

Travailler en équipe : l'indispensable coopération entre les adultes pour favoriser l'apprentissage actif

Une entreprise prospère est un système social complexe, même si cette entreprise est relativement petite. Pour atteindre des objectifs de haut niveau, il faut bien entendu embaucher du personnel compétent, faire une planification précise et donner des directives claires. Mais ce n'est pas tout. Dans les entreprises qui connaissent le succès, la direction et les membres du personnel tissent aussi un réseau complexe de relations qui sont caractérisées par l'interdépendance et la coopération.
RENSIS LIKERT, 1967.

4.1 L'équipe de travail et la cellule de soutien mutuel

En général, quand on parle de l'équipe de travail, on fait référence à l'ensemble des membres du personnel. Dans les services de garde, cette équipe se compose des éducatrices, des membres du personnel de gestion et du personnel de soutien. Ces personnes se rencontrent périodiquement selon une fréquence qui varie d'un service à un autre. Cependant, les éducatrices travaillent souvent de façon isolée dans le quotidien. Pour les adeptes d'une approche pédagogique centrée sur l'apprentissage actif, une étroite collaboration entre tous les membres de l'équipe de travail est essentielle si on veut assurer la cohésion et la cohérence des interventions auprès des enfants. C'est pourquoi on favorisera des réunions fréquentes et régulières de l'équipe de travail pour que ses membres puissent participer activement aux décisions qui concernent l'organisation du service de garde. Ainsi, l'équipe de travail aura un pouvoir décisionnel sur les questions touchant l'organisation du travail et les applications des orientations pédagogiques.

Par ailleurs, cette coopération prendra forme dans l'organisation quotidienne du travail des éducatrices grâce à la mise sur pied de petites équipes que nous appelons les **cellules de soutien mutuel**. Ces cellules, plus petites que l'équipe de travail élargie, regroupent les personnes qui interviennent régulièrement auprès de certains enfants.

Elles permettent des échanges quotidiens entre leurs membres et suscitent une relation de soutien mutuel entre les personnes qui les composent. Elles visent non seulement à rompre l'isolement des éducatrices, mais aussi à enrichir leur pratique au moyen d'un partage d'informations, de connaissances et d'expériences. Les éducatrices qui composent ces cellules de soutien mutuel se rencontreront donc quotidiennement pour se communiquer les résultats des observations qu'elles auront faites auprès des enfants, pour évaluer les activités de la journée et pour planifier les activités du lendemain.

À première vue, cette organisation du travail peut sembler difficile à appliquer dans certains milieux éducatifs; cependant, plusieurs formules sont aisément réalisables. Elles sont toutes acceptables dans la mesure où elles permettent d'atteindre le but qui est visé, soit le soutien mutuel. On pourrait ainsi décloisonner les groupes d'enfants pour certaines périodes de la journée et leur donner accès aux coins mis sur pied dans deux locaux; lors des périodes d'ateliers libres, les enfants pourront choisir d'élaborer des activités avec le matériel disponible dans les locaux. D'autre part, lors des rassemblements en grand groupe, les enfants évoluent sous la responsabilité de tous les membres de la cellule de soutien mutuel et ils choisissent de se départager ensuite entre deux locaux pour accomplir des activités en groupes d'appartenance.

Nous reviendrons plus loin dans ce chapitre sur les caractéristiques, sur les rôles et sur les tâches de cette cellule de soutien mutuel. Nous présenterons d'abord les caractéristiques du travail en équipe, puis nous ferons ressortir les avantages et les exigences du modèle proposé de coopération entre les éducatrices.

4.2 Comprendre le travail en équipe

Dans les services éducatifs qui mettent sur pied un programme pédagogique favorisant l'apprentissage actif, les éducatrices forment une équipe consolidée. Les membres de l'équipe s'engagent collectivement dans l'application du programme pédagogique et travaillent ensemble pour échanger des informations exactes et précises sur les enfants. Ils inventent des stratégies d'apprentissage et évaluent l'efficacité de ces stratégies. Ils s'efforcent de mieux comprendre les fondements du programme et de mieux connaître les enfants de façon à créer un environnement pédagogique qui soit à la fois cohérent par rapport aux objectifs du programme et à leurs valeurs éducatives, et harmonieux dans son application.

Dans un environnement qui favorise l'apprentissage actif, le travail en équipe permet :

- de créer un climat de soutien entre les éducatrices ; l'appui et la confiance qu'elles se manifestent entre elles se répercutent dans leurs relations avec les enfants ;
- de faire écho aux besoins d'appartenance, de réalisation de soi, de reconnaissance et de compréhension du programme pédagogique des éducatrices ; ainsi, lorsqu'elles sont en présence des enfants, elles peuvent mettre toutes leurs énergies au service des intérêts des enfants ;
- de contribuer à l'application univoque du programme pédagogique, de sorte que les éducatrices qui travaillent avec les mêmes enfants aient des comportements constants et leur apportent un soutien indéfectible.

Le but de ce chapitre est d'étudier en quoi le travail en équipe joue un rôle décisif dans un environnement pédagogique qui favorise l'apprentissage actif. Nous y exposerons la nature et les effets du travail en équipe, les étapes à réaliser pour former une équipe efficace ainsi que les stratégies concrètes à appliquer.

4.2.1 Le travail en équipe : un processus interactif

Le travail en équipe est un processus interactif. Lorsque les éducatrices travaillent en équipe, elles mettent en pratique les principes pédagogiques et les stratégies qu'elles utilisent avec les enfants. Une équipe de travail qui arrive à maturité génère un processus d'apprentissage actif nécessitant un climat de soutien démocratique et de respect mutuel chez tous ses membres. Dans cette section, nous présenterons brièvement de quelle façon le travail en équipe est relié aux principes pédagogiques que nous avons décrits dans les trois premiers chapitres, de quelle façon il appuie l'apprentissage actif, établit un climat de soutien et permet d'engager les familles dans le processus d'apprentissage.

A. Le travail en équipe stimule l'action

Les éducatrices qui travaillent ensemble étroitement pour mettre sur pied un programme pédagogique centré sur l'apprentissage actif font preuve de dynamisme quant à leur propre apprentissage et elles construisent collectivement leurs connaissances ; elles élaborent une nouvelle compréhension des méthodes à utiliser pour soutenir le mieux possible le développement global de l'enfant. Pour ce faire, les éducatrices s'appuient sur une base commune de principes pédagogiques et de stratégies ; de plus, chacune partage avec les autres ses expériences antérieures, les acquis de sa formation et les connaissances nouvelles qu'elle acquiert en observant les enfants. Les membres de l'équipe font des choix, lesquels portent sur l'interprétation à donner aux observations des enfants, sur le quand, le comment et le où construire à partir des habiletés et des forces des enfants, de même que sur la détermination des pratiques pédagogiques qu'il faut changer, de celles qu'il faut maintenir, de celles qu'il faut améliorer et de celles qu'il faut mettre en veilleuse. En travaillant ensemble, les membres de l'équipe partagent leurs observations des enfants et commentent les événements dans leurs propres mots de façon à construire et à utiliser leurs connaissances collectivement. Les membres de l'équipe donnent et reçoivent du soutien, ils parlent tour à tour et écoutent les idées des uns et des autres de manière à utiliser ces idées et à les incorporer dans l'élaboration des nouvelles stratégies qu'ils expérimenteront avec les enfants. La coopération entre les éducatrices dans un programme pédagogique qui favorise l'apprentissage actif est donc un processus qui exige la participation dynamique de chacun.

B. Le travail en équipe suscite l'entraide et le soutien

L'efficacité du travail en équipe repose sur les mêmes principes que ceux que les adultes utilisent lorsqu'ils travaillent avec les enfants. Ainsi, les membres de l'équipe partagent le pouvoir plutôt que de suivre les directives d'une seule personne. Ils partagent la responsabilité de promouvoir le travail en équipe, d'établir les objectifs du programme pédagogique, de soulever les problèmes qu'ils perçoivent et de résoudre ces problèmes. Quand les coéquipiers parlent des enfants et planifient des activités à leur intention, ils prennent des initiatives et sont utiles à leur équipe en tant que leaders aussi bien qu'en tant que participants. Ils se concentrent aussi sur les habiletés et sur les forces des uns et des autres. En effet, ils recherchent des moyens de mettre à profit leurs habiletés et de mettre en valeur les champs d'intérêt de chacun ; ils se concentrent sur ce qui peut être fait au lieu de se laisser décourager par les problèmes et les obstacles. De plus, ils recherchent des relations interpersonnelles authentiques avec les autres membres de l'équipe, des relations basées sur l'honnêteté, sur l'attention, sur le dialogue et sur la patience. Leur engagement envers le jeu comme principal agent de développement et d'apprentissage de l'enfant les amène à faire preuve d'humour dans leurs relations interpersonnelles. Aussi, ils adoptent une approche de résolution de problèmes pour résoudre les conflits d'une manière neutre, prompte, patiente et bienveillante ; ils sont convaincus que de telles situations sont des occasions de grandir personnellement et collectivement.

C. Le travail en équipe exige le respect mutuel

Chaque membre de l'équipe apprécie et respecte les expériences, le jugement, les valeurs et les opinions des autres. Les membres de l'équipe investissent beaucoup d'énergies pour établir une confiance mutuelle, pour s'engager dans une communication honnête, pour mieux se connaître eux-mêmes et pour mieux connaître leurs collaborateurs.

Plutôt que de se dire « Elle ne peut me comprendre, elle vient d'ailleurs » ou « Je ne la veux pas dans mon équipe, elle est trop jeune », les membres de l'équipe misent sur leur capacité de réussir collectivement. Ils évitent d'étiqueter les autres et tiennent pour acquis le fait qu'en travaillant étroitement ensemble ils seront en mesure de fournir aux enfants qui leur sont confiés un environnement d'apprentissage de haute qualité. Le respect mutuel libère les membres de l'équipe de la peur du jugement et leur permet de concentrer collectivement leurs énergies sur le bien-être des enfants.

En clair, le travail en équipe requiert le respect mutuel, une compréhension commune des principes de l'apprentissage actif et un accord au sujet des éléments requis pour créer un climat de soutien.

Dans la prochaine section, nous discuterons des effets bénéfiques d'une telle coopération entre les intervenants.

4.2.2 Les avantages du travail en équipe

Lorsque les éducatrices travaillent ensemble pour mettre en place et maintenir un environnement pédagogique qui favorise l'apprentissage actif des enfants, les effets de cette collaboration se font sentir en profondeur. En travaillant ensemble, les coéquipières acquièrent de la reconnaissance, un sens de l'accomplissement et un sentiment d'appartenance à un groupe formé d'individus qui partagent les mêmes valeurs. Elles en viennent à attacher de l'importance au fait d'avoir des collègues de travail qui poursuivent des buts pédagogiques semblables et avec qui elles peuvent discuter des problèmes et les résoudre. Elles trouvent qu'elles peuvent ainsi avoir une approche plus cohérente avec les enfants dont elles sont responsables parce qu'ensemble elles ont fixé les objectifs à atteindre et qu'elles ont débattu des stratégies permettant d'appliquer les principes sur lesquels elles se sont entendues. Lorsque les éducatrices partagent le pouvoir avec leurs collègues de travail, elles se rendent souvent compte qu'elles ont aussi plus de facilité à partager le pouvoir avec les enfants.

A. Les membres de l'équipe acquièrent une compréhension approfondie du programme pédagogique qu'ils appliquent

Lorsque les éducatrices centrent leur attention sur les comportements des enfants et sur leurs champs d'intérêt, elles acquièrent une meilleure connaissance du développement de l'enfant ; elles saisissent mieux comment utiliser le programme pédagogique pour guider leurs interactions quotidiennes avec les enfants. Grâce à l'observation, à la pensée réflexive et à la résolution de problèmes, les membres de l'équipe en viennent à se percevoir comme des personnes qui peuvent prendre des décisions sur l'orientation à donner au programme, mettre en pratique les solutions envisagées et les évaluer. Ils découvrent à quel point l'enseignement et l'apprentissage sont une belle aventure ; ils apprennent avec enthousiasme à partir des observations qu'ils partagent et ils relèvent le défi consistant à accroître leurs connaissances et à construire à partir de celles qu'ils possèdent déjà. Ensemble, les membres de l'équipe s'efforcent de résoudre les problèmes – les problèmes d'application du programme pédagogique et les problèmes reliés à la vie d'équipe – et ils reconnaissent que, ce faisant, ils s'inscrivent dans un processus continu de génération d'idées et de stratégies nouvelles, lequel est très stimulant.

B. Les membres de l'équipe augmentent leur confiance en exerçant des pouvoirs

Les membres de l'équipe voient qu'ils sont capables de résoudre des problèmes et de prendre des décisions qui ont un effet positif sur leur propre vie et sur la vie des enfants dont ils sont responsables. Ils en viennent aussi à percevoir le changement dans un esprit d'ouverture et de compréhension plutôt que d'y opposer une résistance systématique. Leur confiance en soi s'accroît donc en conséquence.

C. Les membres de l'équipe abordent les difficultés d'apprentissage et d'enseignement en utilisant une approche de résolution de problèmes

« Qu'est-ce que Vanessa fait au juste avec les blocs ? Que signifient ses comportements ? Qu'est-ce qui arriverait demain si... ? Quels autres moyens pourrions-nous utiliser pour la soutenir ? Qu'est-ce qui est arrivé lorsque nous avons essayé notre nouvelle stratégie avec Vanessa ? Quels changements pouvons-nous apporter ? »

Lorsque les membres d'une équipe discutent de questions comme celles-ci, ils améliorent leur capacité d'analyse et ils approfondissent certains aspects du développement de l'enfant en les appliquant à des enfants en particulier. Ils parviennent à exprimer leurs idées et à appliquer leurs solutions. Ils évaluent leurs interventions de telle sorte que lorsqu'ils trouvent une solution qui fonctionne bien, ils arriveront à l'appliquer de nouveau si une situation semblable se présente. Par ailleurs, ils conviennent du besoin de déterminer une nouvelle intervention en tirant les leçons des expériences antérieures lorsque leur intervention précédente se révèle peu satisfaisante.

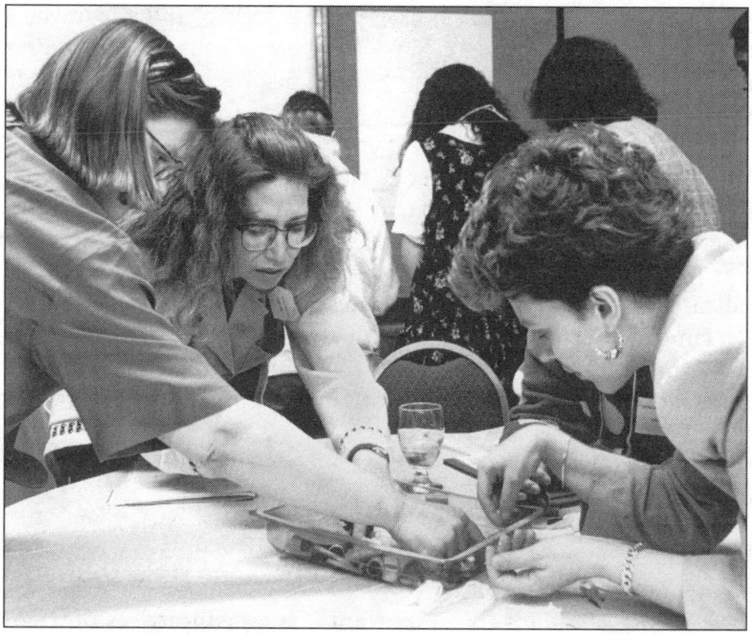

certaines périodes de la journée et ils se rencontreront de façon systématique tous les jours pour partager les informations recueillies par suite de leur observation des enfants, pour évaluer leur journée et pour planifier le travail des jours à venir. La nature du service de garde, sa taille et sa structure organisationnelle sont des facteurs qui font varier le nombre et la qualité des personnes qui sont disponibles pour les rencontres quotidiennes de planification et qui formeront ainsi la cellule de soutien mutuel.

Pour désigner les membres du personnel qui composeront votre cellule de soutien mutuel, vous devez d'abord prendre en considération votre situation de travail actuelle. Si vous travaillez dans un centre de la petite enfance en installation, vous collaborez peut-être déjà avec une autre éducatrice pour animer certaines périodes de la journée, mais votre petite équipe ne se rencontre peut-être pas régulièrement pour planifier ensemble les interventions et les activités du programme pédagogique. Si vous travaillez isolément, vous avez peut-être l'impression que cette forme de coopération entre plusieurs membres du personnel n'est pas réalisable dans votre milieu ou qu'elle exige de tels changements que vous n'êtes pas encore convaincue qu'il vaille la peine de les mettre en place. Nous tenterons de vous démontrer que ce type d'organisation du travail fait partie intégrante de l'application d'une approche centrée sur l'apprentissage actif.

Il existe plusieurs façons de créer une cellule de soutien mutuel. Vous pourriez, par exemple, jumeler votre groupe d'enfants avec un autre groupe. L'éducatrice affectée à cet autre groupe formerait alors la cellule avec vous. Par ailleurs, vous avez peut-être déjà des collaboratrices « anonymes » avec qui vous auriez tout avantage à échanger : ce peut être l'éducatrice qui vous précède le matin, celle qui vous remplace pendant vos pauses et vos repas, l'animatrice pédagogique du service de garde, bref, toute personne qui intervient quotidiennement avec les mêmes enfants que vous et qui est susceptible de vous soutenir dans votre cheminement professionnel.

D. Les membres de l'équipe apprennent les uns des autres

Sur une base quotidienne, les membres de l'équipe partagent ce qu'ils apprennent au sujet des enfants et des stratégies d'enseignement. C'est pourquoi leur apprentissage collectif représente un processus continu. Comme l'éducateur Rensis Likert (1967, p. 87) l'a démontré dans ses études portant sur les équipes, « les habiletés importantes ne sont pas le propre d'un individu en particulier, mais elles sont rapidement partagées et améliorées à travers la coopération ».

4.2.3 La formation d'une cellule de soutien mutuel

A. Désigner les membres de la cellule de soutien mutuel

Quelle que soit la nature du service éducatif dont on parle, la première étape pour rendre le travail en équipe efficace au quotidien consiste à déterminer, parmi l'équipe des membres du personnel, des sous-ensembles qui constitueront les cellules de soutien mutuel. Les membres de ces cellules travailleront ensemble auprès des enfants pendant

Si vous travaillez dans une halte-garderie où les heures d'ouverture sont très étendues et que les membres du personnel travaillent à différents quarts de travail, il peut vous paraître compliqué de coordonner les efforts des membres de l'équipe parce que cela requiert une communication entre les membres du personnel lors des changements de l'équipe de travail. Dans les services de garde en milieu familial, les problèmes de constitution de l'équipe sont aussi particuliers à ce milieu. Vous travaillez peut-être seule dans votre milieu familial. Pour trouver une autre responsable de garde en milieu familial, un membre de votre famille ou un bénévole pour collaborer avec vous, vous devrez probablement puiser dans vos ressources et faire preuve de beaucoup d'imagination et d'initiative. Cependant, si vous faites partie d'un centre de la petite enfance et que vous avez des contacts réguliers avec une responsable pédagogique ou si votre service de garde en milieu familial regroupe deux adultes, votre cellule est déjà toute trouvée.

Si vous travaillez dans une classe de maternelle, vous collaborez peut-être avec des spécialistes de l'école ou avec une autre enseignante de même niveau avec qui vous partagez l'équipement de l'école.

Dans tous les cas, quelle que soit la nature du milieu éducatif dans lequel vous évoluez, vous devrez déterminer le groupe restreint de personnes qui interviennent avec les enfants de façon stable et récurrente. Ces personnes formeront votre cellule de soutien mutuel.

B. Déterminer une période continue pour une rencontre quotidienne

Étant donné que l'on met sur pied la majorité des services de garde sans se préoccuper de favoriser le travail en équipe, presque tous les travailleurs de ce secteur doivent faire des efforts pour trouver une période de rencontre quotidienne avec les membres de leur cellule de soutien mutuel. Pour être le plus efficace possible, les membres de la cellule de soutien mutuel ont besoin d'une période sur une base quotidienne. Cette période ne doit pas être interrompue par les enfants, par les autres membres du personnel ou encore par les parents ; elle permettra de communiquer les observations qui auront été faites au sujet des enfants et de planifier le travail à poursuivre. Si vous ne l'avez déjà fait, vous voudrez regarder votre horaire de près et, avec l'appui de votre administration, vous déterminerez une période quotidienne de rencontre entre adultes pour planifier et évaluer votre travail. Les périodes généralement utilisées se situent avant l'arrivée des enfants, après leur départ, pendant la sieste ou tout de suite après une pause. Pour ce faire, vous devrez peut-être revoir l'horaire du service de garde, celui des éducatrices ou encore ajouter du personnel, mais cette rencontre devrait être considérée comme une priorité dans l'organisation de votre service de garde.

C. Inclure au besoin les personnes-ressources et les membres du personnel de soutien

Il est très important que les éducatrices puissent compter sur l'appui des personnes-ressources et du personnel de soutien – l'orthophoniste, la cuisinière, l'infirmière visiteuse, la psychologue, le superviseur de stage, le concierge, le directeur de l'école, la stagiaire, la responsable pédagogique, la travailleuse sociale, la diététiste ou toute autre personne qui intervient dans le milieu éducatif ou auprès d'un enfant du groupe. Ces personnes s'associent à la cellule de soutien mutuel et participent occasionnellement aux rencontres de cette dernière soit pour fournir des sessions de perfectionnement, soit pour planifier une intervention spécifique auprès du groupe d'enfants ou d'un enfant en particulier, soit pour apporter leur expertise à l'ensemble de l'équipe de travail.

La collaboration entre le personnel qui est en relation directe et quotidienne avec les enfants et les autres professionnels qui l'appuient assure les adultes qu'ils travailleront tous en vue d'atteindre les mêmes buts et que, pour ce faire, ils mettront en pratique des stratégies communes. Un tel travail en équipe permet d'éviter la confusion et les frustrations qui surgissent quand, par exemple, les intervenants qui agissent sur une base quotidienne favorisent l'apprentissage actif et soutiennent les habiletés naturelles des enfants, tandis que les professionnels qui interviennent sporadiquement auprès des enfants repèrent plutôt leurs faiblesses et établissent une stratégie d'action dans le but de remédier à ces points faibles. Une orthophoniste pourrait travailler en laboratoire pour faire des exercices répétitifs avec l'enfant ; une responsable du programme pédagogique pourrait tenter de répondre aux attentes des parents visant la préparation à l'école en favorisant l'utilisation de matériel scolaire ; une psychologue pourrait adopter une approche behavioriste pour modifier les comportements indésirables des enfants. Malgré le fait que chacune de ces personnes soit animée des meilleures intentions dans son travail, si les stratégies qu'elles utilisent entrent en conflit les unes avec les autres et qu'elles formulent des demandes contradictoires aux enfants, cela risquera de créer de la confusion chez ces derniers et de freiner les initiatives des intervenantes régulières. Par contre, lorsque les éducatrices qui interviennent régulièrement avec les enfants disposent d'un temps de rencontre quotidien prévu dans leur horaire, il est plus facile pour les intervenants de l'extérieur ou pour les intervenants occasionnels d'organiser leur horaire en vue de rencontrer les membres de la cellule de soutien et de discuter avec eux des problèmes communs qu'ils doivent résoudre. De cette façon, ils peuvent travailler dans la même direction plutôt que de disperser leurs efforts.

Du temps pour planifier les activités

Les membres du personnel des services de garde se demandent souvent comment trouver du temps pour planifier avec les autres membres de leur cellule de soutien mutuel les activités qu'ils réaliseront avec les enfants. Dans un service de garde, les membres d'une cellule de soutien mutuel ont résolu ce problème en faisant leur planification au moment où les enfants font la sieste : les enfants dorment à une extrémité de la pièce tandis que les adultes discutent à voix basse à l'autre bout de la pièce. Cette cellule de soutien mutuel estime que cette pratique régulière a fait de ses membres des planificatrices efficaces : elles réussissent à faire leur planification en trente minutes, ce qui leur laisse même du temps pour prendre une pause avant la fin de la sieste.

4.3 Les principes fondamentaux et les stratégies visant à stimuler la coopération

Les équipes de travail qui adoptent une approche pédagogique favorisant l'apprentissage actif se subdivisent en cellules de soutien mutuel. Ces dernières se rencontrent sur une base quotidienne pour discuter des observations qu'elles ont recueillies sur les enfants et pour analyser celles-ci. Elles mettent alors ces observations en relation avec les stratégies générales qu'elles utilisent pour appliquer le programme. Elles utilisent les principes de coopération suivants pour guider leurs efforts communs :

- **Établir des relations de soutien entre adultes.**
- **Recueillir des informations précises et exactes au sujet des enfants.**
- **Prendre des décisions collectivement : interpréter les observations et planifier les interventions subséquentes.**
- **Décider collectivement du fonctionnement de la cellule de soutien mutuel.**

Les sous-sections qui suivent décrivent des stratégies visant à mettre en pratique chacun de ces principes.

4.3.1 Établir des relations de soutien entre adultes

Dans un milieu éducatif préscolaire, l'équipe forme un système social complexe – bien que relativement restreint – dans le but de créer des moyens de soutenir l'apprentissage actif de jeunes enfants. Pour connaître le succès et atteindre leurs objectifs, les membres de l'équipe doivent établir entre eux des relations signifiantes et de soutien. Pour ce faire, ils utilisent une communication ouverte, respectent les différences individuelles et font preuve de patience face au cheminement du groupe de travail. Voici quelques stratégies pour réussir à bâtir de telles relations au sein de votre équipe de travail et entre les membres de votre cellule de soutien mutuel.

A. Communiquer ouvertement

Une communication ouverte, honnête et franche est nécessaire pour établir des relations de soutien entre adultes. La psychologue Virginia Satir (1988) considère que pour parvenir à une saine communication, les interlocuteurs doivent « ouvrir leur jeu » plutôt que de se confiner dans un modèle de communication négatif tel que ceux que nous illustrons ci-dessous. Lorsqu'une personne craint le rejet (« J'ai peur qu'elle ne m'aime pas. » « Elle va penser que mon projet de sortie est ridicule. »), elle est portée à utiliser une de ces stratégies négatives de communication pour tenter de cacher sa peur et son insécurité :

- **La fuite :** « Peu importe ce que je pense ou ce que je ressens, je vais me dire d'accord avec tout ce qu'elle proposera. »
- **L'accusation :** « Je vais trouver ce qui cloche dans son projet pour qu'elle sache bien que je ne suis pas le genre de personne que l'on peut manipuler à sa guise. »
- **L'expertise :** « Je vais utiliser un vocabulaire technique ; comme cela, elle sera impressionnée par mes connaissances. »
- **La diversion :** « Je vais changer de sujet. Comme cela, nous n'aurons pas à discuter de ce problème sur lequel nous ne nous entendons pas. »

D'autre part, lorsque les personnes décident d'ouvrir leur jeu, d'être franches les unes avec les autres, elles disent ce qu'elles pensent vraiment. Leurs mots, les expressions de leur visage, la position de leur corps et le ton de leur voix sont en harmonie. D'après Satir (1988, p. 94), les personnes qui ouvrent leur jeu sont des personnes en qui on a facilement confiance : « Vous savez à quoi vous en tenir avec eux, et vous vous sentez bien en leur présence. » Satir (1988, p. 98) ajoute :

> En étant une personne qui ouvre son jeu, vous pourrez avoir l'intégrité, l'engagement, l'honnêteté, l'intimité, la compétence, la créativité et l'habileté nécessaires pour aborder des problèmes concrets que vous aurez à traiter d'une façon authentique. [...] Les gens sont avides de droiture, d'honnêteté et de confiance. S'ils prennent conscience des effets que provoquent leurs comportements lorsqu'ils ouvrent leur jeu, ils deviennent alors assez courageux pour adopter définitivement cette attitude et ils diminuent ainsi la distance qui les sépare des autres.

La communication ouverte surgit lorsque les membres d'une équipe précisent les problèmes et qu'ils décrivent leur perception et leur interprétation des situations problématiques de la manière la plus claire et détaillée possible. À l'opposé, les barrières à la communication se dressent lorsqu'une ou plusieurs personnes cachent leurs sentiments ou retiennent une information pertinente en fuyant, en portant des accusations, en se comportant comme un expert ou en faisant diversion.

Supposons que vous et les autres membres de votre cellule de soutien mutuel projetiez de faire des crêpes avec les enfants demain. Vous êtes préoccupée parce que, selon vous, l'activité telle que vous l'avez planifiée ne contient pas encore toutes les composantes de l'apprentissage actif. Voici cinq exemples qui illustrent les différents moyens que vous pourriez utiliser pour communiquer vos préoccupations. D'après nous, seul le cinquième exemple, le jeu ouvert, est aidant.

- **La fuite :** « Je m'excuse de poser une question aussi idiote. Promettez-moi que vous ne vous fâcherez pas. Faire des crêpes avec les enfants, c'est une idée merveilleuse. Chaque enfant a une chance de mélanger la pâte. Peut-être que je ne comprends pas bien, mais... est-ce que c'est là de l'apprentissage actif ? » Ou en regardant la table, la tête baissée, d'un ton hésitant : « Bien sûr, faire des crêpes, ça me va. »
- **L'accusation :** « Qu'est-ce qui vous prend ? Vous ne vous rappelez donc pas ce qu'est l'apprentissage actif ? Vous allez rater votre coup avec cette activité de crêpes ! »
- **L'expertise :** « Les composantes de l'apprentissage actif nous fournissent les paramètres à considérer pour tout processus de développement que nous planifions avec des enfants du stade préopératoire. Considérons les facteurs déterminants. Avez-vous des commentaires ? »
- **La diversion :** « Des crêpes ! Mon grand-père avait l'habitude d'en faire lorsqu'il venait chez moi. Je vais regarder dans la cuisine pour vérifier si nous avons bien tout ce dont nous aurons besoin. Je crois que nous n'avons plus de jus ni de serviettes de table. J'arrêterai en chercher sur le chemin du retour, ce soir, et s'il nous manque des ingrédients pour demain, je les achèterai en même temps. »
- **Le jeu ouvert :** « Jusqu'ici, la seule action que nous faisons faire aux enfants, c'est de

mélanger la pâte. Comment pouvons-nous leur donner du matériel à manipuler, leur permettre de faire des choix et leur fournir des occasions de discuter de ce qu'ils font ? »

Il n'est pas toujours facile d'ouvrir son jeu, surtout si, pour y parvenir, l'on doit perdre des habitudes anciennes liées à des modèles de communication négatifs. Et même si le fait d'ouvrir son jeu

Surmonter les obstacles à la coopération

Comportements ou caractéristiques des individus	Si je choisis d'ériger des barrières...	Si je choisis de coopérer et d'évoluer...
Parle en dialecte	« J'ai trop de difficulté à comprendre ce que veut dire cette personne. »	« Cela vaut la peine de faire des efforts pour comprendre ce que veut dire cette personne. »
Tient des propos sexistes sur les femmes	« C'est un malotru qu'il faut éviter. »	« Je peux riposter à ses propos négatifs de manière ferme et neutre. »
Veut que tout le monde pense comme lui	« C'est un tyran qu'il faut combattre. »	« Je peux proposer d'autres idées qui me paraissent sensées. »
Se déplace en fauteuil roulant	« J'ai peur de dire ou de faire ce qu'il ne faut pas, alors je ne dis rien. »	« Elle est une personne avant tout, alors je vais l'approcher comme je le fais avec les autres personnes. »
Vit avec une autre femme	« Je ne veux rien savoir d'une telle femme. »	« Elle peut nous aider à comprendre les enfants qui vivent dans des familles non traditionnelles. »
Croit aux guérisseurs	« Je ne me ferais jamais prendre par une telle supercherie. »	« Peut-être sa croyance nous aidera-t-elle lorsque nous serons en difficulté. On ne sait jamais. »
Habite dans un quartier malfamé	« Pourquoi fraterniser avec elle ? Mon quartier est tellement mieux ! »	« Avec elle, nous pouvons mieux comprendre les enfants et les familles des quartiers défavorisés. »
Son père est en prison	« Tel père, tel fils ! Vaut mieux se tenir loin de lui. »	« Il a fait face à de grandes épreuves et il est passé au travers. Cette qualité peut aider l'équipe. »
N'a pas terminé ses études	« Elle ne doit pas être très intelligente. »	« Elle peut nous aider à comprendre le phénomène du décrochage et à trouver des moyens de le contrer. »
Approche l'âge de la retraite	« Oublie-le. Il partira bientôt. Il n'est pas intéressé à investir. »	« Comment pouvons-nous bénéficier de sa grande expérience ? »
Porte une coiffure excentrique	« Elle ne doit pas respecter les gens comme moi. Je devrai être sur mes gardes. »	« Elle est prête à faire face aux opinions des autres. Nous avons besoin dans notre équipe de personnes capables de prendre des risques. »

engendre une communication honnête et utile, cela ne vous met pas à l'abri des difficultés qui arrivent à tout être humain : faire des erreurs, être critiquée, blesser les autres, révéler vos imperfections. Par ailleurs, le jeu ouvert vous permet d'évoluer, d'apprendre de vos erreurs sans vous sentir anéantie et de vous respecter en tant que personne et en tant que membre d'une équipe.

B. Respecter les différences individuelles

Plutôt que de fuir les différences, les membres d'une équipe consolidée considèrent les différences comme une richesse au sein de leur équipe et ils discutent des idées, des valeurs, des expériences, des opinions et des visions différentes du programme. Les études de Likert (1967, p. 135) sur l'administration démontrent, par exemple, qu'un atout dans les équipes de travail efficaces est « la capacité d'utiliser les différences individuelles pour l'innovation et l'amélioration au lieu de permettre aux différences de se transformer en conflits interpersonnels amers et irréconciliables ».

De façon semblable, le spécialiste en développement des ressources humaines Gordon Lippitt (1980, p. 14) souligne que « dans un groupe efficace, les personnes sont d'accord pour exprimer ouvertement leurs différences. Une telle expression crée une communication authentique et un plus grand nombre de possibilités parmi lesquelles choisir pour en arriver à des décisions de qualité. » Par exemple, des éducatrices ont l'intention de faire des crêpes avec les enfants ; Suzanne est une cuisinière d'expérience, Sylvie connaît bien les composantes de l'apprentissage actif et Mélanie est une excellente conteuse. Ensemble, elles arrivent à planifier une activité qui ne peut que réussir en proposant aux enfants une recette de crêpes très simple, du matériel et des ingrédients en quantité suffisante pour que chaque enfant puisse fabriquer et faire cuire sa propre pâte. Elles prévoient aussi que le groupe mangera ses crêpes en écoutant une légende indienne relatant l'histoire de la pâte à biscuits qui s'enfuit de la maison. C'est Mélanie qui la racontera en utilisant des ustensiles de cuisine en guise de marionnettes.

Certaines différences individuelles peuvent rendre plus ou moins mal à l'aise certains membres du groupe selon leur degré d'ouverture, leur seuil de tolérance, leurs croyances, leurs goûts, leurs expériences antérieures ou leurs valeurs ; cependant, tous les membres du groupe ont le pouvoir de choisir leur réaction devant cette différence. Un membre de l'équipe peut choisir de voir les caractéristiques individuelles ou bien comme des barrières qui s'élèvent entre lui et l'autre personne, ou bien comme des occasions de coopérer et d'évoluer. Par exemple, le tableau intitulé « Surmonter les obstacles à la coopération » illustre quelques choix possibles que peut faire une éducatrice face aux différences interpersonnelles entre elle et un autre membre de l'équipe.

Les relations de soutien au sein d'une équipe font en sorte que les éducatrices choisissent de collaborer. Elles se perçoivent les unes les autres comme des ressources capables d'élaborer une conception plus ouverte de l'éducation des jeunes enfants et de travailler étroitement et efficacement en équipe.

C. S'armer de patience face au processus de consolidation de l'équipe

Pour établir un dialogue franc sur les questions qui se posent au cours de l'application du programme pédagogique, pour ouvrir son jeu face aux autres membres de l'équipe ou de la cellule de soutien mutuel, pour apprendre à connaître les autres en profondeur, pour apprendre les uns des autres à partir des forces de chacun et de ses différences, pour réussir tout cela, il faut du temps. En vue d'atteindre ces buts, on doit donc s'armer de patience, respecter le rythme de chaque personne et comprendre le processus de consolidation d'une équipe. L'établissement de relations de soutien entre les membres de l'équipe ou de la cellule de soutien mutuel pourra sembler difficile et exiger beaucoup de votre temps par moments, mais à long terme, cela vous permettra de travailler efficacement à travers les hauts et les bas de la vie quotidienne avec les enfants.

4.3.2 Recueillir des informations précises et exactes au sujet des enfants

Les membres de cellules de soutien mutuel travaillent en collaboration tous les jours pour rassembler des informations au sujet des enfants ; ces informations guideront les interventions quotidiennes et la planification d'activités. Les éducatrices observent continuellement les enfants pendant qu'elles travaillent avec eux et elles recueillent ainsi des informations factuelles sur ces derniers. Elles vérifient ensuite ces informations en les confrontant avec celles que leurs collègues ont recueillies et les notent brièvement. Il s'agit là de la première étape du processus qui leur permettra de décider des interventions qu'elles privilégieront par la suite pour soutenir le développement des enfants.

A. Observer les enfants tout au long de la journée

John Dewey (1933, p. 193) rappelle que « l'observation, c'est l'exploration, l'enquête au service de la découverte de quelque chose qui était précédemment caché et inconnu ». Grâce à l'observation et à l'interaction, les éducatrices en viennent à connaître les enfants. Elles les regardent et les écoutent attentivement pendant qu'elles travaillent et jouent avec eux pour découvrir ce qui les intéresse, ce qui retient leur attention et ce qu'ils comprennent de l'univers qui les entoure. Guidées par les composantes de l'apprentissage actif, elles se posent des questions telles que les suivantes :

- Avec quel matériel Élisabeth aime-t-elle jouer ?
- Que fait-elle exactement avec ce matériel ?
- À quels problèmes fait-elle face ? Comment les résout-elle ?
- Quelles sont les préférences d'Élisabeth ? Qu'est-ce qu'elle aime faire ?
- Quels choix fait-elle ?
- Avec qui aime-t-elle jouer ?
- Quel genre de jeux choisit-elle ?
- Comment communique-t-elle de façon verbale ? de façon non verbale ?
- Quelle langue ou quel dialecte parle-t-elle ?
- Que dit-elle ?
- Quel genre d'expériences communique-t-elle aux autres ?
- Que reproduit-elle dans ses modelages, ses dessins ou ses peintures ?
- Quel genre de questions pose-t-elle spontanément ?
- Qui la soutient ? Comment ?
- Avec qui se sent-elle à l'aise ?

À mesure que les éducatrices se familiarisent avec les principes de l'apprentissage actif, le processus de planification-action-réflexion et les expériences clés, elles ajoutent d'autres questions, comme celles-ci :

- Quel genre de projets Élisabeth fait-elle ?
- Qu'est-ce qu'elle aime faire au cours de chacune des périodes de la journée ?
- Est-ce qu'elle joue à faire semblant ? Est-ce qu'elle utilise un objet en lui attribuant des fonctions auxquelles il n'est pas destiné ?
- Jusqu'à quel point Élisabeth est-elle capable d'utiliser le langage pour décrire des événements, des observations, des sentiments et des problèmes ? pour raconter des histoires ?
- Comment se débrouille-t-elle pour sérier et classer ? pour comparer ? pour assembler des objets et les démonter ?

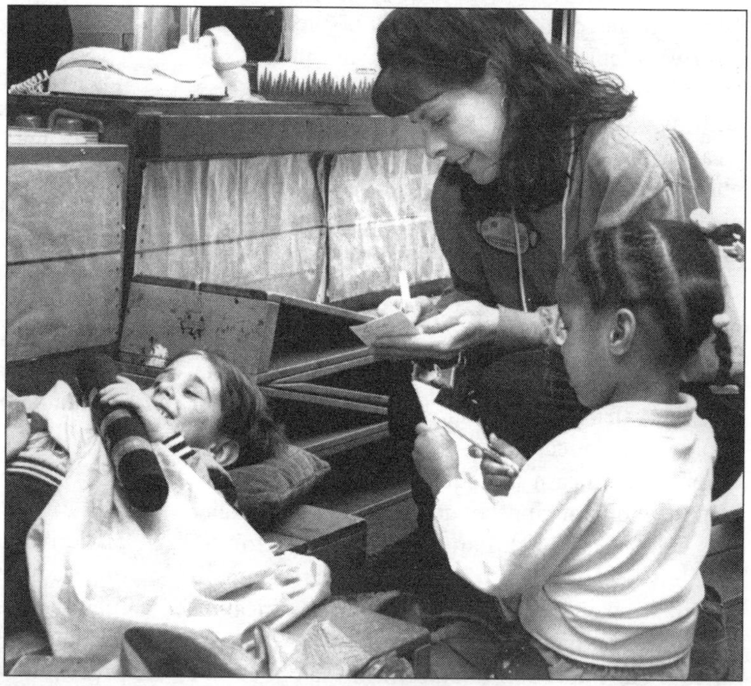

En participant aux jeux des enfants, les éducatrices ont une place de choix pour noter ce qu'elles voient et ce qu'elles entendent.

Lorqu'elles se posent de telles questions et cherchent à y répondre, les éducatrices commencent à comprendre comment chacun des enfants réagit devant des situations précises et à prévoir leurs réactions. Cette information les guide dans la planification d'activités avec les enfants et dans leurs interventions avec eux au jour le jour.

Quel que soit le moyen mnémotechnique que l'éducatrice décidera d'utiliser, il est important qu'elle recueille des informations à partir d'observations faites pour chacun des enfants, informations qu'elle pourra ensuite partager avec les autres membres de la cellule de soutien mutuel.

B. Noter brièvement les informations

On oublie facilement les détails d'une situation même quand il s'agit d'une expérience marquante dans notre vie. C'est pourquoi il est important que les éducatrices laissent des traces écrites des observations qu'elles font des enfants. Cela permet aux membres de la cellule de soutien mutuel de se souvenir des faits, de se communiquer des informations précises et exactes, de remplir des rapports à l'intention des parents et de construire à partir de leurs découvertes.

Il y a plusieurs façons de noter des observations au cours de la journée, dans le feu de l'action. Certaines éducatrices griffonnent quelques notes pour elles-mêmes sur des fiches ou sur un bout de papier qu'elles conservent dans leur poche. D'autres inscrivent leurs observations dans un cahier à spirale ou encore sur des tablettes qui sont accrochées au mur à différents endroits stratégiques dans le local. Le fait de prendre des photos avec un appareil photographique à développement instantané est un moyen que d'autres éducatrices trouvent très pratique, surtout celles qui ont une aversion pour l'écriture. L'installation d'un « panier aux souvenirs » dans un coin du local peut aussi s'avérer une stratégie efficace pour garder en mémoire les événements de la journée avant de pouvoir les noter. Une éducatrice qui utilisait ce système avait pour habitude de lancer dans son panier aux souvenirs un objet significatif sur lequel elle notait le nom de l'enfant et qui lui rappelait un événement particulier au sujet de cet enfant. Par exemple, un bouton où les noms « Michelle et Karen » sont écrits sur du ruban-cache peut lui rappeler le jeu de classification des couleurs que les deux bambines ont inventé au cours de l'après-midi en utilisant la collection de boutons.

C. Mettre en veilleuse son jugement

Les membres de la cellule de soutien mutuel observent et notent les actions des enfants d'une façon neutre et factuelle. Voici deux manières très différentes de noter les observations faites dans une même situation :

- **Rapport anecdotique neutre ou observation :** Lyne a empilé des blocs en carton. À côté d'eux, elle a empilé des blocs en plastique carrés et creux. Elle a travaillé à cela seule, pendant quinze minutes, sans dire un mot.
- **Rapport critique :** Lyne a construit un château en utilisant des blocs en carton et des blocs creux en plastique. A travaillé seule pendant quinze minutes. N'est pas sociable.

Tandis que dans le premier rapport on indique que Lyne a empilé des blocs, dans le second on saute à la conclusion que Lyne construisait un château. Cependant, la seule façon de savoir ce que Lyne faisait, c'était de lui parler ou de l'entendre dire par Lyne. Par ailleurs, sur la question de savoir si Lyne est une enfant sociable, les deux rapports ne fournissent pas suffisamment d'informations pour tirer une telle conclusion. Jouer seul est un aspect fondamental du jeu des enfants, tout comme jouer avec les autres. Jouer seul pendant quinze minutes est un fait qui par lui-même peut démontrer que Lyne était très concentrée et s'intéressait beaucoup à la tâche qu'elle avait entreprise.

Il importe de noter les actions des enfants le plus objectivement possible ; cela permet d'éviter de juger ces derniers, de les mésestimer involontairement lorsqu'ils explorent et observent leur univers au lieu de s'adonner à la réalisation d'un projet précis ou encore lorsqu'ils travaillent seuls plutôt qu'avec les autres.

Une planification quotidienne qui mène à une évaluation adéquate des habiletés des enfants

Dans certains milieux éducatifs, on exige que les éducatrices évaluent les enfants de façon formelle. Souvent, cette évaluation se fait à partir d'un instrument d'évaluation qui se base sur la réussite d'une épreuve pour situer l'enfant. Ce type d'instrument d'évaluation présente fréquemment un ou plusieurs des problèmes suivants :

- Pour appliquer l'instrument d'évaluation, on doit retirer les enfants de leurs activités habituelles et les soumettre à un ensemble de tâches standardisées qui n'ont aucune relation avec leurs champs d'intérêt du moment et leurs activités de jeu. Bien entendu, les enfants sont souvent confus face aux exigences du test et ne réussissent pas aussi bien qu'ils le pourraient.
- Le processus d'évaluation demande du temps ; les éducatrices préféreraient utiliser ce temps pour travailler directement avec les enfants ou pour faire de la planification avec les autres membres de l'équipe.
- L'instrument d'évaluation est souvent incompatible avec les objectifs d'un programme axé sur le développement global de l'enfant ou il met l'accent sur l'acquisition d'habiletés scolaires ou de préalables aux habiletés scolaires.
- L'information que permet de recueillir ce genre de test ne donne pas un portrait complet et fidèle de l'enfant et de son potentiel. Il n'est donc pas très utile pour guider l'éducatrice dans son travail auprès de l'enfant, ni dans sa planification d'activités, ni dans l'établissement d'un rapport aux parents des progrès accomplis par l'enfant.

S'appuyant sur l'observation continue de l'enfant, le cahier d'observation du développement de l'enfant (CODE) mis au point par la fondation High/Scope pour les enfants âgés de 2 ans ½ à 6 ans (*High/Scope Child Observation Record (COR) for Ages 2 ½ – 6*, 1992) présente une solution de rechange aux systèmes basés sur des tests d'habiletés traditionnels.

Le CODE est conçu pour répondre à certaines questions courantes d'évaluation en fournissant un système pratique et significatif d'évaluation pour des programmes éducatifs axés sur le développement global des enfants d'âge préscolaire. Avec l'évaluation du système CODE, les membres du personnel des services de garde observent les enfants tout en les soutenant et en interagissant avec eux. Tout au long de la journée, ils recueillent des informations pour remplir les fiches d'évaluation. Si vous suivez le processus d'observation et de planification quotidienne tel qu'il est présenté dans ce chapitre, le fait de remplir le CODE une ou deux fois l'an pour chaque enfant de votre groupe ne vous demandera que très peu d'efforts additionnels. Les rapports anecdotiques que vous notez et dont vous discutez quotidiennement vous permettront en effet d'évaluer l'évolution des enfants. Les points qui suivent, tirés de la fiche sur la section d'évaluation du sens de l'initiative de l'enfant, donnent un exemple du fonctionnement du CODE (*High/Scope Child Observation Record (COR) for Ages 2 ½ – 6*, 1992, p. 4).

Résoudre des problèmes

1. L'enfant ne repère pas encore les problèmes.
2. L'enfant repère les problèmes, mais il ne tente pas de les résoudre. Il se dirige plutôt vers une autre activité.
3. L'enfant est capable d'utiliser une seule méthode pour résoudre ses problèmes, mais si ses tentatives sont infructueuses après un ou deux essais, il laisse tomber.
4. L'enfant démontre de la persévérance ; il essaie plusieurs méthodes pour résoudre un problème.
5. L'enfant essaie différentes méthodes pour résoudre un problème et il est très engagé et persévérant.

On peut obtenir le matériel du CODE en anglais auprès de la fondation High/Scope tant sous une version sur papier que sous une version informatisée. Par ailleurs, une version sommaire des outils d'observation mis au point par High/Scope est présentée dans *Jouer, c'est magique*, tome 2.

4.3.3 Prendre des décisions collectivement : interpréter les observations et planifier les interventions subséquentes

Après avoir recueilli des informations sur les enfants en les observant, les membres de la cellule de soutien mutuel doivent passer à l'étape de la prise de décisions : « Qu'est-ce que cette information signifie ? Comment agissons-nous à partir de celle-ci ? » La réflexion collective qui suit la collecte des informations permet d'établir des stratégies d'intervention pour soutenir le développement de chacun des enfants.

A. Réfléchir à la signification des comportements des enfants

La pensée réflexive est un processus ouvert par lequel les éducatrices explorent les observations qu'elles ont recueillies, ajoutent des détails qui leur avaient échappé, font des liens entre de nouvelles informations et la connaissance antérieure qu'elles avaient de l'enfant, et se questionnent sur la signification possible de leurs observations. Si elles mettent en veilleuse leur jugement pendant toute cette opération, les éducatrices auront beaucoup plus de facilité à examiner en profondeur les différentes explications possibles du comportement de l'enfant et à générer une variété de stratégies correspondantes.

Par exemple, les membres d'une cellule de soutien mutuel ont décidé qu'ils devraient observer attentivement Vanessa, une bambine de 3 ans qui vient tout juste d'arriver au service de garde. (Il est à noter qu'il s'agit ici d'une observation systématique de l'enfant pour l'accueillir adéquatement et l'intégrer au groupe, et non d'une observation de routine.) Ils ont recueilli ces informations en observant Vanessa au cours de trois périodes de jeu différentes :

Vanessa : première période de jeu

- A empilé six gros blocs creux.
- A aligné quatre petits blocs creux. A crié : « Regarde ! Regarde ! »
- A aligné neuf blocs en carton.
- A dit : « Regarde ! Regarde ! »
- A regardé la construction de blocs d'Élisabeth.
- A grimpé sur le module, s'est placée en équilibre sur le barreau le plus haut et a sauté en bas.
- A répété cela trois fois jusqu'à ce qu'Élisabeth dise « Mon camion » en pointant le doigt vers sa construction de blocs.
- A regardé Élisabeth qui faisait semblant de conduire son camion.
- Lorsque Élisabeth est partie, Vanessa a essayé de faire comme elle. Puis, elle a vu le module de nouveau et s'est dirigée vers lui. A glissé.
- A grimpé sur le module de nouveau, s'est placée en équilibre sur le barreau le plus haut et a sauté en bas.

Vanessa : deuxième période de jeu

- Dans le coin des arts plastiques, elle a pris de la colle et un morceau de papier.
- A vu la boîte de papier de recyclage qu'utilisait Gabriel. A dit : « J'en veux comme ça. »
- A tenté de prendre la boîte de Gabriel. Il a dit : « NON. »
- Est allée chercher une autre boîte de papier de recyclage sur l'étagère.
- A recouvert de colle son morceau de papier. A placé des retailles de papier de recyclage par-dessus. A laissé des surfaces à découvert.
- Hélène, Geoffroy et Michel ont parlé de leurs mères qui viendraient les chercher. Vanessa a dit : « Ma maman vient me chercher. »
- A dit « Regarde ! Regarde ! » à Alain (éducateur).
- Il lui a demandé ce qu'était son papier. Elle a répondu : « Pour ma maman. »
- A rangé la colle, est allée chercher une éponge et a nettoyé la table et son pantalon.

Vanessa : troisième période de jeu

- Dans le coin des jeux et jouets, elle s'est assise à côté d'Alain.
- A aligné de petits blocs.

- A dit : « Regarde ! Regarde ! »
- A placé un ourson en plastique à côté de sa rangée de blocs.
- A empilé de petits blocs et a assis deux oursons sur le dessus.
- A dit à Alain : « Regarde ! Regarde ! »
- Alain a demandé : « Qu'est-ce que tu as fait ? »
- Vanessa a levé les mains à la hauteur de sa pile de blocs.
- Alain a dit : « Tu as empilé les blocs haut comme cela ! »
- Vanessa a acquiescé : « Je l'ai fait ! »

Après avoir partagé ces informations au sujet de leurs observations, les membres de la cellule de soutien mutuel ont débattu de plusieurs questions : « Que signifient ces observations ? Que nous disent-elles à propos de Vanessa ? » Voici les conclusions auxquelles ils sont parvenus à la suite de leur discussion.

Ce que les comportements de Vanessa révèlent à son sujet

- A du plaisir à empiler des blocs.
- Place en équilibre des blocs petits et gros, lourds et légers ; le fait avec adresse.
- Comprend la séquence du collage.
- Aime les activités physiques telles que grimper, se placer en équilibre, sauter, glisser ou laver la table.
- Choisit des blocs différents et les empile de façons différentes.
- Est attentive à ce qu'elle fait.
- Choisit son matériel.
- Résout des problèmes (est allée chercher son propre matériel de recyclage, a utilisé sa structure de blocs comme camion et comme marchepied pour grimper).
- Utilise le langage pour attirer l'attention sur ses réalisations (« Regarde ! »), faire connaître ses besoins (« J'en veux. ») et communiquer les moments importants pour elle (« Ma maman vient me chercher. »).
- Recherche l'approbation d'Alain ; se sent bien avec lui.
- Comprend les questions.
- Utilise les gestes efficacement.
- Crée des gestes au besoin.
- Joue seule.
- Est attirée par les personnes et le matériel qui l'entourent.
- Observe et imite d'autres enfants.

B. Concevoir et appliquer des stratégies d'intervention pour soutenir l'enfant

Après avoir noté ce qu'elles savent des habiletés des enfants, les éducatrices doivent répondre à la question suivante : « À partir de ce que nous avons appris aujourd'hui, que ferons-nous demain ? » À titre d'exemples, voici quelques stratégies que les éducatrices de la cellule de soutien mutuel qui ont observé Vanessa ont produites en s'appuyant sur la connaissance qu'elles avaient d'elle et sur leur compréhension des principes de l'apprentissage actif, de l'horaire quotidien et des expériences clés. Les éducatrices ont décidé d'essayer d'appliquer ces stratégies au cours des jours suivants.

Stratégies de soutien à expérimenter avec Vanessa

Tout au long de la journée

- Être attentif à Vanessa lorsqu'elle joue ; s'assurer qu'un adulte est à proximité d'elle pour lui répondre lorsqu'elle demande l'approbation d'un éducateur.
- Observer Vanessa pour voir si elle imite des enfants de nouveau.
- Faire des pauses pour permettre à Vanessa de se joindre à la conversation.
- Continuer à donner à Vanessa le temps de résoudre elle-même ses problèmes.

Lors des jeux extérieurs

- Ajouter du matériel que Vanessa pourra empiler et faire tomber dans la cour : des boîtes en carton, des planches, des canettes, des formes de polystyrène.
- Observer Vanessa lorsqu'elle grimpe, glisse et saute.
- La glissoire sera peut-être trop haute pour elle. Ajouter la petite glissoire et le cheval à bascule.
- Apporter dans la cour du matériel à partir duquel Vanessa pourra sauter : la poutre pour les exercices d'équilibre, des madriers, un petit banc de bois.

À la période de planification

- Laisser Vanessa avec le groupe d'Alain lors de la planification des activités en petit groupe.

Lors des activités en groupe d'appartenance

- Utiliser de la colle, du papier de recyclage, des essuie-tout lors des activités du lendemain. Observer comment Vanessa et les autres enfants s'en servent.
- Planifier d'autres moments en groupe d'appartenance où l'on utilisera du matériel collant et salissant: peinture pour peindre avec les doigts, pâte à modeler, boue, vraie pâte, etc.

Lors des rassemblements en grand groupe

- Fournir aux enfants des occasions de faire des jeux d'imitation: leur demander d'être leaders à tour de rôle pour que les autres les imitent dans des jeux tels que « Jean dit ».

Lors du rangement

- Prendre en considération les habiletés et le goût de Vanessa pour le rangement et le nettoyage.

C. Mettre les stratégies en pratique et discuter de leur efficacité

Des stratégies comme celles qu'a produites la cellule de soutien mutuel qui a observé Vanessa constituent un point de départ. Cependant, lorsque les éducatrices mettent en application de telles stratégies, elles découvrent que certaines fonctionnent bien, mais que d'autres sont inutiles ou inappropriées. Certaines stratégies ne fonctionnent pas au départ mais en viennent à avoir du succès au fur et à mesure que les membres de la cellule les adaptent aux situations de la vie quotidienne qu'ils rencontrent avec les enfants. Par contre, d'autres stratégies qui semblaient très prometteuses se révèlent inutiles. La seule façon de découvrir l'efficacité d'une stratégie consiste à la mettre à l'épreuve en l'essayant. Voici, par exemple, des extraits d'une conversation entre les membres de la cellule de soutien mutuel qui ont expérimenté certaines stratégies qu'ils avaient prévues pour Vanessa.

Stratégie: observer Vanessa pour voir si elle imite des enfants de nouveau. « J'ai été surprise de voir Vanessa imiter des enfants à deux reprises. Dans le coin des blocs, elle a observé Geoffroy qui faisait semblant d'être un lion; puis elle a fait comme si ses mains étaient les pattes du lion, de la même façon que Geoffroy le faisait. Ensuite, lors des jeux en grand groupe, elle était la première rendue. Elle s'est assise et elle a commencé à marquer le rythme de la musique avec son pied, comme on l'avait fait hier. Il me semble qu'elle imitait ce qu'Alain faisait hier! »

Stratégie: continuer à donner à Vanessa le temps de résoudre elle-même ses problèmes. « À un moment donné ce matin, j'ai cru que cette idée n'allait pas fonctionner. Vanessa est allée dans le coin des blocs et elle a frappé Zacharie. Voyant cela, Geoffroy s'est tourné vers elle et lui a lancé: "Dis-le avec des mots." Alors Vanessa a dit à Zacharie: "Je veux jouer ici." Zacharie a enlevé ses autos devant la tablette des blocs et Vanessa a commencé à empiler des blocs. »

« Ça me fait penser que lorsque Vanessa est allée se laver les mains après avoir fait de la peinture, elle est sortie des toilettes et m'a dit: "Savon." J'ai pris le savon liquide sur la tablette qui était trop haute pour elle; j'allais lui en verser dans la main, mais elle m'a stoppée. "C'est moi", m'a-t-elle dit. Je lui ai donné la bouteille de savon pour qu'elle s'en serve elle-même et elle était ravie. »

Stratégie: ajouter du matériel que Vanessa pourra empiler et faire tomber dans la cour: des boîtes en carton, des planches, des canettes, des formes de polystyrène. « C'était une très bonne idée, mais aujourd'hui Vanessa s'est balancée tout le temps que nous avons passé dans la cour! Par contre, Josée, Geoffroy et Michel ont utilisé plusieurs éléments du nouveau matériel pour construire une maison extraordinaire. Je crois que demain nous devrions emporter des draps dehors pour eux parce qu'ils m'ont demandé quelque chose pour faire un toit. Pour ce qui est de Vanessa, nous pourrions continuer à l'observer. Elle est très active et a une bonne coordination lors des jeux moteurs. »

Stratégie: être attentif à Vanessa lorsqu'elle joue; s'assurer qu'un adulte est à proximité d'elle pour lui répondre lorsqu'elle demande

l'approbation d'un éducateur. « Il me semble qu'aujourd'hui Vanessa n'ait pas souvent dit : "Regarde ! Regarde !" Je l'entends encore le dire, mais pas aussi souvent ; c'est probablement parce que l'un d'entre nous se trouve en général à proximité d'elle. Je sais que, pour ma part, je faisais consciemment un effort pour voir où elle était et pour me rapprocher d'elle quand il n'y avait pas d'adulte auprès d'elle. »

Les éducatrices partagent avec les autres éducatrices les informations qu'elles acquièrent lors de l'observation des enfants et elles les analysent ensemble. Leurs discussions les amènent à déterminer des stratégies d'intervention communes pour soutenir les projets et les champs d'intérêt des enfants.

Le fait pour les membres de la cellule de soutien mutuel d'évaluer quotidiennement l'efficacité des stratégies qu'ils ont prévues leur permet de raffiner leurs interventions et d'inventer de nouvelles stratégies pour soutenir la croissance et le développement de l'enfant. (Pour prendre connaissance de suggestions de stratégies de soutien à expérimenter avec les enfants dans diverses circonstances en relation avec chaque expérience clé, voir les chapitres 10 à 19.)

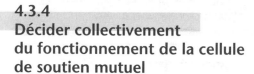

4.3.4 Décider collectivement du fonctionnement de la cellule de soutien mutuel

« Comment se comporte notre petit groupe ? Quelles attentes avons-nous face à nous-mêmes en tant que membres de la cellule de soutien mutuel ? Qui fait quoi ? Quand ? Partageons-nous les responsabilités de façon équitable ? »

Les processus d'établissement de relations de soutien, de collecte d'informations pertinentes et justes au sujet des enfants et de production de stratégies d'intervention visant à soutenir l'apprentissage actif chez les enfants exigent que les membres de la cellule de soutien mutuel prennent conscience du fonctionnement de leur groupe. Cela implique que les membres s'engagent dans des discussions sur leurs rôles et leurs attentes, sur le partage des responsabilités pour s'assurer d'un fonctionnement satisfaisant et sur la prise de décisions collective quant aux moyens d'appliquer le programme pédagogique.

A. Discuter des rôles et des attentes de chacun

L'interdépendance des membres de la cellule de soutien mutuel dans le travail quotidien se tisse à travers les attentes de chacun de même que les rôles et les tâches qui sont assumés par les différents membres. Bien que la situation varie d'un milieu éducatif à un autre, il demeure des questions d'ordre général qui se posent dans tous les milieux éducatifs, questions auxquelles il est utile de répondre pour entreprendre la prise de conscience et l'organisation de base de la cellule de soutien mutuel. Certaines de ces questions sont présentées dans l'encadré intitulé « Discuter des rôles et des tâches ». Vous pourrez adapter ces questions selon vos besoins de manière à rendre compte de la spécificité de votre groupe.

B. Partager les responsabilités pour s'assurer d'un fonctionnement satisfaisant

En travaillant ensemble, les membres de la cellule de soutien mutuel prennent périodiquement du temps pour réfléchir sur leurs rôles en tant que collaborateurs. Ils se posent les questions suivantes et tentent d'y répondre ensemble :

- Quelles sont nos forces en tant qu'équipe ?

- Jusqu'à quel point communiquons-nous ouvertement? Avons-nous confiance les uns dans les autres? Nous apprécions-nous les uns les autres? Partageons-nous les responsabilités qui nous incombent? Nous consultons-nous pour élaborer des stratégies d'intervention à la suite de nos observations au sujet des enfants? Partageons-nous le pouvoir dans la prise de décisions?

Discuter des rôles et des tâches

Planifier les activités pour les enfants

- À quel moment nous rencontrons-nous chaque jour en tant que membres d'une cellule de soutien mutuel pour discuter des observations que nous avons faites au sujet des enfants et pour planifier les activités du lendemain?
- Comment notons-nous nos planifications? De quel outil nous munissons-nous pour nous aider? Comment notons-nous nos planifications pour les transmettre à d'autres personnes (parents, visiteurs, autres membres du personnel)?

Se préparer à recevoir les enfants

- Qui déverrouille les portes?
- Qui vérifie et maintient les stocks de peinture, de colle, de ruban adhésif, de papier, d'agrafeuses et d'agrafes, de clous, de matériaux de construction, de sable, etc.?
- Qui s'assure qu'il y a suffisamment d'ustensiles pour les collations?
- Qui met en place le matériel déterminé au cours des rencontres quotidiennes de planification?
- Qui vérifie et retourne les livres de la bibliothèque?
- Qui vidange, nettoie et remplit de nouveau le bac à eau?
- Comment et quand révisons-nous l'attribution de ces responsabilités individuelles?

Travailler ensemble pour favoriser des transitions en douceur

- Qui accueille les parents à leur arrivée le matin?
- Qui change les couches?
- Qui soigne les ecchymoses et les éraflures? Qui s'occupe des enfants qui tombent malades? Qui est responsable des médicaments?
- Qui accompagne le premier groupe d'enfants qui est prêt à sortir dehors?
- Qui attend les enfants qui ne sont pas encore prêts et qui ont besoin de plus de temps pour mettre leurs bottes, leur manteau et leurs mitaines?
- Qui parle aux parents qui viennent chercher leur enfant?
- Comment et quand révisons-nous l'attribution de ces responsabilités individuelles?

Se soutenir mutuellement au cours du travail avec les enfants

- Comment les membres de la cellule de soutien mutuel peuvent-ils maintenir le contact les uns avec les autres pendant que leur attention est centrée sur les enfants?
- Qu'est-ce qu'on fait si un membre de la cellule de soutien mutuel doit partir de façon imprévue?
- Qu'est-ce qui arrive quand un des membres de la cellule de soutien mutuel doit apporter toute son attention à un enfant en particulier pendant une période donnée?
- Quelles dispositions prenons-nous si un conflit majeur survient entre un membre de la cellule de soutien mutuel et un enfant? entre un enfant du groupe et un autre adulte du service de garde?
- Que pouvons-nous faire quand l'éducatrice préférée d'un enfant est absente?
- Comment les membres de la cellule de soutien mutuel peuvent-ils s'entraider lorsqu'il y a des visiteurs imprévus? lors de changements de dernière minute? lorsqu'un adulte veut parler à une éducatrice pendant la période où elle travaille auprès des enfants?
- Comment partageons-nous les responsabilités du groupe lors des sorties spéciales, lorsqu'on va faire une marche ou une visite dans le quartier?

- Quels moyens utilisons-nous pour collaborer activement avec les personnes-ressources, le personnel de soutien, les parents et les gestionnaires ? Comment maintenons-nous les liens avec les parents ? avec les autres membres du service de garde ? avec l'école ? avec la communauté environnante ?
- Quel type d'échanges avons-nous avec les autres services que nos enfants utilisent ? avec les services que les enfants utiliseront lorsqu'ils nous quitteront ?

C. Décider collectivement des moyens d'appliquer le programme pédagogique

Les membres de la cellule de soutien mutuel débattent ensemble des questions concernant l'application du programme pédagogique ; ils amènent dans le groupe les idées créatrices qu'ils découvrent et discutent ouvertement de leurs difficultés. Voici des exemples de questions qui se posent à eux :

- Comment devrions-nous aménager les lieux pour favoriser l'apprentissage actif ? Quels changements pouvons-nous faire à court terme ? à long terme ? Qui devra nous aider à réaliser de tels changements ?
- Quel matériel voulons-nous ajouter ? enlever ? changer ?
- Quelles limites communes voulons-nous imposer aux enfants ? Quelles attentes partageons-nous face à eux ?
- Comment pouvons-nous insérer le processus de planification-action-réflexion dans notre horaire quotidien ?
- Jusqu'à quel point nos activités en groupe d'appartenance incluent-elles les ingrédients de l'apprentissage actif ? Que comprenons-nous des expériences clés ? Comment pouvons-nous les reconnaître et les soutenir ?
- Comment pouvons-nous insérer dans notre planification des occasions où les enfants relateront leurs expériences en les mimant, en parlant d'elles et en faisant des dessins ?

Les réponses à ces questions sont multiples et aussi différentes les unes des autres qu'il y a de cellules de soutien mutuel. Mais il faut se rappeler que le plus important, ce ne sont pas les réponses elles-mêmes, mais bien la volonté de débattre de ces questions et l'engagement inconditionnel face à l'expérimentation des stratégies d'intervention qui sont issues des discussions de l'équipe restreinte formant la cellule de soutien mutuel.

4.3.5 Mettre en pratique les principes de coopération

La coopération entre les membres d'une cellule de soutien mutuel repose sur la qualité des relations interpersonnelles qui se tissent entre eux, de la collecte d'informations précises et exactes au sujet des enfants et de la prise de décisions collective au regard des stratégies touchant le programme pédagogique et l'organisation de l'équipe.

Même si l'ensemble du travail est régi par des décisions collectives, cela n'interdit pas les initiatives individuelles. En fait, la coopération renforce la capacité d'action individuelle. Selon Lippitt (1980, p. 15) :

> Le travail en équipe fait naître la sécurité dans les relations interpersonnelles ; il entraîne une meilleure compréhension de la tâche à réaliser et il stimule la contribution de chacun au groupe. Un individu gagne donc le respect du groupe en contribuant au travail en équipe et le groupe est alors capable d'approuver plus facilement l'action individuelle.

D'autre part, certaines éducatrices aiment bien travailler seules ou ont très peu d'expérience du travail en équipe et de la coopération avec les autres. Il peut s'avérer difficile d'intégrer une telle personne dans l'équipe ou au sein de la cellule de soutien mutuel, mais cela en vaut la peine. Voici un exemple qui démontre comment on peut utiliser les principes de coopération pour intégrer un nouveau membre.

Votre service de garde reçoit une stagiaire, Caroline, étudiante en début de formation. Elle travaille avec vous et les enfants une journée par semaine, et elle participe aux réunions de la cellule de soutien mutuel. Elle est active et chaleureuse avec les enfants. Dernièrement, elle a décidé que Charles ferait l'objet de son projet de stage. Charles souffre de paralysie cérébrale et se déplace en fauteuil roulant. Il communique par des gestes, des bruits et des expressions du visage. Charles et Caroline se plaisent ensemble. Par contre, le désir de Caroline d'aider Charles la pousse à faire pour lui des choses qu'il est capable de faire lui-même. « Charles, tu es mon meilleur ! lui dit-elle affectueusement. Caroline va faire cela pour toi. » Bien que vous appréciiez l'enthousiasme de Caroline, vous craignez qu'elle n'entrave les initiatives de Charles et ne freine le développement de son autonomie.

Établir des relations de soutien. La communication ouverte qui s'établit avec Caroline au cours des rencontres quotidiennes de la cellule de soutien mutuel permet de commencer à explorer cette situation. Lors de la revue des événements de la matinée par l'équipe, un membre peut entamer la discussion en faisant part de ses réflexions sur une situation précise, par exemple, dans ce cas-ci, une activité en petit groupe où l'on a utilisé des collants. Voici comment la conversation pourrait se dérouler :

JEANNETTE. – Ce matin, nous voulions que les enfants puissent choisir du papier, des collants et d'autres décorations, et qu'ils décident de la manière de les arranger ensemble. Nous désirions que les enfants utilisent les collants de n'importe quelle façon. Je sais que c'était là un défi pour Charles. Qu'est-ce qu'il a fait ?

CAROLINE. – Eh bien ! quand je lui ai demandé s'il désirait du papier vert, il a fait signe que oui avec la tête et il a souri. Je lui ai demandé s'il voulait mettre un collant de canard sur son papier vert et il a fait oui oui de la tête encore. Il a répondu de la même façon quand je lui ai demandé s'il voulait que j'aligne les canards en haut de la page. Il a fait plusieurs choix.

JEANNETTE. – Oui, il a vraiment été d'accord avec toi au sujet du papier vert, des collants de canard et de l'endroit où les coller. Est-ce qu'il a touché ou manipulé quelque matériel que ce soit ?

CAROLINE. – Non, ça aurait été trop difficile pour lui.

MÉLANIE. – Qu'est-ce qui était trop difficile pour lui, au juste ?

CAROLINE. – Eh bien ! les collants étaient trop petits. Ça aurait été frustrant pour lui d'essayer d'enlever le papier derrière les collants.

MÉLANIE. – En effet, j'ai remarqué que plusieurs enfants avaient de la difficulté à enlever le papier derrière les collants. Ce que j'ai fait avec Lyne et René qui étaient pas mal frustrés de la situation, ça a été de soulever juste un petit coin du papier derrière le collant ; ça leur a permis de faire le reste du travail par eux-mêmes. Ça a fait leur bonheur. Crois-tu que ça marcherait avec Charles ?

CAROLINE. – Euh... oui... ça pourrait marcher. Mais je crois qu'on devrait utiliser des collants plus gros.

JEANNETTE. – Oui ! Ça pourrait aider plusieurs enfants. Qu'en diriez-vous si nous avions des collants de différentes grosseurs demain ? Pour Charles et les autres enfants qui ont de la difficulté à enlever l'envers de papier des collants, nous pourrions soulever un petit coin pour commencer le travail.

CAROLINE. – Ça pourrait marcher avec Charles.

MÉLANIE. – Alors, essayons pour voir ce que ça donnera. Je sais où on peut trouver des collants de différentes grosseurs.

En plus de recourir à une telle communication ouverte, il est important que les membres de l'équipe aillent au-devant de Caroline, qu'ils comprennent et respectent son unicité en faisant appel aux ressources spécifiques qu'elle peut apporter à l'équipe. Ce faisant, ils découvriront, par exemple, que Caroline a vécu dans plusieurs pays, son père étant membre des forces armées. Elle parle plusieurs langues, dont l'espagnol, qui est la langue maternelle de deux enfants du groupe. Elle a colligé un grand nombre de contes traditionnels dans les différents pays où elle a vécu et elle adore raconter ses histoires à qui veut bien l'écouter. En outre, elle ne jette jamais quoi que ce soit et fabrique des vêtements, des jouets et des jeux avec du matériel de recyclage. En plus de communiquer ouvertement à propos de l'apprentissage actif, une approche où la manipulation par l'enfant est déterminante, les membres de l'équipe doivent utiliser le plus d'occasions possible pour valider les forces de Caroline. Ils peuvent lui demander, par exemple, de raconter une histoire, de fabriquer un jeu ou encore de s'adresser aux enfants en espagnol.

Caroline, comme tout autre adulte, ne changera probablement pas son attitude avec Charles du jour au lendemain, et une seule discussion avec les membres de l'équipe ne sera pas suffisante pour qu'elle saisisse bien toutes les dimensions de l'apprentissage actif. Cela prendra du temps : elle devra acquérir de la confiance en elle-même – entre autres en ayant du succès avec ses histoires ou en fabriquant un jouet qui sera populaire auprès des enfants. Elle devra aussi bénéficier de l'appui des membres de sa cellule de soutien mutuel et participer activement à d'autres discussions portant sur des événements précis reliés à l'apprentissage actif. Alors seulement elle pourra être vraiment convaincue qu'elle peut aider Charles plus efficacement en l'encourageant à faire les choses par lui-même, même si la majorité des gestes demandent à Charles de fournir un effort énorme.

Recueillir des informations précises et exactes au sujet des enfants, et décider collectivement des interventions à tenter. Il est important que Caroline participe à l'observation de Charles et des autres enfants pour découvrir leurs habiletés et leurs champs d'intérêt, d'autant plus qu'elle est peut-être habituée à tenir compte davantage de ce que les enfants ne sont pas capables de faire que de ce qu'ils sont capables de faire. En participant aux discussions qui sont centrées sur des informations explicites au sujet des enfants et en s'engageant de plus en plus dans la mise au point de stratégies d'intervention pour soutenir ces derniers, Caroline trouvera des exemples de stratégies qu'elle a utilisées ou qu'elle a vu utiliser par d'autres dans le passé. Elle pourra alors réfléchir à ces stratégies en les analysant en fonction des principes de l'apprentissage actif. Être membre d'une cellule de soutien mutuel qui met l'accent sur le développement global de l'enfant permettra à Caroline de traduire ses expériences avec les adultes et avec les enfants dans un nouveau langage et une nouvelle culture, ceux du partage du pouvoir. Pour Caroline, comme pour toute autre éducatrice, apprendre un nouveau langage et une nouvelle façon de percevoir la réalité prend du temps et de la persévérance ; il faut aussi des occasions de faire des essais et de commettre des erreurs, le tout dans un climat de soutien.

Décider collectivement de l'application du programme pédagogique. S'ils partagent la responsabilité du bon fonctionnement de l'équipe et la prise de décisions au sujet de l'application du programme, et s'ils prévoient des réunions pour discuter des attentes et des rôles des membres de l'équipe les jours où Caroline est présente au service de garde, les membres de la cellule de soutien mutuel lui permettront de comprendre de mieux en mieux le programme pédagogique et de s'engager dans le fonctionnement de la cellule de soutien mutuel. Au cours de cette expérience de participation, Caroline prendra conscience que les autres considèrent positivement ses observations et sa contribution ; en retour, elle sera plus susceptible d'accepter les interventions de ses collègues.

4.3.6 Les répercussions des relations interpersonnelles entre les adultes sur les autres composantes du service de garde

Les principes fondamentaux qui gouvernent le travail quotidien de la cellule de soutien mutuel – l'établissement de relations de soutien, la collecte d'informations précises et exactes au sujet des enfants, la prise de décisions collective au regard des interventions pédagogiques et du fonctionnement de l'équipe – ont des répercussions importantes sur la qualité de la mise en œuvre du programme pédagogique. Dans les chapitres qui suivent, nous décrirons les éléments du programme que nous préconisons. Ainsi, nous traiterons de l'organisation et de l'aménagement des locaux, de la mise en place et de l'expérimentation du processus de planification-action-réflexion (de même que des autres éléments de l'horaire quotidien), ainsi que de la détermination et de l'élaboration des expériences clés telles que conçues dans un environnement pédagogique favorisant l'apprentissage actif.

Pour assurer le succès de l'implantation du programme que nous proposons, le travail en équipe des membres de la cellule de soutien mutuel doit s'articuler autour de relations étroites s'établissant au cours de rencontres quotidiennes. Le soutien des autres membres du personnel ou de personnes-ressources qui se joignent à eux à l'occasion garantit la cohérence des interventions auprès des enfants. Ce travail en équipe tisse entre les adultes des liens serrés qui font une différence dans la qualité de vie des enfants ; il unit les éducatrices et brise leur isolement pendant qu'elles travaillent au développement des habiletés et des aptitudes des enfants. Finalement, le travail dans une équipe consolidée présente aux enfants un modèle d'interactions positives entre humains qui repose sur la coopération, sur la résolution de problèmes constructive et sur les initiatives personnelles.

TABLEAU RÉCAPITULATIF

Les stratégies pour consolider la cellule de soutien mutuel

Former une cellule de soutien mutuel
- Nommer les membres de la cellule de soutien mutuel.
- Déterminer une période continue pour une rencontre quotidienne.
- Inclure au besoin les personnes-ressources et les membres du personnel de soutien.

Établir des relations de soutien entre adultes
- Communiquer ouvertement.
- Respecter les différences individuelles.
- S'armer de patience face au processus de consolidation de l'équipe.

Recueillir des informations précises et exactes au sujet des enfants
- Observer les enfants tout au long de la journée.
- Noter brièvement les informations.
- Mettre en veilleuse son jugement.

Prendre des décisions collectivement: interpréter les observations et planifier les interventions subséquentes
- Réfléchir à la signification des comportements des enfants.
- Concevoir et appliquer des stratégies d'intervention pour soutenir l'enfant.
- Mettre les stratégies en pratique et discuter de leur efficacité.

Décider collectivement du fonctionnement de la cellule de soutien mutuel
- Discuter des rôles et des attentes de chacun.
- Partager les responsabilités pour s'assurer d'un fonctionnement satisfaisant.
- Décider collectivement des moyens d'appliquer le programme pédagogique.

LECTURES COMPLÉMENTAIRES

BOISVERT, DANIEL (1995). *Animation de groupes: approches théorique et pratique pour une participation optimale*, Cap Rouge, Presses interuniversitaires, coll. « Communication et société ».

CÔTÉ, NICOLE (1991). *La personne dans le monde du travail*, Boucherville, Gaëtan Morin Éditeur.

ST-ARNAUD, YVES (1989). *Les petits groupes: participation et communication*, Montréal, Les Presses de l'Université de Montréal, Éditions du CIM.

PARTIE II

Un environnement propice à l'apprentissage actif

CHAPITRE 5

Aménager les lieux de façon à favoriser l'apprentissage actif

Lorsqu'un local est polyvalent, il se prête à plusieurs utilisations et l'enfant peut alors décider ce qu'il y fera ; de même, lorsqu'un objet se prête à diverses utilisations, l'enfant peut choisir ce que cet objet sera et à quoi il servira. Dans les autres cas, c'est le local ou l'objet qui détermine l'utilisation que l'enfant en fera.
JAMES TALBOT et JOE FROST, 1989.

5.1 Un aménagement qui favorise l'apprentissage actif

Les éducatrices qui souhaitent le développement global de l'enfant par l'apprentissage actif savent que les jeunes enfants ont besoin d'un endroit aménagé en fonction de cet objectif. Pour saisir l'esprit dans lequel il faut aménager les aires de jeu d'un service de garde, il est important de vous souvenir des activités agréables que vous faisiez quand vous étiez enfant. Vous aimiez peut-être jouer dans l'eau, faire des pâtés de boue, vous enfoncer dans un bon fauteuil avec un livre d'images, grimper aux arbres, collectionner des bouchons de bouteille ou jouer à cache-cache. Plusieurs des activités dont vous vous souvenez avec plaisir étaient probablement bruyantes ou salissantes ; d'autres, au contraire, se déroulaient dans un petit coin douillet et calme. Alors, en planifiant l'aménagement d'un lieu destiné à une nouvelle génération d'enfants dynamiques et curieux, gardez en tête les souvenirs de vos jeux favoris.

Les jeunes enfants ont besoin d'un endroit où ils peuvent utiliser un matériel varié, explorer, créer et résoudre des problèmes ; d'un endroit où ils peuvent bouger, courir, parler ouvertement de ce qu'ils font ; d'un endroit où ils peuvent ranger leurs productions et leurs objets personnels ainsi qu'exposer leurs créations ; d'un endroit où ils peuvent travailler seuls ou avec d'autres et se retrouver avec des adultes qui privilégieront leurs champs d'intérêt et soutiendront leurs projets.

5.1.1 Aménager les lieux en tenant compte des ingrédients essentiels de l'apprentissage actif

Pour comprendre la façon dont l'aménagement des lieux contribue aux expériences d'apprentissage, il est nécessaire de le concevoir en relation avec **les ingrédients essentiels de l'apprentissage actif que sont le matériel, la manipulation, la possibilité de faire des choix, le langage des enfants et le soutien des éducatrices.**

Le **matériel** doit intéresser vivement les enfants pour que l'apprentissage actif soit possible. Un matériel varié sera donc mis à la portée des enfants qui pourront l'explorer, le transformer et l'agencer à leur guise. Le matériel sera disposé de façon à faciliter sa **manipulation** par les enfants : un accès direct et autonome au matériel sera donc privilégié plutôt qu'une organisation planifiée en fonction d'une démonstration éventuelle par l'éducatrice ou en fonction d'un simple étalage. Pour permettre aux enfants de manipuler le matériel librement – sans être importunés par les autres et sans déranger les autres –, l'éducatrice doit prévoir qu'il y en ait en quantité suffisante pour tous les enfants et qu'il y ait suffisamment d'espace dans le local pour que les enfants puissent travailler et jouer en toute liberté et en sécurité.

La **possibilité** pour les enfants **de faire des choix** est un autre principe qui guide les éducatrices dans leur planification de l'aménagement. Le local est divisé en coins d'activités bien délimités dans lesquels le matériel est rangé de telle sorte que les enfants puissent le voir et l'utiliser de façon autonome : ils peuvent ainsi choisir les objets avec lesquels ils travailleront. La conviction que l'enfant doit avoir la possibilité de faire des choix significatifs amène aussi l'éducatrice à tenir compte du critère qu'est la polyvalence. Le matériel répond à ce critère si les enfants peuvent l'utiliser à des fins variées dans le déroulement de différentes formes de jeu. Quant aux coins d'activités, ils devront être organisés de manière que les enfants puissent se déplacer facilement de l'un à l'autre au cours de leurs jeux et au gré de leurs envies.

Pour stimuler le **langage** chez les enfants, les coins d'activités présentent un matériel intéressant qui suscite des jeux passionnants pour les enfants : des jeux dont ils ont le goût de parler avec leurs pairs et avec les éducatrices. Des objets de toutes sortes sont offerts aux enfants ; ces objets les attirent, leur inspirent des réflexions et les incitent à entreprendre des activités, à planifier des projets et à entamer des conversations avec les autres. Les enfants peuvent également expérimenter le langage écrit, car plusieurs livres et autres types d'imprimés de même que des instruments d'écriture sont mis à leur disposition.

L'aménagement des lieux doit aussi être planifié pour que chaque coin d'activités soit facilement accessible aux éducatrices afin qu'elles puissent procurer un **soutien efficace** aux enfants. Cela veut dire qu'il y aura suffisamment d'espace dans le local pour que les éducatrices observent les enfants ou encore pour qu'elles participent à leurs jeux. Pour que le soutien des éducatrices soit efficace, l'aménagement doit aussi être planifié de façon à renforcer le sentiment de sécurité des enfants et leur capacité d'exercer leur pouvoir. À cet effet, le matériel est toujours rangé à la même place afin que les enfants puissent le retrouver sans l'aide de l'éducatrice lorsqu'ils en ont besoin et qu'ils puissent avoir le sentiment de maîtriser leur environnement. Le local doit finalement être sécuritaire, propre et accueillant de manière à créer un climat chaleureux et invitant. Le but visé n'est certes pas de créer un milieu aseptisé : les éducatrices doivent comprendre que l'action et le mouvement sont des activités normales. Bien que les lieux puissent sembler en désordre pendant les périodes de jeu, ces dernières sont suivies par les activités de rangement lors desquelles tout le matériel retrouve sa place originelle.

En résumé, les éducatrices qui appliquent un programme qui favorise l'apprentissage actif stimulent les enfants en aménageant leur local de telle sorte que ces derniers puissent :

- entreprendre une grande variété de jeux, seuls ou avec d'autres. Les enfants pourront, entre autres, explorer, construire, faire des jeux de rôles, peindre, dessiner ou jouer à des jeux de table ;
- trouver, utiliser et ranger le matériel qui les intéresse pour réaliser leurs projets personnels ;
- se sentir en sécurité, valorisés, aventureux et compétents.

Dans ce chapitre, nous présenterons les principes généraux de l'aménagement des aires de jeu et les critères pour le choix de l'équipement et du matériel dans le cadre d'un programme éducatif qui favorise l'apprentissage actif. Nous analyserons les effets de ce type d'aménagement sur les interventions des éducatrices et nous suggérerons des stratégies concrètes pour aménager certains coins d'activités.

5.1.2 Les principes généraux pour aménager les lieux et ranger le matériel

Les éducatrices qui privilégient l'apprentissage actif organisent les aires de jeu de telle sorte que les enfants puissent avoir de multiples occasions d'apprendre activement et qu'ils puissent gérer leur environnement le mieux possible. Elles planifient l'aménagement des aires de jeu et choisissent l'équipement et le matériel, qu'il s'agisse d'une maternelle, d'un service de garde en installation ou d'un milieu familial, en tenant compte des principes suivants :

- Les lieux sont accueillants et invitants pour les enfants.
- Les aires de jeu sont divisées en coins d'activités bien délimités pour stimuler des formes de jeu variées.
- Une aire de jeu où les enfants peuvent se rassembler en grand groupe est prévue de même que des endroits pour manger, pour faire la sieste et pour ranger les effets personnels des enfants.
- Les coins d'activités sont organisés de façon à faciliter l'observation par les éducatrices et la circulation des enfants d'un coin à un autre.
- Les coins d'activités sont polyvalents pour s'adapter aux nouveaux intérêts des enfants et pour répondre à des considérations d'ordre pratique.
- Le matériel est abondant et suscite des expériences ludiques diversifiées.
- Le matériel rappelle aux enfants leur vie familiale et celle de leur communauté.
- Le système de rangement du matériel favorise l'autonomie de l'enfant.

A. Des lieux accueillants et invitants

Est-ce que les enfants et les parents ont une impression favorable en voyant l'aménagement de votre local ? Vous trouverez ci-dessous quelques suggestions pour rendre les aires de jeu plus accueillantes et plus invitantes.

Le confort. Pour créer une aire de jeu où les enfants se sentiront bien, utilisez divers objets, tels un tapis, un fauteuil, une douillette, des coussins, des oreillers, des matelas, un futon, des rideaux ou des tentures, et décorez les murs. Les matériaux moelleux, en plus d'être confortables et invitants, absorbent le bruit. Pour créer une aire de jeu extérieure où les enfants seront à l'aise, aménagez une cour gazonnée avec du sable, des arbustes, des arbres, du bois, de l'eau, des fleurs, de la verdure et des hamacs.

Des coins arrondis. De grosses plantes en pots, des plantes suspendues, une bergère, des oreillers et des tapisseries feront très bien l'affaire.

Des couleurs et des textures agréables. Certaines couleurs et certaines textures ont un effet calmant et invitant. Examinez les murs, les plafonds et le recouvrement du sol dans votre local. S'ils vous donnent le goût d'entrer dans la pièce, ils conviennent ; sinon, vous devriez effectuer des changements.

Des matériaux naturels et de la lumière. L'utilisation du bois et de la lumière provenant des fenêtres ou des puits de lumière est une autre façon d'adoucir l'environnement des enfants en y ajoutant une touche naturelle.

Des endroits calmes et douillets. Une mezzanine, une encoignure, une alcôve ou le rebord d'une fenêtre, garnis de coussins ou d'oreillers, permettent aux enfants d'avoir une place pour prendre une pause, s'isoler, observer les autres ou se défouler sans devoir se justifier auprès des autres (Phyfe-Perkins et Shoemaker, 1986). Des coins calmes sont très importants pour les enfants qui ont parfois besoin de se retirer pour se soustraire aux interactions.

B. Des coins d'activités bien délimités pour stimuler des formes de jeu variées

Un environnement qui favorise l'apprentissage actif est conçu pour stimuler toutes les formes de jeu que les enfants apprécient : l'exploration sensorimotrice, la construction, la création d'objets, les jeux de rôles, la lecture et les jeux de table. Dans ce but, le local est divisé en coins d'activités désignés par des noms simples et significatifs pour les enfants : par exemple, le coin de l'eau et du sable, le coin des blocs, le coin de la maisonnette, le coin des arts plastiques, le coin des jeux de table et des jouets, le coin de la lecture et de l'écriture, le coin de la menuiserie, le coin de la musique et du mouvement, le coin de l'ordinateur et l'aire de jeu extérieure. Ces coins d'activités sont délimités par des frontières claires ; le matériel est à la portée des enfants et rangé selon un système logique : les livres dans le coin de la lecture et de l'écriture, la peinture dans le coin des arts plastiques, etc.

Bien que l'espace disponible varie d'un service à un autre, la priorité doit être accordée aux aires de jeu pour les enfants dans l'attribution de l'espace. Chaque coin d'activités doit bénéficier d'un espace suffisant pour contenir tout le matériel nécessaire et pour accueillir tous les enfants qui désirent y jouer en même temps. Afin d'utiliser la plus grande partie de l'espace disponible pour l'aménagement des coins d'activités, il peut s'avérer nécessaire de déplacer dans d'autres parties de l'édifice des meubles qui occupent beaucoup de place, tels les bureaux pour les éducatrices et les tables qui ne sont utilisées que pour les repas.

Organiser des coins d'activités précis est un moyen concret de soutenir les initiatives de l'enfant, de stimuler son autonomie et d'encourager les relations interpersonnelles. Les coins d'activités étant accessibles sur une base quotidienne, les enfants savent quel matériel y est disponible et où le trouver. Le local est organisé logiquement de façon permanente : l'enfant peut donc s'y fier pour choisir l'endroit où il voudrait travailler et ce qu'il aimerait faire avec le matériel mis à sa disposition. Comme il n'a pas à se préoccuper de la disponibilité du matériel, l'enfant peut se consacrer entièrement à ses projets, à ses jeux et aux interactions avec ses pairs. Des chercheurs (Phyfe-Perkins et Shoemaker, 1986, p. 184) ont démontré l'importance de ce critère :

> Dans les services de garde où il est possible de faire des choix et de travailler à son rythme dans un environnement qui offre des coins d'activités variés et bien définis, l'enfant peut établir des relations interpersonnelles de haut niveau, il adopte des comportements autonomes et il participe pleinement aux activités qu'il entreprend.

C. Une aire de jeu pour les rassemblements ainsi que des endroits pour manger, pour faire la sieste et pour ranger les effets personnels des enfants

Lorsque le local dont on dispose est vaste, il est préférable de placer les coins d'activités autour du périmètre de la pièce. L'espace central ainsi libéré demeure disponible pour les **rassemblements en grand groupe**, pour des activités telles que les causeries d'accueil à l'arrivée des enfants et les activités psychomotrices ; cela permet également d'accéder facilement à tous les coins d'activités. Si vous disposez plutôt d'un local relativement petit et de forme irrégulière, ou encore d'une suite de locaux adjacents, il est nécessaire de trouver d'autres solutions pour organiser un endroit pour les rassemblements en grand groupe et pour diriger la circulation d'un coin à un autre : par exemple, vous pourriez aménager le coin des blocs de façon qu'il y ait assez de place pour y tenir les rassemblements en grand groupe.

Pour **les repas et la sieste**, les services de garde en milieu familial sont généralement privilégiés par rapport aux autres services. En effet, une pièce est déjà prévue pour les repas et des pièces séparées peuvent être utilisées pour la sieste. Dans les autres services de garde et maternelles, les endroits utilisés pour la sieste et les repas doivent être intégrés de façon à ne pas diminuer la surface des aires de jeu. Ainsi, pour éviter d'encombrer des coins d'activités possibles, les tables qui se trouvent dans le coin des arts plastiques, dans le coin des jeux de table et des jouets et dans le coin de la maisonnette peuvent être utilisées pour les repas et pour les collations. D'autre part, si l'espace disponible est suffisant et si les enfants passent toute la journée dans le même local, il peut être intéressant d'aménager une salle à manger avec des tables et des chaises à la hauteur des enfants près d'une fenêtre, ce qui leur procurera un changement bénéfique. Les mêmes conseils valent pour la sieste. Si vous disposez de suffisamment de place pour organiser une salle des « dodos » à l'écart des coins d'activités, les enfants pourront se reposer sans être dérangés par les jouets et par le matériel. Mais si l'espace est restreint, installez les matelas des enfants dans l'endroit prévu pour les rassemblements ou dans les passages entre les coins d'activités.

En procurant à chaque enfant une **place pour ranger ses effets personnels**, vous leur permettez d'avoir un petit coin bien à eux dans lequel ils pourront ranger tous leurs trésors. Les enfants n'ont pas seulement besoin d'une place pour ranger leurs vêtements d'extérieur, mais aussi d'une place qu'ils peuvent atteindre eux-mêmes et reconnaître facilement en « lisant » l'étiquette. Par exemple, dans certains services de garde et dans plusieurs maternelles, les enfants disposent d'une place pour ranger leurs effets personnels dans le vestiaire : des bacs identifiés pour chaque enfant, des boîtes ou des paniers rangés sur une tablette fixée à la hauteur des enfants. Dans un service de garde en milieu familial, un placard peut servir à ranger les bacs de chacun des enfants : ceux des enfants les plus jeunes sont situés sur les tablettes les plus basses et ceux des enfants plus âgés, sur les tablettes les plus hautes.

D. Une organisation qui facilite l'observation et la circulation

Il est important d'organiser les lieux de façon que les enfants puissent **observer** leurs pairs qui travaillent dans un autre coin lorsqu'ils sont debout, et que les adultes puissent rapidement repérer tous les enfants en parcourant le local du regard. Les meubles qui servent de frontières entre les différents coins devront donc être d'une hauteur qui permette d'atteindre cet objectif. Lorsqu'on dispose de plusieurs locaux en enfilade ou adjacents, on peut améliorer le champ de vision en gardant les portes ouvertes ou, si c'est possible, en découpant des ouvertures dans les murs entre les pièces.

Les enfants devraient être capables de bouger facilement et de circuler d'un coin à un autre : par exemple, ils devraient pouvoir passer du coin des arts plastiques au coin de la menuiserie sans passer par le coin de la maisonnette. Par ailleurs, si deux coins se trouvent dans la même pièce, par exemple le coin des blocs et celui de la maisonnette, il faudrait les installer de chaque côté de la pièce ; de cette façon, lorsqu'un enfant entre dans le local, il peut se diriger vers un coin ou l'autre sans avoir à passer à travers l'un d'eux. Si vous devez traverser une pièce pour en atteindre une autre, prévoyez un passage de façon que les enfants puissent jouer dans cette pièce sans être dérangés par la circulation. En établissant des aires de circulation entre les coins d'activités, vous permettez aux enfants d'avoir accès facilement aux différents coins d'activités et vous leur fournissez la possibilité de jouer en paix. De plus, des aires de circulation suffisamment larges aident les enfants qui transportent de gros objets, du matériel ou leur dernière création à effectuer ces tâches sans anicroches. Vos observations des jeux des enfants vous guideront pour choisir les coins qui devraient être situés à proximité les uns des autres. Lorsque les jeux des enfants se déplacent souvent d'un coin d'activités à un autre – par exemple, quand les jeux de rôles dans le coin de la maisonnette se poursuivent dans le coin des blocs –, il est préférable de placer ces coins d'activités l'un à côté de l'autre pour stimuler les interrelations entre différentes formes de jeu d'une part et réduire les problèmes de circulation d'autre part.

Une étiquette significative pour le bac de rangement de David

Un matin, David arrive en arborant fièrement une nouvelle ceinture. Il la montre à tous ses amis, puis la retire en disant qu'il « veut la garder neuve ». « Viens, David, je vais la mettre dans ton bac de rangement pour que tu puisses la retrouver quand tu partiras à la maison », lui suggère son éducatrice. David lui donne sa ceinture et continue à jouer.

Ce matin-là, Richard, l'ami de David, arrive et il rejoint David pour jouer avec lui ; la première chose que David lui dit, c'est : « Richard, veux-tu voir ma nouvelle ceinture ? Marie l'a rangée dans mon bac. » Les deux compères se dirigent fébrilement vers les bacs de rangement, mais ils s'arrêtent, perplexes, devant 2 rangées de 18 bacs chacun. « Lequel est le mien ? » se demande David à voix haute. Même si les 36 bacs sont étiquetés minutieusement avec le nom de chaque enfant, David ne reconnaît pas le sien. David réfléchit un moment et se dirige ensuite vers le premier bac sur la rangée du haut, le tire avec précaution pour voir s'il contient sa ceinture, le replace et poursuit avec le suivant. Après avoir vérifié une vingtaine de bacs de cette façon, David trouve enfin sa ceinture. Il la montre à Richard et la remet sur lui. « Comme ça, je ne la perdrai plus ! » dit-il.

Peu après cette aventure, les éducatrices ont dessiné des symboles pour chacun des enfants. David a choisi le collant vert et il l'a fixé lui-même sur son bac. « C'est mon bac, celui avec l'arbre vert ! En dessous, il y a les lettres de mon nom, David. » Depuis lors, David n'a plus perdu sa ceinture ou quelque objet précieux que ce soit. Du moins, pas quand il pensait à les ranger dans son bac !

E. Des coins d'activités polyvalents pour s'adapter aux nouveaux champs d'intérêt des enfants et pour répondre à des considérations d'ordre pratique

Lors de l'aménagement des coins d'activités, la polyvalence est un critère essentiel à respecter. Au cours de l'année, les éducatrices réorganisent fréquemment leur local, et ce pour des raisons fort variées : s'adapter aux nouveaux champs d'intérêt des enfants, pallier la sous-utilisation ou la surutilisation de certains coins, faire face aux imprévus de la circulation entre les coins, faire revivre ou prolonger des expériences liées aux sorties que le groupe a effectuées, intégrer du nouveau matériel, ou répondre au besoin de changement des enfants.

En outre, si vous ne disposez que de très peu d'espace, vous ne pourrez installer qu'un nombre limité de coins d'activités ; vous pourrez alors faire une rotation entre les différents coins d'activités possibles, c'est-à-dire que vous ne mettrez sur pied que deux ou trois coins d'activités à la fois. Par exemple, dans un premier temps, vous pourriez installer le coin de la maisonnette, le coin des blocs et le coin de la lecture ; par la suite, vous pourriez les remplacer par le coin des arts plastiques, le coin des jeux de table et des jouets et le coin de la menuiserie. Même si ce n'est pas la façon idéale d'organiser un local, la rotation des coins est préférable à un aménagement où l'on propose un peu de tout en tout temps, mais où l'on ne dispose pas d'assez d'espace et d'assez de matériel de chaque catégorie pour permettre aux enfants de vraiment construire, peindre ou poursuivre une autre activité.

Quelle que soit la raison pour laquelle vous désirez faire des changements dans les aires de jeu, si vous suscitez la **participation des enfants aux décisions portant sur l'aménagement**, vous leur donnerez le sentiment de contrôler leur univers. Les questions d'aménagement des aires de jeu et de l'équipement offrent des occasions pour expérimenter la résolution de problèmes. En outre, elles permettent aux enfants d'aborder favorablement les changements qui pourraient autrement les insécuriser et les déstabiliser. Cette responsabilisation des enfants peut prendre diverses formes. Dans le service de garde en milieu familial d'Andréa, les enfants transportent eux-mêmes les chariots de rangement, placent les boîtes et aident à l'aménagement quotidien des aires de jeu. Dans un autre service de garde, les enfants participent aux décisions pour déterminer la place où l'on rangera le nouveau matériel et la façon dont seront aménagés les coins d'activités. Dans une maternelle où l'espace est restreint, les enfants ont décidé d'aménager un coin de la menuiserie, qui comprend un établi, des outils et des matériaux de construction, là où se situait auparavant le coin de la lecture et de l'écriture ; ils ont transporté les livres et l'étagère à l'autre bout de la pièce pour libérer suffisamment de place pour l'établi qu'ils ont apporté de l'armoire de la réserve ; après avoir trié le bois et les morceaux de polystyrène dans des bacs, ils ont fabriqué eux-mêmes des étiquettes et les ont collées aux places de rangement qu'ils avaient déterminées.

Dans un service de garde en milieu familial, l'organisation du local, pour répondre à la fois aux besoins personnels et professionnels, requiert un autre type de polyvalence. Monter des coins d'activités et les ranger sur une base quotidienne ou hebdomadaire est une corvée récurrente ; cette corvée exige beaucoup de créativité ainsi que la conviction que l'aménagement du local pour stimuler l'apprentissage actif est essentiel au développement de l'enfant. Voici des stratégies de rangement qui peuvent vous faciliter la tâche :

- des étagères sur roulettes pour ranger le matériel des coins d'activités, ce qui permet de les tourner contre le mur en un tournemain à la fin de la journée ;
- des étagères avec des battants à charnières qui se ferment comme une boîte ;
- des bacs de rangement qui se glissent sous les lits, sous les canapés ou sous les fauteuils ;
- des bacs ou des boîtes qui se rangent derrière les canapés, dans un placard, dans le vestibule ou le long d'un couloir ;
- des paniers de jouets et d'autres contenants qui s'empilent sur des plateformes sur roulettes.

Le climat est un autre facteur qui peut nécessiter l'organisation d'un local polyvalent. Lorsque la pluie, le vent, le brouillard, la neige ou d'autres éléments naturels se déchaînent et vous forcent à rester à l'intérieur, les enfants et vous pourrez décider de déplacer les étagères de rangement, les tables et les chaises afin d'agrandir l'aire de jeu ; cela vous permettra d'aménager un parcours à obstacles ou d'utiliser les petits jouets sur roues et les bicyclettes. Par ailleurs, lorsque la température est clémente, vous et votre petite bande de déménageurs pourriez convenir de transporter dans la cour une partie ou la totalité du matériel d'un coin d'activités : le coin de la maisonnette, celui des arts plastiques ou celui des blocs, le bac à eau, etc.

Le concept de **polyvalence** englobe également la notion d'usages multiples. Par exemple, un canapé peut servir à une foule d'activités et remplir de multiples fonctions : il peut être considéré comme une place confortable pour s'asseoir et lire un livre, et son dessous et l'arrière peuvent être transformés en espace de rangement ; les enfants peuvent ramper derrière, l'utiliser comme théâtre de marionnettes, comme lit d'hôpital ou comme fort à conquérir, selon les besoins de leurs jeux de rôles. Par ailleurs, la table qui est utilisée pour manger peut aussi servir d'endroit pour peindre, rouler de la pâte à modeler ou construire une ville avec des blocs ; elle peut être un endroit en dessous duquel on s'isole pour travailler, ou être recouverte d'une couverture ou d'un drap pour se transformer en maison ; poussée contre une autre table, elle peut devenir le tunnel d'un parcours d'obstacles. Pour stimuler l'apprentissage actif, les éducatrices aussi bien que les enfants devraient considérer que les coins d'activités, le mobilier et le matériel peuvent être utilisés de plusieurs façons pour répondre aux besoins de chacun et qu'ils n'ont d'autres limites que l'imagination et la créativité de leurs utilisateurs.

F. Un matériel abondant qui suscite des expériences ludiques diversifiées

Le matériel est abondant lorsqu'il y en a suffisamment dans un coin d'activités pour que plusieurs enfants puissent jouer en même temps. Par exemple, dans le coin des blocs, il devrait y avoir suffisamment de gros blocs pour que plusieurs enfants construisent une structure dans laquelle ils peuvent jouer ensemble, et un nombre suffisant d'ensembles de petits blocs pour que d'autres enfants puissent faire de petites constructions ; il devrait en rester pour ceux qui veulent les utiliser pour remplir et transvider. Autant que possible, au moins deux objets semblables sont disponibles : deux camions à benne, deux marteaux, deux paires de souliers à talons hauts, deux agrafeuses, etc. Il y a aussi beaucoup de matériaux de récupération : du papier, des contenants, des bouchons de liège, des rouleaux de papier, etc.

Le matériel dans chaque coin d'activités favorise des jeux variés qui sont en lien avec les champs d'intérêt et les habiletés naissantes des enfants : il y a du matériel pour soutenir et stimuler l'exploration sensorielle, construire et créer des objets, participer à des jeux de rôles et jouer à des jeux simples ; il y en a pour intéresser les enfants aux arts, à la musique, au théâtre, à l'écriture et à la lecture, aux nombres et aux phénomènes physiques ; il y en a aussi pour aider les enfants à vivre des expériences clés. Toutes ces activités nécessitent la présence d'une grande quantité de matériel. Toutefois, ce matériel est relativement simple et les enfants peuvent l'utiliser de différentes façons selon leurs champs d'intérêt, leurs habiletés et les projets qu'ils élaborent.

G. Un matériel qui rappelle la vie familiale

Il est important que le matériel rappelle aux enfants les valeurs de leur famille. En outre, l'agencement du matériel et de l'équipement devrait créer un effet d'ensemble qui reflète bien les caractéristiques et les valeurs de la communauté. C'est pourquoi il faut inclure dans l'aménagement certains objets, notamment des livres, des revues, des photos, des poupées et des figurines, qui reflètent la vie familiale des enfants ainsi que les valeurs de la communauté environnante.

Lors de visites au domicile de l'enfant, les éducatrices pourront recueillir des idées précieuses qui les inciteront à intégrer dans le service de garde ou la maternelle des objets représentatifs du milieu familial de l'enfant. Elles pourront aussi noter des indices intéressants en étant attentives aux informations que les parents leur transmettent lors de leurs conversations quotidiennes. Par ailleurs, les enfants pourront également leur fournir des informations inestimables si elles prêtent attention à leurs propos. Une autre source d'inspiration pour agrémenter l'aménagement de certains coins est l'observation du quartier où se trouve le service de garde : les moyens de transport, les commerces, les fêtes populaires, les caractéristiques de la population, les entreprises, etc.

H. Un système de rangement conçu pour que l'enfant puisse trouver, utiliser et ranger le matériel lui-même

Le point le plus important en ce qui concerne le rangement du matériel est de s'assurer que les enfants puissent facilement trouver et ranger le matériel dont ils ont besoin de façon autonome. Les coins d'activités constituent une série de modules de rangement attrayants et ouverts qui contiennent chacun du matériel qui stimule une forme de jeu précise. Les enfants se promènent d'un coin d'activités à un autre et repèrent le matériel dont ils ont besoin pour faire une soupe aux boutons, écrire une lettre, monter un spectacle, construire un bateau ou tout autre projet qu'ils conçoivent. Au cours de leurs jeux, les enfants utilisent le matériel librement, selon leurs besoins. Par exemple, la pâte à modeler pourra être transportée dans le coin des jeux de table et des jouets pour faire un théâtre de marionnettes. Lors de la période de rangement, cependant, tous les objets qui ont été utilisés par les enfants doivent être rapportés dans leur lieu de rangement originel pour que les enfants puissent les retrouver lorsqu'ils en auront besoin de nouveau. Bien que l'utilisation du matériel soit polyvalente, le rangement doit être très systématique.

Ranger ensemble les objets semblables. Le fait de ranger dans un même endroit des objets semblables – les blocs dans le coin des blocs, le matériel d'arts plastiques dans le coin des arts plastiques, etc. – aide les enfants à trouver les objets dont ils ont besoin pour leurs jeux et à les rapporter par la suite. Le fait de placer les objets qui ont des fonctions semblables ensemble, à l'intérieur de chaque coin d'activités, permet aux enfants de voir les différentes possibilités qui s'offrent à eux et de choisir différentes solutions pour réaliser leurs projets. Par exemple, dans le coin des arts plastiques, les différents instruments pour dessiner – les crayons, les crayons feutre, les stylos, les craies, les crayons de couleur, les pastels, etc. – peuvent être rangés sur une tablette, tandis que le matériel utilisé pour assembler – les rubans adhésifs, les trombones, les agrafeuses, la corde, la colle, la laine, etc. – peut être rangé sur une autre tablette.

Utiliser des contenants transparents facilement manipulables. Des contenants ouverts et faciles à manipuler permettent aux enfants de voir le matériel et de trouver ce dont ils ont besoin. Ces contenants devraient être rangés sur des étagères basses et ouvertes. Des contenants en plastique clair ou transparent, comme les contenants utilisés pour ranger les aliments dans le frigo, seront parfaits pour les petits objets que les enfants pourront ainsi facilement reconnaître. Des contenants peu profonds, tels des boîtes d'œufs ou des paniers de rangement compartimentés, permettent de voir les petits objets et de les classer. Des bacs à vaisselle, des contenants de plastique, des boîtes de carton solide et des bacs pour les contenants de lait peuvent être utilisés pour le matériel de plus grande dimension. Les enfants doivent être capables de prendre et de déplacer eux-mêmes ces contenants. Le matériel plus volumineux, par contre – les gros blocs, les boîtes, les tableaux, les seaux –, n'a pas besoin de contenants et peut être rangé directement sur le plancher ou sur les tablettes.

Étiqueter les contenants d'une façon significative pour les enfants. Étiqueter les contenants et identifier les places de rangement sur les tablettes ou sur le plancher procurent un système de rangement fixe qui permet aux enfants de savoir où trouver le matériel qu'ils cherchent. Ils peuvent ensuite le replacer au même endroit s'ils l'ont dispersé au cours de leurs jeux. Pour rendre les étiquettes compréhensibles pour les enfants, on peut utiliser le matériel lui-même, des pictogrammes, des dessins, des illustrations tirées de catalogues, des photos ou des photocopies.

Les étiquettes imagées fournissent aux enfants une indication qu'ils peuvent « lire ». Au moment du rangement, les enfants ont du plaisir à trier le matériel dans les contenants appropriés et à associer les objets à leurs étiquettes sur les tablettes. Ils apprécient aussi de choisir l'emplacement qui servira à ranger le nouveau matériel et de fabriquer eux-mêmes des étiquettes pour l'identifier. Une éducatrice qui venait tout juste d'implanter un nouveau système d'étiquetage du matériel dans son local a remarqué : « Si j'avais su que cela aiderait autant les enfants à exercer leur pouvoir et à être autonomes, j'aurais étiqueté le matériel bien avant ! »

Pour les plus jeunes enfants, un objet collé sur la boîte de rangement constitue la méthode la plus efficace : par exemple, un véritable pinceau

Du matériel qui rappelle le milieu familial
Liste à cocher

Jusqu'à quel point votre local de jeu ou votre service de garde est-il le reflet des valeurs familiales des enfants qui le fréquentent ? Pour évaluer dans quelle mesure votre aménagement répond à ce critère, voici une liste à cocher qui permet de vérifier le matériel disponible dans certains coins d'activités.

Le coin des arts plastiques

- ☐ De la peinture, des crayons et du papier qui illustrent les différentes couleurs de la peau des habitants de la communauté environnante du service de garde ou de l'école.
- ☐ Du matériel qui représente l'art et l'artisanat de la communauté environnante et des différentes ethnies qu'on y trouve.

Le coin de la lecture et de l'écriture

- ☐ Des livres rédigés dans la langue maternelle des enfants.
- ☐ Des livres qui décrivent divers groupes raciaux, ethniques et culturels ; des livres qui mettent l'accent sur les modes de vie contemporains et dont les illustrations représentent des personnages qui semblent réels.
- ☐ Des livres dans lesquels les références aux couleurs ne sont pas stéréotypées : par exemple, évitez les livres qui associent le noir au mal et le blanc à la pureté.
- ☐ Des livres qui présentent diverses situations familiales, notamment des familles monoparentales, des familles avec deux parents, des couples dont les conjoints sont de races différentes, des parents adoptifs, des familles élargies, etc.
- ☐ Des livres qui décrivent des hommes et des femmes dans des situations réalistes, des filles et des garçons qui jouent des rôles actifs et dans lesquels autant les femmes que les hommes sont perçus comme des personnes capables de résoudre des problèmes efficacement.
- ☐ Des livres qui montrent des personnes ayant divers handicaps et dans lesquels ces personnes sont décrites comme des êtres à part entière plutôt que comme des objets de pitié.

Le coin de la maisonnette

- ☐ Des poupées filles et des poupées garçons de races et de nationalités différentes dont la couleur de la peau, la texture des cheveux, la coiffure et la physionomie sont appropriées.
- ☐ Du matériel et un aménagement qui ressemblent à ceux des maisons du quartier ou de la communauté.
- ☐ Des ustensiles de cuisine, des contenants de nourriture vides qui reflètent ceux que les familles des enfants utilisent.
- ☐ Des vêtements pour les déguisements qui ressemblent à ceux que l'on voit dans le quartier, y compris les vêtements de travail des parents.
- ☐ Des fauteuils roulants pour enfants, des béquilles, des lunettes desquelles on a retiré les verres, etc., lorsque c'est possible.

Le coin de la musique et du mouvement

- ☐ Des cassettes, des disques compacts et des instruments représentatifs de la diversité culturelle du groupe d'enfants.
- ☐ Des instruments de musique variés que les enfants peuvent utiliser.
- ☐ Des accessoires pour les jeux de mouvement caractéristiques des différentes cultures.

Le coin des jeux de table et des jouets

- ☐ Des casse-tête représentatifs de la communauté environnante : urbaine ou rurale, par exemple.
- ☐ Des casse-tête représentant les professions exercées par les parents et d'autres membres de la communauté environnante.
- ☐ Des figurines jouets et des casse-tête qui décrivent des personnages de races et d'ethnies différentes et qui évitent les stéréotypes sexistes.

collé sur la boîte de pinceaux. Pour les enfants qui présentent un handicap visuel, utilisez également cette méthode d'étiquetage ou encore des matériaux texturés pour les aider à « lire » avec le bout de leurs doigts : un carré découpé dans du papier émeri, par exemple. Par ailleurs, si les enfants de votre groupe démontrent un grand intérêt pour les lettres et les mots, ajoutez des étiquettes écrites sans retirer celles qui sont déjà en place : par exemple, ajoutez le mot « agrafeuse » sous le dessin de l'agrafeuse. Recouvrez les étiquettes de papier autocollant transparent ou de ruban adhésif transparent ; vous pourrez ainsi les fixer facilement sur le bord des tablettes ou sur les contenants ; elles seront aussi faciles à déplacer sur une autre tablette lorsque vous voudrez réaménager votre local ou faire place à de nouveaux objets.

Certaines équipes de travail font des affiches pour identifier les coins d'activités. Par exemple, le coin des blocs peut être désigné par une grande affiche suspendue au plafond ou accrochée au mur dans ce coin, de façon que les enfants puissent la voir facilement. Sur l'affiche, on pourra écrire « Coin des blocs » et coller des blocs, des dessins de blocs ou des photos d'enfants jouant avec le matériel disponible dans ce coin. Les affiches pour identifier les coins d'activités aident les nouvelles éducatrices ou les remplaçantes à se familiariser avec le local et à connaître les noms des différents coins d'activités ; d'autre part, elles sont intéressantes pour les enfants qui commencent à écrire et qui ont du plaisir à copier des mots.

Même les très jeunes enfants peuvent « lire » les étiquettes fabriquées avec les objets mêmes !

5.1.3 Les avantages d'un aménagement qui favorise l'apprentissage actif

Lorsque les éducatrices aménagent ou réaménagent une aire de jeu en utilisant les principes que nous venons de présenter, elles remarquent plusieurs effets positifs.

A. Les enfants s'engagent dans l'apprentissage actif

Il est difficile pour les enfants de jouer et d'apprendre dans un environnement où on manque de matériel, mais les enfants sont emballés lorsque les adultes organisent et équipent des coins d'activités attrayants et intéressants. Les enfants peuvent alors explorer, construire, faire semblant et créer parce qu'ils ont un matériel varié et stimulant qui leur permet de faire des choix, qui peut être manipulé et qui favorise des discussions avec les éducatrices et avec les pairs. Dans les milieux qui sont bien équipés, bien organisés et où les personnes responsables procurent une attention et un soutien continus, les enfants sont motivés à entreprendre des activités, à concrétiser leurs projets et à faire connaître leurs intérêts avec vigueur et enthousiasme.

B. Les enfants prennent des initiatives

Les aires de jeu qui favorisent l'apprentissage actif sont organisées pour que les enfants entreprennent des projets, réalisent leurs objectifs et résolvent des problèmes. Les enfants prennent eux-mêmes des blocs sur les tablettes, trouvent la peinture, arrosent les plantes, remplissent le bac à eau, impriment les masques qu'ils ont dessinés à l'ordinateur, vont chercher la colle, fixent l'étau sur l'établi et étendent une couverture sur la table du coin de la maisonnette. En encourageant les enfants à trouver, à utiliser et à ranger le matériel eux-mêmes, les éducatrices favorisent chez eux l'autonomie, le sentiment de compétence et le sentiment de réussite. Les enfants acquièrent ainsi l'habitude de dire et de croire : « Je suis capable de le faire ! »

C. Les éducatrices interagissent avec les enfants et apprennent

Les aires de jeu qui sont aménagées et équipées pour stimuler l'apprentissage actif permettent aux éducatrices d'observer les enfants et d'interagir avec eux. Comme l'environnement est organisé pour que l'enfant participe aux jeux qu'il a lui-même choisis, les éducatrices sont libérées des tâches liées à la gestion des activités, à l'animation directive du groupe et à l'encadrement disciplinaire. Elles peuvent alors concentrer leurs énergies pour soutenir et stimuler les jeux des enfants et encourager la résolution de problèmes. De plus, les informations qu'elles colligent sur les enfants en les observant leur permettent de mieux connaître les champs d'intérêt et les habiletés de ces derniers.

> **Le rangement du matériel dans un service de garde en milieu familial**
>
> Dans les services de garde en milieu familial, le rangement du matériel se complique du fait que les meubles et les accessoires de la vie familiale occupent déjà une partie de l'espace disponible ; de plus, quand le service de garde ferme ses portes à la fin de la journée, les membres de la famille voudront pouvoir mener une vie normale sans être encombrés par le matériel et l'équipement du service de garde. Bien entendu, si vous disposez d'une maison suffisamment grande, vous pouvez réserver des étages ou des pièces de votre maison pour les enfants qui fréquentent votre service de garde. Quand cela n'est pas possible, vous devrez partager vos aires de vie avec les enfants. Voici certains trucs utilisés par deux responsables d'un service de garde en milieu familial qui peuvent vous aider :
>
> - Une étagère est placée le long d'un mur du salon. Sur chaque tablette, il y a de grosses boîtes dont chacune contient le matériel d'un coin d'activités. Chaque boîte contient de plus petites boîtes où est rangée une catégorie de matériel. Toutes les boîtes sont soigneusement étiquetées. Les premiers enfants qui arrivent le matin s'amusent à mettre en place le matériel des différents coins d'activités contenu dans ces boîtes.
> - Des paniers de jouets clairement étiquetés sont rangés chaque soir derrière la causeuse sur une plateforme sur roulettes. Au début de la journée, des enfants roulent la plateforme et installent le matériel.
> - Le matériel d'arts plastiques est rangé dans des paniers. Le soir, ces derniers trouvent place sur le dessus du réfrigérateur. Lorsque les enfants arrivent le matin, les paniers sont descendus sur le dessus du comptoir de la cuisine, à côté de la table de cuisine qui est utilisée pour les travaux d'arts plastiques.

5.2 Des stratégies pour aménager les aires de jeu

Dans la première partie de ce chapitre, nous avons exposé les principes généraux qui guident l'aménagement des locaux pour favoriser l'apprentissage actif. Nous présenterons maintenant les stratégies pour organiser des coins d'activités qui favorisent des formes précises de jeu. Nous conclurons en examinant les effets des principes d'aménagement des aires de jeu au regard des composantes du programme pédagogique.

5.2.1 Aménager et équiper les divers coins d'activités

A. Le coin de l'eau et du sable

De l'enfance à l'âge adulte, tous ont du plaisir à jouer avec de l'eau et du sable. Les jeunes enfants qui aiment jouer avec du sable et de l'eau trouvent ces jeux très satisfaisants. Ils aiment mélanger, brasser, amonceler, déverser, creuser, remplir, tapoter, sasser, modeler et éclabousser ; ils apprécient les jeux où ils fabriquent des gâteaux, construisent des maisons ou des routes et creusent des lacs pour faire flotter les bateaux. Dans le coin de l'eau et du sable, les enfants jouent parfois seuls, à côté des autres enfants, avec un ami ou encore en groupe.

L'emplacement. Idéalement, le coin de l'eau et du sable devrait être constitué d'une petite mare d'eau peu profonde entourée de sable où les enfants

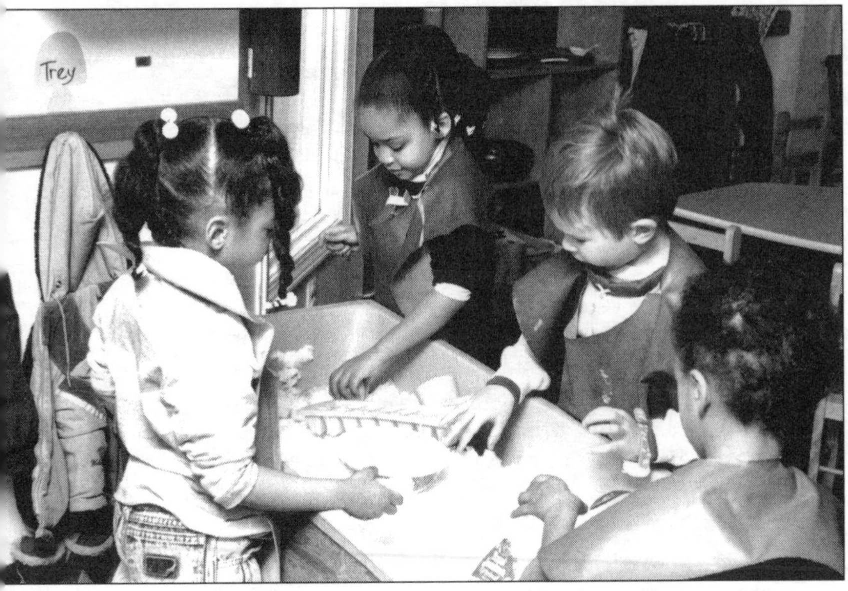

Par une journée d'hiver particulièrement maussade, ces enfants ont rempli le bac à eau de neige. Ils ont joué dans la neige jusqu'à ce qu'elle fonde et que « ça redevienne un bac à eau ».

pourraient creuser des tranchées, faire des gâteaux de boue, faire flotter des bâtonnets et des branches, patauger et s'éclabousser. Dans la majorité des cas, cependant, il sera plutôt constitué d'un carré de sable situé dans la cour et d'un tuyau d'arrosage ou d'une pompe à eau.

À l'intérieur, le coin de l'eau et du sable est généralement situé sur une table qui possède sa propre alimentation en eau ou près d'un bac à eau sur roulettes, équipé d'un bouchon pour le vider. En situant ce coin près d'un lavabo, on facilitera la tâche des enfants pour remplir le bac ou y ajouter de l'eau ; il serait préférable de l'éloigner des murs pour que les enfants puissent se grouper autour du bac. Si vous n'avez pas les moyens de vous payer un bac à eau ou un bac à sable, vous pourrez opter pour une solution moins onéreuse en disposant plusieurs bacs à vaisselle ou des bains pour bébé sur une table basse ou sur le plancher. Un plancher recouvert de carreaux se nettoiera facilement après usage, mais vous pouvez aussi recouvrir le plancher d'un drap, d'un plastique épais ou d'un rideau de douche.

Les enfants ont l'habitude de jouer dans le bac à eau et dans le bac à sable en tournant le dos aux aires de jeu qui les entourent. Il n'est donc pas nécessaire de délimiter ce coin d'activités par des frontières pour que les enfants puissent se concentrer sur leur activité. Par contre, des étagères basses sur un ou deux côtés de ce coin d'activités protègent les enfants des interférences de la circulation des autres enfants et procurent une place de rangement pour le matériel de jeu.

Le matériel. Le matériel de ce coin comprend des contenants de toutes sortes : des contenants de plastique, des pompes de plastique, des bouteilles à presser, des poires pour arroser les volailles, des tasses à mesurer, des tubes de plastique, des pipettes, des compte-gouttes, des moules à gâteaux, des moules à muffins, des passoires, des pelles, des cuillers, des louches, etc. ; des instruments et des jouets pour remplir et vider, qui peuvent flotter ou non : des bouchons de liège, des éponges, des cailloux, des coquillages, des bâtonnets, des brindilles, des morceaux de polystyrène, des personnages et des animaux de caoutchouc, des bateaux, des autos, des camions et des véhicules de construction, de la vaisselle de plastique, etc. ; des solutions de remplacement au sable et à l'eau : du riz, des pâtes, de la semoule, du gravier, du savon, du colorant alimentaire, de la mousse à raser, de la neige ; des vêtements imperméables : des tabliers de plastique, des bottes de caoutchouc ; des articles pour le nettoyage : des serviettes, des éponges, une vadrouille, un balai et un ramasse-poussière, un aspirateur manuel à piles.

Un rangement accessible. Une façon simple et pratique de ranger le matériel du coin de l'eau et du sable consiste à le mettre dans des bacs étiquetés. Placez les seaux et les autres contenants dans un bac étiqueté avec une photo d'un contenant, les coquillages dans un panier identifié par un coquillage collé sur le panier, et ainsi de suite. Si le bac à sable et le bac à eau sont situés près d'un mur, vous pouvez suspendre certains accessoires sur des crochets vissés directement sur le mur ou sur un panneau alvéolé. Par exemple, vous pouvez suspendre le balai et le ramasse-poussière sur des dessins qui les représentent.

B. Le coin des blocs

Presque tous les enfants ont du plaisir à jouer dans le coin des blocs ; ils y inventent une multitude de jeux même s'ils n'ont jamais joué avec des blocs auparavant. Les jeunes enfants qui ont peu d'expérience des jeux de blocs ont du plaisir à prendre les pièces sur les tablettes, à les empiler, à les aligner, à les placer dans une boîte de carton, à les renverser par terre, à les transporter et à les replacer minutieusement sur les tablettes. Lorsqu'ils ont eu suffisamment de temps pour se familiariser avec les blocs, les enfants commencent à construire toutes sortes de structures. Par la suite, ils expérimentent l'équilibre, ils apprennent à clôturer, à inventer des motifs et ils découvrent la symétrie. Ils utilisent également les blocs avec des personnages, des animaux et des véhicules au cours de leurs jeux de rôles. Les structures deviennent des maisons et des granges ; les blocs alignés se transforment en routes et en clôtures. Que les enfants jouent seuls ou avec d'autres, les éducatrices comprennent et encouragent leurs expériences, leurs jeux d'imitation ainsi que la résolution de leurs problèmes d'espace, de sériation et de comparaison.

Un endroit pour des jeux de blocs calmes et pour des jeux énergiques. Plusieurs enfants jouent énergiquement dans le coin des blocs ; pour ce faire, ils ont besoin de beaucoup d'espace. Ainsi, ils peuvent organiser une course automobile qui s'étendra d'une extrémité à l'autre d'un coin ; ou encore ils peuvent imaginer un « jeu de l'hôpital » qui rassemblera plusieurs patients, le personnel de l'hôpital et des lits. De tels jeux suscitent des interactions sociales nombreuses et ils sont courants dans le coin des blocs : il est donc important de les encourager. Par ailleurs, au même moment, d'autres enfants veulent jouer très calmement avec les blocs, les observer, les aligner et les assembler en occupant un espace restreint ; ce jeu calme et solitaire est aussi valable et nécessaire. Comme les joueurs plus énergiques envahissent souvent l'aire de jeu au détriment des joueurs plus solitaires et plus tranquilles, il est important de procurer aux enfants des endroits distincts pour ces deux formes de jeu. Voici des stratégies qui pourront vous être utiles :

- Organisez dans le coin des blocs un endroit réservé aux jeux calmes.
- Apportez les jeux de blocs à l'extérieur, où il y a plus de place, pour permettre aux jeux calmes et aux jeux énergiques de se dérouler sans heurts.
- Aidez les joueurs calmes à trouver en dehors du coin des blocs un endroit où ils pourront jouer sans être dérangés : par exemple, sous une table, dans une tente ou dans une grande boîte de carton.

L'emplacement. À cause de sa popularité, le coin des blocs a tout avantage à être situé dans un endroit assez vaste. Si ce coin s'ouvre sur une aire centrale, les jeux pourront empiéter sur cet espace lorsqu'ils seront plus populaires. Si vous placez le coin des blocs loin des jouets sur roues et des principaux axes de circulation du local, les enfants pourront construire leurs structures sans être dérangés, et le nombre d'effondrements accidentels sera réduit d'autant.

Comme les jeux de rôles se propagent souvent du coin de la maisonnette au coin des blocs, si on place ces deux coins l'un à côté de l'autre ou l'un en face de l'autre, les enfants pourront les utiliser simultanément sans déranger ceux qui travaillent dans les autres coins. Dans le coin de la maisonnette, les blocs deviennent des lits, des murs, des téléphones, de la vaisselle et des autos, tandis que les casseroles, la nappe, le miroir et les poupées ajoutent une touche réaliste aux structures que les enfants construisent dans le coin des blocs.

Si le coin des blocs dont vous disposez est trop petit, essayez une des stratégies suivantes pour l'agrandir :

- Éliminez tout meuble superflu : les bureaux pour les éducatrices, les classeurs, les tables inutilisées, les meubles de rangement.
- Utilisez les corridors pour ranger les manteaux et les effets personnels des enfants et récupérez l'espace ainsi libéré pour l'aire de jeu.
- Ajoutez une mezzanine et déplacez un des coins d'activités sur la mezzanine.
- Installez les blocs et le matériel de construction à l'extérieur.

Des étagères basses et des contenants de rangement permettent de délimiter les frontières du coin des blocs. En outre, un tapis aide à définir l'espace de jeu et à réduire le bruit, et procure une surface de travail où les enfants sont à l'aise.

Le matériel. Le matériel de ce coin comprend toutes sortes d'objets avec lesquels les enfants peuvent construire et qu'ils peuvent assembler, démonter, remplir, vider et jouer à faire semblant. Lorsque l'espace le permet, le matériel lourd avec lequel les enfants peuvent tester leur force, telles des bûches de bois, est placé dans ce coin. Comme le coin des jeux de construction suscite un grand intérêt chez les enfants et qu'ils sont souvent nombreux à y jouer en même temps, il est important d'avoir du matériel en grande quantité. Pour atteindre ce but sans augmenter les coûts, on peut utiliser du matériel fait « maison » ainsi que des matériaux de recyclage ou de construction.

Un rangement accessible. Les gros morceaux de bois, les grandes boîtes, les panneaux, les retailles de tapis, les véhicules en bois et les gros véhicules peuvent être rangés dans des contenants clairement étiquetés ou directement sur le plancher à des endroits déterminés. Avant d'étiqueter le matériel de ce coin, réfléchissez à la façon dont vous l'avez classé et fabriquez les étiquettes en tenant compte de ce classement. Par exemple, vous pourriez mettre toutes les petites pièces multicolores (de type Lego) dans un bac étiqueté avec un dessin, avec une photo ou avec deux pièces de ce jeu. Vous pourriez ranger les pièces de grosseur moyenne selon leur forme, avec une étiquette pour les pièces carrées, une autre pour les pièces rectangulaires, et ainsi de suite. Vous pourriez placer toutes les autos de grosseur moyenne sur une tablette, tous les camions sur une autre et toutes les petites autos dans un bac.

C. Le coin de la maisonnette

Le coin de la maisonnette permet autant des jeux individuels que des jeux collectifs. Plusieurs enfants passent un temps considérable dans le coin de la maisonnette : ils brassent, remplissent, vident, versent, secouent, mélangent, roulent, plient, zippent, boutonnent, brossent, essaient des vêtements et les enlèvent. Ils peuvent imiter des situations qu'ils ont vues à la maison ou prétendre qu'ils nourrissent une poupée ou un animal en peluche.

Les enfants qui explorent, imitent et participent à des jeux de rôles dans le coin de la maisonnette se contentent souvent de jouer seuls ou à côté d'autres enfants, sans interagir avec ces derniers. D'autres enfants, par contre, jouent en groupe avec leurs amis et adoptent des rôles familiers : la mère, le père, les beaux-parents, le bébé, le frère et la sœur, la tante et l'oncle, les grands-parents, les pompiers, le commis, la gardienne, un animal familier.

Les enfants reproduisent dans leurs jeux des événements qu'ils ont vécus ou dont ils ont entendu parler : aller chez le dentiste, se rendre à l'urgence, déménager, magasiner, parler au téléphone, nettoyer un dégât, visiter papa, donner une fête d'anniversaire, célébrer un grand événement, aller à l'église, assister à un mariage, assister à des funérailles, faire un pique-nique ou aller au cinéma. Théâtre des jeux de rôles, le coin de la maisonnette permet aux enfants de donner un sens à leur univers immédiat. Les enfants y trouvent d'innombrables occasions de travailler ensemble, d'exprimer leurs sentiments et d'utiliser le langage ; en jouant leurs rôles, ils tentent de répondre aux besoins de leurs partenaires de jeu et de satisfaire leurs demandes.

L'emplacement. Les jeux que les enfants entreprennent dans le coin de la maisonnette s'étendent souvent au coin des blocs ; il semble donc pertinent de situer le coin de la maisonnette à côté ou en face du coin des blocs. Comme nous l'avons précisé précédemment, cela favorise les interactions entre ces deux coins en causant le moins de dérangement et de distraction possible aux enfants qui travaillent dans les autres coins du local. En aménageant le coin de la maisonnette, il serait sage de prévoir l'espace nécessaire à plus d'une forme de jeu de rôles. Par exemple, on pourrait allouer suffisamment d'espace pour qu'une partie du coin représente la cuisine, et laisser le reste de l'espace ouvert pour que les enfants aménagent un salon, une chambre à coucher, une cour, un garage, un atelier, le bureau du médecin, une navette spatiale, un magasin, une caserne de pompiers, un théâtre ou tout autre décor dont ils ont besoin pour le jeu de rôles qu'ils ont planifié. Les membres d'une équipe d'un service de garde ont transformé une petite alcôve en une aire de jeu supplémentaire en fixant sur l'ouverture de cette alcôve une planche de contreplaqué dans laquelle ils avaient découpé une porte et deux fenêtres.

Des étagères basses, des appareils ménagers jouets, un lavabo, un réfrigérateur, des boîtes de rangement et un miroir sur pied ou une porte en miroir peuvent être utilisés pour délimiter le coin de la maisonnette. Dans le coin de la maisonnette d'un service de garde, un théâtre de marionnettes qui se transforme en comptoir de magasin au gré des jeux des enfants sert de frontière pour délimiter ce coin. Dans une maternelle, une mezzanine ouverte sur le centre du local délimite ce coin, tout en procurant un espace polyvalent pour les jeux de rôles. Selon les jeux des enfants, la mezzanine devient un bateau, une cachette, une animalerie, un château, une navette spatiale ou « une maison en pain d'épices ».

La vraisemblance

« Les enfants constatent la différence entre des jouets et de véritables objets. Dans plusieurs situations, surtout si la taille ne pose pas de problème, les enfants préfèrent les vrais objets à leur version jouet. Cela est peut-être lié aux caractéristiques physiques des objets réels : les détails plus nombreux et plus précis, le poids, la résistance ou les matériaux plus solides dans lesquels ils sont fabriqués. Par ailleurs, la préférence des enfants pour les "vrais" objets peut être due aux associations que les enfants font entre ces objets et les personnes qui les utilisent habituellement : "Voici le marteau que mon père utilise." Ce phénomène d'association attribue comme par magie les habiletés du père à l'apprenti menuisier ! Ou bien encore, les enfants reconnaissent peut-être la qualité des matériaux utilisés ou le temps nécessaire pour fabriquer ces objets, ce qui leur donne une valeur qu'une simple copie n'aura jamais. Finalement, ils sont peut-être conquis par l'utilité parce qu'ils comprennent intuitivement que l'objet réel fera plus de choses, que ce sera mieux fait et plus facilement, et que cela durera plus longtemps.

« Les enfants trouvent particulièrement intéressants les objets avec lesquels ils peuvent faire des choses. En fait, plus un objet a de manettes qui peuvent être manipulées ou de boutons pour l'articuler mécaniquement, plus les enfants peuvent le maîtriser ou le diriger, mieux c'est. Cela attribue à l'objet un aspect particulier qu'aucune copie ne peut atteindre ; les enfants font en outre des liens avec sa véritable utilité et son histoire et il semble que cela transmette au nouvel utilisateur des pouvoirs spéciaux. » (James Talbot et Joe Frost, 1989, p. 13.)

Le matériel. Le matériel du coin de la maisonnette devrait comprendre des ustensiles de cuisine, des casseroles et de la vaisselle ainsi que tous les accessoires possibles pour l'expression dramatique et les jeux de rôles. Ce matériel peut souvent être acheté dans des ventes de débarras, dans des marchés aux puces ou dans des magasins d'aubaines. Il arrive également que, lorsque vous leur faites part de vos besoins, certaines entreprises fassent don d'équipement qu'elles n'utilisent plus. Par exemple, un hôtel qui change ses serrures pourra vous donner les clés rendues inutilisables ; un magasin de tissus pourra vous donner des échantillons de fin de série.

En équipant le coin de la maisonnette, pensez à vous procurer non seulement des appareils ménagers de la taille des enfants, mais également des ustensiles de grandeur courante, c'est-à-dire ceux utilisés par les adultes. Un lavabo, une cuisinière et un réfrigérateur à la hauteur des enfants sont construits pour que ces derniers puissent les manipuler facilement. Un lavabo à la hauteur des enfants, cependant, peut être un véritable lavabo installé à leur hauteur ou encore il peut s'agir d'un petit comptoir de bois dans lequel on a inséré un bac de plastique pour y verser de l'eau. Par ailleurs, nous recommandons l'utilisation d'ustensiles et de vaisselle de grandeur standard parce qu'ils sont plus résistants que leur version jouet ; ils permettent aussi de plus grands gestes et ils contiennent plus de « nourriture ». Les enfants semblent préférer les objets « réels » probablement parce qu'ils voient les adultes utiliser des cuillers, des bols à mélanger et des passoires à la maison et que l'envie de les imiter en utilisant les mêmes objets est très stimulante.

Divers accessoires qui évoquent des rôles précis se rapportant à différents thèmes, tels l'hôpital, la ferme, le chantier de construction, la station-service, la caserne des pompiers, le restaurant, le magasin de sports, etc., doivent aussi faire partie du matériel dans le coin de la maisonnette. Certains accessoires peuvent être récupérés lors des sorties. Par exemple, un fermier pourra vous faire don d'un sac vide de nourriture pour les animaux, d'une corde servant à attacher le bétail ou d'un ballot

Le réconfort des objets familiers

Nous sommes en décembre, et il fait froid dehors. Miguel vient de déménager avec sa famille de Porto Rico à Montréal. Aujourd'hui, c'est sa première journée au service de garde. Miguel n'a jamais vu de neige ni de glace auparavant, ni de grands édifices. Où sont les plages, la mer, les palmiers, le chaud soleil ? doit-il se demander. Au cours des périodes d'atelier, Miguel joue dans le coin des jeux de table et des jouets ; il choisit un petit jeu de construction et l'apporte dans le coin de la maisonnette où il entend une musique de *salsa* provenant du magnétophone. Il s'assoit à la table de cuisine qui est décorée avec une nappe rouge et un bouquet de fleurs. Il se sent enfin dans un endroit familier et il construit un *aeroplano para regresar a Puerto Rico* (« un avion pour retourner à Porto Rico »).

de foin. Les accessoires pour les déguisements, liés aux rôles que les enfants aiment interpréter, sont généralement rangés par thèmes : la boîte de l'hôpital contient un sarrau ; celle de la ferme contient une paire de salopettes de travail. Les accessoires pour les déguisements quotidiens, tels les chapeaux, les robes, les vestons, les foulards, les bijoux, les boîtes de maquillage vides, le nécessaire à barbe, etc., restent à la portée des enfants.

Le mobilier dans le coin de la maisonnette devrait comprendre une table et des chaises à la hauteur des enfants pour leur permettre de faire semblant de cuisiner, tout comme de réaliser de véritables plats cuisinés, ou de faire semblant de manger en famille, tout comme de se regrouper entre amis pour le dîner ou la collation. Ce mobilier pourra aussi être utilisé pour travailler à des projets lors des activités en groupe d'appartenance.

Les éducatrices peuvent également ranger dans le coin de la maisonnette – hors de la portée des enfants – des ustensiles qui serviront aux expériences de cuisine des enfants, mais qui ne pourront être utilisés qu'en présence des adultes : par exemple, une plaque chauffante, un four grille-pain, une bouilloire électrique, une poêle électrique et un appareil pour faire éclore le maïs soufflé.

Mise à l'épreuve de la polyvalence d'un coin d'activités

Un matin, un groupe de garçons et de filles se retrouvent dans le coin de la maisonnette et décident de s'organiser pour « sortir ». Les filles s'habillent, enfilent de longs gants, mettent de grands chapeaux, des bijoux et s'aspergent abondamment de « parfum ». Les gars se font la barbe avec de la vraie mousse à raser et de vrais rasoirs desquels on a retiré les lames ; ils nouent leur cravate, attachent leurs bretelles, enfilent un veston et mettent un chapeau. Après leur « fête en ville », les enfants décident de déménager. Ils retirent donc leurs « vêtements d'apparat » et, plutôt que de les ranger, ils les mettent dans leurs valises ; ils remplissent des boîtes ; ils attachent le réfrigérateur avec une corde « pour pas que la porte s'ouvre quand les déménageurs vont le transporter » ; ils dévissent les manettes de la cuisinière et transportent tout ce qu'ils peuvent dans le panier à provisions ; ils déménagent enfin tout ce qu'ils ont pu empaqueter au centre de la pièce. Quelques minutes plus tard, ils ramènent tout cet attirail dans le coin de la maisonnette, leur « nouvelle maison ». Ils remettent tout le matériel en place. Une fois leur déménagement terminé, un des garçons tend un journal à « sa femme » et lui dit : « Lis ton journal, chérie, pendant que je vais réparer la cuisinière et nous fricoter un bon petit lunch ! »

Rendre le coin de la maisonnette accueillant. Vous pouvez attirer les enfants dans le coin de la maisonnette et le rendre accueillant en l'aménageant de telle sorte qu'il ressemble le plus possible à une véritable maison : par exemple, mettre une nappe colorée avec un bouquet de fleurs au milieu de la table, ou des napperons de couleur terre et des chandelles. Le coin de la maisonnette peut également être aménagé avec un futon, un hamac, un tapis tressé ou une courtepointe si les enfants sont familiarisés avec ces objets. Dans certains endroits, des bûches et une reproduction d'un poêle à bois seront appropriées alors qu'à d'autres endroits des valises installées bien en vue seront représentatives d'un milieu où les enfants voyagent ou déménagent souvent. Selon les caractéristiques de la population où se trouve le service éducatif, les boîtes vides de nourriture peuvent avoir des étiquettes écrites en espagnol, en japonais, en chinois, en arabe ou en croate. Les vêtements pour les déguisements peuvent comprendre des saris, des obis, des jupes à volants ou des djellabas colorés pour tenir compte de la diversité culturelle.

Un rangement accessible. Plusieurs articles dans le coin de la maisonnette présentent un défi pour le rangement, soit à cause de leur forme ou de leur unicité. Voici quelques stratégies qui peuvent être utiles :

- Suspendez les casseroles et les ustensiles au mur sur un panneau alvéolé avec des crochets ; tracez les formes correspondantes sur le mur ou sur le panneau et collez les étiquettes en dessous des objets suspendus.
- Utilisez les accessoires de rangement qu'on utilise dans les cuisines, tels des casiers à ustensiles, des étagères à épices, des égouttoirs et des contenants de plastique. Des contenants de plastique étiquetés avec une photo ou un dessin de leur contenu peuvent être utilisés pour ranger les petits objets, tels les cailloux, les boutons, les graines et les haricots secs.
- Rangez les vêtements et les accessoires pour les déguisements de la même façon qu'on les range à la maison : sur une patère ou des crochets (c'est plus facile pour les enfants de les remettre en place que sur des cintres), dans des tiroirs et dans des boîtes étiquetées. Quelquefois, le contenant lui-même peut servir d'étiquette : un coffret à bijoux pour ranger les bijoux, un porte-serviettes pour ranger les serviettes, un lit pour mettre les couvertures.
- Placez les étiquettes dans le même sens que les objets. Par exemple, tracez le contour d'une cafetière et fixez le dessin au mur vis-à-vis de l'endroit sur la tablette où la cafetière est rangée.

Les poupées et la diversité culturelle

L'éducatrice Louise Derman-Sparks (1989), auteure d'un programme pédagogique visant à contrer les préjugés, utilise une gamme de 16 poupées pour raconter des histoires aux enfants. Ces histoires relatent souvent des scènes de la vie quotidienne que les enfants sont susceptibles d'avoir vécues. Chaque poupée a une personnalité et une histoire qui lui sont propres. Par exemple, une poupée nommée Zoreisha est afro-américaine, elle parle anglais et elle vit avec sa mère et sa grand-mère. Une autre poupée, David, est un Américain de descendance européenne qui parle anglais ; il a les jambes faibles parce qu'il souffre d'une maladie de la moelle épinière ; il utilise un fauteuil roulant et vit avec sa mère et son père. May est une poupée chinoise ; elle parle le cantonnais et apprend l'anglais ; elle vit avec son père et sa sœur parce que sa mère est décédée. Bien que ces poupées différentes des autres soient toujours disponibles pour que les éducatrices et les enfants du service de garde les utilisent, les enfants discutent de leurs projets avec une éducatrice avant de jouer avec elles parce que ces poupées sont tellement « vraies » qu'on les traite avec beaucoup de respect.

D. Le coin des arts plastiques

Pour certains enfants, le coin des arts plastiques est un endroit où ils se contentent d'explorer le matériel mis à leur disposition sans but apparent. Pour eux, c'est le coin idéal pour brasser, rouler, couper, tordre, plier, aplatir, laisser dégoutter, éponger, assembler des objets et les démonter, agencer et transformer le matériel, couvrir de grandes surfaces de couleur, faire des franges, coller ou bouchonner du papier. D'autres enfants utilisent le matériel de ce coin pour fabriquer des objets : des dessins, des livres, du tissage, des billets d'entrée pour le cinéma, des menus, des cartes de souhaits, des chapeaux, des robots, des gâteaux d'anniversaire, des appareils photo ou des camions de pompiers. Lorsque le coin des arts plastiques est bien équipé et qu'il est situé dans un endroit suffisamment grand, les enfants qui explorent le matériel travaillent côte à côte avec ceux qui utilisent le même matériel pour fabriquer des objets sans qu'aucun d'entre eux ne soit pénalisé.

L'emplacement. Dans le coin des arts plastiques, il est nécessaire d'avoir de l'eau, une lumière naturelle adéquate, un revêtement de plancher facile à nettoyer, de grandes surfaces de travail et des endroits prévus pour faire sécher les œuvres et pour les exposer.

- L'eau. Les enfants qui travaillent dans ce coin ont besoin d'eau pour mélanger leur peinture et pour se laver. Un lavabo à leur hauteur est idéal pour leur permettre de travailler sans déranger les enfants qui travaillent dans les autres coins. Si vous ne pouvez pas avoir de lavabo à cet endroit, prévoyez d'autres sources d'approvisionnement en eau. Vous pouvez transporter l'eau à l'aide de seaux, de bacs ou de pichets. Si un coin des arts plastiques est aménagé dans la cour, il faut y amener, si possible, un tuyau d'arrosage et un seau. Ayez à portée de la main une réserve de serviettes et d'éponges pour le nettoyage.

- La lumière. Si vous installez le coin des arts plastiques près d'une fenêtre ou d'un puits de lumière, les enfants profiteront de la lumière naturelle pour travailler : ils pourront mieux voir les couleurs et observer le jeu de la lumière sur les couleurs. Les enfants sont sensibles à cet aspect, comme l'illustre la remarque de Michel, un enfant d'âge préscolaire qui s'est exclamé « Quelque chose a changé ! » lorsqu'un nuage est passé devant le soleil alors qu'il était en train de peindre.
- Le revêtement du plancher. Si vous organisez un coin des arts plastiques dans la cour durant la belle saison, vous n'aurez pas à vous soucier de cet aspect de l'aménagement. Mais à l'intérieur, comme les enfants apprécient énormément ce coin, le revêtement du plancher devra être facile à nettoyer : un plancher de carreaux fera très bien l'affaire. Si ce n'est pas possible, recouvrez le plancher avec du papier journal, un drap ou une toile. La tâche de recouvrir le plancher peut être confiée aux enfants et faire partie de leur routine quotidienne.
- Les surfaces de travail. Les enfants ont besoin d'espace pour se sentir à l'aise quand ils réalisent leurs projets. Des tables basses et solides, des comptoirs à la hauteur des enfants ou des chevalets sont donc nécessaires. Le coin des arts plastiques devrait également s'ouvrir sur l'aire centrale, ce qui permettra aux enfants d'utiliser cet espace au besoin si leurs projets l'exigent.
- Un endroit pour faire sécher les œuvres. Les enfants ont besoin d'un endroit pour faire sécher leurs œuvres d'art. Des cordes à linge, des séchoirs pliants pour les vêtements et des étagères à papier sont autant de possibilités que vous pouvez envisager. Des crochets au mur ou derrière une étagère seront aussi utiles pour suspendre les tabliers des jeunes artistes.
- L'exposition des œuvres. Des tableaux d'affichage placés à la hauteur des enfants ou le dos de certaines étagères peuvent être utilisés pour exposer quelques-unes des œuvres des enfants, tandis que le dessus des étagères peut servir à mettre en valeur les sculptures et les modelages.

Le matériel. Le matériel du coin des arts plastiques comprend toutes sortes de papier, tout ce qui est nécessaire pour peindre, pour imprimer et pour faire des collages, des attaches de toutes sortes, des instruments pour dessiner et pour découper, du matériel de modelage et du matériel pour faire des collages. Contrairement aux coins des blocs et de la maisonnette, dans lesquels le même matériel peut être utilisé durant des années, le coin des arts plastiques contient du matériel périssable qui doit être renouvelé régulièrement. Le recyclage est une façon d'amoindrir les coûts d'approvisionnement de ce type de matériel : il est possible de recycler les retailles du papier de bricolage dans une boîte destinée à cet effet plutôt que de les jeter ; il en est de même pour l'envers des feuilles de papier déjà utilisées, les vieux catalogues, les publicités, les bouts de laine, les retailles de tissu, les emballages de polystyrène, les boîtes d'œufs, les boîtes de toutes sortes, les rouleaux de papier hygiénique et de papier essuie-tout. Voici d'autres suggestions pour réduire les coûts du matériel d'arts plastiques :

- Utilisez de petites bouteilles de colle que vous ne remplirez que partiellement de telle sorte que les enfants pourront les presser autant qu'ils le voudront sans gaspiller la colle. Suggérez aux enfants d'autres expériences semblables avec des compte-gouttes, des presse-ail, des bouteilles à presser remplies d'eau.
- Mélangez de petites quantités de peinture à la fois sur une base quotidienne. Procurez aux enfants d'autres occasions de mélanger des couleurs avec de la peinture pour peindre avec les doigts ou de l'eau colorée.
- Utilisez le matériel le plus robuste et le plus résistant possible. Par exemple, des distributeurs de papier adhésif et des agrafeuses de bureau durent plus longtemps et sont plus faciles à utiliser pour les enfants que les modèles que l'on utilise dans les maisons.

Il arrive que les éducatrices, en regardant la liste du matériel des arts plastiques, se questionnent pour savoir si c'est vraiment utile et sage d'avoir tout ce matériel à la portée des enfants sur une base quotidienne. D'une part, le coin des arts plastiques, comme tous les autres coins, devrait présenter une assez grande variété de matériel pour que les enfants puissent faire des choix ; d'autre part, les enfants ont besoin de temps pour se familiariser avec le matériel, pour découvrir comment l'utiliser et à quoi il sert. Il est possible de commencer avec le matériel de base, puis d'ajouter du nouveau matériel au fur et à mesure que les enfants se sont familiarisés avec le matériel déjà disponible.

Un rangement accessible. Le papier peut être rangé à plat sur une tablette dans une petite étagère qui prendra peu de place ; il sera ainsi protégé et facilement accessible aux enfants. Les petits objets, tels les crayons à la mine, les crayons de couleur, les craies, les ciseaux, les pastels, les crayons feutre, les trombones et les cure-dents, se rangent bien dans des contenants de plastique transparent, des boîtes de métal ou des poches de rangement pour les souliers.

Des réalisations artistiques de grandes dimensions. La plupart des activités du coin des arts plastiques, comme dessiner ou rouler de la pâte à modeler, requièrent peu d'espace parce qu'elles nécessitent des objets relativement petits. Plusieurs enfants trouvent ces activités agréables et attrayantes. Cependant, les enfants qui ont un penchant pour des jeux exigeant une activité physique robuste fréquentent peu le coin des arts plastiques à moins qu'on ne leur permette de jouer dans ce coin avec plus de vigueur. Voici donc des suggestions pour attirer ces enfants dans le coin des arts plastiques :

- Procurez-vous de grosses boîtes de carton pour l'emballage des appareils électroménagers et de gros morceaux de polystyrène utilisés pour les emballages. Les enfants pourront les peindre, les décorer, les transformer en maison, en niche pour le chien, en robot, en dinosaure, etc.
- Recouvrez un mur du coin des arts plastiques avec de grandes feuilles de papier pour dessiner « grandeur nature », pour imprimer et pour faire des collages.
- Libérez le dessus d'une table pour peindre avec les doigts.
- Fournissez aux enfants de la corde et de gros objets – des rouleaux de papier essuie-tout, des tubes de plastique, des bouts de tuyaux, des entonnoirs, etc. – pour fabriquer des mobiles ou des sculptures.

L'art dans la cour. La cour est un endroit tout naturel pour travailler avec le matériel d'art à des projets de grandes dimensions. Dans la cour, les enfants peuvent peindre avec enthousiasme, à l'aide de gros pinceaux et de rouleaux, sur les trottoirs, sur les marches, sur les clôtures, sur les modules de jeu ou sur des bûches de bois ; ils peuvent ensuite nettoyer avec un tuyau d'arrosage au besoin. Les enfants peuvent faire des empreintes de pieds et de mains avec de la peinture ou de la boue sur du papier ou sur des surfaces naturelles. Ils peuvent aussi imprimer avec des objets qu'ils trouvent, tels des bâtons, de l'herbe, des feuilles, des fleurs, des cailloux, des briques, des boîtes de conserve et des pneus. De grands métiers à tisser fabriqués à partir de cordes suspendues à des branches d'arbres sont merveilleux à l'extérieur ; les enfants peuvent alors tisser ou natter des branches de vigne, des brindilles, de longs brins d'herbe, des branches et de la ficelle.

Un groupe de jeunes enfants a travaillé dans la cour pendant plusieurs jours pour fabriquer un totem qui les représenterait. Lors d'une sortie organisée par le service de garde, les enfants ont regardé et touché des totems et ils ont écouté l'histoire de ces objets anciens. C'est après cette activité qu'ils ont décidé de fabriquer leur propre totem. Le projet s'est concrétisé lorsqu'un jour un enfant est arrivé au service de garde en annonçant que la ville coupait les arbres endommagés qui étaient près des maisons « pour rendre le parc plus sécuritaire ». Avec l'aide d'un parent qui possédait une camionnette, le service de garde a réussi à récupérer un de ces arbres ; une corvée fut organisée pour enlever son écorce et les enfants ont alors commencé à le décorer et à le peindre. Une section de l'arbre fut décorée avec plusieurs morceaux de bois et des bouchons de bouteilles cloués sur l'arbre. Une autre section a été ornée d'une écriture « spéciale » qui aidait « à faire de la magie ». Une autre a été enveloppée avec des bandes de tissus multicolores, de la laine et des cordelettes. De la terre glaise a été utilisée pour fabriquer des yeux et des oreilles. Des rubans ont servi pour les cheveux. Une idée menait à une autre et chaque enfant qui manifestait de l'intérêt pour le projet a pu participer.

L'art des musées. De même que les enfants aiment raconter et écouter des histoires, ils aiment aussi regarder les œuvres d'art créées par les autres. Voici quelques façons d'initier les enfants à l'art :

- Apportez des masques, des broderies, des courtepointes, des tissages, des sculptures, des paniers, des poteries et des mobiles pour que les enfants puissent les examiner.
- Suspendez des peintures, des affiches et des photographies à des endroits où les enfants peuvent les observer. Plusieurs musées ainsi que des boutiques d'encadrement vendent des affiches et des reproductions d'œuvres d'art et certaines bibliothèques en prêtent à leurs abonnés.
- Placez des cartes postales représentant des œuvres d'art dans le coin des jeux de table et des jouets.
- Invitez des artistes locaux à partager leurs expériences avec les enfants. Dans un service de garde, une tisserande a apporté une de ses productions et son métier portatif de table. Elle a montré aux enfants les techniques qu'elle utilisait sur une pièce à laquelle elle travaillait à ce moment-là ; des métiers à tisser très simples furent mis à la disposition de chacun des enfants pour qu'ils puissent essayer de fabriquer leur propre tissage.
- Observez avec les enfants les œuvres d'art produites par la nature lorsque vous êtes à l'extérieur : les ombres, les nuages, les arbres, les roches et les rochers, les feuilles, les fleurs, les insectes, etc.

Un affichage créatif

Au cours de la période d'activités libres, Christine a fabriqué une longue banderole. Pour ce faire, elle a utilisé de gros marqueurs que les adultes utilisent lorsqu'ils jouent au bingo et un rouleau de papier pour recouvrir les tablettes qu'elle a déroulé sur le plancher. Lorsqu'elle a terminé son travail, elle demande à son éducatrice : « Marie, où est-ce que je peux suspendre ma banderole ?
– Eh bien, ça demande réflexion, Christine. As-tu des idées ? Ta banderole est très longue… »

Marie admire le travail de Christine et attend un peu pendant que l'enfant regarde les murs déjà recouverts par les œuvres des enfants du groupe. « En haut », décide finalement Christine en pointant son doigt vers le plafond. Marie monte sur un escabeau et fixe une extrémité de la banderole au plafond. « Qu'est-ce que je fais avec l'autre bout ? » demande-t-elle à Christine en contemplant avec cette dernière l'autre extrémité qui se trouve par terre. « Là-bas », dit Christine en indiquant un point sur le mur de l'autre côté du local. Marie et Christine se rendent à l'endroit indiqué en transportant la banderole ensemble et en se demandant si elle sera assez longue pour se rendre jusque-là. Pour Christine, tout est parfait. Alors, Marie grimpe sur l'escabeau pour fixer la banderole au mur. Le lendemain, Christine fabrique une autre bannière et elle la suspend de la même façon dans un autre coin du local. D'autres enfants l'ont imitée par la suite, ce qui a donné au local un air de fête.

E. Le coin des jeux de table et des jouets

Le coin des jeux de table et des jouets propose aux enfants des jeux simples – par exemple des casse-tête et des jeux de manipulation – qui peuvent être utilisés de façons variées. Dans ce coin, les enfants, seuls ou avec d'autres, utilisent le matériel d'une façon à la fois simple et complexe. Par exemple, ils peuvent examiner le matériel qui est nouveau pour eux, remplir et vider des contenants, assembler et démonter de petites structures ou assortir et trier. Certains enfants passent leur temps à tester leurs habiletés, d'autres à les étendre. Les enfants qui maîtrisent un casse-tête pourront le faire et le refaire plusieurs fois avant de se donner le défi de le refaire en dehors de son cadre. Certains enfants jouent à des jeux d'association simple ou à des jeux de mémoire et d'observation. D'autres enfants utilisent le matériel de ce coin pour l'intégrer à leurs jeux symboliques : par exemple, ils peuvent utiliser les chevilles et un tableau alvéolé pour faire un gâteau d'anniversaire ou construire une clôture avec les dominos pour les animaux de ferme de plastique.

L'emplacement. Situez ce coin le plus loin possible du coin des blocs et du coin de la maisonnette. Alors que plusieurs enfants ignorent les bruits et les sons des jeux dynamiques et vigoureux de leurs pairs, d'autres sont distraits par ceux-ci. En outre, tous les enfants ont à l'occasion besoin d'un endroit relativement calme pour jouer. Même si la majorité du matériel qui se trouve dans le coin des jeux de table et des jouets est plutôt de petites dimensions, les enfants auront besoin d'un espace suffisamment grand pour pouvoir étendre leurs cartes, leurs billes ou leurs pièces emboîtantes. Prévoyez également une grande surface sur le plancher où les enfants seront à l'aise, spécialement à proximité des étagères de jouets que les enfants préfèrent. Lorsque l'espace le permet, ajoutez une table et des chaises comme surfaces de jeu supplémentaires.

Les murs du local et des étagères de rangement basses délimitent le coin des jeux de table et des jouets. Toutefois, si ce coin est trop fermé, les enfants auront tendance à l'ignorer, tout simplement parce qu'ils ne peuvent pas voir les petits jeux et les petits jouets. Pour éviter une telle situation, délimitez le coin des jeux et des jouets sur trois côtés et laissez le quatrième côté ouvert.

Un endroit pour les explorateurs et les « comédiens ». Le coin des jeux de table et des jouets devient parfois un coin de ravitaillement pour les jeux de rôles qui ont commencé dans d'autres coins d'activités. Les enfants viennent y chercher des perles pour faire de la « soupe aux perles », des bâtonnets pour décorer leur « gâteau d'anniversaire », des cartes pour leur « fête », des balances pour leur « magasin », et ainsi de suite. D'autres fois, le coin des jeux de table et des jouets se transforme en scène pour le spectacle de danse que les enfants préparent, ou en cinéma pour le « film » pour lequel ils ont fabriqué des billets d'admission et du maïs soufflé. Les comédiens pourront y apporter des chaises supplémentaires pour leur public et de gros blocs pour délimiter la scène. Même si toute cette activité est normale pour ceux qui y participent, il est important de prévoir des façons de préserver aussi un endroit pour les enfants qui s'adonnent à des activités plus calmes. Voici quelques stratégies qui pourraient vous aider :

- Agencez plus d'un niveau de jeux dans le coin des jeux de table et des jouets (des plateformes ou une mezzanine) pour séparer les jeux individuels et les jeux collectifs.
- Aménagez un recoin ou une alcôve pour les jeux individuels.
- Placez une boîte d'emballage pour les appareils électroménagers sur le côté de façon qu'un enfant puisse jouer à l'intérieur sans être dérangé.

Le matériel. Un coin des jeux de table et des jouets invitant regroupe plusieurs jouets à assembler et à démonter, des objets à trier, de petits jeux de construction, du matériel pour les jeux de rôles et des jeux de table. En choisissant le matériel pour ce coin, soyez à l'affût des jeux et des jouets que les enfants peuvent utiliser de plusieurs façons. Puisque les enfants qui apprennent activement sont créatifs dans la résolution des problèmes auxquels ils font face, un enfant dans le coin des jeux de table et des jouets pourrait très bien construire une maison en utilisant un casse-tête pour fabriquer son plancher et des dominos pour ses murs. Rappelez-vous également que le matériel fait « maison » est souvent très satisfaisant pour les enfants et même souvent préférable à des jouets de fabrication commerciale. Vous pouvez aussi économiser en éliminant tous les jouets à piles que les enfants ont tendance à observer plutôt qu'à manipuler.

Un rangement accessible. Triez les jouets par catégories et rangez-les dans des contenants appropriés : des récipients de plastique transparent, des paniers, des boîtes de métal, des casiers à ustensiles ; étiquetez chaque contenant sur le côté avec une photo de l'objet qu'il contient ou un objet. Vous pouvez ranger les jeux dans leur boîte d'emballage d'origine aussi longtemps que celle-ci résistera. (Vous pouvez renforcer les coins de ces boîtes pour augmenter leur durée.) Lorsque la boîte ne résiste plus aux assauts des enfants, vous pouvez en découper une partie pour étiqueter le nouveau contenant qui sera utilisé. Finalement, les casse-tête se rangent bien dans certains modèles d'égouttoir à vaisselle.

Pour les objets plus gros placés directement sur les étagères sans être rangés dans des contenants (une balance, des tableaux de jeu, etc.), collez des étiquettes sur la tablette pour indiquer leur emplacement.

Attirer les enfants dans le coin des jeux de table et des jouets. Au début de leur fréquentation du service de garde, plusieurs enfants ont tendance à négliger le coin des jeux de table et des jouets, peut-être parce que les jouets qui sont sur les tablettes sont petits et moins visibles au premier coup d'œil que les blocs, les poupées et les chevalets. Voici quelques stratégies à utiliser si cela se produit dans votre service de garde :

- Rangez quelques ensembles de jeu plus volumineux sur le dessus des étagères pour que les enfants puissent les voir plus facilement à partir de différents coins du local.
- Ajoutez différents niveaux au coin des jeux de table et des jouets, tant pour le rangement que pour le jeu. Une mezzanine constitue généralement la meilleure solution. En adaptant le concept de la mezzanine à une échelle plus petite, une équipe d'éducatrices a installé une petite plateforme recouverte de tapis et des coussins dans une partie de ce coin d'activités et y a rangé les jeux de table.
- Suggérez aux enfants d'utiliser de gros blocs creux pour construire eux-mêmes leurs surfaces de jeu si vous disposez de suffisamment d'espace.

F. Le coin de la lecture et de l'écriture

Dans cette aire de jeu, les enfants regardent et lisent des livres, font semblant de lire des livres en se rappelant les histoires qui leur ont été racontées ou en se guidant sur les illustrations ; ils écoutent des histoires, ils en inventent et ils « écrivent » leurs propres histoires à leur façon. Plusieurs enfants souhaitent que ce coin soit un endroit calme et feutré où ils pourront regarder des livres ou des revues seuls ou avec des amis ou encore avec un adulte qui veut bien leur lire une histoire à haute voix. Certains enfants utilisent des accessoires pour faire revivre les personnages des histoires et les faire « parler » dans leurs propres mots ; d'autres enfants écrivent et illustrent des livres et des histoires qu'ils inventent. Bien que les enfants d'âge préscolaire écrivent généralement en utilisant des gribouillis, des dessins et des symboles qui imitent les lettres plutôt que de faire des lettres comme telles, les éducatrices, en les soutenant dans ces formes d'expression non traditionnelles, leur permettent d'expérimenter les premières phases de l'alphabétisation.

L'emplacement. Le coin de la lecture et de l'écriture est souvent situé à proximité du coin des arts plastiques de façon que les enfants puissent facilement utiliser le matériel d'écriture et le matériel de dessin lorsqu'ils en ont besoin pour mener à terme leurs projets. Ce coin d'activités a aussi avantage à être installé dans un endroit tranquille, à l'écart des coins où les enfants jouent bruyamment ou en bougeant beaucoup. Par ailleurs, si vous pouvez le placer près d'une fenêtre, les enfants pourront bénéficier d'un éclairage naturel pour lire : une banquette sous une fenêtre peut servir de point de départ pour aménager un coin douillet.

D'autres possibilités s'offrent cependant à vous. Par exemple, une équipe d'éducatrices qui n'avait pas beaucoup de place a transformé un grand placard en coin de la lecture et de l'écriture. Elles ont retiré la porte et les étagères du bas et ont construit des présentoirs pour les livres sur les trois côtés du placard ; elles ont recouvert le sol avec des coussins. Elles ont placé une table à l'extérieur juste à côté pour les travaux d'écriture. Elles ont ajouté une causeuse devant le présentoir de livres, de grosses plantes robustes à chaque extrémité de la causeuse ainsi qu'une petite étagère de rangement pour le matériel d'écriture, qui ont servi à délimiter les frontières de ce coin et à le rendre invitant.

Le matériel. Le coin de la lecture et de l'écriture contient des livres, toutes sortes de publications commerciales, des livres fabriqués par les enfants ou par des adultes, de même que des revues, des albums de photos, des accessoires pour raconter des histoires et du matériel pour l'écriture. En choisissant des livres chez votre libraire ou à la bibliothèque et en fabriquant vos propres livres et albums, essayez de rassembler les types d'ouvrages suivants :

- des livres d'images (illustrés de dessins, de peintures ou de photographies) ;
- des livres d'histoires avec des illustrations ou avec des photographies montrant des personnages de races, d'âges et de situations sociales variées qui présentent des traits de caractères différents ainsi que des comportements affectueux et positifs ;
- des livres d'histoires et des abécédaires dans les différentes langues parlées par les enfants qui fréquentent le service éducatif ;

- des livres d'histoires, des photos ou des illustrations qui reflètent la réalité des parents uniques, des parents en couple et des familles élargies.

Variez les types de livres : des livres illustrés, des livres sans texte, des bandes dessinées, des livres d'histoires, des contes de fées, de la poésie, des livres animés, des livres cartonnés de formes variées, des livres en trois dimensions, des abécédaires. Ne négligez pas les albums de photos : des photos des enfants de votre groupe, de leur famille, des sorties que vous faites, des événements importants et des fêtes du service de garde et de la maternelle ; des photos d'animaux familiers ou d'objets regroupées par thèmes qui intéressent les enfants. Les revues pour enfants et les revues spécialisées telles que les revues sur la science, sur la géographie, sur la faune et sur la flore sont autant de sources d'information non négligeables pour les éducatrices et elles attirent les enfants grâce à leurs nombreuses illustrations.

Des marionnettes (achetées ou fabriquées à la main), des animaux de plastique et des meubles de maison de poupées pourraient faire partie des accessoires de ce coin. Le matériel pour l'écriture, quant à lui, devrait comprendre du papier de couleur de grandeurs variées, des blocs de papier, des chemises et des enveloppes, des crayons de couleur, des crayons à la mine, des taille-crayons, des collants, des timbres et des tampons encreurs ainsi qu'une vieille machine à écrire.

Un rangement accessible. Un présentoir pour ranger les livres de façon que les enfants puissent voir les « nouveautés » est beaucoup plus attrayant qu'une étagère où les livres s'empilent. À défaut d'un présentoir commercial, des pochettes en plastique transparent cousues sur un tissu résistant et accrochées au mur feront l'affaire. Quant au matériel pour l'écriture, il peut être rangé et identifié de la même façon que le matériel du coin des arts plastiques.

G. Le coin de la menuiserie

Les enfants peuvent utiliser les mêmes outils que les adultes ou « les grands ». Ils dépenseront beaucoup d'énergie pour clouer et scier un gros morceau de bois. Plusieurs enfants utilisent les outils tout simplement pour voir comment ils fonctionnent et pour avoir la satisfaction de clouer et de scier. D'autres enfants les utilisent pour fabriquer des objets tels qu'un bateau, un téléphone cellulaire, un lit pour leur cochon d'Inde ou une cabane à oiseaux. Ce faisant, ils se servent du matériel d'arts plastiques comme la colle et les cure-pipes ; certains enfants pourront même apporter leur création dans le coin des arts plastiques pour la peindre.

L'emplacement. Le coin de la menuiserie peut être situé dans la cour, à l'écart des bicyclettes, des jouets sur roues et des aires de circulation les plus fréquentées. À l'intérieur, il convient de l'installer près du coin des arts plastiques parce que les enfants se servent souvent simultanément du matériel des deux coins lorsqu'ils réalisent un projet. Vous devez également prévoir suffisamment d'espace pour un établi à la hauteur des enfants, pour les outils et pour une provision de bois.

En planifiant ce coin, rappelez-vous que les enfants auront tendance à se regrouper autour de l'établi et qu'ils se concentreront sur leur tâche. Des étagères basses ou des boîtes de rangement pour les morceaux de bois et pour les outils peuvent alors servir de frontières protectrices sur au moins deux côtés de l'établi.

Le matériel. Le matériel du coin de la menuiserie comprend divers outils : des marteaux, des scies, des tournevis, des pinces de grosseur moyenne, des étaux, du papier d'émeri et des lunettes protectrices ; des matériaux de construction : des planches de bois de grandeurs variées, des morceaux de polystyrène pour l'emballage, des bouchons de bouteilles, des couvercles de pots de verre, des bouchons de liège, des tiges de métal ; et du matériel pour attacher : des clous, des tees de golf, des vis, des écrous, du fil de fer, du ruban adhésif métallisé, de la corde et de la ficelle. Vous pouvez acheter les outils et les matériaux de construction dans une vente de débarras ou dans un encan. Assurez-vous toutefois que les outils sont en bon état. Les marchands de bois ont souvent des surplus ou des retailles de bois que vous pourrez vous procurer à peu de frais. D'autres sources d'approvisionnement pour obtenir du bois gratuitement ou à peu de frais sont les ateliers de fabrication de meubles ou de marqueterie, les chantiers de construction et les manufactures d'échelles. Vous pouvez aussi récupérer les emballages en bois que les marchands de meubles ou d'appareils électroménagers, les quincailleries ou les marchands de motocyclettes jettent aux poubelles. Vous pouvez acheter pour l'intérieur un établi à la hauteur des enfants qui soit robuste, ou en fabriquer un pour l'extérieur en rivetant des planches sur des chevalets ou sur des troncs d'arbre.

Un rangement accessible. Suspendez les outils au mur sur un panneau alvéolé avec des crochets ou rangez-les sur une étagère basse ou dans un grand coffre à outils. Au lieu d'étiqueter les outils, tracez leur contour à l'endroit où ils seront rangés. Le matériel de plus petite dimension se range facilement dans un contenant étiqueté sur le côté avec une photo ou un objet. Par exemple, vous pourriez ranger les clous de grosseur moyenne dans un beurrier de plastique, dans un contenant pour la nourriture, dans un petit pot de verre ou dans une boîte de métal. Vous pouvez trier le bois et les autres matériaux de construction dans des boîtes, des bacs pour les contenants de lait, des contenants commerciaux de crème glacée que vous aurez demandés à une laiterie de vous réserver, des bacs à vaisselle ou des poubelles.

H. Le coin de la musique et du mouvement

Les jeunes enfants sont des musiciens dans l'âme. Ils aiment chanter, jouer avec des instruments de musique, inventer des chansons, bouger au rythme de la musique, danser et écouter de la musique. Certains enfants apprivoisent les instruments de musique, les sons et le mouvement, tandis que d'autres inventent leurs propres chansons, leurs danses et leurs jeux musicaux : « Toi et Victor, vous tenez les foulards dans les airs et vous les faites aller en haut et en bas, O.K. ? Moi et Lucie, on passe en dessous comme ça... O.K. ? Un, deux, trois, go ! »

L'emplacement. Il est logique de placer ce coin à proximité des coins plus bruyants, comme le coin de la maisonnette, le coin des blocs ou le coin de la menuiserie, et le plus loin possible du coin de la lecture et de l'écriture et du coin des arts plastiques. Si vous pouvez installer le coin de la musique et du mouvement près d'une place centrale où les rassemblements auront lieu, les musiciens en herbe pourront utiliser cet espace supplémentaire pour danser, pour entreprendre des jeux musicaux ou toute autre forme d'expression corporelle. Il est préférable de prévoir une prise de courant pour brancher le lecteur de disques compacts ou le lecteur de cassettes plutôt que d'utiliser des appareils à piles. Une moquette sur le plancher absorbe les sons de même que des coussins et des tapisseries sur les murs. On pourra aussi recouvrir le dos des étagères avec des piqués, des draperies ou des panneaux de liège, des boîtes d'œufs ou des retailles de tapis. Organiser un coin de la musique et du mouvement dans la cour est idéal, surtout s'il est situé dans un endroit à l'abri des intempéries. À l'intérieur, les murs, des étagères basses, des divisions basses faites de panneaux alvéolés et des plantes en pots à la hauteur des enfants forment des frontières appropriées.

Dans le coin de la menuiserie, les enfants utilisent de vrais outils.

Le matériel. Le coin de la musique et du mouvement regroupe des instruments de percussion : des tambours et des tambourins, des triangles, des maracas, des cymbales, des blocs de papier émeri, des cloches, des xylophones, des claviers ; des instruments à vent : des sifflets, des sifflets à coulisse, des gazous, des harmonicas ; de l'équipement d'enregistrement et d'écoute : un magnétophone, un lecteur de disques compacts, des cassettes vierges ; des cassettes ou des disques de musiques variées : classique, ethnique, populaire ; des accessoires pour danser : des foulards, des rubans, des cerceaux, des bâtons de limbo, etc.). Pour avoir une bonne qualité de son et pour augmenter la durée du matériel, il est important de nettoyer périodiquement le magnétophone et le lecteur de disques compacts ainsi que les instruments à vent, et de cirer les instruments en bois régulièrement. Les enfants doivent aussi être informés sur la façon d'utiliser les instruments et les appareils ; ils doivent savoir, entre autres, que, même si les maillets servent à jouer du xylophone, ces derniers abîmeront les revêtements des tambours et des tambourins.

Un rangement accessible. Suspendez les instruments sur des panneaux alvéolés ou rangez-les sur des étagères en étiquetant les tablettes ou le panneau avec des dessins ou des tracés du contour des instruments. Étiquetez les cassettes avec des photos ou avec des dessins que les enfants peuvent facilement reconnaître : par exemple, une photo d'un joueur de tambour sur une cassette de tambour africain ou une photo d'une troupe de danse indienne sur une cassette de danse de l'Inde.

I. Le coin de l'ordinateur

Si vous possédez un ou plusieurs ordinateurs, choisissez une variété de logiciels destinés spécifiquement aux jeunes enfants. Plusieurs logiciels de dessin sont offerts sur le marché ; d'autres permettent de faire des masques ou des bijoux. Certains logiciels offrent des jeux d'associations ou de comparaisons, des jeux de calcul et des jeux de mémoire ; une autre catégorie propose aux enfants de « conduire » un train, une auto ou un bateau ; des logiciels permettent également de faire des expériences avec les lettres ou d'écrire une histoire. En planifiant ce coin, rappelez-vous que le coin de l'ordinateur favorise souvent des jeux collectifs : c'est pourquoi les écrans et les claviers devraient être placés de façon à permettre à plus d'un enfant à la fois de les utiliser. En travaillant à l'ordinateur, les enfants partagent souvent leurs jeux, leurs idées et leurs découvertes et se font confiance mutuellement pour résoudre leurs problèmes. Selon Hohmann (1990, p. 9),

> Les enfants qui réussissent à l'ordinateur vont souvent attirer d'autres enfants par leur enthousiasme. Impatients de démontrer leurs connaissances, ces « experts » vont souvent offrir d'aider un de leurs pairs plus réticent à utiliser l'ordinateur.

L'emplacement. Le coin de l'ordinateur devrait être assez grand pour recevoir un à trois appareils, installés sur des tables trapézoïdes. Ajustez la hauteur des tables de façon que les écrans soient au niveau des yeux des enfants et les claviers, au niveau de leurs coudes. Par exemple, si vous avez trois ordinateurs, placez les tables en demi-cercle et dirigez les écrans vers le centre du demi-cercle ; cette disposition permettra aux enfants de s'entraider, tout en se concentrant sur leur propre travail ; en outre, les éducatrices pourront facilement voir tous les écrans en même temps. Installez ce coin le long d'un mur pour que les fils et les câbles d'alimentation soient placés de façon à assurer la sécurité des enfants. Dans le coin de l'ordinateur, les enfants créent souvent des objets qu'ils veulent ensuite décorer, découper ou parfaire : ce coin devra donc être situé à proximité du coin des arts plastiques pour faciliter la circulation entre ces deux aires de jeu.

L'ordinateur et

Les parents et les éducatrices se demandent souvent s'ils devraient permettre à de jeunes enfants d'utiliser un ordinateur. Cette question peut soulever un débat très animé au sein d'une équipe de travail dans un service de garde de même qu'avec les parents. Il y a les personnes qui considèrent que les enfants devraient apprendre à manipuler un ordinateur pour s'assurer une place de choix dans la société de demain. À l'opposé, il y en a d'autres qui croient que les ordinateurs vont inhiber sinon détruire la créativité des enfants, orienter leur pensée et limiter leurs habiletés de communication interpersonnelle. Ces points de vue différents donnent souvent lieu à des discussions très émotives ; en fait, ils reflètent des valeurs opposées, ce qui rend les discussions objectives difficiles quand il est question de l'utilisation des ordinateurs par les enfants d'âge préscolaire. Cependant, en analysant la question à partir des ingrédients essentiels de l'apprentissage actif, les éducatrices peuvent avoir recours à une grille d'analyse plus objective qui leur permet de considérer que les expériences d'apprentissage avec les ordinateurs sont profitables et que, pour cette raison, ceux-ci peuvent être mis à la disposition des jeunes enfants. Nous avons utilisé ce cadre de référence dans le texte qui suit.

Le matériel. L'ordinateur, avec ses périphériques tels le clavier, l'écran, l'imprimante, le lecteur de cédéroms et des logiciels appropriés pour stimuler le développement de l'enfant, est un outil qui peut aider ce dernier à entreprendre de nombreuses activités : trouver des lettres et des chiffres, dessiner, écrire des histoires, faire des masques, fabriquer des cartes de souhaits, conduire des autos à travers des villes qu'il a créées, estimer des distances et des quantités, etc. Les enfants qui voient les adultes utiliser des ordinateurs sont attirés par ceux-ci de la même façon qu'ils sont attirés par les téléphones, les machines à écrire, les radios, les aspirateurs ou les séchoirs à cheveux. Tandis que les adultes sont souvent intimidés devant un ordinateur, les enfants ne le sont pas. Comme tous les objets de leur univers sont nouveaux, ils n'ont pas d'idées préconçues sur les ordinateurs et ils sont aussi curieux et intéressés par ceux-ci que par tout autre objet.

La manipulation. En raison du caractère exceptionnel des interactions qu'il provoque, l'ordinateur qui est doté de logiciels appropriés au développement des enfants permet à ceux-ci de découvrir de nouvelles relations en maîtrisant les interactions sur un écran. Lorsqu'un enfant appuie sur une touche du clavier, un résultat immédiat paraît à l'écran ou sur l'imprimante : l'auto contourne une borne, la lettre A surgit, l'histoire ou le masque de l'enfant est imprimé, le train arrête au milieu du tunnel. Plusieurs logiciels permettent aux enfants de transformer et de combiner les couleurs, les formes, les dimensions, les traits d'une figure, des vêtements, des lettres, des nombres et des mots. Les enfants peuvent créer leurs histoires, leurs dessins, leurs cartes, leurs masques, leurs couronnes et leurs bijoux et ils peuvent modifier les productions ainsi obtenues en les découpant, en les coloriant et en les décorant, puis en faire cadeau à leurs amis.

Faire des choix. Comme avec n'importe quel autre matériel dans un environnement qui favorise l'apprentissage actif, les enfants ont la possibilité de choisir s'ils vont jouer avec l'ordinateur, quand, avec qui et pour combien de temps. Après avoir été initiés à la manipulation de chacun des périphériques, les enfants sont capables de se débrouiller par eux-mêmes à l'ordinateur. En général, ils peuvent jouer avec un logiciel et imprimer les résultats de leur travail de façon autonome et à leur rythme. Dès qu'ils connaissent plusieurs logiciels, ils peuvent choisir ceux qui les intéressent le plus. Avec chacun des logiciels,

Dans la plupart des cas, la disposition des appareils en demi-cercle est suffisante pour délimiter l'aire de jeu. Si vous avez moins de trois appareils, cependant, utilisez des étagères basses pour isoler ce coin du coin voisin.

Le matériel. Le matériel de base pour le coin de l'ordinateur comprend :

- un ordinateur avec un lecteur de disquettes et une mémoire de capacité moyenne ;
- un clavier ;
- un écran couleur ;
- une souris ;
- des logiciels destinés aux enfants ;
- une imprimante.

l'apprentissage actif

les enfants peuvent provoquer des réactions et produire des choses. Selon le logiciel utilisé, ils peuvent, par exemple, choisir la touche à presser pour faire apparaître une lettre sur l'écran, décider si le cavalier va rester assis sur son cheval ou tomber par terre, sélectionner les yeux qu'ils vont agencer avec le nez déjà désigné, planifier un itinéraire pour permettre à un petit groupe de canards de traverser une mare en toute sécurité sans être dévorés par un hippopotame ou un crocodile... De plus, certains logiciels permettent aux enfants d'imprimer le résultat de leur travail – un dessin, une histoire, une carte de souhaits ou un masque –, ce qui leur procure une occasion supplémentaire de prendre des décisions. Ils peuvent alors choisir de découper, de colorier, de plier, de peindre, de coller et de décorer leurs créations.

Le langage des enfants. Les enfants qui choisissent d'utiliser l'ordinateur ont généralement beaucoup à dire sur ce qu'ils font avec cet appareil, de la même façon qu'ils parlent beaucoup de toutes les expériences qu'ils choisissent délibérément. Avec l'ordinateur, cependant, les réactions de cause à effet sont si rapides que les enfants sont enthousiasmés et ils sont impatients de partager avec les autres les surprises et les pitreries qui se produisent. Ils voudront montrer aux autres ce qu'ils font faire au chat ou à l'oiseau, et le drôle de personnage qu'ils viennent de créer. À l'ordinateur, les enfants peuvent travailler seuls, mais ils travaillent souvent avec un autre enfant, ce qui stimule la conversation entre pairs. Lorsque le travail à l'ordinateur demande des tâches d'écriture simples, les enfants s'engagent alors dans un processus d'alphabétisation qui leur permet d'imprimer les mots qu'ils ont écrits, de les relire ou de les faire lire par d'autres personnes.

Le soutien des éducatrices. Les enfants ont une capacité étonnante de travailler de façon autonome à l'ordinateur et de réussir ce qu'ils y entreprennent. C'est là une des plus grandes surprises qu'a provoquées l'observation de groupes d'enfants utilisant l'ordinateur. Même si les ordinateurs sont des machines complexes, lorsqu'ils sont équipés de logiciels adaptés au développement des enfants, ils sont faciles à utiliser, robustes et ils tolèrent les erreurs. En effet, si l'enfant fait une erreur, les bons logiciels agissent comme des adultes patients et donnent une deuxième chance à l'enfant en lui fournissant un indice pour corriger son erreur ou en lui présentant tout simplement une situation moins complexe.

Comme dans toute autre situation d'apprentissage actif, toutefois, le soutien des éducatrices est essentiel à la réussite des activités à l'ordinateur. Les éducatrices ont la responsabilité de procurer aux enfants les logiciels appropriés et de les initier aux fonctions de base. Elles interagissent avec les enfants au cours des périodes où ils travaillent à l'ordinateur ; elles utilisent également l'ordinateur avec les enfants, observent ceux-ci, conversent avec eux et dirigent les enfants les uns vers les autres. En d'autres mots, lorsqu'elles interviennent avec des enfants qui travaillent à l'ordinateur, les éducatrices adoptent les mêmes attitudes et les mêmes stratégies qu'elles utilisent au cours des autres types d'activités. Même si le matériel est différent, le processus d'apprentissage est le même.

Comme nous venons de le démontrer brièvement, tous les ingrédients essentiels de l'apprentissage actif sont mis à contribution lorsque l'enfant travaille à l'ordinateur. Nous pouvons donc conclure que les activités à l'ordinateur orientées par des logiciels qui visent le développement global de l'enfant s'intègrent aisément dans les milieux éducatifs qui favorisent l'apprentissage actif.

Il peut aussi comprendre d'autres périphériques :

- un lecteur de cédéroms ;
- une imprimante couleur ;
- un processeur assez rapide et un modem pour avoir accès au réseau Internet.

Par ailleurs, le choix des logiciels pour enfants devra faire l'objet d'une attention particulière de la part des éducatrices. Au Québec, l'Association des consommateurs, en collaboration avec la revue *Protégez-vous*, publie une évaluation de certains logiciels pour enfants en même temps que son évaluation annuelle des jouets pour enfants. Pour choisir le matériel informatique qu'elles mettront à la portée des enfants, les éducatrices utiliseront les mêmes critères que pour tout autre jeu ou jouet du service de garde.

Un rangement accessible. L'ordinateur, l'écran et l'imprimante doivent demeurer sur la table où ils sont installés. Les logiciels sont rangés dans une boîte à l'abri de la poussière. Rappelez-vous aussi de faire des copies de vos programmes et de ranger ces copies dans un endroit qui n'est accessible qu'aux éducatrices.

J. L'aire de jeu extérieure

Les enfants adorent jouer dehors. Ils peuvent alors courir, conduire des jouets sur roues, pousser et tirer des chariots, jouer au ballon, rouler en bas d'une butte, creuser, se balancer, glisser, grimper et faire toutes les choses que les adultes leur interdisent à l'intérieur. Lorsqu'ils jouent dehors, les enfants démontrent des habiletés différentes de celles qu'ils manifestent à l'intérieur. Ils peuvent alors se prouver qu'ils sont capables de grimper, de se balancer ou de réaliser des constructions de grandes dimensions. Pour grandir et se développer sainement, il est essentiel que les enfants puissent jouer dehors tous les jours dans un environnement sécuritaire.

La

Dans la cour, on trouve des structures fixes, des jouets sur roues ainsi que de l'équipement et du matériel mobiles. La liste qui suit est loin d'être exhaustive, mais elle présente les différentes catégories d'équipement et de matériel qui sont utilisées à l'extérieur ainsi que des exemples pour chacune des catégories. À vous de faire vos choix ou de la compléter !

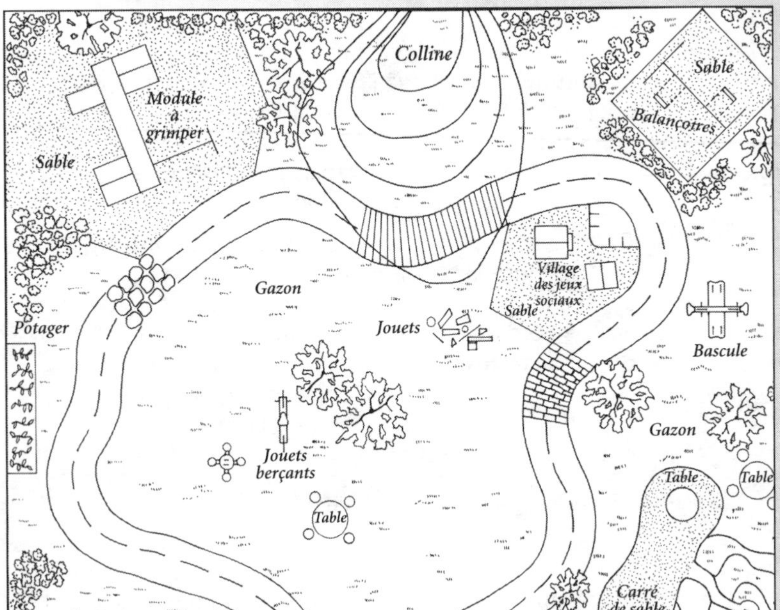

Des structures fixes

- Pour grimper : une cage à grimper, un filet à grimper, un arbre avec des branches basses et entrelacées.
- Pour escalader : une maison ou une plateforme surélevée, des boîtes de bois robustes, des buttes et des talus, des troncs d'arbre, un amas de neige.
- Pour se balancer : des balançoires de fabrication commerciale, des pneus suspendus, des cordages, des hamacs suspendus à la hauteur des enfants, des jouets qui se balancent sur un ressort.
- Pour glisser : des glissoires de fabrication commerciale, le côté d'une butte, une rampe basse, un amas de neige et des traîneaux, un poteau de pompier, etc.
- Pour se tenir en équilibre : des poutres d'équilibre, des roches placées en rangées parallèles, en courbes et en zigzag.

L'emplacement. Même si les enfants peuvent jouer dans un gymnase ou dans un local de motricité spacieux, il n'y a aucun endroit à l'intérieur qui peut procurer les sons, les odeurs, les reliefs et les textures de la nature. Les aires de jeu extérieures devraient être le plus grandes possible, et les enfants devraient y avoir accès directement du service de garde pour éviter les déplacements longs ou dangereux. Dans certains quartiers urbains, cependant, les dimensions de la cour sont restreintes. Même s'il y a un parc public à une distance raisonnable du service éducatif, il ne pourra être utilisé que si les enfants et les éducatrices s'y sentent en sécurité. Pour la cour, la réglementation ne prévoit que des dimensions minimales. Si vous considérez que la cour dont vous disposez n'est pas suffisamment grande, examinez les solutions suivantes :

- organiser une aire de jeu sur le toit ;
- partager une aire de jeu extérieure avec une école, une église, un centre communautaire, etc., se trouvant à proximité.

Lorsque vous aménagerez la cour, planifiez l'organisation de l'espace pour que les enfants puissent explorer et apprécier divers éléments paysagers tels que des talus, des endroits ensoleillés et ombragés, du gazon, des roches, du gravier, de l'eau, etc. ; pensez aussi à leur intérêt pour observer la flore et essayez d'inclure dans votre aménagement paysager des arbres, des arbustes, de la vigne, des

cour

Des jouets sur roues

Des tricycles, des trottinettes, des chariots, des véhicules à pousser équipés d'un volant, des poussettes, etc.

Du matériel mobile

- Pour sauter : de grosses chambres à air, des trampolines, de vieux matelas de gymnase, des amas de feuilles, des cordes à danser.
- Pour lancer, viser et donner des coups de pied : des balles et des ballons de différentes grosseurs, des sacs de pois, un panier de basket-ball, des seaux, des boîtes, des cibles.
- Pour construire : des planches de différentes longueurs, des planches de contreplaqué, des morceaux de polystyrène, des boîtes en carton, de la corde, de la ficelle, des épingles à linge, des draps, des couvertures, des pneus, des chambres à air, des établis, des outils.
- Pour jouer dans l'eau et dans le sable : une surface sablée, un carré de sable, une table ou un bac à sable, du gravier, des coquillages, des feuilles, des cônes de pin, de la neige, une piscine, des arrosoirs, un tuyau d'arrosage, des cuillers, des pelles, des seaux. (Pour une liste plus complète, consulter la sous-section 5.2.1A.)
- Pour jardiner : des jardinières, des boîtes à fleurs, des bacs remplis de terre, des arrosoirs, un tuyau d'arrosage, des outils de jardinage, des semences, des bulbes, des fleurs, des plantes.
- Pour créer des jeux de rôles : des bateaux, des autos, des avions, des trains, des vaisseaux spatiaux, des tracteurs, des camions à benne, des niveleuses, des volants, une maison de poupée, des téléphones, une boîte aux lettres, une corde à linge à la hauteur des enfants, des épingles à linge, un mât pour les drapeaux, des drapeaux, un tuyau d'essence, des contenants d'huile vides, des lunettes d'approche, des chapeaux, des visières, des lunettes, des sacs à dos, des bâtons pour les promenades.
- Pour faire de la musique : des mobiles, des tuyaux, des cloches à vache, des clochettes de traîneaux, des triangles, des tambours fabriqués à partir de boîtes de métal, de poubelles ou de morceaux de bambou.
- Pour faire des arts plastiques : un canevas pour peindre fabriqué avec de vieux draps, de la peinture, des rouleaux à peindre, de gros pinceaux, du savon à bulles, des instruments pour faire des bulles, un métier à tisser de grande dimension, des craies de couleur, de la terre glaise pour faire des empreintes de brins d'herbe, de cailloux, de feuilles, etc., du colorant alimentaire, des outils pour jouer dans le sable, des boîtes de toutes sortes pour faire des sculptures sur neige.

Une maison dans l'arbre est un lieu de prédilection pour les enfants, qui y observent leur univers de haut.

grimpants et des fleurs. Prévoyez des contrastes dans les formes, les couleurs et les textures : par exemple, un coin vierge pour l'exploration et un coin aménagé pour le jardinage. Une clôture autour du périmètre de la cour est essentielle pour délimiter l'aire de jeu. Garder les enfants à l'intérieur de limites clairement définies leur procure un sentiment de sécurité et répond aux normes de la réglementation qui exige une clôture d'au moins 1,20 mètre de hauteur. Par ailleurs, le choix de la clôture demande réflexion. Outre la question des coûts, vous devrez réfléchir au matériau qui sera le plus avantageux pour les enfants : le bois offre une surface qui peut servir de tableau d'affichage ou qui peut être utilisée pour faire semblant de peindre, mais il demande plus d'entretien que l'aluminium ou le chlorure de polyvinyle (CPV). Par contre, une clôture ajourée ou des panneaux en plexiglas permettent d'agrandir le champ de vision des enfants.

Dans la cour, les coins de jeux plus vigoureux devraient être séparés des coins réservés aux jeux qui demandent plus de concentration : les enfants devraient être capables de creuser la terre, par exemple, sans se préoccuper des enfants qui se promènent en bicyclette ou qui glissent. Le plan qui est présenté dans l'encadré intitulé « La cour » peut vous inspirer pour planifier l'organisation de la cour. Pour délimiter les différentes parties de celle-ci, vous pouvez modifier la surface du sol de chacune d'entre elles : des surfaces souples sous les balançoires et des surfaces dures pour les jouets sur roues ; vous pouvez également utiliser des barrières physiques : une haie autour des balançoires, des traverses de chemin de fer autour du carré de sable.

Le matériel. Dehors, les enfants aiment les structures et les modules pour grimper, les balançoires et les glissoires ; les jouets sur roues pour les pousser et les tirer ; du matériel pour explorer, faire semblant et construire. (Voir l'encadré intitulé « La cour ».) La sécurité de l'aménagement extérieur est aussi un aspect des plus importants à considérer. À ce sujet, la Société canadienne d'hypothèque et de logement a publié *Le droit au jeu d'un enfant*[1], qui constitue un excellent guide.

---

1. Société canadienne d'hypothèque et de logement, *Le droit au jeu d'un enfant*, Ottawa, SCHL, 1997.

Un rangement accessible. Les jouets qui sont utilisés à l'extérieur doivent être rangés à la fin de la journée de façon à être protégés des intempéries et du vol. Un cabanon extérieur, accessible aux enfants une fois qu'il est déverrouillé, est l'endroit idéal pour ranger les bicyclettes et les autres jouets sur roues. Les jeux plus petits pourront aussi y être rangés dans des chariots sur roulettes que les enfants pourront facilement déplacer, soit pour les transporter dans l'aire de jeu appropriée, soit pour les ranger à la fin de la période de jeu.

5.3 La relation entre l'équipement, l'aménagement et le programme pédagogique

Les éducatrices organisent et aménagent les aires de jeu des enfants en se guidant sur les principes et les ingrédients essentiels de l'apprentissage actif. L'aménagement influence autant la façon dont les enfants apprennent que les interventions des éducatrices. Si le matériel est abondant et accessible, les enfants peuvent suivre leurs intérêts et réaliser leurs projets. Des coins d'activités variés, bien organisés et bien équipés constituent la toile de fond où se déroulent le processus de planification-action-réflexion ainsi que les diverses périodes de l'horaire quotidien qui structurent l'apprentissage actif ; les trois chapitres qui suivent portent sur ce sujet. Les coins d'activités sont également équipés d'un matériel qui soutient les expériences clés des enfants ; ces dernières sont présentées dans la troisième partie de cet ouvrage. En outre, lorsque les enfants font de telles expériences, ils inspirent aux éducatrices des idées pour du nouveau matériel et de l'équipement supplémentaire.

Comme nous l'avons mentionné au début de ce chapitre, les éducatrices ont rarement l'occasion de mettre sur pied tous les coins d'activités présentés ici. Elles doivent faire des choix : déterminer le nombre de coins d'activités qu'elles vont aménager dans leur local selon l'espace dont elles disposent, décider du type de coins qu'elles installeront en tenant compte de l'âge et du développement des enfants et varier les types de coins en cours d'année selon les intérêts que les enfants manifesteront.

TABLEAU RÉCAPITULATIF

Les principes et les stratégies pour aménager et équiper les aires de jeu

Organiser les aires de jeu

- Les lieux sont accueillants et invitants pour les enfants. Ils se caractérisent par :
  - le confort ;
  - des coins arrondis ;
  - des couleurs et des textures agréables ;
  - des matériaux naturels et de la lumière ;
  - des endroits calmes et douillets.
- Le local est divisé en coins d'activités bien délimités pour stimuler des formes de jeu variées. Les coins d'activités sont choisis parmi les suivants :
  - le coin de l'eau et du sable ;
  - le coin des blocs ;
  - le coin de la maisonnette ;
  - le coin des arts plastiques ;
  - le coin des jeux de table et des jouets ;
  - le coin de la lecture et de l'écriture ;
  - le coin de la menuiserie ;
  - le coin de la musique et du mouvement ;
  - le coin de l'ordinateur ;
  - l'aire de jeu extérieure.
- Une aire de jeu est prévue pour les rassemblements ainsi que des endroits pour manger, pour faire la sieste et pour ranger les effets personnels.

→

Aménager les coins d'activités

- L'organisation des coins facilite l'observation et la circulation :
  - Le coin de l'eau et du sable est situé près d'un point d'approvisionnement en eau.
  - Le coin des blocs et celui de la maisonnette sont situés à proximité l'un de l'autre.
  - Le coin des arts plastiques est situé près d'un point d'approvisionnement en eau.
  - Le coin des jeux de table et des jouets et celui de la lecture et de l'écriture sont éloignés des coins d'activités qui entraînent des jeux vigoureux ou bruyants.
  - Le coin de la menuiserie est situé dans la cour ou près du coin des arts plastiques.
  - Le coin de l'ordinateur est installé de façon à éviter les reflets sur les écrans.
  - L'aire de jeu extérieure est facilement accessible de l'intérieur.
- Les coins d'activités sont polyvalents pour s'adapter aux nouveaux champs d'intérêt des enfants et pour répondre à des considérations d'ordre pratique.

Placer le matériel à la portée des enfants

- Le système de rangement du matériel est conçu pour que l'enfant puisse trouver, utiliser et ranger le matériel lui-même :
  - Les objets semblables sont rangés ensemble.
  - Les enfants peuvent voir à travers ou dans les contenants de rangement et ils peuvent les prendre facilement.
  - Les contenants sont étiquetés d'une façon significative pour les enfants. Les étiquettes sont fabriquées avec le matériel lui-même, des photographies ou des photocopies, des illustrations ou des découpes d'emballages, des dessins ou des tracés du contour, des mots placés sous l'un des supports mentionnés ci-dessus.
- Le matériel est abondant ; il favorise des expériences ludiques variées et il rappelle aux enfants leur vie familiale.

LECTURES COMPLÉMENTAIRES

BAULU-MACWILLIE, MIREILLE SAMSON et RÉAL SAMSON (1990). *Apprendre, c'est un beau jeu : l'éducation des jeunes enfants dans un centre préscolaire*, Montréal, La Chenelière.

DE GRAEVE, SABINE (1996). *Apprendre par les jeux*, Bruxelles, DeBoeck, coll. « Outils pour enseigner ».

ESBENSEN, STEEN (1997). *Aires de jeux pour enfants d'âge préscolaire*, Ottawa, Société canadienne d'hypothèque et de logement.

HARMS, THELMA (1998). *Échelle d'évaluation d'un environnement préscolaire*, Sainte-Foy, Presses de l'Université du Québec.

CHAPITRE 6

L'horaire quotidien : la structure de l'apprentissage actif

L'horaire ne doit pas déterminer la vie [...] l'horaire doit suivre la vie, la rendre possible.
ANDRÉ PARÉ, 1977.

6.1 Comprendre l'horaire quotidien

« Que se passe-t-il maintenant ? » « Que ferons-nous après ? » « Quand aurons-nous le temps de ...? » « Quand irons-nous jouer dehors ? »

L'horaire quotidien permet aux enfants de répondre eux-mêmes à ce genre de questions, car il fournit un plan complet et compréhensible des événements de la journée auquel ils peuvent se référer. Ce plan permet également aux éducatrices de diviser la journée en périodes, afin d'offrir aux enfants une variété d'expériences actives et stimulantes. Tout au long de la journée, les enfants s'engagent dans des aventures et des expériences diversifiées qui les intéressent et qui conviennent à leur nature inventive et ludique. Cet horaire régulier offre suffisamment de temps aux enfants pour qu'ils puissent accomplir ce qui les intéresse, faire des choix, prendre des décisions et résoudre des problèmes à leur mesure dans le contexte d'une suite d'événements.

L'horaire quotidien est divisé en périodes qui sont allouées pour des activités précises : une période pour permettre aux enfants de planifier, une pour réaliser ce qu'ils ont planifié, une pour participer à des activités de groupe, une pour jouer dehors, une pour manger et une pour se reposer. Cependant, les éducatrices Caroline Garland et Stephanie White (1980, p. 39) font remarquer que « la nature des expériences ne découle pas de l'appellation de l'activité ». Dans un programme favorisant l'apprentissage actif, un horaire quotidien régulier est plus qu'un ensemble d'appellations pour une suite d'activités. **L'horaire quotidien offre aux enfants un cadre de référence commun qui leur permet d'explorer leurs champs d'intérêt et de s'engager dans des activités variées de résolution de problèmes.** La sous-section qui suit décrit la façon dont l'horaire quotidien peut soutenir les enfants.

6.1.1 L'horaire quotidien soutient l'initiative de l'enfant

Alors que les **coins d'activités**, tels qu'ils ont été décrits à la sous-section 5.2.1, offrent une structure à l'**espace physique**, l'**horaire quotidien** offre une structure aux **événements de la journée** : cette structure définit avec souplesse l'utilisation de l'espace par les enfants de même que les formes d'interaction avec leurs pairs et les éducatrices selon les périodes de la journée.

Même si l'horaire répartit la journée en périodes de temps allouées à diverses activités, il ne précise pas le détail des activités que feront les enfants au cours de chaque période. Au contraire, l'horaire est conçu pour favoriser l'**initiative de l'enfant**. À ce titre, il lui fournit du temps pour exprimer ses intentions et planifier ses projets personnels, puis pour donner suite à ses intentions et à ses projets tout en considérant différentes options, en interagissant avec l'éducatrice et ses pairs, en manipulant du matériel et en résolvant les problèmes qui surgissent, et également pour persévérer jusqu'à ce qu'il soit satisfait des résultats.

Par opposition à un horaire organisé en fonction d'activités prévues par l'éducatrice, ce type d'horaire est organisé en fonction des projets, des intérêts et de l'énergie des enfants. Il met l'accent sur les initiatives de ceux-ci et libère l'éducatrice de la supervision constante qui vise à garder l'enfant sur « la bonne voie ». Dégagée du besoin de diriger et d'encadrer les enfants, l'éducatrice peut se consacrer entièrement à soutenir et à encourager les enfants dans l'expression de leurs intentions et dans la réalisation de leurs projets.

Dans un environnement favorisant l'apprentissage actif, l'horaire quotidien encourage une vie communautaire caractérisée par le partage du pouvoir entre les éducatrices et les enfants.

6.1.2 L'horaire quotidien procure un cadre à la vie communautaire

Si l'horaire quotidien procure une structure qui soutient les événements et les activités, il fournit aussi un cadre qui favorise la vie communautaire et les interactions sociales qui, à leur tour, influencent le déroulement des expériences d'apprentissage. L'horaire quotidien encourage une **vie communautaire** caractérisée par le **partage du pouvoir** entre les éducatrices et les enfants. Cet horaire influence toutes les personnes qui le suivent et peut être modifié par elles. Il repose autant sur une planification quotidienne élaborée consciencieusement par les éducatrices que sur les habiletés de celles-ci à répondre rapidement et adéquatement aux intérêts et aux suggestions spontanées des enfants.

Le cadre cohérent de vie sociale créé par l'horaire quotidien offre aux enfants un **environnement psychologique rassurant et significatif**. Comme le notent Garland et White, les événements auxquels participent les enfants et les éducatrices à l'intérieur d'une journée (faire un projet, jouer dehors, écouter une histoire) « fractionnent la journée en portions de temps flexibles et fournissent aux enfants une structure compréhensible » (1980, p. 40). Le fait de savoir à quoi s'attendre à chaque moment de la journée procure aux enfants un sentiment de sécurité et de maîtrise. L'horaire quotidien maintient aussi un équilibre entre les restrictions et la liberté, car sa structure est prévisible, les limites sont claires et appropriées et les enfants sont libres de décider de la façon dont ils vont faire les choses. L'horaire quotidien est sécurisant parce qu'il offre, chaque jour, **une séquence d'événements prévisibles, des transitions en douceur, un soutien et des attentes raisonnables de la part de l'éducatrice.**

La cohérence de l'horaire quotidien est particulièrement importante dans les milieux préscolaires où plusieurs enfants vivent pour la première fois séparés de leurs parents pour d'aussi longues périodes. L'arrivée en milieu de garde ou à la maternelle étant un moment important pour l'enfant, l'horaire quotidien doit être élaboré en séquences facilement prévisibles, les attentes et les limites doivent être claires et l'accent doit être mis sur le soutien par l'éducatrice des initiatives personnelles de l'enfant. Même si celui-ci ne décide ni du départ ni de l'arrivée de ses parents, il peut par contre décider ce qu'il fait au service de garde ou à la maternelle pendant que ses parents sont absents.

L'horaire quotidien facilite la transition de la maison au service de garde ou à la maternelle en formant peu à peu le sens de la vie communautaire. Les attentes collectives et les façons de faire déterminées par l'horaire quotidien modèlent le réseau social : **nous faisons tous des projets, nous avons tous du temps pour travailler, nous parlons tous de ce que nous faisons.** Pour les enfants de familles séparées ou reconstituées en particulier, l'aspect ordonné et communautaire de l'horaire quotidien peut constituer un point d'ancrage émotif important.

6.1.3 L'horaire quotidien offre une structure flexible

Dans un programme favorisant l'apprentissage actif, l'horaire quotidien offre à la fois une solution intermédiaire à la structure rigide d'une part et au « laisser-faire » d'autre part. Cet horaire n'impose pas une séquence immuable d'événements fixés par l'éducatrice, ni une série d'activités choisies au hasard pour la journée. Les périodes de l'horaire quotidien se présentent selon une séquence prévisible, que les éducatrices planifient de façon générale. L'horaire reste toutefois flexible, car les éducatrices ne peuvent jamais prédire avec exactitude ce que les enfants vont faire ou dire, ni comment les décisions prises par les enfants vont donner forme aux expériences. En effet, l'horaire quotidien propose aux enfants plusieurs occasions d'explorer et de développer leurs propres champs d'intérêt. Par conséquent, les éducatrices ont l'occasion, quotidiennement, de mieux connaître chaque enfant.

6.1.4 L'horaire quotidien soutient les valeurs du programme d'apprentissage actif

L'horaire quotidien permet aux éducatrices de mettre en pratique les valeurs et la philosophie de l'apprentissage actif, car les expériences sont élaborées à partir des suggestions des enfants, les séquences d'activités sont prévisibles et leurs contenus sont variés. Étant donné que les intérêts des enfants sont le moteur premier de l'apprentissage et que les enfants construisent leurs connaissances par le biais d'expériences personnelles, les ingrédients essentiels de l'apprentissage actif – le matériel, la manipulation, la possibilité de faire des choix, le langage des enfants, le soutien des éducatrices – façonnent le déroulement de chaque période de l'horaire quotidien.

En résumé, l'horaire quotidien offre une structure stable à l'intérieur de laquelle les enfants peuvent prendre des initiatives en toute sécurité, entreprendre des activités, y réfléchir, les modifier, les répéter et les poursuivre, tout en étant assurés de l'attention soutenue des éducatrices et d'un cadre de vie sociale sécurisant.

6.2 Les principes généraux qui guident l'organisation d'un horaire quotidien

Les principes suivants servent à établir et à utiliser un horaire quotidien qui soit bien adapté au milieu :

- **Des périodes variées d'apprentissage actif procurent aux enfants des expériences et des interactions diversifiées. Ces périodes comprennent la séquence planification – ateliers libres – réflexion, les périodes en groupe d'appartenance, les rassemblements en grand groupe, les jeux à l'extérieur, les transitions, les repas, les collations et la détente.**
- **La séquence régulière, adaptée et prévisible des périodes d'apprentissage actif répond aux besoins particuliers du milieu.**
- **Les expériences se déroulent dans un environnement physique approprié.**

Durant la période en groupe d'appartenance, les enfants expérimentent leur propre recette de « bouillon de sorcières » en utilisant du colorant, des compte-gouttes et des feuilles de pissenlit qu'ils ont ramassées au parc.

- **Chaque période propose aux enfants des expériences d'apprentissage actif dans un climat de soutien.**
- **L'horaire quotidien offre des expériences d'apprentissage variées.**
- **La journée se déroule en douceur, d'une expérience à l'autre.**

6.2.1 Des périodes variées d'apprentissage actif assurent aux enfants des expériences et des interactions diversifiées

Dans les milieux favorisant l'apprentissage actif, les éducatrices élaborent l'horaire quotidien à partir des éléments décrits ci-dessous.

A. Planification – ateliers libres – réflexion

Le bloc planification – ateliers libres – réflexion est généralement le moment le plus long et le plus intense de la journée. Il est conçu pour permettre aux enfants d'exploiter et de consolider leurs champs d'intérêt, leur esprit d'initiative ainsi que leur habileté à résoudre des problèmes.

Planification. Chaque enfant commence par décider ce qu'il veut faire, puis il partage ses idées avec une éducatrice qui comprend le processus de planification. L'éducatrice observe et écoute, pose des questions pour lui permettre de clarifier ou d'élaborer son projet, et consigne souvent, de différentes façons, la planification de l'enfant. Le fait de planifier leurs activités encourage les enfants à relier leurs champs d'intérêt à des actions significatives.

Ateliers libres. En compagnie des pairs qu'ils ont choisis, les enfants entreprennent leur projet avec du matériel approprié ; puis ils continuent jusqu'à ce qu'ils aient terminé, tout en ayant la possibilité de modifier leur plan initial. Cette période active incite les enfants à se concentrer simultanément sur leur jeu et sur la résolution de problèmes. Pendant que les enfants jouent et travaillent, les éducatrices accordent une attention spéciale à ce qui se passe et circulent parmi les enfants en les observant, en les soutenant et en les aidant selon les besoins qu'ils expriment. Après 45 à 55 minutes d'activités, les enfants rangent le matériel et les projets qui sont inachevés.

Réflexion. Les enfants se réunissent pour partager leurs expériences et discuter de ce qu'ils ont fait. Les éducatrices écoutent attentivement et échangent leurs observations avec les enfants. Cette période aide ces derniers à réfléchir, à comprendre et à élaborer de nouveaux projets.

B. La période en groupe d'appartenance

La période en groupe d'appartenance permet aux enfants de faire des expériences avec le matériel fourni et de résoudre des problèmes à l'intérieur d'une activité choisie par l'éducatrice selon un objectif précis. L'éducatrice et un petit groupe de 5 à 10 enfants se réunissent (par terre, dehors, autour

Exemple d'un horaire quotidien

	Mi-temps	Plein temps
Arrivées et départs en même temps	Transition Planification, ateliers libres, rangement, réflexion Collation Rassemblement en grand groupe Groupes d'appartenance Jeux à l'extérieur et départ	Déjeuner Rassemblement en grand groupe Planification, ateliers libres, rangement, réflexion Groupes d'appartenance Jeux à l'extérieur Dîner Lecture et repos Collation Jeux à l'extérieur et départ
Arrivées et départs étalés	**Mi-temps**	**Plein temps**
	Formation d'un groupe pour les enfants qui arrivent tôt Transition Planification, ateliers libres, rangement, réflexion Collation Jeux à l'extérieur Rassemblement en grand groupe Formation d'un groupe pour les enfants qui partent tardivement	Déjeuner et jeux libres pendant l'arrivée des enfants Transition Planification, ateliers libres, rangement, réflexion Collation Jeux à l'extérieur Groupes d'appartenance Rassemblement en grand groupe Dîner Chansons, histoire, repos Collation Jeux à l'extérieur Planification, ateliers libres, réflexion en présence des parents
Variations pour des événements hors de l'ordinaire	**Mi-temps**	**Plein temps**
	Formation d'un groupe pour les enfants qui arrivent tôt Transition Cours de ballet, Jeux à l'extérieur Collation et planification Ateliers libres, rangement, réflexion Rassemblement en grand groupe Formation d'un groupe pour les enfants qui partent tardivement	Déjeuner et jeux libres pendant l'arrivée des enfants Transition Planification, ateliers libres, rangement, réflexion Collation Jeux à l'extérieur Visite à la galerie d'art Rassemblement en grand groupe Dîner Chansons, histoire, repos Collation Jeux à l'extérieur Planification, ateliers libres, réflexion en présence des parents

d'une table) pour faire des expériences, explorer un champ d'intérêt particulier ou utiliser le matériel fourni pour résoudre un problème. Bien que l'éducatrice propose une activité et procure un matériel commun, chaque enfant est libre de travailler selon ses idées et ses désirs. L'éducatrice encourage les enfants à faire des choix, à prendre des décisions sur la façon d'utiliser le matériel et à décrire dans leurs propres mots ce qu'ils font. Lors de cette activité en petit groupe, les enfants manipulent le matériel et font face à des problèmes qu'ils n'auraient pas eus s'ils avaient été laissés à eux-mêmes. Pendant ce temps, l'éducatrice a l'occasion d'observer les enfants, de se joindre à eux, de les encourager et de mieux les connaître.

C. Le rassemblement en grand groupe

Le rassemblement en grand groupe développe l'esprit communautaire chez les enfants. Les enfants et les éducatrices se réunissent pour chanter, pour faire des activités musicales et motrices, pour lire et écouter des histoires, pour mimer des histoires et des événements. Pendant que les éducatrices proposent la majorité des activités, tout en maintenant un rythme rapide dans leur déroulement, les enfants suggèrent d'innombrables variations ou de nouvelles idées : « Maintenant, essayons l'idée de Thomas », « Regarde ce que je suis capable de faire », « Fais comme moi » sont des commentaires typiques du rassemblement en grand groupe. Cette période fournit aux enfants et aux éducatrices une occasion de travailler ensemble, de profiter de la présence des uns et des autres et de se constituer un répertoire d'expériences communes.

D. Les jeux à l'extérieur

La période à l'extérieur est prévue pour les jeux énergiques, bruyants et physiques. Les enfants et les éducatrices passent environ 30 à 40 minutes dehors 1 à 2 fois par jour. Libérés des contraintes d'un espace fermé, plusieurs enfants se sentent libres de parler, de bouger et d'explorer. Les éducatrices participent au jeu des enfants, leur parlent et les aident dans leurs mouvements au besoin. Cette période de jeu permet aux enfants de jouer ensemble, d'inventer leurs propres jeux et règles et de se familiariser avec l'environnement extérieur. Elle permet également aux éducatrices d'observer les enfants et d'interagir avec eux dans un endroit où la majorité d'entre eux se sentent à l'aise.

« On met les jambes en l'air comme un cheval qui rue. » Lors de ce rassemblement en grand groupe, les enfants proposent leurs idées pour bouger au son de la musique.

E. Les transitions

Les transitions correspondent au moment où les enfants arrivent de la maison ou quittent le service de garde ou la maternelle ainsi qu'au moment où ils passent d'une période de la plage horaire à une autre. Les transitions sont importantes parce qu'elles créent une atmosphère qui prépare l'expérience à venir. Par conséquent, il est nécessaire d'effectuer une coupure aussi paisible et intéressante que possible pour les enfants. Par exemple, la journée peut commencer par un rassemblement informel auquel les enfants se joignent au fur et à mesure qu'ils arrivent et pendant lequel ils peuvent parler, lire, faire un casse-tête ou montrer aux parents un jouet ou un dessin. La façon dont les enfants commencent, vivent et terminent leur journée influe sur leur vie, ainsi que sur celle de leurs pairs et des éducatrices qui les entourent. Les éducatrices qui planifient les transitions améliorent la qualité de ces expériences.

F. Les repas et la détente

Les repas et les collations offrent aux enfants et aux éducatrices des occasions de goûter une nourriture saine dans un climat social chaleureux. Le repos est un moment pour dormir ou jouer seul et calmement sur son matelas. Pour ces activités de la vie courante, les enfants et les parents ont des habitudes personnelles, des usages et des préférences qu'il est nécessaire de connaître et de respecter : il faut donc s'assurer que chaque enfant continue, pendant ces périodes, d'expérimenter le plus possible l'approche de l'apprentissage actif comme durant le reste de la journée.

Les diverses périodes de l'horaire que nous venons d'aborder s'inscrivent dans un processus ou désignent un lieu plutôt qu'un contenu parce que le contenu de chacune de ces périodes est élaboré par les enfants et les éducatrices. Par conséquent, les enfants et les éducatrices lisent des histoires et participent à des activités d'arts plastiques, de musique, de motricité, de menuiserie, d'ordinateur, de jeux de rôles et de construction,

Est-ce que je pourrai encore...?

On nous pose souvent cette question : « Si j'adopte l'horaire favorisant l'apprentissage actif, est-ce que je pourrai encore faire telle ou telle activité qui fait maintenant partie de mon programme ? » Les projets spéciaux que vous voulez réaliser et les expériences que vous voulez faire vivre aux enfants se prêtent bien aux périodes pendant lesquelles l'éducatrice suggère des activités. L'important n'est pas d'adapter vos projets à l'horaire quotidien, mais de **les adapter pour qu'ils intègrent les ingrédients essentiels de l'apprentissage actif. Le défi consiste à transformer des activités suggérées par l'éducatrice en des expériences au cours desquelles les enfants peuvent construire leur propre compréhension de la danse, des mathématiques, des sciences ou de n'importe quel sujet qui fait partie du programme.**

Par exemple, un centre de la petite enfance a signé un contrat avec une école de ballet afin d'engager un professeur durant une heure par semaine. Le professeur se présentait le mercredi matin de 9 heures à 10 heures. Cette période était habituellement réservée à la période d'ateliers libres. L'équipe d'éducatrices a alors décidé d'éliminer les rassemblements en grand groupe et la période en groupe d'appartenance, et de faire suivre la période de ballet par les ateliers libres. Après deux cours, les éducatrices se sont aperçues que le groupe d'enfants n'était pas assez homogène et que certains éprouvaient des difficultés. Il fut alors décidé de former deux groupes. Le premier groupe suivrait un cours de 30 minutes suivi d'une période de jeux à l'extérieur, et le deuxième groupe ferait l'inverse. Les éducatrices rencontrèrent aussi le professeur afin de clarifier leurs attentes par rapport au déroulement du cours : réduire le temps d'attente, modifier les noms des mouvements afin de les rendre plus significatifs pour les enfants et permettre à ceux-ci de proposer des variations de mouvement et de les essayer. À la suite de cette rencontre, le professeur commença à observer les enfants, à s'interroger sur leur niveau de développement et à adapter ses attentes et ses interventions. Les éducatrices remarquèrent également que le professeur permettait aux enfants de proposer des variations de mouvement et de prendre plus de temps pour les reproduire. Elles cherchèrent pour leur part des moyens d'intégrer les mouvements de ballet à différentes périodes pour permettre aux enfants de les répéter et de les explorer pendant la semaine.

Les différentes périodes de l'horaire quotidien

Les périodes de l'horaire quotidien désignent un processus ou un lieu plutôt qu'un contenu, parce que le contenu est élaboré conjointement par les enfants et les éducatrices. Voici quelques exemples pour illustrer comment Monique, Jean et les enfants de leurs groupes ont introduit des expériences de mouvements dans leur horaire d'une journée d'automne.

Transition. Maxime montre à Monique comment il grimpe l'échelle de son nouveau lit à deux étages. Monique et les autres enfants imitent ses gestes en s'étirant, en empoignant des barreaux imaginaires, en levant les jambes et en faisant semblant de grimper.

Planification. Avant d'entreprendre la planification, Jean et son groupe forment un train et se déplacent dans le local, d'un coin d'activités à l'autre, afin de faire le tour des choix qui leur sont offerts.

Ateliers libres. Les enfants, dans le coin de la maisonnette, ont « vendu leur maison ». Ils remplissent une grosse boîte avec tous les articles ménagers, si bien qu'ils doivent se mettre à plusieurs pour la pousser vers leur nouvelle maison.

Réflexion. Jean frappe de façon rythmée sur ses genoux en improvisant une chanson qui parle de ce qu'il vient de faire : « J'ai travaillé avec les blocs aujourd'hui. J'ai fait une tour, une tour très haute. Maintenant, c'est à toi, Jean-Pierre, de dire ce que tu as fait. »

Période en groupe d'appartenance. Monique et les enfants explorent différentes variations du jeu de marelle.

Jeux à l'extérieur. Jean et quelques enfants s'amusent avec des cruches de lait en plastique partiellement remplies d'eau. Ils les font tournoyer et ils les transportent de différentes manières. Chaque participant fait une démonstration de ses trouvailles.

Repos. Les enfants sont couchés sur leur matelas. Après s'être assuré que les enfants ont fermé leurs yeux, Jean leur fait faire une visualisation active : « Vous levez vos deux bras. Vous imaginez que chacune de vos mains est une fleur et que chacun de vos bras est la tige de cette fleur. Un vent léger se lève et chaque fleur se balance au gré du vent... »

tout au long de la journée, dans des contextes physiques et sociaux variés. Plutôt que de confiner les activités psychomotrices à un moment précis de la journée, les enfants et les éducatrices peuvent entreprendre ce type d'activités à chaque période.

6.2.2 La séquence régulière, adaptée et prévisible des périodes d'apprentissage répond aux besoins particuliers du milieu

L'ordre des périodes varie d'un milieu à un autre et d'une équipe à l'autre selon la durée quotidienne du programme, selon les heures d'arrivée et de départ des enfants, selon l'emplacement du service de garde et selon le climat. Cette sous-section explique la façon dont ces différents facteurs peuvent modifier les décisions de l'équipe de travail concernant l'horaire quotidien.

A. Les programmes à mi-temps et à plein temps

La différence majeure entre un programme d'une demi-journée et celui d'une journée, dans l'élaboration de l'horaire, est le temps alloué aux repas et à la détente. Un programme à mi-temps comprend généralement une collation ou un repas, mais ne comprend pas de période de repos, alors qu'un programme à plein temps comprend un ou deux repas, une ou deux collations et environ une heure de repos. Le programme d'une journée permet une plus grande flexibilité. Par exemple, il peut comprendre une période plus longue de planification – ateliers libres – réflexion en matinée et il peut permettre de reporter la période en groupe d'appartenance en après-midi, après la période de repos. Il pourrait aussi inclure une période de planification – ateliers libres – réflexion en matinée et une autre à la fin de la journée. Le nombre d'heures que vous passez avec les enfants chaque jour détermine le temps que vous pouvez accorder à chaque type d'expériences.

B. Les heures d'arrivée et de départ

Plusieurs programmes préscolaires, spécialement les programmes à mi-temps, ont des heures précises d'arrivée et de départ, de telle sorte que tous les enfants arrivent et partent à la même heure : ce qui signifie que la journée des enfants débute et se termine officiellement au même moment pour chacun et que tous les enfants peuvent participer à chacune des périodes. Pour d'autres programmes, les heures d'arrivée et de départ sont étalées sur une à deux périodes de telle sorte que seulement la moitié de la journée est commune à tous les enfants. Il existe aussi des programmes où les parents fréquentent également l'école : plusieurs des enfants utilisent alors le service seulement au moment où leurs parents sont en classe. Certains de ces enfants peuvent n'être présents que pour la séquence planification – ateliers libres – réflexion, alors que d'autres sont présents seulement pour la période en groupe d'appartenance et celle des jeux extérieurs. Les heures d'arrivée et de départ des enfants déterminent grandement les types d'expériences que les éducatrices peuvent planifier pour le début et la fin de la journée.

Un équilibre délicat...

« Nous croyons que les filles participent plus aux activités où l'éducatrice est présente et que les garçons démontrent un plus grand intérêt pour les activités qui ne sont pas supervisées... Nous ne pouvons pas dire si ce qui attire les garçons, ce sont les jeux plus actifs ou le fait de ne pas être supervisés, pas plus que nous ne pouvons dire si ce qui attire les filles, ce sont les activités de motricité fine ou les activités supervisées. Quoi qu'il en soit, il nous semble important d'offrir aux enfants un équilibre entre les activités requérant la présence de l'éducatrice et celles où ils sont plus autonomes, en gardant à l'esprit les tendances respectives des deux sexes. » (Garland et White, 1980, p. 46.)

Questions que nous devons nous poser :

- Quelles sont mes activités préférées ?
- Combien de temps est-ce que j'accorde aux interactions avec les filles ? à celles avec les garçons ?
- Comment puis-je équilibrer le temps que j'accorde aux jeux turbulents et aux jeux calmes ?

C. L'emplacement du service de garde

Pour les services de garde situés sur les lieux de travail des parents, l'horaire quotidien peut être fonction de la disponibilité et de l'emplacement du gymnase, de la cour extérieure, de la piscine, de la cuisine ou de la cantine. Si les modules de jeu extérieurs sont situés dans un parc public, il peut être nécessaire de planifier leur utilisation au moment où la circulation est moins dense ou au moment où les enfants plus âgés sont à l'école.

D. Le climat

Le climat de la région que dessert le service de garde ou la maternelle peut influer sur l'horaire quotidien. Par exemple, dans un programme à mi-temps, il peut s'avérer nécessaire de commencer et de terminer la journée par un moment à l'extérieur en hiver afin de réduire le nombre de fois où les enfants auront à enfiler les chandails, les habits et les bottes de neige, les tuques, les foulards et les mitaines. En été, les sorties à l'extérieur seront planifiées au moment le plus frais de la journée.

Il est clair alors que la séquence des périodes de l'horaire quotidien peut varier d'un endroit à l'autre. Néanmoins, peu importent votre situation et l'ordre des événements sur lequel vous vous basez, **une fois que l'horaire est établi et qu'il est adéquat, il demeure impératif de le maintenir**. Un horaire quotidien stable et prévisible donne aux enfants la perception qu'ils ont un certain contrôle sur ce qui va arriver. Par exemple, ils savent qu'après la période de réflexion ils iront à l'extérieur et qu'après le rassemblement ils iront à la maison. Cette constance n'aide pas seulement les enfants à se sentir en sécurité, mais elle leur assure aussi que le lendemain il y aura encore du temps pour jouer dans le sable, écouter une histoire ou se balancer. Le cycle régulier de cet horaire quotidien permet aux enfants de se dire : « Je pourrai recommencer demain. »

Un autre avantage d'un horaire quotidien régulier est que les enfants et les éducatrices peuvent s'intégrer au programme à n'importe quel moment de la journée ou de l'année et comprendre rapidement le déroulement de la journée. En ce sens, l'horaire quotidien, telle une pièce de théâtre, propose un certain nombre d'actes. La pièce est reprise chaque jour, ce qui permet aux nouveaux arrivants d'apprendre rapidement l'ordre et les exigences de chaque acte (période) afin de jouer leur rôle respectif. Les enfants dont la langue est différente de celle des autres enfants trouvent dans la régularité de l'horaire quotidien une aide précieuse pour la compréhension du programme et de ce qu'on attend d'eux.

6.2.3 Les expériences se déroulent dans un environnement physique approprié

Les stratégies d'aménagement présentées à la section 5.2 vous aideront à organiser l'environnement de façon appropriée pour chaque période de la journée. La séquence planification – ateliers libres – réflexion, par exemple, nécessite l'aménagement de coins d'activités pourvus de matériel bien rangé que les enfants pourront choisir, utiliser et remettre en place de façon autonome. La période en groupe d'appartenance se déroule mieux dans un endroit confortable où il y a suffisamment de matériel pour chaque enfant. Le rassemblement exige un espace assez grand où tout le groupe peut être actif. La période des jeux à l'extérieur requiert un endroit sécuritaire, équipé de façon à permettre aux enfants des jeux énergiques.

6.2.4 Chaque période propose des expériences d'apprentissage au sein d'un climat de soutien

L'horaire quotidien se distingue par l'accent qui est mis, à chaque moment de la journée, sur les ingrédients essentiels de l'apprentissage actif : le matériel, la manipulation, la possibilité de faire des choix, le langage des enfants et le soutien des éducatrices. Même si l'aménagement, le regroupement, l'atmosphère et l'activité varient d'une période à l'autre, les interactions entre les individus et la manipulation du matériel impliquent toujours les divers ingrédients essentiels de l'apprentissage actif. Ainsi, au cours de la journée, les enfants feront des choix, prendront des décisions au sujet du matériel et de leurs actions et parleront de ce qu'ils font et de leurs expériences en leurs propres mots. Les éducatrices, quant à elles, observeront, écouteront, soutiendront et encourageront les enfants, et leur proposeront aimablement des défis.

Tout au long de la journée, les éducatrices tentent de maintenir un climat de confiance sécurisant afin que les enfants tentent de nouvelles expériences et parlent librement de ce qui les intéresse.

Cette approche cohérente d'interaction avec les enfants distingue le programme d'apprentissage actif de ceux où le rôle des éducatrices n'est pas clairement défini. Dans ce dernier type de programmes, le rôle des éducatrices varie de la surveillance à l'enseignement, du maintien de l'ordre à la détente. Comme les éducatrices changent de rôle, les interactions des enfants reflètent cette imprécision quand ils passent des jeux solitaires aux jeux de groupe selon qu'ils suivent ou ne suivent pas les directives de l'éducatrice. Au contraire, les ingrédients essentiels de l'apprentissage actif permettent aux enfants et aux éducatrices de coopérer ; ainsi, les périodes de l'horaire quotidien offrent aux éducatrices des occasions récurrentes de privilégier les préférences des enfants et d'encourager leurs initiatives.

Par ailleurs, pour soutenir l'apprentissage actif, le climat émotif de chaque période est aussi important que les ingrédients de cet apprentissage. Tout au long de la journée, les éducatrices s'efforcent de maintenir un climat de confiance dans lequel les enfants se sentent en sécurité pour essayer de nouvelles expériences, pour parler de leurs idées, pour repérer leurs problèmes et pour trouver des solutions. Les limites fixées par les éducatrices permettent aux enfants de participer librement à des jeux significatifs, spontanés et inventifs. Plutôt que d'alterner la direction des activités et le « laisser-faire », les éducatrices essaient de partager le pouvoir avec les enfants pendant chacune des périodes afin que ceux-ci soient plus autonomes et assument leur apprentissage ; cependant, elles doivent le faire en tenant compte de l'attention et du soutien qu'elles peuvent fournir.

L'attention accordée à la dynamique du groupe constitue un autre aspect important pour maintenir un climat rassurant. Par exemple, les éducatrices peuvent réunir les enfants qui jouent souvent ensemble dans le même groupe pour la période de planification et la période de réflexion, de telle sorte que l'élaboration et l'analyse des projets se fassent entre amis. Une équipe d'éducatrices peut décider de rassembler les enfants timides dans un petit groupe afin que ces enfants aient la chance de parler sans être interrompus par les enfants qui ont plus d'assurance.

L'horaire quotidien et la garde en milieu familial

Dans quelques services de garde en milieu familial, les enfants doivent s'adapter à l'horaire de la responsable. Ils jouent près d'elle ou l'accompagnent pendant qu'elle effectue ses tâches ménagères : courses, lessive, nettoyage, cuisine, etc.

Des chercheurs anglais qui ont étudié des horaires de responsables de garde en milieu familial (appelées *minders* en Angleterre) ont noté que celles-ci « ne voyaient pas de raison d'abandonner leurs tâches ménagères pendant qu'elles gardaient des enfants pas plus qu'elles ne l'avaient fait pour leurs propres enfants, et elles résistaient à l'idée que le milieu ressemble à une garderie. » (Bryant, Harris et Newton, 1980, p. 226.)

Cette étude a également démontré que, par comparaison avec les autres enfants, les enfants qui étaient gardés en milieu familial avaient tendance à se conformer à l'horaire de la responsable en devenant passifs et taciturnes.

L'horaire quotidien favorisant l'apprentissage actif est assez flexible pour convenir à la garde en milieu familial. En outre, les enfants ont besoin, même dans ce milieu, d'activités qui favorisent un apprentissage actif et d'un soutien attentif de la part des responsables.

6.2.5 L'horaire quotidien offre des expériences d'apprentissage variées

Assurer l'équilibre dans l'horaire quotidien, c'est s'assurer que les enfants participent à une grande variété d'expériences d'apprentissage. Voici quelques exemples d'expériences que l'horaire quotidien favorise.

- Les enfants interagissent avec leurs pairs et avec les éducatrices dans des groupes qui se forment spontanément, dans de petits groupes et dans de grands groupes.
- Les enfants jouent énergiquement et calmement, autant à l'intérieur qu'à l'extérieur.
- Les enfants participent à des activités qui se poursuivent au-delà d'une journée, aussi bien qu'à des activités qui se terminent le jour même.
- Les enfants prennent part à des jeux répétitifs ainsi qu'à des jeux qui présentent de nouveaux défis.

- Les enfants participent à des expériences sensorimotrices, à des jeux de rôles et d'imitation, ainsi qu'à diverses activités incluant des histoires, des arts plastiques, de la musique et du mouvement.

L'équilibre d'un horaire quotidien va de pair avec un partage du pouvoir réparti entre les enfants et les éducatrices. (Les chapitres qui suivent proposent divers moyens pour atteindre cet équilibre.) Le concept majeur à retenir cependant est que, plutôt que de diriger certaines périodes de la journée et de laisser les autres périodes libres, les éducatrices qui appliquent le programme d'apprentissage actif s'efforcent de partager le pouvoir avec les enfants tout au long de la journée. En termes concrets, cela signifie que les enfants suggèrent des activités (« Je m'en vais dans le coin menuiserie pour faire une auto de course avec de grosses roues. »), que les éducatrices en suggèrent d'autres (« Voici quelques coquillages et du sable : que pourrait-on faire avec ces objets ? ») et que les enfants et les éducatrices en suggèrent de façon conjointe.

L'ÉDUCATRICE. – Aujourd'hui, je vais vous lire une histoire qui parle de trois cochons.
ANTOINE. – Ne prends pas le livre. Raconte-la comme tu l'as fait l'autre jour.
VALENCIA. – Oui ! Et nous, on va faire les cochons et le loup.
ÉDOUARD. – Et on va souffler. Comme ça…

Peu importe qui propose l'activité, les enfants et les éducatrices ont la possibilité de faire des suggestions et de soumettre des variations.

6.2.6 La journée se déroule en douceur d'une expérience à l'autre

Il est très important d'effectuer des transitions harmonieuses d'une période de la journée à l'autre afin que les enfants ne soient ni stressés ni tendus ou ennuyés par l'attente et les répétitions. Les transitions effectuées en douceur permettent de respecter les divers rythmes des enfants : peu importe leurs activités, les enfants les termineront à des moments différents. Les transitions en douceur aident également à maintenir le déroulement et le tempo de la journée, tout en tenant compte du rythme particulier de chaque enfant et de sa façon de faire. Une fois que les enfants ont compris la régularité de l'horaire quotidien, ils peuvent prévoir les événements et s'y projeter.

Toutefois, il est préférable de commencer la période suivante pendant que certains enfants sont encore absorbés dans l'activité de la période précédente, en sachant très bien qu'ils pourront se joindre aux autres dès qu'ils auront terminé.

Les deux prochains chapitres vous permettront de mieux profiter de l'horaire quotidien en vous présentant de façon plus précise la séquence planification – ateliers libres – réflexion (chapitre 7) et les autres périodes (chapitre 8).

TABLEAU RÉCAPITULATIF

Les fondements de l'horaire quotidien

L'horaire quotidien soutient l'initiative de l'enfant

- Il offre suffisamment de temps aux enfants pour qu'ils puissent accomplir ce qui les intéresse, faire des choix, prendre des décisions et résoudre des problèmes à leur mesure.
- Il permet aux éducatrices de se consacrer entièrement à soutenir et à encourager les enfants dans l'expression de leurs intentions et dans la réalisation de leurs projets.

L'horaire quotidien procure un cadre à la vie communautaire

- Il offre aux enfants un environnement psychologique rassurant et significatif.
- Il facilite la transition de la maison au service de garde ou à la maternelle en faisant peu à peu acquérir aux enfants le sens de la vie communautaire.

L'horaire quotidien offre une structure flexible

- Il offre une solution à la structure rigide d'une part et au « laisser-faire » d'autre part.
- Il donne quotidiennement aux éducatrices l'occasion de mieux connaître chaque enfant.

L'horaire quotidien soutient les valeurs du programme d'apprentissage actif

- Il permet aux enfants de construire leurs connaissances.
- Il permet d'inclure les ingrédients essentiels de l'apprentissage actif à chaque période.

TABLEAU RÉCAPITULATIF

Les principes généraux qui guident l'organisation d'un horaire quotidien

- Des périodes variées d'apprentissage actif procurent aux enfants des expériences et des interactions diversifiées. Ces périodes comprennent la séquence planification – ateliers libres – réflexion, les périodes en groupe d'appartenance, les rassemblements en grand groupe et les jeux à l'extérieur, les transitions, les repas, les collations et la détente.
- La séquence régulière, adaptée et prévisible des périodes d'apprentissage actif répond aux besoins particuliers du milieu.
- Les expériences se déroulent dans un environnement physique approprié.
- Chaque période propose aux enfants des expériences d'apprentissage actif dans un climat de soutien.
- L'horaire quotidien offre des expériences d'apprentissage variées.
- La journée se déroule en douceur, d'une expérience à l'autre.

LECTURES COMPLÉMENTAIRES

Du Saussois, Nicole (1980). *Activités en ateliers à l'école maternelle : organiser/animer*, Paris, Armand Colin Bourrelier, coll. « Pratique pédagogique ».

Du Saussois, Nicole (1983/1993). *Le temps qu'il fait, le temps qui passe : activités pour les ateliers à l'école maternelle*, Paris, Armand Colin, coll. « Pratique pédagogique ».

CHAPITRE 7

Le processus de planification-action-réflexion

Un désir ou une impulsion n'est pas une fin en soi. C'est une occasion, c'est une invitation à planifier et à trouver les moyens de réaliser une activité.
JOHN DEWEY, 1968.

Le processus de planification-action-réflexion, qui est la pièce maîtresse de l'approche axée sur l'apprentissage actif, se concrétise dans la séquence planification – ateliers libres – réflexion. Cette période est l'élément central de l'horaire quotidien et celle qui dure le plus longtemps, parfois même jusqu'à une heure et demie.

En planifiant sur une base quotidienne, en donnant suite à leur planification lors des ateliers libres et en réfléchissant à ce qu'ils ont réalisé, les jeunes enfants apprennent à formuler leurs intentions et à réfléchir sur leurs actions. Ils commencent aussi à comprendre qu'ils sont capables de penser, de prendre des décisions et de résoudre des problèmes. La confiance en soi et l'autonomie ainsi acquises leur seront profitables tout au long de leur scolarisation et de leur vie. Le processus de planification-action-réflexion assure le succès de l'implantation d'un programme axé sur l'apprentissage actif.

Ce chapitre présente les trois éléments clés du processus de planification-action-réflexion : la période de planification, la période d'ateliers libres et la période de réflexion. Il propose également des stratégies que les éducatrices pourront utiliser afin que les enfants profitent pleinement de chaque moment de la journée. Enfin, des exemples illustrent la dynamique du processus de planification-action-réflexion dans des milieux préscolaires.

7.1 Comprendre la période de planification

Dans un milieu favorisant l'apprentissage actif, les enfants planifient quotidiennement non seulement avant les ateliers libres, mais également chaque fois que naît le désir d'entreprendre une activité. Afin d'accompagner adéquatement les enfants, les éducatrices doivent comprendre tous les aspects du processus de planification : le rôle de la planification dans un milieu d'apprentissage actif, les moments propices à la planification, la façon dont les enfants planifient, et les meilleurs moyens pour soutenir les enfants au cours de ce processus.

7.1.1 Définition de la planification

Planifier est un mécanisme de la pensée par lequel une personne, à partir de ses intentions, organise ses prochaines actions. Quand les jeunes enfants planifient, ils partent d'une intention personnelle, d'une visée, d'un but. Selon leur âge et leur capacité de communiquer, ils expriment leurs intentions par des actions (prendre un bloc), des gestes (montrer un bloc) ou des mots (« Je vais jouer avec les blocs. »). Un milieu favorisant l'apprentissage actif offre aux enfants de multiples occasions de planifier, ce qui leur permet de prendre l'habitude d'exprimer leurs intentions avant d'agir. La planification les aide aussi à devenir conscients de leur capacité à élaborer et à maîtriser leurs propres actions.

A. Les origines de la planification

Les pratiques pédagogiques visant à encourager les jeunes enfants à planifier leurs activités et à les réaliser s'appuient sur les travaux de chercheurs (Case, 1985 ; Bullock et Lütkenhaus, 1988 ; Fabricius, 1984 ; Berry et Sylva, 1987) ainsi que sur ceux de théoriciens du développement et de l'éducation de l'enfant (Piaget, 1962 ; Piaget et Inhelder, 1998 ; Smilansky, 1971 ; Smilansky et Shefatya, 1990 ; Dewey, 1933 et 1963 ; Erikson, 1976).

La capacité qu'a l'enfant de planifier apparaît pendant ce qu'Erikson (1976, p. 255) appelle le stade de « l'initiative versus la culpabilité ». Les enfants du préscolaire ont beaucoup d'idées et ils veulent les expérimenter. Lorsqu'on leur permet de le faire, ils développent leur sens de l'initiative ; cependant, quand on les empêche de le faire, ils sont portés à se sentir coupables.

L'habileté à planifier chez les enfants se développe parallèlement à la capacité d'utiliser le langage et de former des images mentales représentant des actions, des personnes et des objets qui ne sont pas présents. Les enfants du préscolaire sont capables d'imaginer ce qu'ils veulent faire et d'en parler, sans nécessairement avoir commencé à le faire. La planification telle qu'on la propose dans ce livre est basée sur ce que le psychologue du développement Robbie Case (1985, p. 68) décrit comme les **structures de la maîtrise de l'exécution** :

> Par définition, une structure de la maîtrise de l'exécution est une impression mentale interne qui représente la façon habituelle de l'enfant de soumettre une situation problématique à sa façon habituelle de faire.

(Voir l'encadré intitulé « La planification, reflet du développement ». Case y illustre sa vision du développement de l'enfant comme étant une série de stratégies de planification établies par les enfants pour résoudre des problèmes immédiats.)

La psychologue Sara Smilansky et le théoricien John Dewey ont également abordé les rôles importants que jouent la planification et la réflexion sur les actions dans l'apprentissage et le développement de l'enfant. Pour Dewey, l'éducation s'articule autour de l'activité orientée par les intentions et autour de la participation de l'enfant « dans la détermination des buts qui dirigent ses activités au cours du processus d'apprentissage » (1963, p. 67). En 1964, Smilansky, une observatrice attentive des enfants, convaincue de la valeur du jeu chez l'enfant, conseilla vivement aux concepteurs du programme High/Scope d'ajouter un processus de « rappel » dans la séquence planification – ateliers libres afin de montrer aux enfants à réfléchir sur ce qu'ils ont planifié et réalisé.

B. Le processus de planification

Au cours de la planification, les enfants effectuent plusieurs opérations mentales. Dans les pages qui suivent, nous décrirons quelques-unes de ces opérations caractéristiques du processus de planification.

Poser un problème ou se fixer un but. Les enfants décident de ce qu'ils feront à partir de leurs propres champs d'intérêt :

- « Je vais faire un bateau… »
- « Je me demande ce qu'il y a dans cette boîte… »

Case (1985, p. 59) affirme ceci :

> Le portrait type du jeune enfant pourrait se présenter ainsi : le jeune enfant est habité par certains désirs naturels qui se heurtent à certains obstacles quand il s'agit de les réaliser, mais l'enfant possède la capacité de surmonter ces obstacles.

Les éducatrices qui favorisent l'approche de l'apprentissage actif soutiennent et encouragent l'exercice de cette capacité à surmonter les obstacles.

Imaginer et prévoir des actions. Au cours de la planification, les enfants imaginent quelque chose qui n'est pas encore arrivé et ils en viennent à comprendre qu'ils peuvent faire en sorte que cette chose se produise. L'enfant qui désire faire un bateau dit : « Je vais prendre quelques morceaux de bois, des clous et un marteau. » L'enfant qui se demande ce qu'il y a dans une boîte pense : « Si je pousse le tabouret près de la boîte, je serai assez haut pour voir dedans. » Par conséquent, les enfants commencent à envisager leurs propres actions comme un moyen pour atteindre une fin. Ils acquièrent également la volonté et l'habileté de se consacrer à leur tâche assez longtemps pour agir sur leurs désirs. Selon les psychologues Merry Bullock et Paul Lütkenhaus, l'accent mis sur la tâche favorise « la résistance aux distractions, la maîtrise des obstacles, la rectification des actions entreprises et l'arrêt de l'activité quand le but est atteint » (1988, p. 664).

Exprimer ses intentions et ses intérêts. Il est important de souligner que ce sont les intentions personnelles des enfants, qu'elles soient simples ou complexes, qui les incitent à s'engager dans une suite d'actions orientées vers un objectif. Quand les enfants agissent selon leurs intentions et leurs intérêts, ils déploient l'énergie et l'enthousiasme nécessaires à leur apprentissage. **Les enfants participent plus activement aux activités d'apprentissage quand les adultes acceptent et soutiennent leurs intentions plutôt que de les rejeter ou d'en détourner les enfants.** La vraie planification commence par l'expression spontanée des intérêts des enfants. Dewey (1963, p. 14) rappelle ceci :

> Les intérêts sont des signes et des symptômes d'une prise de pouvoir en croissance. Je crois qu'ils représentent les capacités naissantes. En conséquence, l'observation attentive et constante des intérêts revêt une importance capitale pour l'éducatrice.

Transformer les intentions en objectifs. Comme le mentionne Dewey dans la citation au début de ce chapitre, le désir et l'impulsion de l'enfant suscitent l'occasion de planifier. Quand un enfant planifie, il fait une pause entre le moment de l'intention et celui de l'action afin de transformer cette intention en une action orientée vers un but. Un soutien adéquat de l'éducatrice à la planification aide les enfants à formuler leurs intentions en objectifs.

Délibérer. D'entrée de jeu, les jeunes enfants sont plus intéressés par le succès (que leurs idées fonctionnent) que par l'efficacité (que leurs idées fonctionnent le mieux possible). Toutefois, en améliorant leur capacité de planifier, ils deviennent également plus intéressés à apprendre de leur expérience : « La dernière fois que j'ai envoyé la balle à mon toutou lapin, j'ai frappé le lapin, mais il n'a pas bougé beaucoup... » Par le biais des délibérations inhérentes à la planification, les enfants inventent de nouvelles actions empreintes de stratégies et d'efficacité et ils deviennent de plus en plus aptes à élaborer des projets en tenant compte de leurs actions antérieures et des résultats obtenus.

Effectuer régulièrement des modifications. Les enfants font un premier plan de jeu : « Je vais jouer dans le bateau avec Kevin. On s'en va à la pêche. » Ils modifient souvent ce plan initial en cours de route : « On fait semblant qu'il y a des crocodiles partout autour du bateau. On est mieux de construire un pont si on ne veut pas qu'ils nous mordent les jambes et qu'ils nous les arrachent. » Lorsqu'ils jouent, les enfants élaborent de nouvelles idées et font face à des problèmes imprévus ; par conséquent, nous considérons la planification comme un processus souple survenant tout autant avant que pendant la séquence de jeu.

En résumé, la planification est un processus de mise en place d'un problème, impliquant l'imagination, la délibération et, au besoin, des modifications, processus par lequel les enfants transforment leurs intentions, leurs désirs et leurs intérêts en actions orientées vers un but. La planification est à la portée de ce que les jeunes enfants peuvent faire parce qu'ils possèdent les capacités requises pour résoudre des problèmes, former des images mentales, exprimer leurs intentions, délibérer et effectuer des changements. Cependant, la majorité des enfants n'ont pas l'habitude de planifier consciemment. Voilà pourquoi ce processus requiert, chaque jour, le soutien et l'attention de l'éducatrice.

Le tableau qui suit, intitulé « L'impact de la planification sur les actions des enfants », présente une autre façon de concevoir la planification et le processus suivi par les enfants pour transformer leurs idées en actions cohérentes ; il compare ce qui arrive quand les enfants planifient et quand ils ne planifient pas.

L'impact de la planification sur les actions des enfants

Idées personnelles	Expression des intentions	Actions	Résultats
Pas de planification Pas d'intentions ou d'intérêts particuliers Impulsion	→ →	Désœuvrement et errance Activité impulsive	 Nouvelle impulsion
Planification Intentions → Désirs Intérêts	Observer et réfléchir → Délibérer Reporter l'action immédiate Se rappeler des actions passées Faire des liens entre les actions et les résultats Prévoir les buts et les moyens de les atteindre Prévoir des problèmes et des solutions Imaginer un projet et choisir une façon de l'amorcer Organiser des actions subséquentes	Exécuter la séquence déterminée des actions → Se concentrer sur les tâches Surmonter les obstacles Constater des problèmes et les résoudre Composer avec les contingences Arrêter lorsque le but est atteint	Réalisation des intentions et des buts Succès Réalisation d'expériences satisfaisantes Processus ou produit à partager

7.1.2 L'importance de la planification

Plusieurs raisons motivent les éducatrices du préscolaire à favoriser l'expression par les enfants de leurs intentions avant qu'ils entreprennent la réalisation de leurs projets.

A. La planification encourage les enfants à préciser leurs projets

En parlant, dans leurs mots, de leurs projets et de leurs observations, les enfants exposent leur pensée et clarifient leurs intentions. La planification permet aux enfants d'ajouter des détails à la formation de leurs images mentales et à leurs projets. En outre, les enfants qui précisent leurs idées et agissent selon leurs intérêts, leurs choix et leur planification comprennent graduellement qu'ils sont, en fin de compte, responsables à part entière de leurs décisions et de leurs actions.

B. La planification favorise la confiance en soi et le sentiment de maîtriser les événements

Grâce à la planification, les enfants apprennent à être autonomes et à se faire confiance ; ils deviennent aptes à faire des choix et à prendre des décisions de même qu'à les modifier. Le psychologue Daniel Jordan (1976, p. 294) souligne ceci :

> Les enfants qui grandissent sans pouvoir mettre en œuvre leurs propres objectifs ou sans pouvoir s'engager dans la réalisation de ceux-ci ne deviennent jamais indépendants, responsables et autonomes.

Plus explicitement, la planification fournit aux enfants des occasions d'expérimenter concrètement la relation entre leurs intentions, leurs actions et le résultat de leurs actions. Ils se perçoivent alors comme des personnes qui peuvent faire des choses ou faire en sorte qu'elles arrivent. Jordan (1976, p. 296) décrit ainsi les avantages de la planification pour les enfants :

> La capacité de décider ce qu'on veut accomplir et d'être en mesure de terminer ce qu'on entreprend contribue à maintenir la santé mentale et la stabilité de la personnalité. C'est la source de la confiance basée sur la réalité et une des principales sources de motivation personnelle.

Des parents dont les enfants suivaient le programme d'apprentissage actif High/Scope ont remarqué que ceux-ci étaient plus autonomes et plus confiants, et qu'ils avaient appris à surmonter la frustration et la colère (Moore et Smith, 1987, p. 9). Dans une étude menée en Angleterre, les psychologues Berry et Sylva (1987) ont constaté qu'il y avait corrélation entre les habitudes de planification chez les enfants et l'accroissement de l'efficacité, de la maîtrise des événements et de la capacité de s'apprécier.

C. La planification favorise la participation et la concentration

Le psychologue Thomas Likona (1973) insiste sur le fait que les personnes participent pleinement aux activités qu'elles ont elles-mêmes choisies, ce qui n'est pas le cas quand elles leur sont imposées. D'autre part, Berry et Sylva (1987) ont observé que les enfants qui planifient se concentrent plus longtemps sur leur jeu que les enfants qui n'ont pas la chance de planifier.

La planification, reflet du développement

Selon Case (1985), le développement de la personne à partir de la naissance implique la rencontre et la résolution de problèmes de plus en plus complexes. Les personnes de tous âges ont des désirs, elles font face à des obstacles, elles élaborent des stratégies pour les surmonter et, chemin faisant, elles construisent leur compréhension du monde.

La progression de l'enfant du processus de planification à la réalisation d'actions orientées vers un but ressemble au modèle de construction de la pensée élaboré par Case et illustré ainsi : l'enfant fait face à un problème, décide de le surmonter et élabore une stratégie pour le faire.

Situation problématique → **Objectif**

→ **Stratégie**

Voici, par exemple, comment Case (p. 162) illustre, pour un enfant d'âge préscolaire, la maîtrise des structures d'interactions sociales lors d'un jeu de rôles. Dans cette situation, un enfant essaie de se figurer comment obtenir un panier pour recueillir le gazon qu'un compagnon est en train de ratisser.

Situation problématique		**Objectif**
Le parent tond le gazon avec une tondeuse.	→	Participer à l'activité.
Un copain possède déjà le râteau.	→	Aider à ramasser le gazon.
Le gazon est habituellement recueilli dans un panier.	→	Aller chercher un panier.

Stratégie

1. Trouver un panier.
2. Tenir le panier près de l'endroit où est accumulé le gazon.

Le processus de planification reflète alors le processus de développement. Les enfants expriment des intérêts de façon spontanée (situation problématique), ils imaginent des solutions (objectifs) et ils planifient une série d'actions (stratégies) afin d'atteindre des résultats. La planification favorise l'émergence de ce processus interne au niveau de la conscience quotidienne de l'enfant. Une fois que les enfants sont conscients de leur efficacité comme planificateurs, ils commencent à se percevoir comme responsables de leur propre vie.

D. La planification favorise l'élaboration de jeux plus complexes

Dans leur étude sur le processus de planification-action-réflexion, Berry et Sylva (1987) ont relevé ceci :

> Les enfants jouent avec plus d'imagination et de concentration et utilisent des processus mentaux plus complexes au moment où ils réalisent ce qu'ils ont planifié que pendant les jeux plus spontanés et non planifiés.

Quoique les enfants aient besoin d'occasions pour s'adonner autant à des jeux simples que complexes, un des objectifs d'un programme axé sur l'apprentissage actif est d'encourager les enfants à se donner des défis qui les stimuleront et les soutiendront dans leur apprentissage. La planification rend les enfants aptes à relever les défis qu'ils se donnent et à composer avec les exigences qui en découlent.

7.1.3 Les façons de planifier

La compréhension de ce que font les enfants lorsqu'ils planifient aide les éducatrices à apprécier et à soutenir les diverses façons de planifier que les enfants adoptent au fil du temps. Ces façons comprennent l'expression de leurs intentions par des gestes, par des actions et par des mots, l'élaboration de plans vagues, simples et détaillés de même que de plans superficiels et explicites.

A. Les enfants développent leur capacité d'exprimer leurs intentions

C'est dans la nature de l'enfant de planifier et de résoudre des problèmes. Pendant la petite enfance, les enfants affrontent et surmontent les problèmes d'un monde où tout est nouveau pour eux. Case (1985, p. 273) note ceci :

> L'enfant de deux mois qui vient juste d'expérimenter le geste de mettre ses doigts dans sa bouche va travailler très fort pour rétablir cet état de bien-être en expérimentant tous les mouvements de bras possibles qui vont lui permettre de le refaire.

Les trottineurs sont de plus en plus aptes à travailler vers un but sans en être distraits. Les psychologues ont remarqué que les trottineurs commencent en se concentrant « plus sur le déroulement de l'activité que sur les fins ou les conséquences de ces activités » (Bullock et Lütkenhaus, 1988, p. 671-672). Vers 2 ans, la plupart des enfants commencent à déplacer leur attention vers l'atteinte de buts qui requièrent quelques efforts. Par exemple, ils peuvent décider d'utiliser les blocs pour faire une tour et cesser quand ils ont une tour qui les satisfait. Ils peuvent frapper leur tour, la faire tomber et en refaire une autre ; mais si leur intention est de faire des tours, ils demeureront déterminés à construire une tour et ils ne seront pas facilement distraits par d'autres possibilités.

Les enfants du préscolaire peuvent résoudre des problèmes en planifiant le déroulement des actions à l'avance. Le psychologue William Van Fabricius (1984) a découvert que lorsque les enfants de trois ans ont un objectif en tête, ils poursuivent généralement l'atteinte de cet objectif une étape à la fois. Par conséquent, dans la poursuite d'un objectif, ils traitent les problèmes au fur et à mesure au lieu de les prévoir et de planifier en fonction de ces problèmes. Très graduellement, par contre, les enfants de 3 ans ½ à 5 ans ½ parviennent à planifier un déroulement d'actions de plus en plus complexe. Ils commencent à entrevoir les problèmes et les façons de les résoudre bien avant de se lancer dans l'action, plutôt que de composer avec chaque problème selon la méthode par essais et erreurs.

Les éducatrices qui sont attentives à l'évolution de la capacité de planifier des enfants se rendent compte que la planification peut prendre plusieurs formes et qu'elle est présente dans plusieurs des comportements d'enfants selon leurs habiletés respectives à trouver et à se représenter des solutions aux problèmes qui les intéressent. Par exemple, pour certains enfants, la planification consiste simplement à trouver un point de départ : « Jouer là-bas » ou « Jouer avec la pâte à modeler ». D'autres enfants planifient en faisant une liste de plusieurs idées sans liens apparents : « Lire dans le coin de la lecture, faire de la peinture et jouer avec les aimants. » D'autres planifient en décrivant sommairement les différentes étapes de la réalisation : « Faire un robot. Trouver une grosse boîte. Fixer une petite boîte sur la grosse pour faire la tête. Trouver quelque chose de long pour les bras. » D'autres peuvent imaginer une séquence très complexe d'événements : « On monte un spectacle. Il faut faire une scène avec les gros blocs, faire des billets d'entrée, placer les chaises. On doit répéter notre danse et, ensuite, on va donner les billets. Et tout le monde va venir au spectacle. » Une fois que les éducatrices comprennent que l'aptitude à planifier chez les enfants se développe, au fil des années, avec l'expérience, elles peuvent soutenir toutes les sortes de planification de la manière la plus significative pour chaque enfant.

B. Les enfants expriment leurs intentions par des gestes, des actions et des mots

Premièrement, il est important de se rendre compte que les jeunes enfants expliquent leurs projets aussi bien avec le langage non verbal qu'avec le langage verbal. Plusieurs éducatrices associent la planification seulement au langage verbal : elles perçoivent la période de planification comme une occasion pour les enfants de s'exprimer avec des mots, ce que plusieurs enfants peuvent faire, alors que, pour d'autres, la planification commence avec le langage non verbal.

L'expression des intentions par des gestes et par des actions. Quand on leur demande ce qu'ils désirent faire, certains enfants répondent en montrant du doigt une personne ou un objet, en regardant vers un ami ou un jouet, ou simplement en commençant leur activité : par exemple, en se rendant dans le coin des blocs, en prenant un bloc rouge et en regardant vers l'adulte pour avoir son approbation. D'autres enfants peuvent apporter à l'éducatrice l'animal ou le camion avec lequel ils désirent jouer. Ils peuvent aussi prendre l'éducatrice par la main pour la conduire vers le coin qui les intéresse. Souvent, après s'être assurés que, grâce à leur gestuelle, les éducatrices ont compris leurs intentions, des

Lorsque l'éducatrice lui a demandé ce qu'elle désirait faire, cette petite fille a laissé le groupe d'enfants et y est revenue quelques minutes plus tard en tenant un livre et un sac. Avec tout le matériel qu'elle avait en main, elle était alors prête à parler de son projet.

enfants qui habituellement parlent peu ajouteront quelques mots. Ils le feront aussi dans la mesure où l'éducatrice n'aura pas insisté pour que l'enfant s'exprime verbalement. Des enfants présentant un léger handicap et même ceux présentant un grave handicap qui ne pouvaient pas parler ont démontré beaucoup d'enthousiasme à exprimer leurs choix et à planifier leurs activités en utilisant des gestes, des sons et des actions significatives.

L'expression des intentions par des mots. La plupart des enfants répondent à la question « Qu'est-ce que tu aimerais faire ? » en disant tout haut ce qu'ils ont l'intention de faire. Ils décrivent leurs projets par des termes simples (« Autos »), des expressions (« Là-bas près de David »), de courtes phrases (« Je veux faire un collier pour ma maman ») ou par une longue explication. Peu importe la façon de le dire, ce qui est important, c'est que les enfants puissent exprimer avec des mots les actions qu'ils veulent faire. Peu importent les mots que les enfants utilisent et la manière dont ils s'expriment, l'éducatrice doit se faire un devoir d'écouter attentivement et de poser des questions de clarification, au besoin.

Bien que le langage des enfants soit très important (c'est un ingrédient essentiel de l'apprentissage actif), il ne faut pas oublier de tenir compte des autres habiletés et des autres aptitudes des enfants pour s'exprimer. Réduire la planification à l'expression orale force les éducatrices à mettre de côté les enfants qui s'expriment d'une manière non verbale. Même si, pour la plupart des enfants, la planification doit finalement devenir un tremplin pour parvenir à une conversation réfléchie, il ne faut pas pour autant délaisser la communication non verbale.

C. Les enfants font des planifications vagues, simples et détaillées

Dans leur étude citée précédemment, Berry et Sylva (1987) notent que la clarté des plans élaborés par les enfants dépend de leur capacité à se faire une image mentale de ce qu'ils veulent entreprendre. Leur classification des planifications des enfants en termes de « vagues », « simples » et « détaillées » est utile à l'éducatrice qui désire saisir pleinement l'expression par les enfants de leurs intentions.

La planification vague. L'enfant fournit le minimum d'informations pour indiquer son choix ou répondre à la question « Qu'est-ce que tu aimerais faire ? ». Par exemple : « Aller là-bas », « Coin poupées » ou « Faire quelque chose ». Les enfants qui font de tels plans ne semblent pas avoir une image précise de ce qu'ils veulent faire. Ils finissent souvent par faire deux ou trois choses, par exemple aller dans un coin non occupé où ils se sentiront en sécurité, prendre un toutou et surveiller les autres enfants ou aller de coin en coin, ou encore se tenir près de l'éducatrice et la suivre. Ces enfants peuvent indiquer, par cette façon d'agir, qu'ils ont besoin de temps pour évaluer toutes les possibilités, pour voir ce que font les autres enfants ou pour se rendre compte qu'ils peuvent faire des choix. À leur façon, ils essaient peut-être de dire : « Je veux observer un peu avant de me décider » ou « Je veux faire quelque chose là où je me sens en sécurité avant de me risquer à faire quelque chose de nouveau ».

La planification simple. Dans ce type de planification, les enfants mentionnent une activité, un processus ou le matériel comme point de départ. Par exemple : « Jouer avec les jeux de construction. » « Découper. Faire des piles. » « Prendre les grelots et danser. » Ces enfants semblent avoir en tête une image claire de la façon dont se déroulera l'activité qu'ils ont planifiée.

La planification détaillée. Pour ce type de planification plus complexe, les enfants mentionnent une activité, un processus ou le matériel comme point de départ, comme objectif ou comme résultat ; ils décrivent souvent une ou deux étapes ou nomment un ou deux accessoires afin de situer l'activité du début à la fin. Par exemple :

> J'ai vu des oiseaux à la plage avec mon père. Je veux faire une plage avec des oiseaux sur le sable. Trois oiseaux : la maman, le papa et le petit garçon oiseau. (Pause.) Et un nid pour les trois. (Pause.) J'ai une idée ! De l'eau aussi ! Veux-tu voir ça ? Je vais te le dire quand ça sera le temps de venir voir. D'accord ?

Les enfants qui planifient de cette manière ont élaboré une image mentale détaillée de leur projet et de la façon dont ils vont le réaliser. Ils sont généralement persévérants en dépit des problèmes qui surviennent et ils font des modifications tout au long du processus, au besoin.

D. Les enfants planifient de façon appliquée et superficielle

Il est aussi important de prêter attention à la façon dont les enfants planifient. Généralement, les enfants planifient avec enthousiasme. Vous pouvez le constater par leur voix, leurs mouvements et leur gestuelle quand ils insistent pour vous faire part de leurs idées, lorsqu'ils font une pause pour réfléchir et pour rassembler leurs idées, lorsqu'ils désignent l'endroit, le matériel, la personne ou l'objet dont ils parlent. Cependant, les enfants semblent parfois vouloir esquiver le moment de la planification. Ils savent que c'est le temps de planifier et ils le font, mais leurs plans sont superficiels. Une éducatrice décrit ainsi ce type de planification :

> Parfois, Jérôme dit quelque chose qui ne veut rien dire, parce que je crois qu'il veut seulement jouer avec ses amis et que ceux-ci ne sont pas encore arrivés. Il attend qu'ils soient tous là pour exprimer ses intentions clairement.

Une fois que l'éducatrice sait reconnaître les plans superficiels, elle est en mesure d'accepter un commentaire comme : « Je ne veux pas planifier tout de suite. Je veux jouer avec Christian et il n'est pas encore arrivé. »

E. La planification des enfants se modifie avec le temps

Les plans des enfants se modifient au fur et à mesure qu'ils maîtrisent mieux le processus de planification et qu'ils se familiarisent avec leur environnement. À titre d'exemples, nous vous présentons différentes planifications de Monique sur le thème de la maison.

> **Septembre**
> « Je veux faire une maison avec des blocs. »
> « Je veux jouer avec Audrey dans notre maison. »
>
> **Octobre**
> « Je veux faire une maison avec les gros blocs de carton. Je vais mettre un toit aussi. »
> « Je vais dessiner ma maison avec de la gouache. C'est pour donner à grand-maman. »
>
> **Novembre**
> « Grand-maman m'a offert des souliers dans une boîte. J'ai apporté la boîte pour faire une maison pour mes animaux. »
>
> **Janvier**
> « Je veux construire une maison d'oiseaux dans le coin de la menuiserie. »

F. Les enfants commencent le processus de planification à la maison

Au fil des ans, des parents et des enfants participant à un programme favorisant l'apprentissage actif ont raconté leurs expériences de planification à la maison. En voici quelques-unes :

> - « En s'habillant ce matin, Aurélie m'a expliqué ce qu'elle voulait faire aujourd'hui. »
> - « Dans l'auto, ce matin, Rémi m'a parlé de ses projets pour aujourd'hui. Il savait ce qu'il voulait faire à la période d'ateliers ce matin. »
> - « À l'heure du dîner, Tania m'a expliqué que ses projets pour le lendemain étaient de regarder des livres pendant la sieste, puis de jouer dans le carré de sable avec sa voisine Tiao. Je lui ai demandé : "Que dirais-tu d'aller voir grand-maman après la sieste ?" Elle m'a répondu : "J'aimerais mieux y aller après avoir joué dans le sable." Elle est très déterminée. C'est exactement ce qu'elle a fait : lire des livres, jouer dans le sable avec Tiao, puis nous sommes allées voir ma mère. Cette enfant sait ce qu'elle veut. »

7.2 Soutenir le processus de planification

Quoique la planification occupe une brève période de l'horaire quotidien, elle demeure un processus exigeant qui nécessite de la concentration et une discussion entre chaque enfant et l'éducatrice. Il est important pour les éducatrices de diriger la planification de façon à inciter les enfants à faire leurs plans le plus clairement possible. Les éducatrices peuvent soutenir la planification des enfants de cinq manières, toutes aussi importantes les unes que les autres :

- en examinant leurs propres attitudes au regard du processus de planification ;
- en planifiant avec les enfants dans une atmosphère d'intimité ;

- en procurant du matériel et des expériences qui maintiennent l'intérêt des enfants au moment de la planification ;
- en conversant avec chaque enfant au sujet de ses projets ;
- en prévoyant les modifications dans la façon de planifier des enfants tout au long de l'année.

7.2.1 Examiner ses convictions et ses attitudes au regard de la planification des enfants et être attentive à son propre style d'interaction

Pour soutenir efficacement la planification des enfants, les éducatrices doivent prendre conscience de leurs attitudes envers le processus de planification suivi par les enfants. Plusieurs éducatrices abordent le processus de planification avec enthousiasme parce qu'elles comprennent que les enfants apprennent mieux en suivant leurs propres intérêts. Ces éducatrices prennent plaisir à découvrir les idées et les intentions des enfants et peuvent facilement inclure le processus de planification à l'horaire quotidien. D'autres éducatrices, cependant, sont sceptiques quant à la valeur de ce processus. Elles hésitent à changer une routine qui leur convient ou elles ont peur de ne plus maîtriser la situation :

> Qu'est-ce que je vais faire s'il y a du chahut ? si les enfants disent une chose et font autre chose ? ... si tous les enfants planifient une activité dans le coin des blocs ? ... s'ils ne planifient jamais de projets en arts plastiques ? ... s'ils ne planifient pas une expérience que je juge importante pour eux ? ... s'ils ne font pas le bon choix ?

Il est important pour les éducatrices de comprendre que de telles craintes se confirment rarement dans la réalité. Une fois que les enfants pourront compter sur une période de temps suffisante pour planifier et sur un endroit approprié pour le faire et qu'ils auront en outre commencé à planifier, ils vous prouveront qu'ils sont des planificateurs et des preneurs de décisions compétents.

En plus d'être conscientes de leurs attitudes face à la planification, les éducatrices doivent être attentives à leur propre style d'intervention. Quelques éducatrices peuvent favoriser une approche de non-intervention : « C'est le temps des enfants ; alors, je n'interviens pas. » D'autres éducatrices peuvent inconsciemment imposer leurs choix et leurs décisions aux enfants. Par exemple, elles peuvent demander aux enfants ce qu'ils désirent faire et aller à l'encontre des réponses qu'elles reçoivent par des déclarations inappropriées comme :

- « Tu as fais ça hier. Pense à autre chose aujourd'hui. »
- « Le coin de la maisonnette est complet. Où pourrais-tu aller jouer ? »
- « Je crois vraiment que tu devrais commencer par le coin des arts plastiques aujourd'hui : tu n'y es pas allé depuis longtemps. »
- « Tu pourrais terminer la peinture de ton bateau et faire des personnages pendant qu'il sèchera. »

Même si de telles remarques visent à aider les enfants, elles modifient la première demande faite aux enfants de prendre des décisions pour et par eux-mêmes. En devenant conscientes de leur style d'intervention, les éducatrices pourront s'acheminer vers une approche de la planification caractérisée par **l'authenticité, le dialogue, l'écoute attentive, les questions honnêtes et le soutien du sens de la découverte chez l'enfant**. Les éducatrices peuvent alors voir chaque session de planification comme une aventure stimulante par laquelle elles soutiennent le projet de chaque enfant.

7.2.2 Les enfants et les éducatrices planifient dans des lieux favorisant l'intimité

On peut planifier avec les enfants dans des contextes variés : à la table des arts plastiques, dans le coin des blocs, assis par terre en cercle au milieu du local. Des endroits clairement délimités comme ceux que nous venons d'énumérer facilitent le processus de planification.

A. Planifier dans un endroit propice à la conversation et à l'intimité

Peu importe l'endroit où elle se déroule, la planification doit donner lieu à une conversation réfléchie entre un enfant qui planifie et un adulte qui le soutient. L'enfant exprime verbalement ses intentions ou il les indique par d'autres moyens ; l'éducatrice poursuit le dialogue avec l'enfant sur la manière de les réaliser. Comme la planification avec un groupe d'enfants implique une série de conversations de personne à personne, plus le groupe d'enfants sous la supervision d'une éducatrice sera petit, plus les conversations se dérouleront sans précipitation dans un climat intime. Dans leur étude sur le processus de planification-action-réflexion, Berry et Sylva (1987, p. 16) soulignent que plus le groupe d'enfants est restreint, ce qui permet une planification plus intime, plus les enfants font des planifications détaillées.

Nombre d'enfants par groupe	Pourcentage de planifications détaillées
1-4	60 %
5-7	42 %
8-10	14 %

Ces résultats ont amené ces auteures (p. 16) à se questionner sur le fait que les éducatrices qui animent de grands groupes soient plus intéressées par la gestion du temps et du groupe que par la qualité de la présence accordée à chaque enfant. Cependant, elles ont aussi noté que la taille du groupe d'enfants n'était pas le seul facteur pouvant influer sur le processus de planification :

> Les attentes de l'équipe de travail et leurs priorités déterminent aussi la qualité du processus de planification ainsi que celle des plans que les enfants élaborent.

En d'autres mots, même si la planification en petit groupe contribue à l'intimité et aux plans détaillés et est, de ce fait, préférable, les éducatrices devront tout faire pour favoriser une atmosphère intime, peu importe la taille du groupe d'enfants lors de la planification. Par exemple, une façon de favoriser l'intimité est de se placer au même niveau que les enfants pour leur parler ; une autre façon est de fournir un matériel intéressant aux enfants qui attendent leur tour pendant les conversations entre l'éducatrice et chaque enfant.

B. Planifier avec ses amis et son groupe d'appartenance

Un environnement sécurisant pour la planification, c'est-à-dire avec la même éducatrice et le même groupe d'enfants au même endroit, favorise le foisonnement de projets. Une telle stabilité procure aux enfants un sentiment de sécurité et de maîtrise dont ils ont besoin pour relever le défi que représente la planification. Si un changement doit se produire, il est important d'en avertir les enfants à l'avance :

> Demain, Robert et moi allons changer de groupe lors de la planification. Nous voulons avoir la chance de planifier avec chacun de vous. Robert s'installera dans le coin de la maisonnette et moi, dans le coin des arts plastiques.

C. Planifier dans un endroit qui permet de voir les autres enfants et le matériel

Plus les enfants sont jeunes, plus ils ont besoin de voir le matériel disponible. Quand celui-ci est bien en vue, les enfants peuvent faire des liens entre le matériel disponible et l'activité qu'ils sont en train de planifier. Par exemple, en planifiant dans un endroit qui permet aux enfants de voir facilement le matériel du coin de la maisonnette, les enfants peuvent imaginer ce qu'ils pourront faire avec les déguisements. Dans la plupart des milieux préscolaires, cependant, il y aura toujours du matériel que les enfants ne pourront pas voir, peu importe l'endroit où se déroulera la planification.

Les éducatrices peuvent parer à ce problème en changeant d'endroit ou en modifiant l'aménagement et en faisant le tour des coins d'activités avec les enfants juste avant la planification.

7.2.3 Proposer du matériel et différentes façons de faire afin de maintenir l'intérêt des enfants au cours de la planification

Le défi des éducatrices lors de la planification est de garder un groupe d'enfants occupé pendant qu'elles parlent avec chaque enfant à tour de rôle. Quand les enfants disposent de matériel intéressant, ils acceptent facilement d'attendre leur tour. Alors, les éducatrices ne se sentent pas bousculées, et elles peuvent prendre le temps nécessaire pour parler avec chaque enfant.

A. Utiliser des activités et des jeux variés pour planifier

Des activités et des jeux variés ont été conçus au fil des ans afin de rendre le moment de la planification agréable. Nous les regroupons ainsi : les jeux d'observation, les jeux de groupe, les jeux avec un accessoire ou avec un partenaire et les jeux de représentation. (Ces activités sont présentées dans l'encadré intitulé « Les jeux et les activités pour planifier ».) De telles activités doivent être enjouées et elles doivent être renouvelées régulièrement afin d'éviter que la planification ne devienne routinière. Elles doivent aussi offrir des défis aux enfants afin de leur permettre d'utiliser pleinement leurs habiletés à imaginer et à décrire leurs intentions le plus précisément possible. Elles doivent aussi aider les enfants à voir toutes les possibilités qu'offre le moment de la planification.

B. Les enfants se prennent en main

Plus les enfants sont familiarisés avec le processus de planification, plus ils sont capables d'assumer progressivement la gestion de cette période. Ils le font en proposant leurs propres variations pour les jeux de planification, en adoptant le rôle de l'éducatrice qui veille à faciliter l'émergence des idées et en planifiant eux-mêmes avec un ami ou en petit groupe. Par exemple, quand l'éducatrice a utilisé une formule rythmée pour indiquer le tour de planification (« Tapi, tapa, tapo, ringi, ringa, ringo, c'est ton tour, Carlo »), les enfants ont proposé quelques variations rendant ce moment plus dynamique et plus enjoué : battre le rythme sur la table, ne nommer que les initiales du nom de l'enfant afin d'essayer de le deviner, désigner l'enfant avec enthousiasme en suivant le rythme de la main. Comme l'éducatrice a pris en considération leurs propositions, les enfants ont pris plaisir à participer à ces activités et à enrichir la formule.

Les enfants apprennent à planifier avec un ami ou avec un groupe d'amis en utilisant un accessoire, comme le téléphone, ou simplement en se plaçant face à face. Des enfants qui ont tendance à faire des planifications vagues en présence de l'éducatrice se mettent à les détailler lorsqu'ils doivent les expliquer à un autre enfant, de même que deux enfants qui ont planifié ensemble une activité la réaliseront ensemble.

Au fil du temps, les enfants gèrent la planification dans la mesure où les éducatrices acceptent d'y renoncer. En fin de compte, plus les enfants sont autonomes, moins les éducatrices sont au centre du processus de planification, et plus leurs rôles de médiatrices et de personnes-ressources gagnent en importance.

7.2.4 Dialoguer avec chaque enfant

Après avoir installé un contexte de jeu pour démarrer la planification, les éducatrices se concentrent sur la planification de chaque enfant. Lors de cette conversation intime avec chacun d'eux, les éducatrices les aident à préciser leur plan, elles les écoutent attentivement, elles demeurent sensibles au langage verbal et non verbal, elles encouragent la planification en équipe, elles valorisent les plans élaborés par les enfants et elles notent la corrélation entre les plans et leur réalisation. Lorsque l'éducatrice s'installe avec chaque enfant pour l'aider à planifier, elle utilise les stratégies décrites ci-dessous.

A. Poser des questions ouvertes

Pour commencer, l'éducatrice se place au même niveau que l'enfant afin de lui montrer son intérêt et l'importance qu'elle accorde à ses propos. La façon

Les jeux et les activités pour planifier

Les jeux d'observation

Les jeux d'observation peuvent aider les jeunes enfants à voir les choix qui s'offrent à eux. Ils peuvent aussi aider les enfants à se sentir à l'aise dans un nouvel environnement ou à comprendre un changement dans un des coins d'activités.

Les tours guidés. Les enfants font le tour des coins d'activités deux par deux : un enfant qui est plus familiarisé avec le processus de planification et avec l'aménagement du local est jumelé avec un nouvel arrivant. Quand ils trouvent quelque chose d'intéressant, ils commencent à jouer. Variante : Les enfants apportent à l'éducatrice un objet qu'ils ont trouvé et alors commence une brève conversation portant sur la planification.

L'étalage. L'éducatrice place sur la table autour de laquelle se déroule la planification divers objets qu'elle a ramassés dans les coins d'activités. Les enfants examinent les objets, ils choisissent celui ou ceux qui les intéressent, ils parlent de leur choix et ils vont ensuite jouer.

Le train. Les enfants et une éducatrice forment un train et « visitent » tous les coins d'activités. (Le train peut être constitué de deux longues cordes à danser que les enfants tiennent.) Ils s'arrêtent à chaque coin d'activités, ils regardent le matériel et ils imaginent diverses possibilités de jeu. Les enfants quittent le train au fur et à mesure qu'ils choisissent ce qui les intéresse. Variantes : (1) Chaque enfant a la possibilité de faire la locomotive. (2) Le train visite tous les coins d'activités une première fois avec tous les enfants à son bord et, au deuxième tour, chaque enfant quitte le train quand celui-ci passe devant l'aire de jeu ou le matériel qui l'intéresse.

La cueillette. L'éducatrice pose à chaque enfant une question simple, comme : « Qu'est-ce que tu veux faire aujourd'hui ? » Mais au lieu de poursuivre la conversation sur la planification, elle donne à chaque enfant un sac, un panier ou une boîte. Elle demande aux enfants d'aller chercher des objets dont ils auront besoin pour la période d'ateliers. Quand les enfants ont terminé leur cueillette, l'éducatrice poursuit la planification en parlant avec chaque enfant des objets qu'il a choisis et de l'utilisation qu'il prévoit en faire. Variante : L'éducatrice offre aux enfants des contenants de différentes grandeurs (de la tasse à la grosse boîte) et elle leur demande de choisir le contenant qu'ils pensent le plus approprié à la grosseur et à la quantité de matériel qu'ils prévoient utiliser.

Les jeux de groupe

Les jeux auxquels participe tout le groupe tiennent les enfants en haleine, car ils ne savent pas quel enfant sera le prochain à parler de ses projets.

Le cerceau. L'éducatrice fait une marque sur un grand cerceau (Houla-oups) avec un ruban adhésif de couleur. Cinq ou six enfants sont assis en cercle et tiennent le cerceau avec leurs deux mains. Les enfants, accompagnés de l'éducatrice, chantent de courtes chansons, tout en faisant tourner le cerceau de façon que la marque passe de main en main. Lorsqu'une chanson se termine, on arrête le cerceau, et l'enfant qui touche à la marque ou dont la main en est le plus près parle de ses projets avec l'éducatrice. Variante : On peut aussi utiliser plusieurs cravates nouées ensemble, une corde à danser ou un gros ruban et faire la marque avec un double nœud. Les enfants ferment leurs yeux et, à la fin de la chanson, celui dont la main est le plus près du nœud parle de ce qu'il veut faire.

Le ballon. Les enfants sont assis en cercle. Un enfant ou l'éducatrice fait rouler le ballon vers un enfant qui commence alors sa planification. Quand il a terminé, il fait rouler le ballon vers un autre enfant, et ainsi de suite, jusqu'à ce que tous les enfants aient fait leur planification. Variante : On peut utiliser une balle de laine qui roule d'un enfant à l'autre pour former une toile d'araignée.

La toupie. Les enfants sont assis en cercle. Un enfant fait tourner une bouteille de plastique. Lorsqu'elle s'immobilise, l'enfant qui fait face au goulot planifie avec l'éducatrice. Lorsque l'enfant a terminé, il fait tourner la bouteille à son tour afin de désigner qui sera le prochain à planifier. Variante : On peut utiliser une assiette d'aluminium sur laquelle on a fait une marque au crayon feutre indélébile.

→

Les symboles. L'éducatrice dépose un symbole représentant chaque enfant dans un sac ou dans une boîte. Chaque enfant est représenté par une forme distinctive (formes géométriques, fleurs, objets, animaux, etc.) qui le caractérise tout au long de l'année, ou par un carton plastifié sur lequel se trouve son nom ou sa photo. Un enfant tire un symbole indiquant ainsi l'enfant dont c'est le tour de planifier. Celui-ci tirera à son tour le symbole d'un autre enfant, et ainsi de suite.

Les formules rythmées. Une formule rythmée indique le tour de parole : « Tapi, tapa, tapo, ringi, ringa, ringo, c'est ton tour, Carlo ». Carlo annonce ses intentions et on reprend la formule avec un autre enfant : « Tapi, tapa, tapé, ringi, ringa, ringé, c'est ton tour, André ».

Les jeux avec un accessoire ou avec un partenaire

En utilisant divers objets ou en formant des paires pour planifier, l'éducatrice s'assure de l'attention des enfants pendant qu'elle parle avec chaque enfant.

La lunette d'approche ou le télescope. L'éducatrice donne à chaque enfant un rouleau de carton (ou deux rouleaux fixés par un ruban adhésif) avec lequel il scrute le local afin de trouver des objets avec lesquels il aimera jouer ou faire des activités. Pendant que les enfants regardent dans leur lunette et discutent entre eux, l'éducatrice circule parmi eux afin d'échanger avec chacun.

Les téléphones. Deux téléphones sont nécessaires pour cette activité. La planification se déroule au téléphone. L'éducatrice « appelle » un enfant, qui lui parle de ses projets. À la fin de sa planification, l'enfant passe le téléphone à un autre enfant, et ainsi de suite. Variantes : (1) Deux enfants peuvent se parler au téléphone : l'un explique ses projets à l'autre qui tient le rôle de l'éducatrice en le soutenant et en posant des questions de clarification. (2) Si vous avez un téléphone pour chaque enfant, les enfants peuvent se parler au téléphone entre eux, pendant que l'un d'eux parle avec vous de sa planification.

Les marionnettes. L'éducatrice tient une marionnette qui discute avec chaque enfant qui planifie à tour de rôle. Variantes : (1) L'éducatrice utilise une marionnette et l'enfant qui planifie utilise lui aussi une marionnette ; ainsi, la planification se tient entre deux marionnettes. (2) Chaque enfant peut avoir sa propre marionnette.

Le magnétophone. L'enfant dont c'est le tour de planifier appuie sur le bouton de démarrage. L'enfant et l'éducatrice utilisent le micro pour se parler. À la fin de la conversation, l'enfant appuie sur le bouton d'arrêt et donne le micro à un autre enfant. Et le même processus recommence.

Les paires. Deux enfants planifient ensemble. Un enfant décrit ses plans à l'autre qui tient le rôle de l'éducatrice en l'écoutant, en le soutenant et en posant des questions de clarification. Puis, les enfants changent de rôle. Cette façon de faire fonctionne bien avec des enfants qui ont une bonne expérience de la planification et qui comprennent bien le processus.

Les jeux de représentation

Des photos, des mimes, des dessins, des cartes et des lettres peuvent aider les enfants à se représenter plus précisément leurs plans. Ces stratégies donnent aussi à l'enfant quelque chose à faire et à explorer pendant qu'il attend son tour pour planifier.

Les images. L'éducatrice monte une collection d'images, de photos ou de dessins, plastifiés ou laminés, de tout le matériel qui se trouve dans le local et dans les boîtes de rangement. Pour commencer, l'éducatrice demande rapidement à l'enfant : « Qu'est-ce que tu aimerais faire aujourd'hui ? » Puis elle lui demande de choisir les images correspondant au matériel qu'il désire utiliser. Finalement, elle parle avec chaque enfant des images qu'il a choisies et des liens qu'elles ont avec ses plans. Variantes : (1) Préparer un tableau sur lequel les enfants pourront fixer leurs images sous leur symbole respectif afin de s'y référer à la période de réflexion. (2) Encourager les enfants à placer les images selon l'ordre de leur utilisation prévue dans leurs plans.

Le mime. L'éducatrice dit à l'enfant : « Montre-moi ce que tu veux faire aujourd'hui sans utiliser de mots, seulement par des gestes. Tes amis et

→

moi allons essayer de deviner. » Lorsque l'enfant aura mimé ce qu'il entend faire, l'éducatrice peut lui poser des questions de clarification et parler de certains détails, puis passer au mime d'un autre enfant.

La carte. Comme pour une carte géographique, l'éducatrice représentera sur un grand carton les coins d'activités et, à l'aide d'images et de dessins, elle indiquera le matériel disponible dans chaque coin. À chaque enfant, elle pose rapidement la question suivante : « Qu'est-ce que tu penses faire aujourd'hui ? » Puis elle donne à l'enfant une figurine qu'il déplace sur la carte en indiquant son choix d'activité. Elle pourra dire : « Montre-moi sur la carte et dis-moi avec ton ourson ce que tu veux faire. » Cette stratégie est appropriée pour les enfants qui sont habitués de planifier et qui sont capables d'interpréter une carte. Variante : Pour les enfants qui ne sont pas prêts à faire cette activité, faites un sentier à l'aide d'un grand morceau de tissu ou de papier d'emballage. Vous diviserez le morceau en sections représentant chacune un coin d'activités. L'enfant pourra se tenir debout sur la section qui représente son choix d'activité et il pourra alors expliquer ce qu'il veut faire aux autres enfants et à l'éducatrice.

Le dessin et l'écriture. L'éducatrice fournit aux enfants du papier et des crayons pour dessiner et pour écrire. Elle leur demande ensuite de dessiner ou d'écrire ce qu'ils planifient de faire. Elle discute avec chacun d'eux de leurs plans respectifs. Cette stratégie fonctionne bien quand les éducatrices peuvent décoder et saisir la variété des styles des dessins et des écritures des enfants, tels le gribouillage, le décalque, les formes, les croquis, les figures, les symboles et les combinaisons de lettres.

la plus directe pour aider un enfant à clarifier son plan est de lui poser simplement la question : « Qu'est-ce que tu veux faire aujourd'hui ? » Cette question ouverte sollicite plusieurs réponses possibles et permet à l'enfant de répondre sans avoir à comprendre le sens du mot « planification ». D'autres questions peuvent servir de point de départ :

- « Qu'est-ce que tu aimerais faire pendant la période d'ateliers ? »
- « Qu'est-ce que tu penses faire maintenant ? »
- « Dis-moi, Gabriel, ce que tu as le goût de faire aujourd'hui. »
- « Je vois que tu as des aimants dans tes mains, Chanelle. Veux-tu faire quelque chose avec ces aimants ? »
- « Maude, ton père m'a dit que tu sais déjà ce que tu veux faire aujourd'hui ! »
- « Hier, tu m'as dit que tu aimerais travailler sur ta maison aujourd'hui. Est-ce encore ce que tu veux faire ? »

Une fois que les enfants sont familiarisés avec le processus de planification parce qu'ils l'ont expérimenté et qu'ils comprennent le sens des mots « planification » et « plan », l'éducatrice peut leur poser des questions ouvertes qui contiennent ces mots.

- « Quel est ton plan aujourd'hui ? »
- « Parle-moi de ce que tu veux, Cindy. »
- « Charles, qu'est-ce que tu planifies de faire aujourd'hui ? »

B. Prendre le temps de parler avec les enfants des sujets qui peuvent entraver la planification

Quand l'éducatrice demande « Qu'est-ce que tu vas faire durant la période d'ateliers ? », elle ne sait jamais ce que l'enfant va répondre. Dans le cas qui suit, l'éducatrice prend le temps de dialoguer avec Blaise, qui est triste.

L'ÉDUCATRICE. – Blaise, dis-moi ce que tu veux faire durant la période d'ateliers.
BLAISE. – Le chien de ma cousine est mort hier.
L'ÉDUCATRICE. – Le chien de ta cousine est mort.
BLAISE. – Ma cousine pleurait. Ma mère aussi. Ma tante pleurait beaucoup.
L'ÉDUCATRICE. – Quand on est triste, ça fait du bien de pleurer.

BLAISE. – Il a cassé sa laisse et il a couru dans la rue.

L'ÉDUCATRICE. – Les chiens aiment courir et, parfois, ils courent là où c'est dangereux.

BLAISE. – J'aurais aimé qu'il ne coure pas dans la rue. (Pause.) Peut-être que je pourrais faire une maison avec une grosse clôture autour. Oui ! C'est ça que je veux faire.

L'ÉDUCATRICE. – Tu veux faire une maison avec une grosse clôture.

BLAISE. – Oui ! Je vais faire ça avec les petits blocs et les petits animaux de la ferme. Je vais leur faire une maison et une clôture pour les protéger.

Prudence avec les questions commençant par « Où ? »

Le cœur du processus de planification réside dans l'encouragement donné aux enfants afin qu'ils décrivent les actions qu'ils ont l'intention de réaliser. Des questions comme « Qu'est-ce que tu veux faire ? » ou « Comment vas-tu t'y prendre ? » aident les enfants à prévoir leurs activités.

Inversement, une question comme « Où vas-tu jouer ? » peut aider l'éducatrice à gérer l'utilisation des coins d'activités par les enfants, mais elle n'incite pas les enfants à prévoir et à décrire un plan d'action. Voici ce qui peut arriver :

L'ÉDUCATRICE. – Où vas-tu jouer aujourd'hui, Nicolas ?
NICOLAS. – Dans le coin des blocs.
L'ÉDUCATRICE. – (plus tard, durant la période d'ateliers) Nicolas, que fais-tu dans le coin de la maisonnette ? Tu avais planifié de jouer dans le coin des jeux de construction.

Ce dernier commentaire est inapproprié. Peut-être que Nicolas avait terminé de jouer dans le coin des jeux de construction. Peut-être était-il allé chercher l'objet dont il avait besoin pour poursuivre son jeu dans le coin des blocs. Peut-être était-il en train de consulter un ami. La planification a été conçue pour aider les enfants à imaginer ce qu'ils veulent faire avant de le faire et à y réfléchir, ce qui ne les confine pas à un coin en particulier pour toute la durée de la période d'ateliers libres.

Dans leur étude du processus de planification-action-réflexion, Berry et Sylva (1987, p. 32) ont remarqué qu'en posant la question « Où ? » et en laissant la planification à ce stade, l'éducatrice favorisait une élaboration minimale des plans par les enfants. Par conséquent, si l'éducatrice commence la planification en posant la question « Où veux-tu jouer aujourd'hui ? », elle doit s'assurer de poursuivre avec la question « Qu'est-ce que tu veux faire dans ce coin ? ». De plus, si l'éducatrice pose la question « Où ? », elle doit être prête à recevoir des réponses comme celles-ci : « Partout », « Dans tous les coins », « Ici, pas très loin ».

C. Aider les enfants à définir leurs projets par le biais des « histoires parlées »

Certains enfants sont si empressés de passer à l'action qu'ils n'attendent pas leur tour. Ils attirent l'attention de l'éducatrice, ils lui disent en vitesse ce qu'ils veulent faire et ils commencent à jouer pendant que d'autres enfants n'ont pas encore décidé de ce qu'ils vont faire. Certains enfants semblent avoir besoin d'une question de départ ou d'un commentaire pour démarrer leur processus de planification, tandis que d'autres semblent lambiner comme s'ils s'attendaient à avoir l'éducatrice à leur entière disposition. Souvent, ces enfants sont plus à l'aise avec une approche indirecte, selon leurs propres modalités, plutôt qu'en répondant à une question de l'éducatrice. « Les histoires parlées » (un terme hawaïen impliquant une conarration et un discours qui se construit en reprenant les paroles de l'interlocuteur) favorisent la clarification du plan de ces enfants plus que ne le feraient les questions de l'éducatrice. En fait, utiliser les « histoires parlées » signifie décrire à l'enfant ce qu'on voit et faire des commentaires positifs qui s'appuient sur les réponses de l'enfant. En voici un exemple :

L'ÉDUCATRICE. – Je suis assise à côté d'une petite fille qui s'appelle Louise. Cette petite fille regarde son amie Béatrice.

LOUISE. – Je regarde Béatrice laver son bébé.

L'ÉDUCATRICE. – Elle lave son bébé afin qu'il soit propre et content.

LOUISE. – Le bébé va être content de dormir dans son pyjama propre. Mon bébé pleure.

L'ÉDUCATRICE. – Oh ! Ton bébé pleure !

LOUISE. – Il pleure parce qu'il veut prendre son bain.

L'ÉDUCATRICE. – Il veut prendre un bain, lui aussi.

LOUISE. – Je vais lui donner son bain et lui mettre un pyjama propre pour la nuit.

D. Écouter attentivement les réponses des enfants

Lors de la planification, il n'y a aucune raison de se presser et de faire en sorte que les enfants se sentent bousculés et anxieux. Peu importe que vous aidiez un enfant à préciser ses projets en posant une question ouverte ou en utilisant une « histoire parlée », il est important de lui donner tout le temps dont il a besoin pour répondre. Ce que chaque enfant vous dit ou fait vous fournit des informations importantes sur sa façon de planifier. Écoutez et soyez attentive aux planifications exprimées verbalement et non verbalement. Cela vous dira si vous devez traduire en mots la planification non verbale de l'enfant ou vous engager dans un dialogue sur les intentions de celui-ci. Écoutez les planifications vagues, simples ou détaillées afin de mieux connaître les capacités de l'enfant à imaginer une séquence d'actions et afin de savoir jusqu'à quel point vous pouvez l'aider à imaginer ses projets plus précisément. Écoutez avec autant d'attention les planifications superficielles que celles faites avec application afin d'assurer les enfants qu'ils peuvent se permettre d'attendre leurs amis, de prendre du temps pour planifier ou pour parler d'un sujet plus urgent.

Par exemple, une petite fille arriva à la période de planification et s'assit aussi près que possible de l'éducatrice. Quand ce fut son tour de planifier, elle raconta à l'éducatrice que sa mère avait eu une « bataille » avec son ami et qu'elle-même avait très peur d'un éducateur de l'école, car il ressemblait à l'ami de sa mère. Elle craignait d'être frappée par cet éducateur comme sa mère l'avait été par son ami. Après avoir parlé de ses peurs avec l'éducatrice, cette enfant qui habituellement s'adonnait à des projets recherchés dans le coin des arts plastiques choisit de rester près de l'éducatrice. L'éducatrice reconnut son besoin de proximité et s'installa avec elle dans le coin des arts plastiques afin de lui permettre de dessiner les scènes marquantes dont elle avait été témoin.

L'observation et l'écoute attentive des enfants lors de la planification permettent aux éducatrices de répondre adéquatement à chacun. En vous familiarisant avec les expériences clés (présentées dans la troisième partie de ce manuel), vous pourrez mieux comprendre les planifications de chaque enfant. Les expériences clés vous seront utiles pour constater à quel point, pour chaque enfant, les façons de choisir ses activités et les façons de réfléchir à ses plans sont en rapport étroit avec les habiletés essentielles qu'il est en train d'acquérir.

E. Respecter les tours de parole même avec les enfants qui parlent peu ou qui font des planifications vagues

Après avoir clarifié le plan initial de l'enfant et après avoir écouté sa réponse, l'étape suivante consiste à poursuivre la conversation. Avec les enfants qui parlent peu ou pas et les enfants qui font des planifications vagues, le principal objectif de l'éducatrice sera de laisser l'enfant explorer à fond sa première idée sans le harceler ou le presser. L'utilisation du tour de parole permet aux enfants de préciser leur plan. En utilisant l'approche du tour de parole, l'éducatrice fait un commentaire, puis une pause, afin de permettre à l'enfant de répondre. Lorsque l'enfant a répondu, l'éducatrice commente les idées de l'enfant au lieu d'en introduire de nouvelles. Le texte qui suit illustre différentes stratégies favorisant le partage du pouvoir entre l'éducatrice et l'enfant lors de la période de planification.

Interpréter les gestes et les actions. Avec des enfants qui s'expriment peu ou pas, l'éducatrice peut traduire leurs gestes et leurs actions en mots. Cette stratégie incite l'éducatrice à demeurer attentive à l'enfant et à son langage. Dans l'exemple qui suit, l'éducatrice attend patiemment et elle respecte le rythme et les idées de l'enfant au lieu de faire des suggestions.

> L'ÉDUCATRICE. – Que veux-tu faire aujourd'hui, Catherine ?
> CATHERINE. – (Elle montre le coin de la lecture.)
> L'ÉDUCATRICE. – Tu montres le coin de la lecture.
> CATHERINE. – (Elle fait signe que oui de la tête.)
> L'ÉDUCATRICE. – Montre-moi ce que tu vas faire là-bas, Catherine.
> CATHERINE. – (Elle se dirige vers le coin de la lecture et rapporte le livre *Caillou se fait mal*.)
> L'ÉDUCATRICE. – Tu vas lire *Caillou se fait mal*.
> CATHERINE. – (Elle fait signe que oui et elle se dirige vers les coussins avec son livre.)

Poser une question ouverte. Cette stratégie fonctionne bien avec les très jeunes enfants si l'éducatrice écoute attentivement et si elle fait des commentaires plutôt que d'enchaîner avec une autre question après chaque déclaration de l'enfant.

> L'ÉDUCATRICE. – Et toi, quels sont tes projets pour aujourd'hui, Patricia ?
> PATRICIA. – Je vais faire quelque chose.
> L'ÉDUCATRICE. – Tu vas faire quelque chose.
> PATRICIA. – Comme elle (en montrant Diane).
> L'ÉDUCATRICE. – Comme Diane.
> PATRICIA. – Oui, une couronne à l'ordinateur.
> L'ÉDUCATRICE. – Tu aimerais faire une couronne à l'ordinateur, comme Diane.
> PATRICIA. – Mais je ne suis pas capable de le faire.
> L'ÉDUCATRICE. – Bien, je pense que Diane pourrait t'aider.

Commenter les gestes, les actions et les paroles des enfants. Cette stratégie aide l'éducatrice à s'adapter au rythme de la conversation avec l'enfant. Elle permet aussi à l'enfant de diriger la conversation comme dans l'exemple précédent. Lorsque l'éducatrice commente simplement au lieu de poser des questions qui exigent une réponse, l'enfant se sent moins pressé et moins anxieux.

> ÉLOI. – (Il frappe sur la table avec les paumes de ses mains.)
> L'ÉDUCATRICE. – Je t'ai vu frapper comme ça hier.
> ÉLOI. – Avec la pâte à modeler, j'ai frappé très fort.
> L'ÉDUCATRICE. – Tu as frappé très fort en faisant du bruit.
> ÉLOI. – Oui ! J'ai fait beaucoup de bruit. Je l'ai écrasée aussi !
> L'ÉDUCATRICE. – Mince comme un crêpe.
> ÉLOI. – Très mince, mince comme deux crêpes. Je vais te montrer comment faire.
> L'ÉDUCATRICE. – Très bien. Je m'en vais dans le coin des blocs, mais je vais regarder de loin comment tu fais pour la rendre aussi mince.

Faire des suggestions lorsque les enfants ne répondent pas. Plus vous connaîtrez les enfants, plus vous pourrez leur faire des suggestions en lien avec leurs intérêts. Dans l'exemple qui suit, l'éducatrice sait que Diane aime jouer avec les poupées. Afin de l'aider à planifier son activité, elle lui décrit ce qui se passe dans le coin des poupées et adopte elle-même un rôle.

> L'ÉDUCATRICE. – Qu'est-ce que tu veux faire, Diane ?
> DIANE. – (Elle regarde les enfants qui jouent dans le coin des poupées.)
> L'ÉDUCATRICE. – Jacques et Anna jouent avec les bébés.
> DIANE. – (Elle continue de regarder.)
> L'ÉDUCATRICE. – Je vais aller donner à boire à mon bébé. Si tu veux, tu peux m'aider.
> DIANE. – (Elle fait signe que oui.)

F. Dialoguer avec les enfants qui font des planifications simples ou détaillées

Les enfants qui font des plans simples mais clairs, ceux qui font des plans plus complexes et plus élaborés ont aussi besoin du soutien de l'éducatrice pour poursuivre le dialogue nécessaire à la planification. Par contre, il arrive que, dans un effort pour terminer cette période, les éducatrices escamotent les conversations avec de tels enfants et essaient de poursuivre la planification lors de la période de jeu. Il ne faut pas oublier qu'au moment de la planification les enfants sont généralement disposés à faire une pause et à réfléchir à ce qu'ils veulent faire parce qu'ils n'ont pas encore commencé à jouer. Par contre, lorsqu'ils sont au beau milieu d'un jeu, les questions de l'éducatrice peuvent les ennuyer et les déranger. Par conséquent, au moment de la planification, il est important de parler avec les enfants qui sont habiles à planifier afin de leur permettre de s'engager dans le processus de réflexion avant de se lancer dans l'action.

Pour ces enfants tout autant que pour les autres qui ont de la difficulté à planifier, l'écoute active et le respect des tours de parole demeurent des stratégies essentielles. Nous vous proposons d'autres stratégies qui permettront aux enfants qui planifient facilement d'élaborer leurs projets de façon plus précise. En prenant connaissance de ces nouvelles stratégies et des exemples qui les accompagnent, vous constaterez que l'éducatrice laisse les enfants diriger la conversation en posant des questions ouvertes, en attendant une réponse et en reflétant les idées des enfants.

Parler du matériel et du lieu. Cette stratégie aide les enfants à prévoir et à résoudre les problèmes qui pourraient les empêcher de réaliser leurs projets.

L'ÉDUCATRICE. – Qu'est-ce que tu penses faire aujourd'hui, Pierre ?
PIERRE. – Je vais faire une maison pour les monstres. Une très grosse maison avec les blocs.
L'ÉDUCATRICE. – Tu sais que les gros blocs troués et les gros blocs de bois sont utilisés par Jérôme et Tania ?
PIERRE. – Oh non ! J'en ai besoin !
L'ÉDUCATRICE. – Parfois, les gens font des maisons avec d'autres matériaux.
PIERRE. – Je pourrais utiliser les coussins.
L'ÉDUCATRICE. – Les coussins.
PIERRE. – Ou peut-être les boîtes qu'on avait hier ! Oui ! bonne idée ! Elles sont plus grosses que les blocs.

Parler des détails. Une éducatrice qui offre aux enfants la possibilité de détailler leurs projets leur permet de traduire une image mentale plus complexe en mots ; elle leur permet, en outre, de réfléchir et de décrire quelques-unes des étapes de la réalisation du projet qu'ils ont en tête.

JEFF. – Je vais me faire des haltères.
L'ÉDUCATRICE. – Une barre avec des poids à chaque bout ?
JEFF. – Oui ! Je vais prendre un bâton et je vais accrocher des bouteilles de plastique que je vais remplir avec du sable.
L'ÉDUCATRICE. – Tu vas accrocher les bouteilles au bâton ?
JEFF. –Peut-être que le goulot de la bouteille rentre sur le bout du bâton.

Parler de la séquence des actions. Une conversation qui permet d'établir la séquence des actions que l'enfant projette favorise l'organisation de ses différentes intentions. Une fois cette séquence établie, après l'avoir décrite dans ses mots et après avoir lui-même ciblé le défi à relever, l'enfant suit habituellement ce « parcours dans le temps » qu'il a élaboré.

L'ÉDUCATRICE. – Alors, Mira, quels sont tes projets ?
MIRA. – Jouer dans tous les coins.
L'ÉDUCATRICE. – Jouer dans tous les coins. C'est beaucoup. Qu'est-ce que tu vas faire en premier ?
MIRA. – Aller dans le coin des arts plastiques pour faire une carte pour ma mère.
(Plus tard dans la conversation…)
L'ÉDUCATRICE. – Tu vas faire une carte, la mettre dans ton casier et tu vas lire un livre.
MIRA. – Oui ! Et après je vais aller jouer dans le coin des blocs pour me faire une maison.
L'ÉDUCATRICE. – Je me demande si je peux me souvenir de tout ça.
MIRA. – Écris-le. Je vais te le redire. (L'éducatrice écrit sous la dictée de Mira en illustrant ses propos de pictogrammes.)

Rappeler aux enfants les choix qu'ils ont faits. En rappelant aux enfants ce qu'ils ont déjà choisi, l'éducatrice leur permet d'élaborer à partir d'expériences passées et de constater les liens possibles entre leurs différentes expériences.

L'ÉDUCATRICE. – Bonjour, Antoine ! Que vas-tu faire aujourd'hui ?
ANTOINE. – Je vais être une police.
L'ÉDUCATRICE. – C'est ce que tu as fait hier.
ANTOINE. – Oui. Hier, je me suis fait un insigne. Je vais le coller sur mon veston. J'ai des menottes aussi.
L'ÉDUCATRICE. – Je me souviens. Tu as attaché deux bracelets ensemble pour faire tes menottes.
ANTOINE. – Maintenant, j'ai besoin d'une ceinture pour transporter mes menottes, comme les policiers, et j'ai besoin d'une carte pour savoir où aller.
L'ÉDUCATRICE. – J'en ai une dans mon auto. Je te l'apporterai à ma pause.
ANTOINE. – D'accord ! Je vais construire aussi mon auto de police avec les blocs et avec la roue de bicyclette qui est dans le bac de récupération.

G. Encourager les amis à planifier ensemble

Quand certains enfants jouent souvent ensemble, le fait de pouvoir planifier ensemble devient significatif. Cette planification leur fournit les bases d'un vrai travail en équipe et de l'approche coopérative de résolution de problèmes.

L'ÉDUCATRICE. – Que vas-tu faire aujourd'hui, Linda ?
LINDA. – Je vais jouer avec Rita et Jeanne dans le coin des déguisements, comme hier.
L'ÉDUCATRICE. – Alors, je vous laisse planifier ensemble et je reviendrai vous voir tout à l'heure.
LINDA. – D'accord !

H. Valoriser la planification par les enfants

La présence, auprès des enfants, d'éducatrices sensibles et intéressées favorise le développement de ceux-ci. Le psychologue Paul Chance relate que des bébés placés en institution, comparés à d'autres du même âge, présentaient un retard sur le plan psychomoteur. Il évoquait la raison suivante : les enfants placés en institution ne recevaient rien en retour de leurs efforts, les éducatrices n'y prêtant pas attention (Chance, 1979, p. 31). Dans les milieux favorisant l'apprentissage actif, les éducatrices valorisent les efforts des enfants, elles encouragent ces derniers à exprimer leurs idées et leurs intentions et à s'engager dans la réalisation de celles-ci. Même si différentes stratégies employées par les éducatrices pour démontrer leur intérêt pour la planification des enfants ont déjà été présentées, un résumé s'impose :

- Chaque jour, réservez un moment pour la planification.
- Posez aux enfants des questions ouvertes qui leur permettent de se projeter dans l'action.
- Écoutez attentivement les réponses des enfants.
- Prenez le temps de dialoguer avec les enfants au sujet de leur planification.
- Enrichissez les idées et les intentions des enfants.
- Donnez le temps aux enfants de répondre, puis poursuivez la conversation en tenant compte de leur réponse.
- Acceptez la façon unique qu'a chaque enfant de répondre, au lieu d'exiger que tous les enfants expriment leurs intentions selon une formule préétablie.

Deux autres stratégies sont aussi utilisées par les éducatrices afin de démontrer aux enfants l'importance qu'elles accordent à la planification.

Favoriser l'expression des idées au lieu de louanger les enfants. Les éducatrices peuvent indiquer aux enfants l'importance qu'elles accordent à leurs capacités de prévoir et de s'organiser en démontrant leur intérêt et en les encourageant au lieu de les louanger. Mark Tompkins (1991, p. 1) note ceci :

> Les recherches et la pratique ont démontré que les louanges, même si elles sont bien intentionnées, suscitent des comparaisons et de la compétition en plus d'accroître la dépendance des enfants envers les adultes. Trop de louanges peut rendre les enfants anxieux quant à leurs habiletés, réticents à courir des risques et à essayer de nouvelles choses et indécis sur les façons d'évaluer leurs propres efforts.

Par ailleurs, les encouragements des éducatrices procurent aux enfants un sentiment de contrôle et les rend aptes à évaluer leur travail. Au moment de la planification, les éducatrices favorisent l'émergence des idées en étant attentives et en commentant des aspects précis de la planification. En voici deux exemples.

> L'ÉDUCATRICE. – Tu veux faire une carte.
> CAROLINE. – Une carte de fête pour ma maman. Je vais dessiner des fleurs.
> L'ÉDUCATRICE. – Une carte avec des fleurs que tu as dessinées, c'est une bonne façon de dire « Bon anniversaire ».
> GABRIELLE. – Je veux jouer à faire des vêtements, comme on a fait l'autre jour.
> L'ÉDUCATRICE. – Je m'en souviens, tu as fait des chapeaux très colorés avec des foulards et des plumes.
> GABRIELLE. – Peut-être que je pourrais utiliser des rubans, cette fois-ci.

Écrire les planifications des enfants. En écrivant les planifications des enfants, l'éducatrice démontre l'importance qu'elle leur accorde. C'est une façon de dire à l'enfant : « Tes idées sont tellement importantes que je vais les conserver en les écrivant. » Certaines éducatrices écrivent tous les mots des enfants, d'autres écrivent des mots clés ou font des dessins. Peu importe la manière choisie, les enfants voient les éducatrices écrire et ils savent ainsi qu'elles accordent une valeur à leurs idées et à leurs intentions. En écrivant, les éducatrices suscitent également l'intérêt des enfants pour l'écriture et elles les stimulent à prendre note eux-mêmes et à leur manière de leurs propres planifications.

I. Noter les liens entre la planification et sa réalisation

Le moment de la planification prend fin quand les enfants, après avoir présenté leur plan à l'éducatrice et l'avoir révisé avec elle, entreprennent sa réalisation. C'est à ce moment que les éducatrices les observent afin de noter si les actions des enfants convergent avec leur planification : « Est-ce que Catherine lit *Grand-mère et moi* ? » « Est-ce que Patricia fait un plat de fruits en pâte à modeler ? » Ces brèves observations de chaque enfant fournissent à l'éducatrice des indices sur la compréhension par les enfants du processus de planification et lui permettent de repérer les enfants qui ont besoin d'aide pour entreprendre l'activité qu'ils ont choisie.

7.2.5 Prévoir les changements dans la façon de planifier des enfants

La dynamique de la planification se modifie au fur et à mesure que les éducatrices et les enfants apprennent à se connaître et à se comprendre, que les enfants se familiarisent avec les coins d'activités et qu'ils acquièrent une confiance en leurs habiletés à faire des choix et des projets et à les réaliser. À partir d'un début paisible et discret, le moment de la planification évolue jusqu'à devenir un moment excitant où les enfants parlent de leurs idées avec assurance et explorent différentes avenues pour les réaliser.

Ruth Strubank, qui enseigna l'approche High/Scope, présente l'évolution de la planification au fil des mois.

Les premières planifications

Au début, il est très important de ne pas rendre ce moment ardu pour les enfants et les éducatrices. Pour plusieurs enfants, le concept de faire des choix est nouveau. Alors, nous nous concentrons sur l'aide que nous pouvons apporter aux enfants afin qu'ils se familiarisent avec le matériel et l'emplacement des coins d'activités. Les enfants ont besoin de connaître le matériel disponible avant de pouvoir nous dire ce qu'ils désirent en faire.

Un façon intéressante d'introduire la planification consiste à créer un équilibre entre les jeux servant à planifier et l'expression des idées. D'une part, nous mettons souvent l'accent sur le jeu et nous perdons de vue l'importance de la communication avec chaque enfant. D'autre part, une conversation qui se déroule sans aucun matériel ou sans aucune connaissance du matériel disponible est peu significative. Nous devons être attentives aux signaux des enfants afin qu'ils prennent conscience du matériel disponible et des choix possibles ; nous devons dialoguer avec les enfants de façon à les soutenir plutôt que de façon à les opprimer.

Lorsque les enfants ne sont pas familiarisés avec le processus de planification, ils ont tendance à l'escamoter. Les enfants ont souvent peu à dire jusqu'à ce qu'ils soient familiarisés avec les coins d'activités, le matériel et les autres enfants. Souvent, ils vont indiquer par un geste un objet qu'ils désirent utiliser, un autre enfant avec qui ils veulent jouer ou l'endroit où ils veulent jouer. Au début, les enfants sont portés à faire des plans qui se ressemblent parce qu'ils aiment le confort de la répétition et des objets familiers. Leur expérience avec le matériel est limitée et ils ont besoin d'occasions supplémentaires pour arriver à utiliser le matériel différemment.

La planification après deux mois

Après deux mois, la planification fait partie de la routine pour les enfants. Les enfants sont prêts pour de nouveaux jeux de planification et des conversations plus longues avec l'éducatrice. Ils arrivent

Afin de rendre le moment de la planification plus concret, cette éducatrice a demandé aux enfants d'apporter à la table un objet qu'ils désiraient utiliser durant la période de réalisation.

Les questions des éducatrices

Que faire si tous les enfants planifient de jouer dans le coin des blocs ?

Les éducatrices qui ne sont pas encore familiarisées avec le processus de planification n'osent pas permettre aux enfants de décider eux-mêmes de ce qu'ils désirent faire durant la période d'ateliers ; elles craignent que les enfants choisissent le coin le plus populaire et que le chaos s'ensuive. Premièrement, soyez assurée que lorsqu'on permet à un enfant de faire un choix, il va le faire en fonction de ses propres champs d'intérêt. Lorsque les coins d'activités sont bien garnis et bien aménagés, les enfants planifient en fonction de ce matériel varié qui est mis à leur disposition et pas seulement en fonction du matériel d'un coin d'activités. Si, pour une raison quelconque, plusieurs enfants planifient de jouer dans le coin des blocs et que le coin devient saturé, alors les enfants auront une belle occasion de résoudre un problème ensemble ou avec l'aide de l'éducatrice. L'éducatrice peut apaiser ses craintes en apprenant à faire confiance en la capacité des enfants à suivre leurs intérêts et à résoudre leurs propres problèmes.

L'éducatrice s'assurera aussi que les coins sont bien aménagés et bien équipés afin de susciter la motivation des enfants à les utiliser. Si le coin des blocs est garni de matériel intéressant et que le coin de la maisonnette ne contient qu'une table, une chaise et une poupée, il est évident que les enfants vont choisir le coin des blocs. Afin d'éviter que tous les enfants choisissent le même coin, il est important de s'assurer que tous les coins sont irrésistibles !

Une stratégie que nous n'appuyons pas consiste à limiter le nombre d'enfants pour chaque coin d'activités. Cette approche « administrative » devant l'encombrement des coins prive les enfants d'une occasion importante de résoudre des problèmes réels de partage d'espace et de matériel ; elle amène également l'éducatrice à ignorer d'autres solutions pour l'aménagement du local. En outre, limiter l'accès aux coins d'activités altère le processus de planification.

Que faire si un enfant ne planifie rien avec un certain type de matériel ?

Lorsque vous donnez le choix aux enfants, certains veulent tout essayer et ils vont même jusqu'à réaliser ce désir, tandis que d'autres préfèrent utiliser le même matériel et jouer au même jeu durant une longue période de temps. Ainsi, un enfant jouera avec les blocs, les Lego, les Play Mobil, le sable et les jeux symboliques, mais il ne choisira jamais le coin des arts plastiques. Même si on désire que les enfants explorent le plus de matériel possible, y compris le matériel des arts plastiques, le moment de la planification n'est pas approprié pour forcer un enfant à choisir une

souvent avec une idée en tête, ils planifient pour plus d'une activité, ils décrivent en détail ce qu'ils souhaitent faire et ils font des projets variés.

La planification après cinq ou six mois

À ce moment, les enfants sont capables de décrire ce qu'ils veulent faire ; comment, où et avec qui ils joueront ; ils sont capables de faire plusieurs projets qui ont un lien entre eux. Christophe, par exemple, planifie de faire un tournevis avec des épingles à linge, de revêtir un habit et de réparer le réfrigérateur et la cuisinière du coin de la maisonnette. Il a fait tout ça, puis il est allé réparer le bateau de William dans le coin des blocs.

Étant donné que les enfants se sentent plus compétents pour prendre des décisions et qu'ils sont plus habiles à utiliser le matériel de diverses façons, ils réalisent des projets variés. Le temps de planification dure aussi plus longtemps parce que les enfants participent plus activement, qu'ils ont plus d'informations à partager et quelquefois plus d'une planification à considérer. Ils sont aussi plus conscients les uns des autres et peuvent s'engager dans une planification à deux nécessitant une coopération.

La planification implique que l'éducatrice et l'enfant soient des partenaires. La coopération entre l'éducatrice et l'enfant est la clé du succès de la

sur la période de planification

activité qu'il ne souhaite pas faire, pas plus qu'il ne l'est pour inciter l'enfant à choisir par des manipulations qui le mèneront à satisfaire les attentes de l'éducatrice. Ainsi, jamais on ne prononcera une phrase comme celle-ci : « Rémi, aujourd'hui, tu dois planifier de faire une peinture ou un collage avant de jouer dans le coin des blocs. » Offrir aux enfants la possibilité de faire des choix signifie respecter leurs opinions et leurs intérêts. Par contre, l'éducatrice pourrait s'assurer que Rémi travaille avec le matériel des arts plastiques en proposant une activité en groupe d'appartenance ou à l'extérieur. (Voir la sous-section 5.2.1 pour mieux connaître les divers coins d'activités.) En utilisant le matériel d'arts plastiques à d'autres moments de la journée, l'éducatrice donne à Rémi la chance de prendre conscience du potentiel de ce matériel afin qu'il puisse l'intégrer à ses futurs projets. Il pourrait, par exemple, utiliser du papier, du ruban adhésif et des crayons pour construire des panneaux de signalisation routière.

Que faire si un enfant planifie les mêmes activités jour après jour ?

N'oublions pas l'importance du lien entre la planification et l'action. Alors que plusieurs enfants peuvent planifier les mêmes activités pour une longue période de temps, des observations minutieuses révèlent dans les faits que les enfants apportent des variations et qu'ils construisent à partir de ce qu'ils font jour après jour. Ainsi, pendant plusieurs jours, Marjolaine a planifié de jouer au petit chien avec Diane. Au fil des jours, ce jeu de rôles a pris de l'ampleur, car elles y ont ajouté des plats et de la nourriture pour les chiens, elles ont trouvé des histoires à lire avant la sieste, elles ont fabriqué des bijoux et des jouets pour les chiens, elles ont construit une niche qu'elles ont décorée en collant des coupures d'images de toutes sortes, et ainsi de suite. Même si la planification de Marjolaine demeurait plutôt simple et brève, la période de réflexion prenait une autre forme alors qu'elle parlait de leurs nouvelles réalisations. Pour d'autres enfants, les variations apportées au jeu sont moins spectaculaires. Michel, par exemple, planifie souvent de jouer dans le coin de l'eau et du sable. Une fois installé dans ce coin, cependant, il utilise divers contenants et divers ustensiles pour remplir et vider, puis pour imiter les autres enfants qui jouent au même endroit que lui. Un jour, il s'attarde à modeler le sable ; un autre jour, il essaie de retenir l'eau dans un trou de sable. Par la suite, il apporte une petite figurine d'un animal pour la faire nager ; et, finalement, avec plusieurs figurines, il élabore dans le sable un jardin zoologique. Même si les enfants disent faire les mêmes activités lors de la planification, le rôle de l'éducatrice est d'observer, d'être attentive et de prendre connaissance des variantes qu'ils apportent à leur jeu.

planification. L'enfant émet ses intentions et ses idées pour les réaliser ; l'éducatrice offre à l'enfant le soutien pour réfléchir et discuter de son projet. Dans leur étude sur les programmes préscolaires, DeVries et Kohlberg (1987, p. 35) font cette observation au sujet de l'importance accordée par Piaget à la place de la coopération entre l'enfant et l'adulte :

> Piaget souligne que le développement du moi requiert qu'on se libère de la pensée et du désir des autres. L'absence de cette libération se traduit par une inaptitude à coopérer. Comment cette libération se produit-elle ? Pour Piaget, c'est par le biais d'expériences où l'enfant est respecté par un adulte qui lui offre de coopérer avec lui. L'enfant commence à comprendre les autres lorsque les adultes démontrent qu'ils comprennent ses sentiments intérieurs et ses idées.

La planification n'est qu'un début. La raison première de la planification réside dans sa réalisation, c'est-à-dire dans la transformation des idées en actions. Maintenant que nous connaissons les origines, les causes et les conséquences de la planification, nous pouvons aborder la période d'ateliers libres, qui correspond à la deuxième étape du processus de planification-action-réflexion.

TABLEAU RÉCAPITULATIF

Soutenir le processus de planification

Examiner ses convictions et ses attitudes au regard de la planification des enfants et être attentive à son propre style d'interaction

Planifier dans des lieux favorisant l'intimité
- Planifier dans un endroit propice à la conversation et à l'intimité.
- Planifier avec ses amis et son groupe d'appartenance.
- Planifier dans un endroit qui permet de voir les autres enfants et le matériel.

Proposer du matériel et différentes façons de faire afin de maintenir l'intérêt des enfants au cours de la planification
- Les jeux d'observation.
- Les jeux de groupe.
- Les jeux avec un accessoire ou avec un partenaire.
- Les jeux de représentation.
- Des enfants se prennent en main

Dialoguer avec chaque enfant
- Poser des questions ouvertes.
- Prendre le temps de parler avec les enfants des sujets qui peuvent entraver la planification.
- Aider les enfants à définir leurs projets par le biais des « histoires parlées ».
- Écouter attentivement les réponses des enfants.
- Respecter les tours de parole même avec les enfants qui parlent peu ou qui font des planifications vagues.
  - Interpréter les gestes et les actions.
  - Poser une question ouverte.
  - Commenter les gestes, les actions et les paroles des enfants.
  - Faire des suggestions lorsque les enfants ne répondent pas.
- Dialoguer avec les enfants qui font des planifications simples ou détaillées.
  - Parler du matériel et du lieu.
  - Parler des détails.
  - Parler de la séquence.
  - Rappeler aux enfants les choix qu'ils ont faits.
- Encourager les amis à planifier ensemble.
- Valoriser la planification par les enfants.
  - Favoriser l'expression des idées au lieu de louanger les enfants.
  - Écrire les planifications des enfants.
- Noter les liens entre la planification et sa réalisation.

Prévoir les changements dans la façon de planifier des enfants

7.3 Comprendre la période d'ateliers libres

La période d'ateliers libres permet aux enfants de réaliser les projets élaborés au cours de la période de planification, de jouer et de résoudre des problèmes. Cette section explique l'importance de cette période dans le processus d'apprentissage actif; elle précise les endroits où les enfants jouent, les activités qu'ils font et la façon dont les éducatrices peuvent les soutenir dans leurs activités.

7.3.1 L'importance des ateliers libres

Au cours de la période d'ateliers libres, les enfants exécutent **délibérément une séquence d'actions à laquelle ils ont pensé, qu'ils ont décrite durant la période de planification et qu'ils enrichissent en cours de route avec les idées qui surgissent pendant leurs jeux.** Tout en travaillant et en jouant, soit seuls, soit avec d'autres enfants ou l'éducatrice, les enfants poursuivent un but, ils sont concentrés, ils résolvent les problèmes qui surviennent et s'engagent dans des expériences clés. (Les expériences clés sont décrites dans la troisième partie de ce manuel.)

A. Les enfants donnent suite à leurs intentions

Les enfants transforment leur planification initiale en des actions concrètes au cours de la période d'ateliers libres, ils ont de nouvelles idées, ils font des choix, ils sélectionnent du matériel et, enfin, ils terminent ce qu'ils ont commencé. Le but premier de cette période est d'offrir aux enfants l'occasion de concrétiser les projets qu'ils ont présentés durant la période de planification. Les étapes suivies par les enfants, lors de la planification et des ateliers libres, les amènent à se percevoir comme les auteurs, les acteurs et les réalisateurs de leurs projets.

B. Les enfants jouent avec une intention précise

Même si la période d'ateliers libres vise un but précis, elle laisse place au jeu. John Dewey (1993, p. 286) reconnaît la valeur du jeu en éducation : « Être enjoué et sérieux en même temps, c'est possible, et c'est ce qui détermine l'état mental idéal. » De la même façon, l'éducateur Michael Ellis (1988, p. 24-25) présente le jeu comme le véhicule de l'apprentissage et du développement :

> La propension à jouer est un moyen biologique pour favoriser une adaptation rapide que nous ne pouvons prévoir, afin de survivre aux menaces… L'enjouement est une caractéristique humaine importante… Le jeu nous a menés là où nous sommes maintenant autant comme espèce que comme individu, et il sera le fondement de notre adaptation aux éléments imprévisibles de l'avenir.

Il est clair qu'en s'amusant les enfants découvrent et comprennent leur monde. La période d'ateliers libres encourage le désir et le besoin inné des enfants d'explorer, d'expérimenter, d'inventer, de construire et d'imiter, en résumé de jouer. Par le biais du processus de planification, les enfants orientent consciemment leurs jeux. Lorsque les enfants donnent suite à leurs intentions, leurs activités se caractérisent non seulement par la concentration et le sérieux du travail, mais aussi par le caractère enjoué, spontané et créatif du jeu.

C. Les enfants participent à l'organisation sociale

Le contexte social au cours de la période d'ateliers libres se dessine clairement quand on observe les enfants travailler, à deux ou en groupe, avec d'autres enfants qu'ils ont choisis. Même les enfants qui travaillent seuls sont généralement conscients de ce que font les autres. Pendant que les enfants jouent, qu'ils travaillent et qu'ils parlent entre eux, un bruit de fond envahit le local : il est constitué de chuchotements, de rires et des sons que produisent les enfants en manipulant le matériel.

D. Les enfants résolvent des problèmes

Les objectifs poursuivis par les enfants sont modifiés par l'éclosion de nouvelles idées qui mènent souvent à l'apparition d'événements et de problèmes non prévus : la poupée est trop grande pour le lit, la peinture dégoutte, le sable passe au travers des trous du plat, les blocs tombent. De plus, il arrive que les prévisions des enfants ne puissent se réaliser : le marqueur ne fonctionne pas sur le papier d'aluminium, le carton qui convient pour une partie du toit de la maison ne convient pas pour l'autre partie, Béatrice veut être le médecin et non la maman. En composant avec des difficultés inattendues, les enfants acquièrent une meilleure compréhension des réalités physiques et sociales.

E. Les enfants construisent leurs connaissances en s'engageant dans des expériences clés

Les expériences clés de l'apprentissage actif au préscolaire se répartissent en 10 catégories : la représentation créative et l'imaginaire, le langage et le processus d'alphabétisation, l'estime de soi et les relations interpersonnelles, le mouvement, la musique, la classification, la sériation, les nombres, l'espace et le temps. Ces expériences clés sont abondamment décrites dans la troisième partie de cet ouvrage, mais il est important de souligner qu'elles se déroulent généralement par le biais des activités planifiées par les enfants eux-mêmes, au cours de la période d'ateliers libres. En suivant leur propre planification et en s'engageant dans des expériences clés, les enfants apprennent à se connaître, à connaître les autres ainsi que le matériel, les idées et les événements qui constituent leur univers. En d'autres mots, la période d'ateliers libres permet aux enfants de construire les connaissances et les compétences décrites dans les expériences clés, en entreprenant des activités pratiques qui les rendent aptes à le faire.

F. Les éducatrices observent, comprennent et soutiennent les jeux des enfants

En observant et en soutenant les jeux des enfants de façon appropriée et en y participant, les éducatrices ont l'occasion de découvrir les intérêts personnels de chaque enfant : la façon dont il pense et dont il raisonne, les enfants avec lesquels il aime jouer ainsi que la façon dont il utilise ses connaissances pour résoudre ses problèmes. **Dans les faits, les données que les éducatrices recueillent au sujet des enfants pendant la période d'ateliers libres les guident dans leurs interactions avec eux tout au long de la journée.**

7.3.2 Ce que font les enfants au cours de la période d'ateliers libres

Afin de soutenir les enfants de façon appropriée au cours de la période d'ateliers libres, l'éducatrice doit comprendre leurs activités en les plaçant en perspective avec leur planification initiale, avec leur environnement social, avec leurs jeux et avec leurs interactions.

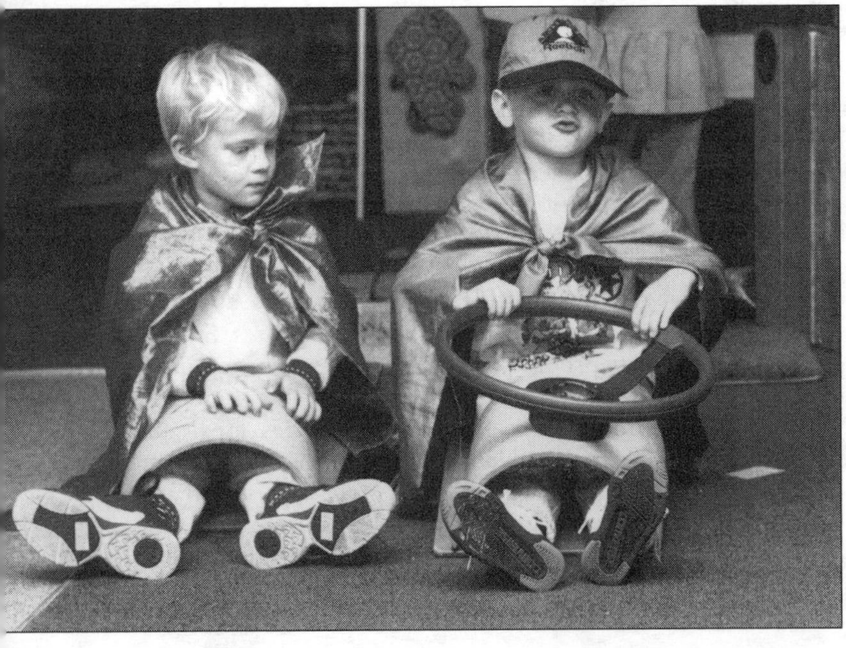

A. Les enfants commencent leur projet, le réalisent, le modifient, le terminent ou le délaissent

Après avoir indiqué leur choix à l'éducatrice, les enfants sont impatients de commencer leur projet. Ils manifestent leur empressement par des gestes, des mots et des mouvements. C'est ainsi que commence la période d'ateliers libres. La façon dont le jeune enfant aborde cette période varie d'un enfant à l'autre. Certains enfants restent au même endroit, tandis que d'autres se déplacent. D'autres vont s'installer dans un coin presque inoccupé, puis ils changent de place lorsqu'ils trouvent qu'il y a trop de monde. Certains modifient leur planification pour résoudre un problème, tandis que d'autres enfants s'arrêtent pour observer ou pour se joindre à un autre enfant ou à un groupe d'enfants, avant de retourner à leur activité initiale.

L'observation des enfants, au cours des ateliers libres, permet aux éducatrices de constater que même si la planification et les choix orientent les actions des enfants, ils peuvent aussi les mener vers des actions et des problèmes qu'ils n'avaient pas prévus. Une expérience mène à une autre, et le jeu des enfants modifie leur plan de départ.

Le temps passé à concrétiser leur planification varie d'un enfant à l'autre, allant de 2 minutes à 15 minutes, à toute la période ou à 2 ou 3 périodes consécutives. Pendant une période d'ateliers libres, certains enfants peuvent réaliser plusieurs projets connexes, alors que d'autres ne réaliseront que leur projet initial, puis se tourneront vers une activité totalement différente.

L'éducatrice qui observe son groupe durant la période d'ateliers libres peut trouver que bien des déplacements d'enfants sont inutiles. Mais si elle observe chaque enfant, elle constatera que chaque mouvement et chaque action de l'enfant correspond à une logique interne en lien avec les objectifs qu'il s'est fixés. Quand un enfant qui se déplace d'un endroit à l'autre s'arrête pour parler avec un ami, son action plus souvent qu'autrement sert un objectif qu'il s'est fixé à lui-même : par exemple, aller chercher un livre pour le lire à sa poupée. Les recherches et l'expérience ont démontré qu'une fois que les enfants ont entrepris de réaliser leur projet, il est probable qu'ils vont se rendre jusqu'au bout.

B. Les enfants expérimentent divers types d'interactions sociales

Pendant la période d'ateliers libres, les enfants se mêlent aux autres à divers degrés. Ils se regardent mutuellement, ils jouent seuls ou à côté des autres, ils jouent à deux ou en groupe. Ces divers types d'interactions sociales sont semblables à ceux décrits par Mildred Parten (1932). Parten rapporte que les jeunes enfants s'attardent à observer ce qui se passe autour d'eux, à jouer seuls, à jouer côte à côte, à jouer en association ou en coopération avec d'autres. Elle a observé que les plus jeunes sont portés à observer et à jouer seuls, tandis que les plus vieux sont portés à jouer avec d'autres enfants. Les recherches de Rubin, Fein et Vandenburg (1983) confirment qu'à mesure que l'enfant grandit les jeux solitaires tendent à diminuer, tandis que les jeux interactifs tendent à augmenter. En considérant ces observations, les éducatrices doivent se rendre compte que « le jeu solitaire ne signifie pas nécessairement un manque d'habiletés sociales » (Sponseller, 1982, p. 218) : il veut simplement dire que les enfants plus âgés peuvent parfois choisir de jouer seuls et qu'ils sont bien ainsi.

Il est aussi intéressant de noter que le jeu avec les pairs semble amener les enfants du préscolaire à s'adonner à des jeux plus complexes. Par exemple, des chercheurs du préscolaire (Sylva et autres, 1980, p. 71-73) ont remarqué ceci :

> Les enfants de 4 ans ½ à 5 ans ½ prennent part aux jeux les plus complexes lorsqu'ils jouent avec des adultes, tandis que les enfants plus jeunes (de 3 ans ½ à 4 ans ½) trouvent le jeu plus stimulant lorsqu'ils jouent avec un pair ou près des autres. En compagnie de l'adulte, les enfants des deux groupes d'âge sont plus portés à participer à des jeux complexes quand celui-ci interagit avec eux plutôt que d'être tout simplement présent au jeu.

En outre, on a observé que les enfants qui jouent seuls modifient rarement le degré de difficulté de leurs jeux, ceux qui jouent à deux vont vers les jeux complexes, tandis que ceux qui jouent en groupe ont tendance à choisir des formes de jeu plus simples.

C. Les enfants expérimentent différents types de jeux

En se basant sur leurs capacités naissantes et sur leurs champs d'intérêt, les enfants jouent avec les autres et avec le matériel d'une manière qui entraîne des interactions variées : de la simple manipulation exploratoire à des jeux complexes d'imagination et d'interactions sociales diverses.

Les jeux exploratoires. Ce genre de jeux relativement simples comporte la manipulation du matériel, l'expérimentation de nouvelles actions et leur répétition, tout ce qui rend l'enfant capable d'exercer ce que Smilansky et Shefatya décrivent comme « les capacités physiques et la possibilité d'explorer et d'expérimenter l'environnement physique » (1990, p. 2).

Au cours de la période d'ateliers libres, les enfants qui participent à des jeux exploratoires passent du temps à manipuler le matériel pour l'explorer : ils tortillent et ils aplatissent la pâte à modeler, ils remplissent et ils vident des contenants, ils déchirent du papier en petits morceaux, ils empilent le plus de blocs possible, ils remuent leurs mains dans le bac à riz, ils étendent de la colle sur toute la surface d'une feuille de papier. Ces explorations offrent aux enfants de multiples occasions de s'engager dans plusieurs expériences clés : reconnaître des objets à l'aide des cinq sens ; explorer et décrire des ressemblances, des différences et des attributs d'objets ; assembler et séparer des objets ; changer la forme et l'agencement des objets ; se mouvoir avec des objets.

Les jeux constructifs. Selon Smilansky et Shefatya, (1990, p. 2), l'évolution des jeux exploratoires vers les jeux constructifs est une progression de la manipulation d'une forme jusqu'à la formation d'une autre forme ; de la manipulation sporadique du sable et des blocs jusqu'à la construction de quelque chose qui va demeurer, même après que l'enfant aura terminé son jeu. L'enfant présente son activité par le biais de ces créations et il se reconnaît lui-même comme un créateur.

Les enfants qui participent à des jeux constructifs érigent des tours, des ponts, des gratte-ciel ; ils construisent des routes ; ils font des gâteaux d'anniversaire avec de la terre et des bouts de branches; ils creusent des rivières dans le sable; ils inventent des chansons et des danses; ils assemblent des bateaux et des maisons d'oiseaux; ils créent des structures avec des Lego, des pailles, des cure-pipes et de la broche; ils coupent, ils agrafent, ils collent et ils assemblent des cerfs-volants, des chapeaux, des masques, des collages; ils dessinent et ils écrivent des cartes, des livres et des affiches. En faisant toutes ces activités, ils s'engagent dans une variété d'expériences clés, particulièrement celles comprenant l'utilisation du langage oral et écrit, des représentations mentales et de l'apprentissage des relations au monde physique. Par exemple, pendant les jeux constructifs, les enfants assemblent et séparent des objets; ils fabriquent des structures; ils dessinent et peignent; ils écrivent de différentes façons; ils explorent, reconnaissent et décrivent des similitudes et des différences; ils trient et apparient; ils utilisent et décrivent des objets de différentes façons; ils comparent; ils ordonnent des objets selon une série ou un agencement; ils expérimentent et décrivent des emplacements, des orientations, des distances, des rythmes et des vitesses de mouvement; ils expriment leur créativité par le mouvement; ils résolvent les problèmes qui surviennent au cours des périodes de jeu.

Les jeux de rôles. Ce type de jeux suppose que l'enfant fait semblant et interprète différents rôles en faisant « comme si ». Les enfants imitent les actions et le langage des autres, ils utilisent des objets qui font vrai et ils adoptent divers rôles. Un enfant se coiffe d'un chapeau de cuisinier et se dit: « Je vais faire des gâteaux. » Un groupe d'enfants jouent au dentiste: en conduisant leur enfant chez le dentiste, le papa et la maman ont une crevaison avec leur auto (faite avec des blocs). Pendant que les parents changent le pneu, le dentiste effectue le nettoyage des dents de l'enfant à l'aide d'outils fabriqués auparavant par les enfants avec du matériel d'arts plastiques. « Maintenant, assieds-toi. Mets-toi à ton aise et reste calme. Je ne te ferai pas mal », dit le dentiste à l'enfant avant de commencer à obturer sa dent cariée. Les jeux de rôles engagent les enfants dans des expériences clés qui impliquent des interactions avec les autres: en créant des liens avec des enfants et des adultes; en entreprenant et en expérimentant le jeu coopératif; en imitant, en jouant des rôles et en faisant semblant; en parlant avec les autres de leurs expériences significatives; en jouant avec les mots; en se rappelant, en décrivant et en prévoyant des séquences d'événements.

Les jeux de règles. Les enfants du préscolaire adorent jouer à des jeux classiques, comme les dominos, les jeux de cartes, les jeux de société, les jeux de mémoire et les jeux d'adresse. Généralement, ils s'adonnent à ces jeux de manière coopérative plutôt que compétitive et ils acceptent de modifier les règles selon les besoins du moment. Leur but n'est pas tellement de gagner, mais d'avoir du plaisir à jouer, à chercher, à brasser les dés ou les cartes et à déplacer les pions sur le jeu. Les enfants du préscolaire commencent aussi à inventer des jeux de règles simples qui sont des variantes de jeux plus complexes. En jouant à de tels jeux, les enfants s'engagent dans des expériences clés telles que: participer aux activités de groupe; décoder des supports de lecture variés; distinguer les concepts « quelques » et « tous »; ordonner plusieurs objets selon une série; associer un ensemble d'objets à un autre; compter des objets; expliquer les relations spatiales dans des dessins, des illustrations et des photographies; modifier ses mouvements en réponse à des consignes ou à des indications visuelles; décrire des mouvements.

Lorsque les enfants du préscolaire ont la possibilité de choisir librement leurs activités ludiques, comme durant la période d'ateliers libres, ils sont dans un premier temps plus portés à participer à des jeux exploratoires, suivis par les jeux constructifs et les jeux de rôles et, finalement, par les jeux de règles simples qu'ils adaptent à leurs besoins (Bergen, 1988a).

D. Les enfants dialoguent

Les éléments caractéristiques de la période d'ateliers libres – un environnement intime, des jeux de rôles, des champs d'intérêt et des objectifs communs, des partenaires sympathiques – favorisent le dialogue entre les enfants et leurs pairs ou les éducatrices. Quand les enfants parlent entre eux durant cette période, ils le font souvent à voix basse dans des endroits clos: sous une couverture, sous une table, derrière un paravent ou derrière une étagère. Plusieurs conversations ont lieu au cours des jeux de rôles qui font appel au dialogue et à l'imagination partagée.

7.4 Soutenir les enfants durant la période d'ateliers libres

L'intervention des éducatrices au cours de la période d'ateliers libres est basée sur ce que font les enfants, sur ce qu'elles comprennent des actions des enfants et sur les questions que ces actions éveillent : « Que fait Christophe dans le coin des blocs ? A-t-il besoin de mon aide ? Que dois-je faire ? » Soutenir les enfants durant cette période relève d'un processus de réflexion de la part de l'éducatrice ; celle-ci doit prendre conscience de ses propres valeurs au sujet de l'apprentissage et de l'éducation, elle doit observer les enfants, interagir avec eux et analyser ses interactions, prendre note de ses observations et de ses découvertes, puis mettre fin à cette période.

7.4.1 Examiner ses valeurs concernant l'apprentissage

Il est important pour les éducatrices de prendre conscience de leurs valeurs et de leurs convictions concernant l'apprentissage des enfants, puis de comprendre l'influence de ces valeurs et de ces convictions sur leurs interactions avec les enfants. Par exemple, une éducatrice qui croit que les enfants apprennent principalement en écoutant et en suivant des directives aura probablement tendance à diriger les enfants au cours de la période d'ateliers libres. Au contraire, une éducatrice qui croit que les enfants apprennent mieux par eux-mêmes sera probablement portée à se retirer et à effectuer ses propres tâches. Les éducatrices qui sont guidées par l'approche de l'apprentissage actif croient que les enfants apprennent mieux lorsqu'ils s'engagent pleinement dans leurs activités et que le rôle des éducatrices est d'interagir judicieusement et intelligemment avec les enfants, tout au long de la journée, afin de soutenir et d'encourager leur développement.

Au cours de la période d'ateliers libres, les éducatrices utilisent des stratégies qui favorisent l'apprentissage actif ainsi que l'établissement d'un climat de confiance. Même si ces stratégies ont été abordées aux chapitres 1 et 2, nous en résumons ici les principes :

- Des relations de confiance avec les enfants sont plus propices à l'apprentissage que des relations qui encadrent, dirigent, punissent et établissent une distance.
- Jouer et communiquer avec les enfants selon un mode de relation axé sur la collaboration et la coopération est une façon plus efficace de soutenir l'apprentissage que l'autoritarisme et la réprimande.
- La valorisation des intérêts exprimés par les enfants favorise l'initiative, la maîtrise de soi et le développement des compétences plus efficacement que le fait d'ignorer les enfants, de les amener à penser comme nous ou de réorienter leurs intérêts.
- Accepter que les enfants ne pensent pas et ne raisonnent pas comme les adultes favorise le développement de leur pensée et de leur raisonnement plus que le désir et l'attente de les voir penser et raisonner comme des adultes.
- Encourager les enfants à résoudre leurs problèmes engendre plus d'occasions d'apprentissage que la résolution des problèmes des enfants par l'éducatrice ou l'organisation d'un environnement exempt de problèmes.
- S'assurer que l'information et les activités offertes sont appropriées au niveau de développement des enfants est essentiel aux expériences d'apprentissage efficaces.
- L'expérimentation et la résolution de problèmes sont les premiers processus par lesquels les enfants élaborent leur compréhension des concepts et des relations.
- L'encouragement au jeu avec les pairs et la résolution de problèmes favorisent l'autonomie et le sentiment de compétence chez les enfants.

Des recherches ont démontré que les convictions des éducatrices sur l'apprentissage et sur l'éducation influencent non seulement leurs actions mais aussi celles des enfants. Quand les éducatrices sont chaleureuses, amicales, encourageantes et attentives aux enfants, quand elles adoptent les mêmes attitudes auprès des grands groupes et quand elles encouragent les enfants à prendre des décisions, on note chez les enfants une augmentation de « l'engagement dans une tâche, la compréhension du langage, la participation sociale, l'utilisation constructive du matériel, la spontanéité, la créativité, la sympathie et l'autonomie» (Phyfe-Perkins et Shoemaker, 1986, p. 186). De plus, les éducatrices qui interagissent avec les enfants en collaborant les guident vers l'**interaction**, tandis que les éducatrices qui dirigent les enfants les orientent vers la **gestion** (Wood et autres, 1980, p. 47-48). De plus, les enfants qu'on «dirige» semblent faire preuve de moins d'habileté à parler et à communiquer que les enfants avec lesquels les éducatrices interagissent sous le mode de la collaboration (*ibid.*, p. 10).

7.4.2 Se soucier de l'environnement physique

Pour les éducatrices qui favorisent l'apprentissage actif, il va de soi que la période d'ateliers libres et celle de la planification ne peuvent se dérouler que dans un lieu où les enfants ont facilement accès au matériel et où ils peuvent entrer aisément en communication avec les autres.

A. Les enfants jouent et travaillent dans des coins d'activités attrayants

Dans un programme axé sur l'apprentissage actif, la période d'ateliers libres se déroule dans les **coins d'activités** (le coin des blocs, le coin de la maisonnette, le coin des arts plastiques ou tout autre coin, qui sont présentés à la sous-section 5.2.1). Les éducatrices rendent les coins d'activités attrayants en y plaçant du matériel intéressant pour les jeunes enfants. Cependant, elles demeurent aussi conscientes que les objectifs des enfants peuvent les mener à déborder les coins d'activités. Ainsi, des enfants peuvent avoir besoin de poursuivre leur activité à l'extérieur dans la cour; ils peuvent avoir besoin de l'évier de la cuisine ou encore de l'escalier qui mène à l'étage.

B. Les enfants jouent et travaillent dans des endroits confortables et ouverts

Peu importe l'endroit où les enfants jouent, le type de jeu que l'enfant choisit est influencé par la dimension, l'aménagement et l'emplacement de cet endroit. Certains enfants vont rechercher un petit endroit confortable pour jouer, tandis que d'autres auront besoin d'un endroit plus ouvert, plus grand et plus polyvalent. Par exemple, deux ou trois enfants utilisent la garde-robe comme «salle d'urgence» et ils y amènent leurs bébés pour la «vaccination».

7.4.3 Observer les coins d'activités et noter ce que font les enfants

Quelquefois, les éducatrices commencent la période d'ateliers libres en se joignant à un enfant qui a besoin de soutien pour mettre en œuvre sa planification. Par exemple: «Je veux faire un dinosaure avec les grosses boîtes, mais j'ai besoin de toi pour faire la pâte collante qui va faire tenir le papier journal sur mes boîtes.» Ou: «Viens ici, Manon! Je veux te lire une histoire!»

Afin de repérer les enfants qui ne font pas clairement de telles demandes, les éducatrices doivent périodiquement observer les coins d'activités et vérifier où en sont les enfants dans la réalisation de leur planification. Elles doivent aussi prendre note des interactions sociales, des types de jeux ou des expériences clés dans lesquelles sont engagés les enfants. En effet, tout en scrutant le local, les éducatrices réfléchissent:

> Je veux soutenir les enfants. Je dois décider avec qui je vais interagir et comment. En observant, je découvre ce que font les enfants, lequel a besoin de soutien et lequel est le plus disponible pour le moment.

A. Regarder où en sont les enfants dans la réalisation de leur planification

Tout en regardant les aires de jeu, les éducatrices observent chaque enfant et se posent ce genre de questions:

- Est-ce que l'enfant a commencé à jouer?
- A-t-il toujours son plan en tête?
- Est-il concentré sur ce qu'il fait?
- A-t-il changé d'idée par rapport à sa planification initiale? Si oui, pourquoi? Veut-il observer ou aller rejoindre un autre ami? Est-ce parce qu'il éprouve des difficultés? A-t-il besoin de matériel?

- Est-ce qu'il suit sa planification en y ajoutant une variante ? A-t-il tout simplement changé d'idée ?

En répondant à de telles questions, les éducatrices peuvent déterminer quel enfant a réellement besoin de leur aide. Par exemple, une éducatrice peut avoir remarqué qu'un enfant a cessé de travailler sur son vaisseau spatial parce qu'il a utilisé tout le carton disponible et qu'il semble réfléchir au matériel qu'il va utiliser pour continuer son projet.

B. Observer les interactions

Tout en observant les enfants, les éducatrices se posent ce genre de questions :

- Quels sont les enfants qui regardent les autres jouer ?
- Quels sont les enfants qui jouent seuls ?
- Quels sont les enfants qui jouent près des autres sans se soucier d'eux ?
- Quels sont les enfants qui jouent à deux ? en groupe ?

Les réponses à ces questions peuvent amener une éducatrice à intervenir auprès d'un enfant : par exemple, Christine semble tourner autour d'un groupe d'enfants qui joue à l'institut de beauté. A-t-elle besoin du soutien de l'éducatrice pour se joindre à eux ?

C. Observer les différents types de jeux

Afin de trouver les types de jeux auxquels les enfants s'adonnent, les éducatrices les observent et se posent des questions comme :

- Qui explore, manipule et expérimente quelque chose ?
- Qui est en train de construire ou de faire quelque chose ?
- Qui joue à faire semblant seul ou avec d'autres ?
- Qui prétend être quelqu'un d'autre et joue un rôle précis ?

En répondant à ces questions, une éducatrice peut se rendre, par exemple, auprès d'un enfant qui remplit des contenants avec du sable. Puis, en jouant tout près de lui, elle pourrait mieux connaître son mode de jeu ainsi que sa pensée.

D. Observer les expériences clés

Si les éducatrices essaient de découvrir quelles sont les expériences clés en cours, elles se poseront sûrement des questions comme celles qui suivent :

- Est-ce qu'il y a des indices qui pourraient me faire penser que cet enfant est engagé dans une expérience clé ?
- Comment sont les enfants qui bougent (ou qui parlent, qui comptent, qui mettent en ordre, etc.) pendant leur jeu ?
- Dans quelle expérience clé semble être engagée Brenda, qui travaille dans le coin de la menuiserie ?
- Se pourrait-il que Caroline soit frustrée parce qu'elle a du plaisir à jouer avec les mots et que personne ne l'écoute ?

Les réponses à ces questions peuvent inciter l'éducatrice à établir un contact visuel avec Caroline afin de lui laisser savoir qu'elle écoute ses jeux de mots.

Le tableau intitulé « Les sujets d'observation au cours de la période d'ateliers libres » résume ce que l'éducatrice doit garder en tête lorsqu'elle observe les enfants.

7.4.4 Choisir l'enfant à observer, s'assurer de comprendre son point de vue et établir sur-le-champ un plan d'intervention

En observant l'aire de jeu, l'éducatrice pourra choisir l'enfant qu'elle désire plus particulièrement observer. Une observation plus précise l'aidera à comprendre le point de vue de cet enfant et à décider de son plan d'intervention pour le soutenir.

A. Choisir les enfants à observer

L'observation globale des coins d'activités mènera l'éducatrice vers certains enfants ou vers certaines situations de jeu :

- un enfant qui hésite avant de commencer à jouer ;
- un enfant qui interrompt son jeu ;
- un enfant qui sollicite de l'aide ;

Les sujets d'observation au cours de la période d'ateliers libres

Les expériences clés	Les types de jeux	Le contexte social	L'état du projet
La représentation créative et l'imaginaire	Les jeux exploratoires	L'enfant spectateur	Le début du projet
Le développement du langage et le processus d'alphabétisation	Les jeux constructifs	Le jeu solitaire	La poursuite du projet
L'estime de soi et les relations interpersonnelles	Les jeux de rôles	Le jeu en parallèle	L'interruption du projet
Le mouvement	Les jeux de règles	Le jeu en groupe	La finalisation du projet
La musique			La modification du projet initial
La classification			
La sériation			
Les nombres			
L'espace			
Le temps			

- un enfant qui a changé d'idée par rapport à son plan initial;
- un enfant qui manifeste de l'intérêt à son jeu;
- un enfant qui observe les autres depuis longtemps;
- un enfant qui semble se parler;
- un enfant qui répète la même activité;
- un enfant qui hésite ou qui tente de se joindre à un ou à d'autres enfants;
- un enfant qui explore le matériel;
- un enfant qui réalise quelque chose de nouveau ou de complexe;
- un enfant qui joue à un jeu auquel d'autres pourraient se joindre;
- un enfant engagé dans une expérience clé;
- un enfant tranquille ou retiré;
- un enfant bouleversé ou frustré.

B. Observer pour comprendre le point de vue de l'enfant

Une fois qu'elle a choisi un enfant avec lequel elle pense intervenir, l'éducatrice s'approche de lui. Elle se place à sa hauteur, où qu'il soit, afin d'avoir ses yeux au même niveau que les siens. Ce choix implique qu'elle aura à effectuer divers mouvements à différents endroits: se coucher sur le sol, s'accroupir dans la tente, se mettre à genoux dans le sable, grimper dans la glissoire, etc. Ces diverses positions lui permettront de constater ce que l'enfant voit et ce qu'il ressent et de se présenter comme une véritable collaboratrice. En gardant le silence, elle pourra écouter attentivement ce que dit l'enfant et observer ce qu'il fait. De plus, en évitant de le solliciter, de commenter ses actions ou de faire des suggestions, elle permettra à l'enfant de constater l'intérêt qu'elle lui porte; elle le soutiendra sans l'interrompre.

C. Faire rapidement un plan d'intervention

Tout en l'observant, l'éducatrice se concentre sur l'enfant afin de mieux évaluer la situation qui a d'abord capté son attention: la planification initiale de l'enfant, ses interactions avec les autres enfants, le type de jeu auquel il s'adonne ou les expériences clés dans lesquelles il est engagé. Elle élabore son plan d'intervention à partir de ce qu'elle sait déjà au sujet : 1) de l'enfant qu'elle est en train d'observer ; 2) de ce qui se passe habituellement au cours de la période d'ateliers libres ; 3) de ce qu'il est possible de faire en tenant compte de l'espace, du matériel et des éducatrices disponibles durant cette période. Un plan d'intervention comprend une intention ou un but précis : par exemple, soutenir le projet de l'enfant, son jeu ou sa réflexion ou découvrir ce à quoi l'enfant pense ou ce qu'il fait ; il comporte également la description de quelques étapes possibles pour le réaliser et pour atteindre le but que l'on s'est fixé. À titre d'exemples, nous présentons ci-dessous deux plans d'intervention élaborés par des éducatrices au cours de la période d'ateliers libres. Toutefois, les plans que l'éducatrice fait lorsque qu'elle est en présence des enfants demeurent des idées qu'elle formule « sur-le-champ » à partir de ses observations.

- Éloi semble hésitant à commencer à jouer avec les Lego parce que ceux-ci ne sont pas sur la tablette comme d'habitude. Je me souviens qu'hier Sacha a placé les Lego dans le réfrigérateur pour représenter des cubes de glace. Je vais suggérer à Éloi de regarder dans le réfrigérateur afin qu'il puisse les trouver et commencer le jeu qu'il a planifié.

- Jérôme a travaillé intensément à la fabrication de son vaisseau spatial et, maintenant, il frappe une boîte de jus concentré avec un bloc. Il semble vouloir enlever le couvercle en carton qui est resté attaché au cylindre métallique. Si je lui dis : « Jérôme, tu frappes vraiment fort sur cette boîte », peut-être va-t-il me répondre en m'expliquant ce qu'il essaie de faire et quels sont les liens entre cette action et son vaisseau spatial.

Après avoir examiné les coins d'activités, observé les enfants et établi ses plans d'intervention, l'éducatrice aborde l'étape suivante, qui consiste à se rendre auprès d'un enfant ou d'un groupe d'enfants et à intervenir de façon appropriée : soit en offrant une présence chaleureuse et attentive, soit en jouant avec les enfants, soit en parlant avec eux, soit en les encourageant à résoudre leurs problèmes.

7.4.5 Offrir une présence chaleureuse et attentive

À certains moments, les enfants ont besoin que les éducatrices les rassurent et qu'elles reconnaissent les émotions qu'ils éprouvent et les efforts qu'ils fournissent. Voici quelques stratégies à utiliser afin d'aider les enfants à retrouver la quiétude d'esprit.

A. Observer les enfants afin de percevoir leurs besoins de réconfort et d'attention

Les enfants expriment leurs besoins de réconfort et d'attention de différentes manières. Blaise, par exemple, n'a pas été capable de planifier avant d'avoir parlé de la mort du chien de son cousin. Diane ne se sépare pas des éducatrices depuis quelques jours et manifeste sa crainte lorsqu'un éducateur ou un père entre dans le local, en disant : « Il ressemble à l'homme qui a battu ma mère. » Parfois, certains enfants semblent plus moroses et apathiques qu'à l'habitude. Quand les parents de William se sont divorcés, celui-ci avait tendance à s'isoler ; il avait à peine conscience de la présence des autres enfants et concentrait toute son attention sur le matériel. Ainsi, il gérait la situation, ce qui contrastait avec la désorganisation de sa situation familiale. D'autres enfants perdent leur concentration habituelle et éprouvent de la difficulté à s'engager dans de longues activités. Après la naissance de sa petite sœur, Laura n'arrivait pas à s'investir dans un jeu, elle changeait rapidement d'idée et elle passait d'un jeu à l'autre en fonction des déplacements de l'éducatrice, cherchant constamment la présence de celle-ci. Certains enfants vont faire la moue et attendre que l'éducatrice se rende compte de leur émotion, tandis que d'autres vont appeler à l'aide comme pour s'assurer que l'éducatrice est présente et réceptive : « Regarde ! » « Viens ici ! »

Tout en les observant, les éducatrices doivent demeurer attentives aux enfants qui vivent de telles situations et qui ont besoin de réconfort et d'attention, comme dans les exemples suivants :

- un enfant qui exprime son anxiété ou son malaise par des regards, des gestes, des actions ou des mots ;

Ces enfants ont demandé à l'éducatrice de leur raconter une histoire. Ainsi installés, ils bénéficient du contact chaleureux et du confort qui leur permettent d'écouter.

- un enfant inactif qui observe les autres en train de jouer;
- un enfant solitaire;
- un enfant qui se déplace fréquemment d'un coin d'activités à l'autre;
- un enfant qui a souvent besoin de l'approbation de l'éducatrice;
- un enfant qui a constamment besoin de la présence de l'éducatrice.

B. Offrir un contact physique rassurant

S'asseoir près de Christine, attendre patiemment sans bouger que Maude revienne après avoir dit au revoir à sa mère, prendre la main de Charles, prendre Li Wei par le cou, bercer Jordan, voilà des gestes rassurants pour les enfants; ils sont quelquefois plus importants que toutes les autres interventions que l'éducatrice peut effectuer. Même s'il est important de respecter les besoins d'indépendance et d'autonomie des enfants, il est tout aussi important d'être là quand ils ont besoin qu'on leur tienne la main ou qu'on leur fasse une caresse. Ces quelques secondes ou ces minutes de réconfort procurent aux enfants l'énergie dont ils ont besoin pour réintégrer leurs jeux de façon autonome.

Certains enfants vont exprimer leurs besoins de chaleur et de réconfort en s'agrippant aux jambes de l'éducatrice, en tirant sur sa manche ou sur son bras, en se serrant contre elle ou en s'assoyant sur ses genoux. D'autres enfants se garderont d'amorcer des contacts physiques de façon si ouverte: ils vont plutôt demander du réconfort par l'expression de leur visage et par leur attitude; par la suite, ils répondront positivement à l'offre que l'éducatrice leur fera. Quelques enfants vont même jusqu'à fuir les contacts physiques, mais ils acceptent la présence discrète d'une éducatrice calme et accueillante. Il est important de garder en tête que la réception des contacts physiques varie d'un être humain à l'autre selon les situations et que l'éducatrice doit se faire un devoir de respecter ces différences.

C. Offrir simplement de l'attention

Quelquefois, les enfants ont besoin que l'éducatrice reconnaisse leurs efforts:

- « Regarde! Regarde! » s'exclame Vanessa à chaque minute. « Je vois, Vanessa », répond l'éducatrice à chaque fois en souriant et en regardant la tour de blocs, les animaux alignés ou la peinture de Vanessa. Vanessa retourne alors rapidement à son occupation.
- William se tient près de l'éducatrice. Celle-ci le serre dans ses bras. Il lui sourit, puis il retourne à son jeu de construction. Un peu plus tard, William revient. L'éducatrice lui donne un « bisou » et il retourne à sa tour. Plus tard, il dit à l'éducatrice: « Viens ici! » Il prend sa main et la conduit près de sa tour. L'éducatrice s'assoit par terre et elle lui dit: « Elle est haute. » William se penche vers l'éducatrice et lui répond: « Oui, elle est haute. » Il commence alors une autre tour à

côté de la première. L'éducatrice l'observe quelques instants, puis elle se dirige vers un autre enfant dans le coin de la menuiserie.

7.4.6 Participer aux jeux des enfants

Participer aux jeux des enfants est une façon pour les éducatrices de démontrer qu'elles soutiennent et valorisent les intérêts et les intentions des enfants. Quand les enfants jouent ou commencent à jouer et qu'ils sont réceptifs à la présence des autres, les éducatrices peuvent alors se joindre à leur jeu de façon respectueuse, sans l'interrompre. Elles pourront s'intégrer au jeu, après avoir décelé une ouverture, en se plaçant au niveau des enfants, en jouant côte à côte avec les enfants ou en faisant équipe avec eux, en adressant un enfant à un autre pour qu'il l'aide et en suggérant de nouvelles idées pour le jeu en cours.

A. Déceler une ouverture dans le jeu

En général, il est plus facile pour les éducatrices de participer à certains types de jeux plutôt qu'à d'autres. Par exemple, une éducatrice peut habituellement se joindre aux jeux exploratoires des enfants sans les déranger, tout simplement en explorant comme eux un matériel semblable au leur. Dans les jeux de rôles, l'ajout de nouveaux participants peut enrichir la dynamique du jeu : l'éducatrice adoptera alors un rôle qui appuiera ce jeu. Quant aux jeux de règles, on sait qu'ils nécessitent la participation de plus d'un joueur. Généralement, il est plus naturel et moins dérangeant de se joindre aux jeux exploratoires, aux jeux de rôles et aux jeux de règles qu'aux jeux de construction. (Nous entendons ici par jeux de construction des jeux comme la construction d'une maison en Lego, la peinture ou la fabrication d'une carte d'anniversaire. Durant ce type de jeux, les enfants concentrent leur énergie sur la tâche qu'ils veulent réaliser, laissant peu de place à l'éducatrice.)

En examinant les coins d'activités afin de trouver les enfants auxquels elle pourrait se joindre, l'éducatrice peut s'attarder :

- aux enfants qui créent ou explorent un jeu coopératif ;
- aux enfants qui jouent à des jeux de rôles ou à des jeux d'imitation ;

Personne ne s'intéresse à moi quand je fais la moue !

Pourquoi certaines éducatrices évitent-elles de donner réconfort et attention aux enfants ?

Michel se tient à l'écart et il observe quelques enfants qui jouent avec des blocs. Son attitude ainsi que l'expression de son visage indiquent qu'il n'est pas très heureux. En le voyant ainsi, l'éducatrice se dit : « Il veut juste attirer mon attention. » Alors que certains enfants ont besoin de réconfort et d'attention, les éducatrices, pour toutes sortes de raisons, sont parfois réticentes à répondre à leurs besoins. En voici quelques exemples :

- « Quand j'étais petite, on ne me permettait pas de faire la moue. »
- « Son regard triste m'ennuie. Je sais qu'elle veut que je me sente triste pour elle, mais je ne me laisserai pas manipuler par ses besoins. Elle doit apprendre à se prendre en main. »
- « C'est une entêtée. Qu'elle parle si elle veut quelque chose. Si elle veut que je lui parle, qu'elle me parle en premier. »
- « S'il veut aller dans le coin des blocs, qu'il y aille. Il veut tout simplement que je l'aide, mais je ne l'aiderai pas : il doit devenir indépendant. »
- « Je ne suis pas sa mère après tout ! Faire la moue, ça peut fonctionner à la maison, mais pas avec moi. C'est une habitude dont il doit se défaire s'il veut réussir. »
- « Il peut bouder aussi longtemps qu'il le veut, pourvu qu'il soit tranquille et qu'il ne dérange pas. Je ne vois pas de raison de m'en mêler. »

Plusieurs jeunes enfants comptent sur la communication non verbale pour transmettre leurs besoins d'attention et de réconfort. De tels enfants ne sont pas encore capables de verbaliser ce qui les dérange, mais ils sont capables de s'apercevoir si un adulte est prêt à les aider à traverser une expérience émotionnelle difficile. Une éducatrice réfléchie et professionnelle doit être consciente de ses préjugés et les mettre de côté afin d'offrir aux enfants tout le soutien dont ils ont besoin pour s'épanouir.

- aux enfants qui font de l'expression corporelle ou qui dansent ;
- aux enfants solitaires qui manifestent le désir de se joindre à d'autres enfants ;
- aux enfants qui jouent côte à côte ;
- aux enfants qui explorent, manipulent et répètent des actions ;
- aux enfants qui jouent à des jeux de règles ;
- aux enfants qui éprouvent des difficultés à entreprendre un jeu ;
- aux enfants qui ont cessé leur jeu.

B. Se placer au niveau des enfants

La clé du succès, lorsqu'on participe à un jeu, réside dans les moyens qu'on se donne pour comprendre le jeu dans la perspective des enfants et leur permettre ainsi de garder la maîtrise de la situation. Voici quelques exemples de ces moyens :

- Assis sur le sol, un enfant frappe un tambourin et chante : « Hopa, hopa, hopa. » L'éducatrice s'assoit près de lui, prend un tambourin, attend le signal de l'enfant et commence à jouer du tambourin et à chanter en même temps que l'enfant.
- « Voici un peu de foin pour ton cheval », dit l'éducatrice à un enfant en lui tendant quelques morceaux de papier déchiré.

Parfois, les enfants invitent les éducatrices à se joindre à eux ; d'autres fois, les éducatrices en prennent l'initiative : « Je vais aller dans le coin du salon de coiffure pour voir si je ne pourrais pas aider Christine à participer. » Le succès des initiatives des éducatrices dépend cependant de leur sensibilité à la situation particulière du jeu : « Comme Christine tient un sac à main et des rouleaux, je vais l'imiter. Je vais prendre un sac à main et des rouleaux et je vais faire semblant que je me rends au salon de coiffure, moi aussi. » Plus les éducatrices sont sensibles aux diverses situations de jeu, plus les enfants sont portés à les inviter à leurs jeux. Des chercheurs (Wood, 1980, p. 157-158) rapportent que lorsque les enfants voient les éducatrices adopter le rôle de « joueur », ils comprennent que les éducatrices sont disposées à jouer : « Les enfants apprennent que les adultes sont accessibles et non autoritaires et distants ; alors ils leur font plus confiance. »

C. Jouer côte à côte avec les enfants

Cette stratégie peut être efficace avec les enfants qui sont engagés dans des jeux d'exploration et qui utilisent le matériel pour leur propre plaisir, sans réellement faire ou simuler quelque chose. Ces enfants jouent souvent de façon autonome, mais ils sont réceptifs à la présence amicale des autres.

Quand l'éducatrice joue côte à côte avec un enfant, elle se place tout près de lui en utilisant le même matériel que lui, de la même manière ou presque. L'éducatrice peut également intégrer des variantes au jeu : par exemple, elle peut remplir un tamis ou un entonnoir de sable, alors que l'enfant s'amuse à transvider le sable d'un contenant à l'autre. Il est important de réaliser que l'enfant peut ou non noter ces variantes et que, s'il le fait, il pourra ou non les intégrer à son jeu.

Lors du jeu en parallèle, la conversation est minimale : par exemple, un enfant demande un plat ; l'éducatrice lui tend le plat en le regardant. D'autre part, comme les jeux d'exploration sont peu exigeants, la présence de l'éducatrice peut inciter l'enfant à entamer une conversation sur des sujets qui le touchent ou sur le matériel avec lequel il joue.

D. Jouer en équipe avec les enfants

Cette stratégie, fondée sur la collaboration, fonctionne bien avec les enfants qui jouent à des jeux de rôles et à des jeux de groupe. En tant que collaboratrices, les éducatrices adoptent l'esprit du jeu, adaptent leur langage et leurs actions au rythme et au thème du jeu, acceptent et endossent le rôle en lien avec le jeu, suivent les règles établies par les enfants ainsi que leurs directives. L'exemple qui suit met en scène deux garçons, Simon et Francis, qui sont devant un miroir en train d'essayer des lunettes de soleil.

SIMON. – Bravo !
FRANCIS. – Affreux ! vraiment affreux !
L'ÉDUCATRICE. – (Elle essaie une paire de lunettes.)
SIMON. – (regardant l'éducatrice) Hé ! vous ! (Les deux enfants rigolent.) Regardez-vous dans le miroir ! (L'éducatrice se place devant le miroir.)
FRANCIS. – (s'adressant à l'éducatrice) Alors, ma belle dame, désirez-vous voir ce que nous avons en magasin ?

L'ÉDUCATRICE. – Certainement, Monsieur.
FRANCIS. – Venez ici ! (Il donne la main à l'éducatrice.) Assoyez-vous ! Je vais chercher ce que j'ai de plus beau.
SIMON. – Fermez vos yeux. Attendez qu'on revienne avant de les ouvrir.
L'ÉDUCATRICE. – J'ai peur.
SIMON. – N'ayez pas peur ! Je reviens !
(Les enfants reviennent avec un sac d'épicerie rempli de revues et de petits blocs multicolores.)

E. Adresser les enfants les uns aux autres

En collaborant au jeu ou en le suivant au lieu de le diriger, les éducatrices peuvent toujours adresser les enfants les uns aux autres pour soutenir le jeu ou pour lui donner plus d'envergure. Cette façon de faire aide les enfants à reconnaître leurs compétences mutuelles, à se percevoir comme des personnes-ressources, à utiliser leurs habiletés au profit des autres et à jouer en collaborant.

F. Suggérer de nouvelles idées

Les éducatrices expriment souvent le désir d'enrichir les jeux des enfants. Dans un sens, lorsqu'elles jouent respectueusement côte à côte ou font équipe avec les enfants, le jeu dure plus longtemps ou prend plus d'ampleur. Malgré cela, les éducatrices peuvent également souhaiter stimuler la réflexion et le raisonnement des enfants afin d'enrichir le jeu et, par conséquent, leur compréhension du jeu. Quand elles s'engagent dans une telle démarche par rapport au jeu, il est important que les idées et les questions qu'elles formulent aient un lien direct avec le jeu en cours. Sara Smilansky (1971) propose quelques stratégies tirées de sa longue expérience en expression dramatique :

Offrir des suggestions en lien avec le thème du jeu
L'ÉDUCATRICE. – J'ai apporté mon thermomètre pour bébé. (Elle tend un bâtonnet à l'enfant.)

S'adresser à l'enfant en tenant compte de son rôle
L'ÉDUCATRICE. – Docteur [et non « Ginette »], sa température est très élevée. Que faut-il faire ?

Respecter la réaction de l'enfant
L'ÉDUCATRICE. – Docteur, sa température est très élevée. Elle est très chaude.
GINETTE. – Je vais prendre sa température après la collation. Tenez. (Elle tend un livre à l'éducatrice.) Regardez ça ! Je vais revenir tantôt.
L'ÉDUCATRICE. – Merci.
GINETTE. – Voulez-vous que je vous apporte du lait et des frites ?
L'ÉDUCATRICE. – Certainement. Merci, Docteur !

7.4.7 Dialoguer avec les enfants

Il y a des moments où le travail et le jeu des enfants font place, spontanément, à la conversation. L'éducatrice doit profiter de ces occasions pour

Quoi ? Moi, jouer ! C'est une blague !

Il n'est pas facile pour certains adultes de jouer avec les enfants. Wood et autres (1980) rapportent que les adultes réticents à le faire invoquent toutes sortes de raisons afin d'éviter de jouer avec les enfants :

- « Le jeu, c'est pour les enfants et non pour les adultes. »
- « Les adultes dérangent le fragile équilibre des jeux d'enfants. »
- « Ce n'est pas bien de s'imposer. Ça gâche le jeu. »
- « Jouer avec les enfants, c'est toujours la même chose, c'est ennuyant. »
- « Les idées des adultes détruisent la créativité des enfants. »
- « Il est plus important pour les enfants de jouer avec d'autres enfants plutôt qu'avec des adultes. »
- « C'est gênant. Si d'autres adultes me voyaient ! »
- « Je risque de perdre mon autorité si je fais ce qu'ils demandent. »

Il est important pour les adultes qui ne sont pas à l'aise avec les jeux des enfants d'être attentifs à leurs émotions et de les évaluer par rapport aux avantages du jeu avec les enfants dans un climat harmonieux et joyeux. En jouant avec les enfants, les adultes leur permettent d'expérimenter le soutien et les ressources qu'ils peuvent leur offrir ainsi que leur désir de les voir réussir.

Cette éducatrice se place à la hauteur des enfants pour parler avec eux. Elle crée ainsi un climat de confiance et d'intimité.

dialoguer avec chaque enfant, comme avec un collaborateur, en suivant le fil conducteur de la pensée de l'enfant et en posant avec parcimonie des questions qui vont permettre à cet enfant de garder la maîtrise du dialogue. Plus les enfants auront l'occasion de dialoguer, plus ils pourront verbaliser leur propre pensée et leurs expériences, et plus ils tenteront d'interpréter et de comprendre leur univers.

A. Chercher les occasions naturelles de dialoguer

La relative simplicité des jeux exploratoires incite parfois les jeunes enfants à parler soit de ce qu'ils font, soit d'un sujet sans rapport avec le jeu. D'autre part, les jeux de rôles reposent énormément sur la conversation relative aux rôles adoptés, tandis que les jeux de règles impliquent souvent la négociation des règles et du déroulement du jeu. Parfois, pendant les jeux de construction, les enfants prennent une pause pour regarder où ils en sont ou pour réfléchir à un problème. C'est à des moments semblables à ceux-là que la conversation a le plus de chance de démarrer, c'est-à-dire au moment où l'enfant n'est pas totalement engagé dans son jeu. De même, les enfants qui ont interrompu, terminé ou changé leur projet peuvent tirer profit d'une conversation avec l'éducatrice qui les aidera à faire le point sur ce qu'ils ont fait ou sur ce qu'ils désirent faire. Voici quelques exemples de situations qui peuvent mener au dialogue :

- Les enfants décrivent ce qu'ils font.
- Les enfants font des imitations ou adoptent des rôles.
- Les enfants explorent, manipulent du matériel ou répètent des actions.
- Les enfants font une pause.
- Les enfants parlent entre eux, tout en jouant à un jeu de règles.
- Les enfants interrompent leur jeu, le terminent ou changent de jeu.

B. Se joindre aux enfants en se plaçant à leur niveau

Voici une définition simple, mais significative, de la conversation : un échange intime de paroles entre des personnes qui se font confiance. Afin de favoriser de telles conversations, l'éducatrice se place à proximité de l'enfant et adopte une position à sa hauteur, de telle sorte que l'enfant n'ait pas à regarder en haut et que l'adulte n'ait pas à regarder en bas. Pour ce faire, l'éducatrice passera beaucoup de temps accroupie, assise sur le sol, à genoux et même couchée sur le plancher.

C. Répondre à l'enfant en respectant sa façon de penser

Lorsque les éducatrices sont disponibles pour dialoguer avec les enfants lors des pauses spontanées dans les jeux, quand elles demeurent silencieuses tout en étant attentives et quand elles écoutent patiemment et avec intérêt les conversations des enfants entre eux, alors les enfants sont plus disposés à s'adresser à elles directement ou à faire les premiers pas pour engager la conversation.

> L'ENFANT. – (Il essuie ses mains sur son tablier et regarde le collage qu'il est en train de faire.)
> L'ÉDUCATRICE. – (Elle se dirige vers l'enfant et regarde le collage.)
> L'ENFANT. – C'est pour ma maman.
> L'ÉDUCATRICE. – Ah oui ! C'est quelque chose pour ta maman.
> L'ENFANT. – C'est… ce n'est pas encore fini.
> L'ÉDUCATRICE. – Oh !
> L'ENFANT. – Je vais coller des serpentins là et je vais coller la même chose que Jean a collée.
> L'ÉDUCATRICE. – Tu veux dire des cheveux de maïs.
> L'ENFANT. – Oui, on les a ramassés quand on est allés à la ferme.
> L'ÉDUCATRICE. – (attendant quelques instants au cas où l'enfant voudrait poursuivre la conversation) Je vais revenir voir ce que tu as fait avec les serpentins et les cheveux de maïs. (Elle se dirige vers un autre enfant.)

Que faire des jeux de guerre et des personnages guerriers ?

Ann Rogers (1990, p. 61) souligne ceci :

> Historiquement, les thèmes du pouvoir, du contrôle, de la colère, de l'impuissance et de la peur, dans un sens ou dans l'autre, font partie du jeu des enfants pour de fort bonnes raisons. Ce sont des préoccupations de tous les enfants du préscolaire et le jeu est le moyen qu'ils emploient pour leur trouver un sens.

Après avoir passé en revue les raisons en faveur ou non de la suppression des jeux de guerre et de superhéros, Rogers (p. 62) propose une troisième approche :

> Soyez attentive à ces jeux afin de pouvoir aider les enfants à dépasser le caractère répétitif et sans fin de ceux-ci, de telle sorte qu'ils puissent devenir plus utiles pour eux.

1. Aidez les enfants à poursuivre leurs jeux avec des expériences et du matériel qui leur sont familiers.
2. Soutenez fortement et encouragez toutes les idées originales des enfants.
3. Aidez les enfants à apprendre à maîtriser leur façon de jouer afin d'éviter les blessures et les peurs.
4. Limitez ou interdisez l'utilisation des jouets de guerre commerciaux, tels les pistolets et les figurines. Encouragez plutôt les enfants à créer leurs propres jouets avec du matériel de recyclage.
5. Quand les enfants sont plus âgés, aidez-les à réfléchir sur le véritable sens de ces jouets dérivés de la guerre ainsi que sur la publicité qui les entoure. Aidez-les à comparer le produit réel avec les messages publicitaires qui les présentent.

Plus les enfants grandissent, plus il est important d'aborder ces sujets avec eux afin qu'ils comprennent la signification de nos interdictions et qu'ils en arrivent à bannir ces jeux ou à les ignorer.

D. Converser amicalement avec les enfants

En considérant les enfants comme des collaborateurs, les éducatrices évitent de diriger la conversation. Elles essaient plutôt de laisser les enfants diriger la conversation chaque fois qu'elles en ont l'occasion. Elles le font en adoptant le sujet abordé par l'enfant ; en faisant des commentaires personnels ou des affirmations qui permettent de poursuivre la conversation, sans faire de pression sur l'enfant pour qu'il réponde ; en attendant la réponse de l'enfant avant de parler de nouveau ; et en faisant des commentaires brefs.

Les éducatrices attendent souvent que les enfants entament la conversation, mais elles peuvent aussi le faire et donner le choix à l'enfant de la poursuivre ou non. Une façon appropriée de commencer la conversation avec un enfant consiste à faire un commentaire ou une observation. Ce faisant, l'éducatrice donne à l'enfant le choix de répondre ou non et, par conséquent, de poursuivre la conversation à sa façon. Dans l'exemple qui suit, l'éducatrice entame la conversation par un commentaire qui n'oblige pas l'enfant à répondre, mais qui lui laisse l'occasion de poursuivre la conversation à sa façon.

L'ENFANT. – (Il brosse un chien en peluche.)
L'ÉDUCATRICE. – Mon chien Fido aime se faire brosser.
L'ENFANT. – Mon petit chien aussi, mais il n'aime pas prendre son bain.
L'ÉDUCATRICE. – Fido n'aime pas prendre son bain, lui non plus.
L'ENFANT. – Des fois, je le baigne dans la piscine.
L'ÉDUCATRICE. – Je parie qu'il essaie de sortir.
L'ENFANT. – Il essaie de sortir et il envoie de l'eau partout.

E. Poser des questions en demeurant réceptive

On accepte que le fait de poser des questions fasse partie des méthodes d'enseignement au primaire, mais poser des questions aux enfants du préscolaire soulève un problème. Le style des questions peut étouffer la conversation ou la stimuler. Les questions concernant des choses évidentes éteignent la conversation, telles que « De quelle couleur est-ce ? », « Quelle planche est la plus longue ? », « Est-ce que c'est une maison ? » ; les questions qui n'ont aucun rapport avec la situation ont le même effet, telles que la suivante, posée à un enfant qui est en train de colorier : « As-tu bu du jus ce matin ? »

> Les adultes utilisent ces questions de type interrogatoire lorsqu'ils mettent l'accent sur un sujet et sur la tâche au lieu de se concentrer sur la compréhension ou les champs d'intérêt de l'enfant. Par conséquent, en orientant les réponses, ils ratent l'occasion de partager leur point de vue et leurs réactions avec les enfants. (Wood, et autres, 1980, p. 178.)

Quand un adulte pose une série de questions, c'est lui qui dirige la conversation.

> Si l'adulte maintient le dialogue par le biais de questions, les réponses des enfants peuvent devenir laconiques. Une éducatrice qui dirige la conversation ne peut pas tenir compte des suggestions spontanées des enfants. En effet, la tendance à ignorer les enfants, à parler en même temps qu'eux et à dominer la conversation étouffe la pensée et la conversation des enfants au lieu de la favoriser. (*Ibid*, p. 65.)

D'autre part, les questions qui stimulent la conversation possèdent les caractéristiques suivantes : **elles sont utilisées avec modération, elles ont un lien avec ce que l'enfant est en train de faire et elles favorisent le développement de la pensée.**

Poser des questions avec modération. Les questions des éducatrices sont des outils qui doivent être utilisés avec soin. Certaines questions peuvent aider les enfants à prévoir, à décrire et à mieux percevoir leurs propres modes de pensée. Néanmoins, il est important de se rappeler qu'il est souhaitable que les enfants formulent leurs propres questions et y répondent eux-mêmes. Moins les éducatrices poseront de questions aux enfants, plus elles les écouteront et plus elles dialogueront avec eux, tout en demeurant réceptives, plus les enfants seront portés à les percevoir comme des auditrices sympathiques et, par conséquent, à leur poser des questions qui ont un intérêt particulier pour eux.

L'ENFANT. – (Il berce son chien de peluche.)
L'ÉDUCATRICE. – (Elle berce un chien de peluche à proximité de l'enfant.)
L'ENFANT. – Est-ce que ton père reste avec toi ?
L'ÉDUCATRICE. – Non, il demeure en Ontario avec ma mère.
L'ENFANT. – Ah ! Est-ce que Benoît reste avec toi ?
L'ÉDUCATRICE. – Oui, Benoît est mon mari. Il demeure avec moi et Stanley.
L'ENFANT. – Stanley, c'est un chien ?
L'ÉDUCATRICE. – Oui, Stanley est un chien mâle.
L'ENFANT. – Mon chien s'appelle Milou ; c'est un mâle aussi.

Poser des questions qui ont un lien direct avec ce que l'enfant est en train de faire. Cette stratégie est une autre manière de suivre le fil conducteur de la pensée de l'enfant. Même si c'est l'éducatrice qui pose les questions, celles-ci s'inspirent de ce qu'elle comprend de l'enfant au moment où elle est en sa présence. Lorsque les questions sont déterminées par la situation où se trouve l'enfant, il lui est plus facile de participer à la conversation que de la fuir. Par exemple, dans une conversation au sujet d'un poisson, l'éducatrice pose une question sur le poisson que l'enfant montre du doigt. Et comme la conversation continue, l'éducatrice pose une autre question pour la faire évoluer :

L'ENFANT. – Ce poisson a juste un œil.
L'ÉDUCATRICE. – Comment peux-tu dire ça ?

L'ENFANT. – Parce que je le vois.
L'ÉDUCATRICE. – Je comprends. Tu ne vois qu'un œil.
L'ENFANT. – Oui, il a un œil sur le côté juste en haut de son nez.

Poser des questions qui favorisent le développement de la pensée. Les questions qui stimulent la conversation sont centrées sur le développement de la pensée plutôt que sur des faits : « Combien d'yeux a un poisson ? » exige une réponse factuelle, connue de l'éducatrice. Au contraire, une éducatrice qui demande : « Comment peux-tu dire ça ? », en réponse à l'observation de l'enfant qui affirme que le poisson n'a qu'un œil, encourage ce même enfant à expliquer comment il arrive à cette conclusion. Comme l'enfant est le seul à détenir la réponse à cette question, la question est bien posée. De plus, en pensant à sa réponse, l'enfant a l'occasion de prendre conscience de ses connaissances et de les renforcer. Voici des questions qui requièrent de la réflexion et du raisonnement :

- « Comment peux-tu me dire cela ? »
- « Comment sais-tu cela ? »
- « Comment crois-tu que c'est arrivé ? »
- « Comment as-tu fait pour… (attraper la balle) ? »
- « Qu'est-ce que tu penses qu'il va arriver ? »

Encore une fois, il faut se rappeler que ces questions doivent être posées avec modération et qu'elles doivent être en relation immédiate avec ce que fait l'enfant. De plus, les éducatrices doivent demeurer vigilantes lorsque les enfants apportent des réponses sans avoir formulé leur question.

L'ENFANT. – (observant la tour de blocs qui est en train de tomber) C'était trop lourd, en haut. (Il montre avec sa main la hauteur de la tour.)
L'ÉDUCATRICE. – (verbalisant ce qu'elle pense être la question que l'enfant ne s'est pas posée) C'est pour cette raison qu'elle est tombée ?
L'ENFANT. – Oui, le gros bloc du dessus ne pouvait pas tenir.
L'ÉDUCATRICE. – La tour ne pouvait pas tenir ce gros bloc en haut.
L'ENFANT. – La tour n'était pas assez solide. Je sais quoi faire. (Il commence à bâtir une nouvelle tour.)

7.4.8 Encourager les enfants à résoudre leurs problèmes

Dans tout environnement stimulant, les enfants font constamment face à des problèmes physiques (« Je ne suis pas capable de mettre les blocs ensemble. ») et à des conflits sociaux (« Il a pris mon camion. »).

Ce ne sont pas toutes les éducatrices qui encouragent les enfants à résoudre eux-mêmes leurs problèmes. Dans les faits, certaines éducatrices cherchent à offrir aux enfants un environnement libre de contrariétés. Elles reprennent les enfants qui se disputent, elles interviennent dès que se présente un problème, peu importe la tournure des événements, afin que tout se passe bien. Par exemple, un enfant fabrique un livre et il veut agrafer les pages ; malheureusement, les agrafes sont coincées dans l'agrafeuse. Constatant la situation, l'éducatrice s'approche et dit : « Attends ! Je vais l'arranger. » Elle ouvre l'agrafeuse et replace les agrafes qui sont coincées. « Maintenant, elle fonctionne. Tu peux continuer. » Une autre éducatrice aurait pu répondre : « Tu l'as frappée trop fort et tu l'as brisée. » Puis, elle l'aurait réparée et placée sur la tablette hors de la portée de l'enfant en disant : « Peut-être que je te la donnerai demain, lorsque tu auras réfléchi à ta façon d'utiliser les objets. »

Dans un environnement favorisant l'apprentissage actif, les éducatrices encouragent les enfants à résoudre eux-mêmes leurs problèmes. Elles croient que, tout en essayant de résoudre leurs problèmes, les enfants apprennent concrètement le fonctionnement des objets, qu'ils commencent à les voir selon de nouvelles perspectives et qu'ils développent leur autonomie. Voyons comment aurait pu se passer l'épisode du livre et de l'agrafeuse dans un tel environnement. Un enfant qui fabrique un livre appuie sur l'agrafeuse, mais les agrafes ne sortent pas. Il secoue l'agrafeuse et elle ne fonctionne pas. Il appuie sur l'agrafeuse avec ses deux mains, la frappe sur la table et elle ne fonctionne toujours pas.

L'ENFANT. – (s'adressant à l'éducatrice) L'agrafeuse ne fonctionne pas.
L'ÉDUCATRICE. – Si on l'ouvre, on peut voir ce qui ne va pas. (L'enfant ouvre l'agrafeuse.)
L'ENFANT. – Il y a encore des agrafes, mais il y en a une… elle… elle n'est pas dans le bon sens.

(Il essaie de l'enlever avec ses doigts, puis il prend une paire de ciseaux afin d'enlever l'agrafe.) Je l'ai ! (Il essaie d'agrafer les pages de son livre et, cette fois-ci, tout va bien.)

A. Demeurer attentive aux enfants qui éprouvent des difficultés

Toutes les formes de jeux peuvent être sources de problèmes. Les enfants qui s'adonnent aux jeux de construction sont plus exposés aux difficultés que ceux qui s'adonnent aux jeux d'exploration, tout simplement parce qu'ils ont un but en tête et qu'ils peuvent faire face à des obstacles en essayant de l'atteindre. Les enfants qui ont cessé de jouer l'ont peut-être fait parce qu'ils ont éprouvé un problème. Voici quelques exemples d'enfants qui pourraient avoir besoin de l'aide et du soutien de l'éducatrice :

- les enfants qui ont constaté le problème et qui essaient de le résoudre : « Il m'en faut combien ? », « Qu'est-ce que je pourrais prendre pour ...? », « Qu'est-ce qui va avec ça ? », « Qu'est-ce qui vient après ? », « Comment puis-je le faire tenir ? » ;
- les enfants qui élaborent des stratégies pour composer avec des conflits sociaux ;
- les enfants dont le projet n'avance pas ;
- les enfants qui ont interrompu leur projet ou y ont mis fin.

B. Permettre aux enfants de composer avec les problèmes et les points de vue différents

Les enfants sont, par leur nature, capables de créer des problèmes, tout autant que d'en résoudre. Ils peuvent résoudre bien des problèmes par eux-mêmes. Les éducatrices, qui ont plus de facilité à résoudre les problèmes, doivent éviter d'intervenir trop rapidement auprès des enfants qui font face à un problème. Voici quelques stratégies pour y arriver.

S'asseoir avec les enfants. Assoyez-vous le plus souvent possible afin d'être au même niveau physique que les enfants, plutôt que de circuler et de rester debout. Ce faisant, vous aurez à vous lever avant d'intervenir, ce qui vous donnera le temps de réfléchir et d'observer les situations, tout en laissant à l'enfant du temps pour trouver lui-même la solution à son problème. Donnez aux enfants le temps de trouver leurs propres façons de résoudre le problème. Même si vous êtes près de l'enfant qui éprouve un problème, attendez, avant d'offrir votre assistance, que l'enfant la sollicite ou qu'il ait essayé de résoudre le problème et qu'il semble prêt à abandonner.

Adresser les enfants les uns aux autres. Autant que possible, adressez les enfants qui éprouvent des problèmes à d'autres enfants qui possèdent les outils nécessaires pour les aider. Cette façon de faire donne l'occasion à l'enfant de percevoir ses pairs comme des personnes-ressources.

L'ENFANT. – Ah non ! Je ne suis pas capable de l'ouvrir.
L'ÉDUCATRICE. – Hier, j'ai vu René ouvrir le pot de colle. Peut-être qu'il pourrait t'aider.
L'ENFANT. – Hé ! René ! Comment as-tu fait pour ouvrir le pot de colle ?
RENÉ. – Je vais t'aider. Regarde ! Tu lèves le couvercle comme ça.

Écouter les points de vue différents. Les enfants sont souvent en désaccord avec leurs pairs. Même si certaines éducatrices peuvent souhaiter empêcher la dispute, la réponse la plus appropriée consiste à écouter les points de vue des enfants et à les encourager à développer leurs points de vue respectifs.

L'ÉDUCATRICE. – (Elle lit une histoire qui parle d'un éléphant. Elle arrête la lecture afin de montrer l'image aux enfants.)
UN PREMIER ENFANT. – C'est un éléphant gentil.
LE DEUXIÈME ENFANT. – Non, il n'est pas gentil.
L'ÉDUCATRICE. – Qu'est-ce qui vous fait dire ça ?
LE DEUXIÈME ENFANT. – Il est allé à la rivière et ses parents ne voulaient pas.
L'ÉDUCATRICE. – Oui, il est allé à la rivière.
LE PREMIER ENFANT. – Il est gentil. C'est un tout petit bébé éléphant.
L'ÉDUCATRICE. – Oui, c'est un petit bébé.
LE DEUXIÈME ENFANT. – Continue de lire.
L'ÉDUCATRICE. – D'accord, voyons voir ce que fait l'éléphant au bord de la rivière.

C. Interagir avec les enfants au lieu de les diriger

Lorsque les éducatrices **interagissent** avec les enfants, elles jouent et elles dialoguent avec eux amicalement. Quand les éducatrices **dirigent** les enfants, elles se montrent supérieures en distribuant leurs instructions et leurs avertissements : « Tu dois laver tes mains. » « Tu dois trouver autre chose à faire : il y a trop d'enfants dans ce coin. » « Tu mets trop de colle : mets-en moins. » « Dans trois minutes, vous arrêtez de faire vos tours de magie. » Les éducatrices qui se comportent ainsi empêchent les enfants de se mesurer à des problèmes qui sont adaptés à leur niveau ; de plus, elles limitent les interactions des enfants entre eux, ce qui pourtant pourrait être des plus profitables et des plus agréables. Voici un exemple de deux éducatrices qui abordent la même situation.

> LE PREMIER ENFANT. – Ouah ! Ouah ! Ouah !
> LE DEUXIÈME ENFANT. – (Il fait semblant de manger dans un bol à chien.)
> LA PREMIÈRE ÉDUCATRICE. – (caressant les deux petits chiens) Bons chiens !
> LE PREMIER ENFANT. – (s'assoyant et suppliant) Ouah ! Ouah ! Ouah !
> LA PREMIÈRE ÉDUCATRICE. – Voyons voir si je n'ai pas un os à te donner. (Elle fouille dans ses poches et tend un os imaginaire.) Tiens, mon petit chien, voici un os spécialement pour toi.
> D'autres petits chiens se joignent aux deux premiers. Le jeu continue, et les chiens trouvent une façon de se faire des lits de chiens et une niche pour chacun.
> LA SECONDE ÉDUCATRICE. – (à l'autre bout de la pièce, allumant et fermant la lumière) Il y a trop d'enfants qui jouent au chien et qui aboient. Vous deux, vous pouvez continuer, mais les autres doivent se trouver autre chose à faire.

Les enfants à qui on permet de travailler ensemble afin de trouver de la place pour leur lit et leur niche vivent des expériences enrichissantes en comparaison de ceux qu'on a évincés du jeu. À court terme, la seconde éducatrice semble prévenir le problème du surpeuplement dans le coin des blocs, mais si les enfants avaient pu continuer à jouer, ils auraient eu l'occasion de résoudre ce problème par eux-mêmes.

D. Aider les enfants en restant neutre

Quand les problèmes et les conflits surviennent et que les enfants ne sont pas capables de les résoudre eux-mêmes, la patience, le respect et l'impartialité de l'éducatrice peuvent les aider.

Écoutez, clarifiez et reconnaissez la description que font les enfants du problème. Permettez aux enfants d'exprimer leurs émotions, d'expliquer la façon dont ils comprennent la situation et de fournir des explications.

> L'ÉDUCATRICE. – Qu'est-ce qui se passe ici ?
> LE PREMIER ENFANT. – J'ai besoin de cette grosse boîte.
> LE DEUXIÈME ENFANT. – Je l'avais en premier.
> LE PREMIER ENFANT. – Tu ne l'utilisais pas.
> LE DEUXIÈME ENFANT. – J'allais la prendre.

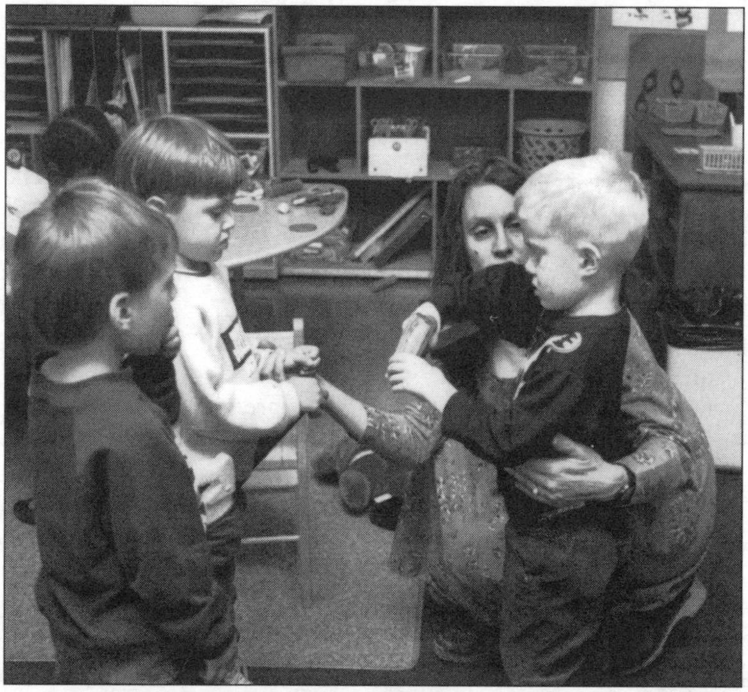

Cette éducatrice soutient des enfants qui ne peuvent résoudre leur conflit eux-mêmes. Elle écoute patiemment ce que chacun a à dire.

Encourager les enfants à se parler.

L'ÉDUCATRICE. – On dirait que vous avez tous les deux besoin d'une boîte.
LE PREMIER ENFANT. – J'en ai besoin pour me faire une maison et entrer dedans.
LE DEUXIÈME ENFANT. – Moi, j'ai besoin d'une boîte pour mettre mes papiers dedans.
LE TROISIÈME ENFANT. – Moi aussi, je veux une boîte.

Expliquer les faits aux enfants qui ont de la difficulté à exprimer leur pensée.

L'ÉDUCATRICE. – Tu veux une boîte, toi aussi.
LE TROISIÈME ENFANT. – (Il fait signe que oui et s'empare de la boîte.)

Aider les enfants à trouver des solutions.

L'ÉDUCATRICE. – Alors, on a une grosse boîte pour trois enfants qui en veulent chacun une.
LE TROISIÈME ENFANT. – (tenant encore la boîte) C'est à moi !
LE PREMIER ENFANT. – Je pourrais la prendre aujourd'hui et vous la laisser demain.
LE TROISIÈME ENFANT. – Non, c'est à moi !
L'ÉDUCATRICE. – Tout le monde veut la boîte aujourd'hui.
LE DEUXIÈME ENFANT. – On pourrait tous la prendre ensemble.
LE PREMIER ENFANT. – Oui !
LE DEUXIÈME ENFANT. – Mais je ne veux pas que vous vous assoyez sur mes papiers.
LE PREMIER ENFANT. – On pourrait mettre tes papiers dans un sac et mettre le sac dans la maison.
LE TROISIÈME ENFANT. – Moi aussi, je veux un sac.
LE DEUXIÈME ENFANT. – On va tous se prendre un sac, d'accord ? Venez !

7.4.9 Évaluer constamment ses interventions

Tout en maintenant un climat de confiance et en assurant des relations significatives avec les enfants, tout en jouant avec eux et en les soutenant dans leurs efforts pour résoudre eux-mêmes les problèmes auxquels ils font face, les éducatrices demeurent soucieuses de la portée de leurs paroles et de leurs actions sur la situation que vivent les enfants. Elles le font en se posant des questions telles que les suivantes :

- « Quels sont les effets de ma présence dans le jeu de Jennifer ? »
- « Qu'est-ce que ma participation au jeu de Jennifer me permet d'apprendre sur elle ? »
- « Qu'est-ce que je fais maintenant ? Dois-je continuer à jouer avec elle ? Dois-je apporter des modifications à mon intervention dans son jeu ? Dois-je me retirer ? »

Même si elles connaissent très bien un enfant, les éducatrices ne peuvent pas toujours prévoir quelle sera sa réaction à leur intervention. En se mettant au niveau des enfants, c'est-à-dire en jouant avec eux, en demeurant conscientes de la portée de leurs gestes et de leurs paroles, en réfléchissant aux conséquences de leurs interventions ainsi qu'à la manière dont elles soutiennent l'apprentissage actif, les éducatrices manifestent qu'elles sont tout autant en situation d'apprentissage qu'en situation de soutien auprès des enfants.

7.4.10 Prendre en note ses observations

Lorsqu'on travaille auprès d'un groupe d'enfants, la vie est tellement mouvementée qu'il est facile de perdre le fil de ses observations sur les enfants : leur façon de jouer, les compagnons qu'ils choisissent, leur façon de réaliser leurs projets, leurs champs d'intérêt, les expériences clés qui les intéressent le plus. La prise de notes permet aux éducatrices de partager leurs observations et d'analyser leurs conclusions à la fin de la journée afin de planifier la journée du lendemain.

Chaque éducatrice doit trouver la technique de prise de notes qui lui convient le mieux. Si vous n'avez pas encore choisi la vôtre, voici quelques idées qui pourront vous aider à le faire :

- Prenez mentalement des « photos instantanées » d'actions ou de mots des enfants. Puis, aussitôt que les enfants font la sieste, revoyez ces images et écrivez ce que vous jugez important au sujet de chaque enfant : ce qu'il a dit et ce qu'il a fait.

- Prenez des photos avec un appareil à développement instantané. Les enfants adorent regarder des photos d'eux-mêmes; en outre, ces photos vous serviront à vous rappeler les faits les plus pertinents lorsque vous ferez le bilan de votre journée avec votre équipe.
- Inscrivez le nom de l'enfant ou le symbole qui le représente avec des mots clés ou de courtes phrases concernant des faits, des mots et des gestes précis. Certaines éducatrices gardent à la portée de la main un bloc-notes ou un carnet à cet effet. D'autres gardent des fiches ou des bouts de papier dans leurs poches. Souvent, les enfants montrent de l'intérêt pour ces notes et ils font part à l'éducatrice de leurs propres commentaires ou de ce qu'ils aimeraient qu'elle écrive. Certains enfants vont même jusqu'à participer à cette prise de notes en offrant celles qu'ils ont prises sous différentes formes: gribouillages, dessins, lettres et autres. Quand les enfants voient les éducatrices écrire à leur sujet, ils comprennent que ces dernières valorisent ce qu'ils font et ils prennent conscience de l'importance de l'écriture.

7.4.11 Mettre un terme à la période d'ateliers libres

Le rangement du matériel et des jouets crée une transition entre la période d'ateliers libres et la période de réflexion dans la séquence planification – ateliers libres – réflexion. Les éducatrices informent généralement les enfants quelques minutes avant la fin de la période d'ateliers libres afin qu'ils puissent arrêter de façon naturelle leur jeu ou leur travail. La période du rangement, comme les autres périodes, laisse place à la résolution de problèmes, au plaisir et à des attentes réalistes.

A. Encourager les enfants à résoudre leurs problèmes

À la fin des ateliers, certains enfants n'ont pas terminé un jeu ou un travail qu'ils souhaiteraient continuer. Ils essaient de trouver eux-mêmes ou avec l'aide de l'éducatrice le moment où ils pourront terminer ce qu'ils ont entrepris: à un autre moment de la journée, à la maison ou le lendemain durant la période d'ateliers.

Un autre problème peut se présenter à eux: celui de garder ce qu'ils ont réalisé. Par exemple, des enfants ont construit une caverne avec des couvertures et des roches. Au lieu de ranger tout ce matériel, ils souhaitent conserver leur caverne pour jouer après la sieste. Ils devront discuter de cette option avec les autres enfants et avec une éducatrice capable de les soutenir; ils pourront faire une pancarte sur laquelle ils écriront « Ne pas toucher » et qu'ils afficheront devant la caverne.

En replaçant les jouets et le matériel dans leurs contenants respectifs ou sur des étagères, les enfants doivent résoudre un autre problème qui les amène à utiliser leurs habiletés à classer en triant et en appariant des objets.

Les enfants aiment employer la vadrouille, le balai, l'aspirateur et les éponges parce que ce sont des objets de la vie réelle et qu'ils se sentent grands lorsqu'ils les utilisent. Le temps qu'ils prennent parfois à coordonner leurs efforts est proportionnel aux retombées de ces exercices: la fierté d'avoir accompli une tâche d'adulte, une tâche importante.

B. Faire des jeux de rangement

Certains enfants obtiennent une grande satisfaction à classer et à ranger les blocs dans l'armoire, à replacer les déguisements dans les tiroirs, à laver les pinceaux, à séparer les roches et les coquillages; d'autres enfants restent indifférents à de telles tâches. À la fin de la période d'ateliers libres, ces enfants sont prêts pour un changement de rythme. Ils ne constatent pas les problèmes à résoudre; ils ont terminé leur projet, ils sont satisfaits et ils sont heureux de courir dans le local et de se chamailler avec leurs camarades. Ces enfants vont participer avec enthousiasme à des activités de rangement qui prennent la forme de jeux, telles que lancer les blocs dans la boîte qui leur est destinée, essayer de transporter le plus grand nombre de blocs possible, ranger le plus rapidement possible les accessoires et les vêtements de poupées, se placer en ligne « comme les pompiers » et se passer, de l'un à l'autre, les objets jusqu'à leur place de rangement ou jouer au magasinage en transportant les objets dans des sacs.

C. Avoir des attentes réalistes

Pour plusieurs éducatrices, la période de nettoyage et de rangement représente un mauvais moment

TABLEAU RÉCAPITULATIF

Soutenir les enfants durant la période d'ateliers libres

Examiner ses valeurs concernant l'apprentissage

Se soucier de l'environnement physique
- Les enfants jouent et travaillent dans des coins d'activités attrayants.
- Les enfants jouent et travaillent dans des endroits confortables et ouverts.

Observer les coins d'activités et noter ce que font les enfants
- Regarder où en sont les enfants dans la réalisation de leur planification.
- Observer les interactions.
- Observer les différents types de jeux.
- Observer les expériences clés.

Choisir l'enfant à observer, s'assurer de comprendre son point de vue et établir sur-le-champ un plan d'intervention

Offrir une présence chaleureuse et attentive
- Observer les enfants afin de percevoir leurs besoins de réconfort et d'attention.
- Offrir un contact physique rassurant.
- Offrir simplement de l'attention.

Participer aux jeux des enfants
- Déceler une ouverture dans le jeu.
- Se placer au niveau des enfants.
- Jouer côte à côte avec les enfants.
- Jouer en équipe avec les enfants.
- Adresser les enfants les uns aux autres.
- Suggérer de nouvelles idées.
  - Offrir des suggestions en lien avec le thème du jeu.
  - S'adresser à l'enfant en tenant compte de son rôle.
  - Respecter la réaction de l'enfant.

Dialoguer avec les enfants
- Chercher les occasions naturelles de dialoguer.
- Se joindre aux enfants en se plaçant à leur niveau.
- Répondre à l'enfant en respectant sa façon de penser.
- Converser amicalement avec les enfants.
- Poser des questions en demeurant réceptive.

Encourager les enfants à résoudre leurs problèmes
- Demeurer attentive aux enfants qui éprouvent des difficultés.
- Permettre aux enfants de composer avec les problèmes et les points de vue différents.
- Interagir avec les enfants au lieu de les diriger.
- Aider les enfants en restant neutre.

Évaluer constamment ses interventions

Prendre en note ses observations

Mettre un terme à la période d'ateliers libres
- Encourager les enfants à résoudre leurs problèmes.
- Faire des jeux de rangement.
- Avoir des attentes réalistes.

à passer. Elles craignent que tout le matériel ne soit pas rangé, que certains enfants refusent de participer ou qu'une autre éducatrice soit témoin de ce désordre et qu'elle leur fasse des commentaires désobligeants. De fait, certaines de ces situations, et même toutes ces situations, peuvent survenir à tout moment de la journée. Voici quelques stratégies qui vous aideront à les accepter :

- Concentrez votre énergie à soutenir les enfants dans leurs jeux et dans la résolution de leurs problèmes.
- Demeurez calme et optimiste : habituellement, après 10 minutes, le local est dans un état acceptable.
- Participez à la tâche en gardant le sens du jeu et de la résolution de problèmes. Profitez de l'énergie et de la candeur des enfants.
- Commencez la période de réflexion, même si tout n'est pas rangé. Il est parfois plus important de s'engager dans la réflexion que de prolonger indûment le rangement. Parfois, même le matériel resté à la vue peut aider certains enfants à

réfléchir sur ce qu'ils ont fait durant la période d'ateliers libres. (Pour de plus amples informations concernant la transition entre la période d'ateliers libres et la période de réflexion, consultez la section 8.8.)

7.5 Comprendre la période de réflexion

La période de réflexion est le moment où l'enfant prend conscience de ce qu'il a fait, où il fait des liens et où il réfléchit. Cette dernière partie du processus de planification-action-réflexion permet à l'enfant de revoir le travail qu'il a accompli et les événements qu'il a vécus. Cette section présente le processus de réflexion : son importance, son déroulement, la participation des enfants et celle des éducatrices.

7.5.1 L'importance de la période de réflexion

Au cours de la période de réflexion, les enfants réfléchissent à ce qu'ils ont fait durant la période d'ateliers libres, ils parlent de leurs réalisations et ils exhibent leurs productions. Alors que le processus de planification permet aux enfants de se fixer un objectif et de prévoir une séquence d'actions qui conduisent à des expériences d'apprentissage actif, le processus de réflexion aide les enfants à donner un sens à ces actions. Pendant la période de réflexion, les enfants sont engagés dans plusieurs opérations intellectuelles importantes : se souvenir, réfléchir à leurs expériences, faire des liens entre leurs projets et les résultats obtenus, partager leurs émotions, discuter avec les autres de leurs découvertes et de leurs activités.

A. Les enfants se souviennent et réfléchissent

Pour les jeunes enfants, le processus de réflexion fait appel à des opérations intellectuelles beaucoup plus complexes que le simple rappel des informations enregistrées par le cerveau. Au cours de la période de réflexion, les enfants s'engagent dans le processus actif de la construction d'une histoire. Ils **construisent** littéralement leur mémoire, ce qui, selon Edmund Bolles, « est le produit vivant des désirs, de l'introspection, du discernement et de la conscience de soi » (1988, p. XIV). Lorsque les enfants se rappellent leurs expériences de la période d'ateliers libres, ils créent une image mentale de celles-ci en fonction de leur habileté à comprendre et à interpréter ce qu'ils ont fait. Ils sélectionnent, dans leurs expériences, les faits qui ont une signification particulière pour eux ; ce sont de ces faits significatifs qu'ils parlent : « On a joué dans la boue ! Nous, on adore la boue. N'est-ce pas, Jeff ! » Comme le souligne le psychologue Roger Schank (1990, p. 115) :

> Nous ressentons le besoin de raconter une histoire à quelqu'un d'autre lorsque celle-ci relate des expériences importantes parce que le processus par lequel nous créons cette histoire va aussi construire dans notre mémoire la structure qui va contenir le substrat de cette expérience pour le reste de notre vie. En parler, c'est se rappeler.

En cheminant dans ce processus de construction de la pensée réflexive, au cours duquel ils sélectionnent les événements dont ils vont parler, et en interprétant ensuite ce qui est arrivé, les enfants acquièrent une meilleure compréhension de leurs expériences. Écrire, parler, raconter des histoires, peindre, sculpter, danser, composer de la musique sont différentes formes d'expression que les humains utilisent pour organiser leurs connaissnces et leur donner un sens. Nous avons une expérience, un sentiment ou une idée auxquels nous essayons de donner forme, ou que nous essayons de décrire, en utilisant des mots, des notes de musique, des nombres, des formules, des coups de pinceau ou des mouvements corporels. C'est dans cette perspective que les tisserands du Moyen Âge fabriquaient de merveilleuses tapisseries qui expliquaient leur compréhension et leur interprétation de la nature, des mythes, des religions et de la vie quotidienne à la cour.

Les enfants d'âge préscolaire ont ce même besoin de se souvenir et de donner une signification à leurs connaissances. Leurs mots et leurs gestes sont les premiers outils dont ils disposent pour donner forme aux événements et essayer de les comprendre.

> Roch. – J'ai... j'ai joué dans le sable, mais... il était trop sec !
> L'éducatrice. – Trop sec ?

ROCH. – Je ne pouvais pas faire mon gâteau. Il tombait tout le temps. Alors, j'ai fait de la boue !
L'ÉDUCATRICE. – Oh ! Comment as-tu fait ça ?
ROCH. – J'ai mis plein d'eau.
L'ÉDUCATRICE. – Je t'ai vu verser beaucoup d'eau.
ROCH. – Après, le sable est resté dans mon gâteau... et... il est resté sur mes mains aussi !

En réfléchissant à ce qu'ils ont fait, les enfants donnent un sens à leurs expériences en les ressassant dans leur tête. Ils commencent alors à penser à ce qu'ils ont fait en utilisant l'abstraction. De plus, c'est en réfléchissant aux événements qu'ils comprennent qu'ils peuvent influencer le cours des choses, acquérir de nouvelles connaissances et résoudre des problèmes :

> La peinture s'est renversée. J'ai mis ma main le plus vite que j'ai pu pour l'attraper. Je l'ai retenue juste sur le bord de la table. Puis, Thomas est allé chercher du papier essuie-tout. Il n'y en a presque pas eu sur le plancher, juste une petite goutte de rien du tout.

Berry et Sylva (1987, p. 35) soulignent l'importance de se remémorer avec les enfants les expériences qu'ils ont vécues pour soutenir leur développement ; elles font la remarque suivante :

> La période de réflexion fournit aux éducatrices un moment privilégié et riche pour stimuler le développement du langage, pour discuter des relations de cause à effet et pour étudier les liens entre les événements.

B. Les enfants font des liens entre la planification, l'action et le résultat

Les enfants qui réfléchissent aux expériences qu'ils ont faites lors de la période d'ateliers libres commencent peu à peu à faire des liens entre ce qu'ils viennent de faire et leur planification initiale. Ils prennent conscience de ce qu'est un but ; ils comprennent que planifier avant d'agir leur permet de maîtriser leurs actions à travers toute la séquence planification – ateliers libres – réflexion : « J'ai planifié de jouer au chat avec Sabrina. Et nous avons fait les chats tout le temps. Même pour ranger ! »

C. Les enfants parlent aux autres des expériences significatives

La période de réflexion engendre des interactions sociales exigeantes sur le plan personnel. Les enfants doivent réfléchir à leurs expériences et ils doivent trouver les mots, les actions et les gestes pour expliquer la signification de leurs expériences aux autres :

> J'ai fait une... feuille avec plein... plein de colle qui dégoutte ! Je vais vous la montrer. (L'enfant va chercher sa feuille.) C'est ici (montrant les amas de colle) et ici. C'est... c'est... vous pouvez la toucher. Ça ne colle plus !

Lors des activités de réflexion, les enfants s'engagent dans la narration d'histoires vécues dans lesquelles, en tant que narrateurs, ils sont les personnages principaux. Les aspects dramatiques, excitants ou intrigants de la période d'ateliers libres procurent le matériel de base que les enfants utilisent pour construire une histoire qu'ils vont raconter aux autres. L'aspect social que constitue la communication aux autres de sa planification, de ses réalisations et de ses réflexions soutient les habiletés langagières naissantes de l'enfant, et cet aspect contribue à l'éveiller à des formes primitives d'alphabétisation. Par le biais du processus de réflexion, les enfants prennent conscience d'eux-mêmes et ils apprennent à considérer leurs pairs comme des personnes qui ont des idées intéressantes. Cette prise de conscience contribue à les préparer à raconter leurs expériences sous des formes écrites primitives et à interpréter les narrations écrites créées par les autres enfants. Au cours de la période de planification, les enfants concentrent leur attention sur les buts de leurs actions, tandis qu'au cours de la période de réflexion ils incorporent ces buts ainsi que les actions significatives qu'ils ont réalisées à une narration qui souligne les caractéristiques importantes de leurs actions. Les éducatrices qui aident les enfants à reconnaître et à décrire ces moments privilégiés atteignent les objectifs éducatifs décrits par l'éducateur Elliot Eisner (1990, p. 47) :

> [...] trouver une façon d'aider les enfants à acquérir les habiletés langagières dont ils ont besoin tout en privilégiant une attitude non conformiste à l'égard des maladresses langagières.

La période de réflexion est aussi une façon de rendre publiques les expériences des enfants. Comme la période de réflexion est un phénomène de socialisation qui a lieu entre deux personnes ou plus, elle a pour effet de soumettre les expériences personnelles à l'opinion d'autrui. Les enfants ont l'occasion de présenter leurs expériences d'une façon telle que les autres ne font pas seulement les écouter, mais peuvent aussi y ajouter leurs commentaires et leurs suggestions.

> CAROLE. – J'ai joué avec Paul.
> KEVIN. – Tu as joué avec moi aussi.
> TOM. – Et tu m'as poussé en voiture, t'en souviens-tu ?
> CAROLE. – On a tous joué ensemble !

Discourir en public est une fonction exercée dans toutes les cultures, et cet apprentissage est fondamental, même lorsqu'il s'exprime sous une forme très simple comme dans l'exemple précédent. Eisner (1990, p. 53-54) explique cette fonction dans les termes suivants :

> La représentation publique des idées et des images mentales constitue une façon de les partager avec les autres. Nous tenons généralement cette fonction pour acquise, mais à moins que le privé ne soit rendu public, il n'y a pas de possibilité de participer aux expériences des autres... Le processus de représentation est une façon de connaître la vie des autres et de commencer à comprendre ce qu'ils ont pensé et ressenti. Sans la fonction de représentation, la culture elle-même ne serait pas possible.

Durant la période de réflexion, cet enfant a placé dans un sac des objets qui ont été utilisés dans les ateliers libres et il demande à l'éducatrice de deviner ce qu'il y a dans le sac.

Les enfants qui participent au processus de réflexion soumettent leurs expériences à l'examen collectif. Catherine, par exemple, affiche la banderole qu'elle a fabriquée ; au cours de la semaine suivante, d'autres enfants, intrigués par cette réalisation, essaient eux aussi de fabriquer des banderoles de différentes façons. Il est clair qu'au fur et à mesure que les enfants deviennent intéressés aux projets des autres enfants et à leurs expériences, les idées et les façons de faire des autres sont graduellement intégrées à la culture de leur service éducatif.

D. Les enfants forment des images mentales et en parlent

Les enfants d'âge préscolaire ont la capacité de se représenter mentalement des expériences réelles et imaginaires, passées et futures. Cette capacité les rend aptes à utiliser le langage et l'expression corporelle pour se rappeler, pour imaginer, pour parler et pour décrire des personnes et des objets sous une forme que les autres comprendront. Au cours du processus de réflexion, les enfants ont l'occasion d'exercer cette habileté naissante de représentation. En traduisant leurs souvenirs en mots et en gestes, les enfants construisent leur propre compréhension des expériences qu'ils ont vécues lors de la période d'ateliers libres. Par exemple :

> J'ai... euh... (gestes avec les mains comme si elle utilisait une souris) travaillé à l'ordinateur... J'ai fait des dessins ! Ensuite, j'ai découpé... (tenant une feuille imaginaire d'une main et faisant le geste de découper avec des ciseaux de l'autre main) ; j'ai découpé le... euh... les dessins en morceaux !

E. Les enfants étendent la prise de conscience au-delà du moment présent

C'est avec entrain que les enfants d'âge préscolaire utilisent leur nouvelle habileté pour entreprendre des jeux symboliques avec les autres ; ce faisant, ils font appel à ce que l'éducateur Anthony Pellegrini nomme « le langage de l'absence » : « un langage qui retire les personnes de leur environnement immédiat » (1986, p. 83). Les enfants utilisent aussi « le langage de l'absence » en se rappelant leurs expériences en ateliers libres : « J'ai donné de l'argent à Éloi et c'est tout ce que je peux dire. Et j'ai joué avec ces deux gars-là. Et j'ai conduit les autos et ils ont cassé nos vitres ! » Au cours de la période de réflexion, les enfants reviennent consciemment sur ce qu'ils ont fait et ils recherchent les images et les mots qui conviennent pour communiquer leur interprétation de leur passé immédiat.

> L'ÉDUCATRICE. – Qu'est-ce qui est arrivé quand les vitres se sont brisées ?
> MARTIN. – On était morts !
> L'ÉDUCATRICE. – Tu étais mort, Martin ?
> BENOÎT. – J'étais mort, moi aussi !

On peut donc dire qu'en se souvenant de leurs expériences passées les enfants comprennent ce qu'ils ont fait et apprennent à faire des liens entre leurs actions et les conséquences que ces actions ont sur les autres enfants, qui peuvent alors les explorer et les modifier au besoin. Se rappeler leurs intentions de départ et y réfléchir, associer leurs planifications aux actions qu'ils ont faites et aux conséquences de ces actions, et parler avec les autres d'expériences significatives sont des composantes importantes du développement intellectuel, social et affectif pour tous les êtres humains, pas seulement pour les enfants. Ces processus intellectuels et sociaux permettent d'examiner les expériences passées pour comprendre le présent et l'avenir. Se souvenir d'événements et d'expériences passées et y réfléchir est une habileté dont les enfants tireront profit tout au long de leur vie. C'est pourquoi le processus de réflexion intégré à la séquence planification – ateliers libres – réflexion a toute sa raison d'être dans l'horaire quotidien de tous les services éducatifs qui privilégient l'apprentissage actif.

7.5.2 La portée de la période de réflexion sur les enfants

En tant qu'apprentis conteurs d'histoires, les enfants d'âge préscolaire réfléchissent parfois d'une façon déroutante pour les adultes. Les éducatrices devraient être sensibilisées aux caractéristiques du style de narration qu'adoptent les enfants de cet âge pour raconter leurs aventures personnelles, si elles veulent savoir à quoi s'attendre durant leurs conversations avec les enfants au cours de la période de réflexion.

A. La capacité des enfants de raconter des événements passés s'accroît

La capacité de parler du passé commence à se développer chez les trottineurs. À partir d'observations d'enfants de 2 ans, Miller et Sperry ont étudié la façon dont ces enfants parlaient des événements passés qu'ils avaient vécus. Dans leur rapport de recherche, ces auteures notent ceci (1988, p. 293) :

> Au cours de cette période (de 2 ans à 2 ans ½), les enfants parlent surtout d'événements passés négatifs, en particulier d'événements où ils ont subi des blessures physiques ; le nombre de fois où les enfants racontent des événements passés précis double au cours de cette période ; la capacité d'ordonner les séquences dans le temps augmente de façon importante ; les enfants deviennent capables d'entreprendre et de mener à bien de telles conversations de façon autonome. De plus, une des découvertes les plus étonnantes de cette recherche est que les enfants de 2 ans sont capables de communiquer leurs sentiments par rapport aux événements passés. Le langage qu'ils utilisaient pour décrire les événements passés contenait cinq fois plus de termes évaluatifs que leurs autres formes de discours. Ces résultats amènent à conclure que (1), déjà à 2 ans ½, les enfants sont capables de raconter leurs expériences personnelles en utilisant une forme primitive et que (2) les fondements de ce genre d'expression ne reposent pas seulement sur des habiletés cognitives et sur le développement social de l'enfant, mais aussi sur la signification émotionnelle des événements décrits.

Comme le démontre ce rapport, même les enfants de 2 ans sont portés à parler d'expériences passées particulièrement significatives pour eux, souvent des expériences au cours desquelles ils ont éprouvé de la douleur ou qui les ont troublés.

Par ailleurs, dans leur étude sur les capacités des enfants de 3 et 4 ans à se rappeler leurs expériences personnelles, Miller et Sperry soulignent (1988, p. 294) :

> Les enfants d'âge préscolaire racontent des histoires qui font état d'expériences qu'ils ont vécues ou qui sont arrivées à leurs « complices » : une dispute avec un autre enfant, un tour de manège, une blessure accidentelle, une excursion à la piscine.

Berry et Sylva (1987, p. 16), par ailleurs, ont noté ceci :

> Les enfants [qui participaient au programme High/Scope] étaient capables de raconter ce qu'ils avaient fait et ils le faisaient souvent en insérant dans leurs narrations des détails nombreux et précis. Ils ajoutaient souvent des commentaires qui indiquaient clairement qu'ils étaient conscients des différences entre les activités qu'ils avaient planifiées et celles qu'ils n'avaient pas planifiées.

Les résultats des recherches démontrent clairement que les enfants sont capables de parler de leurs expériences personnelles très tôt dans leur développement et qu'ils sont souvent capables d'ajouter de plus en plus de détails à ces narrations. Plus ils comprennent ce qu'ils ont fait, plus ils sont capables d'en parler de façon détaillée.

> BENOÎT, 3 ans. – (faisant semblant de taper à la machine) J'ai joué avec l'ordinateur.
> LINDA, 4 ans. – Moi et Marie-Laure, on a joué au mariage. On a dansé sur les marches, et ensuite on est allées dans la maison. Et ensuite on a dîné... et on a mangé du dessert... et on a fait semblant qu'on jouait dans le sous-sol... et après... et après, on a joué encore !

Le point commun qui semble lier toutes les histoires que les enfants racontent sur les événements passés, c'est que ces histoires sont issues d'un investissement émotif personnel dans l'expérience d'origine. Les enfants, comme les personnes de tout âge, sont plus aptes à se rappeler des expériences dans lesquelles ils se sont engagés personnellement et affectivement.

B. Les enfants sélectionnent les expériences à raconter

Au cours de presque toute la période d'ateliers libres, la petite Manon a mené un jeu de rôles fort complexe auquel plusieurs enfants ont participé. Les enfants ont décidé de s'habiller en ballerines. Après avoir revêtu leurs tutus, ils ont construit une scène pour leur spectacle, ils ont placé des chaises pour l'assistance, ils ont fabriqué des billets d'entrée et ils ont recruté tous les enfants qu'ils ont pu pour qu'ils viennent s'asseoir sur les chaises et regarder leur spectacle. Au cours de la période de réflexion, l'éducatrice qui discutait avec Manon s'attendait à un rapport détaillé parce que Manon avait été très concentrée à chacune des étapes du jeu auquel avaient participé presque tous les adultes et tous les enfants du groupe à un moment ou à un autre. Cependant, ce dont Manon a parlé, lors de la période de réflexion, n'avait rien à voir avec le déguisement, la construction de la scène ou la danse. Elle raconta plutôt quelque chose qu'elle avait fait après le spectacle, dans les 10 dernières minutes de la période d'ateliers : « J'ai fait une carte pour mon père... pour son anniversaire. C'est aujourd'hui !... Je lui ai déjà envoyé une carte par la poste... mais celle-ci c'est pour quand... quand... il sera à la maison ! »

Il est souvent difficile de prévoir ce dont les enfants vont parler au cours de la période de réflexion. Leur choix d'expériences est souvent imprévisible. L'activité qui a le plus impressionné les éducatrices au cours de la période d'ateliers sera peut-être le sujet que les enfants aborderont au cours de la période de réflexion, mais ils peuvent décider de partager une réflexion sur un tout autre sujet. Les enfants donnent rarement un compte rendu détaillé et chronologique de leurs expériences en ateliers libres. Ils ont plutôt tendance à sélectionner une ou deux activités qui revêtent une signification toute particulière pour eux, indépendamment du temps qu'ils y ont consacré. Ils pourront parler de leur dernière réalisation, montrer un dessin qu'ils ont pris cinq minutes à faire ou une création qui leur a demandé toute la période dans le coin de la menuiserie. Ils pourront tout simplement parler des enfants avec lesquels ils ont joué, si le fait de jouer avec leurs amis a eu plus d'importance pour eux que la nature des activités qu'ils ont partagées. Les enfants réfléchissent de façon sélective : ils choisissent les faits dont ils veulent parler selon leurs préoccupations. Ce qui importe le plus pour eux, c'est d'avoir l'occasion de réfléchir et de s'exprimer sur les expériences qu'ils ont vécues plutôt que de se demander sur quelles expériences ils doivent réfléchir.

C. Les enfants construisent leur compréhension de ce qu'ils viennent tout juste de faire

Selon Bolles (1988, p. 72), nous nous souvenons des événements en fonction de notre compréhension de ce qui s'est passé et non pas selon ce qui s'est véritablement passé.

> GEOFFROY. – Nous avons fait de la boue. L'eau... sautait... elle sautait du tuyau..., alors on a fait de la boue.
> L'ÉDUCATRICE. – L'eau sautait du tuyau?
> GEOFFROY. – Oui, comme ça! (Il fait des gestes de sauts avec ses mains.)
> SOPHIE. – Geoffroy et moi, on adore ça, la boue.
> GEOFFROY. – Oui, on adore la boue!

Au fur et à mesure que la pensée réflexive des enfants s'élabore, leurs souvenirs sont plus près de la réalité. Lorsque les enfants comprennent ce qu'ils ont fait, leurs narrations de la période de réflexion deviennent plus précises et plus détaillées, et les enfants vont de plus en plus droit au but.

> L'ENFANT. – (montrant une paire d'échasses) Ce sont mes échasses. C'est moi qui les ai faites.
> L'ÉDUCATRICE. – Je t'ai vu percer des trous dans les boîtes de conserve.
> L'ENFANT. – Ouais... J'ai percé fort... avec un clou... Un ici... ici... Et ici (montrant les trous). C'est difficile de passer les cordes à travers... Ça passait son temps à ressortir. Je l'ai empêché avec du papier collant. Regarde, ici... Tu peux marcher avec si tu veux. Comme ça! (Il fait une démonstration.)

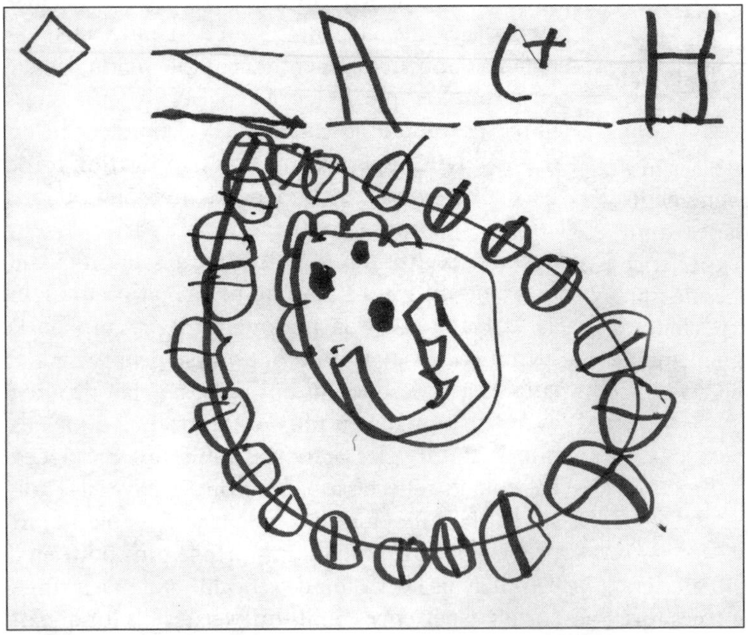

Durant la période de réflexion, Zacharie a présenté ce dessin : « C'est un collier que j'ai fait, et ça, c'est moi qui le porte. »

D. Les enfants utilisent des moyens variés pour communiquer leurs réflexions

Bien que le processus de réflexion s'articule souvent autour de périodes de discussion, les jeunes enfants utilisent aussi d'autres formes d'expression pour décrire les expériences qu'ils ont vécues au cours de la période d'ateliers. Les gestes, les mimiques, une mise en scène, des dessins et des « écrits » font partie des autres moyens qu'ils utilisent le plus fréquemment.

Des gestes et une mise en scène. Certains enfants, surtout ceux qui sont nouveaux dans l'expérimentation de la séquence planification – ateliers libres – réflexion, font tout simplement un geste pour désigner la personne ou l'objet avec lequel ils ont joué pendant la période d'ateliers libres; ou encore, ils montrent l'endroit où ils ont joué. Ils iront peut-être chercher un objet qu'ils ont utilisé ou ils referont des gestes qu'ils ont faits au cours de la période d'ateliers. Par exemple, Tara, une enfant de 3 ans, utilise de telles stratégies.

> L'ÉDUCATRICE. – Qu'est-ce que tu as fait aujourd'hui, Tara?
> TARA. – (Elle désigne du doigt le bac à sable.)
> L'ÉDUCATRICE. – Ah! tu as joué dans le sable.
> TARA. – (Elle fait signe que oui avec la tête.)
> L'ÉDUCATRICE. – Je t'ai vue jouer dans le sable.
> TARA. – (allant chercher un seau dans le bac à sable) Ça!
> L'ÉDUCATRICE. – C'est un seau.
> TARA. – (Elle fait des gestes pour montrer qu'elle verse du sable.)
> L'ÉDUCATRICE. – (Elle imite les gestes de l'enfant.)

TARA. – (riant et retournant le seau à l'envers) Tout parti !
L'ÉDUCATRICE. – Tout parti !

Parler. Les enfants d'âge préscolaire parlent beaucoup au cours de la période de réflexion. Alors qu'ils se rappellent et qu'ils reconstruisent les événements passés, leur discours est souvent ponctué par des pauses au cours desquelles ils cherchent les mots pour exprimer leur compréhension des événements. Plus les enfants grandissent et plus ils acquièrent l'habitude du processus de réflexion, plus ils incluront de détails dans leurs récits et plus ils seront enclins à ajouter des détails aux narrations de leurs camarades de jeu.

Dessiner et écrire. Les enfants utilisent aussi le dessin et l'écriture pour faire le point sur leurs expériences passées. Ils dessinent parfois de simples gribouillis, mais aussi des dessins simples ou plus complexes, ou encore ils forment des lettres ou des mots. Certains enfants sont capables d'écrire et de dessiner pour raconter leurs expériences à partir des images qu'ils ont en tête ; d'autres ont besoin d'avoir les objets devant eux pour les dessiner ou y faire référence.

7.6 Soutenir les enfants au cours de la période de réflexion

Dans les milieux éducatifs qui privilégient une approche favorisant l'apprentissage actif, le rôle des éducatrices, au cours de la période de réflexion, est semblable à celui qu'elles jouent lors de la période de planification ; ce rôle s'enrichit en outre des observations qu'elles ont faites au cours de la période d'ateliers libres, des conversations qu'elles ont eues avec les enfants et de leur participation aux jeux des enfants. Ces expériences qui sont partagées au cours de la période d'ateliers libres sont essentielles pour alimenter les histoires et les conversations de la période de réflexion. Comme pour la période de planification, les éducatrices soutiennent les enfants au cours de la période de réflexion en utilisant les cinq stratégies suivantes :

- Réviser les principes pédagogiques auxquels elles adhèrent.
- Réfléchir avec les enfants dans un environnement calme, chaleureux et confortable.
- Fournir du matériel et des expériences pour soutenir l'intérêt des enfants.
- Parler avec les enfants de leurs expériences.
- Tenir compte de l'évolution des habiletés réflexives des enfants.

7.6.1 Réviser ses principes pédagogiques

Si les éducatrices considèrent la période de réflexion comme une tâche dont il faut se débarrasser, la démarche risque d'être superficielle, perçue comme une obligation, et ce moment ne sera pas particulièrement agréable. De plus, si cette période doit être celle des comptes que les enfants doivent rendre sur les projets qu'ils avaient élaborés au cours de la période de planification ou sur l'endroit où ils projetaient de travailler, et si on s'attend, en outre, à ce que les enfants fassent un rapport chronologique de leur période d'ateliers, le climat de la période de réflexion en souffrira et son but ne sera pas atteint.

Pour les éducatrices convaincues des principes de l'apprentissage actif, la période de réflexion est une occasion pour mieux connaître les rouages de la pensée des enfants et pour partager leurs réflexions et leurs observations sur les activités qui viennent de se dérouler. Les éducatrices qui sont les plus efficaces pour soutenir les efforts des enfants, au cours de cette période, comprennent que la pensée réflexive des enfants se développe plus facilement s'ils sont amenés à raconter, dans leurs propres mots, les histoires qui les intéressent et qui portent sur les événements dont ils ont eux-mêmes choisi de parler. Les enfants participent volontiers à la période de réflexion si on leur présente cette expérience de façon enjouée, s'ils peuvent choisir les faits racontés et si on les encourage à participer aux narrations des autres membres du groupe.

7.6.2 Réfléchir avec les enfants dans un environnement calme, chaleureux et confortable

Les activités de réflexion sont plus agréables et elles ont des retombées plus positives lorsqu'elles se déroulent dans un environnement calme,

Cet enfant choisit de raconter ce qu'il a fait en faisant semblant qu'il est à la télévision, ce qui captive les jeunes auditeurs.

chaleureux et confortable, où les enfants peuvent compter sur le soutien d'éducatrices qui consentent à suivre les pistes qu'ils suggèrent.

A. L'intimité des lieux et des petits groupes

Les jeunes enfants recherchent toute l'attention des éducatrices lorsqu'ils essaient de réfléchir et de décrire les activités qu'ils ont vécues dans leurs propres mots, et ils en tirent profit. C'est la raison pour laquelle les petits groupes intimes suscitent des réflexions plus profondes et plus satisfaisantes tant pour les éducatrices que pour les enfants. Toutefois, les enfants de 5 et 6 ans sont de plus en plus aptes à exercer leurs habiletés réflexives en plus grand groupe, surtout si leurs pairs veulent bien les écouter avec un intérêt sincère. Même si les éducatrices ne peuvent pas toujours décider du nombre d'enfants qui participeront à la période de réflexion, elles peuvent les rendre plus intimes en utilisant les stratégies suivantes, dont certaines sont aussi utilisées pour la période de planification :

- Discuter avec chaque enfant en se plaçant physiquement à son niveau.
- Fournir du matériel au cours de la période de réflexion pour que tous les enfants soient occupés pendant que l'un d'entre eux réfléchit individuellement avec l'éducatrice. (Voir les suggestions dans l'encadré intitulé « Des jeux et des expériences pour la période de réflexion ».)
- Séparer physiquement les groupes d'enfants qui sont en période de réflexion des autres groupes, de sorte que l'enthousiasme ou le bruit engendré par un groupe ne nuise pas à l'autre.
- Envisager la possibilité d'organiser les périodes de réflexion ailleurs qu'autour d'une table. Essayer de créer un climat calme et chaleureux. Par exemple, vous pouvez vous réunir dans une structure que les enfants ont construite au cours de la période d'ateliers, sous une table recouverte d'une couverture, dehors assis sous un arbre, ou sur des coussins dans le coin de la lecture et de l'écriture.

B. Les enfants partagent leurs réflexions avec les témoins des expériences

Les enfants d'âge préscolaire sont encore des néophytes dans la construction de leurs souvenirs et dans l'expression de leur pensée de manière qu'elle soit bien comprise par leurs interlocuteurs. C'est pourquoi ils apprécient de le faire en compagnie des éducatrices et des enfants qui ont été témoins de ce qui s'est passé au cours de la période d'ateliers. Au cours du processus de réflexion, des objets précis, des sons, des odeurs et des mouvements peuvent rappeler aux enfants des séquences de leurs expériences de jeu. Ces rappels spontanés peuvent souvent sembler hors contexte aux personnes qui n'ont pas partagé les expériences des enfants, à moins qu'elles ne prennent conscience que l'enfant fait des liens entre le moment présent et les événements passés. Berry et Sylva (1987, p. 18) confirment l'importance du partage des expériences durant la période de réflexion :

> La réflexion des enfants était particulièrement détaillée lorsque cette période était dirigée par une éducatrice qui avait été témoin des expériences des enfants au cours de la période d'ateliers plutôt que par une éducatrice qui avait participé à la planification, mais qui ignorait ce que l'enfant avait fait pendant la période d'ateliers.

7.6.3 Fournir du matériel et des expériences pour soutenir l'intérêt des enfants

Lorsque la période de réflexion se déroule avec plus de trois ou quatre enfants à la fois, il est important de fournir du matériel aux enfants qui attendent leur tour pendant que d'autres partagent leurs réflexions. Les éducatrices peuvent aussi organiser des jeux pour rendre la période d'attente agréable plutôt qu'ennuyeuse et pénible pour les enfants.

Les jeux présentés dans l'encadré intitulé « Des jeux et des expériences pour la période de réflexion » sont semblables à ceux proposés pour la période de planification dans l'encadré intitulé « Les jeux et les activités pour planifier », présenté à la sous-section 7.2.3, parce qu'ils cherchent à atteindre le même objectif : soutenir l'intérêt de petits groupes d'enfants pendant qu'un enfant partage ses réflexions avec l'éducatrice. Lorsque vous mettrez en pratique ces suggestions, veillez à ce que le jeu ou le matériel n'éclipse pas le processus de réflexion plutôt que de le soutenir. Par exemple, il arrive parfois que les enfants qui utilisent un téléphone fassent part de leurs réflexions d'une manière plutôt superficielle et sans conviction parce que leur véritable intérêt consiste plutôt à choisir la prochaine personne qui utilisera le téléphone et à composer son « numéro » !

> L'ÉDUCATRICE. – Allô, Yvan. Qu'est-ce que tu as fait aujourd'hui ?
> YVAN. – J'ai fait un bateau et j'ai joué au plongeur. Maintenant, j'appelle Olivier. Tiens-toi prêt, Olivier. Je compose ton numéro... Un... deux... deux... C'est ça ton numéro... Dring... Dring... Dring...

Il arrive aussi parfois que le matériel ou le jeu proposé au cours de la période de réflexion requière beaucoup de consignes et que ces dernières demandent toute l'attention des enfants. L'intérêt des enfants pour le processus de réflexion s'en trouve alors amoindri d'autant, et cette étape du processus de planification-action-réflexion pourra leur sembler une corvée. Si ce genre de situation se produit, prenez-en note, laissez-vous guider par les intérêts des enfants et simplifiez votre plan d'action lorsque vous planifierez une autre période de réflexion.

7.6.4 Parler avec les enfants des expériences qu'ils ont vécues

Une fois que les éducatrices ont intégré du matériel et des jeux à la période de réflexion, elles peuvent consacrer toute leur attention pour s'entretenir avec chacun des enfants. Elles discutent alors des expériences que les enfants ont vécues au cours de la période d'ateliers libres. Les suggestions suivantes sont semblables à celles que nous avons faites pour la période de planification. Au cours de la période de planification, toutefois, les enfants se concentrent sur ce qu'ils pourraient faire, tandis qu'au cours de la période de réflexion les enfants réfléchissent à certains aspects de ce qu'ils ont fait. Dans les deux cas, cependant, les éducatrices soutiennent les enfants en leur accordant de l'attention et en adoptant une attitude ouverte.

A. Prendre tout le temps nécessaire

Dans leur étude portant sur la période de réflexion, Berry et Sylva (1987) ont observé que les éducatrices passaient souvent à côté des retombées positives de ces périodes parce qu'elles étaient stressées par l'obligation qu'elles s'imposaient de discuter avec tous les enfants du groupe tous les jours. Une façon pour les éducatrices d'éviter de se sentir bousculées est d'effectuer la réflexion avec les enfants en petit groupe de trois ou quatre enfants. Si cela n'est pas possible, cette période sera moins stressante, tant pour les enfants que pour les éducatrices, si celles-ci ne recueillent que les propos de la moitié des enfants du groupe chaque jour, en alternance. Un des bienfaits de ralentir le rythme semble être que, lorsque

Des jeux et des expériences

Faire une tournée

Les jeux et les expériences présentés ci-dessous permettent aux enfants de se déplacer vers les endroits où ils ont joué et vers les objets qu'ils ont fabriqués au cours de la période d'ateliers. Ainsi, les enfants peuvent bouger plutôt que de rester en place à un même endroit durant toute cette période.

Visiter des structures (une maison de blocs, un château de sable, une clôture, etc.). Un enfant dirige le groupe vers une structure qu'il a construite (et qui n'a pas été détruite au cours de la période de rangement). En rassemblant le groupe autour de ses réalisations (et même en le faisant pénétrer à l'intérieur, si c'est possible), l'enfant qui raconte son expérience se rappelle plus facilement ce qu'il a fait et les expériences qu'il a vécues. De plus, les autres enfants peuvent s'intéresser plus facilement à l'histoire qu'il raconte parce qu'ils peuvent voir et toucher la structure. Souvent, ils posent eux-mêmes des questions telles que les suivantes : « Comment entres-tu à l'intérieur ? » « C'est pourquoi ces choses-là ? » « Comment as-tu fait pour que ça colle ? »

Visiter la galerie d'art. Semblables aux visites des structures, les visites à la galerie d'art sont guidées par l'enfant qui a réalisé la peinture accrochée au mur, celle qui sèche sur la corde à linge ou celle qui est suspendue au plafond. Il peut s'agir d'une peinture, d'une sculpture, d'un collage, d'un masque ou d'une création fabriquée dans le coin de la menuiserie.

Collectionner. Au début de la période de réflexion, tous les enfants prennent un ou deux objets avec lesquels ils ont joué au cours de la période d'ateliers et ils les apportent avec eux. À tour de rôle, les enfants présentent leur objet au groupe et ils racontent ce qu'ils ont fait avec cet objet au cours de la période d'ateliers.

« Nous sommes des... » ou « Nous prenons les... ». Cette stratégie varie selon les intérêts des enfants. Si les enfants ont joué aux fantômes, par exemple, vous pourriez dire : « Nous sommes tous des fantômes et nous volons avec Amir pour qu'il nous montre ce qu'il a fait au cours de la période d'ateliers. » Ou encore, si les enfants ont passé beaucoup de temps à construire des autos de police, vous pourriez dire : « Nous allons conduire nos autos de police en suivant Patrick qui veut nous raconter quelque chose. »

Les jeux de groupe

Ces jeux planifiés pour la période de réflexion fournissent aux enfants des activités agréables et amusantes pendant qu'ils attendent leur tour.

Les photographies. Au cours de la période d'ateliers, prenez une série de photos avec un appareil à développement instantané. Prenez soin de photographier chaque enfant du groupe. Au début de la période de réflexion, éparpillez les photos sur le plancher et demandez à chaque enfant de choisir une photo sur laquelle il figure. Pendant que les enfants parlent entre eux de ce qu'ils voient sur les photos, allez d'un enfant à l'autre pour entamer des conversations individuelles ou en petit groupe avec les enfants.

La chaise musicale ou les carrés de tapis. Placez en cercle des chaises, des carrés de tapis ou des blocs. Choisissez une chaise qui sera la chaise du conteur : par exemple, la chaise avec la boucle rouge ou le carré de tapis bleu. Faites jouer de la musique en l'arrêtant à des intervalles imprévus. Les enfants font le tour du cercle (en marchant,

les enfants sentent moins de pression pour terminer leur histoire, ils ajoutent plus de détails et contribuent plus volontiers aux narrations entreprises par les autres.

> PHILIPPE. – On était des voleurs !
> L'ÉDUCATRICE. – Vous étiez des voleurs, les gars ?
> PHILIPPE. – Oui, on a pris toute la nourriture !
> L'ÉDUCATRICE. – Vous avez volé toute la nourriture qu'il y avait là-bas...
> GUSTAVE. – Est-ce que vous l'avez rendue après ?
> PHILIPPE. – Non.

pour la période de réflexion

en rampant ou en sautillant) jusqu'à ce que la musique s'arrête et ils s'assoient sur le siège le plus près d'eux. L'enfant qui s'assoit sur le siège du conteur raconte ce qu'il a fait au cours de la période d'ateliers. Si les enfants se déplacent à l'intérieur du cercle, ils vont se faire face lorsqu'ils vont s'asseoir et ils pourront ainsi se voir les uns les autres pendant que l'un d'entre eux raconte ses expériences.

Les cerceaux, les balles, les symboles, les rimes. Voir la description de ces jeux dans l'encadré intitulé « Les jeux et les activités pour planifier », à la sous-section 7.2.3. Adaptez ces jeux à la période de réflexion.

Les jeux avec un accessoire ou avec un partenaire

Ces jeux sont centrés autour du matériel que les enfants peuvent utiliser ensemble pendant la période de réflexion ou pendant qu'ils attendent leur tour.

Les lunettes d'approche, les téléphones et les marionnettes. Voir la description de ces jeux dans l'encadré cité plus haut. Adaptez ceux-ci à la période de réflexion ou modifiez-les. Variante : Distribuez un de ces objets à chacun des enfants pour qu'ils puissent parler entre eux pendant que vous faites le tour des enfants pour avoir une conversation individuelle avec chacun d'eux.

Les jeux de représentation

Mimer, dessiner, peindre sont d'autres moyens que les enfants peuvent utiliser pour construire leur mémoire. Ils représentent ainsi leurs souvenirs par d'autres moyens que les mots.

Les dessins, le mime, la carte, la peinture et l'écriture. Voir les descriptions de ces stratégies dans l'encadré cité précédemment. Adaptez celles-ci à la période de réflexion.

L'histoire collective. Suspendez un long morceau de papier au mur ou étendez-le par terre. Demandez à chaque enfant d'en utiliser une partie pour illustrer ce qu'il a fait au cours de la période d'ateliers. Les enfants qui ont joué ensemble peuvent partager un même espace ou travailler côte à côte.

Le livre de souvenirs. Quelquefois, les enfants aiment collectionner les dessins ou les « textes » qu'ils ont écrits au cours de la période de réflexion ; ils peuvent les conserver dans un livre qu'ils apportent à la maison pour parler avec les membres de leur famille de ce qu'ils ont fait. Par exemple, vous pourriez demander aux enfants de dessiner et d'écrire leurs histoires au cours d'une période de réflexion, toutes les semaines ; vers la fin du mois, vous pourriez regrouper les dessins qu'ils auront ainsi faits et fournir le matériel nécessaire pour les relier afin que les enfants fabriquent leur « livre de souvenirs ». Vous pourriez aussi assembler des feuilles de papier pour en faire un « livre » et demander aux enfants d'y dessiner et d'y écrire au cours des périodes de réflexion. Finalement, vous pourriez confier un album à chacun des enfants et y coller les dessins, les photos et les autres productions des enfants, réalisés au cours des périodes de réflexion.

Ces suggestions d'activités pour la période de réflexion sont destinées à vous aider à planifier les premières périodes de réflexion que vous aurez à animer. Avec l'expérience et par le biais de discussions avec vos collègues, vous créerez vos propres stratégies afin que la période de réflexion constitue une expérience d'apprentissage actif pour les enfants de votre groupe.

B. Inviter les enfants à parler de leurs réalisations

Une fois que l'éducatrice s'est placée au niveau des yeux des enfants, elle est prête à aborder la période de réflexion. Il existe plusieurs méthodes pour le faire.

Reprendre les observations des enfants. Quelquefois, un enfant commence une conversation avec un commentaire qu'il a hâte de partager avec les autres enfants du groupe ou encore avec un commentaire inspiré par un objet particulier.

ALEXANDRE. – (regardant des photographies prises au cours de la période d'ateliers) C'est moi... je suis... avec les livres !
L'ÉDUCATRICE. – Eh, oui ! C'est toi avec les livres !
ALEXANDRE. – L'histoire raconte les arbres.

Décrire le jeu d'un enfant. L'éducatrice peut aussi démarrer la période de réflexion en décrivant le comportement d'un enfant au cours de la période d'ateliers ou en lui faisant un commentaire personnel.

L'ÉDUCATRICE. – Je t'ai vue conduire, Denise.
DENISE. – Maurice ne voulait pas aller à la clinique, mais je lui ai dit : « Monte dans l'auto ! »

Poser des questions ouvertes. Par exemple : « Qu'est-ce que tu as fait aujourd'hui, Hubert ? », « Qu'est-ce qui s'est passé entre toi et Rémi dans le carré de sable, Éléonore ? » ou « Qu'est-ce que tu faisais avec tout ce ruban, Léo ? ».

Les questions ouvertes conviennent bien dans la mesure où les enfants sont intéressés à y répondre et qu'ils ne se sentent pas bousculés ou submergés par elles. Les éducatrices devraient également éviter que les enfants ne deviennent dépendants de leurs questions pour commencer la période de réflexion. Elles devraient observer quels sont les enfants qui réagissent plus favorablement aux commentaires et aux descriptions et quels sont ceux qui sont stimulés par les questions ouvertes.

C. Observer les enfants et les écouter attentivement

Lorsque les éducatrices prennent le temps nécessaire pour la période de réflexion, elles sont étonnées par les sujets que les enfants choisissent d'aborder et par la façon dont ils construisent le récit de leurs souvenirs en utilisant des mots.

L'ÉDUCATRICE. – Qu'est-ce que tu as fait aujourd'hui, Noé ?
NOÉ. – Oh... je suis allé... J'ai joué avec.... J'étais au bac à eau.
L'ÉDUCATRICE – Tu étais au bac à eau.
NOÉ. – J'ai travaillé avec... avec du sable... et de l'eau.
L'ÉDUCATRICE. – On dirait que tu as transporté au moins trois ou quatre bouteilles d'eau dans le bac.
NOÉ. – Oui, j'en ai transporté des tonnes.
L'ÉDUCATRICE. – Tu en as transporté des tonnes !

Certains enfants font des gestes ou imitent des mouvements plutôt que d'utiliser des mots. L'éducatrice peut intégrer ces gestes et ces mouvements à sa conversation avec l'enfant en l'observant attentivement et en sachant ce qu'il a fait au cours de la période d'ateliers.

L'ÉDUCATRICE. – Je t'ai vue avec plusieurs animaux en peluche, Blanche.
BLANCHE. – (En riant, elle va chercher autant d'animaux en peluche qu'elle le peut et les rapporte au groupe.)
L'ÉDUCATRICE. – Les voilà !
BLANCHE. – (Elle couche chacun des animaux à ses pieds et elle donne une tape affectueuse à chacun d'eux.)
L'ÉDUCATRICE. – (Elle imite les gestes de Blanche, qui caresse ses animaux.)
BLANCHE. – (souriant et mettant un doigt sur ses lèvres) Chuttt...
L'ÉDUCATRICE. – Chuttt...

Comme au moment de la planification, il est important de laisser l'initiative de la conversation à l'enfant et de le suivre dans les sujets qu'il aborde, même s'ils n'ont pas toujours un lien avec les expériences de la période d'ateliers.

L'ENFANT. – Je ne veux pas parler.
L'ÉDUCATRICE. – Ah non ?
L'ENFANT. – Mon grand frère n'est pas allé à l'école aujourd'hui.
L'ÉDUCATRICE. – Ton grand frère n'est pas allé à l'école ?
L'ENFANT. – Il est resté à la maison avec maman, et moi je veux retourner à la maison.

Quelquefois, particulièrement lorsque trois ou quatre enfants ont déjà fait part de leurs expériences au groupe, les enfants qui étaient enthousiastes au début de la période de réflexion sont prêts à passer à l'activité suivante : rappelez-vous alors qu'il n'est pas nécessaire que tous les enfants s'expriment tous les jours et tenez compte des besoins du groupe.

Examinons l'exemple suivant qui décrit une période de réflexion au cours de laquelle les enfants s'adressaient aux autres en parlant à travers un semblant d'écran de téléviseur.

L'ÉDUCATRICE. – Christian, c'est à ton tour. Tu avais hâte de parler dans l'écran du téléviseur.
CHRISTIAN. – Je n'ai plus le goût.
L'ÉDUCATRICE. – Tu n'as plus le goût. Veux-tu nous raconter ton histoire d'une autre façon?
CHRISTIAN. – Non.
L'ÉDUCATRICE. – Non… Qu'est-ce que tu veux nous dire?
CHRISTIAN. – Je veux faire la collation! Passer les verres!
L'ÉDUCATRICE. – D'accord! Nous commencerons la période de réflexion par toi demain. Maintenant, c'est le temps de la collation et tu vas passer les verres.

D. Alimenter les narrations des enfants par des observations et des commentaires

Certains enfants ont besoin de l'accueil chaleureux, des observations et de l'appui de leur éducatrice pour suivre le fil conducteur de leur narration. Notez comment les observations neutres de l'éducatrice aident l'enfant à poursuivre sa narration dans l'exemple suivant.

ANTOINE. – J'ai travaillé à l'ordinateur.
L'ÉDUCATRICE. – Je t'ai vu travailler à l'ordinateur.
ANTOINE. – J'ai travaillé avec le programme des masques.
L'ÉDUCATRICE. – Oh! Le programme des masques.
ANTOINE. – Je l'ai recommencé et recommencé… sur l'imprimante.
L'ÉDUCATRICE. – Tu l'as recommencé et recommencé!
ANTOINE. – Oui, une grosse… bannière… très longue… pour la garderie.
L'ÉDUCATRICE. – Pour la garderie.
ANTOINE. – Tu pourrais la suspendre au plafond.
ANGÈLE. – Oh, oui! On pourrait la suspendre… juste là. (Elle montre du doigt au-dessus de sa tête.)
LES ENFANTS. – Oui, oui. Faisons ça!

E. Poser peu de questions

Bien que vous puissiez amorcer la période de réflexion par une question ouverte, rappelez-vous que, lorsqu'un adulte pose une question à un enfant, c'est généralement l'adulte qui dirige la conversation et non l'enfant. Lorsque vous posez des questions au cours de la période de réflexion, gardez-vous de les multiplier indûment ou de bombarder l'enfant avec des questions auxquelles il ne peut pas nécessairement répondre ou encore avec des questions qui l'éloignent de son champ d'intérêt. Par contre, des questions (telles que « Comment as-tu fait cela? » ou « Pourquoi as-tu décidé d'ajouter des cordes? ») qui incitent l'enfant à décrire ou à expliquer ce qui s'est passé aident ce dernier à préciser sa pensée.

ADAM. – Je l'ai fait vraiment, vraiment grande.
L'ÉDUCATRICE. – Oui, elle était grande. Comment l'as-tu fait tenir debout?
ADAM. – On a relevé ce grand panneau et Brian se tenait debout comme ça. (Il montre comment.) Et j'ai placé l'autre panneau dessus. Et alors, il n'avait plus besoin de rester.
L'ÉDUCATRICE. – Brian n'avait plus besoin de rester de l'autre côté.
ADAM. – Non, parce que là, elle tenait debout, et Brian n'avait même pas besoin de la tenir!

F. Soutenir les interventions des pairs même si elles sont contradictoires

Lorsque les enfants partagent leurs réflexions sur les expériences qu'ils ont vécues au cours de la période d'ateliers, que les éducatrices les écoutent et qu'elles alimentent leurs propos, les autres enfants ajoutent souvent leurs propres questions ou ils font part de leurs commentaires et de leurs observations. Ces conversations auxquelles participe l'ensemble du groupe peuvent être agréables, même si elles peuvent parfois être animées et s'éloigner du sujet de départ. Voici, par exemple, ce qui s'est passé à la suite de la conversation entre Blanche et son éducatrice lorsque Blanche caressait et endormait ses animaux en peluche.

L'ÉDUCATRICE. – Chut!
MARC. – Elle les endort!
LES ENFANTS. – Chut! Ils dorment. On est mieux de parler tout bas, d'accord?
L'ÉDUCATRICE. – (chuchotant) Blanche a joué avec les animaux et elle les a tous endormis.
BLANCHE. – Et je leur ai donné des pêches. (Elle fait semblant de nourrir un des chats.)

JEAN. – (à voix haute) Les chats n'aiment pas les pêches. Ils aiment la nourriture pour chats!
BLANCHE. – Des pêches!
ÉRIKA. – Mon chien aime les bananes.
JEAN. – C'est niaiseux. Les chiens sont pas censés manger des bananes. Ils aiment les os.
MARGOT. – Mon chat mange des os de poulet, mais ma mère dit qu'il va s'étouffer. Il tousse juste quand il mange des cheveux. Comme ça. (Elle imite le chat qui tousse.)
JEAN. – Yach! C'est dégueu!
L'ÉDUCATRICE. – Certains chats aiment les pêches; d'autres aiment la nourriture pour chats. Certains chiens aiment les bananes; d'autres aiment les os.
MARGOT. – Et les os de poulet.
L'ÉDUCATRICE. – Et les os de poulet. Certains chats aiment les os de poulet.
BLANCHE. – Des pêches.

G. Reconnaître les réalisations des enfants (plutôt que de louanger ceux-ci)

Il est important de reconnaître les projets que les enfants ont réalisés au cours de la période d'ateliers. Les éducatrices décrivent alors les réalisations des enfants plutôt que de louanger ou de complimenter ceux-ci. Même si des commentaires tels que « J'ai aimé la façon dont tu as... », « Tu es bon... », « Tu es gentil... » ou « C'est beau ce que tu as fait... » sont inspirés par de bonnes intentions, ils sont moins bénéfiques à long terme que des observations plus neutres qui décrivent les réalisations des enfants. Les commentaires qui décrivent un aspect précis du jeu d'un enfant lui fournissent plus d'informations et ils lui permettent d'approfondir sa réflexion et de faire des liens entre sa planification, son action et le résultat obtenu. La suite de la conversation entre Adam et son éducatrice est un exemple de ce type d'intervention de l'éducatrice.

ADAM. – On a relevé ce grand panneau et Brian se tenait debout comme ça. (Il montre comment.) Et j'ai placé l'autre panneau dessus. Et alors, il n'avait plus besoin de rester.
L'ÉDUCATRICE. – Brian n'avait plus besoin de rester de l'autre côté.
ADAM. – Non, parce que là, elle tenait debout et Brian n'avait même pas besoin de la tenir!
L'ÉDUCATRICE. – Ta tour est restée debout parce que Brian l'a retenue pendant que tu plaçais le panneau sur le côté pour la faire tenir debout toute seule.
ADAM. – Oui, c'est comme ça que j'ai fait!

Les éducatrices peuvent aussi démontrer aux enfants qu'elles attachent beaucoup d'importance à ce qu'ils racontent au cours de la période de réflexion en notant par écrit leurs narrations. Un enregistrement sur audiocassette ou sur vidéocassette atteint le même objectif et il permet aux éducatrices de se réécouter ou de se revoir par la suite. Les éducatrices peuvent alors prêter attention aux interventions qu'elles font au cours de leurs conversations avec les enfants – poser des questions, commenter, décrire, reconnaître, répéter, reformuler – et elles peuvent également examiner les réactions des enfants. En analysant les conversations qu'elles ont avec ceux-ci, les éducatrices peuvent prendre conscience de l'efficacité du soutien qu'elles leur apportent dans la construction de leur mémoire.

H. Souligner les liens entre les planifications des enfants et leurs propos

Les éducatrices apprennent beaucoup sur le développement des enfants lorsqu'elles reconnaissent les liens que les enfants font entre les projets qu'ils ont conçus et ce dont ils parlent au cours de la période de réflexion. Souvent, les enfants qui sont habitués de planifier et de réfléchir font eux-mêmes ces liens; « J'avais planifié de jouer avec Barbara et nous avons joué à la poupée avec Gwen et Èva. » D'autres enfants conçoivent un projet qu'ils réalisent puis, suivant leurs préférences, ils se dirigent vers une activité différente. Ils pourront alors parler de cette dernière activité plutôt que de celle qu'ils avaient planifiée. C'est tout à fait naturel! Cependant, au fur et à mesure que leur capacité de planifier précisément ce qu'ils veulent faire s'améliore et que leur capacité de construire leur mémoire en utilisant des mots augmente, les enfants acquièrent une meilleure compréhension des événements, et leur capacité de faire des liens entre leurs planifications et leurs réalisations se manifeste plus clairement dans leurs narrations.

7.7 Tenir compte de l'évolution des habiletés réflexives des enfants

Avec le temps, l'habileté des enfants à réfléchir à leurs actions, soutenue par une expérience quotidienne, se développe. Bien que les enfants d'âge préscolaire puissent avoir besoin de voir ou de tenir dans leurs bras un objet qu'ils ont utilisé durant leur travail ou durant leur jeu pour activer leur mémoire, ils deviennent aussi :

- de plus en plus habiles pour ajouter des détails à leur narration : ce qu'ils ont utilisé, comment ils ont travaillé ou joué, avec qui ils ont joué ;
- capables de raconter des histoires plus longues : « D'abord, on a joué au mariage. Et après... » ;
- volontaires pour contribuer, en ajoutant des détails, aux narrations de leurs amis ;
- conscients des similitudes entre ce qu'ils ont fait au cours de la période d'ateliers et ce que les autres ont fait, et capables de les souligner : « J'ai fait ça, moi aussi ! » ;
- plus habiles à inclure de nombreux détails dans les dessins qui représentent ce qu'ils ont fait ;
- plus adroits à imaginer la façon dont les activités d'une période d'ateliers pourront se poursuivre dans d'autres jeux au cours de la prochaine période d'ateliers.

On remarque aussi que lorsque les enfants s'habituent à parler des réalisations qu'ils ont faites au cours de la période d'ateliers, ils en viennent à compter sur la période de réflexion pour mettre un terme à leurs expériences et pour les conclure.

Dans le prochain chapitre, nous analyserons les objectifs et la raison d'être d'autres éléments privilégiés de l'horaire quotidien, soit les périodes en groupe d'appartenance et les rassemblements en grand groupe, les périodes de jeux extérieurs et les transitions. Nous y suggérerons aussi des moyens pour que les éducatrices tirent le meilleur parti possible de ces importantes expériences d'apprentissage.

TABLEAU RÉCAPITULATIF

Soutenir les enfants au cours de la période de réflexion

Réviser ses principes pédagogiques

Réfléchir avec les enfants dans un environnement calme, chaleureux et confortable

- L'intimité des lieux et des petits groupes.
- Les enfants partagent leurs réflexions avec les témoins de leurs expériences.

Fournir du matériel et des expériences pour soutenir l'intérêt des enfants

Parler avec les enfants des expériences qu'ils ont vécues

- Prendre tout le temps nécessaire.
- Inviter les enfants à parler de leurs réalisations.
- Observer les enfants et les écouter attentivement.
- Alimenter les narrations des enfants par des observations et des commentaires.
- Poser peu de questions.
- Soutenir les interventions des pairs même si elles sont contradictoires.
- Reconnaître les réalisations des enfants (plutôt que de louanger ceux-ci).
- Souligner les liens entre les planifications des enfants et leurs propos.

Tenir compte de l'évolution des habiletés réflexives des enfants

LECTURES COMPLÉMENTAIRES

BAULU-MACWILLIE, MIREILLE SAMSON et RÉAL SAMSON (1990). *Apprendre, c'est un beau jeu : l'éducation des jeunes enfants dans un centre préscolaire*, Montréal, La Chenelière.

DE GRAEVE, SABINE (1996). *Apprendre par les jeux*, Bruxelles, DeBoeck, coll. « Outils pour enseigner ».

CHAPITRE 8

Le groupe d'appartenance, les rassemblements, les jeux extérieurs et les transitions

Quand les enfants sont en petit groupe, ils ont la possibilité de faire des expériences dont la qualité et la valeur sont importantes et différentes de celles qu'ils font quand ils sont seuls. En effet, les participants aux activités d'un groupe peuvent s'unir pour atteindre un objectif commun [...] et ils peuvent sciemment planifier leurs découvertes – bien qu'on doive reconnaître qu'ils réalisent parfois cette démarche avec hésitation, de façon maladroite et en commettant des erreurs.
CAROLINE GARLAND et STEPHANIE WHITE, 1980.

Les éducatrices qui privilégient l'apprentissage actif situent le processus de planification-action-réflexion au cœur de l'horaire quotidien, mais elles prévoient aussi régulièrement des moments pour d'autres types d'expériences tout aussi importantes. Ces périodes d'activités qui sont inscrites à l'horaire quotidien sont les moments d'activités en **groupe d'appartenance**, les **rassemblements en grand groupe**, les **jeux extérieurs** et les **transitions**. Toutes ces périodes de la journée possèdent des caractéristiques qui leur sont propres ; elles permettent donc de créer des situations d'apprentissage variées pour stimuler l'apprentissage actif. Les périodes en **groupe d'appartenance** et les **rassemblements en grand groupe** donnent lieu à des activités que les éducatrices ont planifiées ; ces activités suscitent la participation des enfants à des expériences nouvelles, à la découverte de concepts, à l'exploration de nouveau matériel, et sont des occasions privilégiées pour favoriser les relations interpersonnelles. Lors

des **jeux extérieurs**, les enfants ont accès à une grande variété d'expériences ludiques qui sont différentes de celles qu'ils vivent à l'intérieur. Au cours de ces périodes, ils peuvent admirer la nature, sentir les odeurs, utiliser un matériel différent, jouer énergiquement, sauter, grimper, courir, crier et faire du bruit. Finalement, les **transitions** facilitent le passage d'une activité à une autre. Plutôt que de considérer ces moments comme des incidents de parcours, les éducatrices les utilisent pour permettre aux enfants de faire des choix, d'expérimenter des activités de rythmique ou d'expression corporelle ainsi que diverses expériences clés.

Bien que ces différentes périodes de la journée aient chacune des caractéristiques précises qui les distinguent les unes des autres, elles partagent un objectif commun : **valoriser l'engagement actif des enfants dans leurs expériences d'apprentissage avec le matériel, les personnes, les concepts et les événements.**

Au cours des activités en groupe, des jeux extérieurs et des transitions, l'apprentissage actif demeure la philosophie éducative qui guide l'éducatrice, de la même façon qu'au cours du processus de planification-action-réflexion. Les activités de ces périodes permettent aux enfants de faire des choix et de prendre des décisions, d'apprendre à l'aide d'expériences et de discuter de ce qu'ils font. Ce chapitre présente les caractéristiques propres à chacune de ces périodes de la journée ainsi que des stratégies par lesquelles les éducatrices peuvent y intégrer les principes d'une philosophie éducative centrée sur l'apprentissage actif.

8.1 Les caractéristiques des périodes en groupe

Pour les périodes en groupe d'appartenance et les rassemblements, les activités sont planifiées et amorcées par les éducatrices. En service de garde, le groupe d'appartenance composé de 5 à 10 enfants se réunit chaque jour avec la même éducatrice. En maternelle, l'éducatrice forme des sous-groupes et choisit de travailler avec tous les sous-groupes simultanément ou avec un sous-groupe pendant que les autres enfants sont en ateliers libres. L'éducatrice offre à tous les enfants du groupe d'appartenance le même matériel pour qu'ils l'utilisent, l'explorent, créent, expérimentent ou construisent. Par ailleurs, au cours des rassemblements, tous les adultes d'une cellule de soutien mutuel se rencontrent brièvement avec tous les enfants dont ils sont responsables pour discuter des événements à venir, pour chanter, pour faire des jeux de doigts, pour raconter des histoires, pour bouger au son de la musique, pour participer à des jeux moteurs ou à d'autres formes d'activités en grand groupe. Comme ces périodes sont planifiées et amorcées par les éducatrices, elles leur fournissent l'occasion d'introduire des concepts variés, des activités inattendues et un matériel peu utilisé par les enfants. Lors des rassemblements, par exemple, l'éducatrice peut interagir avec les enfants pour créer une nouvelle version d'une chanson connue ou d'un jeu familier. Au cours des périodes en groupe d'appartenance, l'éducatrice pourrait présenter aux enfants du nouveau matériel ou une combinaison inhabituelle de matériel – un logiciel d'ordinateur, des jeux de construction ou des figurines d'animaux de la ferme. Le matériel que l'éducatrice utilise durant les périodes en groupe d'appartenance peut aussi être un matériel qui est déjà accessible aux enfants, mais que ces derniers semblent négliger ; les enfants pourront alors l'explorer dans des conditions favorables.

Les périodes en groupe offrent aussi d'excellentes occasions de socialisation. Au cours des périodes de l'horaire quotidien où les activités sont planifiées par les enfants, ceux-ci peuvent choisir de travailler seuls, avec un ami, avec une éducatrice ou avec un groupe : ils ont donc le choix d'être plus ou moins sociables. Aux enfants qui choisissent souvent de travailler seuls au cours des ateliers, les périodes en groupe fournissent la possibilité de participer à des expériences enrichissantes de socialisation. En groupe d'appartenance, par exemple, alors que tous les enfants travaillent avec le même matériel, ceux-ci partagent souvent leurs idées, discutent de ce qu'ils font, apprennent les uns des autres et s'entraident. Par ailleurs, durant les rassemblements, tous les enfants participent à un même jeu ou chantent (toujours des expériences sociales sécurisantes et sans risque important) ; les enfants peuvent alors apporter leur contribution aux idées des autres et expliquer leurs propres idées au groupe de même qu'ils peuvent imiter leurs pairs et apprendre de ceux-ci.

En résumé, dans un contexte d'apprentissage actif, les périodes en groupe ne sont pas des moments de routine rigides, de jeux compliqués ou de cours magistraux. **Les périodes en groupe tirent leurs caractéristiques fondamentales des ingrédients essentiels de l'apprentissage actif : le matériel abondant et varié, la manipulation, la possibilité de faire des choix, le langage des enfants, le soutien des éducatrices ; elles se définissent également par la flexibilité de l'éducatrice et son ouverture aux messages des enfants, à leurs champs d'intérêt, à leurs initiatives et à leurs idées.**

8.2 Pourquoi former des groupes d'appartenance ?

Dans un contexte d'apprentissage actif, le groupe d'appartenance procure aux enfants des moments où ils peuvent utiliser du matériel, expérimenter avec ce matériel, parler de leurs découvertes et résoudre les problèmes qui surviennent. La situation que nous relatons ci-dessous illustre bien la dynamique des périodes en groupe d'appartenance.

La « filière des ananas »

Carole emmène les enfants de son groupe au marché. Ces derniers sont particulièrement intrigués en voyant un panier d'ananas. Carole achète deux ananas et, le lendemain, ces ananas sont le centre d'attraction durant la période en groupe d'appartenance qu'elle anime. Voici un aperçu de ce qui se passe alors dans le groupe de Carole.

Carole coupe un ananas en tranches et elle en donne une à chaque enfant. Joanie lèche sa tranche. Antoine la regarde intensément, puis il fait une tentative pour lécher sa tranche. Mathieu prend une bouchée, mine de rien : « J'aime ça. C'est... c'est sucré.
– Je vais enlever les "pics-pics" de la mienne, annonce Térésa.
– Moi aussi », dit Félix.

Les deux enfants se dirigent vers le coin de la maisonnette pour aller chercher des couteaux. Cette idée devient rapidement populaire et, bientôt, plusieurs enfants sont en train de couper leur tranche, de l'écraser pour « faire du jus » et d'examiner leur « morceau » d'ananas. « Fais attention. Ça pique et ça colle. C'est pris entre mes dents ! » prévient Mathieu.

Carole laisse le deuxième ananas entier au milieu de la table. « Je ne veux pas toucher à cela. C'est plein de pics, dit Térésa.
– Laisse-moi y toucher, laisse-moi y toucher, dit Samuel. Aïe ! ajoute-t-il en retirant sa main.
– C'est piquant pour moi aussi ! dit Paul.
– Regardez-moi ! Je le tiens par ses feuilles ! Ça ne pique pas ! » dit Jennifer.
– Regarde ! je peux le faire rouler, dit Karine. Elle roule l'ananas sur la table jusqu'à Paul.
– Ça roule cahin-caha », fait remarquer Paul.

8.2.1 Comprendre les périodes en groupe d'appartenance

Comme l'illustre l'exemple précédent, durant les périodes en groupe d'appartenance, le même groupe d'enfants se réunit tous les jours avec la même éducatrice. Dans cet environnement intime, les enfants reçoivent du matériel, ils font des choix sur son utilisation et ils parlent les uns avec les autres ainsi qu'avec l'éducatrice à propos de ce qu'ils font.

A. Un groupe stable d'enfants qui se rassemble toujours avec la même éducatrice

En service de garde, pendant les périodes en groupe d'appartenance, les enfants sont répartis entre les éducatrices de l'équipe de travail. La répartition des enfants s'effectue en respectant les règlements de la *Loi sur les centres de la petite enfance et autres services de garde à l'enfance* au regard du nombre d'adultes par rapport au nombre d'enfants. La taille du groupe sera donc déterminée en grande partie en fonction de l'âge de la majorité des enfants ; on tiendra compte toutefois d'autres facteurs, tels les besoins spéciaux de certains enfants du groupe. Quelle que soit la taille du groupe, ce qui constitue la particularité des périodes en groupe d'appartenance, c'est le fait que le même groupe d'enfants se réunit avec la même éducatrice tous les jours pendant plusieurs mois.

En maternelle, l'éducatrice formera les sous-groupes d'enfants en tenant compte des besoins et de la dynamique de chaque enfant.

B. L'apprentissage actif dans un environnement stimulant

Au cours des périodes en groupe d'appartenance, bien que les éducatrices amorcent l'activité, elles permettent ensuite aux enfants de travailler avec le matériel à leur manière et à leur rythme. Les enfants font des choix et prennent des décisions à propos de ce qu'ils feront avec le matériel qui leur est fourni, ils parlent les uns avec les autres et avec l'éducatrice de ce qu'ils font et ils reçoivent de cette dernière un soutien approprié de même que des encouragements. Le groupe d'appartenance procure aux enfants une occasion quotidienne de mettre leurs idées et celles des autres enfants à l'essai, et ce en toute sécurité, dans un environnement stimulant où un adulte qui est près d'eux leur témoigne de l'attention. Les enfants poursuivent souvent durant la période d'ateliers libres les activités qu'ils ont entreprises durant la période en groupe d'appartenance.

C. Une expérience d'apprentissage amorcée par l'éducatrice à partir des champs d'intérêt des enfants et en fonction de leur stade de développement

Les éducatrices planifient les activités pour leur groupe d'appartenance, que ce soit une activité de construction avec des blocs, un travail dans le jardin ou un collage à partir d'objets recueillis lors d'une promenade dans le quartier. Elles s'inspirent alors de ce qu'elles connaissent des enfants : leurs habiletés, leur potentiel d'apprentissage et leurs champs d'intérêt. Voici des exemples de la façon dont surgissent les idées qui donnent naissance aux activités élaborées par l'éducatrice pour le groupe d'appartenance.

- Plusieurs enfants sont très enthousiastes lorsqu'ils lancent les blocs dans leur boîte durant la période de rangement. L'éducatrice a alors l'idée de planifier une activité au cours de laquelle les enfants utiliseront des sacs de sable et des paniers. Pendant cette activité, certains enfants se tiennent très près de leur « cible », tandis que d'autres relèvent le défi de lancer leur sac de sable dans leur panier en se plaçant de plus en plus loin du but.
- Sachant combien les enfants sont fébriles lors de la fête de l'Halloween et se rappelant que plusieurs se coucheront très tard ce soir-là, l'éducatrice planifie une activité calme pour le lendemain de cette fête. Elle décide de présenter aux enfants de la pâte à modeler et du « slime ». Elle est convaincue que cette expérience tactile pourra satisfaire leur intérêt pour les thèmes liés à l'Halloween sans trop solliciter leur patience. Elle constate en effet qu'après leurs aventures de porte en porte les enfants sont contents de manipuler une matière familière qu'ils peuvent facilement modeler et maîtriser.
- Comme les enfants de son groupe d'appartenance lui demandent souvent de raconter *Pierre et le loup* et qu'ils semblent très intéressés par les jeux de rôles durant les ateliers libres et les jeux extérieurs, l'éducatrice planifie pour son groupe d'appartenance une activité qui conjugue ces deux champs d'intérêt : les enfants vont représenter l'histoire de *Pierre et le loup* en utilisant les vêtements et les accessoires du coin des déguisements. Au cours de l'activité, les enfants jouent, tour à tour, les rôles de Pierre, du grand-père et de l'oiseau, mais leur rôle préféré est certainement celui du loup. Ils décident des costumes de chacun des personnages et ils s'affairent aussi à construire un arbre avec les gros blocs « parce que Pierre a besoin de grimper dans un arbre pour échapper au loup ».

Durant toutes ces activités en groupe d'appartenance, les enfants se sont engagés dans des expériences clés, telles qu'elles sont décrites dans la troisième partie de cet ouvrage. Les lanceurs de sacs de sable ont expérimenté et décrit l'emplacement, l'orientation et la distance (une expérience clé du domaine ***l'espace***), les sculpteurs de pâte à modeler ont modifié la forme d'un objet (une expérience clé du domaine ***l'espace***) et les comédiens de *Pierre et le loup* ont fait semblant et ont joué des rôles (une expérience clé du domaine ***la représentation créative et l'imaginaire***).

8.2.2 Pourquoi les activités en groupe d'appartenance sont-elles importantes ?

Les activités en groupe d'appartenance permettent aux enfants de développer leurs habiletés et de découvrir du matériel et des expériences qu'ils pourraient autrement laisser de côté. De plus, les périodes en groupe d'appartenance procurent aux éducatrices un environnement intime pour observer les enfants sur une base quotidienne et les connaître individuellement.

A. Développer les habiletés des enfants

Les éducatrices qui planifient les activités de leur groupe d'appartenance en tenant compte des habiletés naissantes des enfants peuvent aider ceux-ci à consolider leurs apprentissages et à acquérir des compétences connexes. Par exemple :

> Alexis, Audrey et Sara manifestent beaucoup d'intérêt à découper. Je vais donc organiser une activité où l'on utilisera des ciseaux et du papier de bricolage. Ce papier n'est pas trop épais ni trop mou. Je crois que tous les enfants de mon groupe vont réussir.

Les activités du groupe d'appartenance qui sont planifiées à partir des champs d'intérêt des enfants encouragent ces derniers à faire des choses qu'ils sont capables de faire et qu'ils aiment faire. Au fur et à mesure que leur confiance en leurs habiletés grandit, les enfants acceptent de relever de nouveaux défis : « Je ne veux pas ce papier, dit Julie. Je vais aller chercher une revue pour la découper. »

B. Présenter du matériel inhabituel et des expériences novatrices

Voici la réflexion d'une éducatrice :

> Cathy, France et Joël aiment jouer dans l'eau. Je vais planifier une activité où l'on fera des jeux d'eau. Je vais leur apporter des pompes à eau et des bouts de tuyau d'arrosage.

Au cours des périodes en groupe d'appartenance, les éducatrices peuvent présenter aux enfants du nouveau matériel tel qu'un logiciel d'ordinateur, des scies et du bois, ou un jeu de blocs à assembler ; elles peuvent aussi utiliser du matériel que les enfants connaissent déjà, mais qu'ils utilisent rarement. Si les enfants choisissent souvent de jouer avec des blocs durant les périodes d'ateliers libres, l'éducatrice pourra leur proposer du découpage au cours des périodes en groupe d'appartenance, ou leur présenter des instruments de musique, ou encore un jeu d'eau ou de sable. Si les enfants décident régulièrement de dessiner et de peindre durant les ateliers libres, la période en groupe d'appartenance pourra être un moment où ils construiront avec des blocs, où ils mimeront des histoires, où ils laveront les bicyclettes. De cette façon, les enfants découvriront de nouvelles activités à incorporer dans leurs jeux durant les périodes d'ateliers libres, lors des jeux extérieurs ou à la maison.

C. Favoriser des interactions quotidiennes avec les pairs

Le groupe d'appartenance réunit une petite bande d'enfants pour qu'ils explorent tous le même matériel. En raison de leur proximité, les enfants ont alors plusieurs occasions d'interagir et de communiquer. Les enfants qui jouent seuls au cours des périodes d'ateliers libres joueront près d'autres enfants au cours des périodes en groupe d'appartenance. En fait, les enfants pourront se regrouper en équipe pour s'entraider : « Macha, peux-tu développer mon sparadrap ? » demande Alexis. « Normand, est-ce que je peux utiliser ta peinture orange ? » demande Claudie.

Le groupe d'appartenance permet aussi aux enfants de recevoir du feed-back spontané et immédiat de leurs pairs sur ce qu'ils font : « Hé ! Regarde, Louis, ce que j'ai fait ! » Ou : « Regarde ! Le mien se tient debout tout seul. » Ce genre de commentaire des enfants leur permet de partager leurs découvertes et d'apprendre de leurs pairs. De telles interactions sont importantes, comme le soulignent les psychologues Rheta DeVries et Lawrence Kohlberg (1987, p. 30-31) : « Lorsque l'enfant expérimente la réaction des autres enfants à ce qu'il dit et à ce qu'il fait, il commence à sentir que la vérité est importante. »

La régularité dans le temps et la stabilité dans la constitution des membres du groupe d'appartenance procurent également aux enfants un point d'ancrage social qui contraste avec l'ouverture qu'offre la période d'ateliers, alors que les enfants peuvent jouer seuls ou en groupes qui se forment spontanément dans les différents coins d'activités.

D. Observer les mêmes enfants et interagir avec eux tous les jours

Au sein du groupe d'appartenance, les éducatrices peuvent observer le développement des enfants sur une longue période de temps, apprécier les différences individuelles et prévoir la façon dont les enfants vont réagir aux expériences qu'elles planifient. Par exemple, lorsqu'elle prépare une expérience avec de la colle, Linda imagine les réactions de chacun des enfants de son groupe :

> Je pense que Charles et Joanie vont tout simplement presser et tordre leurs bouteilles de colle et regarder la colle dégouliner sur le papier. Liette et Laurent vont probablement coller des retailles de papier et des formes. Quant à Diane et à Érica, elles auront peut-être une idée pour représenter un objet particulier avec leur collage. Diane a souvent dessiné des chevaux dernièrement ; elle voudra peut-être essayer de faire un cheval à partir des formes et du papier de récupération. Je mettrai aussi des bouts de laine sur la table. Elle pourra les utiliser pour faire une crinière ou une queue à son cheval, si elle le souhaite.

E. Utiliser des stratégies de soutien dans un environnement stable

En regardant et en écoutant les enfants au cours des activités en groupe d'appartenance, les éducatrices ont le temps et l'occasion d'utiliser des stratégies pour soutenir le développement des enfants. Comme le groupe est stable, ces stratégies peuvent se répéter sur une longue période de temps. Dans l'exemple suivant, Mme Laroche, consciente que son habitude de poser trop de questions inhibe quelquefois les conversations des enfants, utilise la technique de la répétition : plutôt que de questionner les enfants, elle commente leurs observations.

> RITA. – Regarde ma pâte à modeler. Elle est tout aplatie.
> MME LAROCHE. – Ta pâte à modeler est aplatie.
> RITA. – Je sais pourquoi. C'est parce que mes doigts sont forts... plus forts que la pâte à modeler.
> MME LAROCHE. – Oh ! Tes doigts sont plus forts que la pâte à modeler...
> RITA. – Oui. C'est pour ça que je peux l'aplatir. Regarde, je vais te montrer.
> MME LAROCHE. – Je vois.
> RITA. – Et, si tu te mets debout, tes doigts sont encore plus forts !

Un autre éducateur, M. Patry, saisit l'occasion pour encourager l'apprentissage par les pairs plutôt que d'intervenir pour montrer à l'enfant comment faire.

> ALICE. – (s'adressant à l'éducateur) Comment est-ce qu'on étend cela... tout... tout partout sur la table ?
> M. PATRY. – Je crois que Renée a trouvé une façon de le faire.
> ALICE. – (observant Renée) Comment fais-tu ça ?
> RENÉE. – Comme cela. (Elle montre à Alice comment faire.)

8.2.3 Où se réunit le groupe d'appartenance ?

Le groupe d'appartenance se réunit habituellement dans un endroit fixe et préétabli. Cependant, lors de la planification des activités en groupe d'appartenance, les éducatrices ne doivent pas se limiter aux expériences qui peuvent être réalisées à cet endroit. Elles doivent être prêtes à se déplacer avec leur groupe là où se trouvent le matériel et l'équipement appropriés à l'activité planifiée.

A. Réunir le groupe d'appartenance toujours au même endroit

Le lieu de réunion des groupes d'appartenance devrait permettre aux enfants de travailler, tout en étant à l'aise et relativement isolés les uns des autres : à la table dans le coin des arts plastiques, sur les coussins du coin de la lecture, sur le plancher dans le coin des blocs. Désigner un endroit fixe pour réunir le groupe d'appartenance favorise chez les enfants l'autonomie ainsi que le sentiment d'appartenance à une petite communauté. Par exemple, si Anne sait que son groupe d'appartenance se rencontre dans le coin de la maisonnette, elle peut s'y diriger tous les jours de façon autonome pour la période des activités en groupe d'appartenance et elle est certaine qu'elle y retrouvera son éducatrice et les enfants de son groupe, qui sont toujours les mêmes.

B. Se diriger vers le matériel et l'équipement appropriés

Même si un lieu de regroupement stable est avantageux pour les enfants, il est également important de ne pas se limiter aux caractéristiques de ce lieu. Souvent, vous passerez la période de travail en groupe d'appartenance à l'endroit où vous vous êtes regroupés; mais vous pourrez, après avoir réuni vos enfants, vous diriger vers le bac à sable, vers le jardin, vers l'établi de menuiserie ou dans la cour extérieure.

En outre, il est important que les enfants puissent s'approprier, au cours de cette période, l'ensemble du matériel et de l'équipement qui est à leur disposition durant les ateliers libres. L'exemple suivant démontre comment deux éducatrices ont abordé cette situation.

Au cours de cette activité en groupe d'appartenance, les enfants construisent leur compréhension de ce qui se produit lorsqu'ils recouvrent une bille de peinture et la font rouler sur une feuille de papier.

Au début de l'année, deux éducatrices d'une cellule de soutien mutuel qui partagent des locaux adjacents avaient choisi la table du coin des arts plastiques et la table du coin de la maisonnette pour réunir leur groupe d'appartenance respectif. En discutant avec les enfants durant la période de planification, elles se sont rendu compte que plusieurs enfants connaissaient très peu le matériel qui était disponible dans chacun des coins d'activités et que cette lacune limitait les projets qu'ils élaboraient pour la période d'ateliers libres. Les éducatrices ont alors planifié des activités en groupe d'appartenance au cours desquelles les enfants exploreraient les coins d'activités à tour de rôle. Par exemple, après avoir réuni son groupe d'appartenance à la table du coin de la maisonnette, une éducatrice s'est dirigée avec ses enfants vers le coin des blocs « pour découvrir tous les objets qui se trouvent là pour jouer ». Les enfants y ont remarqué le volant de voiture et les gros blocs de carton. Pendant cette période, le groupe d'appartenance de l'autre éducatrice s'est rassemblé à la table du coin des arts plastiques : « Allons faire un tour dans le coin de la maisonnette pour voir ce qu'on peut y trouver pour jouer. » Les enfants y ont découvert des jetons, des bouchons de bouteille, une pile de couches pour les poupées et de la vaisselle pour dresser la table. Par la suite, les enfants ont intégré divers objets ainsi « découverts » à leurs projets au cours des périodes d'ateliers libres.

8.2.4 Que font les enfants en groupe d'appartenance ?

Les périodes en groupe d'appartenance sont particulièrement propices à l'exploration, au travail avec du « nouveau » matériel, à la communication et à la résolution de problèmes.

A. Les enfants explorent, travaillent et parlent de leurs expériences

Les périodes en groupe d'appartenance proposent des expériences d'apprentissage diversifiées. Pour soutenir les enfants de façon judicieuse, les éducatrices doivent prendre conscience que les enfants utilisent ces périodes pour explorer, pour jouer, pour travailler avec du matériel et de l'équipement et pour discuter. Ces périodes offrent donc un éventail d'expériences favorisant l'apprentissage actif. Les enfants qui utilisent le matériel et l'équipement de diverses façons sont guidés par leur imagination, leur créativité et leurs projets personnels. Ils explorent avec leurs sens, ils découvrent des relations entre les objets au moyen d'expériences concrètes, ils transforment et combinent le matériel et ils acquièrent de nouvelles habiletés pour manier les outils et l'équipement mis à leur disposition. Ils font des choix à propos de l'utilisation du matériel et ils décident du matériel qu'il faudrait ajouter. Ils parlent de leurs réalisations avec d'autres membres du groupe et ils réfléchissent à voix haute. Chaque période en groupe d'appartenance présente donc plusieurs défis d'apprentissage actif aux enfants parce qu'elle est planifiée pour que les enfants travaillent avec le matériel mis à leur disposition, parce que ceux-ci choisissent le matériel à ajouter, parce qu'ils parlent de ce qu'ils font, qu'ils résolvent des problèmes et qu'ils commentent les expériences des autres enfants.

B. Les enfants résolvent les problèmes qui surviennent

En travaillant avec le matériel, les enfants résolvent les problèmes qui leur sont présentés par l'éducatrice. Cependant, ils établissent également leurs propres objectifs et ils découvrent ainsi de nouveaux problèmes qu'ils doivent résoudre pour atteindre ces objectifs. Par exemple, Mélanie a installé des bacs à neige sur la table pour les enfants et elle leur a demandé : « Que pourrions-nous faire avec ces bacs remplis de neige ? » Mélissa a décidé de construire une maison avec la neige. « Mais comment est-ce que je vais faire le toit ? se demande-t-elle. Je dois le placer au-dessus de ce trou... Je sais ! Je vais prendre des bâtonnets dans le coin des arts ! » Les enfants peuvent trouver des solutions différentes pour atteindre un même objectif. Par exemple, Charles et Norbert décident tous les deux de teindre des œufs de deux couleurs différentes. Charles teint tout d'abord son œuf en jaune, puis il laisse tomber dessus des gouttes de teinture rouge. Norbert atteint le même objectif en procédant différemment : il plonge un bout de son œuf dans la teinture verte et l'autre bout dans la teinture orange. Pour résoudre des problèmes au cours des périodes en groupe d'appartenance, les jeunes enfants peuvent observer ce que font les autres enfants et ils peuvent aussi essayer leurs propres hypothèses.

Lorsque la période en groupe d'appartenance requiert l'utilisation de nouveau matériel, que ce soient des noisettes cueillies lors d'une promenade, des boîtes de déménagement ou un ensemble de gros camions, les enfants peuvent résoudre le problème de déterminer le lieu de rangement de ce nouveau matériel ; ils pourront ainsi le retrouver aisément durant les périodes d'ateliers libres : « Et si nous placions ces noisettes dans un contenant sur l'étagère du coin de la maisonnette ?... On pourrait les utiliser pour faire de la soupe ! »

TABLEAU RÉCAPITULATIF

Les activités en groupe d'appartenance

Qu'est-ce qu'une activité en groupe d'appartenance ?

- Une expérience d'apprentissage amorcée par l'éducatrice à partir des champs d'intérêt des enfants et en fonction de leur stade de développement.
- Un groupe stable d'enfants avec la même éducatrice.
- Une expérience d'apprentissage actif dans un environnement stimulant.

Pourquoi les activités en groupe d'appartenance sont-elles importantes ?

- Elles permettent aux enfants de développer leurs habiletés.
- Elles permettent de présenter aux enfants du matériel inhabituel et des expériences novatrices.
- Elles favorisent des interactions quotidiennes avec les pairs.
- Elles permettent aux éducatrices d'observer les mêmes enfants et d'interagir avec eux tous les jours.
- Elles permettent aux éducatrices d'utiliser des stratégies de soutien avec les enfants dans un environnement stable.

Où se réunit le groupe d'appartenance ?

- Il se réunit toujours au même endroit.
- Il se dirige vers le matériel et l'équipement appropriés.

8.3 Soutenir les enfants au cours des activités en groupe d'appartenance

Les périodes en groupe d'appartenance sont d'abord et avant tout des moments agréables au cours desquels l'éducatrice réunit un petit nombre d'enfants pour leur permettre d'utiliser un matériel commun choisi en fonction de leurs champs d'intérêt et de leur niveau de compréhension. Durant les périodes en groupe d'appartenance, les éducatrices soutiennent les enfants en :

- révisant les principes pédagogiques auxquels elles adhèrent ;
- formant de petits groupes d'appartenance bien équilibrés ;
- planifiant à l'avance les expériences du groupe d'appartenance ;
- organisant les expériences d'apprentissage du groupe d'appartenance avant l'arrivée des enfants ;
- démarrant l'activité du groupe d'appartenance – le début de l'activité ;
- soutenant les projets individuels des enfants et leur façon personnelle d'utiliser le matériel – le cœur de l'activité ;
- terminant la période d'activités en groupe d'appartenance – la fin de l'activité.

8.3.1 Réviser ses principes pédagogiques

Pour les éducatrices qui travaillent dans des milieux éducatifs favorisant l'apprentissage actif, les périodes en groupe d'appartenance sont perçues comme des moments privilégiés au cours desquels les enfants construisent leurs connaissances à l'aide des relations significatives qu'ils établissent avec les personnes et avec le matériel. Puisque les périodes en groupe d'appartenance se déroulent dans un endroit fixe et régulier, autour d'un matériel commun et déterminé et à partir d'une situation d'apprentissage ouverte proposée par l'éducatrice, celle-ci accepte que chaque enfant réagisse de façon personnelle au défi proposé et qu'il utilise le matériel à sa manière. **Le rôle de l'éducatrice consiste alors à soutenir chaque enfant en fonction de ses choix et de ses besoins.**

Dans certains milieux éducatifs où l'on utilise une approche autre que celle de l'apprentissage actif, la période en groupe d'appartenance est utilisée pour faire des exercices portant, par exemple, sur l'écriture, les nombres, les couleurs, les formes ou les jours de la semaine ; dans d'autres milieux, les enfants utilisent des stencils ou tentent de faire des bricolages en imitant le modèle présenté par l'éducatrice : « Colorie la citrouille orange. Colorie les feuilles en vert et essaie de ne pas dépasser la ligne. » **Les modèles à reproduire, les exercices répétitifs et les activités dirigées par l'éducatrice n'ont pas leur place dans un milieu éducatif qui favorise l'apprentissage actif.**

Dans les milieux qui privilégient l'apprentissage actif, les enfants sont responsables de leur apprentissage au cours des périodes en groupe d'appartenance. L'exploration par la manipulation leur procure alors des occasions de construire leurs connaissances selon leur stade de développement. Les périodes en groupe d'appartenance sont donc importantes pour aborder les domaines qui sont à la base des expériences clés, soit ***la représentation créative et l'imaginaire, le développement du langage et le processus d'alphabétisation, l'estime de soi et les relations interpersonnelles, le mouvement, la musique, la classification, la sériation, les nombres, l'espace*** et ***le temps.*** (Voir l'encadré intitulé « Un exemple de planification d'une activité en groupe d'appartenance ».) Dans les groupes d'appartenance, l'accent est mis sur l'**expérimentation** plutôt que sur les exercices, sur la **conversation** plutôt que sur l'écoute des explications de l'adulte, sur la **résolution de problèmes** plutôt que sur le respect de directives et de consignes, et sur l'**accès autonome au matériel complémentaire** nécessaire à une activité plutôt que sur la dépendance à l'adulte responsable du matériel. Les éducatrices qui sont convaincues du bien-fondé de ces principes d'intervention sont les plus susceptibles de planifier et d'animer des expériences qui soutiennent efficacement l'apprentissage actif de l'enfant.

8.3.2 Former des groupes d'appartenance équilibrés

L'équipe de travail du service de garde, tout comme les éducatrices de maternelle, forment des groupes

Un exemple de planification d'une activité en groupe d'appartenance « Écrire » des cartes de remerciement

L'idée de départ

Une tradition locale – Après la visite d'une ferme laitière, il faut remercier le fermier Gérard qui nous a accueillis.

Le matériel

Des photographies de la visite à la ferme, du papier de bricolage, des crayons feutre, une grande enveloppe adressée au fermier Gérard.

Les expériences clés possibles

Domaine ***la représentation créative et l'imaginaire***: *dessiner et peindre; associer des photographies à des lieux, à des personnes, à des personnages, à des animaux et à des objets réels.*

Domaine ***le développement du langage et le processus d'alphabétisation***: *écrire de diverses façons: en dessinant, en gribouillant, en dessinant des formes qui ressemblent à des lettres; décoder des supports de lecture variés; dicter une histoire à un adulte.*

Le début de l'activité

Disposer les photographies sur la table pour que les enfants puissent les examiner. Écouter brièvement les propos des enfants, puis leur dire: « Aujourd'hui, nous devons faire des cartes de remerciement pour le fermier Gérard qui nous a fait visiter sa ferme. » Apporter le papier et les crayons feutre. « Vous pouvez dessiner et écrire au fermier Gérard. Nous lui enverrons vos dessins et vos lettres dans cette grande enveloppe que j'ai préparée. Comme ça, il saura que nous avons bien aimé notre visite à sa ferme. »

Le cœur de l'activité

Se déplacer d'un enfant à l'autre pendant que les enfants travaillent. Les observer et les écouter. Certains enfants voudront peut-être dicter un message; d'autres voudront écrire en inventant leur propre forme d'écriture; d'autres enfin voudront utiliser le matériel du coin des arts plastiques pour agrémenter leur dessin. Soutenir les enfants dans leurs projets.

La fin de l'activité

Demander aux enfants de « lire » leur carte, puis les mettre dans l'enveloppe. Les inviter à fermer les crayons feutre avec le bon capuchon et à les remettre dans leur panier.

Les suites possibles

1. Le lendemain, marcher jusqu'à la boîte aux lettres au coin de la rue au début de la période de jeux extérieurs.
2. Placer les photos de la ferme laitière dans un album qui sera rangé dans le coin de la lecture et de l'écriture. Écrire un message sur le tableau d'affichage pour rappeler aux enfants que l'album se trouve dans ce coin et qu'ils peuvent le feuilleter.

d'appartenance équilibrés à partir d'un segment de l'ensemble des enfants qui fréquentent leur service. L'âge biologique des enfants est l'un des critères à considérer, mais il n'est pas le seul. Elles essaient aussi d'équilibrer la composition des groupes d'appartenance en tenant compte du sexe des enfants, de leur stade de développement et de leur degré d'énergie, de façon que ceux-ci puissent interagir avec des enfants semblables et différents dans chacun des groupes.

Même si l'équilibre est un critère important pour la formation des groupes, il n'y a cependant pas de règle précise à appliquer pour atteindre ce but. Par exemple, certains jeunes enfants parlent plus facilement et travaillent mieux lorsqu'ils sont regroupés avec des enfants du même âge, tandis que d'autres ont beaucoup de plaisir à se retrouver avec des enfants plus vieux. Certains ont tendance à parler plus librement lorsqu'ils se retrouvent avec des enfants calmes. Les enfants qui se sont liés d'amitié au cours des périodes de rassemblement apprécient de se retrouver dans le même groupe d'appartenance, tandis que d'autres sont prêts à interagir avec un groupe différent. Les éducatrices et les équipes de travail forment les groupes d'appartenance en misant surtout sur leur connaissance des enfants et sur ce qui convient le mieux à chacun.

Une fois que vous avez formé les groupes d'appartenance selon des critères que vous jugez pertinents, vous devez les maintenir durant plusieurs mois de manière que les enfants puissent bien se connaître; ils auront ainsi confiance de se retrouver tous les jours avec le même groupe de personnes et ils acquerront un sentiment d'appartenance à un groupe particulier.

8.3.3 Planifier à l'avance les expériences d'apprentissage du groupe d'appartenance

La clé de la réussite des périodes en groupe d'appartenance est de planifier à l'avance des expériences qui sont attrayantes pour les enfants, qui correspondent à leurs champs d'intérêt et qui stimulent leur développement. Les éducatrices planifient les activités d'apprentissage qu'elles proposent à leur groupe d'appartenance en s'inspirant de diverses sources, à savoir **les champs d'intérêt des enfants, un matériel inhabituel ou inexploré, les expériences clés et les traditions ou les événements locaux.**

A. Planifier à partir des champs d'intérêt des enfants

Au cours de la période de planification quotidienne, les éducatrices d'une cellule de soutien mutuel partagent leurs observations et se racontent des anecdotes. Ces informations leur servent d'inspiration pour planifier une ou plusieurs périodes d'activités pour leur groupe d'appartenance, comme dans l'exemple suivant :

> C'est la deuxième fois que Brigitte me demande un sparadrap pour soigner une petite éraflure qu'elle a sur la main, raconte Barbara lors de la période de planification. Audrey m'a aussi dit que le ruban adhésif qu'elle utilisait ressemblait à un sparadrap. Alors je pense que je vais intégrer des sparadraps à mon activité en groupe d'appartenance demain : les enfants ont vraiment l'air intéressés par ce type de matériel.

Voici d'autres exemples d'activités pour le groupe d'appartenance, planifiées par des équipes de soutien mutuel qui ont tenu compte de leurs observations pour déceler les champs d'intérêt des enfants.

- Au cours d'une promenade dans le quartier, les enfants du groupe d'Hélène et de Carole ont été très excités en voyant le long convoi d'un train de marchandises qui passait. Carole et Hélène ont donc planifié, pour leur période en groupe d'appartenance du lendemain, de présenter aux enfants des trains en bois et des blocs. Elles voulaient ainsi observer la façon dont les enfants discuteraient de leur expérience de la veille et la façon dont ils recréeraient cet événement.
- Durant la période d'ateliers libres, Anne a remarqué plusieurs enfants qui travaillaient dans le coin des arts plastiques ; ils s'amusaient ferme à presser un tube de colle. Il y avait tant de colle sur les retailles de papier de bricolage qu'il semblait clair que le jeu consistait plus à presser les tubes qu'à coller quoi que ce soit. Cette observation a incité Anne à organiser une période en groupe d'appartenance où les enfants presseraient des bouteilles de plastique remplies d'eau colorée, d'eau savonneuse et d'eau parfumée dans le bac à eau.
- Lors des jeux à l'extérieur, Béatrice a aidé quatre enfants à solutionner leur problème : ils tentaient de pousser un chariot chargé de bâtons et de pneus de l'autre côté de la cour. Par la suite, au cours de la période de planification quotidienne, tandis qu'elle décrivait les interactions entre les enfants à sa coéquipière, Béatrice a eu l'idée d'organiser un jeu coopératif pour la prochaine période en groupe d'appartenance : elle proposerait aux enfants de déplacer des objets trop lourds pour qu'un enfant puisse le faire seul.
- Céline a remarqué que les enfants de son groupe d'appartenance aimaient réciter des comptines. Elle a alors planifié une période en groupe d'appartenance où elle a lu une histoire dans laquelle il y avait plusieurs couplets rimés. Les enfants pouvaient facilement les répéter et ils pouvaient les prévoir en regardant les images dans le livre.
- Après avoir remarqué qu'un groupe d'enfants s'amusait à fabriquer des pizzas et à en faire la livraison, Céline et Nicole ont planifié une période en groupe d'appartenance au cours de laquelle les enfants ont réellement fabriqué des pizzas individuelles en utilisant des muffins anglais et des garnitures variées. Les pizzas préparées par les enfants ont été dégustées à la collation suivante.

B. Planifier à partir d'un matériel inhabituel ou inexploré

Souvent, les idées qui donnent naissance à des activités en groupe d'appartenance proviennent du désir des éducatrices d'introduire du nouveau matériel ou d'attirer l'attention des enfants sur du matériel qu'ils n'ont pas encore examiné attentivement :

> Plusieurs enfants ont déjà peint avec de la gouache. J'aimerais les initier à la peinture à l'eau, se dit Barbara durant la période de planification quotidienne. Je pense que demain, c'est ce que je vais leur suggérer pour la période en groupe d'appartenance.

Le lendemain, Barbara apporte du papier pour la peinture à l'eau, des pinceaux, de l'eau et des pastilles de couleur en nombre suffisant pour tous les enfants. Ceux-ci versent eux-mêmes l'eau dans leurs petits récipients de plastique, ils choisissent leurs couleurs et ils commencent à travailler.

Voici d'autres exemples d'activités réalisées en groupe d'appartenance et planifiées par des équipes d'éducatrices dans le but de présenter un matériel inhabituel ou inexploré.

- Pour soutenir l'intérêt inépuisable des enfants pour tout ce qui concernait les trains, Carole et Hélène ont présenté, tour à tour, à leur groupe d'appartenance un jeu sur cédérom dans lequel l'enfant peut utiliser ce moyen de transport. Avant cette activité, les éducatrices ont donné aux enfants de petits trains et des tunnels en bois afin qu'ils se familiarisent avec des représentations concrètes et avec le genre de situations qu'ils verraient par la suite sur l'écran de l'ordinateur.
- Une équipe d'éducatrices a présenté aux enfants une nouvelle combinaison de matériel : des tees de golf (utilisés jusque-là pour être insérés dans la pâte à modeler) et des morceaux de polystyrène (employés à l'établi). Quelques enfants ont tout simplement fixé le plus grand nombre de tees possible dans leur morceau de polystyrène ; d'autres enfants ont construit un « téléphone », tandis que quelques-uns ont découpé leur polystyrène pour en faire un « gâteau » d'anniversaire et les tees ont servi de chandelles.
- Linda a planifié une période d'activités pour son groupe d'appartenance à partir du matériel que les enfants avaient recueilli lors d'une promenade autour du pâté de maisons : des cailloux, des noix, des feuilles, des brindilles, un vieil essuie-glace de voiture, un enjoliveur de roue et les retailles d'une haie qu'on venait de couper. En réponse à la question de Linda « Que pouvons-nous faire avec ces objets que nous avons trouvés lors de notre promenade ? », les enfants sont allés chercher du ruban adhésif et de la terre glaise pour fabriquer des instruments de musique, des collages et des figurines.
- Observant l'intérêt des enfants pour « écrire des messages », Nicole a apporté des timbres et des tampons encreurs pour la période en groupe d'appartenance. Les enfants se sont alors affairés à « écrire » et à « lire » leurs messages. « Le mien dit : "Les lapins viennent à la maison pour souper" », dit Hélène en lisant son message timbré qui consistait en plusieurs lignes de lapins estampillés et en une maison. À la fin de la période, les enfants ont décidé d'ajouter les tampons encreurs et les timbres au matériel du coin de la lecture et de l'écriture.
- Céline a apporté aux enfants neuf nouveaux ballons pour jouer dans la cour durant la période en groupe d'appartenance. Les enfants ont fait rouler les ballons, ils les ont lancés et ils les ont fait rebondir. À la fin de la période, ils ont décidé de les ranger dans la remise pour savoir où les retrouver lors des jeux libres dans la cour.

C. Planifier en fonction des expériences clés

Les éducatrices révisent périodiquement leurs fiches d'observations et les rapports anecdotiques qu'elles rédigent au sujet des enfants. Elles constatent parfois qu'elles n'ont consigné aucune observation au sujet d'une expérience clé particulière. (Les expériences clés sont présentées dans la troisième partie de ce manuel.) Elles planifient alors une période en groupe d'appartenance avec du matériel et des activités qui pourront soutenir cette expérience clé. Par exemple, une éducatrice se rend compte qu'elle n'a rien noté pour plusieurs enfants de son groupe d'appartenance au sujet de l'expérience clé *assembler et démonter des objets* (domaine ***l'espace***). Elle planifie donc pour le lendemain une activité où elle présente aux enfants des chevilles de bois à insérer dans des plateaux alvéolés. Une des enfants a d'abord rempli son tableau de chevilles, puis elle l'a immédiatement défait et elle a recommencé.

Une autre a rempli quatre tableaux avec ses chevilles et elle a calculé le nombre de chevilles qu'elle avait utilisées en comptant jusqu'à 20, puis elle s'est exclamée : « Regarde, j'ai quatre tableaux de chevilles et je peux les empiler et faire une tour avec ! »

Voici d'autres exemples d'activités en groupe d'appartenance planifiées par des éducatrices en vue de réaliser une expérience clé particulière :

- Pendant plusieurs jours, Michelle a photographié les enfants de son groupe d'appartenance au cours des ateliers libres. Après avoir fait développer les photos, elle a planifié une activité avec son groupe d'appartenance en ayant en tête l'expérience clé *associer des photographies à des lieux, à des personnes, à des personnages, à des animaux et à des objets réels* (domaine ***la représentation créative et l'imaginaire***). Elle a donné plusieurs photos à chaque enfant, elle a ensuite écouté leurs commentaires sur ce qu'ils voyaient et elle les a finalement encouragés à trouver dans le local les objets qui figuraient sur les photos.
- Ayant remarqué l'intérêt des enfants pour les instruments de musique, Nicole a organisé avec son groupe d'appartenance une activité portant sur l'expérience clé *expérimenter et décrire des vitesses de mouvement* (domaine ***le temps***). Chaque enfant a choisi un instrument, et le groupe a accompagné à l'unisson deux pièces musicales différentes sur cassette, un air lent et un autre plus rythmé. « Je veux qu'on joue encore une autre chanson vite ! » s'est exclamé Nathaniel.
- Comme elle voulait proposer aux enfants de son groupe d'appartenance une expérience avec du « matériel qui s'étire » (l'expérience clé *modifier la forme et la disposition des objets*, du domaine ***l'espace***), Linda a planifié une activité avec des bandes élastiques et des morceaux de tissu extensible, des panneaux cloutés et des plaquettes de bois. Elle a entendu des commentaires variés de la part des enfants : « Regarde ! Mon élastique s'étire jusqu'à l'autre bout du panneau. » « Je peux étirer le mien pour attacher une pile ensemble ! »
- En pensant à l'expérience clé *bouger avec des objets* (domaine ***le mouvement***), une éducatrice a organisé dans la cour une activité pendant laquelle les enfants marchaient sur des échasses faites avec des boîtes de conserve. Elle a offert aux enfants de choisir parmi des échasses de différentes hauteurs : des échasses fabriquées avec des boîtes de thon, d'autres avec des boîtes de soupe et d'autres avec des boîtes de café. Ainsi, chaque enfant a pu

Ces enfants utilisent de la laine, des cartons troués et des ciseaux pendant les activités en groupe d'appartenance. Ils réalisent des expériences clés du domaine **l'espace** : modifier la forme et la disposition des objets *et* assembler et démonter des objets.

trouver une paire d'échasses à sa convenance (dont la hauteur lui semblait rassurante).

- Comme elle était intéressée à réaliser l'expérience clé *ordonner plusieurs objets selon une série ou une séquence* (domaine ***la sériation***), Anne a distribué aux enfants de son groupe des morceaux de rubans larges de différentes couleurs ainsi que du papier et des bâtons de colle. « Que pourrions-nous fabriquer avec ces rubans ? » a-t-elle demandé aux enfants. Elle a alors observé les enfants pour voir s'ils formaient des motifs dans leurs créations. Éliane a fait une bordure autour de sa feuille de papier et elle a ensuite répété un motif rouge-blanc-rouge-blanc. Norbert a fait un « homme fou » en alternant des rubans bleus et des rubans verts pour fabriquer les cheveux.

D. Planifier à partir de traditions ou d'événements locaux

Il existe également des activités avec le groupe d'appartenance, dont le contenu est déterminé par l'intérêt que les enfants portent à certaines traditions ou à certains événements locaux. Ces traditions peuvent être issues de la communauté environnante, des familles des enfants ou encore du service de garde lui-même. Par exemple, tous les automnes, quand ils jouent dans la cour, les enfants d'un service de garde entendent la fanfare de l'école secondaire voisine qui répète.

> Les enfants sont tellement contents lorsqu'ils entendent la fanfare et qu'ils la voient passer devant notre service de garde, dit Ruth. Je pense que je vais planifier une activité avec mon groupe d'appartenance à partir de cet intérêt. Je vais suggérer aux enfants de former notre propre fanfare. Nous apporterons les instruments de musique dehors et nous en jouerons en marchant au pas autour de la cour.

Le lendemain, durant la période en groupe d'appartenance, les enfants se sont regroupés comme à l'habitude avec Ruth autour de la table du coin des arts plastiques, puis ils ont choisi leur instrument de musique et ils sont allés dans la cour. Chacun leur tour, ils ont été « le chef d'orchestre de la fanfare ». Lorsque ce fut le tour de Brian, il a conduit la fanfare le long de la clôture. Hélène a mené le groupe à travers le carré de sable et en haut de la butte. Félix, pour sa part, a dirigé les enfants sous les balançoires et il les a fait marcher sur la poutre d'équilibre et sous la maisonnette dans l'arbre. Cette activité a enchanté les enfants, et Ruth s'est promis d'en faire une « tradition » annuelle !

Voici d'autres exemples d'activités que des éducatrices ont planifiées en tenant compte de l'intérêt des enfants pour des traditions ou des événements locaux auxquels ils participaient avec leur famille.

- Après le carnaval qui était une fête importante dans leur communauté, les éducatrices Nicole et Céline ont observé que les enfants étaient très intéressés par les costumes et les déguisements. Elles ont alors planifié la fabrication de costumes pour la période en groupe d'appartenance. Elles ont apporté aux enfants des sacs de papier brun découpés de façon à permettre de passer la tête et les bras, du papier crêpe, des ciseaux, de la colle, du ruban adhésif et des retailles de papier de récupération. Avec ce matériel, les enfants ont pu créer un costume de carnaval en s'inspirant de ceux qu'ils avaient vus lors du défilé. Alors que certains enfants n'ont collé que quelques petits morceaux de papier crêpe sur leur sac, d'autres ont décoré celui-ci abondamment avec de longues bandes de papier et ils y ont ajouté d'autres décorations en choisissant eux-mêmes le matériel qui les intéressait dans le coin des arts plastiques.
- Dans un service de garde, c'est une tradition du temps des Fêtes de recevoir les parents pour un repas spécial, préparé par les enfants. Chaque groupe d'enfants est responsable de la préparation d'un plat. Cette année, le groupe de Nathalie est chargé de faire une salade de légumes. Nathalie planifie donc des activités en groupe d'appartenance pour que les enfants effectuent cette tâche. Les enfants ont décidé à l'avance de leur recette. Le jour du repas, Nathalie utilise la période en groupe d'appartenance pour réaliser leur projet. Les enfants se partagent eux-mêmes les responsabilités : laver et découper la laitue, les pommes et le céleri, essorer la laitue, mélanger les ingrédients, brasser le tout avec la vinaigrette. L'enthousiasme est à son comble lorsque les enfants apportent les bols de salade à la cuisinière !

- Après un tournoi local de cerfs-volants, une éducatrice a soutenu l'intérêt des enfants pour cet événement en organisant un atelier de fabrication de cerfs-volants. Elle a procuré aux enfants du matériel varié pour la fabrication des cerfs-volants, soit du tissu, du papier de bricolage, du papier crêpe, des bâtonnets de bois, de la colle et de la corde. Les enfants qui avaient déjà fabriqué des cerfs-volants à la maison avec leurs parents assistaient les novices dans leur tâche. Par la suite, durant la période de jeux extérieurs, les enfants ont pu essayer de faire voler leurs cerfs-volants.
- Lors de la fête de l'Halloween, les enfants d'un service de garde ont l'habitude de se rendre à la ferme pour aller cueillir des citrouilles. Une éducatrice a alors organisé une activité d'exploration des citrouilles avec les enfants de son groupe d'appartenance. La première journée de beau temps après la cueillette des citrouilles, elle emmène son groupe dans la cour ; elle étend du papier journal sur le sol et y dépose les citrouilles. Elle aide les enfants à couper le dessus de leur citrouille et elle leur donne des cuillers et des louches pour vider l'intérieur. Plusieurs enfants préfèrent utiliser leurs mains pour retirer « les graines et le jus gluant ».

8.3.4 Organiser les activités du groupe d'appartenance avant l'arrivée des enfants

Une fois que l'éducatrice a établi un plan d'action pour la période en groupe d'appartenance, elle doit préparer le matériel et organiser l'activité avant l'arrivée des enfants. Deux stratégies sont alors particulièrement utiles : rassembler le matériel nécessaire pour chaque enfant et le placer à proximité du lieu de réunion avec les enfants.

A. Rassembler le matériel nécessaire pour chaque enfant

Les enfants apprennent de leur interaction avec le matériel : ils doivent donc être placés dans des situations où ils vont manipuler eux-mêmes le matériel plutôt que dans des situations où ils observent quelqu'un d'autre le faire. Dans cet ordre d'idées, on comprendra que les activités en groupe d'appartenance se déroulent mieux lorsque chaque enfant dispose du matériel nécessaire pour réaliser l'expérience proposée. Cela signifie que l'éducatrice doit distribuer à chaque enfant tout le matériel dont il aura besoin pour réaliser l'activité, soit un assortiment de camions et de blocs, des pinceaux et des pots de peinture bien à lui, des tranches d'ananas ou tout autre objet que requiert l'expérience d'apprentissage.

B. Placer le matériel à portée de la main

Rassemblez le matériel avant que les enfants arrivent et placez-le de façon à l'avoir sous la main, à proximité de votre lieu de rencontre avec votre groupe d'appartenance. Cette façon de faire vous permettra de commencer l'activité avec les enfants dès qu'ils se présenteront. Les éducatrices qui organisent les activités en groupe d'appartenance au début de la journée peuvent placer le matériel nécessaire sur les tables du local avant que les enfants arrivent. D'autres éducatrices organisent leurs activités en groupe d'appartenance après la période de réflexion. Le matin, avant l'arrivée des enfants, elles préparent le matériel nécessaire pour les activités en groupe d'appartenance dans des sacs individuels, des boîtes ou des paniers qu'elles rangent près du lieu de réunion du groupe d'appartenance, de façon à pouvoir les distribuer rapidement au début de la période d'activités. D'autres éducatrices, enfin, profitent de leur période de planification quotidienne pour préparer leur matériel pour le lendemain.

8.3.5 Démarrer l'activité du groupe d'appartenance – le début de l'activité

Les enfants arrivent au lieu de rencontre de leur groupe d'appartenance avec beaucoup d'entrain pour commencer l'activité. Voici deux stratégies à utiliser pour réduire le plus possible la période d'attente.

A. Distribuer le matériel dès l'arrivée des enfants

Souvent, les éducatrices commencent les activités en groupe d'appartenance en distribuant tout simplement le matériel aux enfants au fur et à mesure qu'ils arrivent au lieu de rencontre de leur groupe. Lorsqu'on leur offre une pile de blocs, des crayons feutre et du papier ou un chapeau rempli de petits animaux en plastique, les enfants se mettent généralement à construire, à dessiner ou à jouer sans qu'on ait besoin de leur dire quoi faire.

B. Présenter l'activité brièvement

Vous voudrez parfois proposer un défi particulier aux enfants au début de la période d'activités en groupe d'appartenance. Assurez-vous alors que votre présentation soit brève: «Que pouvez-vous faire avec des rubans, de la colle et du papier?» Par exemple, pour commencer la période en groupe d'appartenance, une éducatrice tient un chapeau rempli d'animaux en plastique et elle fait cette brève présentation:

> Aujourd'hui, nous avons des animaux qui sautent dans des chapeaux et qui bondissent pour en ressortir. Nous allons aussi essayer un nouveau cédérom sur l'ordinateur: vous y verrez des chapeaux magiques dans lesquels il y a des animaux. Ils sautent dans les chapeaux et ils bondissent pour en ressortir.

Elle donne alors un chapeau rempli d'animaux à chaque enfant.

8.3.6 Soutenir les projets des enfants et valoriser leur utilisation du matériel – le cœur de l'activité

Une fois que les enfants ont leur matériel et qu'ils se sont engagés dans l'activité, qu'ils soient occupés à découper du papier, à empiler des blocs, à remplir et à vider des bouteilles, à couper et à goûter un ananas ou à frapper sur des clous pour les enfoncer dans du bois mou, les éducatrices ont la responsabilité de soutenir et de valoriser leurs efforts. Les stratégies suivantes peuvent vous aider à accomplir cette tâche importante.

A. Se placer au niveau des enfants

Si les enfants sont assis sur le sol, assoyez-vous avec eux. S'ils sont agenouillés autour d'une grande feuille de papier brun, agenouillez-vous avec eux. S'ils marchent au pas dans un défilé, marchez au pas avec eux. En vous plaçant à la hauteur des enfants, vous aurez une meilleure idée de ce qu'ils voient et de ce qu'ils expérimentent et, en outre, vous serez plus accessible pour jouer et pour parler avec eux.

B. Observer l'utilisation que font les enfants du matériel

En observant la façon dont les enfants utilisent le matériel, vous pourrez connaître leur interprétation du défi initial que vous leur avez proposé. Dans l'exemple suivant, les enfants ont tous le même matériel; pourtant, ils l'utilisent différemment: France remplit tout son tableau troué avec des chevilles de bois, Katherine forme un motif, Julie compte ses chevilles et Charles tente de trouver un moyen pour emboîter les chevilles les unes dans les autres afin d'en faire une tour.

Les éducatrices observent diverses réponses au problème ou à la situation de départ qu'elles ont proposé aux enfants de leur groupe. Par exemple, Mireille regarde la façon dont les autres enfants procèdent avant de commencer à utiliser sa peinture à l'eau, tandis qu'Alex recouvre spontanément sa feuille de papier de vert et de bleu et que Julie mélange des couleurs pour faire de la «soupe aux pois». En trouvant des solutions personnelles aux situations qui leur sont présentées, les enfants réalisent des expériences clés que les éducatrices peuvent observer: Audrey compte le nombre de pas qu'elle réussit à faire avec ses échasses (*compter des objets*, du domaine ***les nombres***), Sarah parle du bruit que font les échasses (*explorer et reconnaître des sons*, du domaine ***la musique***) et Alex remplit les boîtes de conserve de ses échasses avec du gravier (*remplir et vider*, du domaine ***l'espace***). En utilisant les informations qu'elles recueillent lors de telles observations, les éducatrices peuvent concevoir des interventions pertinentes pour soutenir adéquatement le développement de chaque enfant.

C. Écouter les propos des enfants

En écoutant attentivement les enfants, les éducatrices découvrent ce qui les intéresse et ce qu'ils pensent: «Le mien devient orange!» «Je vais garder le mien dans la teinture longtemps.» «Comment fais-tu pour rester sur le dessus de la boîte de conserve?» Leurs propos vous fournissent des indices sur la signification qu'ils attribuent à l'expérience que vous leur avez proposée, sur l'importance que revêt le défi qu'ils ont relevé et sur les sentiments qu'ils ont éprouvés au cours de l'activité : tout cela s'exprime dans leurs conversations.

D. Se déplacer d'un enfant à l'autre de façon que chaque enfant reçoive de l'attention

Même avec un très petit groupe d'enfants, il est difficile de répondre aux besoins de tous en même temps. En se déplaçant d'un enfant à l'autre, l'éducatrice peut observer et écouter chaque enfant. Par ses déplacements, elle montre aux enfants qu'elle est disponible s'ils ont besoin d'elle. Comme l'éducatrice bouge et se déplace, elle manifeste sa volonté de tenir compte de chaque enfant, et les enfants peuvent se concentrer sur leur travail sans se préoccuper d'attirer son attention : ils savent que leur tour viendra et que l'éducatrice sera disponible s'ils ont besoin d'aide.

E. Imiter les gestes des enfants

Souvent, durant les périodes en groupe d'appartenance, l'attention intense des enfants pour le matériel exige toute leur énergie, et ils cessent de parler pour agir. À ces moments, les éducatrices peuvent souhaiter participer aux activités des enfants et soutenir leur travail en utilisant le même matériel qu'eux et en imitant leurs façons de faire. L'imitation permet aux éducatrices de devenir des partenaires des enfants, car elles participent à leurs projets sans intervenir pour en modifier substantiellement le cours.

F. Parler avec les enfants en les laissant diriger la conversation

Lorsque les enfants sont prêts à parler, laissez-les diriger la conversation ; de cette façon, vous adoptez leur niveau de compréhension et vous découvrez leurs préoccupations.

> KATHERINE. – Le mien devient vert, Nicole !
> L'ÉDUCATRICE. – Ça devient vert...
> KATHERINE. – Ça se répand. (Elle regarde sous sa tasse.)
> L'ÉDUCATRICE. – Je vois le vert se répandre dans la tasse.
> KATHERINE. – C'est vraiment, vraiment vert. Même au fond.

G. Encourager les enfants à agir de façon autonome

Les enfants apprennent de ce qu'ils font par eux-mêmes. Alors, plus vous les laisserez agir par eux-mêmes, plus ils auront d'occasions pour apprendre et pour faire confiance à leurs compétences. Lorsque les enfants ont renversé leur teinture pour colorer leurs œufs, Nicole leur a tendu du papier essuie-tout. Ils ont tout naturellement ramassé leur dégât et ils ont poursuivi leur travail. Leur expérience les a amenés à sympathiser avec d'autres enfants qui renversaient leur teinture par la suite : « Exactement ce qui m'est arrivé ! » Lorsque Katherine a eu de la teinture sur les doigts, elle est allée au lavabo, elle a lavé ses mains, puis elle est retournée teindre un autre œuf.

Les éducatrices aimeraient parfois faire des choses pour aider les enfants durant les périodes en groupe d'appartenance. Pourtant, elles soutiendront plus efficacement leurs possibilités de réussite si elles leur permettent d'être autonomes le plus souvent possible, en intervenant le moins possible et en leur laissant le plus de latitude possible pour agir par eux-mêmes.

H. Suggérer aux enfants de s'adresser les uns aux autres afin qu'ils s'entraident

En suggérant aux enfants de s'adresser les uns aux autres, vous leur apprenez que leurs pairs sont des personnes-ressources sur lesquelles ils peuvent compter. Les interactions entre les enfants d'un groupe d'appartenance, comme dans l'exemple ci-dessous, peuvent renforcer leur confiance en soi et la coopération entre les pairs.

> VINCENT. – Nicole, j'ai besoin d'une autre couleur.
> L'ÉDUCATRICE. – Catherine et Charles ont échangé leurs couleurs. Peut-être que quelqu'un va vouloir en échanger une avec toi.
> VINCENT. – Amélie, est-ce que je peux utiliser tes couleurs ? (Amélie et Vincent échangent leurs couleurs.)

I. Poser peu de questions

En règle générale, les questions les plus pertinentes sont celles que les enfants se posent à eux-mêmes: « Est-ce que le vert va réellement jusqu'au fond ? » Catherine se le demande après avoir laissé tomber sa pastille de couleur dans le vinaigre. Lorsque vous êtes la personne qui pose les questions en groupe d'appartenance, soyez certaine qu'elles sont en relation directe avec la conversation entamée par l'enfant et avec ce qu'il fait ou pense. Seules des questions qui permettent d'éclaircir le processus de pensée de l'enfant sont utiles.

> NATHANIEL. – Il faut que je garde le mien dedans pour longtemps.
> L'ÉDUCATRICE. – Qu'est-ce qui va arriver dans longtemps ?
> NATHANIEL. – L'œuf va attraper plus de couleur partout.
> L'ÉDUCATRICE. – Oh... l'œuf attrape la couleur.
> NATHANIEL. – Oui, si tu le mets dans la teinture juste un petit bout de temps, il y en a juste un petit bout qui devient coloré.

8.3.7 Mettre un terme à la période en groupe d'appartenance – la fin de l'activité

Les éducatrices s'efforcent de terminer la période en groupe d'appartenance sans bousculer les enfants, d'une part, ni les obliger à poursuivre une tâche pour laquelle ils n'ont plus d'intérêt, d'autre part. Le principe qui consiste à respecter le rythme de chaque enfant est ici déterminant. Voici des stratégies qui peuvent vous aider à mettre fin harmonieusement à l'activité du groupe d'appartenance.

A. Accepter que les enfants terminent à des moments différents

Dans un milieu qui privilégie l'apprentissage actif, les enfants travaillent à leur propre rythme et ils terminent leur activité en groupe d'appartenance à des moments différents les uns des autres. Par exemple, même si tous les enfants du groupe de Nicole ont reçu leurs œufs et le matériel pour les teindre en même temps, Catherine a terminé la première. Elle est restée avec les autres enfants du groupe, elle a rangé son matériel et elle a aidé Éliane à nettoyer sa place. Nathaniel, par contre, était en train de colorer son dernier œuf au moment où les autres enfants disposaient leurs œufs dans leurs paniers. Nicole a alors commencé la période de planification avec les enfants qui avaient terminé. Elle a laissé Nathaniel continuer son travail et il a été le dernier à planifier sa période d'ateliers libres.

Dans un autre service de garde, la période de rassemblement en grand groupe fait suite à la période en groupe d'appartenance. Les enfants entament l'activité de rassemblement un par un, au fur et à mesure qu'ils terminent l'activité en groupe d'appartenance. En fait, une éducatrice commence l'activité de rassemblement dès qu'un petit nombre d'enfants a terminé l'activité proposée aux groupes d'appartenance. Cela permet aux enfants qui terminent les premiers de rester actifs, tandis que ceux qui ont besoin de plus de temps pour terminer leur projet ne sont pas bousculés.

Dans tous les cas, l'organisation de votre horaire doit prévoir que le rythme et l'attention des enfants diffèrent d'un enfant à l'autre et d'une activité à l'autre. L'agencement des périodes d'activités et des périodes de transition doit donc permettre aux enfants qui terminent les premiers de rester actifs, d'une part, et à ceux qui ont besoin de plus de temps de pouvoir en avoir, d'autre part.

B. Avertir les enfants à l'avance de la fin de la période d'activités

Dans certains cas, les activités en groupe d'appartenance doivent se terminer à un moment précis. Dans ces circonstances, avertir les enfants à l'avance que l'activité devra prendre fin dans quelques minutes et qu'on devra ranger le matériel est profitable. Cet avertissement permet aux enfants d'être informés qu'ils devront peut-être laisser leur travail avant de l'avoir terminé. Cela leur donne aussi la possibilité de modifier leur projet en conséquence de façon à être satisfaits avant de le mettre de côté.

C. Soutenir les observations et les conclusions des enfants

Les enfants aiment souvent partager les résultats de leur travail ou leurs observations au sujet de leur activité. C'est ce qui s'est produit dans le groupe de

Nicole lors de l'activité de teinture des œufs. Les enfants se sont regroupés près de la fenêtre où ils avaient rangé les paniers dans lesquels étaient disposés leurs œufs sur de la paille ; ils discutaient ensemble et ils échangeaient leurs commentaires sur leurs œufs et sur leurs paniers. Nicole s'est jointe à eux pour participer à la conversation et pour permettre à tous les enfants qui le désiraient de s'exprimer et de montrer leur réalisation aux autres.

D. Rappeler aux enfants que le matériel sera disponible durant les ateliers libres

Il est important de rappeler aux enfants que le matériel sera disponible durant la période d'ateliers libres. Ils peuvent alors incorporer des idées qu'ils ont eues durant la période en groupe d'appartenance à leurs jeux en ateliers libres. Ils pourront aussi utiliser le matériel pour leurs jeux à d'autres moments de la journée. Il est rassurant pour les enfants qui n'ont pas terminé leur projet de savoir qu'ils pourront retravailler avec le même matériel durant la période d'ateliers libres ou au cours des jeux extérieurs. Les enfants peuvent également faire des suggestions pour déterminer l'endroit où ranger le nouveau matériel et même pour fabriquer les étiquettes qui permettront de l'identifier.

E. Demander aux enfants de ranger le matériel

Au fur et à mesure que les enfants terminent, demandez-leur de ranger le matériel qu'ils ont utilisé. Ayez une poubelle à portée de la main pour

TABLEAU RÉCAPITULATIF

Soutenir les enfants au cours des activités en groupe d'appartenance

Réviser ses principes pédagogiques

Former des groupes d'appartenance équilibrés

Planifier à l'avance les expériences d'apprentissage du groupe d'appartenance :
- à partir des champs d'intérêt des enfants ;
- à partir d'un matériel inhabituel ou inexploré ;
- en fonction des expériences clés ;
- à partir de traditions ou d'événements locaux.

Organiser les activités du groupe d'appartenance avant l'arrivée des enfants
- Rassembler le matériel nécessaire pour chaque enfant.
- Placer le matériel à portée de la main.

Démarrer l'activité du groupe d'appartenance – le début de l'activité
- Distribuer le matériel dès l'arrivée des enfants.
- Présenter l'activité brièvement.

Soutenir les projets des enfants et valoriser leur utilisation du matériel – le cœur de l'activité
- Se placer au niveau des enfants.
- Observer l'utilisation que font les enfants du matériel.
- Écouter les propos des enfants.
- Se déplacer d'un enfant à l'autre de façon que chaque enfant reçoive de l'attention.
- Imiter les gestes des enfants.
- Parler avec les enfants en les laissant diriger la conversation.
- Encourager les enfants à agir de façon autonome.
- Suggérer aux enfants de s'adresser les uns aux autres afin qu'ils s'entraident.
- Poser peu de questions.

Mettre un terme à la période en groupe d'appartenance – la fin de l'activité
- Accepter que les enfants terminent à des moments différents.
- Avertir les enfants à l'avance de la fin de la période d'activités.
- Soutenir les observations et les conclusions des enfants.
- Rappeler aux enfants que le matériel sera disponible durant les ateliers libres.
- Demander aux enfants de ranger le matériel.
- Prévoir des suites possibles.

jeter le matériel non récupérable, une boîte pour les retailles de papier récupérables, un seau pour vider les contenants de liquide, un panier pour les ciseaux ou tout autre matériel du même genre. Des éponges et des guenilles pour essuyer les tables, un balai et un ramasse-poussière pour nettoyer le plancher font partie des outils nécessaires pour effectuer l'« opération nettoyage ».

F. Prévoir des suites possibles

À la fin d'une période d'activités en groupe d'appartenance, l'éducatrice prend soin de noter les idées qui lui viennent afin de permettre aux enfants de poursuivre leurs projets. Ainsi, elle pourra noter le matériel qui pourrait être ajouté dans un coin d'activités ou les suggestions des enfants pour réaliser une variante de l'activité qui se termine ; elle pourra inscrire dans son carnet de bord de chercher une comptine ou un livre sur un sujet qui intéresse les enfants ; elle pourra aussi planifier une exposition des œuvres des enfants ou un échange de cartes avec un autre groupe d'enfants du service de garde ou de l'école. Ce qui est important, c'est de trouver des moyens appropriés pour conserver les idées des enfants et de l'éducatrice afin de les exploiter plus tard au cours de la journée ou encore dans les jours suivants. Lors de la planification, ces notes seront une source d'inspiration utile.

8.4 Comprendre l'utilité des périodes de rassemblement

Les rassemblements sont des périodes où tous les enfants sous la responsabilité des éducatrices d'une même cellule de soutien mutuel se réunissent pour partager des informations importantes et pour participer à des activités qui peuvent être faites en grand groupe. Généralement, on organise un rassemblement au début de la journée de façon que les éducatrices puissent faire part des nouvelles importantes à tous les enfants. Pour illustrer la dynamique des rassemblements, nous allons décrire un rassemblement tel qu'il pourrait se dérouler dans un milieu qui applique l'approche de l'apprentissage actif.

8.4.1 L'échange d'informations

C'est le début de la journée. Deux éducatrices, Laurence et Suzanne, se rassemblent au milieu du coin des jeux de table et des jouets avec 16 enfants. Ensemble, ils « lisent » les messages du jour qui sont « écrits » sur le tableau des messages, suspendu au mur suffisamment bas pour que tous les enfants puissent y avoir accès et bien voir.

Le premier message entraîne une discussion au sujet d'un gentil chat du voisinage que les enfants voient souvent quand ils sortent dans la cour. Hier, les enfants ont demandé d'amener le chat dans la garderie avec eux. Laurence leur a alors promis de parler avec leur voisine, la « mère du chat ».

> Nous ne pouvons pas faire entrer le chat dans la garderie, dit Laurence, parce que si nous le faisons, il ne voudra plus retourner dans sa maison, le soir, pour aller manger. Mais notre voisine dit que nous pouvons jouer avec lui lorsque nous sommes dehors.

Ensuite, le groupe parle durant quelques minutes de Nicole, une éducatrice qui est en congé. Ils comptent le nombre de ballons qui restent sur le mur : un pour chaque jour où Nicole est absente. Puis, Hélène crève le ballon pour la journée d'aujourd'hui. Avant qu'elle le fasse, cependant, plusieurs enfants font remarquer que ça va faire un gros bruit. « Je vais boucher mes oreilles ! »

s'exclame un enfant. Un autre réplique: « Pas moi! Ce n'est pas si fort pour moi. »

Le troisième message sur le tableau, écrit et lu par Maxime, un enfant du groupe, amène une brève discussion sur le fait que c'est Suzanne qui remplace Nicole pendant que celle-ci est en vacances.

Le dernier message sur le tableau attire l'attention des 16 enfants sur Laurence, qui tient l'appareil photo que les enfants ont utilisé durant les ateliers libres au cours des derniers jours. Laurence leur dit qu'elle a remplacé les piles de l'appareil photo. « Alors maintenant, lorsque vous pesez sur le bouton, le flash s'allume » dit-elle. Elle pèse sur le bouton pour prouver ses dires. « Est-ce qu'il prend des photos pour vrai maintenant? demande un enfant.
– Non, le film reste encore coincé, lui répond Laurence.
– Mais on peut faire semblant de prendre des photos pour vrai », dit Charlotte.

Laurence acquiesce, et tous les enfants s'exclament à l'unisson qu'ils veulent utiliser l'appareil photo durant la période d'ateliers libres. « Que pouvons-nous faire pour que tout le monde ait son tour? » demande Laurence. Plusieurs enfants comprennent qu'il va falloir imaginer une méthode pour que chacun ait son tour. Après quelques minutes de discussion, le groupe arrive à un consensus sur la méthode à utiliser. On dressera une liste des enfants qui veulent utiliser l'appareil photo et on utilisera une minuterie pour mesurer le temps dont disposera chaque enfant. Au cours de cette discussion, les enfants sont restés agglutinés autour de Laurence, s'approchant le plus près possible et se concentrant sur l'appareil photo qui suscite évidemment beaucoup d'intérêt pour eux. Une fois que le problème de l'utilisation de l'appareil photo est résolu et que la liste de noms est dressée, Laurence demande à Benoît de suggérer la façon de se rendre au lieu de réunion du groupe d'appartenance. « Pop! » dit-il en sautant comme un maïs soufflé. Et tous les enfants « poppent » jusqu'au lieu de réunion de leur groupe d'appartenance.

Les adultes et les enfants se réunissent en grand groupe à d'autres moments de la journée pour chanter et pour bouger ensemble. Les éducatrices profitent fréquemment de ces moments pour faire des activités musicales au cours desquelles elles miment les paroles des chansons et intègrent toutes les suggestions des enfants.

8.4.2 Que sont les rassemblements?

Depuis des temps immémoriaux, les peuples de toutes les cultures se sont regroupés autour d'un feu ou devant l'âtre pour chanter, pour danser, pour raconter des histoires et pour échanger des nouvelles. C'est dans cet esprit que les enfants et les adultes d'un service de garde se rassemblent: pour partager des expériences, pour échanger des informations importantes, pour le plaisir de faire des choses ensemble et pour développer leur sentiment d'appartenance à une communauté.

A. Un regroupement d'adultes et d'enfants

Les périodes en grand groupe rassemblent toutes les éducatrices d'une cellule de soutien mutuel et tous les enfants dont elles sont responsables. Ils participent tous ensemble, en général pour des périodes d'environ 10 minutes, à une activité: chanter, danser, bouger, raconter des histoires ou discuter brièvement d'un sujet qui intéresse tous les enfants.

B. L'apprentissage actif dans un environnement communautaire

Au cours des périodes de rassemblement, les enfants participent activement en manipulant du matériel tel que des accessoires pour raconter une histoire, des instruments de musique, des ballons ou des foulards; ou encore ils font bouger leur corps de multiples façons. Les enfants font aussi des choix: ils décident de la façon dont ils vont utiliser leur instrument de musique, de la façon dont ils vont bouger avec leur foulard, de la façon dont ils vont se transformer en un animal imaginaire; ils choisissent une chanson à fredonner et ils déterminent la façon dont ils vont transformer les paroles. Ils parlent de leurs idées, ils font part de leurs observations et ils reçoivent le soutien des éducatrices lorsqu'ils prennent des initiatives.

C. Le partage d'expériences agréables

Les éducatrices planifient et amorcent des expériences de rassemblement qui permettent aux enfants d'être actifs plutôt que passifs; elles vont

S'il fait beau et chaud, les éducatrices et les enfants aiment bien les rassemblements qui se déroulent dans la cour.

rapidement d'une activité à l'autre ; elles font des présentations plutôt brèves que longues ; elles reçoivent positivement les suggestions des enfants et elles valorisent leurs initiatives. En règle générale, les expériences d'apprentissage qui ont lieu au cours des rassemblements se définissent comme des moments agréables où les enfants chantent et font de la musique, où ils bougent et dansent, où ils racontent des histoires et les mettent en scène, où ils participent à des jeux coopératifs et réalisent des projets, où ils « lisent » et discutent des messages qui se trouvent sur le tableau d'affichage. Voici quelques exemples de ces expériences.

- Laurence, une éducatrice, raconte une histoire, *Les mitaines*, qui parle de personnages qui vivent dans la forêt et qui se réfugient à l'intérieur d'une mitaine pour rester au chaud durant l'hiver. Un grand sac de couchage rouge représente la mitaine. Les enfants y entrent en prétendant être la souris, l'écureuil, le lapin, le renard et l'ours de l'histoire. À la fin de l'histoire, tous les enfants sortent du sac de couchage au moment où les coutures de la mitaine se rompent...

- Consciente de l'intérêt des enfants pour les nombres, Nicole, une éducatrice, propose un jeu de doigts en entonnant la comptine *Cinq petits singes assis sur un lit.* Tous les enfants récitent le premier couplet : « Cinq petits singes sautent sur le lit. Le premier est tombé et il s'est assommé. Le docteur est venu et voici ce qu'il dit : "Plus de petits singes qui sautent sur le lit ! "» Avant de poursuivre avec le couplet suivant, Nicole demande aux enfants : « Combien de petits singes cette fois ?
  – Plusieurs, dit Hélène.
  – Et qu'est-ce que plusieurs petits singes font ? demande Nicole.
  – Ils grimpent dans un arbre », suggère André.

Le couplet suivant se chante ainsi : « Plusieurs petits singes grimpent dans un arbre. Le premier est tombé et il s'est assommé. Le docteur est venu et voici ce qu'il dit : "Plus jamais de petits singes qui grimpent dans un arbre." » Le jeu continue avec « Sept petits singes qui font de la soupe au maïs soufflé », « Deux petits singes qui jouent dans la boue » et « Vingt-sept petits singes qui frappent à la porte ». Les enfants utilisent leurs doigts pour exprimer leur conception de « plusieurs », « sept », « deux » et « vingt-sept » ; ils font aussi des gestes pour mimer les actions des petits singes : « grimper dans un arbre », « faire de la soupe », « jouer dans la boue » et « frapper à la porte ».

8.4.3 Pourquoi les rassemblements sont-ils importants ?

Les rassemblements réunissent les éducatrices et les enfants pour de brèves périodes. Ils échangent alors des informations et ils font des activités en groupe. Ce genre d'expérience permet de développer chez les enfants le sentiment d'appartenir à un groupe, le sentiment du « nous ».

A. Un répertoire d'expériences communes

Au cours des autres périodes de la journée, les enfants s'inspirent souvent des expériences qu'ils ont vécues durant les périodes de rassemblement. Par exemple, alors qu'ils se balancent dans la cour, Julie et André chantent « Je m'en vais au marché, mon petit panier sous mon bras » ; ils changent certaines paroles pour créer leur propre version : « Je m'en vais à la garderie, mon petit sac sous mon bras ». « Écoutez ce que je chante, moi ! dit Janick en s'approchant de Julie et d'André : « Je m'en vais à la maison, mon petit papa sous mon bras. » Chanter ensemble en se balançant constitue une expérience tout à fait naturelle pour ces enfants parce qu'ils ont tous appris la même chanson et l'ont chantée à plusieurs reprises au cours des périodes en grand groupe. De plus, les éducatrices les ont habitués à improviser et à accepter les versions des autres enfants, qu'elles soient farfelues, originales ou inattendues. Ils se sentent bien en chantant ensemble ; ils intègrent facilement un nouvel enfant à leur groupe et ils acceptent les variantes que ce dernier apporte à la chanson.

B. L'esprit communautaire

Les rassemblements réunissent brièvement tous les participants, soit pour regarder un appareil photo, pour essayer de bouger différemment, pour chanter une chanson favorite ou pour mimer une histoire. Le message sous-jacent au cours de cette période de la journée est l'unité et la camaraderie : les enfants chantent, dansent, font semblant et parlent avec les personnes présentes. Lorsque la journée commence ou se termine par une période de rassemblement, les parents sont invités à participer : les enfants peuvent alors se blottir dans leurs bras. Le souhait de tous les enfants d'âge préscolaire, au moment du conte, n'est-il pas qu'il y ait une paire de bras pour les accueillir ?

C. L'appartenance au groupe et le leadership

Au cours des rassemblements, il arrive souvent qu'un enfant s'exclame « J'ai une idée ! » et qu'ensuite cet enfant assume le leadership du groupe pour changer les paroles d'une chanson, pour proposer une nouvelle façon de bouger, pour ajouter des détails à une histoire ou pour modifier les règles d'un jeu. Parfois, les éducatrices facilitent ce processus avec des commentaires tels que « Nous allons essayer l'idée de James, puis celle d'Érica, et ensuite celle de Thierry ». Comme les enfants ont plusieurs occasions de contribuer aux activités des rassemblements, ils acceptent facilement d'attendre leur tour pour présenter leurs idées et ils sont enthousiastes pour essayer les idées des autres. Lors des rassemblements, les enfants peuvent régulièrement expérimenter le rôle de bon **participant** de même que celui de **leader** du groupe.

D. La résolution de problèmes en groupe

Quelquefois, les enfants fournissent tellement d'idées pour apporter des variantes à une chanson que le temps ne permet pas de les essayer toutes. Dans de telles occasions, des éducatrices peuvent questionner les enfants de la façon suivante : « Trois enfants ont proposé des variantes pour notre chanson. Malheureusement, nous n'avons que le temps d'en essayer une. Qu'est-ce qu'on devrait faire ? » Un enfant peut répondre : « Je sais. Je vais fermer mes yeux et choisir. » Les rassemblements procurent plusieurs occasions de ce genre où les éducatrices et les enfants d'âge préscolaire résolvent ensemble des situations problématiques.

8.4.4 Où les rassemblements se déroulent-ils ?

Les rassemblements demandent un lieu suffisamment polyvalent pour favoriser les ébats des enfants d'une part, et une quiète intimité d'autre part. L'environnement doit être assez riche pour permettre aux enfants de réaliser leurs idées lorsqu'ils veulent mettre en scène une histoire, par exemple. Par ailleurs, il doit aussi fournir la possibilité d'exécuter les suggestions des enfants lorsqu'ils veulent faire de grands mouvements ou s'étendre de tout leur long.

A. Un lieu spacieux

Les rassemblements ont souvent lieu dans le coin d'activités le plus spacieux. Pour avoir suffisamment d'espace, vous devrez peut-être déplacer une étagère ou une table. Par exemple, dans un service de garde, le coin des blocs était utilisé pour les rassemblements. Lors d'un réaménagement, on a ajouté un coin de la musique à une des extrémités du coin des blocs. Les éducatrices ont alors dû transporter tous les jours l'étagère qui séparait les deux coins au moment des rassemblements : cela leur permettait d'avoir assez d'espace pour que tous les enfants puissent bouger librement. N'oubliez pas que, pendant la saison chaude, les rassemblements peuvent se dérouler à l'extérieur, sous un arbre ou sur un balcon.

B. L'organisation et la forme du groupe peuvent varier

Certains jeux qui se déroulent au cours des rassemblements demandent que les enfants soient regroupés en cercle. D'autres activités confinent les enfants sur des tapis individuels ou à l'intérieur d'un cerceau, ou encore elles nécessitent que les enfants bougent dans tout l'espace disponible. Lorsque les enfants mettent en scène des histoires, ils sont heureux de pouvoir construire une scène avec des blocs et de pouvoir jouer leur rôle sur cette scène. Pour connaître des nouvelles importantes, les enfants se rapprochent autant que possible de la personne qui les informe ou de l'objet qui attire leur

TABLEAU RÉCAPITULATIF

Les rassemblements en grand groupe

Qu'est-ce qu'une période de rassemblement ?

Il s'agit d'une période où :

- les éducatrices et les enfants se retrouvent tous ensemble ;
- l'apprentissage actif s'effectue dans un environnement communautaire ;
- les éducatrices et les enfants partagent des expériences agréables ;
- les éducatrices et les enfants échangent des informations.

Pourquoi les rassemblements sont-ils importants ?

Ils permettent de :

- constituer un répertoire d'expériences communes ;
- développer l'esprit communautaire ;
- développer le sentiment d'appartenance au groupe et le leadership ;
- susciter des expériences de résolution de problèmes en groupe.

Où les rassemblements se déroulent-ils ?

- Ils se déroulent dans un lieu spacieux.
- L'organisation et la forme du groupe peuvent varier.

attention. Plutôt que de toujours s'attendre à ce que les enfants s'assoient en cercle lors des rassemblements, les éducatrices qui favorisent l'apprentissage actif comprennent et acceptent que les positions que les enfants adoptent varient selon la nature des activités ou selon l'objet de leur attention.

8.4.5 Que font les enfants au cours des rassemblements ?

Les actions et les suggestions des enfants jouent un rôle déterminant pour définir le contenu et le déroulement des périodes de rassemblement.

A. Les enfants participent activement

Au cours des rassemblements en grand groupe, tout comme durant les autres périodes de la journée, les enfants utilisent à la fois le matériel et leur corps de façon créative. Par exemple, ils marchent au pas, ils tombent sur le sol, ils font onduler des serpentins ou sautent par-dessus, ils inventent une danse pour imiter l'éclosion du maïs soufflé, ils alignent des blocs pour construire une scène, ils secouent un tambourin et le frappent sur différentes parties de leur corps, et ils se transforment en chats pour mimer l'histoire des trois petits chats qui ont perdu leurs mitaines. Ils exercent leur capacité de faire des choix en déterminant la façon dont ils vont bouger, la chanson qu'ils vont chanter, les instruments dont ils vont jouer en premier, le jeu auquel ils vont participer et la personne près de laquelle ils vont s'asseoir. Au cours du déroulement de l'activité, ils donnent leurs opinions et font part de leurs observations.

> L'ÉDUCATRICE. – (racontant une histoire) Et il a pleuré, pleuré, pleuré.
> NADINE. – Ouahhhh... Ouahhhh...
> CHARLES. – Non, non, il pleurait comme ça : Wiiiin... Wiiiin...
> BRUNO. – Peut-être qu'il pleurait comme ça : Sniff, sniff !
> NADINE. – Ou encore comme ça : maaaaa... maaaaa... s'il voulait voir sa maman.

Au cours de ces périodes, les enfants racontent aussi leurs propres histoires et inventent leurs propres chansons.

B. Les enfants apportent des suggestions, partagent des idées et imaginent des solutions

Au cours des rassemblements en grand groupe, les enfants entreprennent leurs propres projets : « Nous sommes des géants », affirment-ils. Ou encore : « Chantons la chanson des singes. » Ils font des suggestions aux autres : « J'ai une idée. Tape sur ton nez. » Ou : « Je pense que les cloches devraient jouer toutes seules. » Ils proposent aussi des solutions ; par exemple, dans un jeu musical, des enfants discutaient de la « propriété » des morceaux de tapis qui leur avaient été attribués au départ :

> Je sais ce qu'on va faire. Si tu veux toujours revenir sur ton carré, t'as juste à le dire à tout le monde et ils n'iront pas sur ton carré. Mais nous, on peut changer de carrés parce qu'on aime ça aller sur des carrés différents.

Dans un milieu où l'apprentissage actif est valorisé, les enfants autant que les adultes déterminent le déroulement des activités.

8.5 Soutenir les enfants au cours des rassemblements

Le rôle des éducatrices, au cours des périodes de rassemblement, est semblable à celui qu'elles assument durant les périodes en groupe d'appartenance. Les éducatrices proposent des expériences d'apprentissage et elles soutiennent les initiatives des enfants. Les stratégies suivantes les aident à bien s'acquitter de leur tâche :

- Réviser les principes pédagogiques auxquels elles adhèrent.
- Planifier à l'avance les expériences d'apprentissage des périodes de rassemblement.
- Organiser les activités des périodes de rassemblement avant l'arrivée des enfants.
- Utiliser des déclencheurs (simples et courts) pour commencer l'activité – le début de l'activité.
- Accepter les suggestions des enfants et soutenir leurs initiatives – le cœur de l'activité.
- Mettre un terme à la période de rassemblement – la fin de l'activité.

8.5.1 Réviser ses principes pédagogiques

Les éducatrices qui évoluent dans un milieu où l'on favorise l'apprentissage actif conçoivent les périodes de rassemblement en grand groupe comme des occasions privilégiées de réunir tous les enfants du groupe pour partager des expériences d'apprentissage communes. Au cours de ces périodes, elles soutiennent la démarche individuelle de chaque enfant et elles approfondissent les objectifs visés par les expériences d'apprentissage qui se sont déroulées en groupe d'appartenance. Les éducatrices recherchent des expériences d'apprentissage qui intéressent vraiment les enfants et elles les organisent de telle sorte que les enfants puissent influencer leur déroulement de façon significative.

Pour l'éducatrice qui adopte une approche centrée sur l'apprentissage actif, les périodes de rassemblement ne sont surtout pas des moments où elle devient le centre de l'attention, « le chef d'orchestre » qui lit une histoire, qui mène la discussion ou qui dirige l'activité. Cette conception de l'éducatrice qui est la seule à détenir le pouvoir n'est pas compatible avec celle de l'apprentissage actif.

Les éducatrices qui croient aux vertus de l'apprentissage actif pour stimuler le développement global des enfants ont des attentes réalistes par rapport aux comportements et aux motivations des enfants. Elles comprennent que ces derniers ont besoin de communiquer et de bouger au cours des rassemblements, et que ceux-ci devraient donc leur permettre de bouger énergiquement et de parler beaucoup. Comme elles sont convaincues qu'elles ont le devoir de créer des occasions pour que les enfants participent activement à la détermination de leurs expériences d'apprentissage, les éducatrices qui utilisent l'apprentissage actif acceptent le défi de planifier des activités qui soutiennent les initiatives des enfants et qui intègrent leurs suggestions lors des rassemblements.

8.5.2 Planifier à l'avance les expériences d'apprentissage

Même si les enfants contribuent beaucoup au contenu des activités lors des rassemblements en grand groupe, ce sont les éducatrices qui proposent les expériences d'apprentissage à partir d'un plan d'action qu'elles mettent au point en tenant compte d'un ou de plusieurs des facteurs suivants : les champs d'intérêt des enfants, les expériences clés des domaines ***la musique*** et ***le mouvement***, les jeux coopératifs et les projets, ou encore les événements qui sont particulièrement significatifs dans la vie des enfants au moment où les activités sont planifiées.

A. Planifier à partir des champs d'intérêt des enfants

En élaborant les expériences des rassemblements à partir des champs d'intérêt des enfants, les éducatrices s'assurent que les enfants y participeront avec enthousiasme. Par exemple, les membres d'une cellule de soutien mutuel ont observé que quelques enfants de leurs groupes planifiaient souvent de danser avec des foulards durant les périodes d'ateliers libres. Lors de la rencontre de planification quotidienne, une éducatrice a suggéré : « Utilisons les foulards, demain, pour la période de rassemblement de l'après-midi. Je parie que les enfants vont aimer observer l'effet d'ensemble.
– Nous pourrions faire jouer une musique qu'ils ne connaissent pas encore, a ajouté sa collègue. Quelque chose de lent et de vaporeux. Nous demanderons aux enfants de bouger avec les foulards en suivant le rythme de la musique. »

Le lendemain, durant la période de rassemblement, une éducatrice a distribué les foulards en faisant circuler le panier pour que les enfants choisissent le leur. Pendant ce temps, sa collègue a mis la musique et les enfants se sont mis à danser en faisant flotter leurs foulards avec une ou deux mains, en les faisant monter dans les airs « comme un parachute », en les faisant glisser sur leurs bras. Tous les enfants ont bougé doucement au rythme de la musique.

Voici d'autres exemples d'expériences d'apprentissage réalisées lors des rassemblements et dont le point de départ provient des observations faites par des éducatrices sur les champs d'intérêt des enfants de leurs groupes.

- Deux éducatrices ont observé qu'Audrey et Louis se lançaient des sacs de pois. Elles ont donc planifié une expérience d'apprentissage pour la période de rassemblement avec des sacs de pois. Le lendemain, elles ont distribué un sac de pois à chaque paire d'enfants pour qu'ils le lancent et qu'ils l'attrapent : certains enfants se sont tenus très près l'un de l'autre, tandis que d'autres enfants, des lanceurs plus expérimentés, se sont éloignés autant qu'ils le pouvaient.

- Nadine et Jean-Charles avaient de nouvelles petites sœurs à la maison et ils jouaient souvent au bébé durant les ateliers libres. Alors, leurs éducatrices ont planifié une expérience de rassemblement sur ce thème. Elles ont proposé aux enfants de faire semblant d'être de « tout petits bébés qui ne peuvent même pas ramper ». Elles leur ont demandé de se coucher sur le dos et de bouger leurs bras et leurs jambes comme de « tout petits bébés » en suivant le rythme d'une musique douce et, ensuite, en suivant le rythme d'une musique plus rapide.
- Un jour de printemps, deux éducatrices ont observé que leurs enfants aimaient beaucoup jouer au chat et à la souris. Elles ont alors planifié une période de rassemblement à l'extérieur avec « le jeu du chat et de la souris dans l'arbre ». Elles ont établi des règles très simples : lorsque le tambour bat, tout le monde court ; lorsque le son du tambour cesse, tout le monde doit courir vers un arbre pour être en sécurité. Les adultes et les enfants ont à tour de rôle frappé le tambour.

B. Planifier en fonction des expériences clés des domaines *la musique* et *le mouvement*

Plusieurs expériences d'apprentissage, durant les rassemblements en grand groupe, sont conçues par des éducatrices qui font des liens entre les champs d'intérêt des enfants et les expériences clés des domaines ***la musique*** et ***le mouvement.*** (La troisième partie de cet ouvrage décrit les expériences clés.)

Par exemple, un jour, pendant qu'elles travaillent dans le coin des arts plastiques au cours de la période d'ateliers libres, Diane et Corinne chantonnent « Mardi soir à Saint-Dilon, on va danser chez Guy-Guy ». Elles répètent et répètent ce même couplet interminablement.

« Elles semblent apprécier cette mélodie, fait remarquer Laurence à sa collègue Nathalie. Nous devrions essayer de l'utiliser au cours de la période de rassemblement demain.
– Oui, acquiesce Nathalie, on pourrait peut-être faire varier la fin. »

Le lendemain, les deux éducatrices chantent la chanson avec les enfants au cours de la période de rassemblement, et les enfants inventent de nouvelles paroles : « Mardi soir à Saint-Hubert, on va danser chez Marie », « Lundi soir à Montréal, on va manger de la poutine », « Jeudi matin à Saint-Jean, on va voir nos grands-parents ».

Voici d'autres exemples d'expériences d'apprentissage planifiées par les éducatrices pour les rassemblements à partir des expériences clés des domaines ***la musique*** et ***le mouvement.***

- En pensant à deux expériences clés précises, soit *bouger au son de la musique* et *jouer avec des instruments de musique simples* (domaine ***la musique***), deux éducatrices ont planifié une expérience au cours de laquelle les enfants dansaient avec des clochettes aux chevilles et aux poignets. Durant le rassemblement, les enfants ont choisi la façon dont ils voulaient porter leurs clochettes et ils ont dansé au rythme du tambourin joué par une éducatrice. Même si l'éducatrice était prête à céder sa place à un enfant et à utiliser les clochettes de ce dernier si l'occasion se présentait, ce jour-là, tous les enfants ont préféré danser avec leurs clochettes.
- Nicole et Laurence ont planifié une activité pour la période de rassemblement de leurs groupes à partir de l'expérience clé *chanter des chansons* (domaine ***la musique***). Après que les enfants eurent appris quelques chansons et quelques comptines – *Frère Jacques, J'ai deux yeux tant mieux, Au clair de la lune, Trois petits chats, Père Noël, Il était un petit navire,* etc. –, les éducatrices ont fabriqué un jeu de cartes : chaque chanson et chaque comptine étaient représentées par un dessin simple sur un carton recouvert de papier autocollant transparent. Durant la période de rassemblement, elles ont montré chacune des cartes aux enfants et elles leur ont fait « lire » le nom de la chanson que la carte représentait. Ensuite,

Un exemple de planification d'un rassemblement en grand groupe :

L'idée de départ

Les champs d'intérêt des enfants – Diane, Nadine, Stéphane et François ont fait semblant d'être des chevaux, au cours de la période d'ateliers, en marchant à quatre pattes, en hennissant et en ruant.

Le matériel

Aucun matériel précis.

Les expériences clés possibles

Domaine ***la représentation créative et l'imaginaire***: *imiter, faire des jeux de rôles et faire semblant.*

Domaine ***le développement du langage et le processus d'alphabétisation***: *jouer avec les mots; inventer des histoires.*

Domaine ***le mouvement***: *exprimer sa créativité par le mouvement.*

Le début de l'activité

Commencer par une variation de *Rond, rond, macaron*:

« Rond, rond, paillasson,
Mon cheva-al, mon cheva-al,
Rond, rond, paillasson,
Mon cheva-al tourne en rond.
Rond, rond, paillasson,
Mon cheva-al, mon cheva-al,
Rond, rond, paillasson,
Mon cheva-al tourne en rond. »

Demander aux enfants de suggérer des variantes de « tourne en rond ». Chanter et mimer ces variantes.

Le cœur de l'activité

Raconter une histoire simple au sujet des chevaux, au cours de laquelle les enfants peuvent mimer les gestes des chevaux. Pour la présenter, leur dire : « Voici maintenant une histoire au sujet de chevaux qui ressemblent à ceux que nous avons vus courir dans notre ronde. »

« Il était une fois 18 petits chevaux qui avaient couru toute la journée. Alors, ils ont marché lentement jusqu'à leur écurie et ils se sont endormis. Bonne nuit, mes beaux chevaux ! (Faire une pause pour que les enfants fassent semblant de dormir.) Le lendemain matin, les 18 petits chevaux se sont réveillés frais et dispos. Ils ont étiré leurs longues jambes. (Faire une pause pour que les enfants étirent leurs jambes.) Ils ont étiré leur long cou. (Faire une pause pour que les enfants étirent leur cou.) Ils ont brouté de l'herbe toute la journée. (Faire une pause pour que les enfants mangent de l'herbe.) Lorsque la nuit est venue, ils étaient fatigués. Alors, ils ont marché lentement jusqu'à leur écurie et ils se sont endormis. Bonne nuit, mes beaux chevaux ! (Faire une pause pour que les enfants fassent semblant de dormir.)

elles ont retourné les cartes à l'envers et elles ont demandé à un enfant de choisir une carte. Lorsque le groupe eut chanté la chanson représentée par cette carte, un autre enfant a choisi une carte, et ainsi de suite, jusqu'à ce que toutes les cartes aient été utilisées. Par la suite, chaque fois que les enfants apprenaient une nouvelle comptine ou une chanson, ils voulaient fabriquer une nouvelle carte pour l'insérer dans leur jeu. Quand il y eut trop de cartes pour qu'on puisse chanter toutes les chansons au cours d'un seul rassemblement, les enfants ont résolu le problème en adoptant les règles suivantes : les éducatrices leur indiqueraient le nombre de chansons qu'ils avaient le temps de chanter et les enfants pigeraient au hasard le nombre de cartes correspondant.

Deux éducatrices avaient fait plusieurs fois du maïs soufflé avec les enfants de leurs groupes d'appartenance ; les enfants accueillaient toujours cette expérience avec beaucoup d'enthousiasme. En associant cette activité réussie à l'expérience clé *bouger au son de la musique* (domaine ***la musique***), elles ont planifié une activité autour du « maïs soufflé ». « Cette musique ressemble à du maïs qui éclate », dirent-elles en présentant une pièce musicale aux enfants. Les enfants ont alors décidé de mimer les grains de maïs.

Jouer aux chevaux

« Le lendemain matin, les 18 petits chevaux se sont réveillés frais et dispos. Ils ont étiré leurs longues jambes. (Faire une pause pour que les enfants étirent leurs jambes.) Ils ont étiré leur long cou. (Faire une pause pour que les enfants étirent leur cou.) Ils avaient le goût de hennir et de ruer. Alors, ils sont allés dans le pré pour hennir et ruer. (Faire une pause pour que les enfants hennissent et ruent.) Ils ont henni et rué toute la journée. (Faire une pause pour les laisser hennir et ruer.) Lorsque la nuit est venue, ils étaient fatigués. Alors, ils ont marché lentement jusqu'à leur écurie et ils se sont endormis. Bonne nuit, mes beaux chevaux ! (Faire une pause pour que les enfants fassent semblant de dormir.)

« Le lendemain matin, les 18 petits chevaux se sont réveillés frais et dispos. Ils ont étiré leurs longues jambes. (Faire une pause pour que les enfants étirent leurs jambes.) Ils ont étiré leur long cou. (Faire une pause pour que les enfants étirent leur cou.) Ils avaient le goût de... Qu'est-ce qu'ils avaient le goût de faire ? (Écouter les suggestions des enfants.) Alors, ils sont allés dans le pré pour... (Faire une pause pour mimer l'action suggérée par les enfants.) Ils ont... toute la journée. (Faire une pause pour mimer l'action suggérée par les enfants.) Lorsque la nuit est venue, ils étaient fatigués. Alors, ils ont marché lentement jusqu'à leur écurie et ils se sont endormis. Bonne nuit, mes beaux chevaux ! » (Faire une pause pour que les enfants fassent semblant de dormir.)

Répéter le même scénario aussi longtemps que les enfants montrent de l'intérêt et qu'ils font des suggestions.

La fin de l'activité

Terminer l'histoire avec une transition vers les jeux extérieurs.

« Le lendemain matin, les 18 petits chevaux se sont réveillés frais et dispos. Ils ont étiré leurs longues jambes. (Faire une pause pour que les enfants étirent leurs jambes.) Ils ont étiré leur long cou. (Faire une pause pour que les enfants étirent leur cou.) Ils avaient le goût de jouer dehors comme des garçons et des filles. Alors, ils ont trotté jusqu'au vestiaire pour mettre leurs manteaux de garçons et de filles. » (Trotter jusqu'au vestiaire avec les enfants.)

Les suites possibles

1. Continuer d'observer les enfants dans leurs jeux d'imitation des chevaux pour ajouter d'autres séquences à cette histoire.
2. Planifier une sortie dans une ferme de chevaux ou un centre équestre.

« Mets-moi du sel sur moi », a suggéré Hélène avant que l'éducatrice fasse jouer la musique. Les éducatrices saupoudrèrent du sel sur les grains de maïs qui frétillèrent et qui éclatèrent en suivant la musique.

C. Planifier des projets et des jeux coopératifs

Certaines expériences qui se déroulent au cours des rassemblements en grand groupe proviennent de la volonté des éducatrices de promouvoir les jeux coopératifs et les projets. Par exemple, durant les périodes de planification quotidienne de leur cellule de soutien mutuel, les éducatrices Hélène et Sarah ont discuté des histoires que les enfants de leurs groupes racontaient. Elles ont alors décidé de planifier une expérience pour la période de rassemblement autour d'une histoire racontée collectivement.

« J'aimerais commencer avec une histoire simple à laquelle les enfants pourraient ajouter des éléments, dit Hélène. Je me demande cependant comment nous allons faire pour garder les enfants attentifs durant toute l'activité.

– Eh bien, ils aiment les marionnettes ! On pourrait peut-être leur confier à chacun une marionnette, dit Sarah en pensant tout haut. Nous avons suffisamment de marionnettes. Le seul inconvénient,

Les éducatrices ont observé que plusieurs enfants s'intéressaient aux serpentins au cours des activités en ateliers. Elles ont donc planifié une activité avec ce matériel pour le rassemblement. Les enfants ont mis autant de concentration à choisir leur serpentin et à le dérouler qu'à l'utiliser pour danser au son de la musique.

c'est qu'il y aurait 18 personnages différents dans l'histoire!
– Et si on donnait à chaque enfant deux morceaux de tissu qu'il pourrait attacher à ses poignets avec des bandes élastiques et utiliser comme des marionnettes? dit Hélène. Nous pourrions raconter une version très simple du *Petit Chaperon rouge* et distribuer à chaque enfant un morceau de tissu rouge pour le Chaperon rouge et un morceau de tissu gris pour le loup.»

Le lendemain, durant la période de rassemblement, Hélène et Sarah ont mis leur idée à l'épreuve. Il a fallu un certain temps pour que les enfants réussissent à fixer leurs morceaux de tissu avec les bandes élastiques, mais ils ont finalement réussi en s'entraidant. Pendant que Sarah racontait l'histoire, les enfants ont fait marcher leurs marionnettes, ils les ont fait courir et sautiller à travers la forêt, ils les ont fait chanter et cueillir des fleurs, et ils les ont fait parler au loup. «Nos marionnettes ont besoin d'avoir des yeux!» firent remarquer plusieurs enfants. Ils ont donc décidé de leur fabriquer des yeux au cours de la prochaine période d'ateliers libres.

Voici d'autres expériences d'apprentissage réalisées durant les périodes de rassemblement et planifiées dans le but de promouvoir la coopération entre les enfants et la mise sur pied de projets collectifs.

- Hélène et Sarah ont expérimenté une autre façon de raconter collectivement une histoire en utilisant cette fois-ci des instruments de musique. Elles ont inventé des histoires simples avec de nombreux sons différents à imiter: les aboiements d'un chien, les craquements d'un escalier, la sonnerie du téléphone et le bruit de l'eau qui coule dans le bain. Lorsqu'elles racontaient les histoires, les enfants devenaient les bruiteurs: ils utilisaient leur voix ou encore les instruments du coin de la musique.
- Deux éducatrices ont décidé de jumeler leurs groupes d'enfants pour leur faire peindre une murale. Elles ont étendu un long morceau de papier brun sur l'asphalte dans la cour. Lors du rassemblement, chaque enfant a choisi un pinceau et un pot de peinture; puis il a commencé à peindre la murale qui devait par la suite être suspendue sur la clôture. Pour présenter ce projet, Nicole a dit: «Peignez ce qui vous tente pour faire un grand tableau. Nous le suspendrons ensuite sur notre clôture pour le décorer.»

D. Planifier à partir d'événements particulièrement significatifs pour les enfants

Finalement, diverses expériences d'apprentissage au cours des périodes de rassemblement sont issues de l'intérêt inépuisable des enfants pour certains événements qui sont particulièrement significatifs pour eux. Par exemple, au début du mois de janvier, deux éducatrices ont remarqué que plusieurs enfants chantaient *Père Noël* en jouant. Même si la période des Fêtes était terminée, elles ont planifié de chanter *Père Noël* lors du prochain rassemblement et d'utiliser les clochettes pour que les enfants puissent s'accompagner en chantant. Les enfants ont tellement apprécié l'expérience qu'ils ont demandé à la répéter lors du rassemblement suivant. Ils ont renouvelé leur demande plusieurs fois au cours de l'hiver, et même lorsque le printemps fut bien avancé.

Un exemple de planification d'un rassemblement en grand groupe
Transporter du sable

L'idée de départ

Les jeux coopératifs et les projets – Le nouveau carré de sable est encore vide. Heureusement, un chargement de sable vient d'être livré. Il a été toutefois déversé à environ cinq mètres du carré de sable.

Le matériel

Du sable, des pelles, neuf seaux robustes avec des anses solides, un appareil photo.

Les expériences clés possibles

Domaine ***l'estime de soi et les relations interpersonnelles***: *concevoir et expérimenter le jeu coopératif.*

Domaine ***l'espace***: *remplir et vider.*

Le début de l'activité

Pendant que les enfants se rassemblent, l'éducatrice chante, sur l'air de *Sur le pont d'Avignon*, « Dans la cour des Pitchounets, on y travaille, on y travaille... Les beaux messieurs font comme ci, les belles dames font comme ça... » en mimant les gestes de personnages qui remplissent et déversent des seaux. Elle peut ajouter des couplets et des gestes ou demander aux enfants de le faire.

Le cœur de l'activité

Expliquer brièvement l'activité aux enfants: « Pour la période de rassemblement aujourd'hui, nous irons dehors. Nous allons transporter le sable du tas de sable dans le carré de sable. Voici des pelles et des seaux que nous pouvons utiliser. » Répondre aux questions et aux commentaires des enfants. Distribuer les pelles et les seaux et sortir dans la cour. Observer les enfants pour voir comment ils s'y prennent pour remplir les seaux et pour les transporter (surtout quand ils sont trop lourds pour qu'un enfant les transporte seul) ; pour voir s'ils pensent à utiliser d'autres contenants tels que le chariot. Soutenir les enfants qui résolvent des problèmes en effectuant leur tâche. Prendre des photos pour que les enfants puissent se voir au travail et qu'ils puissent constater que le tas de sable baisse tandis que le carré de sable se remplit.

La fin de l'activité

Quand tout le sable a été transporté dans le carré de sable, aller dans le carré de sable et chanter, sur l'air de *Sur le pont d'Avignon*, « Dans la cour des Pitchounets, on a du sable, on a du sable... Dans la cour des Pitchounets, on a du sable dans not' carré. » Demander aux enfants de suggérer d'autres couplets et les chanter. Conclure en présentant l'activité suivante: « Maintenant, c'est la période de jeux extérieurs et nous avons du sable dans notre carré. On peut jouer dans le sable ou avec les autres jeux de la cour. »

Les suites possibles

1. Laisser les seaux et les pelles à proximité du carré de sable pour que les enfants continuent de les utiliser.
2. Faire développer les photos.
3. Présenter les photos aux enfants durant le rassemblement de l'accueil du matin ou au cours de la période en groupe d'appartenance.

Voici d'autres exemples d'expériences d'apprentissage planifiées au cours des rencontres quotidiennes par les membres d'une cellule de soutien mutuel à partir de l'intérêt manifesté par les enfants pour certains événements significatifs.

- Au cours des jours qui ont suivi la fête de l'Halloween, deux éducatrices ont observé que plusieurs enfants continuaient à jouer à « La charité, s'il vous plaît ». C'est pourquoi elles ont planifié pour la période de rassemblement une expérience au cours de laquelle les enfants « demanderaient la charité » à chaque arrêt de la musique. Les enfants faisaient semblant de frapper à la porte en utilisant une surface différente chaque fois que la musique s'arrêtait et ils disaient « La charité, s'il vous plaît ». Les enfants se sont amusés à trouver différentes surfaces sur lesquelles ils pouvaient frapper (des blocs, les fenêtres, les étagères, les tables) ; ils ont surtout beaucoup ri chaque fois qu'ils disaient « La charité, s'il vous plaît ».
- Après une sortie au verger, deux éducatrices ont organisé une période de rassemblement pour visionner la vidéocassette qu'elles avaient tournée lors de la sortie. Les enfants se sont assis par terre et ils ont discuté entre eux des images qu'ils voyaient : les enfants du groupe qui cueillaient des pommes, qui les mangeaient, qui se promenaient sur le tracteur dans les allées du verger ou qui observaient des insectes dans l'herbe.
- Au cours d'un week-end, les rues de la ville où habitait la majorité des enfants qui faisaient partie des groupes de deux éducatrices ont été envahies par un tournoi de ballon-panier. Ce tournoi avait été organisé dans le but de récolter des fonds pour venir en aide à des organismes communautaires locaux. Le lundi suivant, les éducatrices ont entendu les enfants parler du tournoi toute la journée. Durant la période de planification, ce jour-là, deux éducatrices ont décidé d'intégrer ce nouvel intérêt pour le ballon-panier à l'activité pour la période de rassemblement du lendemain. À l'aide de ruban adhésif métallisé, elles ont attaché le plus solidement possible des cerceaux le long de la clôture, à une hauteur convenable pour les enfants. Au cours de la période de rassemblement, chaque enfant a choisi un gros ballon et il a eu la possibilité de le lancer dans un des « paniers ». Certains enfants ont inventé un jeu : un enfant se tenait debout dans un cerceau pour essayer d'attraper le ballon et de le relancer à son « équipe ». À la fin de l'activité, les éducatrices ont décidé de laisser les cerceaux en place pour quelques jours afin que les enfants puissent les utiliser durant la période de jeux extérieurs.
- Après une sortie d'exploration à la station-service au coin de la rue, les éducatrices Carole et Hélène ont planifié une expérience d'apprentissage où les enfants étaient invités à inventer une chanson sur le thème de leur visite à la station-service. Hélène a joué un air simple sur sa guitare, et les enfants ont inventé des paroles et des gestes pour accompagner les différents couplets. Les couplets des enfants ressemblaient à ceux-ci : « Nous avons vu les essuie-glaces », « Nous avons vu l'auto qui montait », « Nous avons vu la machine à bonbons », « Nous avons vu une montagne de pneus », « Nous avons parlé à une mère avec son bébé », « Nous avons vu un chien qui creusait un trou ».

8.5.3 Organiser les activités des rassemblements avant l'arrivée des enfants

Des périodes de rassemblement où les enfants sont aussi actifs que dans les exemples que nous avons relatés exigent que les éducatrices soient bien préparées. Voici quelques stratégies pour aider les éducatrices à planifier ces périodes de la journée.

A. Modifier les chansons et les jeux pour les adapter au stade de développement des enfants ou à des événements particuliers

Dans les jeux où les enfants et les adultes sont appelés à chanter, il est préférable de changer certaines paroles pour les adapter au stade de développement des enfants. Par exemple, si la chanson fait référence au pied gauche et au pied droit, vous pourrez dire « ce pied-ci », « ce pied-là » lorsque les enfants n'ont pas encore intégré la notion de gauche et de droite. Dans d'autres jeux, comme « la chaise musicale », n'enlevez aucune chaise pour que tous les enfants puissent s'asseoir et participer au jeu. Après une sortie au verger de M. Turcotte, vous pouvez changer les paroles de *Dans la ferme à Mathurin* par « Au verger de Monsieur Turcotte, il y avait de grosses pommes... ».

B. Faire une répétition à l'avance

Durant les périodes de planification, répétez les paroles des chansons que vous voulez interpréter avec votre coéquipière de façon que vous sachiez toutes les deux les paroles, l'air et les gestes, s'il y a lieu. Trouvez et écoutez les pièces de musique que vous souhaitez employer. Racontez à haute voix l'histoire que vous avez choisie, que ce soit une histoire facile comme *Le Petit Chaperon rouge* ou une autre que vous venez de lire pour la première fois.

C. Placer le matériel à portée de la main

Avant l'arrivée des enfants, écrivez les messages sur le tableau d'affichage : insérez dans le lecteur la cassette ou le disque que vous voulez faire entendre aux enfants ; rassemblez les accessoires dont vous avez besoin et placez-les sur une étagère à portée de la main, près du lieu de rassemblement. En ayant préparé à l'avance le matériel nécessaire, vous pourrez commencer l'activité dès que les enfants se présenteront pour la période de rassemblement.

8.5.4 Passer à l'action – le début de l'activité

Voici des stratégies pour commencer harmonieusement la période de rassemblement.

A. Intégrer les enfants au groupe à l'aide d'une activité simple à laquelle ils peuvent facilement participer

Commencez la période de rassemblement par une activité agréable à laquelle les enfants peuvent facilement s'intégrer au fur et à mesure qu'ils arrivent. Cette activité peut être de mimer une chanson, de

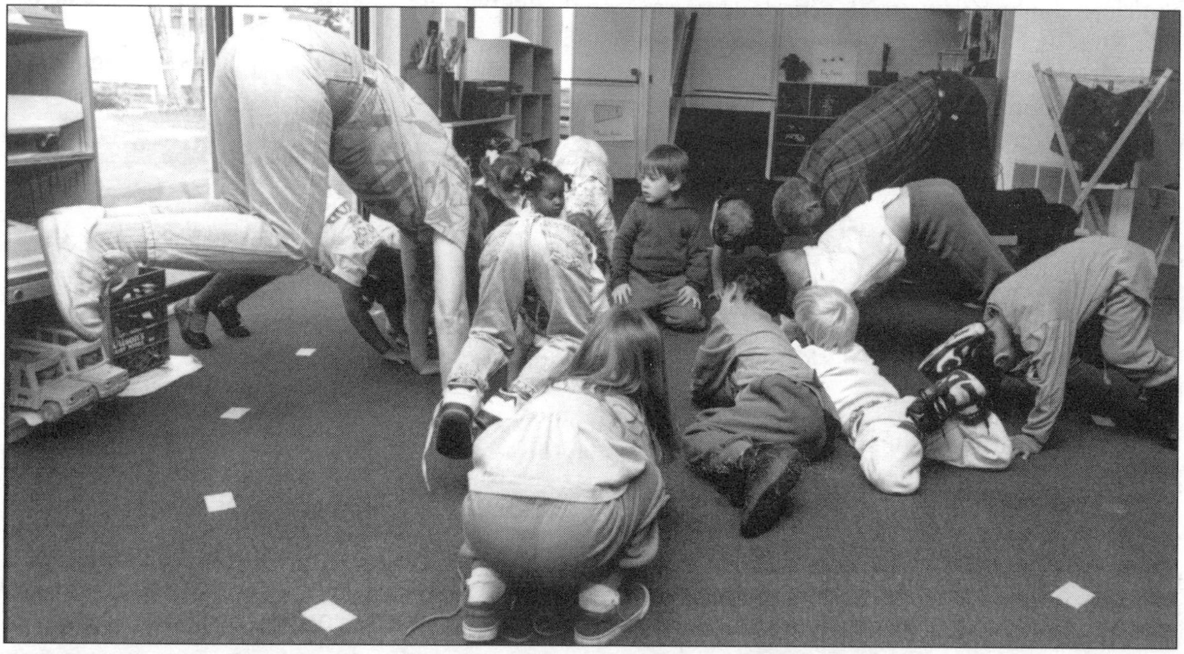

En se plaçant à la hauteur des enfants, les éducatrices suscitent un sentiment d'appartenance et elles peuvent mieux voir et entendre les enfants.

chanter la chanson favorite du groupe ou de faire un jeu de doigts que les enfants demandent souvent. Se diriger vers le lieu de rassemblement et entamer une activité constitue le signal, pour les éducatrices et les enfants, que la période de rassemblement commence. Si les adultes commencent régulièrement la période de rassemblement par une activité à laquelle les enfants peuvent facilement s'intégrer, ces derniers vont peu à peu les imiter. C'est ce qu'a fait Vanessa un jour, lorsqu'elle s'est rendue la première au lieu de rassemblement et qu'elle s'est mise à chanter pour attirer les autres enfants et les éducatrices.

B. Commencer l'activité immédiatement avec les enfants qui sont réunis

Cette stratégie diminue le temps d'attente pour les enfants qui arrivent les premiers ; elle incite également les enfants qui participent encore à l'activité précédente (la collation, une activité en groupe d'appartenance ou le rangement des vêtements d'extérieur) à la terminer afin de se joindre au groupe. Lorsque vous commencez l'activité de la période de rassemblement, ne vous préoccupez pas des enfants qui s'attardent à l'activité précédente ; ils participeront plus volontiers à la période de rassemblement s'ils peuvent s'y intégrer à leur propre rythme. Certains enfants, par ailleurs, éprouvent une satisfaction particulière à observer les grands groupes entreprendre leurs activités, tout en finissant leur collation.

8.5.5 Accepter les suggestions des enfants et soutenir leurs initiatives – le cœur de l'activité

Une fois que vous avez commencé l'activité d'apprentissage de la période de rassemblement et que vous avez réussi à faire participer les enfants – les faire chanter, bouger ou raconter une histoire –, ceux-ci vous suggéreront des variantes et des modifications. Voici des stratégies qui vous seront utiles pour intégrer leurs suggestions et pour soutenir leurs initiatives au cours des périodes de rassemblement.

A. Faire une brève présentation de l'expérience

Une fois terminée l'activité qui a servi à attirer les enfants au lieu de rassemblement, proposez immédiatement l'expérience d'apprentissage que vous avez planifiée. Donnez une brève explication, au besoin. Voici quelques exemples de présentations.

- « J'ai une nouvelle chanson avec quatre gestes. Le premier est de marcher au pas. Voyons si vous êtes capables de marcher au pas. »
- « Lorsque je vais faire jouer la musique "boing-boing", vous pourrez bouger comme vous en avez envie. »
- « Aujourd'hui, nous avons des ballons que nous apporterons dehors pour jouer au ballon-panier. »

B. Participer en se plaçant physiquement au niveau des enfants

Si les enfants s'assoient par terre, assoyez-vous par terre avec eux. S'ils décident de ramper au rythme de la musique, rampez de la même façon qu'eux. S'ils dansent avec des serpentins, munissez-vous de serpentins pour danser avec eux. En vous plaçant à la hauteur des enfants, vous aurez une meilleure idée de ce qu'ils voient, de ce qu'ils disent et de ce qu'ils expérimentent. En essayant les suggestions des enfants, vous leur indiquez clairement que vous appréciez leurs idées et leurs initiatives.

C. Distribuer les accessoires et le matériel aux enfants

Si, comme dans l'exemple des « marionnettes » du *Petit Chaperon rouge*, vous avez prévu raconter une histoire avec des accessoires tels que des instruments de musique, des ballons, des clémentines, des morceaux de tissu ou des bandes élastiques, distribuez-les aux enfants le plus rapidement possible. Si les éducatrices sont les seules à utiliser les accessoires ou si elles prennent trop de temps pour les distribuer, les enfants seront distraits.

D. Observer et écouter les enfants

En observant et en écoutant attentivement les enfants, vous recueillerez des indices précieux qui vous indiqueront la façon dont chaque enfant comprend l'expérience que vous lui proposez. Au cours du jeu « la patate chaude », par exemple, les éducatrices ont observé que deux des enfants les plus jeunes ne passaient pas leur patate aux autres, mais qu'ils faisaient volontiers circuler les patates que les autres enfants leur donnaient. Les éducatrices se sont souvenues que c'étaient les mêmes enfants qui refusaient de bouger de leur tapis au cours du jeu des « tapis musicaux ». Ces éducatrices ont compris que, pour ces enfants, garder « leurs » possessions était encore très important et que les deux activités devraient être adaptées pour répondre à leurs besoins particuliers.

En prêtant une attention particulière au comportement de chacun des enfants, vous réunirez des données qui vous aideront à préciser la façon dont les enfants intègrent les expériences d'apprentissage dans leur vie. Dans l'exemple du « maïs soufflé », lorsque Hélène a demandé qu'on la saupoudre de sel, les éducatrices ont entendu Louis dire : « Donnemoi de la sauce piquante. » Nathaniel a enchaîné avec « Donne-moi du poivre. » et Julie s'est exclamée : « J'ai besoin de fromage. » Les éducatrices ont saupoudré ces assaisonnements sur les enfants. Elles ont apprécié la variété de leurs suggestions et la souplesse de leur pensée.

E. Adopter les suggestions et les variantes proposées par les enfants

Même si les éducatrices planifient quotidiennement des activités précises pour les périodes de rassemblement, elles doivent toujours être prêtes à modifier ce qu'elles ont planifié pour inclure les suggestions des enfants. Cette attitude permet de soutenir et de stimuler le développement intellectuel de l'enfant, sa créativité et son esprit d'initiative. En général, il est possible d'intégrer les suggestions des enfants à l'activité en cours. Il arrive parfois que les enfants suggèrent des activités qu'ils aiment et qui n'avaient pas été planifiées pour ce jour-là. Si les éducatrices ne disposent pas de suffisamment de temps pour inclure les suggestions des enfants, elles peuvent les noter sur le tableau des messages pour les retenir ; de cette façon, elles montrent aux enfants que leurs suggestions seront intégrées à la prochaine période de rassemblement. La flexibilité est un point d'honneur pour les éducatrices qui animent des rassemblements en grand groupe avec des enfants qui apprennent activement.

F. Laisser le leadership du groupe aux enfants

Les enfants sont capables de faire fonctionner un magnétophone lors d'un jeu, de raconter une histoire, de montrer un geste pour que les autres essaient de l'imiter ou de suggérer une chanson. En devenant leaders, les enfants peuvent réfléchir à ce qu'ils font de façon que les autres enfants puissent le faire aussi. Les autres enfants du groupe répondent généralement très favorablement au leadership d'un de leurs pairs.

8.5.6 Mettre un terme à la période de rassemblement – la fin des activités

Lorsqu'elles planifient la période de rassemblement, les éducatrices doivent prévoir la transition vers la période suivante de l'horaire quotidien. Voici quelques stratégies qui peuvent leur être utiles.

A. Transformer la dernière activité du rassemblement en transition

Dans les exemples d'activités de rassemblement que nous venons de décrire, les éducatrices ont prévu une transition vers les activités suivantes. Voici quelques stratégies qu'elles ont expérimentées.

- Avant de faire jouer la musique « boing-boing » pour la dernière fois, l'éducatrice a annoncé aux enfants : « Cette fois-ci, pensez à une façon de bouger jusqu'au vestiaire pour mettre votre manteau et pour aller jouer dehors. » Les enfants se trouvaient alors dans le coin des blocs. L'éducatrice a utilisé la même musique que pour l'activité, et chaque enfant a « bougé » à sa façon jusqu'au vestiaire, ce qui constituait la transition vers les jeux extérieurs.
- Lorsque Laurence et Nathalie ont planifié de chanter *Samedi soir à Saint-Dilon* avec les enfants de leurs groupes, elles ont prévu, pour effectuer la transition, un dernier couplet : « Aujourd'hui, tous les amis, on va jouer dans la cour. »

- Après que les enfants ont joué à faire semblant d'être des bébés, Carole leur a dit: « Cette fois-ci, faites semblant que vous avez grandi et que vous êtes devenus des bébés qui rampent. Lorsque je remettrai la musique, vous pourrez ramper comme des bébés jusqu'au lieu de rencontre de votre groupe d'appartenance! »

B. Ranger le matériel avec les enfants: un moyen d'effectuer la transition

En imaginant des façons amusantes de ranger le matériel, les éducatrices peuvent atteindre deux objectifs en même temps: ranger le matériel et effectuer une transition harmonieuse. Voici quelques exemples pour illustrer cette stratégie.

- Après avoir fait jouer de la musique « terrifiante » pour que les enfants fassent semblant d'être des fantômes qui volent, des éducatrices ont mis une berceuse et elles ont demandé aux enfants de faire voler leurs fantômes jusqu'à la table de la collation; ensuite, elles leur ont proposé de faire faire la sieste à leur fantôme dans le « panier de fantômes » qui était sur la table.
- Après avoir chanté *Père Noël* avec les clochettes, une éducatrice a demandé aux enfants de sauter à cloche-pied jusqu'à la porte du local pour aller jouer dehors. « Vous pouvez laisser vos clochettes dans la boîte près de la porte avant de sortir pour aller au vestiaire », a-t-elle ajouté.
- Linda et Carole ont suggéré aux enfants de lancer leurs patates dans un panier et de se diriger ensuite vers le lieu de rencontre de leurs groupes d'appartenance en faisant semblant d'être des « patates chaudes ».

TABLEAU RÉCAPITULATIF

Soutenir les enfants au cours des rassemblements en grand groupe

Réviser ses principes pédagogiques

Planifier à l'avance les expériences d'apprentissage:
- à partir des champs d'intérêt des enfants;
- en fonction des expériences clés des domaines ***la musique*** et ***le mouvement***;
- en fonction des projets et des jeux coopératifs;
- à partir d'événements particulièrement significatifs pour les enfants.

Organiser les activités des rassemblements avant l'arrivée des enfants
- Modifier les chansons et les jeux pour les adapter au stade de développement des enfants ou à des événements particuliers.
- Faire une répétition à l'avance.
- Placer le matériel à portée de la main.

Passer à l'action – le début de l'activité
- Intégrer les enfants au groupe à l'aide d'une activité simple à laquelle ils peuvent facilement participer.
- Commencer l'activité immédiatement avec les enfants qui sont réunis.

Accepter les suggestions des enfants et soutenir leurs initiatives – le cœur de l'activité
- Faire une brève présentation de l'expérience.
- Participer en se plaçant physiquement au niveau des enfants.
- Distribuer les accessoires et le matériel aux enfants.
- Observer et écouter les enfants.
- Adopter les suggestions et les variantes proposées par les enfants.
- Laisser le leadership du groupe aux enfants.

Mettre un terme à la période de rassemblement – la fin de l'activité
- Transformer la dernière activité du rassemblement en transition.
- Ranger le matériel avec les enfants: un moyen d'effectuer la transition.

8.6 Comprendre l'utilité des périodes de jeux extérieurs

Dans un environnement pédagogique qui privilégie l'apprentissage actif, les jeux extérieurs fournissent aux enfants une occasion de participer à des jeux actifs et moteurs en bénéficiant de l'attention et du soutien d'adultes enjoués. Lorsqu'ils vont jouer dehors, autant les éducatrices que les enfants savent s'extasier devant les beautés de la nature, apprécier les sons environnants et témoigner de l'ardeur au jeu. L'exploration amène des découvertes passionnantes, qu'elle s'effectue dans la cour, dans un parc ou dans un petit bois voisin.

8.6.1 Que sont les périodes de jeux extérieurs ?

La période de jeux extérieurs constitue une occasion quotidienne pour les enfants de jouer avec énergie, de crier et de faire du bruit. Les enfants font leurs jeux intérieurs dans un lieu où ils peuvent être plus démonstratifs, où ils peuvent examiner leur environnement naturel, où ils peuvent apprendre à connaître les voisins et le quartier et où ils peuvent expérimenter les changements des conditions climatiques saisonnières. Au cours des périodes de jeux extérieurs, les éducatrices participent aux jeux des enfants et elles acquièrent ainsi une meilleure compréhension de leurs champs d'intérêt et de leurs habiletés.

A. Des jeux énergiques

À l'extérieur, les enfants ont de la place pour courir, pour sauter, pour lancer, pour se balancer, pour grimper, pour creuser et pour conduire des véhicules. Leurs jeux de rôles se propagent dans tous les coins de l'aire de jeu : sous la glissoire, en haut du filet pour grimper, dans la maisonnette de l'arbre, en bas de la butte, sur la trottinette et dans le carré de sable. Les enfants peuvent se transformer en chevaux qui galopent ou en explorateurs de l'espace interplanétaire. La cour procure aux enfants un endroit pour fabriquer de grandes murales, pour dessiner à la craie, pour tisser avec des banderoles dans la clôture, pour planter des clous dans des bûches de bois et pour construire des forts à partir de grosses boîtes de carton.

B. Les relations interpersonnelles

Les jeux extérieurs permettent souvent aux enfants d'interagir étroitement. L'équipement volumineux tel que les glissoires, les jeux à grimper ou la maisonnette leur fournissent des occasions de socialisation parce qu'ils s'y rencontrent à plusieurs reprises. Les enfants essaient également d'imiter leurs pairs : glisser par derrière, grimper dans le filet, se tortiller sur le trapèze. Le carré de sable rassemble les enfants qui remplissent et vident des contenants et qui imaginent toutes sortes de jeux de rôles. Même conduire une bicyclette ou se balancer semble inviter les enfants à converser entre eux. Bien que les enfants jouent aussi seuls, une expression telle que « Regarde ce que j'ai trouvé ! » de la part d'un explorateur isolé peut attirer des enfants curieux qui jouent près de lui.

C. L'environnement extérieur comme source d'apprentissage

Au cours de leurs jeux et de leurs explorations à l'extérieur, les enfants abordent plusieurs domaines des expériences clés : ***la représentation créative et l'imaginaire*** (« Nous sommes des Ninjas ; suivez-moi parce que je suis le chef des Ninjas. ») ; ***le développement du langage et le processus d'alphabétisation*** (« Si on essayait de chanter notre chanson en changeant les paroles, Julie ? ») ; ***l'estime de soi et les relations interpersonnelles*** (« Je vais faire encore un autre tour, et après tu pourras prendre ma bicyclette, O. K. Michel ? ») ; ***le mouvement*** (« Cours, Érica ! Elle va t'attraper ! ») ; ***la musique*** (« Nous frappons des roches ensemble pour notre défilé de tambours. ») ; ***la classification*** (« Cette maison est pour les chats. Les personnes ne sont pas admises ! ») ; ***la sériation*** (« Nous avons besoin de la plus grosse pour notre boue. ») ; ***les nombres*** (« Vous devez avoir des feuilles : deux grosses poignées de feuilles. ») ; ***l'espace*** (« Regarde, je deviens tout tordu. ») ; et ***le temps*** (O. K. ! quand je bouge le drapeau, tu pars. »). Dans un environnement extérieur, les enfants construisent et mettent à l'épreuve leurs connaissances avec les personnes et les objets qui les entourent.

8.6.2 Pourquoi les périodes de jeux extérieurs sont-elles importantes ?

Les périodes de jeux extérieurs permettent aux enfants de s'exprimer et de faire des exercices d'une façon qui n'est généralement pas possible pour eux au cours des jeux à l'intérieur. Même si les enfants bougent tout au long de la journée dans un environnement qui favorise l'apprentissage actif, une fois à l'extérieur, ils s'engagent dans des jeux plus vigoureux, plus énergiques et plus bruyants.

A. Un jeu sain, spontané et sans contraintes

À l'extérieur, les enfants respirent l'air frais, ils absorbent la vitamine du soleil, ils renforcent leur cœur, leurs poumons et leurs muscles et ils ont un champ de vision plus large. Les enfants qui sont calmes et timides à l'intérieur deviennent souvent plus volubiles et aventureux lorsqu'ils jouent dehors. Certains enfants jouent avec d'autres enfants lors des jeux extérieurs, des enfants différents de ceux avec lesquels ils jouent à l'intérieur. Et les enfants qui aiment faire du bruit sont libres d'en faire quand ils se trouvent à l'extérieur.

Les jeux extérieurs permettent aux enfants de relever des défis.

B. Le contact avec la nature

Durant les périodes de jeux extérieurs, les enfants observent la faune et la flore et réalisent des expériences à leur mesure d'une façon significative pour eux. Ils collectionnent des fleurs, des feuilles et des noix. Ils observent le ciel qui s'obscurcit quand un nuage passe devant le Soleil. Ils examinent le mouvement des insectes, des oiseaux et des écureuils. Ils creusent la terre pour trouver des vers et ils retournent des bûches ou des pneus pour découvrir des insectes. Ils suspendent des objets mouillés pour les faire sécher au soleil. Ils sentent le vent et ils voient la pluie qui trace des rigoles ou qui creuse des flaques d'eau. Ils font des observations telles que « Cet insecte transporte quelque chose », et ils tirent des conclusions telles que « Il doit déménager dans une nouvelle maison ».

C. Une occasion pour les éducatrices de mieux connaître les enfants

Au cours des périodes de jeux extérieurs, les éducatrices observent les enfants, elles leur parlent et elles jouent avec eux afin de mieux connaître leurs activités, leurs habiletés et leurs champs d'intérêt.

> Je ne pensais pas qu'Anne était si intéressée par le baseball, dit une éducatrice à sa collègue. Elle a montré beaucoup de persévérance pour frapper la balle aujourd'hui et, à la fin de la période de jeux extérieurs, elle était capable de frapper la balle presque à tous les coups.

8.6.3 Où jouent les enfants lorsqu'ils vont dehors ?

A. Une cour aménagée pour les enfants

Dans la plupart des cas, les enfants qui fréquentent un milieu éducatif qui favorise l'apprentissage actif jouent dans une cour spécialement aménagée et équipée pour satisfaire leurs champs d'intérêt et leurs besoins. (Voir la sous-section 5.2.1.J. et l'encadré qui s'y trouve, pour l'aménagement de la cour.) Dans un tel environnement à la fois sécuritaire et stimulant, les enfants peuvent suivre leurs goûts et relever des défis liés à leurs habiletés physiques.

B. Un parc voisin

Lorsque les enfants jouent souvent dans un parc voisin, ils transportent divers objets tels que des bicyclettes ou des chariots, pour élargir les possibilités de jeu.

8.6.4 Que font les enfants au cours des jeux extérieurs ?

> Durant une période de jeux extérieurs, Félix joue seul parce que son meilleur ami est absent. Il grimpe au sommet de la pyramide de pneus. « J'aime ça regarder aux alentours quand je suis là-haut », fait-il remarquer à une éducatrice. Après quelques minutes, Félix redescend presque jusqu'en bas de son promontoire et il saute sur le sol. Il marche jusqu'à la balançoire où une éducatrice se balance et il saute à cloche-pied sur le remblai derrière les balançoires. Il se pend au pneu qui est suspendu à une branche et il saute dans le gravier. De là, il se dirige vers une autre éducatrice qui lance la balle à un enfant et il se joint à leur jeu. Il lance la balle et il tente de la frapper avec le bâton de baseball. Puis, il délaisse ce jeu, attiré par la trottinette qu'il pousse aisément avec un pied jusqu'à la glissoire. Finalement, il grimpe au filet en plaçant ses pieds avec précaution dans les mailles jusqu'à ce qu'il atteigne la maisonnette. Il grimpe sur la plateforme et il sautille sur les marches situées de l'autre côté en tenant la rampe pour ne pas tomber. « Bonjour, papa ! » s'exclame-t-il en apercevant son père qui est venu le chercher avec son petit frère pour le ramener à la maison.

Pour soutenir les enfants dans leurs jeux extérieurs, les éducatrices doivent comprendre qu'ils relèvent des défis psychomoteurs et qu'ils se livrent à des jeux qu'ils font à l'intérieur, mais d'une façon plus énergique et plus dynamique.

A. Les enfants jouent, parlent et résolvent des problèmes

Les enfants entreprennent des jeux d'exploration : creuser, regarder sous les bûches ou sous les pneus, imaginer une façon de faire rebondir le ballon, se suspendre la tête en bas sur le trapèze. Ils font des jeux de construction : fabriquer une tour avec des pneus, décorer la clôture ou le trottoir, faire une montagne de feuilles ou un fort dans la neige. Ils jouent à faire semblant : fabriquer des gâteaux de sable et de branches, jouer au monstre, proposer à un autre enfant une randonnée en taxi sur la trottinette. Ils inventent aussi des jeux : lancer et attraper, imiter des chevaux qui galopent et organiser des défilés. Ils jouent seuls, en dyade ou en groupe. Ils entament des conversations de toutes sortes :

> « Va pas là !
> – Pourquoi ?
> – Il y a une araignée.
> – On va mettre de l'herbe sur l'araignée, d'abord.
> – Oui, les araignées aiment ça. »

Et ils résolvent les problèmes qui surviennent : ils assèchent une glissoire qui est mouillée, ils arrêtent la bicyclette avant de foncer dans la clôture et ils transportent les pneus en haut de la glissoire.

B. Les enfants relèvent des défis

Les enfants essaient de pédaler, de grimper, de se balancer, de sauter, de conduire, de lancer, de frapper et d'attraper. Ils relèvent ces défis qui sont suscités par l'équipement et le matériel mis à leur disposition, tels la glissoire, la balançoire, les bicyclettes, les modules pour grimper et les ballons, de même que par certains obstacles naturels, tels les buttes, les grosses pierres et les troncs d'arbre. Ils choisissent eux-mêmes leurs expériences, les moments pour les entreprendre et le rythme pour les réaliser. Par exemple, Charlotte aime qu'on la pousse doucement sur la balançoire, Julie aime des poussées plus fortes et Hélène préfère se balancer toute seule. Au début de l'été, dans un service de garde, les enfants trouvaient la petite pente de leur allée de bicyclette trop raide pour la remonter en pédalant. Toutefois, avec le temps et des essais répétés, l'inclinaison de la pente est devenue un défi juste assez grand ; puis, la pente n'a plus présenté d'intérêt particulier. « J'aimerais ça qu'on ait une grosse colline à monter », a dit un des cyclistes à la fin de l'été.

8.7 Soutenir les enfants au cours des jeux extérieurs

Le rôle des éducatrices durant les jeux extérieurs ressemble à celui qu'elles assument au cours des périodes d'ateliers libres. Elles concentrent leur attention sur les enfants pour comprendre et soutenir leurs initiatives d'une façon enjouée. Les stratégies suivantes peuvent aider les éducatrices à remplir leur rôle :

- Réviser les principes pédagogiques auxquels elles adhèrent.
- Procurer aux enfants le matériel dont ils ont besoin.
- Utiliser des stratégies semblables à celles mises en pratique au cours des périodes d'ateliers libres.
- Observer la nature avec les enfants.
- Mettre fin à la période de jeux extérieurs.

8.7.1 Réviser ses principes pédagogiques

Les éducatrices qui travaillent dans un milieu éducatif où l'on privilégie l'apprentissage actif comprennent que les enfants construisent leurs connaissances à travers toutes leurs interactions avec les personnes et les objets et grâce à leurs initiatives ; peu importe que les enfants jouent à l'intérieur ou à l'extérieur, puisque leur développement intellectuel, social et physique n'est lié ni aux lieux ni aux moments où il se produit.

Pour adopter une approche centrée sur l'apprentissage actif, plusieurs éducatrices doivent renoncer à l'idée que les périodes de jeux extérieurs sont des périodes où elles peuvent relaxer, parler avec les autres éducatrices, rester à l'intérieur pour préparer la prochaine période d'activités ou s'asseoir sur un banc pendant que les enfants s'amusent entre eux à des jeux libres. L'éducatrice qui se perçoit comme une monitrice qui gère le terrain de jeu et qui conçoit son travail comme l'organisation des jeux extérieurs et la supervision des enfants, n'intervenant qu'en cas de conflit, doit aussi revoir sa façon d'aborder son rôle. Plutôt que de laisser les enfants à eux-mêmes ou de diriger leurs activités, les éducatrices qui privilégient l'apprentissage actif prennent part aux jeux des enfants et les soutiennent au cours des périodes de jeux extérieurs. En fait, dans un environnement qui stimule l'apprentissage actif, les éducatrices apprécient les jeux extérieurs, pendant lesquels elles continuent de travailler et de dialoguer avec les enfants. Ces interactions leur permettent de mieux connaître les champs d'intérêt des enfants ainsi que leur stade de développement. L'approche de ces éducatrices est teintée d'un enthousiasme naturel. Par ailleurs, elles s'habillent de façon à pouvoir grimper, rouler, creuser et partager toutes les activités des enfants.

8.7.2 Procurer aux enfants le matériel dont ils ont besoin

Les balançoires, la cage pour grimper, les glissoires et les autres gros modules de jeu sont installés en permanence dans la cour. Les autres éléments du matériel de jeu, cependant, tels les bicyclettes, les ustensiles pour jouer dans le sable, les foulards, la craie, les toupies, la peinture, les marteaux, les balles et les ballons, sont habituellement rangés à l'abri dans une remise ou dans un cabanon qui ferme à clé. C'est la responsabilité des éducatrices de s'entendre entre elles sur la procédure la plus efficace pour sortir tous les jours ce matériel de son lieu de rangement afin que les enfants disposent d'accessoires variés pour soutenir et inspirer leurs jeux extérieurs. À ce sujet, voici quelques suggestions :

- Sortir le matériel de jeu avant que les enfants arrivent le matin ou partager cette tâche avec les premiers enfants qui arrivent et leurs parents.
- Ranger les petits objets dans des bacs à lait ou des paniers avec des anses que les enfants pourront facilement transporter dehors eux-mêmes, seuls ou en dyade.
- Faire participer les enfants (et leurs parents) au rangement des petits objets à la fin de la journée.
- Placer plusieurs contenants de rangement fermés à clé autour de la cour. Des poubelles ou des boîtes de rangement pour le camping pourront

faire l'affaire; vous pourrez y ranger le matériel par catégorie ou par aire de jeu: par exemple, un contenant pour les balles et les cordes à danser, un pour les accessoires pour jouer dans le sable, un pour les déguisements. Déverrouillez les contenants au début de la période de jeux extérieurs et demandez la participation des enfants pour remettre le matériel en place à la fin de la période de jeu.

Les éducatrices jouent avec les enfants; par exemple, elles participent à leurs projets même s'il faut s'accroupir pour creuser le sol.

8.7.3 Utiliser des stratégies semblables à celles qui sont appliquées durant les périodes d'ateliers libres

Une fois que les enfants sont dehors avec le matériel dont ils ont besoin, les éducatrices utilisent les mêmes stratégies que celles qu'elles mettent en pratique durant les ateliers libres. Ces stratégies, décrites à la section 7.4, sont résumées ci-dessous.

A. Participer aux jeux des enfants

Pour soutenir les enfants durant les périodes de jeux extérieurs, vous devez leur apporter la même attention et le même respect que lorsqu'ils jouent à l'intérieur au cours des périodes d'ateliers.

Recherchez des ouvertures naturelles pour participer aux jeux. Observez les enfants qui remplissent et vident leurs seaux dans le carré de sable, qui chantent sur la balançoire, qui jouent au vaisseau spatial dans la cage pour grimper, qui se pourchassent les uns les autres ou qui jouent à cache-cache.

Joignez-vous aux jeux des enfants en vous plaçant à leur hauteur. Glissez avec les enfants qui glissent, grimpez et redescendez dans la cage pour grimper, roulez sur la pente gazonnée, sautez à pieds joints dans un tas de feuilles.

Imitez les gestes des enfants. Remplissez et transvidez votre propre contenant avec de l'eau ou du sable, courez avec un cerf-volant, balancez-vous.

Considérez l'enfant comme un collaborateur. Par exemple, vous pouvez lancer et recevoir le ballon, vous joindre à un défilé organisé par les enfants ou observer le paysage du haut de la cage pour grimper avec un enfant qui s'y trouve déjà.

Adressez un joueur à un autre.

> Lorsque Robert demande à son éducatrice « Comment on fait cela? », elle lui répond: « Demande à Benoît. C'est lui qui a tissé tous ces rubans dans la clôture. »

Suggérez de nouvelles idées pour poursuivre le jeu.

> Julie joue à Aladin et au génie et elle se plaint qu'elle a perdu sa « lampe magique ». À ce moment-là, son éducatrice lui fait une suggestion:
>
> JULIE. – Où est ma lampe magique? Ah non! elle a disparu...
> L'ÉDUCATRICE. – (lui tendant un caillou) Génie, voici une lampe magique pour toi.

B. Dialoguer avec les enfants

Les enfants qui sont calmes et silencieux à l'intérieur sont souvent beaucoup plus volubiles au cours des jeux extérieurs. Profitez de ces moments.

Recherchez des occasions naturelles pour entamer la conversation. Une conversation s'entame souvent lorsque les enfants font des jeux répétitifs tels que se balancer, remplir des tasses avec du sable ou creuser des trous dans le jardin. Quelquefois, les enfants viendront vous voir pour partager leurs découvertes : « Hé ! regarde ça ! »

Joignez-vous à la conversation en vous plaçant à la hauteur de l'enfant. Assoyez-vous sur la balançoire, sous un arbre, dans le carré de sable ou grimpez sur les marches de la glissoire. Observez les enfants et placez-vous là où ils sont.

Poursuivez la conversation entamée par l'enfant. Pour y arriver, vous devez écouter les enfants et vous intéresser aux sujets qu'ils abordent.

> L'ENFANT. – (en creusant) Mon père aussi a une pelle.
> L'ÉDUCATRICE. – Ton père aime creuser la terre tout comme toi.

Parlez avec les enfants en les laissant diriger la conversation. Vos commentaires et vos observations doivent permettre à l'enfant de diriger la conversation. Voici comment la conversation au sujet de la pelle s'est poursuivie.

> L'ENFANT. – Je peux prendre beaucoup de sable dans ma pelle.
> L'ÉDUCATRICE. – Oh oui ! Tu es capable.
> L'ENFANT. – Je peux tout' remplir cette chaudière... mais ça va prendre plusieurs pelletées.
> L'ÉDUCATRICE. – Oui, c'est une grosse chaudière.
> L'ENFANT. – On en a une grosse aussi à la maison. C'est pour les chevaux.
> L'ÉDUCATRICE. – Je ne savais pas que tu avais des chevaux à la maison.
> L'ENFANT. – Non. C'est pour le cheval de ma sœur, à l'écurie de Marie-Andrée.
> L'ÉDUCATRICE. – Tu veux dire que ta sœur a un cheval qui vit dans l'écurie de Marie-Andrée ?
> L'ENFANT. – Oui ! Il y a beaucoup de chevaux qui vivent là. Mais il faut que tu ailles là-bas pour les faire manger et faire des choses avec eux.

Posez peu de questions. N'utilisez que des questions d'éclaircissement pour permettre à l'enfant de préciser sa pensée.

C. Encourager les enfants à résoudre leurs problèmes

Au cours des jeux extérieurs, les enfants font face à divers problèmes qu'ils peuvent résoudre eux-mêmes si les éducatrices leur apportent le soutien nécessaire.

Encouragez les enfants à résoudre les problèmes et à être à l'écoute des points de vue différents. Au lieu de résoudre les problèmes à la place des enfants (par exemple en retirant les jouets que plusieurs enfants désirent), encouragez-les à trouver une façon de procéder. Inventer un système pour partager le temps de conduite d'un taxi est aussi important que d'apprendre à conduire le taxi.

Interagissez avec les enfants plutôt que de les diriger. En jouant et en parlant avec les enfants, vous soutiendrez leur apprentissage plus efficacement qu'en passant votre temps à les encadrer pour contrôler l'utilisation des bicyclettes ou des balançoires.

Aidez à résoudre les conflits de façon neutre. Lorsque les enfants vous demandent votre aide ou qu'ils semblent avoir besoin de votre soutien, écoutez leur description du problème et demandez-leur de faire des suggestions pour régler le problème. Parlez le moins possible. Les enfants ont besoin de vivre cette expérience qui consiste à décrire dans leurs mots leurs sentiments et leurs réflexions. Pour des exemples de résolution de problèmes qui surviennent à l'extérieur tels que partager la bicyclette, assécher la glissoire ou vider des souliers remplis de sable, voir la sous-section 12.3.2.

8.7.4 Observer la nature avec les enfants

Plusieurs enfants ont découvert des graines qu'ils sentent, qu'ils tâtent, qu'ils regardent et qu'ils ouvrent. Julie, une éducatrice, les rejoint et commence à ouvrir une cosse tout en écoutant leur conversation. Tous les enfants continuent à chercher des cosses et à les étudier durant une quinzaine de minutes.

Les éducatrices qui favorisent une approche centrée sur l'apprentissage actif, comme Julie, sont attentives à l'intérêt des enfants pour les phénomènes naturels: les insectes ou les araignées qu'ils voient, les vers de terre qu'ils trouvent en creusant dans le sol, les plantes ou les animaux qui attirent leur attention, les oiseaux qui volent au-dessus de leur tête, les flaques de boue, le bruit du vent dans les feuilles. Ces éducatrices cherchent des occasions d'observer avec les enfants, d'expérimenter avec eux et de tirer des leçons de leurs observations des phénomènes naturels et du monde physique. L'éducatrice Jackie Post (1993, p. 3) cite cet exemple d'une éducatrice qui a su profiter d'une telle occasion:

> Abby et Elizabeth veulent essayer de se balancer au même rythme en attachant leurs deux balançoires ensemble avec une corde à danser. Après avoir réussi à attacher leurs balançoires ensemble, elles demandent à une éducatrice qui se trouve près d'elles de leur donner une poussée. Hésitante au début, car elle craint que les balançoires bougent de façon trop désordonnée pour que ce soit sécuritaire, l'éducatrice finit par acquiescer à leur demande après avoir demandé aux enfants de lui expliquer ce qui va se produire. Les fillettes sont contentes de voir que leur prédiction s'est réalisée: les balançoires « se frappent l'une contre l'autre ».

8.7.5 Mettre fin aux jeux extérieurs

Avant la fin de la période de jeux extérieurs, les éducatrices en avertissent les enfants de façon qu'ils aient la possibilité de terminer leurs jeux. « Encore cinq minutes, et il sera temps de ranger les bicyclettes et les jouets. Ensuite, on rentre pour dîner », dit Julie à chaque groupe d'enfants en faisant le tour de la cour.

Les éducatrices incitent aussi les enfants à ramasser et à ranger les balles, les jouets du carré de sable, les bicyclettes, les chariots et les trottinettes. Lorsque la journée se termine par les jeux extérieurs, le rangement peut devenir une activité calme et plus légère pour tous: les enfants, les parents et les éducatrices.

8.8 Soutenir les enfants au cours des transitions

Au cours de la journée, les enfants vivent plusieurs transitions: lorsque le parent quitte l'enfant le matin, lorsque l'enfant et l'éducatrice marchent dans le corridor pour se rendre dans la cour, lorsqu'un petit groupe d'enfants terminent la période de réflexion pour se rendre à la collation. Au cours de ces moments, les enfants expérimentent un ou plusieurs

TABLEAU RÉCAPITULATIF

Soutenir les enfants au cours des jeux extérieurs

Réviser ses principes pédagogiques

Procurer aux enfants le matériel dont ils ont besoin

Utiliser des stratégies semblables à celles qui sont appliquées durant les périodes d'ateliers libres

- Participer aux jeux des enfants.
- Dialoguer avec les enfants.
- Encourager les enfants à résoudre leurs problèmes.

Observer la nature avec les enfants

Mettre fin aux jeux extérieurs

changements : un changement d'activité, de lieu, de compagnons de jeu, d'éducatrice ou de personne responsable. Les éducatrices peuvent penser que ces changements ne sont que des faits divers dans leur horaire quotidien ; en fait, ce sont des moments cruciaux pour les enfants, qui réagissent souvent fortement : « Je veux ma maman. » « J'veux pas ranger ! » Des moments de transition bien planifiés font souvent la différence entre une journée difficile et une journée harmonieuse, tant pour les enfants que pour les éducatrices.

8.8.1 Adapter les transitions en fonction des besoins et du stade de développement des enfants

Pour faciliter les transitions pour les enfants d'âge préscolaire, il faut se demander quelles conditions doivent être mises en place pour répondre à leurs besoins et leur permettre ainsi d'apprendre activement dans un climat de soutien. Les façons suivantes d'adapter les moments de transition permettent de répondre à ces besoins.

A. Établir un horaire quotidien stable

Les transitions se déroulent plus harmonieusement pour les enfants lorsqu'ils sont familiarisés avec l'horaire quotidien et qu'ils peuvent se préparer mentalement à ce qui suit. Lorsqu'ils doivent cesser une activité pour en entreprendre une autre, un horaire quotidien stable aide les enfants à se sentir en sécurité et leur permet aussi d'être assurés que le lendemain ils pourront poursuivre le jeu dans lequel ils sont engagés.

B. Réduire le plus possible le nombre de transitions entre les activités, les endroits et les éducatrices

En discutant de l'organisation de l'horaire quotidien en équipe, les éducatrices devraient se poser les questions suivantes : Y a-t-il trop de moments de transition ? Pouvons-nous organiser notre horaire quotidien de façon qu'il y ait moins de changements et des transitions plus harmonieuses ? Par exemple, les éducatrices d'un service de garde ont réduit le nombre des transitions de la journée en plaçant la période de planification individuelle des enfants à la fin du petit déjeuner au lieu de regrouper les enfants dans un autre local. Dans ce service de garde, les éducatrices demandent à chaque enfant de planifier pendant qu'il est encore assis à la table du petit déjeuner après avoir terminé son repas. Ensuite, l'enfant se dirige immédiatement vers le lieu de l'activité qu'il a choisie. De cette façon, les enfants ne changent qu'une fois de local (de la table du petit déjeuner à l'aire de jeu choisie) au lieu de deux (de la table du petit déjeuner à la table de planification à l'aire de jeu). De plus, les enfants n'ont pas besoin d'attendre que tous les enfants aient terminé leur repas avant de faire leur planification et de commencer leur projet. Comme le montre cet exemple, la réduction du nombre de changements que l'on impose à l'enfant ainsi que l'élimination des périodes d'attente sont deux principes déterminants à appliquer pour planifier des transitions réussies.

C. Commencer rapidement une nouvelle activité

Que ce soit au début des activités de rassemblement ou de celles en groupe d'appartenance, les enfants peuvent être distraits, voire turbulents, s'ils sont forcés d'attendre pendant que l'éducatrice prépare son matériel ou que les autres enfants se rassemblent. C'est pourquoi il est important de commencer la nouvelle activité, même si tous les enfants n'ont pas encore terminé l'activité précédente. Une année, au High/Scope Demonstration Preschool, les rassemblements en grand groupe suivaient la collation. Les enfants étaient divisés en deux groupes pour la collation, un groupe avec chaque éducatrice. Les enfants se dirigeaient ensuite au lieu de rassemblement au fur et à mesure qu'ils avaient fini de manger. Dès que quelques enfants s'étaient réunis, l'éducatrice responsable de la période de rassemblement allait les retrouver et elle se mettait immédiatement à chanter, à danser ou à faire le jeu qu'elle avait planifié. L'autre éducatrice terminait la collation avec les enfants des deux groupes qui n'avaient pas fini de manger. De cette façon, les éducatrices n'avaient pas besoin de dire aux enfants : « Attendons que tous les enfants aient fini de manger. »

D. Planifier des activités pour agrémenter les périodes d'attente

Même si leur nombre peut être réduit et leur durée écourtée, les périodes d'attente ne peuvent pas toujours être éliminées. Par exemple, si les enfants doivent attendre que la cuisinière apporte le dîner, utilisez ce temps pour chanter avec eux, pour leur apprendre des jeux de doigts ou pour leur parler de l'histoire que vous avez lue le matin. Rappelez-vous que les enfants de cet âge n'aiment pas rester assis à ne rien faire et garder le silence.

E. Planifier des façons agréables de se déplacer d'un endroit à un autre

Si les enfants sont actifs mentalement et physiquement lorsqu'ils se déplacent d'un endroit à un autre, ces déplacements seront des expériences agréables pour eux et pour les éducatrices. Au lieu de demander aux enfants de marcher en silence, à la file indienne, les bras de côté, encouragez-les à le faire de façon créative : « Quel animal pouvons-nous imiter en nous rendant à la salle de bain ? » Chaque enfant peut choisir un animal à imiter. (Pour plus d'information à ce sujet, voir la sous-section 2.2.6.)

8.8.2 Planifier les transitions en tenant compte des besoins de chaque enfant

Les stratégies décrites ci-dessus permettent généralement un déroulement harmonieux des transitions pour la majorité des enfants. Il se peut toutefois que certains enfants trouvent les transitions particulièrement stressantes. Ces enfants peuvent trouver difficile de s'engager dans le nettoyage et le rangement, ils peuvent résister à l'idée de quitter le terrain de jeu lorsque les autres enfants rentrent, ou ils peuvent se « cacher » sous la table au début de la période en groupe d'appartenance. En élaborant des stratégies particulières pour ces enfants, il est important d'avoir en tête deux ingrédients essentiels de l'apprentissage actif : la possibilité de faire des choix et le soutien des éducatrices.

A. Déterminer la place de l'adulte au cours des transitions

Au cours de la période de planification quotidienne, les éducatrices peuvent déterminer les endroits où il sera le plus profitable qu'elles se placent lors des déplacements. Dans certains cas, il peut être utile de désigner un membre de l'équipe pour soutenir un enfant en particulier. Par exemple, si Jessica a de la difficulté à ranger, choisissez une éducatrice qui se tiendra près d'elle à la fin de la période d'ateliers et qui la soutiendra dans cette tâche.

B. Offrir des choix appropriés à chaque enfant avant les transitions

La possibilité de faire des choix peut aider les enfants à se concentrer sur une action en particulier, qu'ils pourront entreprendre au cours de la transition. Voici deux exemples :

- « Didier, lorsque tu finiras ta collation, ce sera le rassemblement en grand groupe. Y a-t-il un enfant avec qui tu désires t'asseoir pendant que nous allons chanter ? »
- « Carine, c'est presque le moment de rentrer. Montre-moi donc quel animal tu vas imiter pour te rendre à la porte ! »

C. Avertir les enfants de l'approche d'un changement

Si vous devez mettre fin à la période d'ateliers ou à une autre période et que vous constatez qu'un enfant n'aura pas terminé son activité, en plus d'annoncer la fin à l'ensemble du groupe, avertissez cet enfant du changement qui se prépare ; en même temps, donnez-lui un certain pouvoir de décision sur ce qu'il peut faire. Voici un exemple :

> « Mathieu, la période d'ateliers est presque terminée. Lorsque tu auras fini le visage sur ton dessin, ce sera le temps de ranger. (Pause. Mathieu se hâte de compléter son dessin.) Où peux-tu ranger ton dessin pour le terminer demain ? »

8.8.3 Planifier le rangement, la transition la plus longue

Le rangement et le nettoyage constituent souvent la période de transition la plus longue de la journée. De plus, certaines éducatrices ont une perception émotive de cette activité puisqu'elles se jugent elles-mêmes sur le degré de propreté et d'ordre de leur maison. Les équipes d'éducatrices peuvent également mesurer le succès de la journée par la facilité et l'efficacité des activités de rangement et de nettoyage. Les quelques stratégies qui suivent peuvent aider les éducatrices à relaxer au cours de cette période potentiellement stressante.

A. Avoir des attentes réalistes

Le rangement et le nettoyage sont des activités entreprises par les adultes ; par ailleurs, le besoin des enfants, durant ces périodes, est souvent de continuer à jouer. Par contre, même si nous, les adultes, haïssons souvent faire du ménage, nous nous attendons à ce que les enfants remplissent cette tâche de bon gré et nous sommes étonnés lorsque ce n'est pas le cas.

Bien qu'il soit naturel pour les enfants de résister au ménage, celui-ci constitue une activité d'apprentissage très valable. En rangeant les jouets et le matériel, les enfants apprennent à s'entraider et ils acquièrent le sens des responsabilités par rapport à leur environnement. De plus, ils s'engagent ainsi dans plusieurs expériences clés. Par exemple, ils **classifient** en triant les cuillers et les fourchettes et en rangeant les ustensiles à leur place ; ils font des **jeux de rôles** en prétendant être des pilotes d'avion qui font voler les jouets jusqu'à leur boîte de rangement.

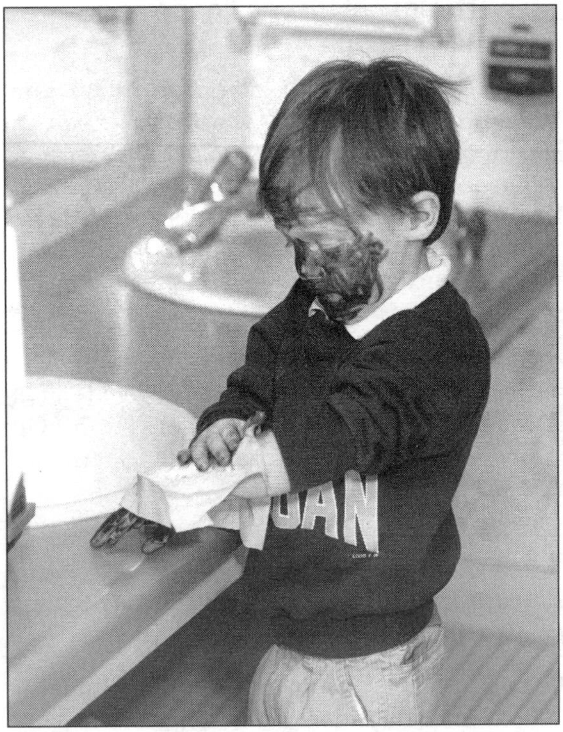

Quelquefois, à la fin des activités en ateliers libres, le plus gros travail consiste à se nettoyer !

B. Étiqueter les tablettes et les contenants pour indiquer l'emplacement des objets

Le rangement est beaucoup plus facile si les enfants aussi bien que les éducatrices savent où ranger le matériel. L'étiquetage des tablettes et des contenants de rangement facilite grandement la tâche de tous et chacun, surtout si on prend la peine de concevoir des étiquettes qui seront « lisibles » par les enfants : des **étiquettes « visuelles »** telles que les objets eux-mêmes, collés sur le côté du contenant ; des reproductions des objets, un dessin, une photographie tirée d'un dépliant ou d'une boîte d'emballage, collés sur la boîte de rangement ou à la place de rangement sur la tablette ; des dessins du contour des gros objets, collés à la place exacte qu'occupe l'objet sur une tablette, au mur ou sur le plancher. (La sous-section 5.1.2.H. présente différentes méthodes de rangement.)

C. Favoriser le nettoyage et le rangement au cours des périodes d'activités lorsque c'est possible

Encouragez les enfants à ranger le matériel qu'ils ont utilisé avant de commencer une nouvelle activité : « Stéphanie, tu as terminé de jouer dans le coin de la maisonnette. Rangeons la vaisselle ensemble. Ensuite, tu pourras aller jouer dans un autre coin. » Cette stratégie réduit l'encombrement du local et permet aux enfants de voir plus facilement les choix qui s'offrent à eux. En outre, il y a moins de rangement à faire à la fin de la période de jeu si les enfants ramassent au fur et à mesure. En certaines occasions, cependant, il n'est pas approprié de demander aux enfants de ramasser immédiatement après qu'ils ont terminé un jeu. Par exemple, si cinq enfants ont construit une scène avec des blocs pour faire un concert et que l'un d'entre eux décide d'aller peindre, la scène de blocs devrait rester en place pour que les autres enfants puissent l'utiliser. L'équipe de travail devrait avoir une discussion pour décider si les enfants doivent ranger immédiatement après avoir utilisé du matériel ou plus tard. De plus, même si on encourage les enfants à ranger au fur et à mesure au cours de la période d'ateliers, **le rangement ne devrait pas prévaloir sur les activités de jeu, sur les discussions avec et entre les enfants et sur le soutien à la résolution de problèmes.**

D. Suivre les champs d'intérêt des enfants durant les périodes de rangement et de nettoyage

À l'aide de votre connaissance des champs d'intérêt des enfants, construisez des scénarios. Par exemple, si Pierre adore faire semblant d'être une vedette de ballon-panier, tenez la poubelle et demandez-lui de « lancer des ballons » avec les retailles de papier. Une autre façon de suivre les champs d'intérêt des enfants au cours des périodes de rangement est de poursuivre les activités qu'ils ont entreprises durant les ateliers. Si les enfants font semblant d'être des chiens au cours de la période d'ateliers, demandez aux « chiens » de faire le ménage : « Petit chien Benoît (en offrant un jouet à l'enfant), voici un bel os pour toi à ranger. » Vous pourriez poursuivre ce jeu en lui demandant : « Peux-tu trouver un autre bel os à ranger ? »

E. Rester flexible

Même si la période de rangement (ou toute autre transition) ne se déroule pas aussi harmonieusement que vous le désireriez, les enfants peuvent en tirer des expériences enrichissantes. (Voir l'encadré intitulé « “Prêt, pas prêt, je range !” Des jeux pour agrémenter la période de rangement », qui présente d'autres stratégies pour faire du ménage une expérience d'apprentissage actif.)

Quoi qu'il en soit, la période de rangement et de nettoyage peut pousser les éducatrices à la limite de leur patience, lorsque les enfants abordent cette période avec dilettantisme d'une part et que l'éducatrice se sent pressée par le temps d'autre part. Les deux exemples qui suivent illustrent l'attitude que les éducatrices peuvent adopter devant les situations imprévues qui surviennent au cours des périodes de rangement et qui aide les enfants à prendre conscience des conséquences naturelles de leurs actes.

Réagir face à l'imprévu

Au cours d'une période de rangement, Simon, un éducateur, demande à trois enfants de laver les pinceaux. Les enfants apportent les pinceaux à la salle de bain, tandis que Simon aide un autre groupe d'enfants à ranger les blocs. Un peu plus tard, un enfant accourt et dit à Simon : « Les enfants sont en train de peindre la salle de bain ! »

Simon entre dans la salle de bain. Les enfants avaient en effet peint les toilettes et les murs avec de la peinture rouge, verte et bleue. Simon demande calmement aux enfants ce qui s'est passé. « Nous peignons comme mon père à la maison », répond Maxime. Simon demande aux enfants ce qu'ils doivent faire maintenant et ils répondent : « Nettoyer la salle de bain. » Simon trouve des éponges et les enfants entreprennent le nettoyage.

Plus tard dans la journée, durant leur période de planification, Simon et sa collègue décident de soutenir l'intérêt des enfants pour la peinture en organisant une activité extérieure où les enfants utiliseront des seaux d'eau et de gros pinceaux pour « peindre » la clôture, la glissoire, la table de pique-nique et la maisonnette. Ils décident aussi que le nettoyage des pinceaux se fera désormais au lavabo du coin des arts plastiques pour mettre un frein au désir des enfants de peindre les murs de la salle de bain.

Un jour, au début de l'année scolaire, André décide que ce serait amusant de faire une « montagne de jouets » dans le coin de la maisonnette. Son idée est contagieuse et, bientôt, un petit groupe d'enfants se promènent dans le local pour retirer les jouets des tablettes et les ajouter à leur « montagne », qui devient de plus en plus haute.

Lorsque le moment de ranger arrive, Laurence rappelle aux enfants que c'est leur responsabilité de ranger la « montagne » de jouets. Il a fallu 45 minutes aux enfants pour remettre en place les jouets qui avaient servi à fabriquer la

montagne. L'éducatrice les a soutenus, tout au long de cette opération, en utilisant toutes les stratégies possibles pour les encourager dans leur tâche.
Le lendemain, les éducatrices ont entendu Pierre qui demandait à André s'il voulait encore construire une « montagne ». « Pas question ! répondit André. Si on sort plein de jouets encore, on va ranger bien trop longtemps après ! »

Dans ces deux exemples, les situations se sont produites au début de l'année, alors que les enfants « testaient » les limites d'un comportement acceptable en faisant un « dégât » plus gros que d'habitude. Toutefois, dans les deux cas, l'éducateur et l'éducatrice ont résisté à la tentation de gronder les enfants. Ils ont plutôt pris du recul et ils ont cherché des façons de retourner la situation en expérience

« Prêt, pas prêt, je range ! » Des jeux pour agrémenter la période de rangement

Durant la période de rangement, l'éducatrice essaiera de trouver des moyens pour transformer cette tâche en expérience active et agréable pour les enfants. Voici quelques suggestions pour atteindre cet objectif.

L'imitation. Il arrive que les enfants aiment transporter des jouets d'une façon originale. Si vous voyez un enfant qui transporte un camion en le tenant derrière son dos, par exemple, essayez de l'imiter en transportant un jouet pour le ranger sur une tablette. Cela attirera probablement l'attention des autres enfants, qui imiteront alors ce que vous faites ou qui tenteront d'imaginer eux aussi des façons originales de transporter les objets à ranger.

La course contre la montre. Encouragez les enfants à faire le ménage d'un coin d'activités rapidement, avant que le sable dans le sablier soit rendu au fond, avant que la minuterie qui est réglée pour trois ou cinq minutes ne se mette à sonner, ou avant que la grande aiguille de l'horloge ne soit rendue au chiffre quatre.

Les sacs de papier. Distribuez à chaque enfant un sac d'épicerie ou un sac à lunch. Demandez aux enfants de se promener dans le local pour remplir leur sac avec tous les objets qui traînent. Lorsque leurs sacs sont pleins, proposez-leur de ranger les objets qu'ils contiennent à leur place dans le local.

Le jeu de football. Une éducatrice prend la position de quart arrière au football, passe un jouet entre ses jambes et le tend à un enfant qui est derrière elle. L'enfant va ensuite ranger ce jouet et il revient pour en recevoir un autre. Les enfants vont souvent se placer en ligne derrière l'éducatrice pour jouer au « receveur » dans ce jeu.

Les statues. Jouez de la musique pendant que les enfants rangent et arrêtez la musique de temps en temps. Lorsque la musique cesse, les enfants jouent aux statues ; ils recommencent à ranger lorsque la musique reprend.

Le rangement musical. La musique peut être utilisée d'une multitude de façons pour agrémenter les périodes de rangement. Par exemple, chantez une chanson spéciale pour le rangement en y intégrant les noms des enfants à l'occasion. Les enfants aiment aussi entendre des pièces de musique aux rythmes variés et ranger en suivant le rythme de la musique, en allant plus rapidement ou plus lentement selon le tempo. On peut aussi faire jouer une chanson familière pendant que les enfants rangent, et leur demander de terminer le rangement avant que la chanson finisse.

Ces suggestions ne sont que quelques exemples que l'on peut utiliser pour agrémenter les périodes de rangement, mais vous pouvez créer, à l'aide des principes de l'apprentissage actif et du soutien de l'éducatrice, différentes façons de rendre cette tâche intéressante pour les enfants. Utilisez les stratégies présentées ici comme point de départ d'un remue-méninges en équipe pour inventer vos propres activités de rangement amusantes.

d'apprentissage actif qui ait un effet durable à long terme. Au lieu de restreindre les initiatives des enfants, ils ont construit à partir de celles-ci, tout en envoyant un message clair aux enfants, à savoir qu'ils étaient responsables des conséquences de leurs actes, c'est-à-dire du rangement et du nettoyage.

Dans cette section, nous avons présenté des stratégies pour rendre plus harmonieuses les périodes de transition avec les enfants. Vous avez sûrement remarqué que les périodes de transition suivent les mêmes principes pédagogiques que ceux mis de l'avant pour les autres périodes de la journée. Au cours des transitions, tout comme au cours des ateliers ou des activités en groupe d'appartenance, **rappelez-vous de mettre en pratique les principes de l'apprentissage actif ainsi que les stratégies de soutien aux enfants, et de construire à partir des champs d'intérêt des enfants.**

TABLEAU RÉCAPITULATIF

Soutenir les enfants au cours des transitions

Adapter les transitions en fonction des besoins et du stade de développement des enfants

- Établir un horaire quotidien stable.
- Réduire le plus possible le nombre de transitions entre les activités, les endroits et les éducatrices.
- Commencer rapidement une nouvelle activité.
- Planifier des activités pour agrémenter les périodes d'attente.
- Planifier des façons agréables de se déplacer d'un endroit à un autre.

Planifier les transitions en tenant compte des besoins de chaque enfant

- Déterminer la place de l'adulte au cours des transitions.
- Offrir des choix appropriés à chaque enfant avant les transitions.
- Avertir les enfants de l'approche d'un changement.

Planifier le rangement, la transition la plus longue

- Avoir des attentes réalistes.
- Étiqueter les tablettes et les contenants pour indiquer l'emplacement des objets.
- Favoriser le nettoyage et le rangement au cours des périodes d'activités, lorsque c'est possible.
- Suivre les champs d'intérêt des enfants durant les périodes de rangement et de nettoyage.
- Rester flexible.

LECTURES COMPLÉMENTAIRES

BEAUCLAIR, ANNE et MANON CHAMPAGNE (1981). *Implications dans le milieu de la garderie,* Montréal, Bibliothèque nationale du Québec, fascicules 1 et 2.

PELLETIER, DANIÈLE (1998). *L'activité-projet, le développement global en action,* Mont-Royal, Modulo Éditeur.

TARDIF, HÉLÈNE (1986). *Petits prétextes pour sortir le nez dehors,* LaSalle, Hurtubise.

PARTIE III

Des expériences clés pour le développement de l'enfant

CHAPITRE 9

Introduction aux expériences clés

Les activités pédagogiques doivent permettre aux enfants de développer leurs différentes habiletés et de réaliser des projets qui tiennent compte de leurs champs d'intérêt variés. Cela demande de la flexibilité, laquelle est au cœur du concept d'expérience clé.
CHARLES HOHMANN, 1991.

À quoi ressemblent les jeunes enfants? Quelles sont les expériences de jeu et les activités qui les attirent tous, peu importe leur nationalité? Comment découvrent-ils leur univers et comment comprennent-ils le monde qui les entoure? Quel type de soutien leur est utile pour se développer et grandir? Lorsqu'elles tentent de répondre à de telles questions, les éducatrices qui travaillent auprès de jeunes enfants définissent leur philosophie éducative: elles précisent leur perception du développement des enfants en tant qu'êtres humains et les interventions à privilégier pour soutenir et stimuler ce développement.

L'approche éducative centrée sur l'apprentissage actif regroupe les croyances et les interventions qui ont été établies et mises en œuvre par des praticiens et des chercheurs après des années de recherche, d'observation attentive et de travail auprès des enfants, des éducatrices et des parents. Les expériences clés ont été conçues à la suite de ces observations et en fonction des résultats de ces recherches. Elles sont un élément fondamental de l'approche éducative centrée sur l'apprentissage actif. On peut donner une définition simple des **expériences clés** en les dépeignant comme une **série d'énoncés décrivant le développement affectif, social, cognitif et physique des enfants** âgés de 2 ans ½ à 5 ans. Les expériences clés indiquent les actions des enfants, leur perception du monde et les expériences qui sont importantes pour leur développement.

Ce chapitre dresse un portrait des expériences clés en général; ces dernières sont énumérées dans l'encadré intitulé « Les expériences clés pour les enfants d'âge préscolaire ». Nous les étudions sous différents aspects. Nous rappelons d'abord leur origine et leur conception. Puis, nous expliquons comment elles sont regroupées et pourquoi elles sont importantes. Ensuite, nous examinons les liens qui existent entre elles et l'apprentissage actif, l'aménagement et l'horaire quotidien. Finalement, nous démontrons comment les éducatrices les utilisent en travaillant avec les enfants. Une présentation détaillée de chaque expérience clé est faite dans les chapitres 10 à 19. Chacun de ces chapitres analyse les expériences clés spécifiques, qui sont regroupées selon les domaines du développement de l'enfant d'âge préscolaire, à savoir ***la représentation créative et l'imaginaire, le développement du langage et le processus d'alphabétisation, l'estime de soi et les relations interpersonnelles, le mouvement, la musique, la classification, la sériation, les nombres, l'espace*** et ***le temps.***

9.1 Les expériences clés : des indicateurs du développement de l'enfant

Les 58 expériences clés qui sont présentées dans ce chapitre et les suivants dépeignent un tableau complexe, représentatif de la diversité et de la richesse de la pensée de l'enfant d'âge préscolaire et des comportements qui le caractérisent tandis qu'il développe et met en pratique ses habiletés naissantes. L'enfant utilise ces habiletés pour parler, bouger, faire fonctionner des objets, interagir avec les autres, acquérir une compréhension des relations sociales et logiques, et représenter sa perception de l'univers. **Les expériences clés guident les éducatrices lorsqu'elles observent les enfants, qu'elles les soutiennent et qu'elles planifient des activités pour eux ; de plus, elles sont utiles lorsque les éducatrices mesurent la qualité et la valeur de leur intervention auprès des enfants d'âge préscolaire.**

Le terme « expérience clé » attire l'attention sur ce que les enfants sont capables de faire, par exemple siffler ou pelleter. Il nous rappelle les différentes habiletés que les enfants peuvent exercer dans des contextes variés lorsqu'ils sont mis en présence du matériel qui les intéresse.

Les expériences clés sont des « expériences » en ce sens qu'elles impliquent la participation de l'enfant, qu'elles sont souvent entreprises par l'enfant lui-même et qu'elles se déroulent et se répètent dans des contextes différents sur une longue période. Dans les milieux éducatifs qui favorisent une approche centrée sur l'apprentissage actif, les jeunes enfants abordent les expériences clés à maintes reprises dans leurs diverses interactions avec le matériel, les adultes et leurs pairs. Le fait d'aborder une expérience clé une fois – dans un certain contexte, à un certain moment, d'une certaine façon – ne suffit pas pour que l'enfant maîtrise les concepts qui sont en cause. Les expériences clés ne sont pas conçues pour servir de base à des activités dirigées organisées autour de concepts spécifiques ; elles ne constituent pas des situations d'enseignement où l'enfant doit apprendre du premier coup. Elles sont plutôt des **occasions d'apprentissage continu**. Par exemple, l'expérience clé *remplir et vider*, qui appartient au domaine ***l'espace***, est censée suggérer la grande variété d'actions qui pourraient aider l'enfant à comprendre ce concept.

D'autre part, les expériences clés sont « clés » en ce sens qu'elles sont essentielles à la construction des connaissances de l'enfant. Par exemple, les enfants construisent des concepts, tels que la signification de « plein » et de « vide », à travers la répétition de plusieurs actions et expériences spécifiques, comme remplir et vider des contenants dans le carré de sable, remplir un seau avec des cailloux, cueillir des fraises et les mettre dans un casseau, verser un verre de jus, presser une bouteille de colle pour en faire sortir de la colle, charger des blocs dans un camion et les renverser.

Décrites dans des énoncés concis, les expériences clés exposent les types de découvertes que les jeunes enfants font au cours de leurs ébats et **à travers leurs propres actions**, pour donner un sens au monde qui les entoure. Lorsqu'on les considère dans leur ensemble, les expériences clés procurent aux éducatrices un cadre de référence pour comprendre les jeunes enfants, pour soutenir leurs habiletés affectives, physiques, intellectuelles et sociales, et pour planifier des expériences d'apprentissage qui tiennent compte du niveau de développement de chacun des enfants du groupe dont elles ont la responsabilité.

9.2 L'évolution des expériences clés

Les expériences clés de l'apprentissage actif qui visent le développement global des jeunes enfants résultent des observations attentives de psychologues de l'éducation et de praticiens auprès d'enfants d'âge préscolaire ainsi que des théories issues de ces observations. Tandis qu'ils travaillaient avec les enfants tout en les observant, les membres du personnel de High/Scope ont mis à l'essai leurs plans d'intervention et leurs stratégies pour soutenir les enfants, puis ils les ont modifiés à la suite de leur évaluation. À la lumière d'une expérimentation continue, ils ont élaboré simultanément une approche éducative et une théorie de base (Phillips, 1975). Ces efforts ont entraîné une compréhension approfondie, d'une part, du processus de construction des connaissances qu'utilisent les enfants et de leur développement au cours de la prime enfance et, d'autre part, d'une approche éducative qui décrit comment les adultes en général et les éducatrices en particulier soutiennent les enfants au cours de cette période de développement.

Depuis 1962, les expériences clés se sont donc transformées à la suite de l'intégration de théories sur le développement de l'enfant ainsi que des résultats des observations et de l'expérience d'éducateurs et d'autres professionnels qui travaillaient auprès de jeunes enfants (voir Weikart, 1974).

Bien que le concept d'expériences clés tire son origine des recherches menées par High/Scope à partir de 1962 – dans le contexte du projet Perry Preschool –, il n'a connu sa forme actuelle qu'au cours des années 1970. C'est alors que le terme « expérience clé » a été utilisé : « expérience » pour indiquer la participation, l'interaction et la continuité, et « clé » pour souligner la dimension essentielle des expériences visées. Cette expression fait appel à des mots simples pour refléter le désir des chercheurs de rendre le plus accessibles possible les principes inhérents à l'approche High/Scope centrée sur l'apprentissage actif. L'aspect concret de ces termes permet aux intervenants auprès des jeunes enfants de se les approprier facilement.

Les premières expériences clés publiées en 1970 ont été transformées, enrichies et remaniées au fil des ans grâce au travail continu des chercheurs et à la contribution des intervenants qui appliquent cette approche. La liste des expériences clés présentée dans cet ouvrage est le fruit de cette collaboration entre les chercheurs et les intervenants sur le terrain, et elle est encore en évolution. La poursuite des recherches en vue d'approfondir les connaissances sur le processus d'apprentissage de l'enfant et l'apport des expérimentations sur le terrain sont donc susceptibles d'amener de nouvelles modifications dans cette liste de façon à mieux rendre compte de la croissance et du développement harmonieux de l'enfant (Schweinhart, 1988).

9.3 Les expériences clés sont significatives

Les expériences clés sont significatives pour les éducatrices qui appliquent une approche pédagogique centrée sur l'apprentissage actif parce qu'elles reflètent fidèlement les activités des enfants d'âge préscolaire. Lorsque les enfants s'engagent activement avec les personnes et le matériel, ils participent de façon naturelle à ces expériences. Pour les adultes, les expériences clés donnent un nouvel éclairage à ce que font les enfants. Les éducatrices qui comprennent l'importance des expériences clés en tant qu'outils pour observer, décrire et soutenir le développement des enfants peuvent les utiliser pour guider leur travail avec les enfants, de la façon qui est décrite ci-après.

9.3.1 Les expériences clés aident les éducatrices à interpréter leurs observations des activités des enfants

Les expériences clés forment un « filtre » qui permet aux éducatrices d'observer le développement des

Les expériences clés pour

Les expériences clés de l'apprentissage actif dressent un portrait complexe du développement de l'enfant d'âge préscolaire. Ces expériences fondamentales pour le développement des jeunes enfants doivent être répétées plusieurs fois sur une longue période ; elles décrivent les concepts et les relations que les jeunes enfants tentent de comprendre. Elles se déroulent dans un environnement dont l'aménagement soutient l'apprentissage actif, c'est-à-dire un environnement dans lequel les enfants ont la possibilité de faire des choix et de prendre des décisions, de manipuler le matériel, d'interagir avec leurs pairs, de réfléchir à leurs idées et à leurs comportements, d'utiliser le langage d'une façon personnelle et signifiante, et de recevoir un soutien approprié de la part des adultes qui les entourent. Dans la liste ci-dessous, les 58 expériences clés sont classées par catégories selon le domaine du développement de l'enfant auquel elles sont reliées.

La représentation créative et l'imaginaire

- Reconnaître les objets en utilisant ses cinq sens (le toucher, la vue, l'ouïe, le goût et l'odorat).
- Imiter des gestes, des mouvements et des sons.
- Associer des modèles réduits, des figurines, des illustrations et des photographies à des lieux, à des personnes, à des personnages, à des animaux et à des objets réels.
- Imiter, faire des jeux de rôles et faire semblant.
- Fabriquer des sculptures et des structures avec de l'argile, des blocs et d'autres matériaux.
- Dessiner et peindre.

Le développement du langage et le processus d'alphabétisation

- Parler avec les autres de ses expériences personnelles significatives.
- Décrire des objets, des événements et des corrélations.
- Jouer avec les mots : écouter des histoires, des comptines et des poèmes, inventer des histoires et faire des rimes.
- Écrire de diverses façons : en dessinant, en gribouillant, en dessinant des formes qui ressemblent à des lettres, en inventant des symboles, en reproduisant des lettres.
- Décoder des supports de lecture variés : lire des livres d'histoires et d'images, des signes et des symboles, ses propres écrits.
- Dicter une histoire à un adulte.

L'estime de soi et les relations interpersonnelles

- Faire des choix et les exprimer, élaborer des projets et prendre des décisions.
- Résoudre les problèmes qui surgissent au cours des périodes de jeu.
- Développer son autonomie en répondant à ses besoins personnels.
- Exprimer ses sentiments à l'aide de mots.
- Participer aux activités de groupe.
- Être sensible aux sentiments, aux intérêts et aux besoins des autres.
- Créer des liens avec les enfants et les adultes.
- Concevoir et expérimenter le jeu coopératif.
- Résoudre les conflits interpersonnels.

Le mouvement

- Bouger sans se déplacer : se pencher, se tortiller, vaciller, balancer les bras.
- Bouger en se déplaçant : courir, sauter, sautiller, gambader, bondir, marcher, grimper.
- Bouger avec des objets.
- Exprimer sa créativité par le mouvement.
- Décrire des mouvements.
- Modifier ses mouvements en réponse à des indications verbales ou visuelles.

enfants et de choisir les interventions appropriées. Par exemple, à travers le filtre des expériences clés, une observation telle que « Jean joue dans le sable » peut être précisée de la façon suivante : « Jean joue dans le sable en remplissant des contenants et des tamis (*remplir et vider*), et il regarde pour voir ce qui se passe avec le sable dans chacun des cas (*explorer, reconnaître et décrire les similitudes, les différences et les caractéristiques des objets*). » Les expériences clés peuvent aider les éducatrices à interpréter ce que les

les enfants d'âge préscolaire

- Ressentir et reproduire un tempo régulier.
- Suivre des séquences de mouvements en respectant un tempo commun.

La musique

- Bouger au son de la musique.
- Explorer et reconnaître des sons.
- Explorer sa voix.
- Développer le sens de la mélodie.
- Chanter des chansons.
- Jouer avec des instruments de musique simples.

La classification

- Explorer, reconnaître et décrire les similitudes, les différences et les caractéristiques des objets.
- Reconnaître et décrire les formes.
- Trier et apparier.
- Utiliser et décrire les objets de différentes façons.
- Tenir compte de plus d'une caractéristique d'un objet à la fois.
- Discriminer les concepts « quelques » et « tous ».
- Décrire les caractéristiques qu'un objet ne possède pas ou indiquer la catégorie à laquelle il n'appartient pas.

La sériation

- Comparer les caractéristiques (plus long/plus court, plus gros/plus petit).
- Ordonner plusieurs objets selon une série ou une séquence et en décrire les particularités (gros/plus gros/encore plus gros, rouge/bleu/rouge/bleu).
- Associer un ensemble d'objets à un autre par essais et erreurs (petite tasse – petite soucoupe, moyenne tasse – moyenne soucoupe, grande tasse – grande soucoupe).

Les nombres

- Comparer le nombre d'objets de deux ensembles afin de comprendre les concepts « plus », « moins » et « égal ».
- Associer deux ensembles d'objets selon une correspondance de un à un.
- Compter des objets.

L'espace

- Remplir et vider.
- Assembler et démonter des objets.
- Modifier la forme et la disposition des objets (emballer, entortiller, étirer, empiler, inclure).
- Observer des personnes, des lieux et des objets à partir de différents points d'observation.
- Expérimenter et décrire l'emplacement, l'orientation et la distance dans des lieux diversifiés.
- Expliquer les relations spatiales dans des dessins, des illustrations, des photographies.

Le temps

- Commencer et arrêter une action à un signal donné.
- Expérimenter et décrire des vitesses de mouvement.
- Expérimenter et comparer des intervalles de temps.
- Prévoir, se rappeler et décrire des séquences d'événements.

enfants font et disent tout au long de la journée ; par la suite, elles pourront les guider dans la détermination des stratégies de soutien qu'elles adopteront : « Peut-être que si je m'assois à côté de Jean et que je remplis un tamis avec du sable, il va commencer à raconter dans ses mots ce qui se passe quand il joue dans le sable et à me faire part de ses observations. » Ou bien : « Au cours de la période de réflexion, je vais demander à Jean s'il peut nous montrer ce qui s'est passé lorsqu'il jouait dans le sable. »

9.3.2
Les expériences clés peuvent servir de cadre de référence pour observer et interpréter les actions des enfants, quelle que soit leur origine culturelle

Les praticiens de plusieurs cultures dans le monde notent qu'ils observent les enfants en train de faire des choses telles que *jouer avec les mots, trier et apparier, imiter, faire des jeux de rôles et faire semblant* ainsi que *résoudre les conflits interpersonnels.* Bien que chaque enfant soit unique, que chaque culture ait sa spécificité et que chaque communauté ait ses particularités, le développement de l'enfant franchit les mêmes étapes dans toutes les cultures et dans toutes les localités. Par exemple, si on leur donne la possibilité de le faire, les enfants passeront beaucoup de temps à remplir et à vider des contenants; ils utiliseront probablement des contenants différents selon ce qui se trouve dans leur environnement, mais il est fort probable qu'ils les utiliseront pour exécuter des fonctions semblables dans leurs jeux et qu'ils décriront dans leurs mots ce qu'ils font avec ces contenants.

9.3.3
Les expériences clés peuvent aider les adultes à avoir des attentes réalistes face aux enfants

Nous savons que plusieurs jeunes enfants éprouvent une motivation intrinsèque à écrire et que ce processus émerge lentement à travers une série d'imitations – dessiner, gribouiller, reproduire des formes qui s'apparentent à des lettres –, ces imitations étant nécessaires aux enfants pour qu'ils puissent tenter plus tard de former des lettres de façon plus conventionnelle. Ainsi, les éducatrices qui comprennent les expériences clés du domaine ***le développement du langage et le processus d'alphabétisation*** sont heureuses d'écouter Marie-Pierre « lire » l'histoire qu'elle a « écrite » à propos d'une tempête de neige, et ce même si ce qu'elle a écrit ressemble plus, pour les adultes, à une série de gribouillis et de taches qu'à des lettres. Elles ne se préoccupent pas du fait que Marie-Pierre ne forme pas des lettres conventionnelles parce qu'elles comprennent qu'elle est engagée dans une forme d'écriture qui est fonction de son niveau de développement et qu'elles s'attendent même à ce que les choses se passent de cette manière.

De plus, les expériences clés peuvent mettre en perspective les mésaventures des enfants et la compréhension qu'en ont les adultes. Par exemple, le fait de verser du jus dans un verre au moment de la collation devient une expérience importante pour les enfants parce que cela leur donne une expérience concrète, à partir de gestes de la vie quotidienne, pour s'intéresser au processus de *remplir et vider.* Par contre, remplir est un processus qui relève d'une habileté nouvelle chez les jeunes enfants et qui entraîne beaucoup d'essais et d'erreurs; comme les enfants sont parfois fébriles lorsqu'ils remplissent eux-mêmes leur verre, ils oublient parfois de s'arrêter. Mais il s'agit là aussi d'une expérience importante si elle donne à l'enfant l'occasion de ramasser le jus renversé et de *résoudre les problèmes qui surgissent.*

9.3.4
Les expériences clés peuvent répondre aux questions que l'éducatrice se pose sur le bien-fondé du jeu de l'enfant

Le jeu est une activité légitime et nécessaire pour les jeunes enfants. Toutefois, pour les adultes qui craignent que le jeu n'empêche les enfants de s'engager dans leur « vrai travail » qui est d'apprendre, les expériences clés renvoient à plus de 50 types d'expériences d'apprentissage actif qui sont apparentes dans les jeux des jeunes enfants. En fait, les expériences clés peuvent permettre aux adultes d'approfondir leur appréciation de la complexité du jeu de l'enfant.

9.3.5
Les expériences clés peuvent orienter les décisions à prendre au sujet du matériel et de l'horaire quotidien

Les expériences clés forment un ensemble de critères qui outillent et guident les éducatrices dans le choix du matériel approprié pour aménager leur environnement dans le but de favoriser l'apprentissage actif. Elles encouragent les équipes d'éducatrices à se poser des questions comme celles-ci : « Quel type de matériel pouvons-nous ajouter pour que les enfants aient le goût de modifier la forme et la disposition des objets ? » « Y a-t-il des expériences clés de musique qui pourraient avoir lieu plus fréquemment ou qui pourraient être plus ouvertes si nous ajoutions du matériel nouveau ? » « Puisque plusieurs enfants sont occupés à "construire le train le plus long du monde entier", comment pouvons-nous réorganiser le coin des blocs pour offrir à ces enfants plus d'espace ? »

Les expériences clés procurent aussi une occasion de modifier quelque peu l'horaire quotidien, puisque certaines expériences clés sont plus susceptibles de survenir à certains moments de la journée. Par exemple, dans un milieu bien organisé, les périodes de rangement permettent aux enfants de *trier et apparier*. Par ailleurs, une éducatrice qui voit que des enfants sont en train de *résoudre un conflit interpersonnel* au moment prévu pour le repas du midi pourra juger préférable d'apporter un changement dans l'horaire quotidien plutôt que de presser les enfants et les empêcher ainsi de vivre une expérience importante.

9.3.6 Les expériences clés permettent de reconnaître et de soutenir les habiletés naissantes

La connaissance des expériences clés guide les éducatrices dans la planification des activités et dans le soutien des enfants au cours de leurs jeux. Par exemple, Lisa a fabriqué de la « pizza » dans le coin de la maisonnette et elle a invité Mélanie, son éducatrice, à en « goûter » un morceau. Mélanie s'est exclamée que la pizza était délicieuse et a demandé à Lisa de lui en fournir la recette. Lisa s'est précipitée dans le coin des arts plastiques, elle a choisi du matériel pour écrire et elle est retournée au coin de la maisonnette pour écrire sa recette sous forme de gribouillis. Mélanie savait, grâce à ses observations précédentes, que Lisa commençait à écrire et, en lui demandant la recette, elle a pu créer une occasion pour Lisa d'utiliser son habileté naissante.

En résumé, les expériences clés peuvent permettre aux éducatrices de mieux comprendre ce que les enfants font, ce qu'ils pensent et ce qu'ils aiment. Plutôt que de centrer leur intervention sur la correction des faiblesses et des erreurs des enfants, les éducatrices qui comprennent la complexité des objectifs poursuivis par ces derniers sont outillées pour soutenir leurs habiletés naissantes en leur fournissant le matériel approprié et en intervenant de façon pertinente.

9.4 Utiliser les expériences clés pour soutenir l'apprentissage et déterminer l'intervention pédagogique

Pour toutes les raisons énumérées précédemment, les expériences clés sont des outils qui aident les éducatrices dans leur travail auprès des jeunes enfants. Toutefois, pour pouvoir les utiliser dans l'action quotidienne d'un groupe d'enfants, la liste des expériences clés doit être accessible aux éducatrices. Puisque peu de personnes sont susceptibles de mémoriser la liste complète des expériences clés, il est important d'en garder une copie à un endroit où les éducatrices peuvent facilement la consulter. Par exemple :

- Afficher une version imprimée en gros caractères dans un lieu central où les éducatrices peuvent la voir tout au long de la journée.
- Conserver la liste des expériences clés à des endroits où les membres de l'équipe peuvent la consulter au besoin, par exemple avec le cahier de planification des membres de la cellule de soutien mutuel, avec les rapports anecdotiques des enfants, avec les dossiers de rapports aux parents et sur le tableau d'information des parents.

Certaines éducatrices hésitent à utiliser les expériences clés parce qu'elles ne sont pas familiarisées avec elles. Toutefois, la meilleure façon de se familiariser avec les expériences clés consiste justement à les utiliser. Voici six stratégies à mettre en place pour entreprendre cette démarche.

9.4.1 Utiliser les expériences clés pour évaluer le matériel mis à la disposition des enfants

Pour commencer cette démarche, choisissez un des domaines du développement de l'enfant et les expériences clés qui y sont associées. Déterminez le matériel des coins d'activités et de la cour qui soutient chacune des expériences clés de ce domaine du développement. Si vous relevez très peu d'éléments ou n'en relevez aucun pour une expérience clé en particulier, faites un remue-méninges pour établir une liste de matériel à ajouter. Vous pourriez aussi étudier attentivement le chapitre correspondant à ce domaine du développement dans le présent ouvrage pour préciser le matériel que vous prendrez en considération. Finalement, n'oubliez pas de demander des suggestions aux enfants. Répétez périodiquement cette démarche de façon qu'au cours de l'année vous ayez systématiquement analysé et évalué le matériel relié à chacune des expériences clés et ajouté le matériel nécessaire à leur réalisation pour tous les domaines du développement de l'enfant.

Par exemple, deux éducatrices d'une cellule de soutien mutuel ont répertorié et évalué le matériel qui était accessible aux enfants pour soutenir leur développement au chapitre de ***la représentation créative et l'imaginaire***. Elles désiraient ajouter du matériel afin de stimuler l'expérience clé *imiter, faire des jeux de rôles et faire semblant.* Elles ont donc décidé de consulter les enfants. Aussi, le jour suivant, lors de la période d'accueil, elles leur ont demandé : « Qu'est-ce qu'on pourrait ajouter dans notre coin de la maisonnette pour que vous ayez le goût d'aller y jouer ? » « Un chien », ont répondu spontanément les enfants (ce n'était pas du tout le type de réponse que prévoyaient les éducatrices). Étant donné la réglementation des services de garde qui interdit la présence d'animaux, les éducatrices étaient très embêtées par la demande des enfants : d'un côté, elles voulaient satisfaire à la requête des enfants qu'elles avaient elles-mêmes sollicitée, mais d'un autre côté elles ne voulaient pas enfreindre la réglementation. Une discussion en équipe les a amenées au compromis suivant : elles ont acquis un chien en peluche grandeur nature et ajouté des accessoires achetés dans une animalerie, soit un bol pour la nourriture, une laisse, un collier, des accessoires de toilettage, des contenants de nourriture animale, un panier pour le dodo. Les éducatrices ont estimé par la suite que si les enfants semblaient heureux de ce compromis, ce fut grâce à l'ajout du matériel « réel » qui stimulait leurs jeux de rôles.

9.4.2 Organiser et interpréter les observations faites sur les enfants en fonction des expériences clés

Tout au long de la journée, tandis que vous interagissez avec les enfants, notez brièvement des observations spécifiques et courtes sur ce qu'ils font et disent. Au cours des périodes de planification quotidienne avec les collègues de votre cellule de soutien mutuel, communiquez-leur ces anecdotes et interprétez ensemble ces observations en déterminant quelles expériences clés elles illustrent. Ensuite, conservez vos observations en les inscrivant sur des fiches d'observation des expériences clés. En procédant de cette façon, vous pourrez vous référer à ces observations et à d'autres rapports anecdotiques lorsque vous planifierez vos activités quotidiennes, que vous remplirez des rapports pour les parents et aurez des rencontres avec ces derniers, et que vous remplirez le cahier d'observation du développement de l'enfant (CODE).

Des rapports anecdotiques plus détaillés peuvent aussi être utiles pour alimenter les périodes de planification. Par exemple, une éducatrice a noté les observations suivantes au cours de la période d'ateliers libres :

> « Jonathan a trié toutes les pièces noires du jeu d'échecs et les a placées sur un côté de l'échiquier. Ensuite, il est allé de l'autre côté de l'échiquier et il a déversé les pièces blanches de la boîte. Il est retourné sur le premier côté de l'échiquier et il a placé toutes les pièces noires sur les cases noires. Puis, il s'est déplacé de l'autre côté et il a disposé toutes les pièces blanches du jeu d'échecs sur les cases blanches. »

Les deux éducatrices de la cellule de soutien mutuel ont discuté de cette anecdote au cours d'une période de planification. Elles ont été étonnées par la précision avec laquelle Jonathan a classé les pièces

Mettre à la disposition des enfants du matériel qui soutient les expériences clés

Une équipe de travail a mis au point une fiche pour aider les éducatrices lors du choix du matériel. Celles-ci ont photocopié un grand nombre de ces fiches et les ont gardées dans leur fichier de planification quotidienne. Chaque fiche porte sur une expérience clé .
Voici un exemple d'une telle fiche que vous pourriez fabriquer.

DOMAINE : *La représentation créative et l'imaginaire*	EXPÉRIENCE CLÉ : *Imiter, faire des jeux de rôles et faire semblant*

COIN D'ACTIVITÉS	MATÉRIEL DÉJÀ EN PLACE	MATÉRIEL À AJOUTER
Blocs	*volants de véhicules, foulards, marionnettes, petits véhicules*	*panier à pique-nique, couvertures*
Maisonnette	*vêtements de déguisement, vaisselle et casseroles, poupées, téléphones, contenants de nourriture vides, accessoires de coiffeur*	*animaux en peluche, accessoires pour les soins du chien*
Arts plastiques		
Jeux et jouets	*maison de poupée et figurines, jeu de train*	*schtroumpfs*
Sable et eau	*cafetière, vaisselle*	*animaux en plastique*
Cour	*boîtes, jouets pour le sable, serpentins*	*chaloupe*
Autres : *ordinateur*	*logiciel de fabrication de masques*	*logiciel Adibou*

soutien et des expériences à faire vivre aux enfants le jour suivant.

Par exemple, après avoir discuté de l'expérience de Jonathan avec le jeu d'échecs, les éducatrices se sont demandé de quelle façon elles pourraient tenir compte, dans leurs interventions du lendemain, de l'intérêt de Jonathan qu'elles venaient de découvrir. Elles ont convenu que si Jonathan avait encore l'intention de jouer avec le jeu d'échecs, l'une d'entre elles tenterait d'être près de lui pour voir s'il disait quelque chose à propos de ce qu'il faisait et pour être disponible si Jonathan l'invitait à jouer avec lui. Elles ont aussi décidé d'ajouter un ensemble de billes de couleurs variées et un jeu de dames dans le coin des jeux de table, à proximité du jeu d'échecs, pour offrir d'autres possibilités de jeux avec lesquels Jonathan pourrait *trier et apparier.* Pour la période d'activités en groupe d'appartenance, l'éducatrice de Jonathan a décidé d'apporter quatre autres échiquiers afin que chaque dyade d'enfants de son groupe puisse en avoir un. Comme elle n'avait pas suffisamment de pièces pour tous les échiquiers, elle a utilisé de petits animaux en plastique de couleurs différentes pour voir quel type de « jeu d'échecs » les enfants inventeraient. Elle était particulièrement curieuse de voir ce que Jonathan ferait avec les animaux qui n'étaient pas de la même couleur que les cases de l'échiquier.

du jeu d'échecs par couleurs et les a assorties aux cases de la même couleur, et par son désir de placer toutes les pièces noires d'un côté de l'échiquier et toutes les pièces blanches de l'autre côté. Elles ont interprété les actions de Jonathan comme étant en relation avec son intérêt pour l'expérience clé et pour son habileté dans celle-ci. Étant donné que Jonathan était vraiment concentré lorsqu'il classait et associait les pièces du jeu d'échecs, elles ont noté ce fait sur sa fiche sous la catégorie des expériences clés du domaine ***la classification.***

9.4.3 Utiliser les observations faites en fonction des expériences clés pour planifier les activités quotidiennes

Discutez d'abord de vos observations des comportements des enfants au cours des différentes périodes de la journée et interprétez-les à la lumière des expériences clés. Utilisez ensuite les connaissances que vos observations et vos discussions vous ont permis d'acquérir pour planifier des stratégies de

9.4.4 S'inspirer des expériences clés pour planifier les activités en groupe d'appartenance et les rassemblements en grand groupe

À partir de vos observations des intérêts des enfants, vous pouvez leur présenter des activités, au cours des périodes en groupe d'appartenance ou des rassemblements en grand groupe, qui leur procureront des occasions de s'initier à des expériences clés spécifiques. Par exemple, si les mannes qui fourmillent à l'extérieur ont attiré l'attention des enfants, vous pourriez planifier une période d'observation de ces insectes au cours de la période en groupe d'appartenance et demander aux enfants de les dessiner (dans le domaine ***la représentation créative et l'imaginaire***, l'expérience clé *dessiner et peindre*). Ou encore, si certains enfants ont parlé récemment des clowns du cirque qu'ils ont vus marcher sur des échasses, vous pourriez planifier une activité de rassemblement en grand groupe à l'extérieur au cours de laquelle les enfants tenteront de marcher avec des échasses fabriquées à partir de boîtes de conserve (dans le domaine ***la représentation créative et l'imaginaire***, l'expérience clé *imiter des gestes, des mouvements et des sons*; dans le domaine ***le mouvement***, l'expérience clé *bouger avec des objets*).

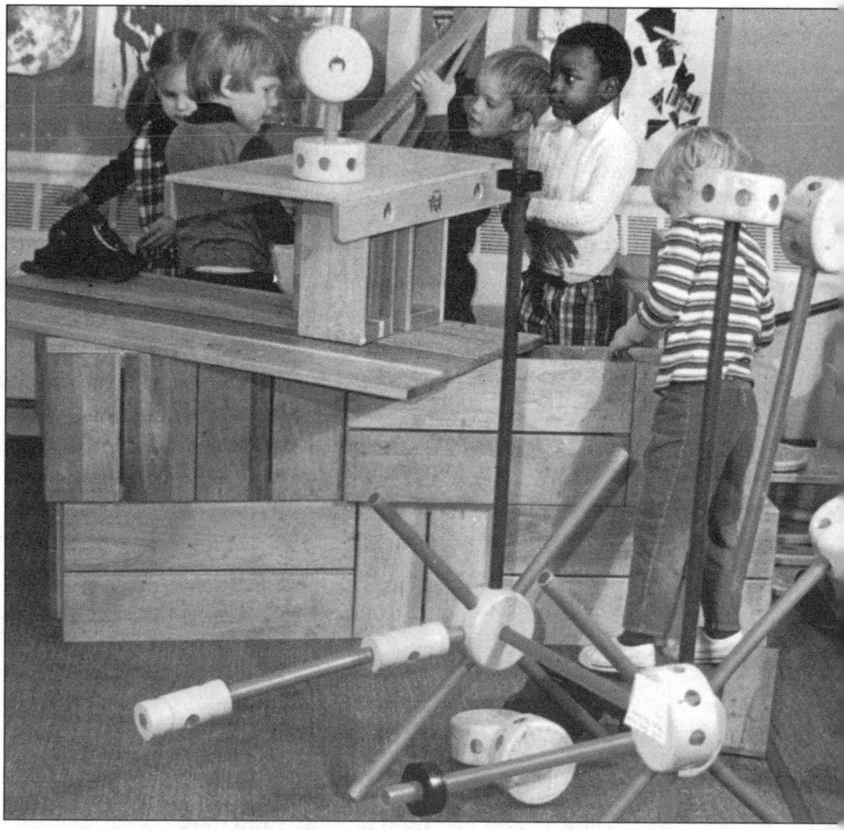

9.4 5 Utiliser les expériences clés pour guider l'intervention spontanée avec les enfants

Lorsque vous parlez avec les enfants et que vous soutenez leurs efforts pour résoudre un problème, observez ce qu'ils font et tentez d'interpréter leurs comportements en fonction des expériences clés. Ce genre d'observation vous fournira souvent des indices précieux qui vous guideront dans la façon d'intervenir pour soutenir et complexifier leurs jeux. Demandez-vous, par exemple: « Qu'est-ce que Suzanne fait ? Dans quel genre d'expérience clé est-elle engagée en ce moment ? Quelles expériences clés sont en cause dans ce jeu ? » Vous pourrez ainsi recueillir des indices pour participer au jeu de l'enfant sans perturber ce jeu. Voici des exemples d'une telle démarche.

- Joanie, qui est dans le coin des arts plastiques, a de la difficulté à couper un morceau de ruban adhésif qui s'est emmêlé. Votre premier réflexe est de la rejoindre et de couper le ruban pour elle. Mais vous pensez alors à l'expérience clé *résoudre les problèmes qui surgissent au cours des périodes de jeu.* Alors, vous vous assoyez silencieusement à côté de Joanie. Elle s'arrête et vous pensez qu'elle a abandonné, mais elle revient bientôt avec une paire de ciseaux, elle coupe la partie du ruban qui s'est emmêlée et remet consciencieusement en place le bout du ruban sur le tranchant du distributeur. « Voilà !, dit-elle avec une satisfaction évidente.

  – Tu as fixé le ruban adhésif sur le distributeur », confirmez-vous.

- Durant la période d'accueil, Sandra apporte un livre et s'assoit sur vos genoux. Au lieu d'ouvrir le livre, elle commence à vous parler de la marmotte que son père a capturée et enfermée dans une cage. Elle décrit comment son frère, son père et elle ont emmené la marmotte en camion « jusqu'à un grand, grand champ ; et on l'a laissée partir », dit-elle. Plusieurs enfants se regroupent autour de vous et posent des questions telles que « Est-ce qu'elle était blessée ? » et « Comment est-elle rentrée là ? ». Ils font des commentaires comme « Je suis contente de voir qu'elle était correcte » et « Ça aurait été triste si elle avait été blessée », et ils racontent leurs propres histoires d'animaux. Même si vous n'aviez pas planifié une telle discussion pour la période d'accueil et si cette causerie prend plus de temps que prévu, vous écoutez la discussion au sujet des cages, des pièges et des animaux et vous y participez parce que, de façon entière et sincère, les enfants sont occupés à *parler avec les autres de leurs expériences personnelles significatives* et à *décrire des objets, des événements et des corrélations* (deux expériences clés du domaine ***le développement du langage et le processus d'alphabétisation***. Aussi sont-ils en train d'*exprimer des sentiments à l'aide de mots* et d'*être sensibles aux sentiments, aux intérêts et aux besoins des autres* (deux expériences clés du domaine ***l'estime de soi et les relations interpersonnelles***).

- Jeanne et Anna sont en train de construire une grosse ruche dans le coin des blocs en utilisant des blocs de différentes grosseurs et des foulards de couleurs variées. Elles se dirigent ensuite vers le coin des arts plastiques (où vous jouez avec de la pâte à modeler en compagnie d'autres enfants) ; elles pressent un petit triangle de bois sur votre bras et elles rigolent en attendant votre réaction. Au début, vous êtes étonnée et perplexe, mais vous vous souvenez juste à temps de la « ruche » et vous pensez à l'expérience clé *imiter, faire des jeux de rôles et faire semblant.* « Aïe, les abeilles, dites-vous. Ne me piquez pas, s'il vous plaît ! » Les deux « abeilles » rigolotes retournent à leur ruche en « volant ». Vous avez compris et vous avez joué le jeu.

Pour obtenir plus de détails sur l'intervention spontanée en relation avec les expériences clés, consultez la sous-section 7.4.4.

9.4.6 Utiliser les outils de planification et d'observation créés à partir des expériences clés, entre autres le cahier d'observation du développement de l'enfant (CODE)

En puisant dans vos observations quotidiennes des enfants et dans vos rapports anecdotiques notés sur les fiches d'observation des expériences clés, vous disposerez de toute l'information nécessaire pour remplir un cahier d'observation du développement de l'enfant (CODE) pour chacun des enfants de votre groupe deux ou trois fois par année. Le CODE est un instrument d'évaluation des enfants conçu à partir de la notion de développement global et des expériences clés à l'intention des enfants d'âge préscolaire. Avec le CODE, les intervenantes auprès des enfants du préscolaire utilisent les informations recueillies par le biais de leurs observations quotidiennes pour évaluer le développement d'un enfant. À partir des anecdotes recueillies et notées pendant plusieurs mois, le CODE donnera aux membres de votre équipe une idée du développement de chaque enfant en fonction de plusieurs expériences clés. De plus, il permettra de dresser un tableau des progrès réalisés par les enfants au cours d'une période donnée au regard de l'initiative et du goût du risque, des relations interpersonnelles, de la représentation créative et de l'imaginaire, de la musique et du mouvement, du langage, de la lecture et de l'écriture et de la logique et des mathématiques. (Pour une présentation sommaire des outils d'observation High/Scope, consultez la section traitant du CODE dans *Jouer, c'est magique*, tome 2.)

Les expériences clés de l'apprentissage actif sont un ensemble d'outils destinés à aider les éducatrices à comprendre les jeunes enfants, puis à utiliser cette compréhension des enfants dans leurs interactions quotidiennes avec eux. Si les éducatrices font appel aux expériences clés pour évaluer le matériel, interpréter leurs observations des enfants, planifier les activités du lendemain, guider leurs interventions spontanées et évaluer le développement des enfants, elles commenceront à apprécier les habiletés naturelles des enfants et leurs points forts, et elles élargiront leur répertoire de stratégies pour soutenir l'enfant.

Les 10 chapitres qui suivent sont organisés selon les 10 domaines du développement de l'enfant d'âge préscolaire d'après High/Scope, à savoir ***la représentation créative et l'imaginaire, le développement du langage et le processus d'alphabétisation, l'estime de soi et les relations interpersonnelles, le mouvement, la musique, la classification, la sériation, les nombres, l'espace*** et ***le temps.*** La construction de chacun des chapitres est la suivante : une brève description de la dimension du développement et des expériences clés qui s'y rattachent, suivie de la présentation de pistes d'intervention permettant aux éducatrices de soutenir chacune des expériences clés à travers toutes les activités de la journée.

TABLEAU RÉCAPITULATIF

Les expériences clés sont répertoriées en fonction des domaines du développement de l'enfant. Elles sont des indicateurs de son développement global. Les expériences clés sont significatives parce qu'elles visent les objectifs suivants :

- Aider les éducatrices à interpréter leurs observations des activités des enfants.
- Servir de cadre de référence pour observer et interpréter les actions des enfants quelle que soit leur origine culturelle.
- Aider les adultes à avoir des attentes réalistes face aux enfants.
- Répondre aux questions que l'éducatrice se pose sur le bien-fondé du jeu de l'enfant.
- Orienter les décisions à prendre au sujet du matériel et de l'horaire quotidien.
- Permettre de reconnaître et de soutenir les habiletés naissantes.

Les expériences clés sont un outil efficace pour guider les éducatrices dans leur travail auprès des enfants. Celles-ci y recourent pour :

- évaluer le matériel mis à la disposition des enfants ;
- organiser et interpréter les observations faites sur les enfants ;
- planifier les activités quotidiennes ;
- planifier les activités en groupe d'appartenance et les rassemblements en grand groupe ;
- guider l'intervention spontanée avec les enfants ;
- utiliser des outils de planification et d'observation spécifiques.

LECTURES COMPLÉMENTAIRES

BRUNER, JEROME et autres (1973). *La pédagogie par la découverte*, Paris, Éditions ESF.

GARDNER, HOWARD (1996). *Les intelligences multiples : pour changer l'école. La prise en compte des différentes formes d'intelligence*, Paris, Retz.

GARON, DENISE (1996). *La classification des jeux et des jouets*, La Pocatière, Documentor.

GRAVES, MICHELLE (1989). *The Teacher's Idea Book : Daily Planning Around the Key Experiences*, Ypsilanti, High/Scope Press.

HENDRICK, JOANNE (1997). *L'enfant : une approche globale pour son développement*, Sainte-Foy, Presses de l'Université du Québec.

CHAPITRE 10

La représentation créative et l'imaginaire

Non seulement l'invention de symboles est naturelle, mais elle est aussi une source de vif plaisir et de satisfaction. À travers les symboles, l'expérience est clarifiée et partagée.
NANCY SMITH, 1982.

Tout comme les poupons et les trottineurs, les enfants d'âge préscolaire continuent d'apprendre avec leurs sens et à travers leurs actions. Cependant, ils se distinguent des enfants plus jeunes par leur capacité nouvelle **de construire et de représenter des images mentales**. En effet, les enfants d'âge préscolaire sont capables d'intérioriser et de garder à l'esprit les expériences qu'ils vivent avec les personnes et avec les objets. Ils communiquent ces images mentales par le langage et d'autres formes d'expression. Le présent chapitre traite du développement de la représentation créative et de l'imaginaire chez l'enfant à travers des activités telles que l'imitation, l'interprétation de photos, de structures et de sculptures, le dessin, la peinture et les jeux de rôles. Par ailleurs, le chapitre suivant sera consacré à la communication des images mentales par le langage.

10.1 La construction des symboles par les enfants

Jean Piaget (1962b, p. 67) fait référence à la représentation comme étant « l'évocation symbolique des réalités absentes ». John Flavell (1963, p. 152-153) interprète les propos de Piaget en décrivant la capacité de l'enfant de représenter ou d'inventer des symboles comme un prolongement de l'imitation :

> L'enfant est en fin de compte capable de faire des imitations internes autant que des imitations externes ou visibles. Il est capable d'évoquer en pensée ces imitations plutôt que d'agir concrètement. Ces imitations intériorisées prennent la forme d'images mentales.

Les psychologues Rudolf Arnheim (1974) et Claire Golomb (1974), collègues de longue date, ont étudié l'art enfantin ; ils conçoivent la représentation comme un processus créateur de résolution de problèmes à travers lequel l'enfant invente des formes adéquates pour représenter des objets complexes et des événements. En dressant les conclusions de son étude sur l'art enfantin et le jeu, Golomb (1974, p. 185) note ceci :

> Le jeu symbolique et l'art représentent un aspect de la réalité et créent des équivalences de celle-ci en symbolisant les caractéristiques saillantes des objets et des fonctions.

Par exemple, en tant que fabricants de symboles, les enfants inventent des façons efficaces de se transformer en chats, d'utiliser un bloc comme séchoir à cheveux ou de transformer des morceaux d'argile en personnage.

> Le jeu symbolique est une source importante d'activité créative, et le jeune enfant tente d'éliminer les contradictions et les incohérences en renommant, en redéfinissant les phénomènes par des procédés de jeu et des procédés narratifs qui illustrent bien cela. (Golomb, 1974, p. 188.)

La représentation est un processus intentionnel. À partir de débuts quelque peu accidentels (« J'ai fait un pâté d'encre. Ça ressemble à un monstre ! »), les enfants en viennent à gagner suffisamment de maîtrise pour utiliser différents médias tels que l'expression dramatique, les blocs, l'argile ou les crayons feutre pour communiquer avec précision les idées ou les images mentales qu'ils ont à l'esprit. Par exemple, ils jouent au bébé, construisent des cabanes à oiseaux et dessinent des chevaux.

En s'exprimant à travers des représentations créatives, ils acquièrent un sens de l'investissement personnel dans leur travail et dans leurs jeux : « Regarde mon dessin ! » « Regarde, on monte un spectacle ! » « C'est moi qui ai fait cela ! ». Golomb (1992, p. 26), qui a documenté ce processus, rapporte ceci :

> Une fois que les enfants utilisent des formes pour représenter les objets, ils ont tendance à démontrer clairement un sentiment de propriété, un intérêt plus personnel et permanent envers le produit et un désir de le préserver.

Les enfants d'âge préscolaire sentent un besoin pressant de créer leurs propres symboles pour les substituer aux objets et aux expériences réels. À travers le faire-semblant, la fabrication de modèles réduits, la peinture et le dessin, ils construisent leurs propres scénarios et leurs images mentales, et ils prennent conscience d'eux-mêmes en tant que comédiens et fabricants d'images.

La représentation est donc un processus par lequel les enfants construisent des symboles mentaux pour remplacer les objets réels, les personnes et les expériences. En révélant au grand jour leurs imitations intérieures et leurs images mentales, les enfants d'âge préscolaire sont capables de faire des liens entre leur perception du monde, leurs souvenirs et leur imagination ; de plus, ils expriment leur perception et leur compréhension du monde qui les entoure par le langage et une variété d'autres médias. En créant ces images externes, les enfants d'âge préscolaire résolvent des problèmes, réalisent des projets et s'investissent personnellement dans les processus et les résultats de leur travail et de leur jeu.

10.1.1 Une nouvelle ouverture sur différentes formes d'art et d'imitation

La capacité d'entrevoir les événements passés et futurs libère les jeunes enfants du fait de vivre seulement dans le moment présent et leur ouvre la porte du jeu imaginaire et de la construction de symboles. Puisque les enfants d'âge préscolaire peuvent former des images mentales, leurs actions, leurs pensées et leurs sentiments sont influencés par la relation qui existe entre ce qu'ils voient réellement et ce qu'ils peuvent se rappeler ou prévoir.

La pensée représentative ouvre la porte de la créativité qui nourrit les artistes, les comédiens, les écrivains, les musiciens, les danseurs, les scientifiques et les diplomates en herbe. La capacité de former des symboles mentaux permet aux enfants d'âge préscolaire de communiquer leurs perceptions au moyen du langage, de l'art, du mime, du jeu de rôles et de la musique. Le psychologue Howard Gardner (1982, p. 87-88) l'exprime en ces termes :

> Les enfants apprennent à utiliser des symboles variés qui vont des gestes de la main ou du mouvement de tout le corps jusqu'à des manifestations plus complexes comme les dessins, les figurines en argile, les nombres, la musique et l'imitation. Vers l'âge de 5 ou 6 ans, non seulement les enfants comprennent ces divers symboles, mais ils peuvent souvent les combiner de telle façon qu'ils étonnent les adultes.

La créativité inhérente au jeu de rôles et à la fabrication de symboles est très satisfaisante pour les jeunes enfants. Ils sont à l'aise dans ces activités et ils prennent plaisir à associer la pensée, les sentiments, les perceptions et le mouvement lorsqu'ils exercent leur créativité pour réaliser des peintures, des dessins, des figurines ou des séquences de jeux de rôles.

De plus, la représentation créative emprunte ses composantes aux expériences réelles des enfants ; l'expérience enrichit et consolide leurs images mentales, et elle permet aux enfants de préciser la signification des symboles qu'ils rencontrent dans leur univers. Le processus de création de leurs propres symboles amène une compréhension plus complète des objets et des événements réels qu'ils tentent de reproduire ainsi qu'une compréhension de première main de la nature et de la signification des symboles eux-mêmes.

10.1.2 Des objets concrets à l'abstraction, des formes simples aux illustrations complexes

Comme la capacité de créer et de comprendre des représentations évolue au cours des années préscolaires, les enfants ont besoin de temps dans un environnement stimulant pour pouvoir se développer et progresser en tant que fabricants de symboles. La pensée représentative et son expression naissent chez l'enfant en fonction de ses expériences sensorielles actives et elles apparaissent d'abord sous une forme simple qui devient de plus en plus complexe. Il en résulte des créations uniques.

La représentation se développe en fonction des expériences des enfants avec des objets, des personnes et des événements

L'habileté des enfants à créer des représentations et à les comprendre se développe à partir d'une base solide d'expériences actives avec des personnes et du matériel. Les enfants d'âge préscolaire sont stimulés en tant que fabricants de symboles par leurs années d'exploration sensorimotrices intenses de poupons et de trottineurs. Au cours de cette période critique, ils prennent dans leurs mains, touchent, goûtent, frappent et transportent tous les objets qui sont à leur portée. Ils acquièrent la conscience de la permanence de l'objet (par exemple, imaginer et chercher une balle qui a roulé derrière une causeuse). Les enfants d'âge préscolaire peuvent identifier les personnes et les objets à l'aide d'indices ou de signaux sensorimoteurs (entendre la voix de maman et savoir que maman n'est pas loin ; voir la queue du chien dans la porte de la cuisine et conclure que le chien est dans la cuisine). Dans leur revue des travaux de Piaget, les psychologues du développement Herbert Ginsburg et Sylvia Opper (1979, p. 81) décrivent l'importance des expériences sensorimotrices de cette façon :

> L'enfant regarde les objets, les prend dans ses mains et agit avec eux ; il assimile ainsi beaucoup d'informations. Ces actions de l'enfant constituent les fondements du développement du symbolisme mental.

Pour former des images mentales significatives, les jeunes enfants ont donc besoin de se familiariser avec les objets et les personnes en ayant des interactions directes avec eux. Les enfants d'âge préscolaire jouent à la mère et à la poupée en se basant sur leurs expériences personnelles avec les mères et les bébés. Ils font des figurines avec de l'argile et dessinent des personnages en se référant à leurs expériences avec leur propre corps et à la connaissance qu'ils ont des figures, des jambes, des bras de leurs parents et de leurs amis. Par exemple, Margot, une petite de 3 ans, avait un gentil petit chien comme animal de compagnie et jouait souvent à faire le chien ou à dessiner des chiens au cours des périodes d'ateliers libres. Toutefois, lorsque son ami Jules lui a demandé de jouer au « cochon d'Inde », Margot a été décontenancée jusqu'à ce qu'elle aille visiter Jules chez lui et qu'elle puisse tenir les cochons d'Inde dans ses mains, les nourrir et

***Les objets concrets :** Les expériences avec des objets réels permettent aux enfants de former des images mentales de ces objets. Ces enfants, par exemple, élaborent leur compréhension des camions de pompiers en grimpant sur un camion de pompiers, en se tenant à la rampe et en tâtant les tuyaux d'arrosage.*

Les symboles : Le symbole d'un objet en est un modèle, une illustration ou une représentation. Lorsque les enfants jouent aux pompiers, qu'ils construisent un camion de pompiers ou qu'ils en dessinent un, ils créent des symboles qui ressemblent à l'image mentale qu'ils ont des camions de pompiers.

les observer dans leur cage. Margot avait besoin de voir comment les cochons d'Inde bougent avant de pouvoir faire semblant d'en être un.

Les premières représentations des enfants sont des formes simples qui se complexifient graduellement

Que le média soit le jeu de rôles, l'argile, les blocs, la peinture ou les crayons feutre, la représentation des enfants passe des gestes simples à des interactions plus complexes, et des traits grossiers à des dessins détaillés. Les premiers efforts symboliques des enfants reflètent « leur inexpérience avec les médias de représentation, leur lente découverte des formes, l'accent mis sur l'action et une satisfaction rapide avec des symboles primitifs de même que leur enjouement et leur volonté de simplifier et de faire appel à l'économie » (Golomb, 1974, p. 187). Au fur et à mesure que les enfants sont plus habiles avec les médias qu'ils utilisent et que leurs représentations sont influencées par les caractéristiques visuelles des objets, leurs scénarios de jeux de rôles, leurs figurines, leurs peintures et leurs dessins deviennent moins accidentels et exigent moins d'explications verbales complémentaires parce qu'ils sont plus détaillés et complets sur le plan de la structure.

Les représentations de chaque enfant sont uniques

Chaque enfant invente des formes uniques de jeux de rôles et de construction de symboles à un rythme et d'une façon qui n'ont du sens que pour lui. Pendant qu'ils jouent à faire semblant, à dessiner, à écrire ou à sculpter dans l'argile, les enfants ne s'investissent pas tous avec la même intensité et ils ne s'amusent pas tous autant. Ils n'ont pas tous la même familiarité avec le média de représentation qu'ils utilisent ; ils n'ont pas le même bagage d'expériences avec les objets, les personnes et les situations qu'ils représentent ; leur penchant pour les arts plastiques ou l'expression dramatique varie d'un enfant à l'autre. En conséquence, leurs représentations sont un reflet unique de leurs intérêts et de leurs préoccupations personnels, soit le résultat d'une « activité exubérante et bruyante du corps et de l'esprit dans laquelle le producteur et le produit sont encore inséparables l'un de l'autre » (Golomb, 1992, p. XVIII).

10.2 Soutenir le développement de la représentation créative

Les six expériences clés du domaine ***la représentation créative et l'imaginaire*** décrivent et attirent l'attention sur la façon dont les enfants se développent en tant que créateurs et utilisateurs de symboles. Les trois premières expériences clés illustrent l'utilisation que font les enfants des indices sensoriels et de l'imitation :

- *Reconnaître les objets en utilisant ses cinq sens (le toucher, la vue, l'ouïe, le goût et l'odorat).*
- *Imiter des gestes, des mouvements et des sons.*

- *Associer des modèles réduits, des figurines, des illustrations et des photographies à des lieux, à des personnes, à des personnages, à des animaux ou à des objets réels.*

Les trois autres expériences clés sont reliées à la représentation symbolique par les médias de l'expression dramatique et des arts plastiques :

- *Imiter, faire des jeux de rôles et faire semblant.*
- *Fabriquer des sculptures et des structures avec de l'argile, des blocs et d'autres matériaux.*
- *Dessiner et peindre.*

10.2.1 EXPÉRIENCE CLÉ Reconnaître les objets en utilisant ses cinq sens (le toucher, la vue, l'ouïe, le goût et l'odorat)

Le fait de reconnaître les objets à partir d'indices ou de signaux sensoriels – le bruit que font les objets, leur texture, leur goût, leur odeur et leur apparence visuelle lorsqu'ils sont partiellement cachés – est une expérience importante pour les enfants qui commencent à former et à comprendre des symboles. Les indices sensoriels stimulent les enfants à créer leurs propres images mentales pour représenter les objets qui ne sont pas immédiatement ou complètement présents. Par exemple, la vue d'une poignée en métal qui émerge d'un tas de sable pourra amener l'image d'une pelle chez l'enfant ; un bruit fort au-dessus de sa tête, l'image d'un avion ; un arôme provenant de la cuisine, l'image de spaghettis ; ou un pied froid et mouillé, l'image d'une mare.

Pour interpréter un son, une odeur, un goût ou une sensation, l'enfant doit avoir expérimenté l'objet ou la situation dont il est question. L'enfant qui entend un tambourin mais qui n'a jamais vu de tambourin, n'en a jamais entendu ni utilisé peut imaginer qu'un hochet ou des clochettes font ce son. C'est pourquoi plus les enfants ont des expériences directes et nombreuses avec une grande variété d'objets, plus ils deviennent des « lecteurs » confiants des indices sensoriels. À partir de l'empreinte d'une botte dans la neige, ils peuvent imaginer quelqu'un qui marche dehors. Un veston brun suspendu au crochet de Tommy dans le vestiaire est le signe que Tommy est arrivé aujourd'hui. Un autre exemple est celui de Julie, qui est capable de reconnaître de quel fruit est constitué son jus de fruits en se basant sur ses expériences antérieures : « Il y a de l'ananas dans ça », dit-elle.

Les éducatrices qui sont conscientes des relations entre les indices sensoriels, les images mentales et le processus de fabrication de symboles peuvent rechercher des occasions quotidiennes au cours desquelles les enfants auront la possibilité d'apprécier et de commenter les apparences, les sons, les goûts, les textures et les odeurs.

PISTES D'INTERVENTION

A. Mettre à la disposition des enfants du matériel ayant des caractéristiques sensorielles particulières

Faites l'inventaire du matériel qui est déjà à la disposition des enfants dans votre environnement éducatif. Examinez les coins d'activités pour déterminer le matériel qui a des caractéristiques visuelles, le matériel qui a des particularités sur le plan des textures, des sons, des odeurs et des goûts. Voici quelques exemples :

- **Des parties d'objets :** des volants d'auto ; des enjoliveurs de roues ; des plumes d'oiseaux ; des poignées de portes, des poignées de robinets ; des jaquettes de livres ; des contenants de nourriture vides, des bouchons de bouteilles ; des boutons, des lacets ; des feuilles, des branches, des noix et des bouts de bois que les enfants ont ramassés au pied des arbres du quartier ; etc.
- **Des objets pour recouvrir et des objets à recouvrir :** du sable, de la paille, de la neige, du gravier fin et des objets à enterrer dans le sable (coquillages, cailloux, animaux et personnages en plastique, petits véhicules jouets, pelles, seaux et contenants de toutes sortes) ; des couvertures, des poupées, de grands foulards, des animaux en peluche ; etc.
- **Des textures variées :** de l'écorce d'arbre, des bûches, des cailloux et des roches, de la paille, de l'herbe, des plantes ; du papier émeri, des briques ; des oreillers, des coussins, des vêtements de déguisement dans une variété de tissus ; de la ouate, de la laine naturelle, de la ficelle, du cuir ; etc.
- **Des objets qui ont une odeur particulière :** des plantes, des fleurs ; des aromates et des épices ; de la cire d'abeille à modeler ; des fenêtres qui

s'ouvrent pour laisser entrer les odeurs de l'extérieur ; etc.

- **Des objets qui font du bruit :** des instruments de musique, un magnétophone et des cassettes ; des minuteries qui font tic tac et qui sonnent ; des ordinateurs avec des logiciels pertinents ; un établi de menuisier et des outils ; des objets qui font du bruit quand on les utilise pour remplir et vider tels que du gravier, des cailloux, des billes et des bouchons de bouteilles ; de l'eau courante, des tuyaux d'arrosage, un bac à eau ; un abreuvoir pour les oiseaux dans la cour ; etc.
- **Des aliments aux saveurs variées :** des aliments pour la collation ou les repas et pour cuisiner avec les enfants ; une grande variété de fruits et de légumes ; une variété de grains et de légumineuses crues et cuites dans des pains ou des muffins ; une variété de produits laitiers ; une variété de condiments et d'herbes aromatiques ; etc.

B. Procurer aux enfants des occasions de remarquer les indices sensoriels

Tout au long de la journée, suscitez des occasions et profitez de celles qui se présentent spontanément pour que les enfants remarquent et identifient **les sons, les objets cachés partiellement, les goûts, les odeurs et les textures.** Prenez en considération les stratégies suivantes :

- Lors des collations ou des repas, recouvrez le panier de fruits (de muffins, de noix ou de biscuits) avec un napperon de façon que les objets dans le panier soient partiellement recouverts. Tandis qu'un enfant passe le panier autour de la table, entamez une conversation avec les enfants en les questionnant sur le contenu du panier, selon eux.
- Lorsque vous cuisinez avec les enfants, encouragez-les à sentir et à goûter les ingrédients. Écoutez leurs observations et commentez-les.
- Lorsque vous entendez des bruits particuliers au cours de la journée – le chant des oiseaux, un chien qui aboie, une tour de blocs qui s'écroule, des portes qui s'ouvrent ou se ferment, l'eau qui coule, des balles qui rebondissent –, attirez l'attention des enfants sur ces sons et écoutez leurs commentaires.
- À la fin de la période d'ateliers libres, lorsque les enfants rapportent sur les tablettes le matériel qu'ils ont utilisé, suggérez-leur de rechercher les objets qui « se cachent » dans la pièce.
- Enregistrez les enfants durant les périodes d'ateliers libres et faites jouer l'enregistrement lors de la période de réflexion. Écoutez les commentaires des enfants. Certains seront peut-être capables d'identifier la personne qui parle, tandis que d'autres pourront penser que quelqu'un leur parle de l'intérieur du magnétophone. Dans les deux cas, discutez avec eux de leurs observations.
- Demandez aux enfants d'apporter avec eux un objet qu'ils ont utilisé au cours de la période d'ateliers libres pour entamer la période de réflexion. Après que chaque enfant aura eu le temps de présenter son objet et d'examiner le matériel apporté par les autres, recouvrez tous les objets avec une couverture ou une nappe. Demandez à tous les enfants de mettre les mains sous la couverture en même temps (de façon qu'il n'y ait pas de période d'attente), de toucher un objet et d'essayer de deviner ce qu'ils touchent. Prévoyez le fait que certains enfants seront capables de répondre sans regarder sous la couverture tandis que d'autres auront besoin d'y jeter un coup d'œil.
- Mettez à la disposition des enfants des logiciels de jeux de mémoire pour jouer à l'ordinateur au cours des périodes d'ateliers libres. Mettez également à leur disposition des jeux de concentration qui leur demandent de trouver des images cachées, de se souvenir d'elles et de les associer.

C. Observer les enfants lorsqu'ils font des empreintes et des frottis, et en faire avec eux

Les empreintes et les frottis sont une forme spéciale d'indices sensoriels parce qu'ils ne peuvent être faits qu'avec les objets réels. Par exemple, il faut un pied pour faire une empreinte de pied, et une feuille d'arbre pour faire le frottis d'une feuille d'arbre.

Les empreintes

Au cours des périodes d'ateliers libres et des jeux extérieurs, recherchez des occasions de vous joindre aux jeux des enfants lorsqu'ils jouent avec du sable, de l'argile, de la pâte à modeler, de la peinture pour peindre avec les doigts, de la neige, des feuilles ou de la boue. S'ils font des empreintes, décrivez brièvement ce que vous voyez (« Tu as fait une empreinte avec les pommes de terre. ») et tentez de faire des empreintes semblables de votre côté. En imitant et en décrivant les actions de l'enfant, vous susciterez peut-être une conversation au sujet des empreintes qui s'harmonisera avec le jeu de l'enfant plutôt que de perturber son jeu.

Planifiez des activités en groupe d'appartenance où vous présenterez aux enfants du matériel avec lequel ils pourront faire des empreintes. Par exemple, rassemblez les enfants autour du carré de sable ou du bac à sable ; procurez de l'eau à tous les enfants pour qu'ils humidifient leur lot de sable et demandez-leur comment ils peuvent faire des empreintes dans le sable. Observez, imitez et décrivez le travail de chaque enfant. Tentez une démarche semblable en leur présentant du matériel différent tel que de l'argile, de la neige ou de la peinture pour peindre avec les doigts.

Les frottis

Planifiez des activités en groupe d'appartenance avec du matériel que les enfants peuvent utiliser pour faire des frottis. Par exemple, rassemblez les enfants dans la cour et donnez-leur du papier, des craies et quelque chose qu'ils peuvent mettre sous le papier, comme des feuilles d'arbre. Après que les enfants auront fait leur premier frottis, demandez-leur ce qu'ils pourraient mettre en dessous du papier avant de frotter avec leur craie. Écoutez attentivement les enfants pendant qu'ils travaillent, faites des frottis vous-même, décrivez ce que font les enfants et soyez prête à suivre le cours de leurs conversations, quelle que soit la tournure qu'elle prenne. Les enfants peuvent aussi décider de transporter leur papier et leur craie pour faire des frottis sur l'écorce des arbres, sur le mur de la bâtisse, sur les marches de la glissoire, et ainsi de suite.

10.2.2 EXPÉRIENCE CLÉ Imiter des gestes, des mouvements et des sons

Les enfants d'âge préscolaire imitent les mouvements des personnes, des animaux ou des objets qu'ils connaissent bien. Ils commencent ce processus dès qu'ils sont bébés en imitant des gestes que font les adultes tels que boire dans une tasse, faire des signes de la main pour dire au revoir ou reproduire des sons. Tandis qu'ils grandissent et deviennent des trottineurs puis des enfants d'âge préscolaire, les enfants continuent d'apprendre par imitation, en imitant des actions de plus en plus complexes, comme conduire une auto, monter à cheval, danser ou écrire. À travers ces imitations, les enfants d'âge préscolaire utilisent leur corps et leur voix pour représenter ce qu'ils comprennent du monde qui les entoure.

Ginsburg et Opper (1979, p. 81) observent ceci :

> Au cours de la période sensorimotrice, le poupon acquiert l'habileté à imiter des comportements. Lorsque l'enfant devient plus compétent pour imiter – à un âge plus avancé –, il commence à imiter intérieurement et il forme ainsi des symboles mentaux.

L'imitation constitue donc la première phase avant que l'enfant puisse construire des images mentales, faire semblant et faire des jeux de rôles. Lorsqu'elle décrit le développement artistique des enfants, Golomb (1974, p. 183) souligne que :

> L'imitation de la période sensorimotrice de même que la représentation reflètent toutes deux le désir de créer une ressemblance avec le modèle. Dans le premier cas, cependant, le but est de réaliser une approximation très proche, peut-être même un comportement identique, tandis que dans le deuxième cas, le but est de créer des équivalences structurelles et dynamiques.

Voici des pistes d'intervention qui peuvent aider les éducatrices et les enseignantes du préscolaire à soutenir les enfants afin qu'ils continuent à imiter, c'est-à-dire à reproduire avec leur corps les gestes, les comportements et les sons de leur entourage.

PISTES D'INTERVENTION

A. Prêter attention aux imitations spontanées des enfants

Lorsque les enfants sont engagés dans l'apprentissage actif, soyez à l'affût pour déceler des éléments d'imitation que comportent leurs jeux. Par exemple, vous pourriez voir des enfants bercer des poupées ou des animaux en peluche, brasser des décoctions imaginaires sur la cuisinière, parler au téléphone, faire des gribouillis pour écrire un message, utiliser un tournevis pour « réparer des affaires ». Vous pourriez aussi voir des enfants s'imiter les uns les autres : Éric a construit une tour ; William l'observe et essaie d'utiliser la même technique que lui. Ou encore, François commence à boiter comme son amie Alice. En observant attentivement les imitations des enfants, vous aurez des indices précieux de ce qu'ils comprennent, de ce qui les intéresse et de ce qu'ils pourraient commencer à imaginer.

B. Imiter les gestes, les comportements et les sons que font les enfants

Une stratégie que les éducatrices peuvent utiliser pour soutenir le penchant des enfants pour l'imitation consiste à devenir des imitatrices elles-mêmes. En imitant les comportements et les gestes des enfants au cours des jeux de ces derniers – lorsqu'ils jouent avec des blocs, à la poupée, font des casse-tête, versent du sable ou moulent de l'argile –, les éducatrices font part aux enfants de leur intérêt et de leur respect. De plus, elles entrent ainsi dans le cours des pensées et des actions des enfants. Les psychologues George Forman et David Kuschner (1983, p. 143) décrivent dans leur rapport de recherche comment le fait d'imiter les enfants a des répercussions sur la compréhension qu'a l'adulte de l'enfant :

> Lorsque l'éducatrice se met à imiter l'enfant, il se passe un phénomène intéressant : pour la première fois peut-être, elle commence à sentir le plaisir de redevenir un enfant. Imiter l'enfant est un excellent moyen de percevoir avec perspicacité les intentions de l'enfant, son style et ses problèmes. Lorsque l'éducatrice fait les mêmes gestes – et donc les mêmes erreurs – que l'enfant, ces mouvements influencent sa pensée et sa réflexion. Elle ne fait pas qu'imiter l'enfant, elle commence aussi à réfléchir à ses propres mouvements. L'utilisation de la répétition de la part de l'enfant, sa difficulté à faire de simples mouvements de coordination motrice, son manque de prévoyance, sa concentration sur l'action et la sensation de mouvement tandis qu'il explore, tout cela a un grand impact sur l'éducatrice lorsqu'elle imite l'enfant.

En imitant l'enfant, l'éducatrice peut aussi provoquer un « dialogue centré sur l'action ». Par exemple, un enfant est assis sur un gros bloc et « conduit une auto ». Vous vous assoyez sur un gros bloc et vous imitez l'enfant qui conduit l'auto. Après un certain temps, vous « klaxonnez ». L'enfant « klaxonne » à son tour et « allume sa radio » ; alors vous « allumez votre radio » à votre tour. Vous créez ainsi une séquence de jeu qui se construit sur des imitations mutuelles.

C. Insérer dans l'horaire quotidien des occasions de stimuler l'imitation

Lors de la période de réflexion, vous pouvez suggérer aux enfants de vous démontrer ce qu'ils ont fait au cours de la période d'ateliers libres en utilisant la pantomime – faire du pudding, empiler des blocs, enfiler des perles, peindre, jouer du tambour, clouer avec le marteau – et encourager les autres enfants à les imiter. Lorsque vous lisez des histoires en groupe d'appartenance, encouragez les enfants à imiter les actions des personnages dans l'histoire. Lors des rassemblements en grand groupe, si vous chantez des chansons et inventez des couplets pour les chansons telles que *Promenons-nous dans le bois,* les enfants peuvent imiter des actions familières comme marcher, se réveiller, s'habiller ou manger. Vous avez aussi la possibilité de modifier les chansons pour qu'elles reprennent les actions dans lesquelles les enfants étaient engagés au cours de la période d'ateliers libres ou d'une sortie.

Becki Perrett (1992, p. 3), consultante et éducatrice pour High/Scope, suggère de faire de l'imitation durant les périodes de rangement :

> Quelquefois, les enfants ont du plaisir à transporter les objets d'une façon originale. Par exemple, si vous voyez Amélie transporter un jouet sur son dos, tentez de l'imiter en transportant un objet sur votre dos pour le rapporter sur la tablette. Cela pourra attirer l'attention des autres enfants, qui vont alors imiter ce qu'ils vous voient faire, Amélie et vous.

Après une sortie, inventez des histoires ou des chansons avec les enfants. Incorporez des gestes ou des sons que les enfants ont vus ou entendus au cours de la sortie et qu'ils peuvent imiter en chantant ou en écoutant l'histoire. Par exemple, après une sortie à la ferme, vous pourriez suggérer des idées telles qu'imiter une vache qui fait meuh, traire la vache, conduire un tracteur et mettre des bottes de foin sur la charrette. Après une sortie à la caserne de pompiers, les enfants pourraient imiter un pompier qui met ses bottes ou son manteau, qui monte dans le camion de pompiers et qui déclenche la sirène.

10.2.3 EXPÉRIENCE CLÉ
Associer des modèles réduits, des figurines, des illustrations et des photographies à des lieux, à des personnes, à des personnages, à des animaux et à des objets réels

La capacité grandissante des enfants d'âge préscolaire de former des images mentales et d'exprimer leur compréhension du monde dans un langage de plus en plus complexe leur permet de voir les relations entre les jouets, les illustrations et les photographies, et les objets que ces jouets, photographies et illustrations représentent. Par exemple, Michelle utilise un livre d'histoire sur les pompiers abondamment illustré pour « lire » son histoire qui raconte les aventures d'un client qui va chez le dentiste; elle interprète les illustrations de façon qu'elles concordent avec ses idées sur l'hygiène dentaire. « Il était une fois un pompier... qui avait beaucoup de caries... Il avait mangé toutes ces choses-là. »

En fait, en mettant en relation les modèles réduits, les figurines, les illustrations et les photographies avec les lieux et les objets réels, les enfants apprennent à « lire » et cet apprentissage est très important. (Pour plus d'information à ce sujet, voir les sous-sections 11.2.4, 11.2.5 et 11.2.6.) Voici des pistes d'intervention que les éducatrices peuvent utiliser pour soutenir chez les enfants la conscience naissante de la relation entre les modèles réduits, les figurines, les illustrations et les photographies et les objets ou les lieux qu'ils représentent.

PISTES D'INTERVENTION

A. Fournir aux enfants des modèles réduits et des figurines

Il est important de doter les coins d'activités de figurines de personnages et d'animaux que les enfants rencontrent dans leur vie quotidienne. Les reproductions d'objets peuvent comprendre une maison de poupée et ses meubles; des appareils ménagers-jouets; des fleurs, des fruits et des légumes en tissu ou en matière synthétique; des véhicules-jouets de toutes sortes: camions, autos, avions, autobus, trains; une maquette à l'échelle du service de garde ou du local de jeu des enfants. Les reproductions d'animaux peuvent être fabriquées en bois, en peluche ou en plastique; il peut aussi s'agir de marionnettes. Finalement, des personnages en bois, en plastique ou en tissu peuvent servir à jouer dans la maison de poupée; on peut aussi prévoir des poupées mâles et femelles, des poupées d'ethnies différentes et des marionnettes représentant divers personnages.

Les enfants aiment jouer avec des maisons de poupée, mais ils préfèrent souvent jouer avec une maquette du local de jeu de leur service de garde ou de l'ensemble du service de garde. La psychologue Judy De Loache et ses collègues (1991, p. 122) notent que:

> En général, plus la maquette ressemble à l'espace réel correspondant, plus les enfants sont susceptibles d'utiliser leurs connaissances de l'un pour résoudre les problèmes qu'ils éprouvent dans l'autre.

B. Fournir aux enfants des illustrations et des photographies

Des photographies des enfants de son groupe

Prenez des photographies des enfants lorsqu'ils jouent dehors et dans les différents coins d'activités, lorsqu'ils sont seuls, en petits groupes et en grand groupe, lors de sorties, lorsque les enfants font des découvertes, près de leur arbre préféré ou dans leur structure de jeu favorite. Étalez ces photos à la hauteur des yeux des enfants sur les murs, dans différents coins d'activités de même que dans des albums de photos ou des livres « spéciaux » pour qu'ils puissent les regarder quand ils en ont le goût. Dans un service de garde, les éducatrices ont accroché des photographies des enfants les représentant à chaque moment de l'horaire quotidien. Ils s'arrêtent pour les regarder lorsqu'ils passent du coin des blocs à celui des arts plastiques. Dans un autre service de garde, les éducatrices ont toujours la possibilité de faire développer des doubles des photos à peu de frais. Elles insèrent un ensemble de photos dans un album pour que les enfants feuillettent celui-ci et elles suspendent les autres sur les murs du local. Lorsqu'elles veulent renouveler les photos pour en suspendre de plus récentes, elles donnent les photos précédentes aux enfants pour qu'ils les apportent à la maison: ils peuvent ainsi décrire à leurs parents les activités qu'ils ont accomplies ou leur parler de leurs amis, photos à l'appui.

Un appareil photo simple pour les enfants

Encouragez les enfants à prendre leurs propres photos de leurs pairs qui travaillent ou qui jouent. Cela vous permettra d'accumuler des photographies qui reflètent vraiment les préoccupations et les intérêts des enfants.

Une variété de livres d'histoires abondamment illustrés

Faites en sorte que les enfants puissent regarder et « lire » ce genre de livres en tout temps, quand ils en manifestent le désir. N'oubliez pas d'inclure des livres de photos qui rappellent la vie du quartier et des familles des enfants de même que des photos prises au cours des sorties que les enfants ont faites. Incitez les enfants à « lire » ou à interpréter les photos et les illustrations lorsque vous regardez les livres avec eux et que vous lisez ensemble. Le matériel devrait aussi compter des affiches, des cartes postales et des livres de reproductions d'œuvres d'artistes de renom. On peut acheter ce matériel dans des musée et des librairies ou le commander par catalogue. (Le Musée des beaux-arts de Montréal, par exemple, reproduit des œuvres célèbres en format carte postale.)

Cet enfant compare les rayures de la plante zébrée avec celles d'un zèbre illustré dans un livre.

Des catalogues et des revues illustrées dans le coin des arts plastiques

Les enfants peuvent utiliser des catalogues et des revues pour faire du découpage et du collage. Certains enfants feront du découpage et du collage sans tenir compte du sujet, juste pour le plaisir de l'activité, tandis que d'autres rechercheront des illustrations d'animaux, d'autos ou d'un autre sujet qui les attire.

Des photographies pour les activités en groupe d'appartenance

Donnez aux enfants plusieurs photographies et écoutez ce qu'ils ont à dire à leur sujet. Vous pouvez recouvrir certaines photos, associées à des thèmes qui intéressent plus particulièrement les enfants, de papier contact pour les suspendre au mur, les ranger dans un album de photos, ou demandez aux enfants qu'ils les collent dans un livre qu'ils ont fabriqué eux-mêmes.

C. Soutenir et stimuler les enfants pour qu'ils comparent les modèles et les photos aux objets réels

Écoutez les enfants pendant qu'ils regardent des illustrations ou des photographies. Soyez disponible pour entreprendre une conversation si l'occasion se présente. C'est ce qu'a fait l'éducatrice de Geoffroy lorsque celui-ci a remarqué une plante sur le rebord de la fenêtre et qu'il s'est exclamé : « Je sais comment on appelle ça ! C'est une plante-zèbre ! » En conversant avec Geoffroy, son éducatrice a découvert qu'il avait donné ce nom à la plante parce qu'il trouvait ses rayures semblables à celles d'un zèbre qu'il avait vu dans un imagier du coin de la lecture et de l'écriture, et non parce qu'il connaissait le nom familier de cette plante !

Pendant que les enfants découpent et collent des illustrations, parlez avec eux de ce qu'ils voient. Lorsque c'est possible, encouragez-les à identifier les objets réels qui correspondent à l'illustration ou des personnes autour d'eux qui font des gestes analogues à ceux qui sont illustrés. Toutefois, rappelez-vous qu'il est important dans ces occasions d'accepter leur interprétation au sujet de ce qu'ils perçoivent, même si leur perception n'est pas conventionnelle ou même si elle s'éloigne de la vérité des adultes. Cherchez à comprendre l'interprétation de l'enfant plutôt qu'à corriger. Par exemple, un enfant qui regardait une illustration d'une grue l'a nommée « un tracteur avec un long cou ».

Lorsque les enfants utilisent des figurines dans leurs jeux, incitez-les à comparer les figurines qu'ils utilisent aux objets ou aux personnes réels qu'ils représentent chaque fois que cela peut se faire de manière naturelle.

10.2.4 EXPÉRIENCE CLÉ Imiter, faire des jeux de rôles et faire semblant

Faire semblant – prétendre être une mère, un bébé lion, un robot, une princesse – est une autre façon pour les jeunes enfants de représenter leur connaissance des personnes, des personnages, des animaux et des événements. Dans leur jeu, ils reproduisent leurs images mentales d'événements quotidiens tels que manger, dormir, déménager ou fêter un anniversaire de naissance. Faire semblant est un **processus intentionnel** qui implique une démarche que le psychologue Otto Weininger (1988, p. 144) appelle la pensée du « qu'est-ce qui arriverait si... », qui mène à une forme de jeu où l'enfant fait « comme si » :

> Par exemple, l'enfant pense : « Et si j'étais un pompier ? Qu'est-ce que je ferais ? » Il pense à cela un instant, réunit les bouts de réalité qu'il connaît à propos des pompiers, informations qui proviennent d'observations dans la vie réelle, de livres d'histoires, de commentaires des adultes et de la télévision. Il imagine d'abord à quoi cela ressemblerait d'être un pompier et comment il se sentirait s'il en était un, puis il joue son rôle « comme si » il en était un.

À partir de ses observations du jeu dramatique des enfants réalisées sur une longue période, la psychologue Sara Smilansky (1990) conçoit le jeu de rôles des enfants comme un processus continu d'improvisation qui requiert à la fois l'imitation de la réalité, de l'imagination et la capacité de faire semblant pour adoucir les contradictions ou les incertitudes. « Faisons semblant que c'est l'hiver maintenant et que nous sommes des pingouins du zoo... et nous pouvons voler ! » Le jeu de rôles a tendance à être fluide et flexible, et les enfants s'engagent souvent dans des dialogues complexes, inventant le scénario au fur et à mesure.

Au moyen de l'imitation et du faire-semblant, les enfants précisent ce qu'ils comprennent et acquièrent une maîtrise des événements dont ils ont été témoins ou qu'ils ont vécus, comme faire le petit-déjeuner, prendre soin du bébé, assister à un mariage, ou éteindre un feu. « Une fois, un rasoir est tombé sur ma jambe, dit Jasmin à son éducatrice. Je fais semblant que ce bloc est le rasoir. » La logique et la signification de ces événements échappent souvent aux jeunes enfants, mais le jeu de rôles les aide à commencer à donner un sens au monde qui les entoure.

Les jeux de rôles et de faire-semblant sont très engageants socialement et ils paraissent avoir un effet positif sur le développement social des enfants de même que sur le développement de leur langage. L'éducatrice Greta Fein (1981, p. 1103) rapporte une série d'observations qui établissent une corrélation entre, d'une part, le jeu dramatique et, d'autre part, la coopération, la bienveillance, l'adaptation générale et l'utilisation du langage pendant le jeu. Fein constate de plus que « les enfants qui ont l'habitude de jouer dans l'imaginaire sont aussi moins agressifs dans leurs interactions sociales en dehors des périodes de jeu ».

Il importe que les éducatrices soutiennent les jeux d'imitation et les jeux de rôles des enfants en leur fournissant le matériel et les accessoires appropriés, en observant et en écoutant les jeux de rôles, en interagissant avec les enfants comme avec des partenaires égaux au cours de ces jeux, en respectant la direction qu'ils donnent au jeu et le rythme qu'ils ont déterminé eux-mêmes. Voici des suggestions pour soutenir les jeux de rôles et d'imitation des enfants.

PISTES D'INTERVENTION

A. Fournir aux enfants du matériel et des accessoires pour les jeux de rôles

Une aire de jeu bien équipée en fonction des besoins et des champs d'intérêt des enfants du préscolaire est divisée en coins d'activités qui fournissent un matériel varié que les enfants peuvent utiliser pour imiter et faire semblant et pour fabriquer leurs propres accessoires tels que des billets pour une pièce de théâtre, des masques, des chapeaux, une ruche ou une chaise de coiffeur (voir à ce sujet la section 5.2).

Rappelez-vous aussi de fournir aux enfants du matériel et de l'équipement pour les jeux de rôles qui se déroulent à l'extérieur. Avec plus d'espace et moins de limites, la cour est souvent le théâtre de jeux de rôles plus robustes et très mobiles. Les enfants vont utiliser tout ce qui est à leur portée : un wagon, une trottinette, un tricycle, et d'autres véhicules leur serviront d'auto, d'autobus, de train ou de bateau ; de grosses boîtes d'empaquetage en carton ou en bois, des panneaux de bois, des draps, de la corde et des pneus se transformeront en maisons, en magasins, en forts et en cavernes ; le sable et les ustensiles pour jouer dans le sable seront utilisés pour cuisiner, manger et « aller travailler ». Ils voudront peut-être aussi apporter du matériel de l'intérieur tel que des foulards, des chapeaux, des poupées, de la vaisselle et de la craie pour ajouter une nouvelle dimension à leurs jeux extérieurs.

B. Soutenir les jeux de rôles qui se déplacent d'un coin à un autre

Les jeux de rôles commencent souvent dans le coin de la maisonnette, où les vêtements de déguisement, les poupées et la vaisselle sont rangés, ou dans le coin des blocs, où les enfants construisent des structures – telles que des maisons, des autos, des camions de pompiers et des ruches – qui alimenteront leurs jeux. Un restaurant de poissons pourra être créé dans le coin de l'eau et du sable, et n'importe quelle aire libre pourra se transformer en scène pour une pièce improvisée, en clinique médicale ou en salon de coiffure. De plus, une fois que les enfants ont commencé leur jeu, son déroulement exige souvent l'ajout de lieux complémentaires : les enfants vont alors « à l'école » à côté du vestiaire ou « au magasin » dans le coin des jeux et jouets.

Les enfants qui sont engagés dans des jeux de rôles utilisent aussi du matériel qu'ils trouvent dans différentes parties du local pour soutenir leurs jeux. Par exemple, une enfant qui a besoin d'« argent » à mettre dans son sac à main pourra décider d'en fabriquer dans le coin des arts plastiques, ou elle pourra aller dans le coin des jeux et jouets pour prendre des perles à enfiler, des billes ou des pièces de casse-tête qu'elle utilisera comme pièces de monnaie.

Que les enfants soient à la recherche de matériel ou en route vers une autre aire de jeu, il est tout à fait naturel qu'ils se déplacent d'un coin à l'autre pour répondre aux exigences de leurs jeux de rôles. Aussi, le fait de confiner les jeux de rôles et d'imitation dans un seul coin d'activités ou dans une partie du local brime les enfants plutôt que de les soutenir ; une telle limite n'est pas appropriée. Lorsque l'utilisation du local ou du matériel par un groupe d'enfants entre en conflit avec l'utilisation du local ou du matériel des autres enfants, il s'agit là d'une belle occasion de résoudre un problème en groupe.

C. Observer toutes les formes de jeux de rôles

Le jeu de rôles est une entreprise complexe. Pour apprécier à sa juste mesure ce que font les enfants et pour les soutenir adéquatement, écoutez-les et observez-les attentivement de manière à découvrir toutes les formes de jeux de rôles, que ce soit au cours des jeux extérieurs ou des périodes d'ateliers libres. Les enfants pourront faire appel aux formes de jeu suivantes.

Faire semblant d'être quelqu'un d'autre

Les enfants peuvent faire semblant d'être des personnes, des personnages, des animaux ou des personnages fictifs. Un jour, André a construit un zoo dans le coin des blocs ; ensuite il est entré dans une des « cages » et a fait semblant d'être un singe. Un autre jour, Karine, Brigitte, André et Félix ont fait semblant d'être des bébés rats dans la maison de rats que Félix avait construite. Linda berçait souvent une poupée de la façon dont elle avait vu sa mère bercer sa sœur lorsqu'elle était bébé. Sara faisait souvent semblant d'être Canelle, son héroïne préférée à la télévision.

Utiliser un objet pour en représenter un autre

Les enfants d'âge préscolaire sont à même de substituer un objet à un autre en raison de leur capacité de garder l'image d'un objet à l'esprit et de voir des similitudes entre leurs images mentales et l'objet qu'ils tiennent dans leur main. Par exemple, Nathaniel utilise un cercle en bois comme volant de son auto imaginaire. Sara nourrit son bébé en utilisant un bloc cylindrique comme biberon. Bertrand mange des céréales faites de petits oursons en plastique. Hélène commande une pizza en utilisant une banane comme téléphone. Pierre-Luc attache une couverture de poupée autour de ses épaules pour en faire une cape. Brigitte gratte les cordes imaginaires de son balai-guitare. Julie fait des spaghettis en utilisant de longs colliers de perles. Amélie endort son bébé dans un berceau qu'elle a fabriqué à partir d'un tunnel du jeu de blocs qu'elle a tourné à l'envers.

Utiliser des gestes, des sons et des mots pour définir un objet, une situation ou un environnement

Les enfants peuvent recourir à des gestes, à des sons et à des mots pour définir un objet pendant qu'ils utilisent des accessoires, et ce même s'il n'y a pas d'objets. Par exemple, André utilise ses doigts en les écartant et en les ramenant ensemble à la place de ciseaux pour « couper » les cheveux de Michel. Marie se balance d'avant en arrière avec son bébé dans les bras en disant « shh, shh ». Sara s'assoit en face de Julie, lui tient la main et fait des gestes comme si elle peignait au-dessus de chaque ongle de ses doigts. Julie parle à Hubert de son bébé: « Maintenant, elle a grandi. Elle peut se tenir debout et parler. » Un autre jour, Thierry présente à Nathaniel des baguettes de bois pour jouer du tambour et lui dit: « Jouons au billard. »

Partager ses jeux de rôles avec les autres et distribuer des rôles aux autres

Dans ses observations des jeux des enfants, la psychologue Catherine Garvey (1990, p. 79) note ceci:

> Au fur et à mesure que le jeu se développe, ses formes sont de moins en moins influencées par le matériel qui est immédiatement accessible et il est de plus en plus déterminé par les projets ou les idées des enfants.

L'élaboration de telles idées est souvent à l'origine du jeu coopératif. Louis construit une auto avec de gros blocs: « Oh non, dit-il à Félix, mon auto est en panne d'essence.
– On devrait la pousser jusqu'à la station-service », répond Félix; et c'est ce qu'ils font ensemble.

Annie et Jeanne ont construit une ruche avec des blocs et des foulards; elles fabriquent des gâteaux au miel dans leur ruche et elles échangent des commentaires pour clarifier leurs rôles respectifs: « Je suis la mère des abeilles.
– Faisons semblant que ça, c'est nos ailes.
– Ça, c'est mon dard, O.K.? et nous piquons les personnes qui essaient de prendre notre miel. »

Parler aux autres pendant les jeux de rôles

Les dialogues qui surviennent au cours des jeux de rôles sont différents des énoncés objectifs de la vie courante. Les enfants parlent entre eux pour expliquer les rôles, les objets et les changements de situations au cours des jeux de rôles: « On devrait utiliser cette grosse boîte pour faire le siège arrière de l'autobus. » Nous faisons référence ici aux moments où les enfants entreprennent des conversations à l'intérieur des rôles qu'ils assument. L'exemple suivant décrit une telle conversation qui a eu lieu dans un « salon de coiffure »; il est tiré des notes d'observation de l'éducatrice Beth Marshall (1992b, p. 26).

> Chelsea a attaché un foulard autour des épaules de Martin. Elle prend les ciseaux dans ses mains et commence à « couper ses cheveux ». Au bout de quelques minutes, elle s'arrête et dit: « Attends une minute. Je dois répondre au téléphone. » Elle se dirige vers l'étagère, prend le téléphone, l'apporte dans le salon de coiffure et commence à parler dans le récepteur: « Allô... Oui... Bien, laissez-moi voir... Non, vous ne pouvez pas venir jeudi. Si vous voulez une coupe de cheveux, vous devez venir aujourd'hui... Deux heures... O.K. Bonjour. » Elle raccroche, cherche un bloc-notes et un crayon, les trouve, « écrit » quelque chose sur le bloc-notes et retourne à la coupe de cheveux de Martin. Lorsqu'elle a terminé, elle dit: « O.K., Martin, ça va faire 52 dollars. » Martin lui tend quatre lisières de papier. « C'est 52 dollars? » Martin lui tend une autre lisière de papier et elle note quelque chose sur son bloc-notes. « O.K. Qui est-ce qui est le suivant? » Martine s'assoit alors sur la chaise.

D. Participer aux jeux de rôles en démontrant du respect et en décodant les indices des joueurs

En écoutant et en observant attentivement les enfants au cours des jeux de rôles, vous saisirez l'objet de leurs jeux, leur signification et la direction qu'ils veulent donner à leur jeu. Vous voudrez peut-être alors vous joindre aux jeux des enfants, soit parce qu'ils vous y auront invitée ou parce que vous penserez que vous pouvez les soutenir et renforcer leurs jeux d'une façon respectueuse. Voici des principes à respecter dans ces occasions.

Poursuivre le thème déterminé par les joueurs

D'après Garvey (1990), vous pouvez vous attendre à ce que la plupart des jeux de rôles des enfants d'âge préscolaire se déroulent autour des thèmes suivants: **reproduire des scènes domestiques, traiter et soigner** et **éviter des dangers.** Soyez prête à vous joindre à une situation déterminée par les enfants, qu'ils jouent au père et à la mère, aux chiens et aux bébés lions, au coiffeur, aux abeilles, aux ambulanciers qui répondent à des urgences, au jour du déménagement, au sauvetage dans la jungle, à la livraison de pizzas ou aux monstres robots.

Offrir des suggestions conformément à la situation établie par les enfants

Assurez-vous que toute suggestion que vous ferez s'adapte à la situation de jeu établie par les enfants. Voici comment Marshall (1992b, p. 28) s'est introduite dans le jeu du salon de coiffure en respectant le contexte que les enfants avaient établi:

> Un jour, Félix, Martin et Martine mettent en place un «salon de coiffure». Martine va chercher les ciseaux et le rasoir. Félix et Martin annoncent qu'ils veulent se faire couper les cheveux, de même que Corinne qui se joint à eux. Lorsque les trois clients potentiels commencent à se disputer pour savoir qui sera le premier à s'asseoir sur la «chaise de coiffeur», l'éducatrice décide de se joindre à eux: «Est-ce que ce salon de coiffure est ouvert? Je pense que j'ai besoin d'une retouche à ma coupe, dit-elle.
> – Eh bien, dit Corinne, je pense qu'il y a un problème. Il n'y a qu'une chaise de coiffeur et tout le monde veut se faire couper les cheveux.
> – Je vois, dit l'éducatrice. Il n'y a qu'une place pour couper les cheveux. Qu'est-ce que vous pensez que nous pourrions faire?»
>
> Les enfants ne répondent pas à l'éducatrice et reprennent leur dispute pour avoir la place sur la chaise du coiffeur.
>
> «Félix, tu pourrais passer le premier, puis Corinne, et puis ce serait ton tour, Martin, O.K.? suggère Martine.
> – Eh bien, mon rendez-vous n'est pas tout de suite. Je me demande ce que je pourrais faire pendant que j'attends», dit l'éducatrice en pensant à voix haute.
>
> Félix a une idée: «Nous pourrions faire une salle d'attente.
> – Oui, avec des grands bancs», ajoute Corinne.
>
> Les enfants vont alors chercher de gros blocs dans le coin des blocs et les alignent dans le «salon de coiffure», le long du mur.
>
> Félix donne ses instructions: «Assois-toi ici sur le banc de la salle d'attente», dit-il à l'éducatrice. Martin apporte des livres et en tend un à l'éducatrice; il s'assoit à côté d'elle. Félix va chercher des revues dans le coin des arts plastiques, les empile sur le banc et en choisit une pour la «lire». Corinne s'assoit sur la chaise du coiffeur; Martine lui attache un foulard autour du cou et commence sa première coupe de cheveux de la journée. Lorsqu'elle termine, Corinne la paie, puis Martine appelle un autre client: «Félix, est-ce que tu veux être le suivant?» Il laisse sa revue de côté et prend place dans la «chaise du coiffeur».

Respecter les réactions des enfants face aux suggestions

Notez que, dans la scène du salon de coiffure que nous venons de décrire, l'éducatrice se joint simplement au jeu en disant qu'elle a besoin de retouches à sa coupe de cheveux. Corinne répond en décrivant le problème de la chaise du coiffeur. L'éducatrice demande: «Qu'est-ce que vous pensez que nous pourrions faire?» Martine propose que chacun se fasse couper les cheveux à tour de rôle. C'est alors que sous la forme d'un simple énoncé («Je me demande ce que je peux faire pendant que j'attends.») l'éducatrice offre la suggestion d'attendre. Ce sont les enfants qui trouvent l'idée de la salle d'attente comprenant un banc, des livres et des revues.

Un autre jour, plusieurs enfants jouent en petits groupes dans des maisons qu'ils ont construites dans le coin des blocs. Lorsque l'éducatrice se rend à l'une des maisons et qu'elle sonne à la porte, un enfant répond en disant tout simplement: «Allez-vous-en. Nous n'avons besoin de rien.» L'éducatrice s'en retourne et laisse les enfants à leurs jeux. Lorsqu'elle construit sa propre maison de blocs, une de ses «voisines» vient la voir pour lui emprunter «une tasse de sucre»; il s'agit d'une invitation pour se joindre au jeu que l'éducatrice accepte sur-le-champ.

S'adresser au personnage plutôt qu'à l'enfant comme tel

En tant que participante au jeu de rôles, l'éducatrice devrait s'adresser aux autres participants en tenant compte des rôles qu'ils jouent. De la même façon que vous acceptez de voir dans un bloc un téléphone, dans une assiette un volant d'auto ou dans de la pâte à modeler de la nourriture pour le bébé lion, quand Benoît joue le bébé lion, il est important de vous adresser à lui comme à un bébé lion pour respecter la situation de faire-semblant qu'il a créée et qu'il tente de maintenir.

E. Faire semblant au cours des périodes en groupe d'appartenance et des rassemblements en grand groupe

Les périodes en groupe d'appartenance

Les périodes en groupe d'appartenance peuvent être une occasion intéressante de susciter l'idée de faire semblant chez les enfants qui sont habituellement engagés dans d'autres formes de jeu lors des activités en ateliers libres. La clé du succès est de travailler à l'aide des idées des enfants ou des thèmes qui les intéressent. Une façon de procéder consiste à partir des dessins ou des peintures des enfants. Demandez à un enfant de « lire » ou de décrire son dessin, puis demandez aux autres enfants de mimer l'histoire. Par exemple, Hélène a interprété son dessin en disant : « Un feu a brûlé une maison. » « Comment pouvons-nous mimer cette histoire ? » a demandé son éducatrice. Les enfants ont fait des suggestions : « Nous pourrions être du feu ! » « Et la maison qui se démolit. » Ils ont alors tenté de mimer ces situations avec beaucoup d'enthousiasme.

Un autre moyen de débuter est de demander aux enfants de raconter des histoires, d'écrire ce qu'ils vous disent, puis de mettre en scène les événements de ces histoires. Voici, par exemple, l'histoire racontée par Benoît :

> « Il était une fois, il y avait une baleine brune qui vivait dans l'eau. Mais, là, un monstre de la mer est arrivé. La baleine brune avait très peur. Mais le monstre de la mer a juste dit "bou !" et ensuite le monstre de la mer est parti. Alors la baleine est allée dans l'eau. Après, le monstre de la mer est revenu et la baleine avait peur encore. Puis le monstre est parti. La baleine est retournée dans l'eau. »

Les enfants ont décidé de personnifier les baleines et les monstres, et ils ont mimé l'histoire pendant que Benoît la racontait de nouveau. Plus tard, Benoît a choisi du matériel et s'est apprêté à faire un livre avec son histoire.

Les périodes de rassemblement en grand groupe

Lorsque les idées viennent des enfants, jouer à faire semblant peut inclure un grand nombre d'enfants qui font semblant d'être quelqu'un d'autre ou qui utilisent un objet en lieu et place d'un autre. Une équipe a commencé un jeu comme ceci : « Ce matin, a raconté une des éducatrices, j'ai vu Bertrand qui faisait semblant d'être un bébé lion. Faisons tous semblant d'être des bébés lions. » Après que les enfants eurent mimé les comportements des bébés lions qu'ils suggéraient, l'éducatrice a demandé aux enfants de proposer d'autres personnages : « Qu'est-ce que nous pourrions être d'autre ? » Un enfant a répondu : « Moi, je voudrais être un requin ! Un bébé requin ! »

Une autre façon de commencer à jouer à faire semblant consiste à donner à chaque enfant un objet tel qu'un bloc de bois et à dire quelque chose comme : « Au cours de la période d'ateliers libres, j'ai vu Julie qui se servait d'un bloc comme peigne. Voyons voir si vous pouvez essayer vos peignes. » Demandez aux enfants de faire d'autres suggestions ; ensuite, tentez de mettre celles-ci en pratique.

Vous pouvez aussi inventer et chanter des chansons à propos de personnes, de personnages ou d'animaux qui intéressent les enfants. Voici l'exemple d'une chanson qu'un groupe d'enfants a inventée et mimée après une sortie à la caserne de pompiers (chantée sur l'air de *Sur le pont d'Avignon*) :

> Les pompiers du poste 10
> sont courageux, sont courageux
>
> Les pompiers du poste 10
> sont courageux lors des feux
>
> Dans les échelles, ils font comme ci
> Avec les boyaux, ils font comme ça...

F. Planifier des moyens de soutenir les jeux de rôles des enfants

Lors de votre planification quotidienne, pensez à des façons de soutenir les jeux de rôles des enfants. Voici des stratégies à utiliser pour atteindre cet objectif.

Ajouter du matériel

Y a-t-il du matériel que vous pourriez ajouter pour soutenir les jeux de rôles des enfants ? Par exemple, une équipe d'éducatrices a ajouté de grosses boîtes d'emballage d'appareils électroménagers pour soutenir les enfants dans leurs jeux de vaisseaux spatiaux.

Faire des sorties

Y a-t-il des endroits que vous pourriez visiter avec les enfants, qui alimenteraient leurs idées et enrichiraient leurs jeux de rôles ? Deux éducatrices (Marshall, 1992b, p. 16) ont observé le jeu du salon de coiffure des enfants pendant plusieurs jours et ont ensuite décidé de visiter un salon de coiffure de leur quartier :

> Ma collègue et moi avons discuté de nos attentes par rapport à cette visite. Puis, je suis allée au salon de coiffure de notre quartier (situé à une distance que l'on peut franchir à pied à partir de notre service de garde) pour parler avec le personnel du salon de notre objectif. Celui-ci consistait à observer un enfant pendant qu'il se ferait couper les cheveux pour voir ce qui arrive vraiment dans un salon de coiffure. Même si les membres du personnel du salon de coiffure semblaient disposés à nous recevoir, ils se questionnaient sur le comportement des enfants (ce qu'ils feraient d'autre que d'observer). J'ai proposé de laisser les enfants s'asseoir dans la chaise du coiffeur, de leur permettre de faire monter et descendre la chaise, de sentir les vibrations du rasoir électrique, de sentir l'air du séchoir à cheveux, de regarder dans le miroir – le grand miroir fixé au mur et le petit miroir à main – et d'essayer d'ouvrir la caisse enregistreuse. J'ai aussi suggéré que les membres du personnel parlent aux enfants au cours de la coupe de cheveux. Le personnel du salon de coiffure a accepté d'essayer de réaliser ce projet, et nous avons fixé une date pour notre visite.

Après la visite au salon de coiffure, les enfants ont continué à jouer au salon de coiffure ; ils ont ajouté des détails à leur jeu tous les jours sur une période d'environ un mois.

Inviter des personnes à venir vous visiter

Y a-t-il des personnes que vous pouvez inviter à venir visiter les enfants pour leur donner des idées qui alimenteront leurs jeux ? Par exemple, après avoir observé plusieurs enfants qui jouaient à la poupée, une éducatrice a invité une mère et son bébé à venir visiter son groupe d'enfants un jour, et un père et son bébé à venir les rencontrer un autre jour. Les enfants étaient très désireux d'observer comment on nourrit les bébés, ce qu'ils mangent, comment on leur donne un bain et comment on les habille. Un autre groupe d'enfants ont été très attentifs lorsque le facteur s'est arrêté et leur a montré ce qu'il transportait dans son gros sac.

Discuter en équipe des situations troublantes qui surviennent au cours des jeux de rôles

Dans leurs jeux de rôles, les enfants peuvent mettre en scène des situations qui vous rendront mal à l'aise : utiliser des bâtons ou des blocs comme fusils, faire semblant de se soûler ou de prendre de la drogue, faire semblant de se battre ou de se quereller. Au lieu d'ignorer de tels jeux ou d'intervenir pour les interrompre, il est important que les éducatrices prennent en considération leurs points de vue personnels sur ces questions, d'une part, et qu'elles mettent ceux-ci en relation avec leur responsabilité de soutenir sans préjugés les jeux des enfants et leurs projets, d'autre part. Au cours de leurs discussions, les membres d'une équipe d'éducatrices trouveront peut-être utile ce conseil des éducatrices Greta Fein et Shirley Schwartz (1986, p. 109) :

> Les éducatrices doivent être prudentes lorsqu'elles tentent d'interpréter les situations imaginées par les enfants. Bien qu'il y ait de la vérité dans les sentiments qui sont exprimés, les événements et les personnages qu'ils reproduisent ne sont pas nécessairement vrais. Des enfants venant de familles harmonieuses mettent en scène des jeux où ils abordent le sujet de la violence familiale, et des enfants uniques peuvent jouer de façon très réaliste des scènes de rivalité entre frères et sœurs. Le jeu peut viser à satisfaire le besoin de compétence qu'éprouve l'enfant par rapport à des situations qu'il n'a jamais expérimentées plutôt que de répondre au besoin de reproduire des événements qu'il a vraiment vécus.

Laisser suffisamment de temps aux enfants pour qu'ils enrichissent leurs jeux de rôles

Il est essentiel que les enfants disposent de suffisamment de temps pour explorer, découvrir et mettre en pratique tous les éléments de leurs jeux de rôles. Les enfants peuvent élaborer des jeux sur le même thème pendant des jours, des semaines, voire des mois ; ils en viennent éventuellement à mettre en scène des scénarios détaillés, comme le démontre le jeu du salon de coiffure que nous avons décrit précédemment. L'évolution du jeu du salon de coiffure a été observée et notée dans des rapports anecdotiques, des vidéos et des photographies en tant que partie d'une étude portant sur le développement des jeux des enfants (Marshall, 1992b). Les données de cette étude procurent des informations précieuses sur la manière dont les jeunes enfants d'âge préscolaire élaborent des jeux de rôles complexes qui évoluent avec le temps ; elles démontrent aussi en quoi la patience des adultes est nécessaire au cours de ce processus.

Voici un rapport hebdomadaire sur l'évolution du jeu du salon de coiffure qui est rapportée dans cette étude.

1re et 2e semaines : Le thème de la coupe de cheveux fait surface de façon répétée dans les jeux des enfants au cours de la période d'ateliers libres. Pendant cette phase, trois enfants utilisent deux accessoires – des ciseaux et une chaise – pour mimer une seule activité : couper les cheveux. En réponse à cet intérêt des enfants pour la coupe de cheveux, les éducatrices planifient une visite au salon de coiffure du quartier.

3e et 4e semaines : À la suite de la visite au salon de coiffure, le nombre d'enfants qui jouent à se couper les cheveux a doublé – passant de 3 à 6 – et le nombre d'accessoires utilisés dans le jeu a augmenté de 2 à 11. Les enfants ajoutent aussi des détails aux activités qui se déroulent dans le salon de coiffure. Les accessoires incluent maintenant des foulards (utilisés comme tabliers), un miroir d'ameublement, des rasoirs et des blocs (utilisés comme peignes). La coupe de cheveux semble plus réelle, puisqu'elle inclut une coupe au rasoir et aux ciseaux, les bruits et les gestes appropriés à chacun des outils utilisés. Au cours de cette période, les enfants font aussi des « coupes de cheveux » aux poupées de même qu'aux autres enfants, et ils mettent en scène l'ouverture et la fermeture du salon de coiffure.

5e et 6e semaines : De nouvelles répercussions de la visite font surface au cours de cette période. Les éducatrices remarquent une autre augmentation (de 6 à 13) du nombre d'enfants qui jouent régulièrement au salon de coiffure. La complexité de leurs jeux continue aussi d'augmenter : certains enfants incorporent de nouvelles activités et ils ajoutent des accessoires qui vont de pair avec ces nouvelles activités. Ils commencent à demander aux « clients » de payer leur coupe de cheveux, utilisant des bandelettes de papier et des jetons en guise d'argent. De plus, ils lavent les cheveux des poupées en plus de les « couper » et ils prennent des rendez-vous en répondant au téléphone à l'aide de l'appareil qu'ils ont apporté dans leur salon de coiffure. Ils ont organisé une « salle d'attente » en installant un banc et des livres, des revues et des numéros pour les clients qui attendent. Il semble alors que certains enfants ont besoin de mûrir pendant plusieurs semaines les observations qu'ils ont faites lors de leur visite au salon de coiffure avant de pouvoir les intégrer dans leurs jeux de rôles.

Ces observations d'un jeu de rôles riche en développements permettent de saisir la profondeur et la complexité des jeux des enfants lorsqu'ils se déroulent sur une longue période, et la nécessité pour les éducatrices de s'ajuster au rythme des jeunes enfants, qui est parfois plus lent. Les éducatrices qui veulent soutenir ces jeux complexes devraient se demander si elles accordent suffisamment de temps aux enfants pour permettre à leurs jeux de se développer et de s'épanouir.

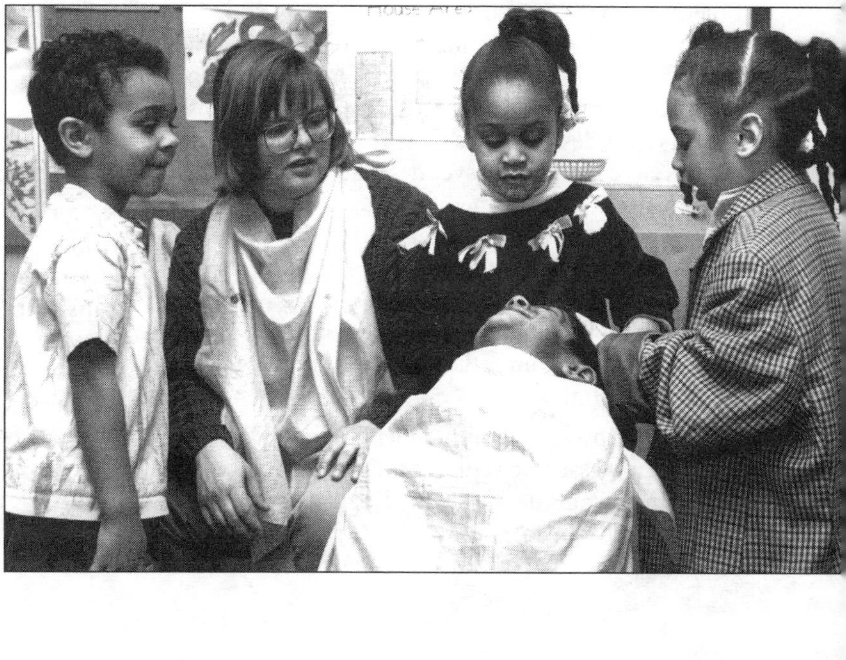

10.2.5 EXPÉRIENCE CLÉ Fabriquer des sculptures et des structures avec de l'argile, des blocs et d'autres matériaux

Les jeunes enfants aiment créer des sculptures représentant des personnages, des animaux ou des objets ; ils les fabriquent en argile, avec de la pâte à modeler ou en utilisant des blocs, du bois, des boîtes ou tout autre matériau qui est à leur disposition. Ils peuvent fabriquer de telles sculptures parce qu'ils sont capables de se former une image mentale des personnes et des objets, et qu'ils peuvent voir les ressemblances entre leur image mentale et un matériau en particulier. Ils peuvent voir, par exemple, qu'un serpent et un rouleau d'argile partagent certaines caractéristiques structurelles et physiques. Les deux sont longs, ont un petit diamètre et sont flexibles. En fait, les enfants commencent souvent à fabriquer des modèles lorsqu'ils reconnaissent spontanément des ressemblances. « Le ruban-cache ressemble au sparadrap ! » Ce processus devient de plus en plus délibéré au fur et à mesure que les enfants deviennent plus habiles avec le matériel. Ainsi, Amélie fabrique des sparadraps pour Karine en coupant de longues bandes de papier beige, en plaçant des morceaux de ruban-cache au milieu, puis en faisant de petits points avec un stylo.

Lorsqu'ils fabriquent des sculptures ou des structures, les enfants renforcent leur compréhension des objets réels qu'ils tentent de représenter ; ils deviennent aussi de plus en plus compétents face à la complexité même du processus de fabrication d'une structure. En tant que fabricants de structures, les enfants sont des créateurs et ils résolvent des problèmes ; ils commencent avec des matériaux bruts et ils conçoivent par eux-mêmes la façon de les transformer pour qu'ils ressemblent à ce qu'ils veulent représenter. Un enfant qui voit des blocs empilés peut, avec de l'imagination, des essais et des erreurs et de la persévérance, les transformer pour en faire un avion, un walkie-talkie ou une maison pour son chaton.

Les éducatrices qui comprennent la nature inventive du processus de représentation respectent le besoin des enfants de construire des structures qu'ils créent par eux-mêmes plutôt que de reproduire des modèles présentés par des adultes. Voici quelques stratégies que les éducatrices peuvent utiliser pour soutenir le processus créateur suivi par les jeunes enfants qui tentent de reproduire des modèles réels.

PISTES D'INTERVENTION

A. Mettre à la disposition des enfants des matériaux variés pour fabriquer des sculptures et des structures

L'argile

L'argile est un matériau facile à modeler et à transformer, c'est pourquoi elle constitue le choix privilégié pour la fabrication des sculptures. Le travail avec l'argile est une activité très satisfaisante pour les personnes de tous âges. Selon l'éducateur Sydney Clemens (1991, p. 10) :

> Matériau de base pour l'être humain, l'argile intéresse et absorbe les enfants. Ce n'est pas la même chose pour la pâte à modeler : c'est un matériau intéressant, bien sûr, mais elle est moins rattachée à l'être humain dans son histoire et dans ses fonctions. Si vous pouvez aller dehors avec les enfants pour creuser et trouver de l'argile, c'est encore mieux. Bien que l'argile soit plus salissante que la pâte à modeler, qu'elle requière la bonne proportion d'humidité et un contenant de rangement hermétique, ce matériau offre une vitalité et une élasticité qu'aucun autre matériau ne procure. On peut prendre en considération d'autres matériaux semblables : la pâte à pain ou la pâte à biscuits, la pâte à modeler, la cire d'abeille et le sable humide.

Les blocs

Le bois, tout comme l'argile, est un matériau de base, et les blocs de bois – des blocs de bois creux de grandes dimensions jusqu'aux petits blocs multicolores – permettent aux enfants d'expérimenter des constructions uniques en leur genre. Contrairement au cas de l'argile et d'autres matériaux souples, la forme et la structure des blocs ne peuvent être transformées. Les enfants aiment bien la nature durable des blocs de bois, leur harmonie et leur taille lorsqu'ils tentent de reproduire leurs images mentales. La manipulation des blocs de bois apporte de la satisfaction grâce à leur structure stable, à leur douceur au toucher, à leur densité et à leur poids. D'autres genres de blocs sont aussi intéressants, comme les blocs de carton et les blocs de plastique emboîtables.

D'autres matériaux

Les jeunes enfants reproduisent aussi des personnages, des animaux, des personnes ou des objets en utilisant une variété de matériaux issus de la nature ou recyclés, tels des cailloux, des coquillages, des feuilles, de l'herbe ; des boîtes, du carton, du papier ; du tissu, de la laine, du coton ; de la ficelle, de la corde, des cure-pipes, du ruban adhésif ; des résidus industriels ou des matériaux recyclés de produits ménagers. Pour utiliser ces matériaux, ils auront souvent recours à des ciseaux, à une agrafeuse, à de la colle, à des bandes élastiques, à un poinçon, à un marteau et à une scie.

B. Prévoir du temps et du soutien pour que les enfants explorent le matériel, utilisent les outils et deviennent plus habiles

Avant que les enfants commencent à fabriquer des sculptures ou des structures avec de l'argile, des blocs ou d'autres matériaux, ils ont besoin de temps pour explorer les matériaux et les outils qui sont à leur disposition et devenir plus habiles avec eux. Les enfants qui commencent à manipuler l'argile, par exemple, ont généralement besoin de beaucoup de temps pour tâter, écraser et rouler l'argile avant d'être capables d'utiliser ce matériau pour en faire quelque chose. Ils ont aussi besoin de temps pour explorer les blocs – c'est-à-dire les empiler, les placer en équilibre, les aligner, les placer dans un chariot ou un seau et les renverser – avant d'être capables d'imaginer des façons de les utiliser pour construire une maison ou une ruche. Finalement, la plupart des jeunes enfants ont besoin de temps d'exploration avant de pouvoir trouver des manières de découper des franges ou des bandelettes avec des ciseaux, de presser la colle d'une bouteille et observer la colle qui en sort, de taper avec un marteau et de faire du bran de scie avec une scie avant d'être prêts à utiliser ces outils pour fabriquer des structures. Aussi, si vous présentez du matériel de modelage et des outils durant les périodes en groupe d'appartenance ou si vous les rendez tout simplement accessibles lors des ateliers libres, vous devrez vous attendre à ce que les enfants les utilisent de la façon qui est la plus appropriée pour eux. Selon leur rythme respectif, ils prendront autant de temps – ou aussi peu de temps – qu'ils en auront besoin pour se familiariser avec eux avant de passer à l'étape de la construction et de la création proprement dites.

L'éducatrice Carol Seefeldt (1987, p. 201) rappelle que l'on doit nourrir les habiletés en développement des enfants dans le domaine de la représentation créative et des arts plastiques au cours des jours, des mois et des années en leur fournissant des occasions d'explorer et d'expérimenter le matériel sur une base continue et régulière :

> Les enfants à qui l'on présente trop souvent du matériel nouveau ne sont jamais capables de le maîtriser vraiment et de développer de façon optimale leur habileté avec un matériau. Ils ne sont pas capables non plus de découvrir et d'explorer toutes les possibilités qu'offre un matériau. Les gens qui visitent l'Asie remarquent que les très jeunes enfants sculptent avec une grande habileté de petits blocs de bois ; ils le font alors qu'ils sont beaucoup plus jeunes que les enfants occidentaux et ils le font nettement mieux que des enfants américains beaucoup plus âgés. Les enfants asiatiques sont initiés à la sculpture des blocs de bois dès leur plus jeune âge et ils sont encouragés à continuer pendant plusieurs années à développer leurs habiletés avec les outils reliés à cette forme d'expression. Les enfants américains, par contre, ne sont généralement mis en contact avec ce matériel que vers la sixième année du primaire et pour une activité de courte durée. À moins que les enfants n'aient l'occasion d'acquérir de l'expérience avec un matériau sur une longue période, ils trouveront difficile de développer les habiletés nécessaires pour utiliser un matériau à des fins d'expression artistique.

C. S'attendre à ce que les enfants utilisent des méthodes variées

Lorsque vous observez les enfants qui travaillent avec de l'argile, des blocs ou d'autres matériaux, vous pouvez vous attendre à ce qu'ils utilisent différentes méthodes pour se familiariser avec les matériaux qu'ils utilisent.

L'exploration

Les enfants qui explorent les matériaux tels que l'argile et du matériel comme des blocs sont souvent occupés par des actions comme tenir, tourner, frapper et transporter ; rouler, aplatir, empiler et aligner ; faire des ponts, des clôtures et des motifs.

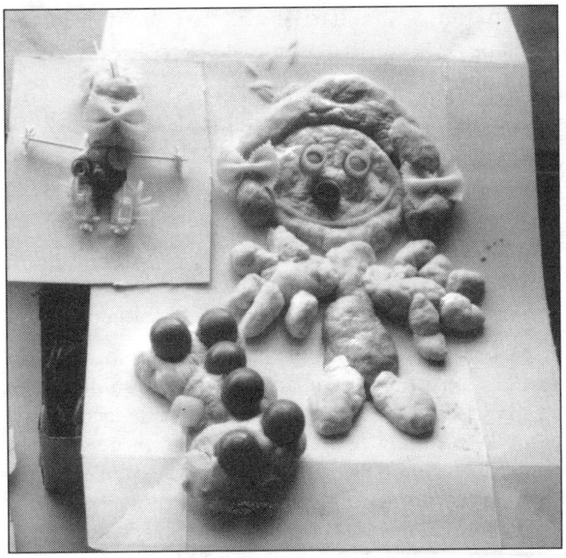

Au cours de son travail avec l'argile, l'enfant garde en tête l'image mentale de ce qu'il veut reproduire.

Au début, ils utilisent l'argile, les blocs et d'autres matériaux pour «le simple plaisir de manipuler quelque chose» (Golomb, 1974, p. 177). En d'autres mots, à cette étape, tout ce que les enfants font avec l'argile et d'autres matériaux de modelage, ce n'est pas du modelage à proprement parler. Quelquefois, ils utilisent le matériel pour lui-même et non pour en faire autre chose.

Romancer

«Romancer» (dans le sens d'embellir la réalité) est un terme que Golomb (1974) utilise pour décrire ce que font les enfants lorsqu'ils forment quelque chose de «primitif» à partir de blocs ou d'argile et qu'ils font appel à des mots ou à des actions pour remplacer les caractéristiques manquantes. Par exemple, Jeanne fait sauter une boule d'argile d'un bout de la table à un autre en disant: «Boink, boink, boink. C'est un criquet.» Michel pousse un bloc sur le plancher et fait des bruits en poussant avec son bloc des objets qu'il rencontre sur son passage: il joue avec son bulldozer.

Des sculptures et des structures simples

Les enfants qui font des sculptures et construisent des structures simples sont déterminés à créer des objets précis et soutiennent cette intention pendant qu'ils travaillent. Leur habileté à garder une image mentale en tête pendant qu'ils travaillent l'argile, qu'ils font une construction avec des blocs ou qu'ils découpent et collent du papier est une réussite significative. Par exemple, un enfant qui a l'intention de sculpter un personnage pourra agir de la façon suivante: piquer des boutons dans une galette d'argile pour faire des yeux, un nez ou une bouche, faire une boule d'argile pour la tête, piquer deux bâtonnets pour faire des jambes; sur un carton, il pourrait aussi coller un bâtonnet pour faire un corps, d'autres pour faire une tête, des jambes et des bras. Un enfant qui veut construire une maison pourra s'entourer de gros blocs en laissant une ouverture pour faire une porte, ou il pourra empiler des coussins et les recouvrir d'un carton pour faire un toit le long d'un mur et se faufiler en dessous de cette structure. Comme le souligne Golomb (1974, p. 90-91), lorsque les enfants fabriquent des sculptures et des structures simples,

> la difficulté de reproduire des modèles augmente la tendance à l'économie et à la simplicité dans la représentation. [...] Les jeunes enfants démontrent une liberté par rapport aux contraintes, se permettent d'inclure une caractéristique ou de l'omettre selon leur désir, pour autant que la structure de base soit respectée.

Des sculptures et des structures complexes

Lorsque les enfants font des sculptures ou construisent des structures comportant plus de détails, ils sont capables de se concentrer avec beaucoup d'attention et d'enthousiasme sur le détail qu'ils reproduisent sans tenir compte de son importance par rapport à l'ensemble. Lors de ses observations des enfants qui fabriquaient des personnages en argile, Golomb (1974, p. 144) a observé ceci:

> Le besoin de subdiviser de façon cohérente les parties d'un tout est la préoccupation principale des enfants à cette étape du modelage; les considérations touchant la représentation fidèle des proportions sont généralement ignorées. Par exemple, lorsque les bras sont sculptés avec des doigts, la grosseur de ces derniers est déterminée par l'élan créateur et le besoin de symétrie plus que par leurs proportions réelles par rapport à l'ensemble. Les parties modelées semblent grossir en volume au fur et à mesure que l'enfant avance dans son travail.

Lorsque les enfants construisent des structures plus sophistiquées avec des blocs, ils ont tendance à ajouter des blocs plus petits, des figurines et du mobilier à leurs structures construites à l'aide de gros blocs. Ils sont aussi capables de travailler en collaboration avec d'autres à des structures plus grosses ou plus détaillées, comme de grosses tours de blocs, un dinosaure ou un robot construit avec des boîtes, des forts construits à partir de troncs d'arbre et de draps, une auto imaginée au moyen de vieux pneus et de cartons de lait.

Les enfants qui reproduisent des modèles plus détaillés sont généralement très persévérants dans leur travail parce qu'ils ont en tête une image de ce qu'ils construisent et veulent réaliser. Quelquefois, par contre, même les enfants les plus déterminés mettent fin à leur projet parce qu'ils sont frustrés dans leur démarche. Benoît, par exemple, a utilisé presque toute la période d'ateliers libres pour fabriquer un masque. Il a assemblé tout son masque mais n'a pas terminé les attaches. Benoît a fait deux trous dans son masque et enfilé des brins de laine qu'il a attachés dans chacun d'eux. Mais chaque fois qu'il tentait de mettre son masque, les brins de laine s'avéraient trop courts pour faire le tour de sa tête. Son éducatrice observait la démarche de Benoît. Lorsqu'il est devenu évident qu'il avait fait tout ce qu'il pouvait pour tenter de résoudre ce problème par lui-même, l'éducatrice s'est assise à côté de lui et l'a aidé à mesurer la longueur requise pour faire le tour de sa tête avec les brins de laine. Avec le concours de son éducatrice au moment où il allait se décourager, Benoît a été capable de terminer son masque comme il l'avait conçu.

D. Demander aux enfants de décrire ce qu'ils fabriquent

L'éducatrice qui démontre du respect pour le potentiel créateur des enfants écoute ces derniers afin de comprendre ce qu'ils pensent fabriquer. Elle évite de faire des commentaires tels que « Oh ! Charles, comme il est long ton bateau ! » quand, en fait, Charles est en train de fabriquer un autobus scolaire.

Écouter les enfants lorsqu'ils planifient leur projet

Lors de la période de planification, si certains enfants ont l'intention de fabriquer des structures ou des sculptures, ils feront probablement des commentaires tels que : « Je vais fabriquer une cabane à oiseaux. » « On va construire une ambulance avec tous les gros blocs et un volant. » « Je vais faire des serpents... en argile... et de la nourriture pour eux. » Les projets que les enfants conçoivent changent parfois en cours de route, mais si Marie-Pierre dit qu'elle va construire une cabane à oiseaux dans le coin de la menuiserie et que vous la voyez plus tard à l'établi en train d'assembler une structure qui ressemble vaguement à une cabane à oiseaux, vous aurez de bons indices pour présumer qu'elle est vraiment en train de faire cela et vous serez en droit de dire : « Je vois que tu as commencé à construire ta cabane à oiseaux, Marie-Pierre. »

Écouter les enfants pendant qu'ils travaillent

Les enfants commentent souvent leurs réalisations en cours d'élaboration. Leurs commentaires peuvent les aider à préciser et à communiquer le processus qu'ils utilisent : « Ça pourrait faire le toit... le volant pourrait être ici... » De plus, en verbalisant leurs pensées, les enfants ont plus de facilité à résoudre les problèmes qui se présentent en cours de route : « Voyons... Comment est-ce que je vais faire tenir mon volant ? »

Écouter les enfants lorsqu'ils exhibent leurs réalisations

Les enfants veulent généralement montrer à quelqu'un d'autre ce qu'ils ont fait. Lorsqu'ils ont terminé leur bateau ou leur cabane à oiseaux, ils vont souvent montrer le résultat à l'éducatrice pour qu'elle le regarde et apprécie leur travail. Si vous êtes devant un objet que vous n'arrivez pas à identifier, commencez par décrire ses caractéristiques :

> L'ENFANT. – Regarde ! (L'enfant donne à l'éducatrice une création faite de papier construction.) C'est pour toi.
> L'ÉDUCATRICE. – Merci. (L'éducatrice n'est pas certaine de reconnaître l'objet qu'elle reçoit. Elle l'examine attentivement.) Cette partie s'ouvre.
> L'ENFANT. – C'est un étui à crayons... Ça va comme ça. (Il montre à l'éducatrice comment l'ouvrir.)
> L'ÉDUCATRICE. – Je vois. Cette partie qui s'ouvre, c'est pour mettre les crayons.

> L'ENFANT. – Oui. C'est pour mettre beaucoup de crayons. Pour pas les perdre. Tu vas savoir où trouver tes crayons maintenant.
> L'ÉDUCATRICE. – Oui, je vais pouvoir retrouver mes crayons.

Les enfants peuvent aussi présenter leurs créations et décrire ce qu'ils ont fait lors de la période de réflexion.

E. Au cours des périodes en groupe d'appartenance, demander aux enfants de fabriquer un objet avec de l'argile, des blocs ou un autre matériau

Pour observer le processus de représentation de sculptures et de structures, les éducatrices peuvent présenter de l'argile, des blocs ou un autre matériau au cours des activités en groupe d'appartenance. Vous pourrez commencer une telle période d'activité en utilisant une des entrées en matière suivantes :

- « Voici de l'argile. Voyons voir ce que vous pouvez faire avec. »
- « Voici de l'argile. Je me demande si vous êtes capables de faire un personnage avec cela. »
- « Voici de l'argile. Je me demande si vous pouvez faire avec cela quelque chose qu'on a vu lors de notre sortie d'hier au salon de coiffure. »

Quelle que soit la méthode que vous utiliserez pour commencer l'activité, les enfants vont réagir de façon différente les uns des autres – y compris explorer, romancer, fabriquer des structures simples ou détaillées –, suivant les expériences qu'ils ont eues avec le matériau que vous leur présenterez et leur habileté à travailler à partir de leurs images mentales.

10.2.6 EXPÉRIENCE CLÉ
Dessiner et peindre

Les enfants d'âge préscolaire utilisent la peinture, les crayons feutre et les crayons de couleur pour créer leurs propres symboles et leurs propres images ainsi que pour représenter les images mentales qu'ils ont formées des objets qu'ils ont vus et des expériences qu'ils ont vécues. Lorsqu'ils travaillent seuls – et parfois par paires –, ils deviennent facilement absorbés dans leur travail de peinture et de dessin de façon inventive et amusante.

Au moyen du dessin et de la peinture, les enfants communiquent avec simplicité et économie leur compréhension de l'univers. D'après Gardner (1982, p. 110), les images que les enfants représentent sur leurs feuilles de papier sont caractérisées par « la simplicité des formes, l'omission du détail et la liberté pour traduire les relations spatiales ». Par exemple, Chantal peint quatre objets : une grosse forme noire, une grosse forme jaune, un cercle brun et une série de cercles bleus entrelacés. Lorsqu'elle montre sa peinture à son éducatrice, Chantal lui demande d'écrire ces mots au bas de la page : « N'aie pas peur de l'orage. C'est juste les anges qui jouent du tambour. De Chantal à Jessica. » Comme le démontre cet exemple, les enfants tentent aussi de mettre de l'ordre dans leurs connaissances et d'acquérir un certain pouvoir sur les phénomènes troublants qui se produisent dans leur univers. Ils commencent face à une page blanche, mais ils apprennent, au cours de leurs expériences avec la peinture et les crayons, qu'ils peuvent la remplir d'une façon qui prend un sens pour eux et qui leur donne le pouvoir presque magique de créer des images, des histoires et des dénouements.

Par ailleurs, la peinture et le dessin ne sont pas des opérations simples pour les jeunes enfants. En effet, Golomb (1974, p. 14) rappelle ceci :

> La coordination complexe de l'intention, de l'action sur le matériau et de l'aspect du produit final est une tâche difficile. Le jeune artiste doit soutenir son idée pendant tout le processus complexe de création de formes et reconnaître que le résultat de ses efforts correspond à son intention première.

Dans leur soutien des jeunes artistes, les éducatrices doivent comprendre et respecter les efforts de chacun des enfants pour inventer, transformer et communiquer des images mentales au moyen du papier, de la peinture, des crayons de couleur, des crayons de cire et des crayons feutre. Voici des pistes d'intervention que les éducatrices peuvent utiliser pour soutenir les enfants lorsqu'ils dessinent et peignent.

PISTES D'INTERVENTION

A. Fournir aux enfants un matériel varié pour dessiner et peindre

Emmagasinez une grande variété de matériel dans le coin des arts plastiques pour que les enfants puissent dessiner et peindre. (Vous trouverez à la sous-section 5.2.1.D. des suggestions de matériel pour le coin des arts plastiques.) Assurez-vous que ce matériel soit à la portée des enfants pour qu'ils puissent l'utiliser à leur guise pendant les périodes d'ateliers libres et tout au long de la journée, quel que soit le moment qu'ils choisiront pour dessiner ou peindre.

Une quantité suffisante de papier doit être mise à la disposition des jeunes artistes. Cela signifie que l'utilisation du papier de recyclage est parfois nécessaire, mais les enfants devraient aussi pouvoir utiliser du papier « neuf ». En plus d'une variété de feuilles de papier de textures, de couleurs et de formats différents, fournissez-leur des pinceaux solides de bonne qualité, des crayons de couleur, des crayons de cire et des crayons feutre.

Pensez également aux surfaces où les enfants pourront s'installer confortablement pour dessiner et peindre. Songez à installer des chevalets traditionnels de même que des panneaux muraux qui rendent l'activité plus conviviale. Prenez aussi en considération le fait que, pour plusieurs enfants, il est plus facile de dessiner et de peindre sur une table que sur une surface verticale. Dans une étude où des chercheurs ont comparé les peintures des enfants réalisées sur une table à celles qui avaient été faites sur un chevalet, ils ont conclu que « l'utilisation d'une table comme surface de travail pour peindre facilite des positions de la main plus sophistiquées que l'utilisation de chevalets » (Seefeldt, 1987, p. 202).

Dans le cas où des ordinateurs sont mis à la disposition des enfants, il existe d'intéressants logiciels de dessin pour les enfants d'âge préscolaire, qui leur permettent de créer toutes sortes d'illustrations à l'aide de la souris et d'y ajouter les couleurs de leur choix.

N'oubliez pas d'offrir aux enfants des possibilités de dessiner et de peindre lors des jeux extérieurs. Le matériel de base pour les jeux extérieurs devrait comprendre des craies de couleur, de l'eau, de gros pinceaux, de la peinture et de grands rouleaux de papier pour les créations collectives.

B. Prévoir le temps nécessaire pour permettre aux enfants d'explorer le matériel et de développer des habiletés, et soutenir leur démarche

Dessiner et peindre sont des activités qui demandent de la réflexion. Les éducatrices devraient donc prévoir suffisamment de temps pour les ateliers libres, les activités en groupe d'appartenance ou les jeux extérieurs de façon que les enfants puissent compléter leur œuvre sans se sentir bousculés. En effet, certains projets peuvent exiger plus de temps qu'il n'est possible d'en accorder au cours d'une période d'une même journée ; il importe donc de donner libre accès au matériel de peinture et de dessin afin de permettre aux enfants de poursuivre leur travail sur une période plus longue.

Tout comme pour les activités de modelage, plusieurs enfants expérimentent les couleurs et les techniques avant de commencer à utiliser les pinceaux ou les crayons pour faire des illustrations qui représentent vraiment des objets ou des personnes. Aussi le temps d'exploration est-il nécessaire. Selon la peintre et éducatrice Nancy Smith (1982, p. 302) :

> Il est essentiel que l'enfant acquière une compréhension profonde et riche des propriétés visuelles et physiques du matériel pour qu'il soit capable de créer des œuvres signifiantes avec ce matériel. Pour que cela puisse se produire, il faut créer des occasions de faire des expériences avec le matériel sur une période suffisamment longue.

Lorsque les enfants commencent à se familiariser avec la peinture, aidez-les à apprendre à mélanger les couleurs pour qu'ils puissent fabriquer eux-mêmes celles qu'ils désirent.

C. S'attendre à ce que les enfants utilisent des approches différentes pour dessiner et peindre

Lorsque vous observez les enfants qui dessinent et qui peignent, vous les voyez probablement réaliser des œuvres très variées.

Des traits et des gribouillis

Les enfants qui commencent à dessiner et à peindre sont absorbés par l'utilisation de la peinture et du matériel de dessin pour faire des traits. Ils sont fascinés par l'activité même de faire des traits, des points, des taches et des fioritures. Au stade du gribouillis, Golomb (1974, p. 3) note ceci :

> Le plaisir moteur est roi et l'enfant n'est pas préoccupé par l'aspect du produit fini, bien qu'il soit habituellement content de ce que ses gestes vigoureux laissent des traces sur le papier.

Les enfants qui utilisent de la peinture et des crayons feutre de cette façon sont capables de continuer à dessiner et à peindre sur la même feuille de papier jusqu'à ce que cette dernière soit complètement remplie. Le fait de dessiner et de peindre par-dessus des traits et des lignes qu'ils viennent tout juste de faire ne les embarrasse pas et ne devrait pas préoccuper les éducatrices non plus.

Des formes

Après avoir pris tout le temps nécessaire pour couvrir des feuilles de traits et de gribouillis, les enfants découvrent qu'ils sont capables de reproduire des formes. Lorsqu'ils voient qu'ils sont capables de dessiner des formes, ils le font délibérément avec beaucoup de concentration et de soin. D'après Golomb (1992, p. 15):

> Dessiner une seule ligne pour encercler un espace et arriver au point de départ démontre un contrôle moteur et visuel remarquable. [...] La réussite du dessin d'un contour illustre un nouveau niveau de maîtrise et l'utilisation délibérée de lignes pour créer des formes stables et significatives.

Des illustrations simples

Les enfants qui dessinent des objets et des personnages commencent à utiliser le dessin pour représenter les images qu'ils ont en tête. Ils dessinent avec une économie de moyens, utilisant le moins de lignes possible pour capter les caractéristiques les plus apparentes de ce qu'ils dessinent ou peignent. Les personnages que les enfants dessinent à ce stade sont souvent appelés « personnages têtards » : ils sont constitués d'un cercle avec deux lignes qui en descendent. Lorsque le dessin ne suffit pas en lui-même pour représenter tout ce que l'enfant veut communiquer, ce dernier utilise des mots pour compléter les détails qui manquent :

> La notion selon laquelle un dessin devrait présenter un énoncé pictural complet et autonome est encore absente de l'esprit de l'enfant; il adopte alors la solution la plus facile pour lui, c'est-à-dire corriger verbalement les imperfections ou les omissions. (Golomb, 1992, p. 25.)

Des illustrations plus détaillées

Les jeunes enfants en viennent à ajouter d'autres détails à leurs dessins et à leurs peintures pour distinguer les personnes des animaux, les garçons des filles, les maisons des forts, les camions de pompiers des camions de livraison, les enfants des bébés, et ainsi de suite :

> Les premiers dessins d'animaux et de personnes se ressemblent généralement beaucoup, et c'est cette absence de différenciation qui amène l'enfant à modifier l'illustration, à ajouter des traits qui définissent les différences entre les humains et les animaux. Dans le cas des humains, la différenciation se produit généralement dans un axe vertical, tandis que dans le cas des animaux elle est plutôt dans un axe horizontal. (Golomb, 1992, p. 26.)

Indépendamment du fait que les enfants dessinent et peignent des illustrations simples ou plus détaillées, Golomb (1988, p. 234) recommande de prêter attention à ce que l'enfant a dessiné ou peint plutôt qu'à ce qu'il n'a pas reproduit :

> Nous devrions être très prudents lorsque nous tentons d'interpréter les parties manquantes dans le dessin d'un enfant, quel que soit l'âge de celui-ci : a) l'enfant considère peut-être que ces attributs ne sont pas essentiels ; b) il n'y a peut-être pas suffisamment d'espace sur la surface utilisée pour reproduire ces attributs ; c) la partie manquante peut être difficile à représenter, alors l'enfant y substitue une description verbale.

D. Observer et écouter les enfants pendant qu'ils dessinent et peignent

Tout comme pour les activités de construction de sculptures ou de structures, ce sont les enfants qui apprennent aux éducatrices ce qu'ils sont en train de dessiner ou de peindre. Celles-ci devraient éviter de sauter à des conclusions en se basant sur une interprétation d'adultes de l'art enfantin.

Une façon d'être vraiment à l'écoute des enfants dans ces situations consiste à s'asseoir près d'un enfant qui dessine ou qui peint et de l'écouter tout simplement. Les éducatrices qui ont adopté un tel comportement ont découvert que les enfants parlent souvent à voix haute pendant qu'ils dessinent et peignent, qu'ils se racontent à eux-mêmes ce qu'ils sont en train de faire. Le fait d'écouter l'enfant et d'observer la réalisation de son travail donne aux éducatrices une vision de ce que l'œuvre signifie pour lui. Comme l'explique l'artiste et éducatrice Christine Thompson (1990, p. 229), l'enfant reconnaît plus d'éléments dans l'œuvre que l'adulte ne pourrait le faire. Il peut aussi associer une série d'explications qui peuvent paraître contradictoires à première vue à une série de traits qui ont l'air semblables aux yeux d'un adulte.

E. Parler avec les enfants de leurs dessins et de leurs peintures

Souvent, lorsque les enfants terminent un dessin ou une peinture, ils veulent le montrer à quelqu'un qui prendra le temps de le regarder et qui reconnaîtra la valeur de leur travail. Quand les enfants vous apportent leur dessin ou leur peinture ou qu'ils vous appellent pour que vous regardiez leur création, vous avez une occasion précieuse d'amorcer une conversation au sujet de leur art. Pendant que vous étudiez le dessin de l'enfant, laissez à ce dernier la possibilité de faire le premier commentaire, puis décrivez les détails que vous voyez, détails tels qu'une ligne, un motif, une texture, une forme, un espace, une masse ou une couleur. Vous aurez ainsi une conversation au cours de laquelle vous pourrez découvrir ce que l'enfant pense et ce qu'il tente d'exprimer par son dessin. Comme le fait remarquer Thompson (1990, p. 230) :

> L'enfant qui reçoit une telle reconnaissance de la valeur de son œuvre et dont les travaux sont acceptés avec respect se développe avec la certitude du pouvoir qu'il détient pour agir sur le monde d'une façon concrète et significative.

Dans l'exemple qui suit, l'éducatrice démontre bien ces propos :

L'ENFANT. – Regarde !
L'ÉDUCATRICE. – (Elle observe le dessin que l'enfant lui tend.)
L'ENFANT. – Ça, c'est la maman... et le bébé.
L'ÉDUCATRICE. – Je vois. La maman et le bébé.
L'ENFANT. – Le bébé tient la maman par la queue... Il ne veut pas se perdre.
L'ÉDUCATRICE. – Ah... Il veut rester près de sa maman.
L'ENFANT. – Ouais. Il a peur que les lions viennent.
L'ÉDUCATRICE. – Oh, je vois... La maman et le bébé ont des lignes.
L'ENFANT. – C'est parce que c'est des zèbres ! Ils ont des lignes... comme de l'herbe.
L'ÉDUCATRICE. – Oui, les lignes des zèbres ressemblent à des brins d'herbe.

F. Prévoir des occasions de dessiner durant les périodes de planification et de réflexion, au cours des activités en groupe d'appartenance et des rassemblements en grand groupe

Les périodes de planification et de réflexion offrent de nombreuses occasions de dessiner. Une fois par semaine, par exemple, vous pourriez demander aux enfants de dessiner ce qu'ils planifient, ou lors de la période de réflexion, de dessiner ce qu'ils ont fait au cours des ateliers libres. Vous observerez probablement une variété de styles de dessins parmi les enfants qui participent à la période de planification ou de réflexion : des traits et des gribouillis, des formes, des illustrations simples et des illustrations détaillées.

En demandant périodiquement aux enfants de dessiner pendant les activités en groupe d'appartenance, vous créerez une autre occasion pour les enfants de développer leur habileté à dessiner et vous pourrez ainsi les soutenir, les observer et les écouter attentivement. Voici quelques méthodes que vous pouvez adopter pour inciter les enfants à dessiner :

- « Voici des crayons feutre et du papier. On va dessiner. »
- « Vous rappelez-vous notre sortie au salon de coiffure, hier ? Je me demande si vous pourriez dessiner quelque chose que vous avez remarqué au cours de cette sortie. »
- « Nous avons fait plusieurs activités avec des pommes depuis que nous sommes allés en cueillir au verger. Voyons si nous sommes capables de dessiner des pommes. Voici un panier rempli de pommes : il y en a des rouges, des jaunes et des vertes. Il y a aussi des branches de pommier que j'ai placées sur la table. Vous pouvez les regarder pendant que vous dessinez. »
- « Il y a des photos des membres de notre famille sur le mur. Je me demande si nous pourrions dessiner notre famille aujourd'hui. »

G. Afficher les œuvres des enfants et en faire parvenir aux parents

Lorsque vous affichez les dessins et les peintures des enfants, vous permettez à ceux-ci de voir les réalisations des autres. Par ailleurs, si vous faites parvenir aux parents certains exemplaires des réalisations de leur enfant, vous permettez aux enfants de partager leur satisfaction avec les autres membres de leur famille. L'affichage des œuvres peut faire partie intégrante de l'activité des enfants.

Vous pouvez aussi prendre des photos des dessins et des peintures des enfants pour démontrer à ces derniers à quel point vous accordez de l'importance à leurs créations et pour montrer leurs œuvres aux parents. Si vous faites des diapositives avec ces clichés, vous pourriez les utiliser lors d'une rencontre d'information avec les parents, lesquels seront en mesure d'apprécier les différentes approches qu'adoptent les enfants pour concevoir et réaliser leurs œuvres. Ainsi, les parents comprendront que les traits et les gribouillis, les formes, les illustrations simples et les illustrations détaillées requièrent des efforts tout aussi importants les uns que les autres dans le développement des enfants.

Dans un service éducatif préscolaire, l'équipe de travail a décidé d'organiser avec les enfants une « galerie d'art » pour les parents. Les éducatrices et les enfants ont regroupé dans un local les peintures, les dessins et les sculptures des enfants, et ils ont invité les parents à faire le tour de leur exposition à la fin de la journée.

Dans un autre service de garde, les éducatrices ont fait plastifier des dessins et des peintures de chacun des enfants pour en faire des napperons. Les enfants les utilisaient lors des repas et des collations. Les parents ont trouvé les napperons tellement beaux que les enfants ont voulu recommencer l'expérience pour faire des cadeaux à leurs parents.

Nous avons relaté les exemples précédents pour inciter les éducatrices à imaginer d'autres moyens de renforcer la fierté que les enfants éprouvent face à leurs œuvres.

TABLEAU RÉCAPITULATIF

La représentation créative et l'imaginaire

Reconnaître les objets en utilisant ses cinq sens (le toucher, la vue, l'ouïe, le goût et l'odorat)

- Mettre à la disposition des enfants du matériel ayant des caractéristiques sensorielles particulières :
  - des parties d'objets ;
  - des objets pour recouvrir et des objets à recouvrir ;
  - des textures variées ;
  - des objets qui ont une odeur particulière ;
  - des objets qui font du bruit ;
  - des aliments aux saveurs variées.
- Procurer aux enfants des occasions de remarquer les indices sensoriels.
- Observer les enfants lorsqu'ils font des empreintes et des frottis, et en faire avec eux.

Imiter des gestes, des mouvements et des sons

- Prêter attention aux imitations spontanées des enfants.
- Imiter les gestes, les comportements et les sons que font les enfants.
- Insérer dans l'horaire quotidien des occasions de stimuler l'imitation.

Associer des modèles réduits, des figurines, des illustrations et des photographies à des lieux, à des personnes, à des personnages, à des animaux ou à des objets réels

- Fournir aux enfants des modèles réduits et des figurines.
- Fournir aux enfants des illustrations et des photographies :
  - des photographies des enfants de son groupe ;
  - un appareil photo simple pour les enfants ;
  - une variété de livres d'histoires abondamment illustrés ;
  - des catalogues et des revues dans le coin des arts ;
  - des photographies pour les activités en groupe d'appartenance.
- Soutenir et stimuler les enfants pour qu'ils comparent les modèles et les photos aux objets réels.

→

Imiter, faire des jeux de rôles et faire semblant

- Fournir aux enfants du matériel et des accessoires pour les jeux de rôles.
- Soutenir les jeux de rôles qui se déplacent d'un coin à un autre.
- Observer toutes les formes de jeux de rôles :
  - faire semblant d'être quelqu'un d'autre ;
  - utiliser un objet pour en représenter un autre ;
  - utiliser des gestes, des sons et des mots pour définir un objet, une situation ou un environnement ;
  - partager ses jeux de rôles avec les autres et distribuer des rôles aux autres ;
  - parler aux autres pendant les jeux de rôles.
- Participer aux jeux de rôles en démontrant du respect et en décodant les indices des joueurs :
  - poursuivre le thème déterminé par les joueurs ;
  - offrir des suggestions conformément à la situation établie par les enfants ;
  - respecter les réactions des enfants face aux suggestions de l'éducatrice ;
  - s'adresser au personnage plutôt qu'à l'enfant comme tel.
- Faire semblant au cours des périodes en groupe d'appartenance et des rassemblements en grand groupe.
- Planifier des moyens de soutenir les jeux de rôles des enfants :
  - ajouter du matériel ;
  - faire des sorties ;
  - inviter des personnes à venir visiter le service de garde ;
  - discuter en équipe des situations troublantes qui surviennent au cours des jeux de rôles ;
  - laisser suffisamment de temps aux enfants pour qu'ils enrichissent leurs jeux de rôles.

Fabriquer des sculptures et des structures avec de l'argile, des blocs et d'autres matériaux

- Mettre à la disposition des enfants des matériaux variés pour fabriquer des sculptures et des structures :
  - l'argile ;
  - les blocs ;
  - d'autres matériaux.
- Prévoir du temps et du soutien pour que les enfants explorent le matériel, utilisent les outils et deviennent plus habiles.
- S'attendre à ce que les enfants utilisent des méthodes variées :
  - explorer ;
  - romancer ;
  - faire des sculptures et des structures simples ;
  - faire des sculptures et des structures complexes.
- Demander aux enfants de décrire ce qu'ils fabriquent :
  - écouter les enfants lorsqu'ils planifient leur projet ;
  - écouter les enfants pendant qu'ils travaillent ;
  - écouter les enfants lorsqu'ils exhibent leurs réalisations.
- Au cours des périodes en groupe d'appartenance, demander aux enfants de fabriquer un objet avec de l'argile, des blocs ou un autre matériau.

Dessiner et peindre

- Fournir aux enfants un matériel varié pour dessiner et peindre.
- Prévoir le temps nécessaire pour permettre aux enfants d'explorer le matériel et de développer des habiletés, et soutenir leur démarche.
- S'attendre à ce que les enfants utilisent des approches différentes pour dessiner et peindre :
  - des traits et des gribouillis ;
  - des formes ;
  - des illustrations simples ;
  - des illustrations plus détaillées.
- Observer et écouter les enfants pendant qu'ils dessinent et peignent.
- Parler avec les enfants de leurs dessins et de leurs peintures.
- Prévoir des occasions de dessiner durant les périodes de planification et de réflexion, au cours des activités en groupe d'appartenance et des rassemblements en grand groupe.
- Afficher les œuvres des enfants et en faire parvenir aux parents.

LECTURES COMPLÉMENTAIRES

Arnheim, Rudolf (1997). *La pensée visuelle*, Paris, Flammarion, 1976.

Dupont, Réal (1991). *Lire les images des enfants*, Montréal, L'Image de l'art.

Gardner, Howard (1982). *Gribouillages et dessins d'enfants : leur signification*, Bruxelles, P. Mardaga.

Piaget, Jean (1976). *La formation du symbole chez l'enfant : imitation, jeu et rêve, image et représentation*, Neuchâtel, Delachaux et Niestlé, 1945.

CHAPITRE 11

Le développement du langage et le processus d'alphabétisation

Nous sommes des êtres qui accordons un sens aux objets, aux personnes et aux événements. Que nous soyons parents, enfants ou éducateurs, nous tentons de comprendre, de construire des histoires et de les partager avec les autres par le véhicule de la parole ou par celui de l'écriture. Ces activités sont le propre de l'être humain.
GORDON WELLS, 1986.

Bien que le développement du langage et le processus d'alphabétisation commencent dès la naissance, l'habileté grandissante des enfants d'âge préscolaire à utiliser le langage pour communiquer les distingue de façon significative des poupons et des trottineurs. Le linguiste Michael Halliday (1973) note que les enfants de 3 et 4 ans ont atteint un stade de développement du langage qui leur permet de faire connaître leurs sentiments et leurs désirs, d'interagir avec les autres, de poser des questions et de réfléchir, de représenter leurs connaissances et de parler de situations imaginaires. Ils apprennent au même moment à maîtriser la grammaire et à construire la signification de mots spécifiques. De plus, ils « écrivent » et ils « lisent » d'une façon qui leur est propre et qui leur semble efficace même si elle n'est pas conventionnelle.

11.1 Des convictions fondamentales au sujet du développement du langage et du processus d'alphabétisation

En 1979, lorsque la fondation High/Scope a publié *Young Children in Action,* l'approche était centrée d'abord et avant tout sur le développement du langage verbal. On avait écarté les expériences avec du matériel imprimé des enfants, à l'exception de la stimulation des enfants pour dicter des histoires relatant leurs expériences. On croyait alors que les lettres et les symboles étaient trop abstraits pour que de jeunes enfants puissent les comprendre. Depuis lors, cependant, les études et les recherches menées dans le domaine de l'éducation – comme celles de Susanna Pflaum (1986), de Marie Clay (1975), de Nigel Hall (1987), d'Elizabeth Sulzby (1985, 1986, 1987) et d'Elizabeth Sulzby et June Barnhart (1990) – ont fait progresser les connaissances au sujet du développement du langage des enfants. Elles nous ont permis de préciser nos observations faites auprès des enfants en tant que communicateurs et de réviser nos convictions.

En conséquence, le présent ouvrage met en relief les liens qui unissent le développement du langage parlé au développement du langage écrit au cours des premières années de l'enfance. En particulier, nous nous inspirons du travail de l'éducateur Kenneth Goodman (1986), qui utilise le terme **développement global du langage** pour décrire un programme pédagogique qui intègre le développement du langage écrit et du langage oral dans le contexte de situations concrètes. Nous utilisons aussi le terme **alphabétisation en émergence** pour décrire la perspective contemporaine dans laquelle les éducateurs voient le développement des habiletés des enfants à utiliser des formes de langage écrit comme un processus qui commence dès la prime enfance et qui se poursuit tout au long de l'enfance. Sulzby (1986) conçoit le début du processus d'alphabétisation comme une forme précoce et non conventionnelle d'écriture et de lecture, qui précède la lecture et l'écriture conventionnelles. En étudiant le développement du langage dans les programmes qui favorisent l'apprentissage actif, l'éducatrice Jane Maehr (1991, p. 5) a adopté le concept d'alphabétisation en émergence :

> Nous voyons l'émergence du langage et de l'alphabétisation chez les enfants comme un processus dynamique et continu de découvertes qui engage à la fois les adultes et les enfants en bas âge.

Maehr poursuit en expliquant que, dans une approche de développement global du langage et de stimulation du processus d'alphabétisation, les praticiens considèrent le langage comme un processus de communication dans lequel les manifestations du langage oral et écrit – parler, écouter, lire et écrire – sont indissociables les unes des autres et s'imbriquent dans un système qui est utile et signifiant pour l'enfant en apprentissage.

Dans une perspective de développement global du langage, le processus d'alphabétisation – apprendre les formes écrites du langage – se développe d'une façon étroite en même temps que l'apprentissage du langage verbal. Bien que l'écriture et la lecture conventionnelles ne soient pas à la portée de la majorité des enfants d'âge préscolaire, ces derniers restent profondément engagés dans leur recherche de sens du processus de lecture et d'écriture. En adoptant l'approche du développement global du langage et la terminologie du processus d'alphabétisation en émergence, les praticiens de l'apprentissage actif se sont basés sur plusieurs prémisses qui définissent le développement du langage chez l'enfant et que nous aborderons maintenant.

La communication entre les personnes est la première fonction du langage

Étant des êtres sociaux, le langage nous permet d'établir des relations et de les poursuivre tout au long de notre vie. Les poupons et les trottineurs acquièrent un système de communication primaire constitué de cris, de pleurs, de gazouillis, d'expressions du visage variées, de gestes et de courtes expressions verbales. Lorsqu'ils atteignent l'âge de 3 ou 4 ans, la plupart des enfants utilisent le langage pour se faire comprendre. Ils s'intéressent aux formes écrites qu'ils rencontrent dans leur environnement quotidien – dans les livres d'histoires, sur des affiches, sur des boîtes de céréales – et ils sont curieux lorsque des membres de leur entourage lisent le courrier et le journal ou qu'ils écrivent des listes d'achats ou des lettres. Les jeunes enfants qui ne peuvent pas encore lire se rendent quand même compte que les lettres ont une signification et ils sont très motivés à créer leur propre système pour traduire leur pensée par écrit. Les enfants veulent communiquer. Ils veulent comprendre et se faire comprendre. En ce sens, il importe que les adultes prêtent attention aux messages que les enfants tentent de communiquer plutôt qu'à la manière dont ils les communiquent verbalement ou par écrit.

Le langage et l'alphabétisation se développent

Bien que le langage soit d'une importance primordiale dans notre programme pédagogique, nous n'« enseignons » pas à parler en tant que tel, pas plus que nous n'enseignons à écouter, à lire ou à écrire. Nous considérons plutôt le langage et l'alphabétisation comme le résultat du processus de maturation, de l'engagement actif de l'enfant dans son environnement et des multiples tentatives des enfants pour communiquer leurs pensées, leurs sentiments et leurs questions à propos de leurs expériences (Weikart, 1974).

Étant donné la motivation des enfants à communiquer, leur langage devient de plus en plus complexe. Il se développe à partir d'énoncés d'un seul mot (« Jus. ») vers des phrases plus complexes (« C'est à mon tour de servir le jus ! ») ; de sujets concrets (« Regarde ! Chien ! ») vers des préoccupations plus abstraites (« Ne t'inquiète pas du tonnerre, c'est le bon Dieu qui joue du tambour dans le ciel ! ») ; et du présent (« Je joue à la balle. ») vers le passé et le futur (« J'ai couché chez Mamie ! » « Quand Noémie va venir, on va jouer aux robots ! »). La complexité du langage des enfants évolue en fonction des échanges entre les enfants de même qu'entre les enfants et les adultes ; elle n'est pas le résultat d'un enseignement fait d'exercices répétitifs. Même si les adultes utilisent naturellement un langage plus complexe que celui de l'enfant d'âge préscolaire, cela ne nuit pas à l'échange dans les conversations pour autant que l'adulte se retienne de corriger la syntaxe boiteuse de l'enfant, son choix de mots ou son système d'écriture. Dans un environnement riche en conversations et en écriture, la complexité du langage de l'enfant évolue naturellement, à un rythme propre à chacun. Le psychologue et éducateur Charles Temple et ses collègues (Temple et autres, 1988, p. 10) résument ce processus de la façon suivante :

> Quand les enfants apprennent à parler, ils tentent de saisir les règles de fonctionnement du langage en les mettant à l'essai et en les révisant petit à petit. Au début, ils commettent de nombreuses erreurs dans leurs discours, mais ils les corrigent graduellement. Dans l'écriture, nous voyons des erreurs dans la formation des lettres, dans l'épellation des mots et dans la syntaxe des phrases. Ces erreurs se produisent tandis que les enfants font différentes hypothèses sur les règles qui gouvernent le système d'écriture. Les erreurs sont souvent remplacées par de nouvelles erreurs avant que les enfants arrivent à utiliser des formes correctes.
>
> Les enfants ne commencent pas à utiliser des formes correctes de langage conséquemment à un enseignement formel ; les formes du langage se modifient graduellement. Dans l'écriture aussi, les formes d'épellation et les stratégies de composition de phrases ne sont pas nécessairement améliorées de façon immédiate par un enseignement correctif, mais plutôt au cours d'un apprentissage graduel des concepts qui est maîtrisé autant par l'enfant que par l'enseignant.

Les interactions stimulent le développement du langage et de l'alphabétisation

Maehr (1991) explique que le langage est un processus interactif plutôt qu'une habileté innée ou encore un comportement appris strictement au moyen de l'imitation. Lorsque les enfants sont plongés dans un environnement où la communication orale et écrite est valorisée, ils manifestent un désir ardent de maîtriser le langage. Ils apprennent à parler et à écrire parce qu'ils veulent communiquer avec les personnes qui sont importantes pour eux et non pas parce que ces personnes s'assoient et le leur enseignent. Ils apprennent parce que ces personnes les écoutent et répondent avec intérêt à toutes leurs tentatives pour traduire en mots leurs désirs, leurs pensées et leurs expériences, même si ces tentatives sont quelquefois maladroites.

Le langage se développe dans un environnement où les enfants vivent des expériences qu'ils veulent communiquer et où ils sont en compagnie d'un partenaire intéressé à engager un dialogue avec eux. Ces interactions avec les personnes qui les entourent et avec du matériel constituent les conditions de base pour que les enfants construisent leur compréhension du langage, de la lecture et de l'écriture, processus qui commence à la naissance et qui se poursuit tout au long des années préscolaires.

Dans les milieux d'apprentissage préscolaires où le développement du langage et le processus d'alphabétisation sont valorisés, les enfants sont actifs et bavards

Le développement du langage est un processus interactif pendant lequel les enfants apprennent à parler en exprimant librement leurs expériences ; un environnement préscolaire qui privilégie le développement du langage de l'enfant sera donc caractérisé par le babillage constant des enfants. Un environnement où l'on s'attend à ce que les enfants soient relativement tranquilles et où ce sont les adultes qui parlent la majorité du temps inhibe

le développement du langage des enfants en plus de brimer leur besoin naturel de communiquer.

Un des ingrédients essentiels de l'apprentissage actif est le langage des enfants, c'est-à-dire que les enfants doivent concevoir des idées et les exprimer dans leurs propres mots ; ils doivent pouvoir faire part de leur compréhension du monde. Dans un environnement pédagogique qui a de telles préoccupations, les conversations entre les enfants recèlent maintes surprises. Elles ne sont pas faites de redites ou d'échanges superficiels. Le langage est stimulé par les actions que les enfants entreprennent parce qu'ils sont intéressés à en parler ou qu'elles suscitent des questionnements chez eux. Le développement du langage n'est vraiment pas un processus silencieux mais plutôt un processus qui suscite l'action, le bavardage et le rire, où les enfants pensent à voix haute, discutent et font des découvertes excitantes.

11.2 Soutenir le développement du langage et le processus d'alphabétisation

Les six expériences clés du domaine du langage et du processus d'alphabétisation représentent les enfants d'âge préscolaire comme des communicateurs en herbe. Les trois premières expériences clés sont reliées aux actions de parler et d'écouter :

- *Parler avec les autres de ses expériences personnelles significatives.*
- *Décrire des objets, des événements et des corrélations.*
- *Jouer avec les mots : écouter des histoires, des comptines et des poèmes, inventer des histoires et faire des rimes.*

Les trois autres expériences clés, quant à elles, sont associées à la lecture et à l'écriture :

- *Écrire de diverses façons : en dessinant, en gribouillant, en dessinant des formes qui ressemblent à des lettres, en inventant des symboles, en reproduisant des lettres.*
- *Décoder des supports de lecture variés : lire des livres d'histoires et d'images, des signes et des symboles, ses propres écrits.*
- *Dicter une histoire à un adulte.*

Maehr (1991) souligne l'importance du rôle de l'adulte dans un environnement pédagogique où l'on désire stimuler les apprentissages reliés aux expériences clés du domaine ***le développement du langage et le processus d'alphabétisation.*** Le rôle de l'adulte, explique Maehr, est d'encourager l'enfant au cours de toutes les activités de la journée pour qu'il s'exprime librement dans ses propres mots, pour qu'il écrive à sa manière et pour qu'il lise ses propres symboles ou l'écriture des autres à sa façon.

Les sections qui suivent décrivent chacune des expériences clés du domaine ***le développement du langage et le processus d'alphabétisation*** et incluent des pistes d'intervention pour les éducatrices. Ces pistes d'intervention fournissent des idées pour stimuler ces expériences clés de façon appropriée et agréable pour tous. Elles sont aussi cohérentes par rapport aux principes théoriques et aux stratégies d'intervention décrits dans les chapitres précédents qui traitent de l'apprentissage actif, de l'aménagement et de l'équipement, et de l'organisation de l'horaire quotidien.

Ces deux enfants discutent intensément lors de la collation. (Remarquez les exemples de gribouillages affichés sur le mur.)

11.2.1 EXPÉRIENCE CLÉ Parler avec les autres de ses expériences personnelles significatives

- « Les kangourous n'ont pas besoin de poches ! » s'exclame Hélène en enlevant ses mitaines et en les rangeant dans les poches de son manteau. « Ils ont des poches dans le bedon de leur maman. »
- Jonathan dit à son éducatrice : « Il n'y a personne d'aussi fort que Catherine. Elle peut soulever toute la maison. Elle est plus forte que tout le monde. Elle est incroyable. C'est une de mes amies invisibles. »

Comme le démontrent ces anecdotes, lorsqu'ils parlent avec d'autres de leurs expériences significatives, les enfants d'âge préscolaire disposent d'une base solide pour développer leur langage et se familiariser avec le processus d'alphabétisation. Comme toute autre personne, les enfants entreprennent des conversations avec les autres lorsqu'ils ont quelque chose à dire. Ils veulent partager leurs expériences avec des personnes importantes dans leur vie, pour donner un sens à leurs découvertes et pour situer leurs observations dans leur cadre de référence personnel de la compréhension de l'univers. Lorsqu'ils parlent et qu'ils écoutent, les enfants d'âge préscolaire découvrent que le langage aide les personnes à fonctionner. Selon l'éducatrice et chercheuse Joan Tough (1977) :

> Tous les apprentissages des jeunes enfants sont fonction de leurs expériences directes et personnelles. L'apprentissage du langage ne fait pas exception à cette règle. Les enfants apprennent à utiliser le langage lorsqu'ils commencent à communiquer avec les autres. En parlant avec les autres, ils découvrent des modèles et des contextes d'apprentissage, et ils construisent ainsi les bases des expériences à travers lesquelles leurs prédispositions pour utiliser le langage vont se développer.

Dans les services éducatifs qui privilégient l'apprentissage actif, les éducatrices encouragent les enfants à discuter avec leurs pairs au sujet des événements et des sujets qui les intéressent le plus. Par exemple, le lendemain d'une sortie chez le fermier pour aller cueillir des citrouilles, Florence, une éducatrice, demande aux enfants de son groupe d'appartenance d'apporter leurs citrouilles à l'extérieur sur la table de pique-nique. La discussion suivante s'ensuit :

FLORENCE. – Je me demande comment on peut savoir ce qu'il y a dans de ces citrouilles.

FRANCIS. – Coupe !

ÉLISABETH. – Est-ce que je peux faire une marque et couper ? Ça pourrait marcher.

VICTOR. – Mon père a utilisé un... un gros... couteau !

FLORENCE. – Vous pourriez faire une ligne et je pourrais la découper avec un gros couteau, comme l'a fait le père de Victor.

(En observant leurs citrouilles, les enfants découvrent les graines à l'intérieur.)

NADINE. – Je vais aller chercher une cuiller. (Elle se dirige vers la maisonnette.)

SONIA. – Regarde ! Élisabeth retourne sa citrouille à l'envers. (Elle retourne sa citrouille à l'envers elle aussi et tape dessus.) Elles sont prises !

GEOFFROY. – Il faut que tu les arraches.

Le développement du langage pour tous les enfants

Lorsque les enfants commencent à fréquenter un service éducatif préscolaire, ils parlent la langue qu'ils ont apprise à la maison. Un nombre de plus en plus important d'enfants arrivent en parlant une langue maternelle autre que le français – l'espagnol, le vietnamien, le créole, l'arabe, le coréen ou le chinois, pour n'en nommer que quelques-unes. Cependant, les expériences clés relatives au développement du langage et au processus d'alphabétisation sont pertinentes pour tous les enfants, indépendamment de la langue qu'ils parlent. Puisque les enfants apprennent en agissant et en parlant de leurs expériences et de leurs observations, les éducatrices qui les entourent doivent faire tous les efforts possibles pour avoir des conversations avec eux dans leur langue maternelle. Comme elles ne peuvent communiquer dans toutes les langues que les enfants sont susceptibles de parler, elles devront demander à d'autres enfants du milieu ou à d'autres adultes de les appuyer. Pour des suggestions à ce sujet, voir la sous-section 3.1.1.C.

SONIA. – Ouach !... Ça... ça me colle dessus !

GEOFFROY. – Celle de Thomas a des petits cheveux en dedans.

JUAN. – Ma mère a dit qu'on peut manger ces graines-là. Ça goûte comme des arachides.

ÉLISABETH. – Ouach ! Ça goûte pas bon !

VICTOR. – Il faut les cuire, et alors, ça goûte comme...

JUAN. – Comme des arachides !

VICTOR. – Non, comme des graines.

FLORENCE. – Si on en faisait cuire, on pourrait voir par nous-mêmes qu'est-ce que ça goûte.

VICTOR. – Il faut les mettre sur une tôle plate.

ÉLISABETH. – Je vais garder les miennes dans ma tasse à jus.

En travaillant avec les enfants, Florence ne leur « enseigne » pas les noms des parties de la citrouille et elle ne leur impose pas ses idées sur la meilleure façon de procéder pour ouvrir et dévider leur citrouille. Elle écoute plutôt très attentivement les observations des enfants et elle ajoute occasionnellement ses propres commentaires et observations. Les enfants s'amusent et apprécient le respect et l'attention que Florence leur porte, et ils partagent librement et spontanément leurs idées entre eux et avec elle. Lorsqu'ils parlent, ils révèlent leurs perceptions uniques, leurs intérêts et leurs préoccupations. De cette façon, Florence parvient à mieux connaître chaque enfant.

Voici des stratégies que les éducatrices peuvent utiliser pour stimuler les enfants afin qu'ils parlent de ce qu'ils voient, de ce qu'ils pensent, de ce qu'ils ressentent et de ce qu'ils comprennent.

PISTES D'INTERVENTION

A. Établir un climat dans lequel les enfants se sentent libres de parler en tout temps

Il importe que les éducatrices qui favorisent l'apprentissage actif créent et maintiennent un climat dans lequel les enfants auront du plaisir à converser avec leurs pairs et avec les éducatrices à tous les moments de la journée. Il pourra être utile de réviser les chapitres précédents, qui décrivent comment établir un tel climat et pourquoi ce climat est essentiel dans l'approche de l'apprentissage actif. Plus précisément, vous pouvez revoir les éléments d'un environnement pédagogique stimulant qui sont décrits au chapitre 2 :

- **Partager le pouvoir entre les éducatrices et les enfants.**
- **Mettre en valeur les habiletés et les forces des enfants.**
- **Établir des relations authentiques avec les enfants.**
- **S'engager à soutenir le jeu des enfants.**
- **Adopter une approche de résolution de problèmes pour traiter les conflits interpersonnels.**

Lorsque ces éléments sont en place pour soutenir le développement social de l'enfant et que l'éducatrice planifie l'horaire quotidien en tenant compte des initiatives et des projets des enfants, les bases sont jetées pour qu'un climat s'établisse où les conversations des enfants pourront se dérouler librement.

B. Se rendre disponible pour converser tout au long de la journée

Les enfants sont plus susceptibles de converser avec les adultes à propos de sujets qui leur tiennent à cœur lorsqu'ils sentent que les adultes ont le goût de parler avec eux et qu'ils apprécient leurs confidences. Voici quelques moyens pour les éducatrices de démontrer aux enfants qu'elles sont prêtes à dialoguer de façon égalitaire avec eux au cours de chacune des périodes de la journée.

Se placer au même niveau que les enfants

Il est difficile de maintenir une conversation avec quelqu'un lorsqu'il y a une différence importante entre la hauteur des têtes des interlocuteurs ou le niveau de leurs yeux. Il est donc important que l'éducatrice s'assoie, qu'elle s'agenouille ou qu'elle s'accroupisse pour être au même niveau que l'enfant. Cette position permettra à l'enfant de

> « Le langage n'existe que lorsqu'on écoute autant qu'on parle. Le récepteur est un partenaire indispensable. »
> (John Dewey, 1958, p. 106.)

savoir qu'il a toute votre attention. Cela vous permet aussi d'être disponible pour avoir des contacts physiques avec l'enfant si celui-ci le demande.

Écouter attentivement ce que les enfants disent

Regardez directement l'enfant qui vous parle ou l'objet qu'il vous montre. Donnez suffisamment de temps à l'enfant pour organiser ses pensées et pour choisir les mots qu'il veut utiliser. Pendant que l'enfant parle, écoutez ce qu'il a à dire plutôt que d'essayer de reformuler ses paroles ou de préparer votre réponse. Si vous essayez de précéder le rythme de l'enfant, vous pourriez manquer la véritable signification du message qu'il veut vous transmettre ou détruire l'esprit du dialogue.

Laisser l'initiative de la conversation aux enfants

Vous pouvez laisser les enfants diriger la conversation en vous concentrant sur le message qu'ils transmettent plutôt que sur la façon dont ils le transmettent, en suivant la direction qu'ils donnent à la conversation, en parlant avec eux tour à tour et en ajoutant vos propres observations ou commentaires brièvement lorsque cela est approprié.

Soyez prête à aborder n'importe quel sujet : les événements récents, des spéculations sur l'avenir, les raisons pour lesquelles les événements se sont produits de telle ou telle manière, les raisons pour lesquelles les personnes sont comme elles sont, les rêves des enfants. Si vous apportez des commentaires pertinents de façon honnête et authentique en réponse aux sujets que les enfants ont choisi d'aborder, vous soutiendrez leur développement plus qu'en changeant de sujet ou en tentant de faire valoir votre propre point de vue. Examinez les exemples suivants :

- En jouant au cours de la période d'ateliers libres, Jonathan parle avec son éducatrice :
  JONATHAN. – L'ours se prépare pour la guerre. Il s'en va combattre les méchants.
  L'ÉDUCATRICE. – Pourquoi est-ce que l'ours veut faire la guerre ?
  JONATHAN. – Les méchants veulent prendre les ours. Les ours doivent se protéger.
- Arianne est « malade ». Elle se couche dans le lit du coin de la maisonnette. Pendant qu'elle attend le « docteur », elle se tourne vers son éducatrice, qui joue elle aussi à la « patiente » :
  ARIANNE. – Ma grand-maman est allée à l'hôpital. Elle était malade avant de mourir. Elle a vomi. Mon chien a vomi et il est mort, lui aussi.
  L'ÉDUCATRICE. – J'ai vomi, moi aussi, quand j'ai été malade. Ensuite, j'ai guéri.
  ARIANNE. – Je ne suis pas vraiment malade. Je fais juste semblant.
  L'ÉDUCATRICE. – Moi aussi.

Les chercheurs Barbara Tizard et Martin Hughes (1984, p. 254) ont enregistré plusieurs conversations entre des enfants et des adultes. Leurs observations leur permettent d'affirmer :

> Le type de dialogue qui semble aider les enfants n'est pas souvent utilisé par les éducatrices. Ces dernières sont portées à poser une série de questions. Or, les enfants sont plus stimulés lorsque les adultes les écoutent, les aident à clarifier leur pensée et fournissent seulement l'information qu'ils demandent.

Accepter les hésitations des enfants et leur expression non verbale

Quelquefois, les enfants hésitent et cherchent leurs mots pour exprimer une idée particulièrement complexe ou nouvelle. Il est important de leur donner le temps de choisir les mots qui leur conviennent plutôt que de faire des suggestions. Quelquefois aussi, les enfants recourent au langage non verbal lorsque le langage leur semble inadéquat pour s'exprimer.

Discerner les champs d'intérêt de chacun des enfants

La connaissance des intérêts de chacun des enfants vous permettra d'entreprendre des conversations sur des sujets que les enfants apprécieront. Une éducatrice, par exemple, savait que Thomas avait un intérêt particulier pour l'équipement de ferme ; elle a donc apporté une circulaire sur les tracteurs qu'elle avait reçue dans son courrier et a demandé à Thomas de lui expliquer les différents types de tracteurs qui étaient annoncés. « Celui-ci est comme celui de mon père », a commencé Thomas. L'éducatrice savait aussi que Pierre était content quand il portait des vêtements neufs. « Tu portes un veston neuf aujourd'hui », a-t-elle observé un matin. Cette simple observation a été le point de départ d'une conversation avec Pierre sur le magasinage qu'il avait fait avec son oncle.

C. Encourager les enfants à parler les uns avec les autres tout au long de la journée

En parlant avec d'autres enfants, l'enfant comble son besoin d'interactions sociales satisfaisantes tout en communiquant ses expériences et en trouvant de nouvelles informations. Bien que certains enfants soient plus prompts à discuter avec d'autres enfants, presque tous les jeunes enfants ont besoin du soutien d'un adulte à un moment ou à un autre. Voici des moyens que les éducatrices peuvent utiliser pour stimuler les conversations entre les enfants.

Multiplier les occasions de projets collectifs et de jeux coopératifs

Par leur nature, certains équipements ou éléments du matériel intéressent les enfants et suscitent leur rassemblement pour jouer et parler au cours des périodes d'ateliers libres, en groupe d'appartenance ou des jeux extérieurs. En voici quelques exemples.

- **Du matériel lourd ou difficile à manier** tel que des boîtes d'emballage d'appareils électroménagers, de longues planches, des billots qui requièrent la collaboration des enfants pour leur déplacement et leur installation. Les enfants veulent aussi voir qui est à l'intérieur de la boîte ou y pénétrer eux-mêmes.
- **De gros objets qui peuvent être remplis ou vidés** tels que des chariots, des charrettes ou des tentes. Encore là, les enfants veulent voir ce qu'il y a dans le chariot, monter dans la charrette pour faire un tour ou négocier pour déterminer à qui ce sera le tour de tirer ou de pousser.
- **Du matériel pour les jeux d'eau** tel que du matériel pour arroser le jardin, laver les vélos et les jouets du carré de sable, laver et récurer la table du coin des arts plastiques, souffler des bulles de savon, faire la lessive des tabliers d'arts plastiques ou des vêtements de poupées, créer une mare dans le carré de sable, faire flotter des bateaux et jouer sous la pluie.
- **Des articles ménagers et des outils réels de la vie quotidienne** tels que des vadrouilles et des seaux, des ordinateurs, des marteaux et des clous.

Soutenir les enfants qui veulent travailler ensemble au cours des périodes de planification ou de réflexion

« Je joue avec Martine. » Souvent, les enfants savent avec qui ils veulent jouer, mais ils ne savent pas à quoi ils veulent jouer tant qu'ils n'ont pas eu la chance d'en discuter avec leur ami. Dans ces situations, encouragez les enfants à planifier ensemble leur horaire : « Corinne, lorsque Martine arrivera, tu pourras parler avec elle pour planifier votre période d'atelier. Ensuite, vous me direz ce que vous avez décidé de faire. »

Dans d'autres occasions, les enfants ont fait seuls une planification, mais plusieurs d'entre eux ont décidé d'utiliser le même matériel, des blocs par exemple. Cette situation fournit aux enfants l'occasion de parler ensemble de ce qu'ils font et de leur manière de procéder pour jouer. Il est important que les éducatrices amènent les enfants à parler des situations qu'ils vivent plutôt que de résoudre leur problème à leur place : « On a besoin de ces blocs pour construire notre maison ! » « Bien, nous on en a besoin pour faire notre clôture ! »

Au cours de la période de réflexion, il arrive souvent que les enfants qui ont joué ensemble ou même seulement à proximité les uns des autres ajoutent spontanément des éléments nouveaux à la narration des événements faite par l'un ou par l'autre. Ils pourront raconter ce qu'ils ont vu l'autre faire, se poser des questions l'un à l'autre, faire des propositions ou apporter des idées. (Pour trouver des exemples, voir les sous-sections 7.6.4.A. et D.)

Suggérer aux enfants de consulter les autres pour répondre à certaines questions ou résoudre des problèmes

Lorsque les enfants demandent à l'éducatrice de les aider, elle peut dans bien des cas rester à l'écart et leur suggérer de faire référence à d'autres enfants. Cela permet aux enfants d'entrer en contact avec d'autres enfants et leur démontre qu'ils peuvent avoir recours à leurs pairs pour obtenir de l'aide. Le message sous-jacent est que les enfants, et non seulement les adultes, sont des êtres compétents. Voici un exemple :

> THOMAS. – (s'adressant à son éducatrice) Ça ne marche pas !
> L'ÉDUCATRICE. – Demande à Nicolas. Il sait comment fonctionne ce programme d'ordinateur.
> THOMAS, à NICOLAS. – C'est bloqué. Je veux l'envoyer LÀ.
> NICOLAS. – Eh bien ! fais rouler la souris comme ça. Vois-tu ?
> THOMAS. – Ah ! Là, ça marche ! Laisse-moi faire !

Interpréter les messages et les transmettre

Dans presque tous les groupes d'enfants d'âge préscolaire, certains enfants ne se comprennent pas les uns les autres. Dans certains cas, ils parlent des langues différentes ; dans d'autres cas, ils ne prononcent pas les mots de la même façon. En observant attentivement les enfants et en employant des stratégies d'essais et erreurs, les éducatrices peuvent apprendre à comprendre les messages que les enfants tentent de communiquer et servir d'interprètes entre les enfants, au besoin.

Expliquer le contexte des affirmations des enfants

Les jeunes enfants font quelquefois des affirmations qui semblent hors contexte parce qu'ils oublient de faire des liens entre un sujet de conversation et un autre ou qu'ils ne construisent pas leurs phrases avec des énoncés tels que « Te rappelles-tu la semaine dernière quand... ». Les adultes qui connaissent les enfants de leur groupe peuvent habituellement remplir les « trous » dans ces énoncés et permettre à la conversation entre les enfants de se poursuivre :

> MARTINE. – J'écris des lettres. (Elle remplit le devant d'une enveloppe avec des symboles.)
> LINDA. – J'écris mon nom : L-I-N-D-A.
> MARTINE. – (léchant et scellant l'enveloppe) On a besoin d'une boîte.
> LINDA. – D'une boîte ?
> MARTINE. – Pour écrire des lettres.
> LINDA. – On n'a pas besoin d'une boîte. T'as juste à les écrire. (Elle continue à écrire.)
> MARTINE. – Tu peux pas faire de lettres si tu les mets pas dans une boîte.
> LINDA. – C'est niaiseux.
> L'ÉDUCATRICE. – Je pense que Martine parle d'une boîte aux lettres pour le courrier, Linda.
> LINDA. – Oh ! tu veux dire avec des timbres !
> MARTINE. – Une boîte pour faire des lettres avec des timbres et tout.

Tenir compte des divergences de points de vue

Les conversations des enfants peuvent tomber à plat lorsqu'ils ne sont pas d'accord les uns avec les autres. Parfois, les éducatrices peuvent les aider à poursuivre la conversation en appuyant le point de vue de chacun des enfants, comme le démontre la conversation suivante qui a eu lieu pendant que deux enfants jouaient avec des blocs au cours de la période en groupe d'appartenance :

> NADINE. – J'ai fait une famille.
> THIERRY. – Moi aussi.
> NADINE. – Juste des personnes. Pas de chien.
> THIERRY. – Pas de chien et pas d'animaux.
> NADINE. – Regarde. (Elle pointe le doigt vers la pile de blocs la plus haute.) La maman est la plus grande.
> THIERRY. – Non. Ça, c'est le papa. Le papa est le plus grand.
> NADINE. – Non ! c'est la mère qui est la plus grande !
> THIERRY. – Béatrice, c'est le père qui est le plus grand, non ?
> L'ÉDUCATRICE. – Dans certaines familles, c'est la mère qui est la plus grande et dans d'autres familles, c'est le père qui est le plus grand.
> THIERRY. – Mon père est plus grand. Je le sais.
> NADINE. – Ma mère est la plus grande parce qu'elle a 28 ans !

D. Converser avec tous les enfants du groupe

« Les conversations avec les enfants sont loin d'être futiles. Elles sont à la base du processus d'alphabétisation », soutient l'éducatrice Elfrieda Hiebert (1990, p. 503). Avoir des conversations significatives est crucial pour les jeunes enfants ; c'est pourquoi les éducatrices doivent se faire un devoir d'entretenir des conversations avec tous les enfants qui sont sous leur responsabilité. Les stratégies suivantes vous aideront à établir des conversations significatives avec tous les enfants de votre groupe.

Prendre le temps nécessaire pour parler avec les enfants

Les conversations avec les enfants prennent du temps. Elles ne peuvent toujours se dérouler à une heure prévue et elles surviennent souvent à un moment où les éducatrices et les enfants se sentent pressés ou bousculés. Dans un milieu éducatif, même si l'éducatrice a la responsabilité d'un grand nombre d'enfants et qu'elle a à tenir compte des activités de l'horaire quotidien, elle doit aussi accorder toute l'attention requise à l'enfant avec qui elle parle, et ce pendant toute la durée de la conversation, peu importe le temps que ça prend. Elle a donc avantage à prévoir assez de temps pour chacune des parties de la journée afin que les conversations puissent survenir. Rappelez-vous que le fait de permettre aux enfants de converser est une composante des plus importantes de l'apprentissage actif; il ne s'agit pas d'une perte de temps ni d'une occupation secondaire.

Rechercher des endroits confortables pour dialoguer

Les conversations entre les adultes et les enfants sont plus susceptibles de survenir dans des endroits douillets et intimes, comme lors de la lecture d'une histoire avec un enfant assis sur ses genoux dans une chaise berçante, lors d'une collation prise sous un arbre ou lors d'une promenade main dans la main. Il importe que les éducatrices recherchent des endroits confortables et des occasions propices pour engager une conversation avec les enfants. L'éducateur Jerome Bruner (1980, p. 188) rappelle que:

> La meilleure occasion pour entamer et poursuivre une conversation est celle où une éducatrice se joint à un groupe d'enfants pour participer à leurs jeux.

Prendre conscience de ses propres préférences

Toutes les éducatrices trouvent que certains enfants sont plus faciles d'approche que d'autres et que la conversation s'engage plus facilement avec certains. Notre travail en tant qu'éducatrices, toutefois, consiste à parler avec tous les enfants qui sont sous notre responsabilité, indépendamment de nos préférences. Une excellente façon de se souvenir des conversations que vous avez avec chacun des enfant est de les enregistrer. Cela vous permettra de repérer les enfants avec qui vous entretenez des conversations significatives et de cibler ceux à qui vous pourriez porter plus d'attention. Vous pouvez aussi recourir à vos rapports anecdotiques. Si vous n'avez pas noté d'observations dans le domaine ***le développement du langage et le processus d'alphabétisation*** pour un enfant en particulier, vous voudrez sûrement inventorier les possibilités d'avoir des conversations significatives avec cet enfant.

11.2.2 EXPÉRIENCE CLÉ Décrire des objets, des événements et des corrélations

- « Je fais balancer mes jambes ! », dit Brigitte sur la balançoire.
- « Tu le brasses et ça devient des bulles », dit Hélène à Benoît en jouant dans le bac à eau.
- « C'est un outil spécial, dit Jonathan à Colin à propos du presse-ail qu'il utilise en jouant avec de la pâte à modeler. Tu le fermes et tu pousses. Ensuite, ça sort comme des spaghettis. »

L'expérience clé *décrire des objets, des événements et des corrélations* se réalise souvent en même temps que l'expérience clé *parler avec les autres de ses expériences personnelles significatives.* Lorsque les enfants parlent de leurs expériences, ils décrivent souvent des objets, des événements ou des corrélations. Au moment qu'ils jugent opportun et de la manière qui leur convient, ils expriment ce qu'ils savent avec des mots et ils tentent de construire une compréhension cohérente des objets qui captent leur attention ou qui les intriguent. Lorsque les éducatrices écoutent de jeunes enfants qui font des efforts pour décrire des objets, elles peuvent déceler les sujets qui les intéressent, ce qu'ils pensent et leur façon de percevoir ce qu'ils font.

Comme toutes les expériences clés, *décrire des objets, des événements et des corrélations* n'est pas une expérience que les éducatrices peuvent « enseigner », pas plus que les enfants ne peuvent la produire sur commande. C'est plutôt une expérience que les éducatrices soutiennent grâce à leur écoute attentive pour provoquer des situations que les enfants seront particulièrement intéressés à décrire. Les stratégies qui suivent sont des moyens que les éducatrices peuvent utiliser pour encourager les enfants à penser à leurs expériences et à les décrire.

PISTES D'INTERVENTION

A. Offrir aux enfants du matériel qui les intéresse et provoquer des expériences à décrire

Au cours des activités en groupe d'appartenance, Timothé et Jean-Jacques se penchent sur une photographie prise lors d'une sortie qu'ils ont faite dans un champ de citrouilles et ils entament la conversation suivante:

> TIMOTHÉ. – Regarde, c'est moi!
> JEAN-JACQUES. – Je suis là aussi!
> TIMOTHÉ. – Regarde Richard: il est chauve.
> JEAN-JACQUES. – C'est qui, ça?
> TIMOTHÉ. – Mon père.
> JEAN-JACQUES. – Qu'est-ce que c'est qu'il a là?
> TIMOTHÉ. – Ça?... Laisse-moi voir... C'est son chapeau.
> JEAN-JACQUES. – C'est pas un chapeau, ça.
> TIMOTHÉ. – Oui. C'est un chapeau pour la pêche. Regarde... c'est là... là qu'il pique des affaires.
> JEAN-JACQUES. – Ça fait mal?
> TIMOTHÉ. – Non, tu piques ça dans le... dans cette affaire qui fait le tour du chapeau. C'est comme une poche...
> JEAN-JACQUES. – Une poche de chapeau?
> TIMOTHÉ. – Ouais... une poche de chapeau... qui est faite tout en long.

Dans les services éducatifs où les enfants peuvent parler librement, lorsqu'on leur fournit du matériel qui les intéresse et des situations d'apprentissage riches, ils trouvent facilement des sujets pour entreprendre des conversations animées. Pour commencer votre inventaire du matériel que contient votre local, pensez aux enfants de votre groupe. Qu'est-ce que Timothé aime faire? Avec quoi Jeanne aime-t-elle jouer? Par exemple, une équipe de travail a observé qu'un enfant parlait beaucoup plus lors des jeux à l'extérieur parce qu'il pouvait alors accomplir deux de ses activités favorites: grimper et chercher des insectes sous les roches. En s'inspirant des intérêts de cet enfant, les éducatrices ont pris des photos de l'enfant qui grimpait; elles ont utilisé ces photos lors des activités en groupe d'appartenance et les ont ajoutées à l'album du coin de la lecture et de l'écriture. Elles ont aussi ajouté du matériel dans le local pour que cet enfant puisse construire une cage pour les insectes qu'il capturait et qu'il puisse les apporter à l'intérieur pour les observer. Petit à petit, cet enfant s'est mis à parler plus librement au cours des jeux intérieurs, puisqu'il y retrouvait des éléments ayant un lien avec ses intérêts.

Une autre méthode permettant d'évaluer le matériel que vous fournirez aux enfants pour leur permettre de développer leur langage consiste à utiliser les idées d'organisation de l'environnement qui sont présentées au chapitre 5. Revoyez les listes de matériel et notez les éléments qui pourraient intéresser particulièrement les enfants de votre groupe et que vous pourriez ajouter dans votre local. Portez une attention spéciale au matériel qui pourrait aider les enfants à s'engager dans des jeux avec leurs pairs.

Finalement, lorsque vous ajoutez du matériel dans votre local de jeu, demandez aux enfants de participer à l'étiquetage du matériel et faites-les participer à la décision touchant le choix d'un lieu de rangement pour ce matériel. Ce genre de discussion entraîne nécessairement des conversations sur le nouveau matériel et des comparaisons ou des mises en relation avec le matériel déjà en place.

B. Écouter les enfants lorsqu'ils décrivent des objets à leur façon

Une des façons les plus efficaces d'encourager les enfants à parler et à décrire les objets est de les écouter. Plus les adultes parlent, moins les enfants ont l'occasion de prendre la parole; à l'opposé, plus les adultes écoutent, plus les enfants parlent.

Accueillez avec intérêt les descriptions des enfants. En écoutant ceux-ci, vous découvrirez que ce qu'ils voient et décrivent ne coïncide pas toujours avec ce que vous voyez ou avec ce que vous pensiez qu'ils décriraient. Lors d'une discussion sur les moustaches, par exemple, Thierry disait que sa mère avait une moustache. «Oh?» a dit son éducatrice. «Elles sont ici, près de ses yeux», a expliqué Thierry en suivant la ligne de ses sourcils avec son doigt. Dans un service de garde, Bertrand a dit au revoir à son père, puis il s'est adressé à son éducatrice: «Je suis le fils de mon père.» Quelques minutes plus tard, il a confié à son éducatrice: «Mon père est mon fils.» Bien que Thierry et Bertrand soient dans l'erreur du point de vue d'un adulte, ils ont décrit des réalités selon leur compréhension et avec le vocabulaire dont ils disposaient. Ils ont communiqué tout ce qu'ils savaient à propos des moustaches et des relations filiales. Les éducatrices de Thierry et Bertrand ont validé les descriptions faites par les deux enfants parce qu'elles comprenaient qu'il était plus important de laisser se dérouler le processus descriptif en cause que de corriger les énoncés selon des standards d'adultes. Elles comprenaient aussi que Thierry et Bertrand compléteraient et raffineraient par eux-mêmes leurs descriptions des moustaches et des relations filiales lorsqu'ils feraient de nouvelles expériences.

C. Encourager les enfants à parler de leurs projets

Au fur et à mesure que les enfants développent la capacité de planifier des actions et d'y réfléchir, ils commencent à se former une image plus claire de ce qu'ils veulent faire et ils augmentent leur capacité de fournir des détails sur leurs projets. De même, ils sont plus habiles à se rappeler ce qu'ils ont réalisé dans les périodes d'ateliers libres, et les histoires qu'ils racontent durant la période de réflexion sont plus détaillées. Les sous-sections 7.2.4.F. et 7.6.4, intitulées respectivement « Dialoguer avec les enfants qui font des planifications simples ou détaillées » et « Parler avec les enfants des expériences qu'ils ont vécues », décrivent des stratégies particulières permettant aux éducatrices de soutenir les enfants au cours des périodes de planification et de réflexion. Les éducatrices peuvent aussi soutenir les enfants qui décrivent des expériences qu'ils ont réalisées à d'autres moments de la journée, comme au cours des jeux extérieurs, lors des activités en groupe d'appartenance et lors des rassemblements en grand groupe.

D. Laisser les enfants prendre le leadership dans les jeux de description

Les éducatrices peuvent adapter les jeux de façon à inclure des occasions pour que les enfants décrivent des objets et prennent le leadership dans les jeux de description. Il s'agit là d'une autre stratégie permettant d'introduire l'expérience clé *décrire des objets, des événements et des corrélations* dans des jeux que les enfants aiment. Voici quelques exemples d'application de cette stratégie :

- « **Jean dit** ». Au lieu de jouer à ce jeu en disant « Jean dit faites telle ou telle chose », demandez à un enfant de réfléchir à une action et de la décrire : « Écartez vos jambes grand, grand, grand. » « Frappez des mains sur le plancher. »
- « **Petits renards** ». Demandez à un enfant de penser à un endroit où les enfants peuvent se rendre et de le décrire : « Les petits renards courent tous à la cage à grimper. » « Tout le monde saute dans le carré de sable. »
- « **La statue** ». Tour à tour, chacun des enfants décrit une « statue » que les enfants devront personnifier. « Les statues sont... un homme qui peint la clôture. » « Les statues sont... un chien qui lèche ses pattes. »

11.2.3 EXPÉRIENCE CLÉ Jouer avec les mots : écouter des histoires, des comptines et des poèmes, inventer des histoires et faire des rimes

- « Mélanie, tu marches sur mes mitaines ! » dit Natasha à son éducatrice tandis que les enfants s'habillent pour aller jouer dehors. Mélanie enlève son pied en s'excusant. Natasha prend ses mitaines, les regarde et dit : « Écrapouties comme des patates pilées par mon éducatrice Mélanie ! » Natasha et Mélanie éclatent de rire.
- « Toc, toc, toc, dit Colin à Nicolas lors de la collation.
  – Qui est là ?
  – Pomme.
  – Pomme qui ?
  – Pomme de pépin. »
  Les deux amis rient ensemble de bon cœur.

La plupart des enfants jouent spontanément avec les mots depuis leur plus tendre enfance. Les enfants d'âge préscolaire ont du plaisir à faire des jeux de mots lorsqu'ils parlent avec les membres de leur famille et avec leurs amis, et qu'ils écoutent quelqu'un leur lire une histoire. Ils aiment inventer leurs propres mots, des histoires et des comptines. Ils aiment également employer de nouveaux mots et de nouvelles expressions même s'ils ne connaissent pas leur signification. Par exemple, Sabrina, une enfant de 3 ans, s'est amusée en répétant à plusieurs reprises : « Le silence passe, le silence passe. » Elle essayait aussi de répéter des mots qu'elle avait entendus et dont elle aimait la sonorité, comme « bigoudi », « décapotable » et « saucisson ». Lors d'une visite au jardin, Bertrand et son grand-père discutaient des tomates, qui avaient besoin d'arrosage. « Oui, a dit Bertrand pour prendre part à la conversation, les tomates ont besoin de beaucoup d'eau. » Mais lorsque le temps de faire l'arrosage est venu, le grand-père s'est rendu compte avec étonnement que Bertrand n'avait aucune idée de l'endroit où se trouvaient les plants de tomates.

La recherche sur le développement du langage montre que les enfants aiment faire des jeux de mots et s'amuser avec les mots parce que cela leur donne une impression de pouvoir (Fromberg, 1987). La recherche indique aussi que les enfants « jouent avec les structures, les sons et la signification des mots, et que ces jeux ont un rapport direct avec l'acquisition du langage » (Sponseller, 1982, p. 232). Lorsque les enfants écoutent des histoires, ils expérimentent la relation entre l'écriture et la lecture. Lorsqu'ils inventent une histoire, une comptine ou un poème, ils apprennent qu'ils peuvent raconter leurs propres histoires et rassembler des mots d'une façon satisfaisante. Lorsque les enfants jouent avec les mots, qu'ils écoutent des histoires, des comptines et des poèmes, qu'ils inventent des histoires et qu'ils font des rimes, ils comprennent mieux l'utilité du langage et son efficacité quant à la communication.

Voyons maintenant comment les éducatrices peuvent soutenir les enfants dans leurs jeux avec les mots.

PISTES D'INTERVENTION

A. Écouter les enfants tout au long de la journée

Soyez à l'affût des jeux de mots des enfants. Une bonne façon de comprendre consiste à soutenir l'intérêt des enfants pour le langage et de les écouter attentivement pendant qu'ils travaillent et qu'ils jouent. Quelquefois, les jeunes enfants, plus particulièrement les enfants d'environ 3 ans, se parlent à eux-mêmes tout en jouant, se racontent une histoire sur ce qu'ils sont en train de faire. Si vous écoutez ces histoires et les enregistrez pour pouvoir les réécouter, vous pourrez saisir le degré de maîtrise du langage de l'enfant alors qu'il tente de percevoir la signification des mots et des concepts.

Soyez aussi disponible pour écouter les enfants qui voudront vous raconter des histoires qui les concernent. Les enfants sont particulièrement enthousiastes pour ce faire, lorsqu'ils arrivent le matin ou à des moments imprévus dans la journée. Ils veulent alors partager des histoires touchant un événement qui s'est produit à la maison ou une idée qui leur trotte dans la tête. Par exemple, Cendrine, une enfant de 4 ans, se demandait avec inquiétude si le père Noël lui apporterait une « danseline » de la bonne taille (mot qu'elle utilisait pour désigner un costume de ballerine) et comment il ferait pour savoir que c'était ce qu'elle voulait. Jasmin, un autre enfant du préscolaire, a raconté ce qui s'est produit récemment, durant une journée passée à la plage :

> « Je partais de la plage avec mon papa. Et mes mains étaient derrière mon dos et j'avais ma serviette sur les épaules. Et tout à coup, papa m'a entendu pleurer. Il s'est retourné et... devine ce qui était arrivé ? J'étais tombé la face dans le sable et mes mains étaient encore derrière mon dos ! »

Même s'il faut beaucoup de temps pour raconter ces histoires et pour les écouter avec attention, les éducatrices doivent leur accorder une grande importance parce que l'utilisation spontanée du langage par l'enfant comme moyen de communication est au cœur du processus d'apprentissage.

B. Lire des histoires aux enfants individuellement ou en petits groupes intimes

Dans un service de garde, deux éducatrices se regroupent le matin durant la période d'accueil. L'une d'entre elles accueille les parents et les enfants pendant que l'autre s'assoit dans le coin de la lecture et de l'écriture et lit des histoires aux enfants qui se regroupent autour d'elle. Certains enfants se blottissent contre l'éducatrice pendant qu'elle lit ; d'autres choisissent leur propre livre et « lisent » une histoire à un autre enfant. Les parents et les grands-parents qui ont le temps de le faire se joignent au groupe pour lire une courte histoire avant de partir. Plusieurs histoires sont racontées au même moment et les enfants se regroupent près des adultes ou s'assoient sur leurs genoux. Ces groupes de parents, d'éducatrices et d'enfants qui lisent au début de la journée transmettent le goût de la lecture aux enfants, et cette activité revêt un intérêt à toutes les périodes de la journée.

Se faire lire des histoires par des adultes familiers et par des amis est probablement l'activité la plus importante pour stimuler le processus d'alphabétisation chez les enfants. Après avoir étudié le processus d'alphabétisation dans 15 pays, le linguiste Robert Thorndike (1973) a découvert que les enfants à qui on avait raconté des histoires en leur faisant la lecture à haute voix dès leur plus jeune âge étaient ceux qui devenaient les meilleurs lecteurs. Par ailleurs, le linguiste britannique Gordon Wells (1986b, p. 144), qui a observé 32 enfants âgés de 12 mois à 11 ans, a conclu que plus les enfants avaient écouté un grand nombre d'histoires, plus ils devenaient de bons lecteurs par la suite :

> Les enfants qui obtenaient de bons scores au test de connaissances en littérature étaient susceptibles d'avoir les parents qui lisaient le plus et qui possédaient le plus de livres ; ils étaient aussi susceptibles de devenir des parents qui liraient plus souvent des histoires à leurs enfants.

Ces conclusions de recherches sont soutenues par le psychologue Nathan Caplan et ses collègues (1992) dans leurs travaux effectués auprès d'enfants indonésiens réfugiés aux États-Unis. Dans leur étude, les élèves de niveau secondaire à qui les parents ou d'autres membres de leur famille avaient fait la lecture régulièrement lorsqu'ils étaient petits avaient de meilleurs résultats scolaires que les autres à qui on n'avait pas fait la lecture, que cette activité de lecture ait eu lieu dans leur langue maternelle ou en anglais.

Se faire lire une histoire par un parent, un membre de la famille ou un autre adulte avec qui l'enfant entretient des liens significatifs crée des liens physiques et personnels que les enfants associent à la satisfaction qu'apportent des relations humaines chaleureuses. Lorsque ce processus est répété plusieurs fois, les enfants commencent aussi à établir des liens entre le langage verbal et le langage écrit, et ils apprennent à utiliser le langage pour raconter des histoires.

Faire la lecture à des enfants dans un environnement éducatif préscolaire est une activité qui ne se déroule pas de la même manière qu'à la maison, tout simplement parce que les enfants sont plus nombreux. Toutefois, les éducatrices peuvent adopter certaines stratégies pour rendre l'activité de lecture aussi plaisante, intime et conviviale que possible :

- Le plus souvent possible, faites la lecture à un petit nombre d'enfants à la fois plutôt qu'à un grand groupe.
- Assoyez-vous sur le sol lorsque vous lisez pour que les enfants puissent s'agglutiner autour de vous. Vous pouvez vous asseoir sur un sofa ou sur une causeuse si vous faites la lecture à un très petit nombre d'enfants.
- Maintenez un équilibre entre la lecture d'histoires nouvelles et la lecture d'histoires que les enfants connaissent déjà et qu'ils pourront choisir.
- Relisez les histoires favorites des enfants lorsqu'ils le demandent ou prenez-en l'initiative. Comme les parents le savent, les enfants aiment beaucoup qu'on leur relise la même histoire à plusieurs reprises au cours d'une même séance de lecture ou sur une période continue qui peut durer des semaines, voire des mois.
- Lisez d'une façon interactive, avec enjouement. Faites des pauses pour que les enfants puissent poser des questions ou émettre des commentaires. Montrez que vous appréciez l'histoire, vous aussi, et manifestez de l'intérêt pour les réactions des enfants.
- Faites de la lecture d'histoires une activité régulière dans votre horaire quotidien pour que les enfants puissent compter sur le fait qu'on leur lira une histoire au moins une fois par jour. Par exemple, vous pourriez lire une histoire tous les jours au cours de la période d'accueil, lors de la collation, à la fin de la période en groupe d'appartenance ou juste avant la sieste.
- Faites la lecture durant les activités en ateliers libres ou à d'autres moments de la journée, à la demande des enfants.

C. Raconter des histoires, dire des comptines et des poèmes

Le fait de raconter des histoires plutôt que de les lire dans un livre procure l'occasion d'avoir du plaisir avec les mots, les sons et les gestes. Vous pouvez raconter toutes les histoires que vous aimez : des légendes, des contes de fées, des histoires qu'on vous a racontées quand vous étiez jeune, des histoires qui relatent ce que vous faisiez quand vous étiez enfant ou des histoires de votre cru qui mettent en scène les enfants de votre groupe ou qui abordent des sujets qui les intéressent. Voici des stratégies à prendre en considération lorsque vous racontez des histoires durant la période en groupe d'appartenance ou lors des rassemblements en grand groupe :

- Distribuez un panier d'accessoires ou de marionnettes que les enfants pourront utiliser pendant que vous raconterez une histoire ou qu'ils inventeront leur propre histoire.
- Racontez des histoires sans utiliser de marionnettes ou d'accessoires afin que les enfants puissent faire appel à leur imagination pour concevoir les situations et les détails de l'histoire. Demandez-leur de mimer les actions et de reproduire les sons associés aux personnages de l'histoire.
- Demandez aux enfants une idée pour commencer l'histoire et improvisez à partir de ce point de départ. Ils pourront suggérer une idée telle que « Il était une fois, il y avait deux monstres qui vivaient en dessous du lit... » ou un sujet particulier, comme « Raconte une histoire de vaisseau spatial ».
- Accueillez favorablement les commentaires des enfants et intégrez-les dans l'histoire que vous racontez. Comme le souligne l'éducatrice Ann Trousdale (1990), ce procédé transforme l'histoire en activité interactive au cours de laquelle les enfants peuvent partager le pouvoir avec la personne qui raconte et contrôler le déroulement et l'issue de cette histoire.

En plus de raconter des histoires, récitez des poèmes et des comptines que vous connaissez par cœur. Lorsqu'elle aidait les enfants à enfiler leurs mitaines, une éducatrice avait l'habitude de chantonner « C'est trois p'tits minous qui ont perdu leurs mitaines... ». Une autre leur récitait « Ah ! comme la neige a neigé... » à chaque tempête de neige, ou encore un extrait de *L'hymne au printemps* en les poussant sur la balançoire lors des premières sorties après la saison d'hiver.

D. Inventer des histoires, des comptines et des rimes

Au cours de leurs jeux, les enfants inventent leurs propres comptines et ils font des rimes pour accompagner leurs jeux :

Bleu ! Le ciel est bleu.
Rouge ! Tout bouge.
Noir ! C'est le soir.

Écoutez les comptines et les rimes que les enfants disent. S'il est possible de le faire sans les déranger, joignez-vous à eux et montrez-leur que vous appréciez leurs jeux de mots et que vous aimez les dire avec eux. Parfois, d'autres enfants viendront vous retrouver au cours de ces moments et ils suggéreront de nouveaux versets à la comptine en cours ou encore ils inventeront une nouvelle comptine.

Les éducatrices aussi peuvent inventer une comptine. Au cours de la collation dans un service de garde, par exemple, pendant que les enfants préparaient leur tartine, l'éducatrice a commencé par

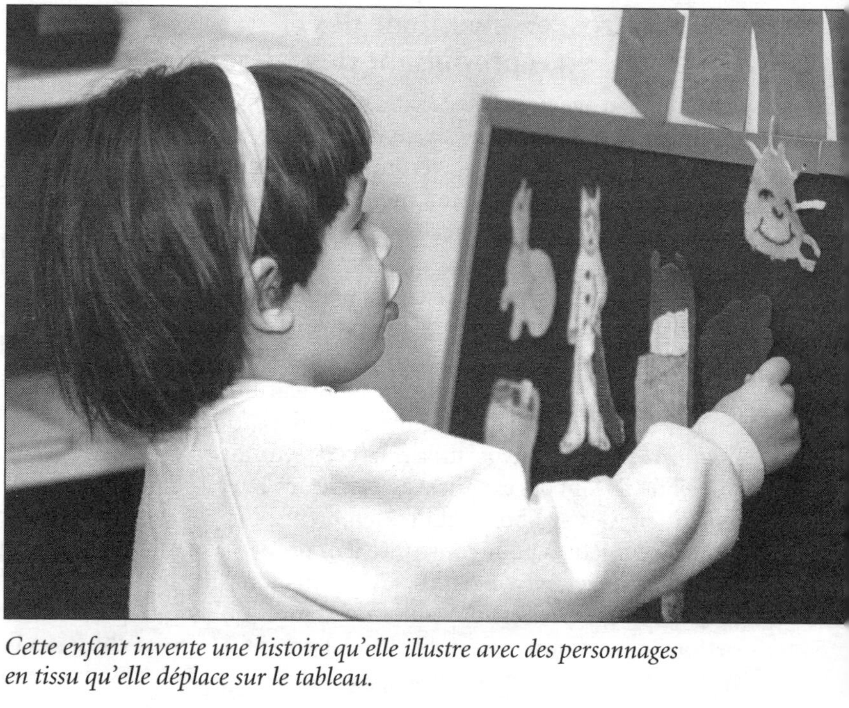

Cette enfant invente une histoire qu'elle illustre avec des personnages en tissu qu'elle déplace sur le tableau.

dire: « Beurre le pain, beurre le pain ». Ce à quoi un enfant a répondu: « Vite j'ai faim, vite j'ai faim ». Les autres enfants se sont mis de la partie et ont répété les deux premiers vers, puis ont ajouté: « On le fait bien, on le fait bien » et « Avec entrain, avec entrain ». Le jeu s'est poursuivi même quand les enfants ont eu fini de préparer leur tartine, voire après la collation. Si bien que cet épisode a donné à l'éducatrice l'idée de réaliser un « livre de comptines » que les enfants ont créé tout au long de l'année, lors d'événements divers. Une des rimes favorites des enfants du groupe fut inspirée au cours d'une sortie, lorsqu'un enfant a vu un homme traverser la rue et qu'il a dit: « Regarde, le Père Lustucru ! » De là est née la comptine suivante:

Regarde, le Père Lustucru.
Il aime manger tout cru.
Quand il mange avec sa cuiller
Il vole dans les airs.
L'as-tu vu
Le Père Lustucru.

11.2.4 EXPÉRIENCE CLÉ Écrire de diverses façons: en dessinant, en gribouillant, en dessinant des formes qui ressemblent à des lettres, en inventant des symboles, en reproduisant des lettres

Les enfants d'âge préscolaire ont certaines connaissances au sujet de l'écriture avant même de recevoir un enseignement formel en écriture et en lecture et même d'être capables de nommer des lettres et de reconnaître des mots (Schickedanz, 1982). Chaque fois qu'ils sont en relation avec du matériel imprimé et avec des personnes qui lisent, les enfants d'âge préscolaire s'attendent à ce que les imprimés aient une signification. C'est pourquoi ils sont très motivés à tenter de découvrir la signification du langage écrit et à savoir comment celui-ci fonctionne de façon à pouvoir utiliser ce code, eux aussi. Au début, ils font des expériences avec le dessin et ils fabriquent des symboles qui ressemblent plus ou moins à des lettres pour construire leur propre système d'écriture. Avec le temps, les enfants font des efforts de plus en plus conventionnels tandis qu'ils s'efforcent de trouver le sens de la relation entre les symboles écrits et les sons du langage verbal.

Chez les enfants, l'habileté à écrire se développe graduellement et en même temps que l'habileté reliée au langage verbal; les éducatrices devraient soutenir et valoriser toutes les formes d'habiletés que les enfants tentent de développer. Pour ce faire, elles doivent voir dans les premiers efforts des enfants pour écrire une tentative significative pour utiliser l'écriture comme outil de communication. Elles doivent aussi savoir que si elles s'attendent à ce que les enfants écrivent d'une façon conventionnelle sans être passés par l'étape consistant à construire leur propre système d'écriture et par les autres étapes préliminaires du processus d'écriture, elles empêcheront les enfants de comprendre à fond ce processus et de se l'approprier en totalité. Voici des stratégies que les éducatrices peuvent utiliser pour soutenir les habiletés naissantes des jeunes « auteurs » au cours de la période où ils écrivent de façon non conventionnelle.

PISTES D'INTERVENTION

A. Fournir aux enfants un matériel diversifié pour dessiner et écrire

Un coin des arts plastiques bien équipé offre aux enfants un matériel diversifié pour écrire, soit du papier de grandeurs et de couleurs variées, des pinceaux et de la peinture, des crayons feutre, des crayons de couleur et des crayons de cire. (Voir à la sous-section 5.2.1.D. le matériel suggéré pour le coin des arts plastiques.) Lors des jeux extérieurs, les enfants devraient aussi avoir des craies à leur disposition pour pouvoir écrire sur les trottoirs ou sur les surfaces asphaltées.

En plus de pourvoir le coin des arts plastiques d'un matériel diversifié et abondant, certaines éducatrices organisent un coin d'écriture ou un coin « bureau » qui comprend du matériel tel que des tablettes, des blocs-notes, des livres aux pages blanches, des chemises, des enveloppes, des collants, des timbres, des tampons encreurs et des coupons. (Voir à la sous-section 5.2.1.F. le matériel décrit pour le coin de la lecture et de l'écriture.)

Les ordinateurs, lorsqu'ils sont équipés de logiciels appropriés, sont aussi des outils intéressants que les enfants apprécient. Tandis que plusieurs programmes pour enfants utilisent les lettres et les chiffres à l'occasion, les « traitements de texte » destinés aux enfants d'âge préscolaire permettent de produire des agrandissements d'imprimés et, dans certains cas, d'entendre l'ordinateur lire ce qu'ils ont écrit. De même, les programmes de dessin pour enfants permettent souvent aux enfants d'utiliser la souris pour dessiner et d'accompagner leurs dessins de symboles ou d'écriture. Plusieurs programmes permettent également aux enfants d'utiliser le clavier pour ajouter des lettres conventionnelles. En fait, étant donné que les ordinateurs permettent aux enfants de produire des textes sans avoir à maîtriser le crayon, ils leur facilitent la tâche, et les éducatrices peuvent voir un autre aspect des capacités des enfants de s'exprimer à travers l'écriture. Trois enfants d'âge préscolaire – Benoît, Ken et André – étaient très excités un jour lorsqu'ils ont réussi à imprimer « BEN E POP » sur l'écran de l'ordinateur et que l'ordinateur leur a relu leur « phrase ». Tout en continuant de travailler, ils se sont bien amusés à répéter des variations de leur création en imitant la voix de l'ordinateur : « BEN EST POP, KEN EST PAP, BEN EST PET », et ainsi de suite. Comme l'ordinateur leur a donné une rétroaction immédiate, les enfants ont été stimulés à écrire autant d'énoncés que possible même si le sens de leurs « écrits » était parfois nébuleux. Au cours de ce processus, leur éducatrice fut très impressionnée par leur compréhension du processus d'écriture.

B. Accepter les différentes formes d'écriture que les enfants utilisent

Temple et ses collègues (1988, p. 19) observent ceci :

> Plutôt que d'apprendre à écrire en maîtrisant d'abord les différents éléments (les lettres), puis en associant les éléments d'un tout (les lignes d'écriture), il semble que les enfants tentent dans un premier temps de déchiffrer l'ensemble et qu'ils cherchent beaucoup plus tard à comprendre les éléments qui constituent le code de l'écriture.

En d'autres mots, bien que les premières formes d'écriture de plusieurs enfants ressemblent à des lettres par leur apparence et par l'organisation spatiale des symboles qu'ils utilisent, elles peuvent aussi se composer de gribouillis et de symboles méconnaissables. Ces écrits peuvent également inclure des dessins dans le texte de même que des symboles qui se répètent. Lorsque les enfants commencent à utiliser de véritables lettres, ils les combinent d'une manière qui a un sens pour eux suivant les sons des lettres : par exemple, ils écriront « BB » pour « bébé ». Voici une liste des différentes formes d'écriture que les enfants sont susceptibles d'utiliser.

Le dessin

Bien que la majorité des enfants d'âge préscolaire soient capables de faire la différence entre une image et l'écriture, ils ne comprennent pas encore que les adultes lisent véritablement les caractères d'imprimerie dans un livre plutôt que les images. Cela est probablement dû au fait qu'eux-mêmes déduisent la signification d'une histoire dans un livre en se référant aux illustrations. C'est pourquoi la première forme d'écriture que les enfants utilisent est souvent composée principalement de dessins. Dans cette forme d'écriture, les enfants créent des histoires imagées en faisant appel à la technique que nos ancêtres utilisaient lorsqu'ils dessinaient des scènes de chasse et de la vie communautaire sur les murs des cavernes. Les enfants d'âge préscolaire écrivent leurs histoires imagées pour raconter des événements quotidiens ; si les éducatrices perçoivent ces dessins comme une forme de communication écrite, les enfants pourront étendre leur capacité d'exprimer leurs idées. Par exemple, un enfant a écrit une histoire en dessinant quatre personnages de grandeurs différentes. « C'est l'histoire d'une famille », a-t-il « lu » à son éducatrice.

Les gribouillis

Les enfants qui explorent l'écriture et créent des histoires inventent des formes qui ont plusieurs caractéristiques des lettres mais qui ne sont pas vraiment des lettres conventionnelles. Ils peuvent aussi incorporer des symboles familiers, comme un cercle traversé par une ligne diagonale. Les enfants utilisent souvent de tels symboles au cours de leurs jeux de rôles. Par exemple, lorsque plusieurs enfants conduisaient des autobus scolaires de part et d'autre du local, les enfants du coin des blocs ont fabriqué un écriteau sur lequel ils ont dessiné un autobus scolaire avec une diagonale dessus et ils l'ont encerclé. Ils ont collé l'écriteau sur le plancher à l'entrée du coin des blocs. Lorsque les conducteurs d'autobus sont arrivés à proximité de l'écriteau, ils se sont arrêtés, ont changé de direction et se sont dirigés vers des « territoires amis ».

L'épellation inventée

Lorsqu'ils sont familiarisés avec les lettres de leur nom et d'autres lettres qui sont importantes pour eux, les enfants commencent à les utiliser dans leur écriture. Au début, ils écrivent généralement une suite de lettres qui n'ont aucun sens. Par la suite, toutefois, ils commencent à isoler un son ou deux dans un mot et à utiliser des lettres ou des chiffres pour identifier ce son. Un printemps, par exemple, lorsqu'une éducatrice a ajouté un tunnel dans le coin des blocs, Benoît a fabriqué lui-même une étiquette pour l'identifier ; il a écrit : « TNL ». Un autre jour, Martine a passé beaucoup de temps à installer un restaurant dans la cour. Lorsqu'elle a finalement terminé son installation, elle a écrit une affiche, « UVR », pour faire savoir aux autres que son restaurant était ouvert.

Les lettres conventionnelles

La majorité des enfants d'âge préscolaire ne sont pas intéressés à épeler correctement les mots. Ils désirent cependant épeler correctement leur prénom. Pierre, par exemple, utilisait un traitement de texte pour jeunes enfants. Il a interpellé Benoît et lui a demandé comment il écrivait son nom. Ensemble, ils ont trouvé les lettres « B-E-N » sur le clavier et ils les ont tapées. Un autre jour, Stéphane a construit un gros camion avec des blocs. Il a décidé de faire une affiche pour son camion de façon que les autres sachent de quelle sorte de camion il s'agissait. Avec des crayons feutre et du papier qu'il s'est procurés dans le coin des arts plastiques, il a écrit « CAM MONSTR » et il a collé l'affiche sur le côté de son jouet.

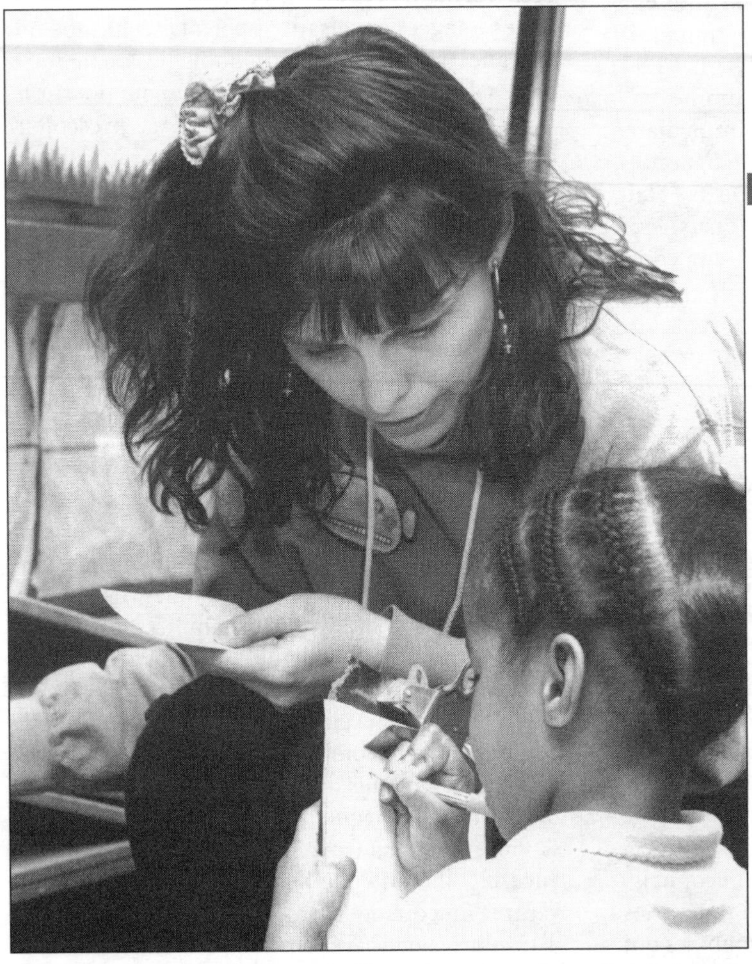
Cette enfant était fascinée par son éducatrice qui notait ses observations. Elle a décidé de prendre des notes, elle aussi !

C. Encourager les enfants à écrire à leur façon

Les enfants qui sont soutenus au cours de leur exploration des différentes phases du processus d'écriture ont généralement beaucoup à communiquer et ils deviennent des auteurs enthousiastes. Les enfants qui sont obligés de maîtriser la formation conventionnelle des lettres, d'épeler correctement des mots et de tenir compte de la grammaire avant d'avoir pu écrire en utilisant les formes qui leur conviennent considèrent souvent le processus d'écriture comme pénible et ingrat. Puisque les éducatrices ont avantage à soutenir les efforts des enfants qui tentent de s'exprimer par l'écriture plutôt que de les décourager, il est important qu'elles comprennent le passage du dessin au gribouillis, puis à la formation de lettres conventionnelles. Les éducatrices ont aussi la responsabilité d'encourager les jeunes enfants à progresser au cours des différentes étapes de l'acquisition du processus d'écriture. Voici des stratégies qu'elles peuvent utiliser pour atteindre ces objectifs.

Demander aux enfants d'écrire des histoires

Vous pouvez faire une simple suggestion lors de la période de planification, de la période de réflexion ou des activités en groupe d'appartenance : « Voyons si vous êtes capables d'écrire une histoire pour raconter votre projet » ou « Écrivez une histoire pour raconter ce que vous avez fait au cours de la période d'ateliers libres ». Ou encore vous pouvez faire de l'écriture l'activité de la période en groupe d'appartenance en disant aux enfants : « Écrivons des histoires. » Une telle suggestion peut amener les enfants à écrire alors qu'ils n'auraient pas pensé à cette option par eux-mêmes. Rassurez-les quant à leur capacité de réussir une telle activité en leur disant quelque chose de semblable à ce que proposent Sulzby et Barnhart (1990, p. 202) :

> Ça n'a pas besoin de ressembler à l'écriture des adultes. Vous n'avez qu'à écrire de la façon que vous voulez. Ensuite, quand vous aurez terminé, vous pourrez nous lire vos histoires.

Reconnaissez les efforts que les enfants fournissent pour écrire, quelle que soit la forme d'écriture qu'ils emploient. Par exemple, lors de la période de réflexion, Félix a écrit une histoire qui consistait en un dessin d'un robinet avec deux poignées et la lettre « T » écrite sur une des poignées. Lorsqu'il a lu son histoire, il a dit : « J'ai utilisé l'eau chaude ! »

Inciter les enfants à s'écrire

Cette méthode permet aux enfants de se rendre compte qu'ils peuvent utiliser le langage écrit pour exercer une influence sur le cours des événements. Par exemple, Maryse avait l'intention de jouer avec son amie Christine, mais celle-ci était malade ce jour-là. Comme Maryse était incapable de trouver quoi que ce soit d'autre qu'elle aimerait faire, son éducatrice lui a suggéré d'écrire à Christine. Maryse a alors passé la période d'ateliers libres à « écrire une carte pour ne plus être malade ».

Anna, une enfant de 4 ans, avait fabriqué une maison avec de grosses boîtes en carton. Lorsque Martine et Corinne ont construit une maison avec des blocs de bois juste à côté de la sienne, elles donnaient des coups avec leurs blocs sur sa maison et faisaient bouger sa boîte. Anna, qui était en colère, est allée voir son éducatrice pour lui raconter ce qui se passait. « As-tu parlé à Martine et à Corinne ? » lui a demandé l'éducatrice. Anna a secoué la tête négativement et s'est dirigée vers le coin des arts plastiques pour y prendre du papier et un crayon. Elle a écrit : « BUJ + M ANNA » sur une feuille de papier qu'elle a collée sur sa maison. Lorsque Martine et Corinne lui ont demandé ce que son affiche voulait dire, elle a lu : « Bougez votre maison, signé Anna. » Impressionnées, Martine et Corinne se sont rendues à la demande d'Anna.

Accepter la contribution des enfants lorsque les adultes écrivent

Dans les milieux éducatifs qui privilégient l'apprentissage actif, les éducatrices qui interviennent auprès des enfants prennent du recul à l'occasion pour noter à l'aide de quelques mots clés leurs observations de ce que les enfants font ou disent afin de pouvoir communiquer ces informations aux membres de leur cellule de soutien mutuel. Deux éducatrices d'une cellule de soutien mutuel portaient au cou des crayons attachés par une ficelle et gardaient des blocs-notes dans leurs poches pour faciliter cette tâche. La première fois que Patrick, un enfant de 4 ans, a vu son éducatrice écrire, il lui a demandé ce qu'elle faisait. « J'écris des histoires à partir de ce que je vois faire les enfants », lui a-t-elle répondu. Cela a amené Patrick à lui emprunter son crayon et son bloc-notes pour écrire au sujet de son ami Bertrand. Les enfants ont commencé à s'intéresser vivement au processus de prise de notes de leur éducatrice, et cette dernière a ajouté des « colliers de crayon » et des blocs-notes semblables au sien dans le coin des arts plastiques.

D. Afficher des spécimens de l'écriture des enfants et en faire parvenir aux parents

Puisque l'écriture est un moyen de communication, le fait pour un enfant de montrer à d'autres personnes ce qu'il a écrit est un geste significatif qui fait partie intégrante du processus d'écriture. Tout comme d'autres auteurs, les jeunes enfants aiment lire leurs écrits, tout spécialement à des personnes qui sont importantes à leurs yeux. Aussi, les éducatrices ont tout intérêt à afficher les histoires que les enfants ont écrites pour que les autres les voient, et à faire parvenir aux parents des histoires écrites par leurs enfants afin que ces derniers puissent les lire aux membres de leur famille. Les éducatrices veulent que les parents prennent plaisir à suivre le développement de l'habileté d'écriture de leurs enfants plutôt que de réagir avec étonnement au caractère non conventionnel de celle-ci. Il est donc nécessaire d'informer les parents de l'importance d'une réaction positive aux tentatives de leurs jeunes écrivains en herbe et aux écrits qu'ils apportent à la maison. Cette idée peut être communiquée aux parents lors de rencontres avec eux ou lorsqu'ils viennent chercher leur enfant à la fin de la journée.

11.2.5 EXPÉRIENCE CLÉ Décoder des supports de lecture variés : lire des livres d'histoires et d'images, des signes et des symboles, ses propres écrits

L'approche pédagogique de l'apprentissage actif conçoit le développement du langage et le processus d'alphabétisation de façon telle que les enfants sont invités à donner un sens au processus de lecture bien avant de pouvoir être vraiment capables de lire. Chaque fois qu'un adulte leur lit une histoire, les enfants « lisent » les illustrations, entendent les mêmes mots dans le même ordre, acquièrent la compréhension de ce qu'est une histoire et se familiarisent avec le rythme du langage écrit. Dans la vie de tous les jours, les enfants lisent les signaux de circulation, choisissent leurs céréales préférées en reconnaissant l'illustration ou certaines lettres sur la boîte et déchiffrent les logos des vêtements ou les affiches de certaines chaînes d'alimentation qu'ils observent. Ils lisent leurs propres écrits, lisent le menu d'icônes dans les programmes d'ordinateur, trouvent des lettres sur le clavier et lisent leurs histoires préférées en suivant les illustrations et en identifiant les mots de l'histoire qu'ils connaissent par cœur. Ce sont là de nombreux moyens légitimes de découvrir la signification des mots écrits et des expériences qui sont nécessaires pour préparer les enfants à lire d'une façon plus conventionnelle.

La lecture jouant un rôle déterminant dans le succès scolaire, on comprend que les adultes soient enthousiastes face aux efforts des enfants pour apprendre à lire. Toutefois, si on contraint les enfants à lire comme des adultes, on risque de les décourager dans leur désir d'apprendre à lire. Ce serait faire preuve d'ignorance par rapport au fait que l'initiative de la lecture doit venir des enfants eux-mêmes. Par contre, si l'on soutient le processus d'apprentissage de la lecture, même si cela requiert beaucoup de temps et de patience de la part des adultes, l'enfant aura plus de chances de réussir à lire et de prendre plaisir à cette activité (Schweinhart et Hohmann, 1991). Cela signifie qu'il faut prêter attention aux indices que l'enfant transmet par rapport à son intérêt pour les livres, pour l'écriture et pour la lecture. Il faut percevoir la lecture comme l'accumulation graduelle de plusieurs habiletés qui s'acquièrent au cours d'un processus interactif complexe et reconnaître que le processus d'apprentissage de la lecture de chaque enfant est unique (Barbour, 1987).

L'intérêt, la curiosité, la réussite dans la maîtrise d'habiletés nouvelles et le désir de lire doivent tous être présents pour que l'enfant parvienne à lire de façon conventionnelle. L'objectif au préscolaire est d'amener l'enfant à comprendre le pouvoir de l'écriture et des mots comme moyen de communiquer, d'acquérir des connaissances et de se divertir. Bien que certains enfants de 3 et 4 ans soient capables de lire, un programme d'éducation préscolaire n'a pas pour rôle d'enseigner aux enfants à lire. Son rôle est plutôt de soutenir et d'accroître l'intérêt des enfants pour les livres, pour les histoires et pour les mots écrits, et de stimuler leur capacité de **lire de façons variées**. Voici des méthodes que les éducatrices peuvent utiliser pour soutenir ce processus à long terme.

PISTES D'INTERVENTION

A. Enrichir l'environnement avec un matériel imprimé pertinent

Puisque les enfants apprennent à lire en tentant de donner un sens aux caractères d'imprimerie qu'ils rencontrent dans la vie courante, les éducatrices peuvent soutenir leurs efforts en multipliant la quantité de matériel écrit qui leur est accessible et en collaborant avec les enfants qui pointent le doigt vers une multitude de pictogrammes ou de mots écrits, que ce soit à l'intérieur de leur service éducatif ou lors de sorties.

Ajouter du matériel de lecture dans les coins d'activités

Le coin de l'ordinateur et celui de la lecture et de l'écriture sont, par leur nature même, équipés avec du matériel de lecture, mais on peut aussi ajouter dans les autres coins des éléments qui stimuleront le désir de lire des enfants. Voici quelques suggestions qui vont dans ce sens.

- **Le coin de l'eau et du sable :** des contenants de nourriture en plastique et des couvercles, des mesures.
- **Le coin des blocs :** des boîtes d'emballage, des cartes routières, des photographies d'édifices ou d'ouvrages de construction.
- **Le coin de la maisonnette :** des boîtes d'aliments vides, des sacs d'épicerie et d'autres commerces, des reçus, des livres de recettes, des menus de restaurants, des manuels d'utilisation d'appareils électroménagers, des revues, des journaux, des bandes dessinées, des catalogues, des annuaires, des collants avec le numéro de téléphone pour les urgences, des photos de famille, des tableaux pour un examen de la vue, des billets d'avion ou de train, des récépissés de bagages, des dépliants publicitaires de voyages, des cartes professionnelles, des claviers d'ordinateur, des machines à écrire et des calculatrices.
- **Le coin des arts plastiques :** des revues, des livres d'art, des cartes de vœux, du courrier.
- **Le coin des jeux et des jouets :** les boîtes d'emballage d'origine des jouets, des cartes à jouer, des lettres magnétiques.
- **Le coin de la menuiserie :** des catalogues d'outils, des revues de rénovation de maisons ou de décoration, des livres de référence illustrés qui expliquent le fonctionnement des objets.
- **Le coin de la musique :** des cassettes, des disques ou des disques compacts dans leur boîtier.
- **Dans la cour :** des craies de couleur, des livres de jardinage, des guides portant sur les insectes, sur les oiseaux ou sur la faune et la flore.

Tandis qu'elles pensaient à leurs enfants d'âge préscolaire comme à des lecteurs, les éducatrices d'une cellule de soutien mutuel ont décidé d'ajouter un babillard sur le mur de leur coin de la lecture et de l'écriture, à la hauteur des yeux des enfants. Les enfants, les membres du personnel et les parents se regroupaient souvent autour du babillard pour lire les messages à leur arrivée. Chaque matin, avant l'arrivée des enfants, les éducatrices écrivaient des messages concernant les événements de la journée en dessinant des pictogrammes et des symboles que tous pouvaient lire par la suite. Certains jours, les enfants ajoutaient leurs propres messages. Ces éducatrices ont aussi ajouté un babillard plus grand à l'endos d'une étagère de rangement dans le coin des arts plastiques. Les enfants l'ont nommé le « babillard à essuyer » parce qu'ils pouvaient y écrire avec des crayons feutre à l'eau et ensuite essuyer la surface avec un chiffon pour effacer. Un jour, Janie y a dessiné un personnage et inscrit son prénom, « JANIE ». Plus tard, Hélène, qui passait devant le babillard, a dit : « Oh, ça doit être le portrait de Janie parce que c'est son J. » Jusqu'à ce que cet événement

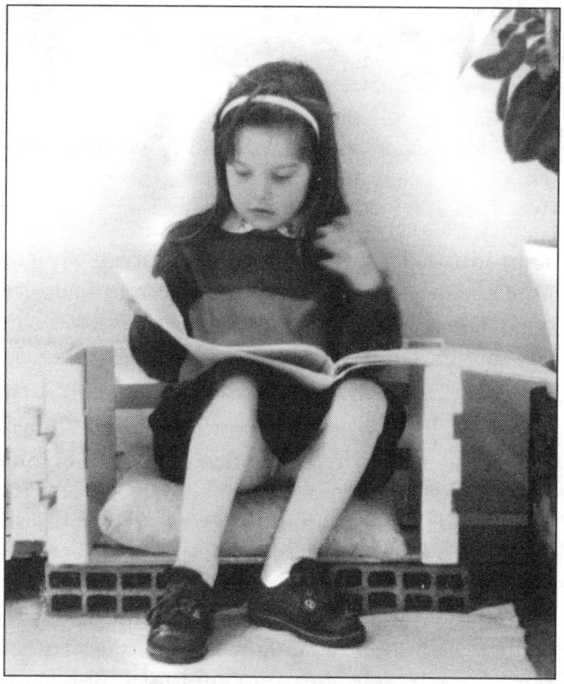

Dans un environnement pédagogique où le développement du langage et le processus d'alphabétisation sont valorisés, les enfants sont en contact avec différentes formes de livres et de matériel imprimé. Ils construisent ainsi leur compréhension du processus de lecture avant même d'être capables de lire.

Au cours de la période d'ateliers libres, ces deux enfants sont retournés « lire » le babillard et ils ont décidé d'y ajouter leur propre message !

rencontrent ou les annonces qui sont apposées sur les fenêtres des maisons ou sur les vitrines des commerces. Ils aiment aussi jouer à trouver « leurs » lettres. Ainsi, Sara a trouvé sa lettre S sur l'enseigne de la station-service, tandis qu'Arianne a trouvé son A sur le signe d'arrêt du coin de la rue.

Les enfants aiment aussi fabriquer leurs propres affiches pour que les autres puissent les lire. Au début de l'année, les enfants d'un service de garde d'un groupe de 3 ans avaient de la difficulté à conduire leur bicyclette pour grimper la pente du trottoir dans la cour. Ils avaient cependant beaucoup de plaisir à la descendre. Pour se rappeler de ne pas descendre la pente (afin de ne pas devoir la remonter ensuite), les enfants ont fabriqué un signal avec de la craie sur le trottoir : ils ont dessiné une bicyclette dans un cercle avec une ligne diagonale qui le traversait. Lorsqu'ils arrivaient à cet endroit du trottoir, ils s'arrêtaient et « lisaient » : « Pas de bicyclette sur cette pente » et ils poursuivaient alors leur chemin dans une autre direction.

se produise, les éducatrices du groupe n'avaient noté aucun indice qui leur aurait permis de croire qu'Hélène éprouvait de l'intérêt pour les lettres ou en avait une connaissance quelconque.

Les enfants dans ce groupe aimaient aussi lire les cartes de chansons et de comptines que les éducatrices avaient fabriquées en dessinant les personnages ou des pictogrammes qui représentaient les chansons et les comptines préférées des enfants du groupe. La fonction première de ces cartes était de permettre aux enfants de choisir les chansons qu'ils chanteraient durant les rassemblements en grand groupe. Toutefois, les enfants les utilisaient aussi pour faire des jeux entre eux ou tout simplement pour « lire » les titres des chansons et des comptines.

Rechercher des choses à lire au cours des sorties

Lorsqu'ils font une promenade, plusieurs enfants aiment lire les signaux de circulation qu'ils

B. Associer un symbole personnel à chacun des enfants

Chacun des enfants peut choisir un symbole personnel pour s'identifier, soit une forme, un pictogramme ou une couleur qui le représentera. Cela permet aux enfants de reconnaître les objets qui leur appartiennent et ceux des autres.

Ce symbole peut indiquer l'espace qui est réservé à l'enfant dans le vestiaire, son bac de rangement personnel dans le local et ses effets personnels. Les enfants et les éducatrices peuvent utiliser ce symbole pour identifier les productions que les enfants font. Les enfants acquièrent rapidement la capacité de reconnaître leurs possessions de même que les créations et les possessions des autres enfants.

En associant à chaque enfant un symbole personnel qu'il peut « lire » par lui-même, on permet à l'enfant de devenir plus autonome face à plusieurs événements de la journée. Par exemple, une éducatrice utilise les symboles des enfants pour remplir son tableau de tâches; ceux-ci peuvent lire eux-mêmes quelles sont les responsabilités de chacun pour la journée: qui distribuera la collation, mettra la table, distribuera les verres à la collation ou ira chercher le jus dans le frigo. Elle utilise aussi les symboles des enfants lorsqu'elle invente des chansons ou des histoires collectives avec les enfants de son groupe. Ainsi, après une visite au musée, cette éducatrice a épinglé sur un tableau les symboles de tous les enfants et elle a demandé à chacun ce qu'il retenait de sa visite. Elle a « écrit » les idées de chacun sur son tableau et les enfants ont créé la chanson suivante: « Annie a vu une ruche et des abeilles. Bertrand a vu un œil magique. Martine a vu une machine à bulles. Michel a vu des autos sur la route du retour. » Pendant plusieurs jours par la suite, les enfants sont retournés souvent devant le tableau d'affichage et ont chanté la chanson par eux-mêmes.

Finalement, si l'on écrit le nom des enfants avec des lettres au-dessous de leur symbole personnel, ceux qui veulent apprendre à épeler leur nom le consulteront souvent pour copier les lettres. Ils s'efforceront de reproduire les lettres de leur nom et de mémoriser l'ordre dans lequel ces lettres sont placées.

C. Mettre des livres variés à la disposition des enfants pour qu'ils les lisent

Un coin de lecture bien organisé est un endroit calme et douillet qui procure plusieurs expériences de lecture agréables aux enfants et aux éducatrices. Assurez-vous que ce coin contienne toutes sortes de livres appropriés à l'âge des enfants: des livres d'images, des livres qui font référence aux sorties que les enfants ont faites ou à des sorties projetées dans un proche avenir, des livres qui traitent des champs d'intérêt des enfants, des livres de poèmes et de chansons, des albums de photos, des livres que les enfants ont fabriqués, des livres de comptines, des livres dans toutes les langues que les enfants du groupe parlent, des livres en braille s'il y a des enfants aveugles.

Lorsque vous faites la lecture aux enfants au cours de la journée, encouragez-les à lire eux-mêmes leur page préférée ou à commenter spontanément les histoires et les illustrations.

D. Inciter les enfants à lire des histoires les uns aux autres

Même si les enfants aiment beaucoup qu'on leur lise des histoires, il est tout aussi important de leur laisser l'initiative et de les inciter à lire eux-mêmes des histoires. Ils commenceront souvent par lire des livres abondamment illustrés comportant très peu de texte, que ce soit des livres que vous leur avez déjà lus ou non. Il y a plusieurs moyens à votre disposition pour déclencher ce processus chez les enfants. Lorsqu'un enfant vous demande de lui lire une histoire, demandez-lui s'il pourrait plutôt vous la lire. Assurez-lui que, quelle que soit la façon dont il lira l'histoire, ce sera la bonne. Lors des rassemblements en grand groupe, demandez aux enfants de former des dyades pour lire une histoire. Incitez-les aussi à lire leurs dessins ou leurs écrits chaque fois qu'ils ont « écrit » quelque chose, qu'il s'agisse d'une histoire, d'une recette, d'une liste d'achats, etc.

11.2.6 EXPÉRIENCE CLÉ Dicter une histoire à un adulte

- Jonathan colle une étiquette sur son chandail au cours de la période d'ateliers libres et il demande à son éducatrice d'y écrire: « Je suis le roi des bébés chiots. »
- Amélie peint une fresque et dicte la légende qui l'accompagne à son éducatrice pour qu'elle l'écrive au bas de la feuille: « Le papier peint dans la maison d'Amélie. »

En étudiant le rôle de la dictée dans le développement du langage et le processus d'alphabétisation, Maehr (1991, p. 37) note ceci:

> Parfois les jeunes enfants veulent écrire par eux-mêmes et parfois ils désirent que quelqu'un prenne leur dictée. Cela est particulièrement vrai lorsque le message que les enfants veulent exprimer est plus complexe que leur habileté à le lire.

En écrivant les messages que les enfants nous dictent, nous les aidons à établir des liens entre le langage parlé et le langage écrit. Cependant, en général, il est plus bénéfique pour les enfants d'écrire et de lire en adoptant leur propre forme d'écriture que de voir un adulte prendre en charge le processus d'écriture à leur place. Cette mise en garde étant faite, voici quelques suggestions pour les éducatrices.

PISTES D'INTERVENTION

A. Écrire les messages personnels dictés par les enfants

Il arrive parfois que les enfants soient trop pressés pour écrire leurs propres messages ou qu'ils veuillent un échantillon d'écriture d'un adulte pour le recopier ou pour une autre raison. Durant une période d'ateliers libres, par exemple, Juan a gribouillé quelques lignes d'un texte sur un tableau et les a lues à haute voix. Puis, il a demandé à son éducatrice de prendre en note le reste de son histoire avec « son écriture d'adulte ».

Lorsque vous écrivez sous la dictée d'un enfant, transcrivez le message fidèlement, de la façon dont l'enfant vous le dicte, sans en corriger la grammaire ou les mots, ni même l'ordre des mots. Relisez-lui ensuite le texte. Vous montrerez ainsi à l'enfant que vous valorisez son travail et vous l'aiderez à établir des liens entre le langage verbal et le langage écrit. Si un enfant vous dicte un message dans une langue que vous ne connaissez pas, essayez de le transcrire phonétiquement ou demandez l'aide d'une personne de votre service de garde qui comprend cette langue, s'il s'en trouve une.

B. Prendre la dictée d'un groupe d'enfants

Prenez la dictée d'un groupe d'enfants qui vous racontent leurs expériences communes : une marche autour du pâté de maisons, la visite du groupe chez un enfant dont la mère vient d'avoir un bébé ou un repas que les enfants préparent pour les parents. Cette stratégie permet aux enfants de réfléchir de façon agréable à des événements significatifs pour eux et de « relire » le texte. Donnez la chance à chacun des enfants en cause de participer et assurez-vous de noter les mots exacts de chacun des enfants de façon à pouvoir les leur relire par la suite.

Cette éducatrice pointe son doigt vers les mots tandis qu'elle lit le message que lui a dicté l'enfant mot pour mot, sans corriger sa syntaxe.

C. Conserver les textes dictés par les enfants et les inciter à mettre en scène leurs histoires

Lorsque les enfants dictent des textes régulièrement, ils deviennent de plus en plus habiles à ajouter des détails et à faire des descriptions plus détaillées. Certains enfants voudront peut-être conserver leurs textes pour en faire un livre. Ils voudront peut-être aussi les illustrer. De même, les éducatrices peuvent garder des exemplaires des textes des enfants pour observer l'évolution de ces derniers au cours d'une longue période.

Plusieurs enfants ont du plaisir à mettre en scène, seuls ou avec d'autres enfants, les histoires qu'ils ont dictées. Vous pouvez commencer le processus d'expression dramatique lors des périodes d'ateliers libres ou lors des rassemblements en grand groupe en posant la question suivante : « Aimerais-tu faire une pièce de théâtre avec ton histoire ? » Vous pouvez ensuite demander : « Quels sont les personnages dont tu as besoin ? »

Il n'est pas nécessaire que l'histoire soit complexe pour que les enfants s'amusent à ce jeu. Une enfant d'un service de garde, par exemple, avait dicté une histoire qui se lisait tout simplement ainsi : « Les chevaux se tenaient dans la grange et ils se sont endormis. » Les autres enfants adoraient cette histoire parce qu'ils pouvaient tous incarner des chevaux. Ils se plaçaient à quatre pattes et fermaient les yeux pendant quelques instants. Chaque fois qu'ils terminaient ce jeu, ils exprimaient une grande satisfaction et ils demandaient souvent à jouer à « l'histoire des chevaux ».

TABLEAU RÉCAPITULATIF

Le développement du langage et le processus d'alphabétisation

Parler avec les autres de ses expériences personnelles significatives

- Établir un climat dans lequel les enfants se sentent libres de parler en tout temps.
- Se rendre disponible pour converser tout au long de la journée :
  - se placer au même niveau que les enfants ;
  - écouter attentivement ce que les enfants disent ;
  - laisser l'initiative de la conversation aux enfants ;
  - accepter les hésitations des enfants et leur expression non verbale ;
  - discerner les champs d'intérêt spécifiques de chacun des enfants.
- Encourager les enfants à parler les uns avec les autres tout au long de la journée :
  - multiplier les occasions de projets collectifs et de jeux coopératifs ;
  - soutenir les enfants qui veulent travailler ensemble au cours des périodes de planification ou de réflexion ;
  - suggérer aux enfants de consulter les autres pour répondre à certaines questions ou résoudre des problèmes ;
  - interpréter les messages et les transmettre ;
  - expliquer le contexte des affirmations des enfants ;
  - tenir compte des divergences de points de vue.
- Converser avec tous les enfants du groupe :
  - prendre le temps nécessaire pour parler avec les enfants ;
  - rechercher des endroits confortables pour dialoguer ;
  - prendre conscience de ses propres préférences.

Décrire des objets, des événements et des corrélations

- Offrir aux enfants du matériel qui les intéresse et provoquer des expériences à décrire.
- Écouter les enfants lorsqu'ils décrivent des objets à leur façon.
- Encourager les enfants à parler de leurs projets.
- Laisser les enfants prendre le leadership dans les jeux de description.

Jouer avec les mots : écouter des histoires, des comptines et des poèmes, inventer des histoires et faire des rimes

- Écouter les enfants tout au long de la journée.
- Lire des histoires aux enfants individuellement ou en petits groupes intimes.
- Raconter des histoires, dire des comptines et des poèmes.
- Inventer des histoires, des comptines et des rimes.

Écrire de diverses façons : en dessinant, en gribouillant, en dessinant des formes qui ressemblent à des lettres, en inventant des symboles, en reproduisant des lettres

- Fournir aux enfants un matériel diversifié pour dessiner et écrire.
- Accepter les différentes formes d'écriture que les enfants utilisent :
  - le dessin ;
  - les gribouillis ;
  - l'épellation inventée ;
  - les lettres conventionnelles.
- Encourager les enfants à écrire à leur façon :
  - demander aux enfants d'écrire des histoires ;
  - inciter les enfants à s'écrire ;
  - accepter la contribution des enfants lorsque les adultes écrivent.
- Afficher des spécimens de l'écriture des enfants et en faire parvenir aux parents.

Décoder des supports de lecture variés : lire des livres d'histoires et d'images, des signes et des symboles, ses propres écrits

- Enrichir l'environnement avec un matériel imprimé pertinent :
  - ajouter du matériel de lecture dans les coins d'activités ;
  - rechercher des choses à lire au cours des sorties.
- Associer un symbole personnel à chacun des enfants.
- Mettre des livres variés à la disposition des enfants pour qu'ils les lisent.
- Inciter les enfants à lire des histoires les uns aux autres.

Dicter une histoire à un adulte

- Écrire les messages personnels dictés par les enfants.
- Prendre la dictée d'un groupe d'enfants.
- Conserver les textes dictés par les enfants et les inciter à mettre en scène leurs histoires.

LECTURES COMPLÉMENTAIRES

BRUNER, JEROME (1983). *Le développement de l'enfant: savoir faire, savoir dire*, Paris, Presses Universitaires de France.

BRUNER, JEROME (1987). *Comment les enfants apprennent à parler*, Paris, Retz.

MABILLE, V. (1991). *Comment lui donner le goût de lire*, Paris, Nathan.

MANOLSON, A. (1985). *Parler, un jeu à deux*, Toronto, Centre de ressources Hanen.

PIAGET, JEAN (1976). *Le langage et la pensée chez l'enfant: études sur la logique de l'enfant*, Neufchâtel, Delachaux et Niestlé.

WEITZMAN, E. (1992). *Apprendre à parler avec plaisir*, Toronto, Centre de ressources Hanen.

CHAPITRE 12

L'estime de soi et les relations interpersonnelles

Nous commençons à percevoir la fin de l'ère où les personnes entraient en relation les unes avec les autres en utilisant la force, la dictature, l'obéissance ou des stéréotypes. Nous commençons à voir l'émergence de relations fondées sur la coopération, sur la liberté de choix, sur le leadership démocratique et sur une véritable compréhension de ce qu'est le fait d'être humain à part entière.
VIRGINIA SATIR, 1988.

L'enfant commence à acquérir la capacité de prendre des initiatives et d'établir des relations significatives avec les autres dès son plus jeune âge. Il tisse alors des liens d'attachement affectif avec ses parents et avec les personnes qui lui dispensent des soins sur une base régulière. Tandis que les poupons grandissent et deviennent des trottineurs, leur univers s'élargit et ils recherchent activement la compagnie des membres de leur famille (frères et sœurs), de leurs pairs et d'amis de la famille qu'ils connaissent bien. Au cours des années préscolaires, les enfants continuent d'agrandir le cercle de leurs relations interpersonnelles. Leur capacité croissante de parler et de former des images mentales les rend à même d'acquérir des habiletés sociales additionnelles : ils arrivent à distinguer leurs besoins et leurs sentiments de ceux des autres (le « moi » et le « tu »), de décrire leurs sentiments et leurs pensées, de se rappeler des relations antérieures avec les personnes et de prévoir des expériences sociales futures. Bref, les enfants d'âge préscolaire commencent à apprécier les personnes de leur entourage, à les comprendre et à prendre des décisions qui les concernent. De plus, ils sont capables de s'apprécier eux-mêmes, de se comprendre et de prendre des décisions par eux-mêmes.

L'approche éducative centrée sur l'apprentissage actif privilégie l'acquisition d'habiletés sociales chez les enfants puisque l'apprentissage actif est conçu comme un processus social et interactif dans son essence même. Le développement social et affectif des enfants reçoit donc une attention particulière de la part des éducatrices qui privilégient l'apprentissage actif.

Au chapitre 2, nous avons vu comment la conscience de soi des enfants se développe dans un climat de soutien démocratique et nous avons souligné l'importance de comprendre les maillons de la chaîne des relations humaines : la confiance, l'autonomie, l'initiative et le goût du risque, l'empathie et la confiance en soi. Dans ce chapitre, on étudiait cette question du point de vue du rôle de l'éducatrice et on décrivait les stratégies que celle-ci

peut utiliser pour établir et maintenir un climat qui soutient les enfants dans leurs apprentissages. Dans le présent chapitre, nous mettons l'accent sur les champs d'intérêt et les actions des enfants dans le contexte de neuf expériences clés du domaine *l'estime de soi et les relations interpersonnelles.* L'estime de soi et les relations interpersonnelles sont regroupées parce que les enfants acquièrent des habiletés pour mener à terme leurs projets en prenant confiance en eux-mêmes et en développant leur capacité d'entrer en relation avec les autres.

12.1 Les caractéristiques de l'estime de soi et des relations interpersonnelles chez les enfants d'âge préscolaire

Les relations interpersonnelles que les enfants d'âge préscolaire établissent de même que leur attitude par rapport à l'estime de soi sont soutenues par leur habileté grandissante à représenter leurs idées au moyen du langage et du jeu. En utilisant les mots pour préciser leurs sentiments, ils peuvent commencer à reconnaître les sentiments qu'ils éprouvent et ceux qu'ils observent chez les autres. Plutôt que de se borner à expérimenter leur joie ou à observer celle des autres, par exemple, ils sont aussi capables de représenter leur compréhension des sentiments avec des mots. « Je suis content. Mon papa vient à la maison aujourd'hui. » « Béatrice a l'air de bonne humeur. Je vais avoir du plaisir à jouer avec elle. » Cette habileté naissante à préciser leurs sentiments et ceux des autres aide les enfants à évaluer avec succès le moment approprié pour approcher quelqu'un ou la façon de le faire. En plus du langage, les habiletés sociales naissantes des enfants d'âge préscolaire de même que leur capacité de formuler des projets sont caractérisées par **l'intentionnalité, le désir de nouer des amitiés** et un débat interne pour résoudre **les conflits entre le « moi » et le « nous »**. Au fur et à mesure que les enfants prennent l'habitude de traiter ces questions d'adaptation sociale, ils démontrent **une compétence sociale** grandissante.

L'intentionnalité

La plupart des comportements des enfants d'âge préscolaire reflètent leur intentionnalité, leur tendance à agir en fonction d'objectifs qu'ils poursuivent. Les jeunes enfants agissent en fonction de buts personnels qu'ils se fixent dans les projets qu'ils entreprennent et lorsqu'ils jouent avec le matériel qui est mis à leur portée. Ils démontrent aussi leur intentionnalité dans leurs comportements sociaux. Ils demandent fréquemment et avec insistance à leurs pairs et aux adultes de les regarder, de jouer auprès d'eux, de les imiter, de leur parler et de jouer avec eux. Ils font des choix et prennent des décisions à propos de ce qu'ils veulent faire, et ils entreprennent souvent des démarches auprès d'autres personnes pour réaliser leurs projets : « On devrait jouer avec l'ordinateur... Veux-tu, Michel ? » « Je vais faire le coiffeur et tu vas venir te faire couper les cheveux, O.K., Corinne ? » Au cours des périodes de planification, les enfants d'âge préscolaire commencent souvent par énoncer une intention qui concerne une autre personne : « Hélène et moi, on va jouer ensemble. » « Je vais faire une course d'auto avec Geoffroy. » « Quand Martine va arriver, je vais jouer à la même chose qu'elle. » « Gilles est pas ici aujourd'hui ; j'ai personne pour jouer. »

Le désir de nouer des amitiés

La capacité grandissante des jeunes enfants d'établir et de maintenir des liens d'amitié avec leurs pairs est soutenue par leur habileté à s'exprimer avec des mots et à s'engager dans des jeux de plus en plus complexes qui suscitent l'attention, l'intérêt et l'entraide des autres enfants. En s'associant avec d'autres enfants et en établissant des amitiés, les jeunes enfants semblent rechercher un certain niveau de réciprocité et d'égalité avec les autres qui est basé sur des centres d'intérêt communs. Toutefois, les désaccords font souvent partie intégrante de ces amitiés. La psychologue du développement de la personne Shirley Moore (1982, p. 76) note que :

> Les observations que nous avons faites des enfants indiquent que ceux-ci sont plus susceptibles d'entrer en conflit avec leurs amis qu'avec les autres enfants de leur groupe. Par contre, ils encouragent souvent leurs compagnons de jeux à être amicaux plutôt qu'agressifs.

Les jeunes enfants semblent donc rechercher des amis avec lesquels ils peuvent librement partager les hauts et les bas de toutes leurs expériences quotidiennes.

Les conflits entre le « moi » et le « nous »

En composant avec les autres, les enfants peuvent se trouver coincés entre, d'une part, leur désir d'établir des liens d'amitié et d'éprouver un sentiment d'appartenance à un groupe et, d'autre part, leur besoin d'autonomie et d'indépendance. Le désir « Je veux l'auto de Jean » peut entrer en conflit avec l'idée « Je veux jouer avec Jean ». Steven Asher et ses collaborateurs (1982, p. 152), des chercheurs dans le domaine du développement social des enfants, écrivent qu'« une question importante qui se pose aux enfants est celle de soutenir la tension qui existe parfois entre le besoin d'avoir du pouvoir et le besoin de se sentir acceptés et de recevoir de l'affection ». Il n'est pas facile de composer avec ces pulsions contradictoires, quel que soit l'âge de l'enfant. Les jeunes enfants commencent à entreprendre cette tâche avec plus ou moins de difficulté.

La compétence sociale

Au fur et à mesure que les enfants acquièrent de l'expérience en vue de réaliser leurs projets de socialisation, de maintenir des liens d'amitié et de discerner leurs besoins contradictoires d'amitié et d'autonomie, ils développent une variété d'habiletés sociales. Leur compétence sociale s'observe dans leur capacité grandissante de discriminer les relations positives et les relations négatives et dans leur conscience de plus en plus poussée des besoins et des sentiments des autres. Les enfants d'âge préscolaire sont souvent si préoccupés par leur propre vision des choses et par leurs besoins personnels qu'ils sont considérés comme égocentriques ; cependant, ils peuvent aussi être très empathiques et chaleureux. En fait, les enfants d'âge préscolaire aiment beaucoup se rendre utiles. La psychologue Marian Radke Yarrow et ses collègues (1983, p. 478) remarquent que :

> Les enfants d'âge préscolaire peuvent démontrer de la considération pour les sentiments des autres et de l'indignation face à la cruauté. Ils sont capables de s'engager dans des entreprises coopératives et de partager leurs possessions. Ils peuvent aussi mettre en péril leur propre bien-être pour protéger ou sauver quelqu'un.

12.2 Le processus de socialisation

Les relations sociales que les enfants entretiennent avec leurs pairs et avec les adultes revêtent une grande importance parce que c'est à partir d'elles qu'ils construisent la compréhension qu'ils ont du monde social. Comme les psychologues Lawrence Kohlberg et Thomas Likona (1987, p. 158) le notent :

> Les enfants doivent simultanément **construire** ou inventer leur compréhension morale à partir du matériel brut de leurs expériences concrètes. Dans le domaine du développement social et moral, ce matériel brut est constitué des interactions sociales quotidiennes.

Si les enfants ont des interactions sociales quotidiennes positives, ils seront plus susceptibles de se former une image du monde dans lequel ils se sentent soutenus et toutes les possibilités peuvent alors s'offrir à eux. Par contre, si leurs interactions quotidiennes sont généralement négatives, les enfants seront portés à concevoir le monde comme un endroit parsemé de dangers et d'affrontements.

Les relations interpersonnelles qui permettent aux enfants d'expérimenter les cinq composantes des maillons de la chaîne des relations humaines (la confiance, l'autonomie, l'initiative et le goût du risque, l'empathie et la confiance en soi) les rendent capables de former des images constructives d'eux-mêmes et des autres. De plus, un environnement social positif et des relations constructives fournissent aux enfants le « carburant affectif » qui leur permettra de mener à terme leurs projets et de faire face aux déceptions. Le psychologue Willard Hartup (1986, p. 1-2) affirme ceci :

> Les amitiés entre enfants semblent engendrer la sécurité et le sentiment d'appartenance qui sont au centre des phases du développement à venir. Les relations interpersonnelles de l'enfance – à la fois celles auxquelles l'enfant participe et celles qu'il observe – servent de cadre de référence dans lequel les modèles aident à construire des relations futures.

Les relations interpersonnelles positives renforcent aussi le penchant des enfants à interagir avec les personnes et le matériel. Ce sont des interactions qui engendrent des occasions de réaliser des expériences d'apprentissage sociales, affectives, cognitives, langagières, esthétiques, musicales et motrices.

Comme nous l'avons souligné au chapitre 2, les jeunes enfants développent des relations interpersonnelles ainsi que la capacité de prendre des risques dans le contexte d'un climat de soutien démocratique. Dans un tel climat, les enfants parlent parce que les expériences intéressantes qu'ils vivent les poussent à les raconter à des personnes qui les écoutent ; ils font semblant parce qu'il y a du matériel stimulant et des partenaires familiers avec qui ils peuvent faire semblant ; ils prennent l'initiative de dessiner et de peindre parce qu'il y a du matériel d'arts plastiques à leur portée et qu'on les incite à utiliser ce moyen pour illustrer leur compréhension du monde qui s'élargit de jour en jour.

Même si nous analysons le développement des enfants sous l'angle du développement « social » et « intellectuel », les différentes dimensions du développement de l'enfant sont inextricablement reliées entre elles. C'est pour cette raison que les expériences clés du domaine ***l'estime de soi et les relations interpersonnelles*** se réalisent dans le même contexte que les autres expériences d'apprentissage. En effet, pendant que les enfants explorent leur univers et réalisent des expériences qui les intéressent, leur développement physique, cognitif, affectif et social se poursuit, et chacun des domaines de leur développement favorise les autres.

12.3 Soutenir l'estime de soi et les relations interpersonnelles des enfants

Les neuf expériences clés du domaine ***l'estime de soi et les relations interpersonnelles*** dépeignent clairement la façon dont les jeunes enfants se découvrent eux-mêmes et entrent en relation avec les personnes qui les entourent. Les cinq premières expériences clés décrivent les expériences que les enfants entreprennent pour développer la conscience de soi et l'estime de soi :

- *Faire des choix et les exprimer, élaborer des projets et prendre des décisions.*
- *Résoudre les problèmes qui surgissent au cours des périodes de jeu.*
- *Développer son autonomie en répondant à ses besoins personnels.*
- *Exprimer ses sentiments à l'aide de mots.*
- *Participer aux activités de groupe.*

Les relations interpersonnelles et la compréhension des autres se manifestent dans les quatre autres expériences clés :

- *Être sensible aux sentiments, aux intérêts et aux besoins des autres.*
- *Créer des liens avec les enfants et les adultes.*
- *Concevoir et expérimenter le jeu coopératif.*
- *Résoudre les conflits interpersonnels.*

Pour soutenir ces expériences clés, les éducatrices doivent d'abord organiser un milieu d'apprentissage sécuritaire et chaleureux. Pour ce faire – quel que soit le service éducatif dont il est question : une classe de maternelle, un service de garde en milieu familial ou en établissement –, elles doivent démontrer de la tendresse, encourager les enfants à poursuivre leurs initiatives et à réaliser leurs projets, concentrer leur attention sur les habiletés des enfants, établir des relations authentiques avec eux et adopter une approche de résolution de problèmes pour traiter les conflits. En même temps, les éducatrices doivent éviter d'utiliser la punition et les comportements dominateurs, ou d'établir un climat de compétition.

Dans les sections suivantes, qui portent sur chacune des expériences clés, nous décrirons les pistes d'intervention qui permettent de soutenir la croissance de l'estime de soi chez les enfants, de stimuler leurs relations interpersonnelles et de raffermir la conscience d'eux-mêmes et des autres qu'ils commencent à acquérir.

12.3.1 EXPÉRIENCE CLÉ Faire des choix et les exprimer, élaborer des projets et prendre des décisions

- Lors de la période d'accueil, tandis que les autres enfants sont rassemblés dans le coin de la lecture et de l'écriture, André et Hélène s'assoient dans le coin des arts plastiques pour chanter ensemble.
- « Je m'en vais à la glissoire et je vais glisser jusqu'en Floride pour donner à manger aux alligators », dit Amanda pendant la période de planification.
- Martine prend une boîte de café vide et dit à Pierre : « Je me demande bien ce que je pourrais faire avec ça. »

Les enfants sont curieux de nature, ils sont entreprenants et motivés à agir pour réaliser leurs projets, mettre en œuvre leurs idées. Au moyen des choix qu'ils font dans leur vie quotidienne, des projets qu'ils élaborent et des décisions qu'ils prennent, ils se lancent dans des activités personnelles intéressantes qui les rendent capables d'apprendre les particularités de leur environnement aussi bien que de connaître les personnes qui les entourent et que de se percevoir comme des êtres apprenants et aventuriers. En agissant en fonction de leurs projets et de leurs idées, les enfants acquièrent de la confiance en eux-mêmes et se perçoivent comme des personnes compétentes ; de plus, ils considèrent les autres comme des participants qui les soutiennent.

Voici des moyens auxquels les éducatrices peuvent faire appel pour soutenir le développement de la conscience de soi chez les enfants afin qu'ils se perçoivent comme des personnes qui agissent et qui entreprennent des projets, qu'ils puissent prendre conscience de leurs choix, de leurs projets et de leurs décisions, et qu'ils puissent les confirmer.

PISTES D'INTERVENTION

A. Organiser un environnement riche et mettre en place un horaire quotidien stable

Pour permettre aux enfants de faire des choix, d'élaborer des projets et de prendre des décisions, l'environnement pédagogique doit être stimulant

Les enfants d'âge préscolaire sont capables d'établir des relations interpersonnelles avec leurs pairs et d'élaborer des projets collectifs.

et offrir un vaste éventail de possibilités enrichissantes pour qu'ils prennent l'initiative de leurs jeux. Un tel environnement qui permet des choix significatifs est constitué de coins d'activités clairement délimités qui encouragent les enfants à planifier différents types de jeux, d'un matériel varié et abondant que les enfants peuvent choisir librement et d'un système de rangement systématique qui permet aux enfants de trouver facilement le matériel dont ils ont besoin et de le ranger de façon autonome. (Pour plus de détails sur l'organisation de l'environnement qui favorise la capacité des enfants de faire des choix, voir la section 5.1.)

Outre qu'elles établissent un environnement où le matériel est accessible aux enfants et bien rangé, les éducatrices se soucieront d'organiser les activités de la journée en fonction d'un horaire quotidien stable qui permettra aux enfants : 1) de prévoir ce qui s'en vient ; 2) de faire des projets, de les réaliser et de les analyser au cours du processus quotidien de planification-action-réflexion ; 3) de faire des choix et de prendre des décisions au cours des activités proposées par les éducatrices. Avec le soutien d'éducatrices compétentes, un tel horaire quotidien permet aux enfants d'avoir constamment des occasions de faire des choix et de maîtriser leurs propres apprentissages. Il constitue aussi un outil puissant pour construire l'estime de soi et la confiance en soi des enfants, ce qui les amènera à prendre des initiatives qui auront des répercussions positives sur leur développement. (Pour en savoir plus sur l'organisation d'un horaire quotidien stable, voir le chapitre 6.)

B. Exprimer de l'intérêt pour les choix des enfants et les soutenir dans leur démarche

Bien que les enfants soient des décideurs naturels, il reste qu'ils sont novices et insécures face au processus de prise de décisions. Ils comptent donc sur les adultes pour qu'ils s'intéressent à leurs choix et qu'ils reconnaissent la valeur de ceux-ci. L'exemple suivant est révélateur :

> Daniel. – Moi et Marc, on va grimper en haut de la grande tour et on va regarder le trou que le tonnerre a fait dans l'arbre. On va faire le gros bruit qui a fait le trou.
>
> [illegible] rver le trou [illegible] aire le bruit du [illegible] u s'est fait.
>
> [illegible] rimper, Daniel et [illegible] ice pour qu'elle [illegible] » qui sort du trou [illegible] isecte [illegible] gent ». Elle soutient leur projet d'étudier le trou dans l'arbre en reconnaissant leur décision et en parlant de leurs découvertes avec eux.

D'une certaine façon, cette méthode donne le leadership des opérations aux enfants, et les adultes les suivent alors dans leurs entreprises. Les éducatrices qui sont habituées à ce que les enfants écoutent ce qu'elles ont à leur apprendre auront besoin de temps pour en venir à mettre l'accent sur les préférences exprimées par les enfants. Cependant, une fois qu'elles auront intégré cette nouvelle attitude, elles en éprouveront beaucoup de satisfaction. Les enfants sentiront alors qu'ils ont du pouvoir, et les éducatrices apprendront beaucoup sur les intérêts des enfants, sur leurs sentiments, sur leur façon de penser et de raisonner. De plus, leurs relations avec chacun des enfants s'enrichiront et deviendront plus agréables.

C. Laisser aux enfants le temps nécessaire pour faire des choix, élaborer des projets et prendre des décisions

Sans qu'elles en prennent conscience, plusieurs éducatrices transmettent aux enfants le stress engendré par un rythme de vie trépidant où le temps est limité pour chacune de leurs activités : « C'est maintenant le temps de faire un plan... » « C'est maintenant le temps de penser à la chanson que vous voulez chanter... » « C'est maintenant le temps de répondre à ma question... » Cependant, les enfants d'âge préscolaire ont besoin qu'on leur accorde le temps nécessaire pour traduire en mots leurs projets et leurs expériences. Il importe donc que les éducatrices attendent patiemment pendant que les enfants réfléchissent aux choix qui s'offrent à eux, qu'il s'agisse de déterminer ce qu'ils feront pendant la période d'ateliers libres ou de sélectionner une chanson à chanter au cours du rassemblement en grand groupe. Aussi, lorsque les éducatrices prennent les devants et font des suggestions aux enfants dans le but d'accélérer le processus de prise de décisions, elles risquent de bloquer les initiatives des enfants plutôt que de soutenir celles-ci. Même si elles réussissent avec cette méthode à amener les enfants à prendre des décisions, les enfants peuvent éprouver de l'anxiété, du ressentiment ou du désintérêt. Les enfants sont plus susceptibles de s'épanouir en tant que décideurs et d'augmenter leur compétence dans la résolution de problèmes s'ils peuvent prendre le temps nécessaire pour cheminer à leur rythme dans un processus de prise de décisions éclairé.

De la même façon, le développement social des enfants ne peut être précipité. Les enfants ont besoin de temps – des semaines et des mois – pour s'habituer à prendre des décisions et à faire des choix, et pour en expérimenter les conséquences. Lorsqu'on alloue le temps nécessaire aux enfants pour qu'ils puissent répéter les mêmes expériences et acquérir des compétences, ils évoluent. Par exemple, Bertrand voit Michel dans la cour sur un tricycle. Il se dirige vers Michel. Depuis plusieurs mois, Bertrand essaie d'enlever le tricycle à tous les enfants qui l'utilisent et, chaque fois, il recourt à l'aide de son éducatrice pour régler son problème. Aujourd'hui, cependant, Bertrand s'arrête et se dit: « Quand Michel aura fini de jouer avec, je le prendrai. » Il se dirige alors vers le carré de sable et commence à jouer. Avec le temps, après plusieurs expériences de négociation avec ses pairs et les éducatrices, Bertrand a appris que Michel cessera à un moment donné de jouer avec le tricycle et qu'il peut jouer à autre chose en attendant son tour.

D. Inciter les enfants à faire des choix et à prendre des décisions à tous les moments de la journée

Même s'il est naturel d'associer la prise de décisions et les choix au processus de planification-action-réflexion, il est également important de planifier l'intervention pédagogique de manière que les enfants puissent prendre des décisions et faire des choix au cours des autres périodes de la journée, y compris pendant les activités proposées par l'éducatrice. Voici des exemples de choix que font les enfants au cours des différentes périodes de la journée.

- **À l'accueil:**
  - à côté de qui s'asseoir;
  - quel livre regarder;
  - avec qui parler;
  - de quel sujet parler.
- **À la période de planification:**
  - quoi faire;
  - avec qui faire un plan;
  - quel matériel utiliser.
- **Au cours des ateliers libres:**
  - comment débuter;
  - comment modifier les projets;
  - avec qui jouer;
  - quel matériel ajouter;
  - comment résoudre les problèmes éprouvés;
  - quoi faire après.
- **À la période de réflexion:**
  - quelle réflexion communiquer aux autres;
  - comment décrire les actions.
- **Pendant les activités en groupe d'appartenance:**
  - à côté de qui s'asseoir;
  - quoi faire avec le matériel;
  - comment utiliser le matériel pour réaliser ses idées personnelles;
  - quelles autres expériences tenter avec le matériel;
  - quel matériel ajouter.
- **Pendant les rassemblements en grand groupe:**
  - quelle chanson suggérer;
  - quelles nouvelles paroles ajouter;
  - quels gestes essayer;
  - comment personnifier un cheval, un canard ou un jardinier;
  - quelle suggestion faire pour la suite de l'histoire;
  - comment interpréter les demandes de l'éducatrice.
- **Au cours des jeux extérieurs:**
  - quoi faire;
  - avec qui jouer;
  - quel matériel utiliser.

Faire des choix, élaborer des projets et prendre des décisions sont des activités déterminantes pour le développement du sens de la compétence et de l'égalité chez l'enfant. En effet, l'enfant qui fait des plans et qui prend des décisions tous les jours acquiert une plus grande confiance en lui-même pour interagir avec ses pairs et avec les adultes.

Il parvient ainsi à se percevoir comme un partenaire qu'on respecte et qui est capable d'influer sur le cours de plusieurs événements de sa vie. (Pour plus d'information sur le choix en tant que composante essentielle de l'apprentissage actif, se référer à la section 1.3.)

12.3.2 EXPÉRIENCE CLÉ Résoudre les problèmes qui surgissent au cours des périodes de jeu

Les enfants se heurtent inévitablement à des obstacles dans la réalisation des projets qu'ils ont eux-mêmes élaborés. Si on les incite à résoudre les problèmes qu'ils éprouvent au cours de leurs jeux, ils acquerront la capacité de faire face aux imprévus de façon créative et réfléchie. Pendant ce processus, ils prennent conscience de leur capacité de résoudre les problèmes de la vie courante. De plus, en réglant des problèmes régulièrement, les enfants de 3 ou 4 ans acquièrent des **habitudes de résolution de problèmes** et ils se perçoivent comme des êtres proactifs.

Au cours d'une période de jeu à l'extérieur, Hélène décide de jouer dans la cage à grimper. Elle met sa main sur le premier barreau de l'échelle et la retire avec surprise en essuyant sa main sur son manteau: « C'est tout mouillé, dit-elle à son éducatrice.
– Oui, c'est vraiment mouillé », confirme l'éducatrice.

Hélène touche un autre barreau de l'échelle de la cage à grimper, comme pour se persuader que sa première observation était fondée, et elle dit: « Je vais aller chercher une serviette pour l'essuyer. » Elle va donc chercher une serviette et essuie chaque barreau de l'échelle. « Maintenant, je peux grimper ! » s'exclame-t-elle.

Dans cet exemple, l'éducatrice n'a pas dit, au début des activités dans la cour: « Allons jouer dehors et nous essuierons les barreaux de la cage à grimper. » Elle n'a pas non plus arrosé la cage à grimper avant l'arrivée des enfants de manière à créer une situation problématique. Elle est plutôt restée à l'écart pour laisser le leadership aux enfants, confiante dans le fait que ces derniers feraient face naturellement à des problèmes éprouvés dans la poursuite de leurs initiatives personnelles.

Voici des stratégies que les éducatrices peuvent utiliser pour soutenir les initiatives des enfants dans de telles situations.

PISTES D'INTERVENTION

A. Inciter les enfants à décrire les problèmes qu'ils éprouvent

Au cours de la journée, les enfants font face à des problèmes qui les font dériver de leur projet initial. Dans ces cas, les éducatrices devraient se retenir d'interrompre les pensées de l'enfant en offrant une solution d'adulte au problème de l'enfant. Elles devraient plutôt donner la possibilité à l'enfant de décrire ses propres observations. En décrivant ses observations et en exprimant son problème, l'enfant fait le premier pas en vue de reconnaître la situation, de l'interpréter et de décider de la façon d'y réagir.

Un jour, à la fin d'une période de jeux à l'extérieur, Jasmin, un enfant de 3 ans, se tenait debout près de la porte d'entrée, les larmes aux yeux. « Qu'est-ce qui se passe, Jasmin ? » lui demanda son éducatrice. Elle se pencha vers lui en pensant qu'il s'ennuyait probablement de sa grande sœur qui était absente ce jour-là. « Je n'ai pas de sable dans mes souliers », lui répondit Jasmin. Plusieurs enfants vidaient le sable qu'ils avaient dans leurs souliers dans une boîte que le concierge avait construite à cet effet à côté de la porte d'entrée. « Oh, tu n'as pas de sable dans tes souliers... » répondit l'éducatrice, soulagée de voir qu'il n'avait pas fait référence à sa sœur. « Je veux faire comme eux », continua Jasmin. « Tu veux vider tes souliers dans la boîte comme les autres ? » demanda son éducatrice. Jasmin acquiesça d'un signe de tête. « Mais tu n'as pas de sable dans tes souliers. » Jasmin réfléchit quelques instants. « Je sais ce que je vais faire », dit-il en souriant. Il courut vers le carré de sable, enleva ses souliers, les remplit de sable et revint à la boîte près de la porte d'entrée ; il vida ses souliers avec mille précautions avant d'entrer dans le service de garde. Dans cet exemple, Jasmin a eu suffisamment de temps pour nommer et décrire son problème (un problème que l'éducatrice n'aurait jamais pu deviner), pour penser à une solution et l'appliquer.

B. Laisser le temps aux enfants de trouver leurs propres solutions

Une fois que les enfants ont clairement délimité le problème auquel ils font face, ils ont besoin de temps pour trouver une solution à ce problème. Encore une fois, les éducatrices soutiennent les enfants dans cette démarche en attendant patiemment. Si elles suggèrent des solutions qui semblent efficaces aux yeux d'un adulte, elles gagneront peut-être du temps, mais elles priveront les enfants d'une situation d'apprentissage importante et de la satisfaction qu'ils pourraient ressentir en résolvant eux-mêmes leur problème et en mettant en œuvre leurs propres décisions.

Examinons le dilemme auquel André fait face. Celui-ci projette de jouer avec les marionnettes, puis d'aller dessiner à l'ordinateur. Cependant, une fois qu'il a fini de jouer avec les marionnettes, il se rend compte que deux ou trois enfants se trouvent autour de chacun des ordinateurs et que toutes les places de ce coin d'activités sont déjà occupées. Il étudie la situation pendant quelques minutes, puis il fait le tour des chaises en touchant chacune d'elles, comme pour vérifier qu'elles sont bien occupées. « Bon ben, je vais travailler avec les blocs... dit-il à l'éducatrice. Mais je vais surveiller si quelqu'un part du coin de l'ordinateur. »

C. Aider les enfants qui ont de la difficulté

Dans certaines situations, les enfants ont besoin d'un soutien plus grand de la part des adultes qui les entourent. Ce sont les moments où les enfants éprouvent un problème qui met en péril la réalisation de leurs projets, où ils ont appliqué des solutions qui n'ont pas fonctionné et où ils sont sur le point de démissionner. Dans ces moments-là, les éducatrices doivent apporter suffisamment d'aide aux enfants pour qu'ils puissent poursuivre leurs projets. Voici quelques exemples qui illustrent cette stratégie.

- Karine aime se déguiser en utilisant de grands carrés de soie. Elle en a noué un autour de ses épaules pour faire une cape et elle essaie d'en nouer un autre autour de sa taille. Cependant, peu importent les efforts qu'elle fait, la longueur des carrés de soie ne correspond pas à ce qu'elle avait imaginé. Nicole, une éducatrice du groupe, l'observe depuis quelques minutes. Lorsque Karine lui demande de l'aide, elle lui en fournit immédiatement, sachant que Karine a déjà fait plusieurs essais infructueux et qu'elle est impatiente de poursuivre son jeu :

  « Nicole, je veux qu'il descende jusque-là, dit Karine en pointant le doigt vers ses genoux.
  – Bon, répond Nicole, essayons en le roulant comme ça, et en l'attachant par en avant. »

  Elles font un essai. D'abord, Karine et Nicole roulent ensemble le carré de soie, puis Karine le tient en place pendant que Nicole l'attache. « Voilà. Est-ce que ça te va comme ça ? » demande Nicole. Karine recule de quelques pas pour voir la longueur de sa nouvelle jupe, décide que ça la satisfait et retourne à son jeu.

- Pierre est en train de faire un casse-tête. Il a réussi à placer la majorité des morceaux, mais malgré toutes les façons dont il retourne ceux qui restent, il ne trouve aucun morceau qui s'ajuste à l'espace prévu pour l'oreille de l'éléphant. Nathalie, son éducatrice, voit une pièce du casse-tête derrière Pierre. « Parfois, dit-elle, lorsque j'ai de la difficulté avec un casse-tête, je regarde partout autour de moi pour vérifier s'il n'y a pas un morceau de caché. » Pierre regarde à sa gauche, à sa droite, puis il se retourne pour regarder derrière lui, et il découvre le morceau qui manquait. Il le prend, le retourne de tous les côtés et, après plusieurs essais, il réussit à le mettre en place. Il termine finalement son casse-tête après plusieurs essais. « Je l'ai eu ! s'exclame-t-il.
  – Oui, tu l'as fait tout seul », lui répond Nicole.

12.3.3 EXPÉRIENCE CLÉ Développer son autonomie en répondant à ses besoins personnels

Les enfants d'âge préscolaire aiment faire des choses par eux-mêmes, et lorsqu'ils agissent de façon autonome, ils développent leurs habiletés et leur confiance en soi.

- Quand Alex arrive le matin, il descend la fermeture éclair de son manteau et le suspend lui-même. Quand le groupe va jouer dehors, Alex prend son manteau, met son capuchon sur sa tête, passe les bras dans les manches, monte la fermeture éclair du manteau, met ses mitaines et sort dans la cour.
- Claude s'approche de Céline, son éducatrice, les larmes aux yeux. « Je veux que tu me prennes dans tes bras », dit-il ; et elle le serre contre elle chaleureusement.

Au fur et à mesure qu'ils développent leurs habiletés langagières et leur capacité de représentation, les enfants d'âge préscolaire parviennent à exprimer leurs besoins et à agir en conséquence. En répondant à leurs besoins personnels, les enfants disposent d'une autre façon d'assumer leur vie. Grâce à des actions aussi simples que se nourrir, s'habiller et se laver, couper, mélanger et verser, chanter, se bercer et parler, ils apprennent à s'aider eux-mêmes, à maîtriser leur propre vie et à utiliser leurs habiletés pour aider les autres. En quelque sorte, lorsqu'ils prennent soin d'eux-mêmes, les enfants sont plus susceptibles d'entrer en relation avec les autres d'une manière empathique.

Voici des moyens que les éducatrices peuvent utiliser pour développer l'autonomie des enfants, pour soutenir leur désir de prendre soin d'eux-mêmes et pour stimuler leur capacité d'aider les autres.

PISTES D'INTERVENTION

A. Laisser le temps aux enfants d'agir par eux-mêmes

Jackie, une responsable d'un service de garde en milieu familial, a fait une sortie avec son groupe d'enfants pour assister à un concert au collège situé près de chez elle. À cette occasion, elle a observé le comportement d'Arianne, une enfant de 3 ans:

> Arianne a insisté pour descendre au sous-sol où se trouvent des distributeurs afin de jeter sa canette de boisson gazeuse dans le bac de recyclage. Moi, je voulais tout simplement jeter la canette aux poubelles parce que ça me paraissait plus simple à ce moment-là. Lorsque nous sommes parvenues au bac, Arianne s'est rendu compte qu'elle n'était pas assez grande pour atteindre l'ouverture du bac et m'a demandé de la soulever. Elle cherche souvent à savoir si certains matériaux peuvent être recyclés.

Cette excursion au sous-sol a exigé de l'éducatrice plus de temps, mais cela valait la peine parce qu'Arianne a pu faire les choses par elle-même. De plus, l'éducatrice a trouvé là l'occasion de soutenir le développement du sens des responsabilités sociales chez Arianne.

Les enfants devraient être appuyés dans leur démarche vers l'autonomie par des activités telles que l'apprentissage de la propreté, le lavage des mains, le brossage des dents, l'habillage et le déshabillage. Au cours des repas et des collations, encouragez les enfants à passer les plats, à verser, à mélanger, à brasser, à couper, à peler, à ramasser les miettes et à essuyer les dégâts, même si vous pouvez accomplir ces tâches beaucoup plus rapidement qu'eux.

B. Inciter les enfants à se servir d'outils usuels

Les enfants aiment aussi qu'on leur apprenne à utiliser des outils de la vie courante. Pour les aider à maîtriser ces habiletés, planifiez avec votre groupe d'appartenance des activités où vous mettrez ces outils à leur disposition, comme des ciseaux, des agrafeuses, des poinçons, des marteaux, des scies, des tournevis, des balais, des pelles, des brouettes et des râteaux. Laver la vaisselle, donner le bain aux poupées, nettoyer la table, les tricycles ou les pinceaux sont souvent des tâches pénibles pour les éducatrices, mais les enfants adorent les exécuter parce qu'elles leur permettent de jouer dans l'eau et qu'elles leur procurent un sentiment d'indépendance et de satisfaction du travail accompli. Les enfants sont enthousiastes lorsque les activités en groupe d'appartenance tournent autour de ces « tâches ».

Dans un service de garde, une des activités favorites des enfants lors du rassemblement en grand groupe consistait à laver tous les tricycles et d'autres jouets sur roues de la cour en utilisant des tuyaux d'arrosage et des seaux d'eau savonneuse. Les enfants ressentent aussi beaucoup de fierté lorsqu'on leur confie des tâches telles que corder du bois, secouer les carpettes, plier la lessive, trier les matériaux de recyclage, ces tâches étant routinières dans certains services de garde. Les enfants peuvent acquérir le sens du « je suis capable » en maîtrisant ces tâches simples de la vie courante au cours desquelles ils éprouvent la fierté de sentir qu'ils font des tâches valables et développent leur altruisme.

C. Soutenir les enfants qui tentent de répondre à leurs besoins affectifs

En plus de leur capacité de répondre à leurs besoins physiques et d'utiliser des outils de la vie courante, les enfants d'âge préscolaire sont en mesure de répondre à certains de leurs besoins affectifs. Les essais qu'ils font pour prendre soin d'eux-mêmes les aident à éprouver un sentiment de compétence et de contrôle de soi. Par exemple, certains jeunes enfants se réconfortent eux-mêmes au moment de la sieste en cajolant leur ourson en peluche ou un autre jouet apporté de la maison, ou en lisant leur histoire préférée.

Lorsque Jonathan avait besoin de réconfort, il mâchouillait le coin de sa couverture, tant et si bien qu'elle fut bientôt tout effilochée. Son éducatrice l'a alors aidé à remplacer la couverture par un anneau de dentition qui avait une forme spéciale. Il suçait et mâchouillait son « vaisseau spatial » (nom qu'il avait donné à son anneau de dentition) pour passer à travers les événements difficiles de la journée. D'autres enfants recherchent les genoux d'une personne familière ou demandent à une éducatrice de les prendre ou de leur tenir la main lorsqu'ils ont besoin d'être rassurés ou réconfortés. Dans ces moments où ils adoptent des comportements qui ressemblent à ceux des trottineurs, ils ne régressent pas à un stade de développement antérieur, pas plus qu'ils n'adoptent ces comportements pour déranger les adultes. Ils se rappellent tout simplement des moments agréables et des expériences antérieures réconfortantes, et ils les reproduisent pour répondre à leurs besoins affectifs.

Rappelez-vous aussi que les enfants expriment leurs besoins affectifs et les satisfont souvent de façon créative et personnelle. Par exemple, lorsque Johanne, une éducatrice, a dû s'absenter pour une semaine, Nicole, sa collègue, et la remplaçante ont soufflé cinq ballons, un pour chaque jour où Johanne serait absente. Tous les matins suivants, les enfants crevaient un ballon et comptaient combien de jours il restait avant le retour de Johanne. Un jour, Patrick, 4 ans, a creusé un trou dans le gravier dans la cour. « Tu travailles fort pour creuser ce trou, lui a fait remarquer Nicole.
– Je creuse un trou géant pour enterrer Johanne pour qu'elle puisse plus partir encore! » a répondu Patrick.

D'une façon très personnelle, Patrick répondait à ses besoins affectifs. En creusant, il canalisait son ennui et il exprimait de façon concrète le désir de voir Johanne revenir au plus tôt; il se disait qu'elle lui manquait et il le démontrait aux autres.

12.3.4 EXPÉRIENCE CLÉ Exprimer ses sentiments à l'aide de mots

- « C'est dans le ciel que le monde est heureux », dit André à son éducatrice un matin en arrivant.
- « Je hais les 3 ans, dit Chantal. Ils prennent toutes mes affaires. »

Les enfants éprouvent des sentiments dès leur naissance. Ils vivent des émotions et ils répondent à celles des adultes qui les entourent. Cependant, avec le développement du langage et des habiletés

Les enfants d'âge préscolaire veulent agir par eux-mêmes. Chaque fois que cette enfant s'habille elle-même, elle devient plus habile et gagne de la confiance en elle-même.

de représentation, les enfants d'âge préscolaire commencent à exprimer avec des mots ce qu'ils ressentent et ils conçoivent alors leurs émotions d'une façon qui leur était inaccessible auparavant. En plus de pleurer ou de sautiller, par exemple, les enfants sont maintenant capables de distinguer les sentiments les uns des autres et de parler des sentiments qu'ils éprouvent en les nommant : « je suis heureux », « je suis fâché », « j'ai peur », « j'ai de la peine ».

L'expression des sentiments avec des mots est une étape importante pour les jeunes enfants parce qu'elle les aide à maîtriser leurs sentiments et les réactions que ces sentiments déclenchent. Les enfants commencent aussi à se regarder eux-mêmes avec plus de lucidité : « Je m'ennuie de ma mère et de mon père quand ils vont travailler. » Bien que les enfants d'âge préscolaire soient novices dans l'accomplissement de cette tâche, ils expriment souvent leurs émotions avec plus d'habileté que ne le croient les adultes. Voici des moyens pour les éducatrices de soutenir les enfants qui établissent des liens entre les mots et les émotions.

PISTES D'INTERVENTION

A. Établir et maintenir un climat de soutien

Les enfants sont plus susceptibles d'exprimer leurs sentiments lorsqu'ils se sentent en sécurité et en confiance. Pour répondre à ce besoin, les éducatrices doivent mettre en place un environnement psychologique qui soutiendra les enfants. Un tel environnement se caractérise par le partage du pouvoir entre les adultes et les enfants, la mise en valeur des habiletés et des forces des enfants, l'établissement de relations authentiques entre les éducatrices et les enfants, un engagement à soutenir le jeu des enfants et l'adoption d'une approche de résolution de problèmes pour traiter les conflits interpersonnels. Pour intégrer ces éléments dans la vie quotidienne de votre service de garde, vous pouvez revoir les stratégies qui sont décrites à la section 2.2.

B. Reconnaître et accepter les sentiments de l'enfant

Même s'ils ne sont pas capables d'exprimer tous leurs sentiments avec des mots, les enfants d'âge préscolaire expérimentent une grande variété d'émotions. « Des feuilles ! Des feuilles ! » s'exclamait Bertrand jour après jour lorsque les feuilles de l'érable de la cour sont devenues rouges et jaunes à l'automne. Les éducatrices autour de lui ont vu dans son enthousiasme une réponse pertinente de la part d'un jeune enfant placé devant les merveilles des changements saisonniers.

Lorsque les enfants quittent la maison et fréquentent un service de garde ou la maternelle pour la première fois, ils peuvent adopter un comportement amorphe ou encore devenir très fébriles, stimulés à l'excès par les nouveaux jouets, les enfants, les adultes et les événements. Ainsi, Andréa suce son pouce tranquillement en observant les enfants qui jouent dans le bac à sable, tandis que Lyne se déplace rapidement d'une tablette de jouets à une autre. L'hésitation d'Andréa et la fébrilité de Lyne sont typiques des comportements qu'adoptent les enfants d'âge préscolaire pour faire face à un nouvel environnement social.

Pour aider les enfants à se sentir à l'aise, les éducatrices doivent reconnaître que de telles situations constituent les premiers pas du développement social des enfants, et soutenir ces derniers dans leur acclimatation à de nouveaux environnements, à de nouvelles habitudes et à de nouvelles personnes.

Quelquefois, les éducatrices trouvent dérangeantes les réponses émotionnelles des enfants parce qu'elles sont très intenses. Elles peuvent penser que les enfants sont trop excités ou trop soumis. À ces moments-là, il importe de se rappeler que les jeunes enfants expérimentent plusieurs événements pour la première fois. Jusqu'à ce qu'ils deviennent habitués à voir des feuilles changer de couleur, par exemple, ou confiants dans leur habileté à faire la transition entre la maison et le service de garde, leur première réaction peut sembler exagérée. Avec le temps et avec la compréhension des éducatrices, les enfants évolueront, et leurs comportements émotionnels seront plus adaptés pour répondre aux situations quotidiennes avec plus de réserve.

C. Écouter les mots que les enfants utilisent pour nommer leurs sentiments

Lorsque les enfants accolent un mot à une émotion, ce mot les aide à contenir cette émotion en la rendant plus concrète et maîtrisable. Dans un sens, le mot devient une bouée que les enfants peuvent tenir pour mieux maîtriser leur sentiment. En écoutant les mots que les enfants utilisent pour exprimer leurs sentiments, les éducatrices doivent faire preuve de patience et d'attention, ainsi que le démontre Rosalie dans l'exemple suivant. La scène se déroule lors d'une sortie à la caserne de pompiers.

Pour exprimer ses sentiments, l'enfant a besoin que l'éducatrice fasse preuve de soutien, de patience et d'attention.

> Francis pleure, debout à la porte de la caserne de pompiers. Il ne veut pas entrer avec les autres enfants du groupe. « Qu'est-ce qu'il y a ? lui demande Rosalie.
> – Je ne veux pas entrer là-dedans », répond Francis.
>
> Rosalie sait que Francis était très excité à l'idée de visiter la caserne de pompiers, mais elle voit que maintenant il n'est plus certain d'en avoir le goût. « Tu ne veux pas entrer dans la caserne », répond-elle. Après une pause, elle poursuit : « Eh bien ! je peux voir de beaux camions de pompiers d'ici.
> – Je n'aime pas les sirènes... J'ai peur. Elles pourraient partir à sonner, dit Francis en recommençant à pleurer.
> – Je vois... Tu n'aimes pas les sirènes. Tu as peur qu'elles se mettent à sonner pendant que tu es à l'intérieur de la caserne », dit Rosalie.
>
> Francis hoche la tête en signe d'approbation, mais il continue à pleurer. « Les sirènes font un bruit épeurant », dit Rosalie, et elle s'arrête pendant que Francis s'essuie les yeux. Puis, elle ajoute : « Les sirènes sont silencieuses maintenant parce qu'il n'y a pas de feu. »
>
> Francis prend la main de Rosalie. « Viens, entre avec moi, dit-il en serrant un peu la main de Rosalie. Mais si les sirènes partent ?... » Et il s'arrête, hésitant. « Si les sirènes partent, nous ressortirons immédiatement, lui répond Rosalie.
> – O.K. », acquiesce Francis.
>
> Il tient la main de Rosalie tout le temps de la visite. Les sirènes restent silencieuses.

Francis a eu la possibilité de faire lui-même le lien entre les mots « J'ai peur » et une peur précise, et cela lui a permis de passer par-dessus sa peur d'entrer dans la caserne de pompiers. Rosalie, l'éducatrice, l'a aidé ; elle a été patiente avec Francis et lui a accordé le temps dont il avait besoin. De plus, elle a accepté son explication plutôt que d'imposer sa vision des choses ou son interprétation des sentiments qu'éprouvait Francis. Elle ne l'a pas humilié ou contredit. Lorsqu'il lui a dit qu'il avait peur des sirènes, elle a répété ses mots. Le commentaire de Rosalie selon lequel les sirènes étaient à ce moment-là silencieuses a paru éveiller l'initiative de Francis ; ils ont alors établi un plan ensemble pour le cas où les sirènes commenceraient à sonner pendant qu'ils sont à l'intérieur de la caserne. Pour aider les enfants à préciser leurs sentiments dans une situation particulière, il ne suffit pas que l'éducatrice accole ses propres mots aux sentiments et aux émotions qu'elle croit déceler : « Sophie, tu sembles en colère. » Cela demande aussi d'écouter les enfants et de converser avec eux au sujet de leurs préoccupations et de leurs observations. Au cours de ces conversations, les enfants ont la possibilité d'associer des mots tels que « peur », « joie », « peine » à des sensations et à des situations qu'ils expérimentent, puis de décider des comportements qu'ils adopteront.

D. Parler avec les enfants de leurs préoccupations

Parfois, les enfants se rendent au service de garde ou à la maternelle en étant préoccupés par des événements ou des situations qu'ils vivent à la maison : un animal de compagnie se fait heurter par une voiture ; un séjour à l'hôpital s'en vient ; les parents se séparent et la famille éclate ; le père et la mère perdent leur emploi ; les enfants sont témoins de violence ; la grand-mère n'a pas suffisamment d'argent ; une tornade, le verglas, un tremblement de terre ou une inondation frappe la localité ; les enfants sont transportés d'une maison à une autre ; maman a un nouveau bébé. Voilà autant de situations stressantes que les enfants peuvent vivre.

La psychologue Victoria Dimidjian (1986, p. 120, 124) prétend que lorsque les enfants apportent leurs préoccupations de la maison au service de garde ou à la maternelle, l'éducatrice sert

> [...] de médiatrice, elle donne des informations, elle adoucit, elle procure des stratégies pour faire face aux situations, elle est une source de référence et un modèle. [...] L'éducatrice a pour fonction d'adoucir le stress, d'aider l'enfant à reconnaître et à comprendre ses émotions plutôt que de se contenter de les canaliser dans des comportements exubérants. De plus, l'éducatrice attentionnée peut travailler à filtrer les stimuli qui pourraient provoquer des réactions émotionnelles vives chez l'enfant ; de cette façon, les capacités en développement de l'enfant pour faire face à certaines émotions ne sont pas mises à trop rude épreuve.

Bien que les éducatrices ne puissent faire en sorte que « tout aille pour le mieux dans le meilleur des mondes », elles sont susceptibles de procurer du réconfort aux enfants en les laissant s'asseoir sur leurs genoux, en leur prêtant une oreille attentive, en faisant preuve de sympathie dans leurs conversations et en leur permettant de parler des sujets qui les préoccupent. Les enfants en viennent ainsi à dominer les sentiments qu'ils éprouvent et les situations qui les préoccupent au lieu d'y sacrifier une part importante d'énergie et de confiance en soi.

Un jour, Karine s'assoit sur les genoux de Mélanie, son éducatrice, et met ses bras autour de son cou. « Je veux mon papa. Je veux qu'il revienne à la maison, dit-elle.
– Quelquefois, lui répond Mélanie, lorsque je m'ennuie de certaines personnes, je leur écris une lettre. Ça me fait du bien, j'ai l'impression de leur parler. »

Karine reste quelques minutes sur les genoux de Mélanie à réfléchir. Puis, elle se lève en disant : « Je pourrais écrire une lettre à mon papa. Je vais lui dire de revenir à la maison ! » Karine passe le reste de la période d'ateliers libres à « écrire » une lettre à son père.

E. Inciter les enfants à raconter des histoires

Les enfants peuvent aussi exprimer leurs sentiments à travers les histoires qu'ils inventent. Ils inventent souvent de toutes pièces les personnages de leurs histoires, mais les histoires elles-mêmes reflètent généralement des émotions qu'ils ont expérimentées. Voici trois histoires racontées par des enfants :

- « Arianne était la mère et j'étais la grande sœur et j'ai couru parce que la mère s'occupait toujours de la petite sœur. »
- « La baleine était prise dans un piège, pis c'était une grosse baleine. Elle était triste parce qu'elle voulait retourner dans sa maison parce qu'elle s'ennuyait beaucoup de son père. De sa mère aussi. Il y avait des personnes qui couraient après elle et elle avait beaucoup de problèmes. Son nom, c'est Bali-la-baleine. Les parents ont trouvé Bali-la-baleine, mais les personnes couraient toujours après elle et après les parents. Une autre baleine est allée dans la mer pour sauver Bali-la-baleine pis son père pis sa mère. »
- « Le petit garçon a tiré sa voiture dans la grange. Elle était pleine de roches. Il a aidé son père à descendre du foin. Les vaches étaient contentes. Le bébé vache s'appelle Lune-du-printemps. Le petit garçon a donné du lait dans une bouteille à Lune-du-printemps. Elle lui a donné un coup de tête, mais le petit garçon avait des bras très forts. »

12.3.5 EXPÉRIENCE CLÉ Participer aux activités de groupe

Les enfants d'âge préscolaire sont autonomes sur le plan physique, ils aiment communiquer et ils sont capables de prévoir et de représenter les événements à venir. Ils aiment s'engager dans des activités de groupe qui ont une signification pour eux, qui leur permettent d'apprendre activement et qui les associent dans la réalisation d'expériences intéressantes avec des personnes qui les soutiennent adéquatement.

De telles activités de routine soutiennent les initiatives des enfants et les amènent à s'engager avec d'autres personnes. En d'autres mots, si les activités de groupe tiennent compte des décisions et des choix des enfants, elles aideront ces derniers à établir des relations sociales positives et à acquérir une conscience sociale. Voici des moyens concrets que les éducatrices peuvent utiliser pour soutenir la participation des enfants aux activités de groupe.

PISTES D'INTERVENTION

A. Mettre en place des activités de groupe stables

Des activités de groupe stables stimulent la participation des enfants et leur donnent un sentiment de maîtrise et de confiance. Elles permettent aux enfants de prévoir ce qui s'en vient, quand ce sera leur tour, ce que les éducatrices attendent d'eux et quel comportement ils doivent adopter pour répondre à ces attentes. Nous décrivons ci-dessous trois aspects de l'organisation d'un groupe qui stimulent la participation des enfants. Il s'agit de l'horaire quotidien stable, de la répartition des tâches et des consignes de base des éducatrices.

Organiser un horaire quotidien stable

L'horaire quotidien stable inclut des activités variées organisées selon la même séquence tous les jours, par exemple une période d'accueil, une période de planification, une période d'ateliers libres, une période de réflexion, un rassemblement en grand groupe, une période en groupe d'appartenance et une période de jeux extérieurs. Une telle organisation aide les enfants à prévoir avec plaisir les différentes parties de la journée et les activités qu'elles comportent. Cela leur permet de faire des projets en fonction de leurs champs d'intérêt et d'agir en fonction de ces derniers. Certains parents avouent même que, dans un pareil contexte, les enfants élaborent les projets qu'ils veulent réaliser pendant la journée alors qu'ils sont à la maison ou en route pour le service de garde ou la maternelle.

Cette participation active se produit lorsque les enfants ont expérimenté un déroulement stable, prévisible et qui les soutient dans leurs apprentissages. (Pour des stratégies plus détaillées au sujet de l'horaire quotidien, consulter le chapitre 6.)

Organiser la répartition des tâches

Les jeunes enfants aiment prendre la responsabilité de tâches qui sont normalement réalisées par les adultes. Ils veulent distribuer les serviettes de table, nourrir le poisson ou essuyer la table, et ils ne comprennent pas pourquoi ils ne pourraient pas accomplir ces tâches tous les jours. Des tableaux de tâches aident les enfants à prévoir le moment où ce sera leur tour d'accomplir ces tâches de la vie courante. Par exemple, en lisant les pictogrammes du tableau de tâches, Hélène comprend que même si elle n'a pas de tâche à accomplir aujourd'hui, demain ce sera son tour de distribuer les serviettes de table à la collation. En établissant un processus démocratique et connu de tous de rotation des tâches communautaires, les éducatrices aident les enfants à participer aux activités de routine même lorsque ce n'est pas leur tour. Ils commencent ainsi à élaborer une image d'eux-mêmes et des autres comme étant des agents qui contribuent à la vie du groupe.

Avoir des attentes raisonnables

Lorsque le groupe est géré en fonction de consignes de participation stables, les enfants adoptent spontanément les comportements qu'on attend d'eux à certains moments de la journée ou pour certaines activités. Les jeunes enfants sont plus susceptibles de participer aux activités habituelles du groupe lorsque les attentes à leur égard sont réalistes et cohérentes, qu'ils peuvent comprendre les exigences des adultes et les réaliser. La nature exacte des consignes mises en place dans chacun des milieux éducatifs varie de l'un à l'autre. Ce qui importe, c'est que les éducatrices se soient entendues sur des consignes communes, que ces consignes soient les mêmes tous les jours, qu'elles soient appliquées de la même façon par toutes les éducatrices, et qu'elles conviennent à l'âge des enfants du groupe. Voici des exemples d'attentes raisonnables :

- Chaque enfant se choisit un livre à lire jusqu'à ce que tous les enfants soient arrivés.

- À l'accueil, les enfants consultent le tableau des messages pour voir s'il y aura des visiteurs ou si de nouveaux jouets ont été ajoutés dans le local.
- Les enfants se lavent les mains avec du savon après être allés aux toilettes.
- Les enfants portent un tablier pour peindre ou pour travailler avec des matériaux salissants.
- Lorsqu'un enfant a fini sa collation, il rejoint les autres enfants aux activités du rassemblement en grand groupe.
- Les enfants rangent dans leur casier personnel les objets qu'ils comptent apporter à la maison.

(Pour plus d'information sur les consignes de la vie courante, revoir la sous-section 4.3.4.)

B. Placer l'apprentissage actif au cœur des activités de groupe

Les jeunes enfants participent volontiers et avec beaucoup d'enthousiasme aux activités habituelles du groupe qui sont créées en fonction de leur désir d'apprendre d'une façon active. Aussi, pendant toutes les périodes de la journée, assurez-vous que les enfants ont du matériel à manipuler et suffisamment de temps pour faire des choix et prendre des décisions. De plus, soyez certaine qu'ils ont le temps de parler de ce qu'ils font, qu'ils ont la possibilité d'observer et qu'ils reçoivent un soutien attentif de l'éducatrice pour les efforts qu'ils font. (Vous pouvez revoir aux chapitres 7 et 8 des méthodes permettant d'inclure l'apprentissage actif pour chaque période de la journée.) Il importe aussi que les activités habituelles du groupe donnent l'occasion aux enfants de faire des choix lorsque leur tour arrive. Par exemple, quand Jérôme a distribué les serviettes de table à la collation, il en a placé une sur la tête de chacun des enfants. Le lendemain, Mimi a placé les serviettes de table sur le bord de la table. Lorsque ça a été le tour de Claude, il s'est assis à sa place et a fait glisser les serviettes sur la table vers chacun des enfants du groupe.

Une autre stratégie importante à appliquer pour promouvoir l'apprentissage actif consiste à maintenir des consignes de groupe cohérentes tout en permettant aux enfants d'agir à leur rythme et de faire des choix. Par exemple, tous les jours nous demandons aux enfants de ranger les jouets. La façon dont ils répondent à cette exigence, toutefois, peut varier. Certains enfants vont ranger méthodiquement un jeu ou un jouet après avoir fini de l'utiliser et avant d'en utiliser un autre. Le jeu d'autres enfants étant plus fluide – un projet en amène un autre –, ils ne rangeront pas le jeu ou le jouet avant que la période d'ateliers libres soit terminée. Certains enfants vont ranger docilement les jouets tandis que d'autres ont besoin d'être stimulés par de la musique ou par un jeu. Dans tous les cas, cependant, pour faire appliquer les consignes avec constance, les éducatrices auront besoin de temps, de patience et devront avoir la conviction que même si l'apprentissage actif peut sembler inefficace par moments, à long terme il représente une approche valable et gratifiante tant pour les éducatrices que pour les enfants.

C. Mettre l'accent sur les champs d'intérêt, les projets, les habiletés et les forces des enfants

Même si les éducatrices sont patientes et que plusieurs choix sont présentés aux enfants, certains enfants sont parfois réticents à se joindre aux activités du rassemblement en grand groupe, à accomplir certaines tâches ou à ranger leurs jouets. À ces moments-là, faites savoir à l'enfant réfractaire qu'il sera le bienvenu dans le groupe lorsqu'il aura terminé son activité, et concentrez vos efforts sur les enfants qui sont pleins d'énergie et d'idées pour participer aux activités du rassemblement, sur ceux qui rangent les jouets ou qui sont prêts à participer aux tâches.

Généralement, les enfants sont des êtres sociables. Ils veulent participer aux activités du groupe et se joindront à celles-ci pour voir ce qui s'y passe. Lorsqu'ils refusent de participer, c'est souvent dans le but de vous transmettre un message à propos d'eux-mêmes ou de l'activité en cours. Par exemple, leur résistance peut être le signe qu'ils sont fatigués ou tout simplement qu'ils ont besoin d'un moment de tranquillité à l'écart des autres. Cela peut également être une façon de vous dire que quelque chose les dérange et que vous devriez trouver du temps pour avoir une conversation en tête-à-tête avec eux. Mais leur refus de participer est parfois aussi une manière de vous dire que l'activité que vous avez planifiée pour la période en groupe d'appartenance, par exemple, ne les intéresse pas. Prenons l'exemple de Mathieu. Il s'est couché sur le plancher quelques minutes pendant la période en groupe d'appartenance au cours de laquelle les enfants ont découpé dans des revues. Par la suite, il s'est approché de l'éducatrice et lui a dit: « Je veux pas découper. Je veux déchirer. » Devant l'acceptation de l'éducatrice, Mathieu a rejoint le petit groupe et il a commencé à déchirer des photos dans les revues pendant que les autres enfants continuaient à découper avec des ciseaux.

12.3.6 EXPÉRIENCE CLÉ Être sensible aux sentiments, aux intérêts et aux besoins des autres

Dès l'âge de 3 ans, les enfants peuvent être sensibles aux sentiments, aux intérêts et aux besoins des autres. Ils peuvent observer d'autres enfants et comprendre ce qu'ils ressentent, imaginer ce qu'ils désirent et répondre par des gestes aidants. D'après les psychologues Charles McCoy et John Masters (1985, p. 1214):

> Les jeunes enfants peuvent reconnaître les émotions des autres enfants, avoir des idées communes sur la façon dont les expériences influencent l'affect, et ils sont souvent poussés à intervenir dans les états d'âme des autres.

Les enfants peuvent exercer ces capacités parce qu'ils possèdent les habiletés à représenter et à faire semblant. Comme l'observe le psychologue Paul Harris (1989, p. 55), cette habileté de représentation

> [...] permet aux enfants de s'engager dans une compréhension des états d'âme des autres. Puisqu'ils sont capables de faire des jeux de rôles, ils sont capables d'imaginer qu'ils désirent quelque chose qu'ils ne veulent pas vraiment. Ils peuvent aussi imaginer qu'ils croient quelque chose qu'ils ne croient pas vraiment. Suivant ces prémisses du faire-semblant, ils peuvent transférer ces habiletés pour imaginer les réactions émotionnelles d'une autre personne, même lorsqu'ils ne ressentent pas un tel désir ou ne partagent pas une telle croyance.

De plus, il faut se rappeler que les jeunes enfants éprouvent des émotions depuis le début de leur vie. La plupart des enfants d'âge préscolaire, par exemple, vivent de l'anxiété lorsque leur mère quitte la pièce dans laquelle ils se trouvent, lorsqu'elle va faire des courses ou qu'elle va travailler, et ils comprennent facilement les autres enfants qui s'ennuient de leur mère.

En développant et en mettant à profit cette sensibilité, vous permettez aux jeunes enfants d'interagir positivement avec les autres et d'élargir leurs perspectives, qui sont souvent centrées sur eux-mêmes. En outre, les enfants qui reconnaissent les émotions éprouvées par les autres enfants et qui y répondent tendent à établir et à maintenir des relations d'amitié durables avec leurs pairs. Voici maintenant des méthodes que les éducatrices peuvent utiliser pour soutenir la sensibilité démontrée par les enfants face aux émotions des autres et pour appuyer leur sens des responsabilités naissant.

PISTES D'INTERVENTION

A. Réagir face aux sentiments, aux besoins et aux intérêts des enfants

Nous savons que les enfants d'âge préscolaire ont la capacité de répondre aux sentiments qu'expriment les autres. Nous savons aussi qu'ils sont plus susceptibles d'adopter un tel comportement lorsque les adultes qui les entourent les traitent de façon attentionnée et chaleureuse. En démontrant de la sensibilité, de la chaleur et de l'attention aux enfants, les éducatrices créent une atmosphère de confiance et de sécurité. Lorsqu'elles répondent de façon appropriée aux sentiments, aux intérêts et aux besoins des enfants, elles les aident à se sentir en sécurité et à avoir confiance; en retour, cela montre aux enfants à prendre soin des autres.

Dans le présent ouvrage, nous suggérons de nombreuses pistes d'intervention pour répondre aux intérêts des enfants. Par exemple, les éducatrices répondent à ces intérêts lorsqu'elles encouragent les enfants à faire des choix et à prendre des décisions, qu'elles incluent le processus de planification-action-réflexion dans leur horaire quotidien, qu'elles entreprennent des activités qui stimulent l'apprentissage actif, qu'elles imitent les jeux des enfants, qu'elles laissent les enfants diriger la conversation et qu'elles écoutent attentivement ce qu'ils ont à dire. Les éducatrices répondent aux sentiments et aux besoins des enfants lorsqu'elles créent un climat de soutien dans lequel elles partagent le pouvoir avec ceux-ci, qu'elles mettent en valeur les forces et les habiletés des enfants, qu'elles établissent des relations authentiques, qu'elles soutiennent les jeux des enfants et

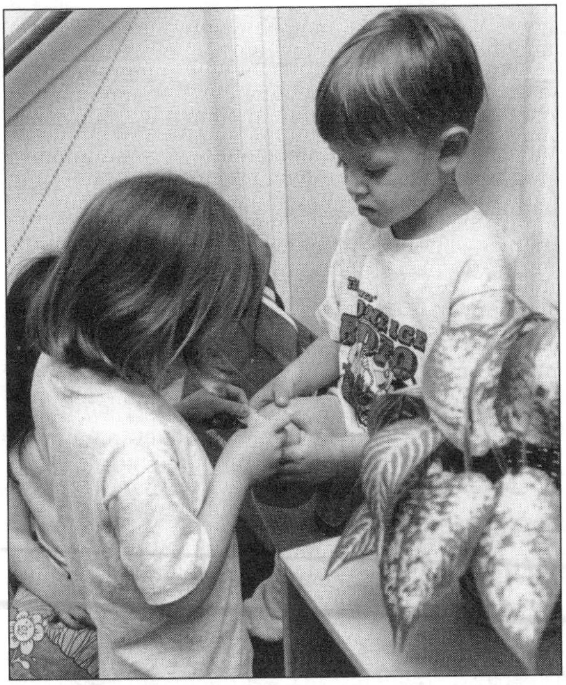

Cette enfant réconforte son ami et soigne l'écorchure qu'il s'est faite au genou.

qu'elles adoptent une approche de résolution de problèmes pour traiter les conflits interpersonnels. (La section 2.2 contient une description complète des stratégies qui concernent particulièrement ce sujet.)

Finalement, il importe que les éducatrices répondent positivement aux enfants même quand ceux-ci expriment leurs sentiments et leurs besoins d'une façon déplaisante. Jessica, par exemple, suit son éducatrice comme son ombre. Pierre s'accroche à son éducatrice. Marc boude tandis que Véro parle sans arrêt toute la journée. Ces enfants cherchent tous l'attention et le réconfort de l'éducatrice ; dans de tels cas, elle doit s'assurer qu'ils reçoivent cette attention et ce réconfort. Même si cela demande à l'éducatrice du temps, de l'ingéniosité et de l'humour pour répondre à des enfants qui ont des comportements dérangeants, il est plus efficace d'y répondre que de refuser d'accorder de l'attention. En donnant aux enfants l'attention dont ils ont besoin, nous les libérons de ce qu'ils ont sur le cœur, ce qui leur permet par la suite de s'engager dans des interactions plus satisfaisantes. Voici comment une éducatrice a accompagné Pierre :

Pierre entre dans le local, enlève son manteau, va retrouver l'éducatrice et lui saute au cou.
L'ÉDUCATRICE. – Bonjour, Pierre. (Elle s'agenouille près de lui et le serre dans ses bras.)
Pierre met ses bras autour du cou de l'éducatrice.
L'ÉDUCATRICE. – Tu peux m'aider à accueillir les autres enfants et leurs parents.
Pierre reste aux côtés de l'éducatrice.
L'ÉDUCATRICE. – (Elle parle à chaque enfant et aux parents qui arrivent tout en maintenant un contact avec Pierre quand elle bouge.) Tous les enfants sont arrivés, Pierre. Nous pouvons nous rendre au coin de la lecture et de l'écriture pour l'accueil.

Ils marchent main dans la main et s'assoient auprès de Jean-Luc, un enfant avec qui Pierre joue parfois. Pierre s'assoit sur les genoux de l'éducatrice pendant toute la période d'accueil. Il se dirige vers l'activité de planification en tenant la main de l'éducatrice. Une fois sur place, il s'assoit sur une chaise à côté de l'éducatrice de telle sorte qu'il puisse s'appuyer sur elle. L'éducatrice met son bras autour de son épaule chaque fois que c'est possible. Elle fait la planification avec tous les enfants. Pierre est le dernier à s'exécuter.

L'ÉDUCATRICE. – Et toi, Pierre ? Qu'est-ce que tu voudrais faire aujourd'hui ?
PIERRE. – (Il regarde autour de lui et pointe le doigt vers le bac à sable où Jean-Luc est en train de jouer.) Jouer là.
L'ÉDUCATRICE. – Jouer là.
PIERRE. – Jean-Luc a une auto.
L'ÉDUCATRICE. – Jean-Luc joue avec une auto dans le sable.
PIERRE. – Je vais en prendre une pour moi. (Il regarde l'étagère où sont rangées les autos.)
L'ÉDUCATRICE. – Je vais venir te voir jouer dans le sable avec ton auto quand tu auras commencé à jouer.
PIERRE. – O.K. Je vais aller te chercher.
L'ÉDUCATRICE. – Je vais venir te voir jouer quand tu vas venir me chercher alors.
Pierre se dirige vers l'étagère, se choisit une auto et va au bac à sable pour jouer.

Ce rituel s'est répété pendant quelques semaines. Petit à petit, Pierre est devenu plus autonome et il a commencé à s'amuser avec d'autres enfants. Il a appelé son éducatrice lorsqu'il avait besoin d'elle ou tout simplement pour se rassurer de temps en temps. Un jour, Pierre a été le premier à faire la planification. « Pierre, c'est vraiment facile pour toi de faire la planification maintenant », a remarqué son éducatrice en pensant à la démarche que Pierre avait réussie depuis quelque temps. « Ouais », a-t-il répondu en se dirigeant vers le coin des blocs.

Les jeunes enfants prennent soin les uns des autres

L'éducateur William Ayers (1989, p. 71) raconte l'histoire d'un enfant de 2 ans, Charles-André, et de deux enfants de 4 ans, Henri et Maxime :

> À sa troisième journée au service de garde, la mère de Charles-André trouvait qu'il semblait assez à l'aise pour qu'elle puisse partir. Charles-André lui a fait un signe de la main par la fenêtre. Henri a alors pris la main de Charles-André, sans qu'un adulte le lui suggère, et il l'a conduit au coin des blocs. Pendant qu'ils commençaient une construction, Henri a dit : « Ils reviennent toujours. » Maxime a ajouté : « Des fois je m'ennuie, mais je sais que c'est correct. » Charles-André observait les deux garçons. Lorsqu'il a terminé sa sieste, Henri s'est approché de lui gentiment et a dit : « Aujourd'hui, c'était ta première sieste. » Maxime a ajouté : « Et tu es encore ici. »

B. Reconnaître les manifestations d'empathie des enfants et les commenter

Un moyen efficace de soutenir le développement de la sensibilité des enfants face aux autres est de commenter leurs efforts lorsque vous en avez l'occasion et que vous les voyez se produire :

- Un groupe de fillettes joue à la mère dans le coin de la maisonnette. Lorsqu'un de leurs « bébés » se met à pleurer, elles lui donnent la fessée. En entendant le vacarme que cela provoque, Annie, une enfant de 4 ans qui joue dans le coin des blocs, lève la tête et dit : « Je la prendrais dans mes bras, si ma fille pleurait fort comme ça. » L'éducatrice, qui a entendu ce commentaire, répond à Annie : « Oui, c'est une bonne façon d'aider un bébé qui pleure à se sentir mieux. »
- Pierre et Bertrand jouent dans le bac à eau. Hélène les rejoint. Ils soulèvent tous un peu d'eau. « Oh ! Oh ! », dit Pierre en remarquant qu'Hélène ne porte pas de tablier imperméable comme lui et Bertrand. « Attends, je vais aller te chercher un tablier. » Le jeu s'arrête pendant que les deux garçons aident Hélène à revêtir son tablier. « Vous avez aidé Hélène à mettre son tablier pour ne pas qu'elle se mouille », a commenté l'éducatrice en rejoignant les enfants au bac à eau. « Vous avez aidé votre amie. »
- « Ferme ta gueule ! » dit Karine à Michel. « Dis-moi pas ça ! J'aime pas ça ! » répond Michel. Puis, après une pause, il ajoute : « Tu peux dire "Tais-toi". » Karine regarde Michel et elle lui dit : « Tais-toi. » L'éducatrice, qui est témoin de cette scène, fait ce commentaire aux deux enfants : « Michel, tu as dit à Karine comment tu te sens quand elle utilise certains mots, et toi, Karine, tu as écouté Michel. »

Lorsque les éducatrices décrivent aux enfants leurs réactions face aux sentiments comme dans les exemples précédents, elles sont plus susceptibles de renforcer les capacités des enfants d'être empathiques et d'être aidants avec leurs amis.

C. Soutenir les enfants lorsqu'ils s'inquiètent de l'absence d'un membre du groupe

Lorsqu'un membre du groupe s'absente – que ce soit un adulte ou un enfant –, les enfants expriment souvent de l'inquiétude. Il importe de reconnaître ce sentiment et de parler avec les enfants de l'absence qui les préoccupe. Ainsi, on peut se demander ce que la personne absente penserait de la chanson que l'on vient de chanter ou du projet que l'on vient d'élaborer, ou encore de quelle façon on peut faire savoir à la personne absente que l'on pense à elle. Ces conversations aident les enfants à nourrir une relation affective avec des personnes qui ne se trouvent pas dans leur entourage immédiat. Par exemple, Solange et les enfants de son groupe d'appartenance sont en train de glacer des biscuits et ils pensent à Tina, une enfant de 3 ans, qui reste chez elle pour soigner sa jambe cassée.

CHARLES. – Ce biscuit-là est brisé... comme la jambe de Tina !
L'ÉDUCATRICE. – J'ai rendu visite à Tina, hier.
MARC. – As-tu vu sa jambe ?
LYNE. – Est-ce qu'elle est encore cassée ?
L'ÉDUCATRICE. – Sa jambe est dans un plâtre et elle est en train de guérir. Je me demande ce qu'elle dirait de nos biscuits.
GEOFFROY. – Elle aime ça, les biscuits.
CHARLES. – Elle aime le glaçage encore plus !... On pourrait en garder pour elle.
ÉLIANE. – Sa mère pourrait lui en apporter. Je le sais parce que ma mère a parlé à sa mère.

12.3.7 EXPÉRIENCE CLÉ Créer des liens avec les enfants et les adultes

Soutenus par les liens familiaux qu'ils ont expérimentés durant leurs premières années et par leurs sentiments grandissants de confiance en soi, d'autonomie et d'initiative, les enfants d'âge préscolaire recherchent et valorisent les relations interpersonnelles avec leurs pairs et avec les adultes en dehors de leur famille. Selon Hartup (1986, p. 15), les enfants d'âge préscolaire sont motivés à établir et à maintenir « des relations sociales avec d'autres enfants (un défi particulier à cet âge), de même que des interactions efficaces et autonomes avec leurs éducatrices (un autre défi à cet âge) ».

Les relations que les enfants d'âge préscolaire établissent avec leurs pairs leur fournissent des avantages appréciables : du soutien dans un environnement nouveau, l'occasion de jouer avec un partenaire, des expériences pour diriger des jeux ou suivre les jeux amorcés par d'autres, l'occasion de faire des suggestions, de mettre leurs idées à l'épreuve, de négocier et de faire des compromis. Comme le mentionnent Hartup et Moore (1990, p. 2) :

> De nombreux exemples tendent à prouver que les relations entre les pairs contribuent à la santé mentale au cours de l'enfance et dans les étapes subséquentes de la vie. Les éléments des relations entre les enfants qui sont jugés responsables de cet effet sont l'équivalence du développement des enfants et de leurs compagnons de jeux et la nature égalitaire de leur interaction.

Le désir qu'éprouvent les enfants d'établir des relations avec leurs pairs vaut la peine d'être soutenu. Les relations interpersonnelles qu'ils établissent avec leurs éducatrices ou les personnes qui sont responsables d'eux sur une base régulière peuvent amener les enfants à se percevoir comme des êtres compétents et favoriser leur bien-être, pour autant que les adultes en cause comprennent et soutiennent les niveaux de développement des enfants, qu'ils permettent à ces derniers de fonctionner comme des apprenants actifs et qu'ils partagent le pouvoir avec eux plutôt que de tenter de les dominer ou de les ignorer. Voici des stratégies que les éducatrices peuvent utiliser pour aider les enfants à élargir leur cercle de relations à l'extérieur de leur famille.

PISTES D'INTERVENTION

A. Établir des relations de soutien avec les enfants

Les éducatrices qui favorisent l'apprentissage actif établissent avec les enfants des relations authentiques basées sur la réciprocité. Ce type de relations peut avoir un effet sur toute la vie future de l'enfant. D'après les psychologues Alan Sroufe et June Fleeson (1986, p. 68) : « Les premières relations que l'enfant établit fixent les attentes qu'il aura dans ses relations futures. Ces attentes orientent les relations. » Lorsque les éducatrices traitent les enfants avec chaleur et respect, ces derniers tiennent pour acquis que les autres feront de même et, très souvent, ces attentes ont des répercussions telles que la prédiction des enfants se réalise.

Dans le chapitre 2, nous avons présenté diverses stratégies que les éducatrices peuvent utiliser pour établir des relations positives avec les enfants. La compréhension et la mise en œuvre des stratégies décrites à la section 2.2 forment la base des relations de soutien entre les éducatrices et les enfants qui sont essentielles au processus d'apprentissage au préscolaire. De plus, il importe de faire preuve d'amabilité avec les enfants et de converser avec eux d'une façon authentique.

Traiter les enfants avec amabilité

Selon les psychologues Susan Holloway et Marina Reichhart-Erickson (1988, p. 41) :

> Les enfants ont de meilleures chances de devenir socialement compétents lorsque leur éducatrice entre en relation avec eux d'une façon amicale, polie et attentionnée, et lorsque les stratégies disciplinaires n'entraînent pas d'abus ou d'humiliation.

Puisque les enfants imitent les adultes, ceux qui sont respectueux, attachants, attentionnés et affectueux représentent des modèles de comportements positifs que les enfants pourront choisir d'imiter dans leurs relations avec les autres.

Les expériences indiquent qu'il est plus facile pour les adultes d'être compréhensifs avec les enfants lorsque les choses vont bien que lorsque celles-ci vont mal. Parfois, par exemple, les enfants s'invectivent ou utilisent un langage vulgaire. Dans ces situations, il est nécessaire d'intervenir d'une façon neutre auprès de l'enfant qui adopte un tel comportement. Par exemple : « Je ne veux pas que tu utilises ce mot, Jeanne, parce que ça blesse Michael quand tu lui parles ainsi. Je ne veux pas non plus que personne te parle ainsi. » Lilian Katz et Diane McClellan (1991, p. 30) notent ceci :

> Bien qu'il ne soit jamais nécessaire d'être méchant, d'insulter ou d'humilier un enfant, il est parfois nécessaire d'être ferme ou même strict dans un contexte d'un à un avec un enfant. Les enfants ne seront pas blessés ou brimés par la fermeté des adultes qui montrent clairement qu'ils les respectent, qui expriment leurs sentiments et avec qui ils ont déjà établi une relation positive.

Parfois, aussi, les éducatrices sont irritables ou en colère. Dans ces cas, elles doivent soit s'éloigner des enfants, se recentrer afin de redevenir attentionnées face à eux et faire preuve de patience et d'amabilité, soit tout simplement exprimer les sentiments qu'elles éprouvent. Par exemple : « Je me sens trop fatiguée en ce moment pour jouer à l'ambulance, je vais aller me reposer dans le coin de la lecture et de l'écriture. » Les adultes trouvent que les jeunes enfants sont dans certaines circonstances méchants envers leurs pairs ou dérangeants, mais cela est dû à leur âge et à leur inexpérience. Ils doivent accepter cet état de fait, mais ils doivent surtout comprendre que leurs propres comportements d'irritation ont des conséquences négatives pour les enfants et qu'ils doivent être évités à tout prix.

Avoir des conversations authentiques avec les enfants

Les conversations honnêtes et sincères, plutôt que didactiques ou artificielles, aident les enfants à établir avec les adultes des relations qui sont basées sur la confiance :

> L'ENFANT. – Il y a une lumière en haut de la tour.
> L'ÉDUCATRICE. – Ah ! oui, je la vois. Je me demande pourquoi elle est allumée.
> L'ENFANT. – Elle arrose un peu.
> L'ÉDUCATRICE. – La lumière est allumée parce qu'elle arrose...
> L'ENFANT. – Elle arrose... C'est mouillé.
> L'ÉDUCATRICE. – Oh, la lumière s'allume quand c'est mouillé.
> L'enfant fait des gestes avec ses doigts pour imiter la pluie qui tombe.

Au cours d'une conversation comme celle-là, l'éducatrice ne fait pas la leçon à l'enfant, elle ne le ridiculise pas et ne l'agace pas non plus. Elle attend plutôt de façon respectueuse la contribution de l'enfant à la conversation et elle lui démontre de l'intérêt pour qu'il poursuive cette conversation.

Les conversations authentiques ont lieu lorsque les éducatrices se placent physiquement au niveau des enfants, qu'elles écoutent attentivement ce qu'ils racontent, qu'elles leur laissent le leadership de la conversation, qu'elles acceptent les pauses des enfants et leur expression non verbale, et qu'elles apprennent et reconnaissent les intérêts de chacun des enfants. (Voir la sous-section 11.2.1.B. pour obtenir plus de détails au sujet de ces stratégies.) Les enfants sont aussi stimulés lorsque les éducatrices répondent attentivement à leurs intérêts, qu'elles leur donnent un feed-back précis, qu'elles posent des questions sincères et qu'elles répondent à leurs questions avec honnêteté. (Voir la sous-section 2.2.3 pour trouver des exemples détaillés de ces stratégies.)

Si les éducatrices n'écoutent pas

Selon les éducateurs David Wood, Linnet McMahon et Yvonne Cranstoun (1980, p. 65) :

> Lorsque 24 praticiens ont écouté les transcriptions de leurs conversations (des conversations entre eux et des enfants), les caractéristiques prédominantes des enregistrements qu'ils ont notées étaient la tendance à ignorer les enfants, à parler en même temps qu'eux et à déterminer le déroulement des activités de façon autoritaire. Plusieurs étaient étonnés, voire épouvantés, par l'effet dévastateur que leurs propres questions avaient sur leur attention à ce que les enfants disaient.

Un plaidoyer en faveur de la stabilité

Carolee Howes (1987, 1988) a mené de nombreuses recherches sur les relations interpersonnelles des enfants; elle plaide en faveur d'un entourage stable qui permette aux enfants de construire des relations qui les aident à développer leur compétence sociale. Voici certains passages à l'appui de sa thèse:

> Les enfants qui créent des liens étroits avec la personne qui leur dispense des soins sur une base régulière sont susceptibles, toutes choses étant égales par ailleurs, d'être plus compétents socialement que leurs pairs [...]. L'enfant qui a affaire à une série de personnes de référence différentes peut perdre de la motivation à s'engager dans des relations sociales. Puisque l'intérêt pour la socialisation avec les pairs représente une des premières tâches à réaliser dans le développement de compétences sociales avec des pairs, l'enfant qui expérimente de l'instabilité au regard des personnes qui en ont la responsabilité risque d'établir des relations pauvres avec ses pairs. (Howes, 1987, p. 157.)

> La stabilité du groupe de pairs s'accroît lorsque les enfants nouent des liens d'amitié. Des relations spécifiques avec des pairs sont fondées sur la présence continue des partenaires. (*Ibid.*, p. 159.)

> La stabilité des amitiés parmi les enfants de cet échantillon laisse penser que les enfants qui ont maintenu des relations étroites avec les mêmes pairs peuvent recevoir un soutien affectif de ces derniers. Les enfants qui ont maintenu la plupart de leurs relations d'amitié semblaient plus compétents socialement que les enfants qui avaient perdu leurs amis à cause d'une séparation. (*Ibid.*, p. 67.)

B. Organiser des groupes stables d'enfants et d'adultes

Pour établir des relations interpersonnelles significatives, il faut du temps. Les amitiés et les associations étroites grandissent lentement au fil des interactions quotidiennes et des expériences avec les mêmes personnes. Lors d'une étude sur les relations entre pairs, le psychologue Robert Hinde et ses collègues (Hinde et autres, 1985, p. 234) ont passé du temps dans

> un milieu d'éducation préscolaire où l'organisation ne stimulait que modérément la formation de relations amicales. Bien que le programme fût excellent, plusieurs enfants ne fréquentaient le service que deux ou trois matins par semaine et ne rencontraient pas toujours les mêmes enfants à chaque visite. En étudiant les relations entre ces enfants, nous avons pu constater qu'il y avait peu de relations amicales solides, plusieurs liens passagers et un grand nombre d'associations temporaires.

Pour construire des relations interpersonnelles en dehors de leur cercle familial, les jeunes enfants ont besoin d'un entourage stable de pairs et d'adultes. Concrètement, cela implique de maintenir une équipe d'éducatrices stable. Bien que des stagiaires, des remplaçantes ou des bénévoles puissent effectuer de courts séjours auprès des enfants, le cœur de l'équipe d'éducatrices qui interviennent quotidiennement avec le même groupe d'enfants devrait être stable. Des pratiques telles que des équipes en rotation s'effectuent au détriment du climat de confiance dont les enfants dépendent pour approfondir leurs relations interpersonnelles et leurs apprentissages. Afin de soutenir les relations naissantes des enfants, il importe que les groupes d'enfants soient les mêmes tous les jours et que les heures de fréquentation soient également les mêmes.

C. Être à l'affût des relations entre les enfants

Pour soutenir les relations entre les enfants, les éducatrices tentent aussi d'être à l'affût des relations qui s'établissent entre les enfants du groupe ou qui sont sur le point de naître entre eux. Quel enfant semble rechercher la présence de quel copain pour obtenir du réconfort, pour parler ou pour jouer? Parmi les comportements que vous pouvez observer, soyez particulièrement attentive au partage d'objets et aux discussions entre pairs; prêtez attention aux enfants qui s'assoient les uns à côté des autres, à ceux qui s'associent pour des jeux de rôles, qui travaillent aux mêmes activités et qui font des projets ensemble. Voici des exemples de tels comportements:

- **Partager des objets**
  Martine voit que Chantal pleure. Alors, elle lui offre de jouer avec le tricycle qu'elle conduit.
- **Parler ensemble**
  JEAN-JACQUES. – Regarde mes souliers neufs.
  MARC. – Ils sont rayés.
  JEAN-JACQUES. – Des rayures de course… ils courent vite.
  MARC. – Yé !
- **S'asseoir les uns à côté des autres**
  Patricia et Tania lisent un livre ensemble, assises sur un pouf.
- **S'associer pour des jeux de rôles**
  ALEXANDRE. – On va faire semblant que le bleu, c'est de l'eau !
  PIERRE. – Et il y a des serpents là-bas… et des monstres.
  ALEXANDRE. – Il faut rester ici, sinon ils vont nous mordre !
- **Travailler aux mêmes activités**
  Karine et Rachel sont assises à la table du coin des arts plastiques. Elles roulent de la pâte à modeler et chantent ensemble.
- **Faire des projets ensemble**
  « Moi et Alex, on va faire des bandes dessinées… comme on a fait l'autre jour. »

Il importe aussi de se rappeler que les jeunes enfants n'interagissent pas continuellement avec d'autres. Comme le souligne Hartup (1983, p. 173) : « Les enfants d'âge préscolaire passent une bonne partie de leur temps isolés ou sans établir de contact avec d'autres enfants. » Les éducatrices ne doivent donc pas s'inquiéter lorsqu'un enfant choisit de jouer seul ou à côté d'un autre enfant sans entrer en communication avec ce dernier. En fait, les enfants ont besoin de temps pour faire des activités par eux-mêmes, spécialement dans un service éducatif qu'ils fréquentent pendant une journée complète où la stimulation continuelle des personnes qui les entourent peut les accabler.

D. Suggérer à un enfant de se faire aider par un autre

Si vous encouragez les enfants à demander de l'aide à leurs pairs pour résoudre des problèmes, vous les aiderez à établir avec les autres des relations empreintes de confiance :

- Amélie jouait avec des bigoudis munis d'une bande élastique. Elle avait essayé très fort de défaire la bande élastique, mais elle ne pouvait pas en même temps tenir le rouleau et défaire l'élastique. « Mélanie, a-t-elle dit à son éducatrice, je ne suis pas capable de défaire ça.
  – J'ai vu Hélène le faire hier, a répondu l'éducatrice. Je pense qu'elle pourrait t'aider. » Amélie est allée retrouver Hélène, et celle-ci lui a montré comment faire.
- Un matin, Thierry est arrivé au service de garde en annonçant : « Mélanie, mon poisson a eu des bébés !
  – C'est une excellente nouvelle, s'est exclamée son éducatrice. En as-tu parlé à Timothé ? Son poisson a eu des bébés dernièrement, lui aussi. »

Les éducatrices peuvent adresser les enfants les uns aux autres en plusieurs occasions au cours de la journée. Par exemple, quand un enfant veut jouer avec un autre, vous pouvez leur proposer à tous deux de faire un plan ensemble et de venir vous faire part de leur projet par la suite. Encouragez les enfants à rajouter des éléments aux histoires racontées par l'un d'eux, à demander de l'aide durant les périodes d'ateliers libres ou à répondre aux questions d'un autre enfant. Lorsque les éducatrices suggèrent aux enfants de s'adresser à d'autres enfants, ceux qui ont besoin d'aide ou qui désirent converser commencent à établir des relations basées sur des besoins mutuels et sur le respect des habiletés des autres.

12.3.8 EXPÉRIENCE CLÉ Concevoir et expérimenter le jeu coopératif

Les relations que les enfants établissent avec les autres conduisent parfois à des jeux coopératifs, c'est-à-dire des jeux dans lesquels ils font ou construisent quelque chose ensemble et qui requièrent les habiletés, les idées et la contribution de chaque participant. Par exemple, pour créer un orchestre, pour monter un objet lourd en haut d'une échelle ou pour faire semblant de travailler dans un bureau, les enfants ont besoin du soutien d'au moins un autre pair qui pense dans le même sens qu'eux. Cependant, le fait de former une équipe ou un groupe et de soutenir les partenaires de jeu ne constitue pas une tâche facile. Cela demande des compétences sociales, de l'intentionnalité, le désir de se faire des amis et la capacité d'assumer l'idée du « nous » plutôt que celle du « moi ».

Dans leur étude d'enfants âgés de 4 à 6 ans, les psychologues Rina Das et Thomas Berndt (1992, p. 224) ont découvert que lorsque les jeunes enfants recherchent des compagnons de jeu, ils se basent sur des critères de comportements sociaux positifs, dont ceux-ci :

a) l'absence de comportements agressifs (« Il n'est jamais méchant avec moi. »),
b) la similitude (« Nous aimons les dinosaures tous les deux. »),
c) la sociabilité (« Il joue avec moi. »),
d) la perception d'être aimé par ce pair (« Elle m'aime bien. »),
e) une association préalable (« Je la connais depuis longtemps. »).

Même lorsque toutes ces conditions sont réunies, cependant, le jeu coopératif comporte des hauts et des bas puisque les enfants font face à des points de vue, à des désirs ou à des expériences qui entrent en conflit les uns avec les autres.

En dépit des conflits qui peuvent survenir, ou peut-être même grâce à eux, le jeu coopératif élargit la perception que les enfants ont d'eux-mêmes et des autres. Selon les psychologues Kenneth Rubin et Barbara Everett (1982, p. 106) :

> De telles relations égalitaires donnent aux enfants l'occasion de s'affirmer, de présenter leur conception du monde et de débattre librement avec leurs pairs au sujet de différents points de vue sociocognitifs. De tels conflits et de telles interactions peuvent, en fin de compte, aider les enfants à comprendre que les autres ont des pensées, des sentiments et des perceptions qui divergent des leurs.

De plus, en jouant ensemble, les enfants ont tendance à augmenter la complexité de leurs jeux. Par exemple, Mathieu et Émilie jouent « au bureau ». Ils répondent au téléphone, tapent sur un clavier et insèrent des feuilles de papier dans des enveloppes. Lorsque d'autres enfants veulent se joindre à leurs jeux, ils répondent : « Il n'y a plus d'emploi ici. »

Au cours de la période d'ateliers libres, Bertrand marche autour du local en jouant du tambour. Patrick le suit en secouant des maracas et Bernard suit Patrick en tapant sur un tambourin. « Regarde, Mélanie, dit Bertrand en passant auprès de l'éducatrice, je conduis la fanfare ! » Petit à petit, d'autres enfants se joignent à leur groupe, puis retournent à leurs jeux.

En jouant ensemble, les enfants font une expérience sociale importante. Le souvenir de tels jeux peut influencer l'attitude des enfants dans leurs expériences futures de collaboration. Voici des stratégies que les éducatrices peuvent utiliser pour soutenir le développement des habiletés des enfants lorsqu'ils expérimentent des jeux coopératifs.

PISTES D'INTERVENTION

A. Fournir du matériel qui stimule le jeu coopératif

Dans cet ouvrage, nous insistons sur l'importance de fournir aux enfants un matériel varié pour favoriser l'apprentissage actif, et nous énumérons plusieurs éléments de matériel pertinent. Pour soutenir le jeu coopératif, vous pouvez vous reporter aux listes de matériel présentées à la sous-section 5.2.1. De plus, il ne faut pas perdre de vue deux critères lorsqu'on pense à stimuler le jeu coopératif : l'**intérêt personnel** et la **dimension** du matériel.

Mettez à la disposition des enfants du matériel qui intéresse plus particulièrement certains enfants de votre groupe. Du matériel de ce genre encourage les jeux coopératifs parce que l'intérêt et l'enthousiasme d'un enfant en particulier entraîneront la participation d'autres enfants. Bertrand, par exemple, s'intéresse aux instruments de musique. Comme les éducatrices ont observé cet intérêt et qu'elles ont mis des instruments à sa disposition, il a pu constituer une fanfare avec Patrick et Bernard. Karine est attirée par les cabanes à oiseaux. Lorsque les éducatrices ont ajouté des bardeaux de pin au matériel du coin de la menuiserie, Lyne s'est jointe à Karine pour fabriquer des cabanes à oiseaux et même des mangeoires.

Pensez aussi à fournir aux enfants du matériel de grandes dimensions dont l'usage suscite ou nécessite la participation de plus d'un enfant. Prenez des objets tels que des bateaux berçants, une chaloupe, des escabeaux, des parachutes, des tentes, des rails de chemin de fer, des voiturettes, de grosses boîtes en carton et de longues cordes à danser. Par exemple, lorsqu'un enfant se trouve dans un bateau berçant, il se passe peu de temps avant que quelques autres enfants viennent le rejoindre. Une voiturette commande des passagers et une équipe pour tirer, remplir ou pousser.

B. Organiser le local pour les jeux coopératifs

Les jeux coopératifs se déroulent dans tout l'espace dévolu à l'apprentissage actif: les « mères », les « pères » et les « bébés » se préparent pour une fête dans le coin de la maisonnette; les constructeurs de robots et les pâtissières se retrouvent dans le coin des arts plastiques; plusieurs enfants se regroupent autour d'un ordinateur pour fabriquer des masques; dans le coin des blocs, il y a des policiers et des alligators dans un marais; trois enfants mettent en scène des extraits d'*Alice au pays des merveilles* dans le coin de la lecture et de l'écriture. Lors de la conception de vos coins d'activités et de l'aménagement de votre local, veillez à prévoir suffisamment d'espace pour que plusieurs enfants puissent travailler ensemble et faire leurs expériences de jeu dans toutes les parties du local.

L'intérêt des enfants et les dimensions du matériel sont deux éléments importants pour stimuler le jeu coopératif.

C. Observer les enfants qui jouent ensemble

Les éducatrices peuvent aussi soutenir les jeux coopératifs des enfants en étant à l'affût des sous-groupes qui se forment plus ou moins régulièrement parmi les enfants et en favorisant de tels rassemblements. Voici quelques exemples de jeux coopératifs que vous pourriez observer au cours des périodes d'ateliers libres ou au cours des jeux extérieurs:

- Thomas et Rachel creusent un trou profond dans le carré de sable. Ils le remplissent d'eau en utilisant le tuyau d'arrosage et font flotter les bateaux qu'ils ont fabriqués à l'établi du coin de la menuiserie.
- Diane essaie de grimper à un arbre. « C'est ça! Tu l'as presque... Essaie encore! » lui crie Hélène.
- Maxime et Amélie conduisent un autobus dans le coin des blocs. « Freine vite, dit Maxime.
  – On va avoir un accident, réplique Amélie. Prends la carte. Il faut trouver le chemin pour aller au garage.
  – Oui, après on va aller à Québec », répond Maxime.

Si vous notez les exemples de jeux coopératifs des enfants, vous pourrez, avec le temps, savoir quels enfants demandent l'aide des autres, combien de temps ils peuvent jouer à leurs jeux, comment ils règlent leurs conflits, quels sont leurs centres d'intérêt et quel est le contenu de leurs jeux. En vous référant à de telles observations, vous pourrez élaborer des stratégies pour appuyer les jeux de sous-groupes déterminés. (Vous trouverez à la sous-section 10.2.4 des exemples de stratégies pour soutenir les jeux de rôles des enfants.)

D. Encourager les enfants qui veulent jouer, faire des projets ou réfléchir ensemble

Une fois que vous aurez pris conscience des dyades qui se forment régulièrement au cours des périodes d'ateliers libres, vous pourrez soutenir les enfants en leur demandant de planifier leurs activités ensemble ou de faire un retour sur leurs activités. Par ailleurs, il importe de se souvenir que, même si les enfants planifient leurs jeux ensemble, l'évolution de ces jeux peut entraîner des problèmes et que leur inspiration du moment peut les entraîner à jouer séparément ou avec d'autres enfants que ceux qui étaient prévus au départ. De toute façon, lorsque vous encouragez les enfants à faire des projets ensemble, vous reconnaissez l'importance de leur collaboration; lorsque vous leur demandez de réfléchir aux activités qu'ils ont réalisées, vous enrichissez leur réflexion en y ajoutant une nouvelle dimension et vous les aidez à percevoir la narration d'une histoire comme une entreprise collective.

Une éducatrice qui voulait stimuler les enfants à faire des projets avec les autres enfants a rempli un sac de plusieurs paires de mitaines. Chaque enfant pigeait une mitaine dans le sac; il devait ensuite planifier sa période d'ateliers libres avec l'enfant qui avait l'autre mitaine de la même paire. L'éducatrice a alors remarqué que plusieurs enfants ainsi regroupés ont planifié un jeu ensemble.

E. Allouer du temps pour que les jeux coopératifs puissent s'élaborer

L'habileté des enfants à coopérer avec les autres dans leurs jeux se développe sur une longue période, comme d'ailleurs toutes les autres habiletés. Les éducatrices doivent donc observer la démarche des enfants et les soutenir sans accélérer leur rythme naturel ni les distraire de leurs projets. Ainsi, le jeu coopératif des enfants deviendra de plus en plus complexe et inclura un nombre de plus en plus grand de joueurs.

Voici, par exemple, comment le jeu d'un groupe d'enfants a évolué sur une période de trois mois:

> Anne était habile à faire des constructions avec les blocs; elle utilisait ceux-ci pour bâtir des structures élaborées en se servant de gros blocs pour la base et de blocs plus petits pour les détails. Félix, qui était aussi un habile constructeur, s'est joint à Anne, et ils ont créé des structures de blocs presque tous les jours. Leurs structures devenaient de plus en plus complexes et en équilibre. Bernard était un ami de Félix, mais il n'avait jamais joué avec des blocs auparavant. Il observait souvent Anne et Félix; un jour, il s'est décidé à leur demander s'il pouvait jouer avec eux. Ils ont accepté, et Bernard a d'abord joué le rôle de fournisseur de blocs. Anne ou Bernard lui disaient en effet: « Va chercher d'autres blocs rouges pour finir le mur » ou « Va chercher les foulards, on va les prendre pour faire le toit ». Petit à petit, Bernard a commencé à avoir des idées, lui aussi, et il a pris une part plus active à la conception et à la construction des structures. Les trois amis ont continué à construire ensemble des structures, qui se sont transformées en autos ou en maisons dans lesquelles ils pouvaient pénétrer.

F. S'associer aux nouveaux joueurs

Vous observerez parfois des enfants qui veulent se joindre à un groupe d'enfants mais qui n'ont pas encore trouvé la façon de s'y faire admettre. Dans de tels cas, l'éducatrice devrait songer à former une équipe avec l'enfant afin qu'il puisse acquérir les habiletés nécessaires pour participer au jeu de ses pairs et se faire admettre dans leur groupe. L'exemple suivant décrit l'attitude d'une éducatrice qui emploie cette stratégie:

> Chantal, Martine, Corinne, Hélène, Benoît, Félix et Pierre aimaient jouer aux mères, aux pères, aux sœurs et aux frères qui allaient danser ou voir un film, laissant le bébé se faire garder par la gardienne. Michel aurait bien aimé participer à ce jeu, mais sa technique pour communiquer avec les autres (grogner et arracher les jouets des mains des autres enfants) amenait ces derniers à le rejeter.
>
> L'éducatrice a observé quelques essais infructueux de Michel et elle a pensé à une façon de l'aider. Le lendemain matin, lorsque les joueurs se sont rassemblés pour répartir les rôles entre eux, elle leur a demandé si elle pouvait jouer le rôle du bébé. (C'était un rôle que les enfants n'aimaient pas beaucoup puisque tous les autres joueurs pouvaient donner des ordres au bébé.) Ce jour-là, même la gardienne est partie au cinéma, laissant le bébé seul. En voyant Michel qui tournait autour d'elle, l'éducatrice lui a demandé s'il voulait faire son petit chien. Ce rôle allait bien à Michel, qui grognait comme un chien aurait pu le faire. Lorsque la « famille » est revenue du cinéma, la première question qu'elle a posée fut celle-ci: « Qu'est-ce que Michel fait ici? » L'éducatrice a expliqué: « C'est mon gentil petit chien. Il est très obéissant et il aime manger de la nourriture pour chiens. »
>
> Les autres joueurs ont testé la capacité de Michel de jouer le rôle du chien obéissant qui mange de

la nourriture pour chiens et ils l'ont accepté dans leur jeu. Lorsque cela a été fait, l'éducatrice s'est retirée du jeu. Avec le temps, Michel est venu à personnifier le bébé et, plusieurs mois plus tard, lorsque le jeu a porté sur un thème nouveau, celui du salon de coiffure, il a été l'un des premiers « clients ». Il a même fait des coupes de cheveux à certains participants.

Dans cet exemple, l'éducatrice a fait plusieurs choses pour permettre à Michel d'être accepté dans le jeu de rôles du groupe :

- Elle a saisi l'intention de Michel d'une façon positive. Elle s'est en effet rendu compte qu'il voulait se joindre au groupe même si le souvenir de ses comportements initiaux avait un effet négatif sur les autres enfants.
- Elle a compris la structure du jeu de rôles qui se déroulait et a demandé qu'on lui attribue le rôle le moins important aux yeux des enfants. Cela lui a donné un pouvoir d'initiée et la légitimité pour devenir une partenaire de jeu de Michel. Elle l'a fait sans déranger le jeu des autres ni changer les rôles des autres joueurs.
- Elle a invité Michel au cours d'une pause naturelle du jeu. Plutôt que d'imposer ses intentions aux autres joueurs tandis qu'ils étaient au plus fort de leur rôle, elle a choisi un moment où ils étaient occupés ailleurs et où elle pouvait établir une relation avec Michel pour l'intégrer dans le jeu en respectant son rythme.
- Elle a trouvé à Michel un rôle de petit chien dans lequel il pouvait faire des grognements de façon positive.
- Elle s'est retirée du jeu dès qu'il lui a semblé que Michel pouvait être admis comme partenaire de jeu par les autres enfants.

Bien que chaque enfant et chaque situation de jeu soit unique, les stratégies précédentes sont représentatives de celles que les éducatrices peuvent utiliser pour aider certains enfants à se joindre aux jeux des autres.

G. Fournir des occasions de jeux coopératifs au cours des périodes en groupe d'appartenance

Lorsque vous planifiez les activités que vous proposerez aux enfants de votre groupe d'appartenance, pensez à inclure des activités au cours desquelles les enfants auront l'occasion de travailler ensemble par paires ou à plusieurs. Voici quelques suggestions pour démarrer vos réflexions :

- Donnez une balle à chaque dyade d'enfants et demandez-leur de se l'envoyer de différentes façons (en la faisant rouler, en la faisant rebondir, etc.).
- Mettez en scène des histoires que tous les enfants du groupe racontent.
- Lavez tous ensemble un objet de grandes dimensions (les cases de tous les enfants, les jouets du carré de sable, l'auto d'une éducatrice, etc.).
- Videz le bac à sable et remplissez-le avec du nouveau sable ou avec un autre matériau. Certains enfants pourront remplir ou vider des seaux de sable et d'autres, les transporter.

12.3.9 EXPÉRIENCE CLÉ Résoudre les conflits interpersonnels[1]

- Alice et Hubert se déguisent dans le coin de la maisonnette. Au même moment, ils veulent prendre le seul foulard rouge du panier à déguisements. Ils se chamaillent en criant : « Je l'ai pris le premier ! » « C'est à moi ! »
- Emma et Joël construisent ensemble une maison de dinosaures. Joël en fait tomber une partie accidentellement. Emma le pousse en disant : « Va-t'en ! »

De tels conflits interpersonnels peuvent créer des sentiments de frustration, de confusion ou d'échec tant chez les enfants que chez les éducatrices. Il est loin d'être toujours facile de savoir comment le conflit a commencé, qui en est responsable ou quelle solution peut être apportée. Cependant, ces situations fournissent des occasions importantes pour l'apprentissage actif.

Pendant que les enfants règlent leurs disputes avec leurs pairs, ils commencent à comprendre comment respecter les besoins des autres tout en répondant à leurs propres besoins. Ils apprennent aussi qu'il y a souvent plus d'une personne qui a

1. Cette section a été écrite par Betsy Evans, formatrice reconnue par la fondation High/Scope et directrice de l'école The Giving Tree School, à Gill, au Massachusetts. Le texte fut publié pour la première fois, dans une version légèrement différente, dans *High/Scope Extensions Curriculum Newsletter*, mai-juin 1992.

raison dans un conflit, que les sentiments des autres sont importants et qu'il est possible de résoudre des conflits de telle sorte que les deux parties soient satisfaites du résultat. Voici des stratégies que les éducatrices peuvent employer pour aider les enfants à résoudre leurs conflits interpersonnels avec succès.

PISTES D'INTERVENTION

A. Garder à l'esprit les caractéristiques du développement de l'enfant

Pour aider efficacement les enfants lorsqu'ils tentent de régler leurs conflits et leurs disputes, les éducatrices doivent se rappeler les caractéristiques des enfants d'âge préscolaire et la façon de penser qui leur est particulière. Rappelez-vous que les enfants d'âge préscolaire sont encore centrés sur eux-mêmes et sur leurs besoins, qu'ils travaillent à acquérir leur autonomie et la maîtrise de soi, et qu'ils pensent en des termes concrets. Puisque ces caractéristiques influencent la manière dont les enfants traitent les situations conflictuelles, les éducatrices peuvent les aider en reconnaissant les sentiments qu'ils éprouvent et en discutant avec eux de ces sentiments, en faisant de la résolution de problèmes un processus actif et en leur procurant l'information pertinente dont ils ont besoin.

Reconnaître les sentiments de chaque enfant et en discuter

Les enfants ont parfois de la difficulté à comprendre les besoins des autres du fait qu'ils sont égocentriques. Ils ne sont pas « méchants », « mauvais » ou « égoïstes » lorsqu'ils ignorent les droits ou les besoins d'un autre enfant. Dans des situations conflictuelles, il est tout simplement difficile pour les enfants d'âge préscolaire de voir au-delà de leurs propres besoins. Lorsqu'un enfant a une dispute avec un autre enfant, il n'est généralement pas conscient du point de vue de l'autre. C'est pourquoi l'éducatrice doit mettre en évidence les sentiments de chacun des enfants en cause : « Tu as travaillé longtemps à cette construction, Hugo. Je vois que tu n'es pas content qu'elle soit tombée. » Lorsqu'on aide les enfants qui sont contrariés à reconnaître leurs sentiments et ceux des autres, on peut contribuer à augmenter leur sens de la maîtrise de soi et leur compréhension du fait que tous les sentiments doivent être considérés.

Encourager les enfants à participer activement au processus de résolution de problèmes plutôt que de résoudre les problèmes pour eux

Lorsque les éducatrices adoptent une telle attitude, elles répondent au besoin d'autonomie des enfants : ceux-ci auront l'impression de contrôler les relations interpersonnelles qu'ils établissent en dehors du milieu familial et d'être capables d'explorer le monde en tant que personnes autonomes. En reconnaissant les sentiments qu'éprouvent les enfants et en faisant participer ceux-ci activement au processus de résolution de problèmes, les éducatrices stimulent leur esprit d'initiative et leur désir d'agir pour eux-mêmes. En incitant les enfants à résoudre les problèmes ensemble, elles encouragent tous les enfants engagés dans une dispute à prendre une part active à la résolution du problème.

Donner des informations pertinentes aux enfants

La tendance des enfants à penser de manière concrète influence aussi leur habileté à résoudre des problèmes. Nous savons que les enfants d'âge préscolaire apprennent mieux lorsque l'information qui leur est transmise est concrète et précise. Alors, quand vous aidez les enfants à résoudre un conflit avec d'autres enfants, évitez des énoncés généraux tels que : « Vous devez apprendre à partager. » Donnez plutôt aux enfants des informations précises qui les aideront à trouver des moyens concrets de partage : « Jasmin, tu veux le camion jaune parce qu'il est de la bonne grosseur pour entrer dans ton garage. Et toi, Georges, tu veux le camion jaune parce qu'il a une benne. »

Voici comment une éducatrice a mis en pratique cette stratégie lorsque Alice et Hubert se disputaient le foulard rouge. Elle s'est approchée des deux enfants avec calme et leur a dit :

> Alice et Hubert, je vois que vous désirez le foulard rouge tous les deux. C'est dommage qu'il n'y ait pas deux foulards de cette couleur. Voyons comment on peut trouver une solution à ce problème.

Cette approche aide à apaiser les belligérants et leur permet de participer à la recherche d'une solution. Notez que l'éducatrice a commencé par décrire avec des termes concrets la situation conflictuelle qu'elle avait observée. Elle a émis par la suite un message clair selon lequel les enfants pourraient travailler ensemble en vue de résoudre ce problème. Ensuite, pour trouver une solution, l'éducatrice s'est encore efforcée d'utiliser des termes concrets: « Hubert, Alice dit qu'elle aimerait porter le foulard pendant cinq minutes. Aimerais-tu utiliser le sablier pour savoir quand exactement cette période sera terminée ? »

B. Maintenir un environnement de soutien pour limiter les risques de conflits

Dans l'exemple du conflit entre Alice et Hubert, une éducatrice est intervenue habilement dans la dispute des enfants. Cet incident aurait pu être évité, toutefois, si l'on avait disposé de plus d'un foulard rouge. En fait, quand on met à la disposition des enfants plusieurs ensembles de matériel semblable dans chacun des coins d'activités, on peut éviter plusieurs conflits relatifs au partage du matériel. Il y a plusieurs autres principes à suivre pour réduire le nombre de conflits.

Établir des consignes et des limites appropriées au stade de développement des enfants. Prenez en considération et respectez les différentes habiletés des enfants, leurs champs d'intérêt et leur rythme individuel lorsque vous planifiez une activité pédagogique. (Vous trouverez des pistes de réflexion à la sous-section 4.3.4.)

Présenter des choix multiples. Le matériel devrait être abondant et les enfants devraient y avoir facilement accès et pouvoir le ranger par eux-mêmes.

Établir un horaire quotidien régulier. Expliquez clairement aux enfants les différents éléments de l'horaire quotidien en utilisant des illustrations ou des dessins pour rendre ces éléments plus concrets.

Agir comme modèle auprès des enfants lors des interactions avec les autres et de l'utilisation du matériel. Les comportements que vous adoptez servent de modèle aux enfants; ce sont ceux qu'ils apprendront et imiteront le plus facilement.

Planifier les moments de transition. Organisez des transitions courtes et amusantes.

Ces stratégies donnent aux enfants un sentiment de contrôle et de sécurité. Lorsqu'elles sont mises en pratique, les enfants ont tendance à se concentrer sur leurs jeux; par conséquent, il y a moins de disputes ou de conflits qui surviennent. Toutefois, même si les conflits sont moins nombreux, ils ne disparaîtront pas.

C. Aider les enfants à résoudre les conflits qui surviennent

Lorsque les conflits surviennent, les adultes peuvent appliquer un processus en plusieurs étapes pour aider les enfants à les régler. On a adapté ces étapes pour de jeunes enfants à partir de la documentation portant sur la résolution de problèmes (Crary, 1984; Hopkins et Winters, 1990; Prutzman et autres, 1988; Wichert, 1989) en incorporant les principes du développement de l'enfant qui ont été énumérés précédemment. Pour illustrer chacune de ces étapes, nous nous référerons à l'exemple du conflit entre Emma et Joël, qui a été évoqué au début de la sous-section 12.3.9.

Première étape: aborder la situation calmement. Observez la situation et préparez-vous en pensant à

Avec le temps, les enfants sont capables de régler leurs conflits sans l'intervention de l'éducatrice: c'est le troisième type de médiation.

une issue positive. Utilisez le même ton de voix que pour une conversation habituelle, assoyez-vous ou agenouillez-vous et ayez un geste accueillant envers les enfants qui sont fâchés ou contrariés.

Deuxième étape : reconnaître les sentiments des enfants et colliger des informations. Décrivez les sentiments que vous observez chez les enfants ainsi que les choses concrètes que vous voyez. Puis, posez des questions ouvertes, en vous adressant alternativement à chacun des enfants en cause ; soyez attentive aux détails :

> Emma, tu sembles en colère contre Joël. Quant à toi, Joël, tu sembles triste. J'ai vu que la construction d'Emma s'est écroulée. Voyons comment nous pourrions résoudre ce problème pour qu'Emma puisse terminer la construction de sa maison de dinosaures. Peux-tu me dire ce qui est arrivé, Joël ?

Écoutez attentivement les réponses des enfants. Souvent, ce sont de petits détails qui semblent insignifiants aux yeux d'un adulte qui créent des conflits importants entre les enfants. Par exemple, un adulte peut se demander pourquoi deux enfants se disputent à propos d'un camion quand il y a plusieurs camions semblables sur les tablettes de l'étagère juste à côté ; la couleur du camion, par exemple, peut être la caractéristique qui attire les deux enfants.

Troisième étape : reformuler le problème en tenant compte de ce que les enfants disent. Posez des questions qui peuvent clarifier la situation problématique : « Joël, tu dis qu'Emma est méchante, et toi, Emma, tu dis que tu ne veux plus construire parce que Joël détruit ce que tu construis. C'est ça ? » (Emma et Joël acquiescent.) « Est-ce que vous voulez continuer à construire ici tous les deux ensemble ? » (Ils font signe que oui encore une fois.)

Quatrième étape : demander des idées de solutions. Encouragez les enfants à se parler l'un à l'autre. Souvent, un malentendu peut se dissiper quand les enfants décrivent leur perception de la situation. Si ce n'est pas suffisant, soyez prête à offrir des suggestions :

> L'ÉDUCATRICE. – Si vous voulez continuer à construire ensemble, qu'est-ce que vous pensez qu'on devrait faire maintenant ? Comment est-ce qu'on peut s'organiser ?
> EMMA. – Je veux construire cette partie-là toute seule. Joël peut construire là-bas.
> JOËL. – Je pourrais construire une piscine pour les dinosaures !
> EMMA. – Oh, oui !

Cinquième étape : reformuler les solutions suggérées et demander aux enfants de décider laquelle ils veulent appliquer. « Il semble que vous voulez tous les deux continuer à construire ici et que chacun de vous va construire des parties différentes de la maison de dinosaures. C'est ça ? » (Emma et Joël remuent la tête en signe d'assentiment et reprennent leur jeu.)

Sixième étape : stimuler les enfants pour qu'ils appliquent leur décision. Décrivez les efforts que les enfants ont faits pour en venir à une entente, et le processus qu'ils ont utilisé. Par exemple : « Emma et Joël, vous avez eu de bonnes idées tous les deux pour résoudre votre problème ! Et vous avez écouté ce que chacun avait à dire. J'aimerais ça voir votre maison de dinosaures quand vous l'aurez terminée. »

Septième étape : être prête à soutenir les enfants par la suite. Quelquefois, les solutions ont besoin d'être clarifiées ou précisées quand vient le moment pour les enfants de tenter de les mettre en application. L'éducatrice se tient à proximité d'Emma et de Joël, qui reprennent leur jeu. Bientôt, cependant, les deux enfants commencent à se disputer à propos du territoire que chacun occupe avec sa construction. Après une autre petite discussion à trois, ils décident de coller une ligne de démarcation sur le plancher pour délimiter l'espace que chacun occupera dans le coin des blocs.

Comme pour toute autre habileté que les enfants développent, il faut du temps pour appliquer efficacement ces sept étapes du processus de résolution de problèmes. Toutefois, à la suite d'expériences positives répétées, les enfants et les éducatrices en viendront à être confiants dans leur capacité de trouver et d'appliquer des solutions en adoptant ce processus.

Il n'est pas toujours nécessaire que les éducatrices agissent comme médiatrices dans un conflit entre les enfants. Certains enfants sont capables de résoudre leurs problèmes avec plus d'autonomie

Une médiation efficace

Premier type de médiation

Yannick se dirige vers le coin de la maisonnette et prend la cuiller que Colin et Antoine utilisaient. Ces derniers rejoignent Yannick au théâtre de marionnettes et lui demandent de leur rendre la cuiller. Il refuse de la leur redonner. Antoine et Colin demandent à Céline, une éducatrice, de les aider, et ils partent tous ensemble pour parler à Yannick. Yannick, Colin et Antoine expliquent tour à tour pourquoi ils veulent la cuiller. Un autre enfant qui passe par là s'insère dans la conversation et dit : « Je pense qu'ils devraient partager. »

> CÉLINE. – Comment pensez-vous que vous pourriez faire ça ?
> ANTOINE. – On pourrait s'en servir une minute, puis on la rapporterait.
> YANNICK. – Non.
> COLIN. – Mais on en a besoin pour faire notre compote.
> CÉLINE. – Yannick, il semble qu'on peut régler cela de deux façons. Antoine et Colin peuvent prendre la cuiller pendant une minute puis te la rapporter, comme Antoine l'a suggéré, ou tu peux l'utiliser pendant une minute et la leur rapporter à eux.
> YANNICK. – Non, je pense qu'ils devraient apporter leurs instruments et faire leur compote ici.
> COLIN. – Ouais...
> ANTOINE. – On va faire ça ! (Ils s'en vont rapidement chercher leurs ustensiles afin de faire leur compote.)
> CÉLINE. – (à Yannick) Tu as trouvé une solution qui convient à tout le monde ! (Yannick lui sourit.)

Deuxième type de médiation

Sara et Marie-Yang vont se plaindre auprès de Céline, leur éducatrice.

> SARA. – Jean-Claude et Philippe nous dérangent à travers la fenêtre de la maisonnette. Jean-Claude m'a pincé le bras et Philippe a fait mal à Marie-Yang.
> CÉLINE. – Qu'est-ce que vous avez fait ?
> SARA . – On leur a dit d'arrêter, mais ils continuent.
> CÉLINE. – Est-ce qu'ils vous ont fait mal encore ?
> SARA . – Non... mais ils continuent à nous regarder !
> CÉLINE. – Est-ce que vous leur avez demandé d'arrêter de vous regarder ?

Sara ne répond pas. Elle retourne dans la maisonnette avec Marie-Yang et elles disent aux garçons d'arrêter de les regarder. Jean-Claude et Philippe leur jettent un dernier coup d'œil, puis ils retournent à leur jeu de construction. Ils ne dérangent plus les deux filles.

que d'autres. On peut distinguer trois types de médiation qu'une éducatrice peut exercer. Le choix du type de médiation tiendra compte des habiletés des enfants à appliquer le processus de résolution de problèmes et de leur expérience avec ce processus.

- **Premier type de médiation :** travaillez directement avec tous les enfants qui sont impliqués dans un conflit et agissez comme médiatrice en prenant en considération le développement des enfants et en soutenant tous les enfants qui sont en cause. (Voir le premier exemple dans l'encadré intitulé « Une médiation efficace ».)
- **Deuxième type de médiation :** écoutez un enfant qui décrit son conflit avec un autre enfant. Posez des questions et offrez des pistes pour résoudre le problème. L'enfant pourra par la suite résoudre son problème seul avec l'autre ou les autres enfants en cause. (Voir le deuxième exemple dans l'encadré intitulé « Une médiation efficace ».)
- **Troisième type de médiation :** placez-vous à proximité des enfants qui sont en conflit, mais laissez-les régler leur dispute de façon autonome, sans que vous interveniez. Votre seule présence peut apporter suffisamment de soutien pour que les enfants règlent à l'amiable leur problème.

TABLEAU RÉCAPITULATIF

L'estime de soi et les relations interpersonnelles

Faire des choix et les exprimer, élaborer des projets et prendre des décisions
- Organiser un environnement riche et mettre en place un horaire quotidien stable.
- Exprimer de l'intérêt pour les choix des enfants et soutenir ceux-ci dans leur démarche.
- Laisser aux enfants le temps nécessaire pour faire des choix, élaborer des projets et prendre des décisions.
- Inciter les enfants à faire des choix et à prendre des décisions à tous les moments de la journée.

Résoudre les problèmes qui surgissent au cours des périodes de jeu
- Inciter les enfants à décrire les problèmes qu'ils éprouvent.
- Laisser le temps aux enfants de trouver leurs propres solutions.
- Aider les enfants qui ont de la difficulté.

Développer son autonomie en répondant à ses besoins personnels
- Laisser le temps aux enfants d'agir par eux-mêmes.
- Inciter les enfants à se servir d'outils usuels.
- Soutenir les enfants qui tentent de répondre à leurs besoins affectifs.

Exprimer ses sentiments à l'aide de mots
- Établir et maintenir un climat de soutien.
- Reconnaître et accepter les sentiments de l'enfant.
- Écouter les mots que les enfants utilisent pour nommer leurs sentiments.
- Parler avec les enfants de leurs préoccupations.
- Inciter les enfants à raconter des histoires.

Participer aux activités de groupe
- Mettre en place des activités de groupe stables :
  - organiser un horaire quotidien stable ;
  - organiser la répartition des tâches ;
  - avoir des attentes raisonnables.
- Placer l'apprentissage actif au cœur des activités de groupe.
- Mettre l'accent sur les champs d'intérêt, les projets, les habiletés et les forces des enfants.

Être sensible aux sentiments, aux intérêts et aux besoins des autres
- Réagir face aux sentiments, aux besoins et aux intérêts des enfants.
- Reconnaître les manifestations d'empathie des enfants et les commenter.
- Soutenir les enfants lorsqu'ils s'inquiètent de l'absence d'un membre du groupe.

Créer des liens avec les enfants et les adultes
- Établir des relations de soutien avec les enfants :
  - traiter les enfants avec amabilité ;
  - avoir des conversations authentiques avec les enfants.
- Organiser des groupes stables d'enfants et d'adultes.
- Être à l'affût des relations entre les enfants.
- Suggérer à un enfant de se faire aider par un autre.

Concevoir et expérimenter le jeu coopératif
- Fournir du matériel qui stimule le jeu coopératif.
- Organiser le local pour les jeux coopératifs.
- Observer les enfants qui jouent ensemble.
- Encourager les enfants qui veulent jouer, faire des projets ou réfléchir ensemble.
- Allouer du temps pour que les jeux coopératifs puissent s'élaborer.
- S'associer aux nouveaux joueurs.
- Fournir des occasions de jeux coopératifs au cours des périodes en groupe d'appartenance.

Résoudre les conflits interpersonnels
- Garder à l'esprit les caractéristiques du développement de l'enfant :
  - reconnaître les sentiments de chaque enfant et en discuter ;
  - encourager les enfants à participer activement au processus de résolution de problèmes plutôt que de résoudre les problèmes pour eux ;
  - donner des informations pertinentes aux enfants.
- Maintenir un environnement de soutien pour limiter les risques de conflits :
  - établir des consignes et des limites appropriées au stade de développement des enfants ;

→

- présenter des choix multiples ;
- établir un horaire quotidien régulier ;
- agir comme modèle auprès des enfants lors des interactions avec les autres et de l'utilisation du matériel ;
- planifier les moments de transition.

- Aider les enfants à résoudre les conflits qui surviennent :
  - première étape : aborder la situation calmement ;
  - deuxième étape : reconnaître les sentiments des enfants et colliger des informations ;
  - troisième étape : reformuler le problème en tenant compte de ce que les enfants disent ;
  - quatrième étape : demander des idées de solutions ;
  - cinquième étape : reformuler les solutions suggérées et demander aux enfants de décider laquelle ils veulent appliquer ;
  - sixième étape : stimuler les enfants pour qu'ils appliquent leur décision ;
  - septième étape : être prête à soutenir les enfants par la suite.

LECTURES COMPLÉMENTAIRES

BERTRAND, MARIE-HÉLÈNE (1996). *La collaboration entre les parents et les éducatrices de services de garde et sa relation avec le développement de l'estime de soi de l'enfant*, Sainte-Foy, Université Laval.

CLOUTIER, RICHARD et L. DIONNE (1981). *L'agressivité chez l'enfant*, Saint-Hyacinthe, Le Centurion.

DUCLOS, GERMAIN (1997). *Quand les tout-petits apprennent à s'estimer*, Montréal, Service des publications de l'Hôpital Sainte-Justine.

GORDON, THOMAS (1981). *Enseignants efficaces*, Montréal, Le Jour, coll. « Actualisation ».

GREENSPAN, STANLEY (1998). *L'esprit qui apprend : affectivité et intelligence*, Paris, Odile Jacob.

PIAGET, JEAN (1957). *Le jugement moral chez l'enfant*, Paris, Presses Universitaires de France.

CHAPITRE 13

Le mouvement

Puisque le mouvement est un des premiers modes de communication de l'enfant, les adultes doivent favoriser ce mode d'expression naturel dans les années précédant l'entrée à l'école.
RUTH STRUBANK, 1991.

Dans une approche éducative basée sur le concept d'apprentissage actif et sur l'importance de la construction du savoir de l'enfant, le mouvement est un élément essentiel aux expériences d'apprentissage. Le psychologue Howard Gardner (1983a, p. 206) définit le mouvement comme la capacité d'une personne de maîtriser les déplacements du corps et de tenir des objets avec habileté.

13.1 Liberté de bouger, liberté d'apprendre

Les poupons et les trottineurs expérimentent le monde surtout au moyen de leurs sens, et leurs mouvements sont assez simples. Les poupons, par exemple, interagissent avec le monde en essayant de prendre des objets, en souriant, en donnant des coups de pied, en goûtant, et ainsi de suite. Lorsque Paul, 4 mois, voit et entend son papa qui vient le chercher à la pouponnière, il s'anime : il frétille, se tortille et sourit. Tout le corps de Paul exprime la joie de retrouver son père tout aussi bien que le feraient des mots.

Les enfants d'âge préscolaire se meuvent avec de plus en plus d'habileté et ils démontrent de nouvelles capacités d'adapter leurs mouvements en fonction de leurs projets et de leurs intentions : « Je suis la maman lapin et je vais sauter jusqu'au magasin... » À cet âge, les jeunes enfants en sont encore à construire leur compréhension du monde physique et social par le biais de leurs actions et de leurs expériences corporelles et sensorielles. Par exemple, pour comprendre les caractéristiques d'un chien, les enfants du préscolaire ont besoin de caresser leur chien, de le prendre, de le nourrir, de le brosser et de se coucher contre lui. Et parce qu'ils ne peuvent garder en tête toutes leurs expériences, ils doivent « devenir eux-mêmes des chiens » afin de mimer ce qu'ils savent des chiens et des autres animaux. Pour les jeunes enfants, **l'action et le mouvement** sont essentiels à la compréhension et à l'acquisition des connaissances.

Un environnement favorisant l'apprentissage actif offre aux enfants des occasions toujours renouvelées de mouvement. Seuls, avec leurs pairs ou avec l'éducatrice, ils peuvent courir, grimper, lancer, danser, construire, couper, peindre, dessiner, mimer, faire semblant, jouer avec des balles, jouer avec des foulards, jouer à la « Tag », à des jeux de poursuite, au « Pas de géant » et faire un défilé. Ils apprennent ainsi à se connaître et à connaître le monde, en plus de développer leur coordination et leur sens du rythme, d'améliorer leur condition physique et d'acquérir un sentiment de plaisir et de confiance en leurs capacités de mouvement.

que de manière verbale afin de modifier la direction des mouvements :

- *Modifier ses mouvements en réponse à des indications verbales ou visuelles.*

Enfin, deux expériences concernent le tempo :

- *Ressentir et reproduire un tempo régulier.*
- *Suivre des séquences de mouvements en respectant un tempo commun.*

Les éducatrices qui appuient ces expériences respectent le jeu des enfants ; elles s'engagent à le favoriser et croient en sa valeur éducative. Elles reconnaissent le plaisir que les enfants prennent dans les activités à caractère physique et elles y participent (elles se joignent aux enfants qui glissent, jouent à la cachette, jouent au baseball, font un défilé). Ces éducatrices comprennent que pour acquérir des habiletés physiques de base, les enfants ont besoin de faire des essais, d'expérimenter différentes façons de bouger ; ils doivent disposer d'assez d'espace et de temps pour jouer à des jeux locomoteurs, à des jeux d'imitation et à des jeux d'interaction avec d'autres enfants ou avec des adultes.

Ce chapitre présente chacune des expériences clés relatives au mouvement, et des stratégies particulières que les éducatrices peuvent mettre en application pour soutenir les activités de mouvement dans un contexte d'apprentissage actif.

13.2 Soutenir le mouvement

Les huit expériences clés du domaine ***le mouvement*** élaborées par Phyllis Weikart (1987) décrivent la façon dont les enfants se développent physiquement. Cinq expériences mettent l'accent sur l'expérimentation et sur la description du mouvement :

- *Bouger sans se déplacer : se pencher, se tortiller, vaciller, balancer les bras.*
- *Bouger en se déplaçant : courir, sauter, sautiller, gambader, bondir, marcher, grimper.*
- *Bouger avec des objets.*
- *Exprimer sa créativité par le mouvement.*
- *Décrire des mouvements.*

Une autre expérience consiste à donner une signification à des signaux émis tant de manière visuelle

13.2.1 EXPÉRIENCE CLÉ
Bouger sans se déplacer : se pencher, se tortiller, vaciller, balancer les bras

Bouger sans se déplacer est une des premières façons qu'utilise le bébé pour bouger. Tout en restant à la même place, les bébés sont souvent en mouvement : ils sont couchés sur le dos et agitent les bras, ils observent les mouvements de leurs doigts et de leurs mains, ils donnent des coups avec leurs pieds, ils tournent leur tête d'un côté à l'autre. Couchés sur le ventre, ils lèvent le tronc et la tête en se poussant avec leurs mains et ils agitent les jambes. Bien que le développement psychomoteur des enfants du préscolaire soit en pleine expansion, ceux-ci continuent d'accroître leur équilibre, leur maîtrise et leur conscience du mouvement tout en adoptant une variété de positions : se coucher, s'asseoir, s'agenouiller, s'accroupir, se recroqueviller et se tenir debout. Ils s'engagent aussi dans une variété de mouvements à partir de ces positions : se pencher, s'étirer, se tortiller, se bercer, balancer les bras, les jambes, le tronc et la tête de différentes façons. Ce processus d'acquisition de connaissances basé sur l'expérience procure aux enfants une compréhension de ce que leur corps peut accomplir et il consolide les capacités des enfants d'isoler et d'utiliser les mouvements dont ils ont besoin dans les jeux de groupe, dans les jeux de rôles, dans la résolution de problèmes et dans l'expression de soi.

Les stratégies suivantes permettent de soutenir les enfants lorsqu'ils bougent sans se déplacer.

PISTES D'INTERVENTION

A. Encourager les enfants à explorer diverses positions du corps

Les enfants aiment se retrouver dans des positions différentes. À la période d'ateliers libres, par exemple, vous pouvez voir les enfants recroquevillés sous une table en faisant semblant qu'ils sont des abeilles qui dorment, ou pendant le rassemblement, vous pouvez observer les enfants qui se tiennent sur un pied et qui utilisent leurs bras pour garder leur équilibre.

Observer et reconnaître les positions adoptées par les enfants durant les jeux et prendre conscience de celles-ci

À la période d'ateliers libres, André choisit de jouer dans le coin des blocs. Il construit un volcan autour duquel il dépose plusieurs carrés de retailles de tapis. Il doit alors se pencher, ramper, tourner la tête pour éviter de se « faire brûler par la lave chaude ». Il se blottit sur un carré qui fait office de maison et reste ainsi pendant un long moment. Puis, il « commande son dîner » à un ami qui lui tend un bloc. André doit étirer le bras pour attraper le « bon hamburger ». Lors de cette période de jeu, André s'est étiré, a rampé, s'est penché, s'est recroquevillé, a tourné la tête, s'est contorsionné. Durant la période de réflexion, il a parlé de ses mouvements avec l'éducatrice, faisant une démonstration de chaque mouvement qu'il nommait.

Jouer à des jeux de positions avec les enfants

Au cours de la période en groupe d'appartenance, de la période de rassemblement ou des jeux à l'extérieur, les éducatrices peuvent entreprendre des jeux de positions avec les enfants. Par exemple, les enfants aiment jouer à la statue : ils se tortillent, ils s'accroupissent, ils se tiennent sur un pied et une main, ils se figent au signal donné et ils examinent et commentent les positions inhabituelles de leurs pairs. Tout en cherchant leurs mots pour décrire les différentes positions, ils construisent la conscience et la maîtrise de leur corps. Ils peuvent aussi jouer à deux au sculpteur ou à l'ange couchés sur le dos, sur le côté ou à plat ventre dans le sable ou dans la neige.

B. Chercher les occasions de s'étirer, de se balancer, de se pencher et de se bercer avec les enfants

C'est en faisant l'expérience des mouvements de tout leur corps que les enfants acquièrent la maîtrise d'eux-mêmes et le sens de la posture. Par exemple, à la période d'ateliers libres, surveillez les enfants lorsqu'ils font semblant d'être des animaux, imitez leurs actions et commentez leur façon de s'étirer et de marcher comme de vrais chats, des chiens ou des lions. Quand les enfants bercent leurs poupées, joignez-vous à eux, prenez et bercez vous-même une poupée. Faites jouer de la musique lors des rassemblements et regardez les enfants qui s'étirent, se penchent et tournent sur eux-mêmes. Observez comment les enfants modifient leurs mouvements et encouragez-les à imaginer et à essayer d'autres manières de bouger.

C. Jouer à imaginer et à reproduire des mouvements

Il existe plusieurs histoires, comptines et chansons comme *Les trois petits cochons*, *Un, deux, trois, ma p'tite vache a mal aux pattes* et *Savez-vous planter des choux ?* qui inspirent des actions spécifiques que les enfants peuvent faire. Dans la chanson *Un chasseur dans sa maison regardait par la fenêtre*, les enfants utilisent leurs mains pour imiter le chasseur qui regarde, pour simuler les oreilles du lapin, pour faire semblant de frapper à la porte ou de tenir un fusil, etc.

Vous pouvez aussi composer ou improviser simplement vos propres histoires, comptines et chansons. Par exemple, une éducatrice a composé une chanson à gestes sur l'air d'*Au clair de la lune* qu'elle chante et mime à la fin de la sieste :

Quand je me réveille, je m'étire un peu. Je secoue les jambes, je secoue les bras. Je me roule à droite, je me roule à gauche. Puis je te regarde et chante avec toi.

Et elle reprend la chanson pour chaque enfant qui en manifeste le désir.

Lorsque vous racontez des histoires, battez la mesure ou chantez, vous pouvez ajouter et utiliser des mots d'action comme « toucher », « taper », « frapper », « brasser », « lever », « écraser », « voler », « pousser », « tomber », « claquer des doigts », « glisser », « couper », « tourner », « tirer », « peindre » et ainsi de suite. Lorsque les enfants auront compris l'idée, ils composeront aussi leurs propres histoires et chansons, et ils prendront plaisir à voir les autres enfants les mimer.

Un autre jeu consiste à choisir ou à demander aux enfants de suggérer un mot d'action, tel « secouer », puis de proposer aux enfants de trouver toutes les parties de leur corps qu'ils peuvent secouer.

D. Prêter attention à la direction, à l'amplitude, au niveau, à l'intensité, à la forme et à la vitesse des mouvements

La direction. Quand les enfants bougent leurs membres, ils les rapprochent ou les éloignent de leur corps, les mettent en haut, en bas, autour d'eux, ensemble et les séparent. Lorsque vous observez les enfants, vous pouvez décrire avec précision les mouvements de leur corps : « Tu mets tes pieds ensemble et tu sépares tes pieds. »

L'amplitude. Les enfants font de petits et de grands étirements, de grosses vagues et des petites. Lorsque vous commentez l'extension de leurs mouvements, donnez-leur l'occasion de formuler leurs propres commentaires ou observations. En pensant à toutes ces sortes de mouvements, l'éducatrice peut construire une histoire qui parle, par exemple, d'une souris qui frappe à la porte avec beaucoup de bruit et d'une autre qui frappe sans faire de bruit. Ces deux souris vont se faire toutes petites pour passer par le « trou de souris », et elles vont s'étirer le plus possible lorsqu'elles sont à l'extérieur.

Le niveau. Les enfants peuvent ramper au sol ou se faire le plus grand possible. Une éducatrice qui était au parc avec son groupe d'enfants remarqua que deux d'entre eux observaient un nid de fourmis. Après avoir constaté que la fourmilière comptait plusieurs entrées, elle proposa aux autres enfants de choisir une entrée et de l'observer aussi. Plus tard, un enfant lança l'idée de faire semblant d'être des fourmis. Dans les jours qui suivirent, les enfants jouèrent aux fourmis en imaginant que leur local était une fourmilière. Ils transportèrent des objets à la manière des fourmis, mangèrent, marchèrent, dormirent, etc., comme des fourmis. Puis, un jour, un enfant décida d'imiter un éléphant, puis un autre une girafe, et un autre imita un aigle. Et le jeu se transforma en un jeu où l'on se faisait petit et où l'on se faisait grand, jusqu'à ce qu'un enfant suggère de jouer à « Jean dit » sur le thème de la jungle. « Jean dit : "Vous êtes des oiseaux qui volent très très haut." » « Jean dit : "Vous êtes de très petites fourmis." » Chacune de ces expériences permit aux enfants d'expérimenter différents mouvements à différents niveaux.

L'intensité. Les enfants peuvent exécuter les mouvements avec beaucoup ou peu d'énergie. Par exemple, des enfants s'amusaient à l'extérieur, couchés à plat ventre, faisant semblant de faire une course à la nage. L'éducatrice se joignit à eux et dit : « Vos bras et vos jambes font de gros efforts, vous êtes de bons nageurs, j'aimerais être aussi forte que vous. » Après quelques instants, un enfant ajouta : « Je suis trop fatigué pour continuer, mes jambes doivent se reposer. »

La forme. Lorsqu'ils jouent à des jeux de positions comme « La statue », les enfants découvrent parfois qu'ils ont, sans le faire exprès, composé des formes avec leur corps. Tandis que les enfants jouaient à la statue et qu'ils étaient « gelés », une éducatrice dit : « Regardez autour de vous. Qu'est-ce que vous voyez ? » Alors un enfant s'exclama : « Martin ressemble à un O, un gros O ! »

La vitesse. En général, les enfants du préscolaire préfèrent les mouvements rapides : ils aiment faire la vague, se secouer, se tourner rapidement. De leur point de vue, « lentement » veut dire « pas assez vite ». Néanmoins, un groupe d'enfants a éprouvé beaucoup de plaisir à laisser tomber des foulards du haut de la cage à grimper et beaucoup d'étonnement en les voyant descendre lentement vers le sol. « Ça leur prend du temps à descendre », s'exclama un enfant. Cette observation mena les enfants à mimer un « foulard lent » lors d'une période de rassemblement au cours de laquelle ils démontraient, par différents exercices, leur compréhension des mouvements lents.

13.2.2 EXPÉRIENCE CLÉ Bouger en se déplaçant : courir, sauter, sautiller, gambader, bondir, marcher, grimper

Les enfants du préscolaire sont généralement pleins d'énergie et d'entrain. Ils veulent courir, sauter, bondir, glisser, grimper et galoper. Les bébés et les trottineurs se déplacent en rampant et en se faufilant, font leurs premiers pas avec maladresse, puis finalement marchent avec un meilleur équilibre et une plus grande rapidité. Les enfants du préscolaire continuent d'explorer leur environnement et ajoutent des mouvements à leur répertoire. Le développement de leur équilibre, de leur coordination et de leur force leur permet d'essayer et de maîtriser différents mouvements tels que sauter, bondir, galoper, glisser et grimper. Dans leur désir de communiquer leurs expériences aux autres, ils parlent alors des façons qu'ils ont de bouger : « Regarde le gros... le très gros saut que j'ai fait. »

Nous présentons maintenant des moyens d'encourager les enfants du préscolaire à étendre leur capacité et leur envie de courir, de sauter, de grimper, de marcher, de faire des pirouettes, de sauter à la corde, etc.

PISTES D'INTERVENTION

A. Accorder aux enfants de l'espace et du temps pour bouger

Afin de pouvoir se déplacer de toutes les manières possibles, les enfants ont besoin de beaucoup d'espace. Ils ont besoin de lieux ouverts autant à l'intérieur qu'à l'extérieur afin de pouvoir bouger librement sans danger pour eux-mêmes et les autres. Ils ont aussi besoin d'un espace psychologique se traduisant par un climat agréable créé par les éducatrices. En effet, ces dernières devraient inciter les enfants à expérimenter différentes façons de se mouvoir et s'attendre à ce qu'ils manifestent leur dynamisme et leur vigueur plutôt que de rester assis, tranquilles et obéissants. Enfin, les enfants ont besoin de temps pour s'exercer, pour expérimenter les mouvements à leur propre rythme jusqu'à ce qu'ils soient satisfaits, et ce quotidiennement. (Les chapitres 2 et 5 présentent des moyens de mettre en place des conditions humaines et physiques favorables à l'apprentissage actif.)

B. Encourager les enfants à se mouvoir de différentes façons

La marche, la course, les roulades, l'escalade, les sauts, les bonds, le galop, la marche au pas sont autant de manières de bouger que les enfants du préscolaire imitent, expérimentent et répètent. Les éducatrices qui favorisent un apprentissage actif souhaitent que ces mouvements se produisent et les planifient pour différentes périodes de la journée. Par exemple, à la période de réflexion, l'éducatrice a proposé à Justin de sauter vers tous les endroits où il a joué durant les ateliers libres.

Prêter attention à toutes les formes de mouvement des enfants

Que les enfants jouent à l'intérieur ou à l'extérieur, le mouvement fait partie de leurs jeux. Il est important que les éducatrices prêtent attention aux mouvements des enfants et soutiennent ceux-ci lorsqu'ils les accomplissent, tout en tenant compte de l'esprit du jeu ; elles commenteront ce qu'elles voient sans déranger la concentration de l'enfant à son jeu. Voici un exemple qui illustre cette suggestion.

> Dans le coin des blocs, Christophe et Félix sautent de bloc en bloc. « Fais attention à ne pas tomber dans l'eau parce qu'il y a des crocodiles, s'écrie Christophe.
> – Ils pourraient te mordre le pied, ajoute Isabelle, l'éducatrice qui observe la scène. Est-ce que les crocodiles peuvent m'attraper aussi ? demande-t-elle.
> – Oh, oui. Attention, monte sur celui-là », dit Christophe qui montre un bloc près d'elle. Lorsque Isabelle est en sécurité sur le bloc, Christophe continue : « Maintenant, lorsque je vais te le dire, saute... comme ça. » Isabelle saute et retombe sur le même bloc. « Oh non ! Tu dois sauter sur un autre bloc, pas sur le même, dit l'enfant.
> – D'accord, répond Isabelle. Je vais sauter sur celui-ci. »

Jouer à des jeux de groupe où les enfants pourront courir, sauter et se déplacer de différentes façons

Les éducatrices peuvent planifier des jeux pour les moments où les enfants doivent se déplacer lors des activités en groupe d'appartenance, des rassemblements et des transitions. Elles peuvent aussi profiter des occasions qui permettent d'incorporer différents mouvements lors des jeux extérieurs. En voici deux exemples.

- Pendant un rassemblement à l'extérieur, Laurence et Samuel ont commencé un jeu où les enfants devaient galoper comme des chevaux. Les enfants galopaient vers un arbre lorsque l'un d'eux a dit : « Au galop, les chevaux ! » Pendant que Laurence et Samuel galopaient vers l'arbre avec les enfants, ils ont remarqué que certains enfants savaient comment galoper, que d'autres couraient et que d'autres encore s'étaient arrêtés et s'interrogeaient car ils ne savaient pas comment faire. Au fur et à mesure que les enfants reprenaient ce jeu, ils devenaient de plus en plus habiles à galoper. Au printemps, plusieurs enfants pouvaient imiter le trot en plus du galop. Les enfants ont même introduit une variation dans le jeu. Un jour, Lise a dit : « Regardez, je sais faire une autre sorte de galop.
  – Oh, oui ! je vois, lui a répondu Laurence. Tu galopes de côté, on dirait que tu glisses. On pourrait faire les chevaux qui glissent de côté. »
  À partir de ce moment, les enfants se sont exercés au galop et à la glissade de côté, et sont devenus de plus en plus habiles.
- Lors de la transition entre la période de rassemblement et la période d'ateliers, Béatrice et Laurence demandent aux enfants comment ils aimeraient se déplacer vers les tables de planification. Chaque jour, les enfants proposent des façons différentes telles que ramper comme un serpent, sauter sur une jambe, marcher sur les talons, à quatre pattes ou accroupis.

Les enfants courent après le « Bonhomme en pain d'épices ».

C. Prêter attention à la direction, à l'amplitude, au niveau, au trajet, à l'intensité et à la vitesse des mouvements

Les nombreux déplacements des enfants dans une journée les amènent à utiliser différents types de mouvements. Ils peuvent, par exemple, marcher sur la pointe des pieds tout en étirant les bras dans les airs, ou marcher en petit bonhomme les bras et les jambes recroquevillés. Les éducatrices peuvent alors commenter ces mouvements et suggérer des variations ou des mouvements additionnels. Voici quelques exemples de commentaires :

La direction. « Tania, j'ai remarqué que tu avais fait le tour du château d'Yvan en t'en venant. »

L'amplitude. « Je fais des petits sauts parce que je suis un petit bébé lapin, dit Sara à l'éducatrice.
– Moi, je suis la grande sœur lapin, je fais des sauts plus longs », ajoute l'éducatrice.

Le niveau. « J'ai une idée, dit l'éducatrice. Si nous marchions en relevant nos coudes dans les airs le plus haut possible ? » Après quelques essais, Maya a suggéré ceci : « Maintenant, on marche avec les coudes tout près du plancher. »

Le trajet. Pendant le jeu du galop, Bryan dit à l'éducatrice qu'il voulait se changer en cheval sauvage. Lorsque celle-ci lui a demandé « Qu'est-ce que ça fait un cheval sauvage ? », il a commencé à galoper en zigzaguant jusqu'à l'arbre. Plus tard, un enfant a proposé que l'on galope en faisant de grands cercles.

L'intensité. Lors d'un rassemblement, tous les enfants avaient un cerceau. « Je sais ce qu'on peut faire, a dit Joël. On peut mettre un pied dedans et un pied en dehors, et faire le tour du cerceau. » Un peu plus tard, l'éducatrice a ajouté : « On le fait encore, mais cette fois on se change en géant et on frappe fort du pied à chaque pas. »

La vitesse. Les enfants d'un groupe de 3 ans ont du plaisir à se déplacer lors d'une transition quand l'éducatrice leur dit : « Vite, vite, comme des souris. » « Lentement, comme des tortues. » « Au pas, comme des soldats. »

13.2.3 EXPÉRIENCE CLÉ Bouger avec des objets

Les enfants du préscolaire ont l'habitude de bouger avec des objets ; ils le font depuis qu'ils ont appris à frapper leur cuiller sur le bord de leur chaise haute. Cependant, pour les enfants de 3 à 4 ans, ces mouvements sont motivés par des intentions de plus en plus complexes (« Je veux mettre une cape comme Batman. Quand je vais courir, elle va voler comme celle de Batman. »). De plus, comme leur coordination et leur équilibre se sont améliorés, ils peuvent exécuter des mouvements qui représentent de plus en plus de défis. Par exemple, ils imitent les jeux d'adresse des adultes, comme le baseball, le football, le volley-ball, le soccer et bien d'autres. Ils veulent aussi faire de nouvelles expériences, comme marcher avec les chaussures de papa ou de maman, patiner avec des boîtes qu'ils attachent à leurs pieds, transporter des seaux remplis d'eau, laver la table avec un linge humide.

Afin d'acquérir la confiance dans leur capacité à bouger avec des objets, les enfants ont besoin que l'éducatrice mette à leur disposition du matériel facile à manipuler et qu'elle prévoie du temps pour s'exercer, en plus de leur offrir sa patience rassurante. L'estime de soi ainsi acquise les aidera à développer des habiletés de mouvement encore plus complexes. Les pistes d'intervention suivantes permettent de soutenir les enfants qui bougent avec des objets.

PISTES D'INTERVENTION

A. Offrir aux enfants du temps et de l'espace pour bouger avec des objets

Pour exécuter tous les mouvements possibles, les enfants ont besoin de temps et d'espace autant à l'intérieur qu'à l'extérieur. Ce temps, ils l'occuperont à jouer et à répéter les mêmes mouvements, et ce jour après jour, tout comme ils aiment refaire le même casse-tête, écouter la même histoire, chanter la même chanson sans jamais se lasser. Ainsi, ils reprendront les mêmes objets à leur manière, selon leurs préférences et leur propre rythme. Pour ce faire, l'éducatrice devra appuyer leur démarche plutôt que de donner des instructions sur la façon de faire et d'atteindre le but.

B. Mettre à la disposition des enfants du matériel varié et facile à manipuler

Un environnement axé sur l'apprentissage actif comporte du matériel accessible et attrayant que les enfants auront envie de manipuler : des balles, des sacs, des bâtons, des cerceaux, des foulards, des banderoles, des instruments de musique et ainsi de suite. (Le chapitre 5 traite du choix du matériel et de l'aménagement des lieux.) Par exemple, Félix s'est fabriqué une canne à pêche avec un bâton, de la corde et un aimant, et il a passé le reste de la période d'ateliers libres à exercer son « lancer léger » dans le coin des blocs. Il avait disposé des blocs (les poissons) sur un tapis (le lac), et chaque fois que son aimant touchait un bloc, il mettait le bloc dans son panier. D'autres enfants ont fabriqué une route qui franchissait des tunnels et des montagnes, et sur laquelle circulaient trois autobus scolaires. Pour ce faire, ils ont utilisé des tables, des chaises, des boîtes et des bandes de carton trouvées dans le local. Ils ont ainsi pu expérimenter plusieurs sortes de mouvements : se lever, s'accroupir, contourner, pousser d'une main et reprendre de l'autre, suivre des yeux, tourner la tête.

Pour favoriser le mouvement et la prise de conscience du mouvement chez l'enfant, pour permettre aux enfants de relever des défis en toute confiance, l'éducatrice doit mettre à la disposition des enfants du matériel varié et approprié.

Ajouter du matériel léger qui vole et qui bouge facilement au gré des mouvements des enfants

Les banderoles et les rubans, les capes et les foulards qu'on attache au cou, aux bras, aux jambes ou qu'on tient avec les mains volent, virevoltent et prennent de multiples formes au gré des courses, des sauts ou des danses des enfants. Ce type de matériel peut aussi servir à créer des objets spéciaux, tels un costume d'oiseau fait de rubans de papier collés sur un grand sac d'épicerie ou un accessoire pour la danse fait de rubans attachés à un cerceau. L'effet visuel créé par ce type de matériel incite les enfants à s'observer et à observer les autres enfants. Par exemple : « Regarde mon ruban, il fait des ronds. » « Le mien fait comme un grand serpent. » « Je vole comme un oiseau. » « On dirait des cerfs-volants. »

Ajouter de nouveaux objets à tenir pendant qu'on bouge

Pour plusieurs enfants, le fait de tenir un objet lorsqu'ils bougent augmente leur confiance. Ils ont l'impression de maîtriser leur mouvement car ils doivent se concentrer sur l'objet. Le fait de tenir un moulin à vent, un seau rempli d'eau, des bâtons rythmiques, des baguettes ou des éventails en papier permet aux enfants de prendre conscience des différentes façons de remuer les bras et de bouger afin de créer certains effets : courir vite pour faire tourner le moulin à vent plus vite, ralentir pour faire ralentir le moulin à vent, marcher avec un seau rempli d'eau de façon à garder la surface de l'eau lisse ou à former de petites vagues.

Les bâtons et les éventails inspirent aux enfants des mouvements de va-et-vient, d'enfouissement, de tapotement et de frappement. Quand l'oncle de Benoît a visité la maternelle de celui-ci, quelques enfants ont remarqué qu'il avait une éclisse à son poignet et à sa main. La journée suivante, ils se sont fabriqué des éclisses avec des bâtons de « popsicle » et ils les ont gardées à leur poignet et à leur main pour travailler à l'ordinateur et jouer avec les blocs Lego. « Mes doigts sont raides ! » a remarqué Benoît.

Ajouter du matériel qui se fixe aux pieds

Quand les enfants fixent des objets à leurs pieds, ils deviennent plus conscients de leurs mouvements. Ils aiment partager leurs découvertes lorsqu'ils s'attachent aux pieds des assiettes en carton, des boîtes de chaussures, des sabots, des chaussures d'adultes ou des boîtes de conserve pour marcher, glisser ou sauter : « Je suis grand. » « Je peux sauter avec ces chaussures. » « Attends, je vais me faire des attaches ! » En hiver, les enfants pourront faire l'expérience des skis ou des raquettes.

Ajouter des balles et d'autres objets à empiler, à lancer, à attraper, à frapper

À tout âge, les enfants jouent avec des balles, et ceux du préscolaire ne font pas exception. Cependant, comme les enfants du préscolaire n'apprécient pas la vitesse et la résistance d'une balle en caoutchouc, il est important de leur fournir des objets légers qui rebondissent peu et ne roulent pas facilement sur le sol, tels des pompons, des sacs de sable ou de pois séchés, des balles de laine, de tissu ou de polystyrène souple et léger. Il est important aussi de mettre à la portée des enfants des objets qui bougent lentement dans les airs et qui s'attrapent aisément, comme des foulards et du tulle. Quand les enfants ont régulièrement accès à de tels objets, ils aiment les lancer dans des boîtes ou des paniers, en lancer plusieurs dans les airs, les lancer sur des cibles faciles, les lancer dans les airs et les attraper, jouer avec des amis à se les lancer.

Les petites et les grosses balles en caoutchouc, en plastique, de tennis, de plage et de soccer offrent aux enfants de nombreuses occasions de les faire rouler, de les lancer, de les attraper et de les frapper. Des bâtons de baseball légers et en plastique leur permettront de frapper la balle avec plus de facilité et, ainsi, de faire appel à leur coordination et à tous les mouvements qui sont rattachés à cette action. Si les enfants ont à leur portée une grande variété de balles et s'ils ont la chance de jouer seuls ou avec d'autres avec leurs balles favorites, alors les jeux qu'ils pourront imaginer seront sans fin. Hélène, par exemple, était très excitée quand elle a découvert qu'elle pouvait faire rebondir la balle jusqu'à son éducatrice, puis la rattraper lorsque celle-ci la lui retournait de la même manière. Marie-Pierre et Jeff ont rempli leurs bras de balles afin de voir combien ils pouvaient en entasser dans la caverne des chauves-souris qu'ils étaient en train de construire.

Ajouter de gros objets à pousser et à tirer

Ce genre de matériel comprend des chariots, des brouettes, des poussettes, des pneus et de grosses boîtes. Les enfants doivent faire preuve de beaucoup de force, d'équilibre et de coordination pour se pousser et se tirer les uns les autres dans leur « véhicule », pour se retourner dans des boîtes, pour enjamber des pneus ou pour les faire rouler. Par exemple, un groupe d'enfants aimait faire rouler des pneus d'un bout à l'autre de la cour. Un jour, ils ont découvert qu'ils pouvaient insérer une balle à l'intérieur de chaque pneu et faire en sorte qu'elle y reste le plus longtemps possible. À partir de cette découverte, ils ont inventé différents jeux avec des balles et des pneus : faire rouler les pneus à différentes vitesses et selon différents parcours, miser sur le moment où les balles sortiraient des pneus, etc.

13.2.4 EXPÉRIENCE CLÉ Exprimer sa créativité par le mouvement

Dans les milieux favorisant l'apprentissage actif, les éducatrices soutiennent le désir inné des enfants de bouger et de s'exprimer par le mouvement. Si les enfants sentent que les éducatrices évitent de les critiquer et de les ridiculiser lorsqu'ils expérimentent des mouvements, ils seront portés à essayer de nouvelles façons de bouger lorsqu'ils joueront et lorsque l'éducatrice leur en fera la suggestion. Parce qu'ils sont maintenant capables de représentation, c'est-à-dire de garder en tête des images de leurs actions passées, le mouvement devient un langage que les enfants du préscolaire utilisent de façon délibérée et imaginative, en parallèle avec le langage parlé, le dessin, le modelage et le jeu de rôles. Plus les enfants auront des occasions d'exprimer leurs sentiments, leurs expériences et leurs idées par le biais du mouvement, plus ils acquerront de la confiance en leur capacité de bouger et de communiquer avec leur corps. Le sentiment de bien-être corporel et de créativité qu'ils éprouveront lors de l'exécution du mouvement se répercutera sur d'autres sphères d'activités en plus de consolider leur conviction qu'ils sont habiles et qu'ils ont de l'imagination.

Voici maintenant des moyens d'encourager les enfants à exprimer leur créativité par le mouvement.

PISTES D'INTERVENTION

A. Observer et reconnaître l'utilisation créatrice du mouvement chez les enfants

Dans un milieu où les enfants peuvent bouger librement avec un objet ou non, les éducatrices qui comprennent la valeur éducative du mouvement et qui tiennent compte des intérêts et des habiletés des enfants auront l'occasion d'observer chaque jour plusieurs exemples d'expression de la créativité par le mouvement. Plus tôt dans ce chapitre, nous avons décrit les mouvements d'André pour éviter de se « faire brûler par la lave chaude ». D'autres enfants cités dans nos exemples se recroquevillent sous une table comme des abeilles, tentent d'imiter des foulards qui tombent, galopent en zigzagant, font le tour d'un cerceau en plaçant un pied en dedans et un pied en dehors, ou dansent avec des rubans attachés à un cerceau.

Au cours de la période en groupe d'appartenance, les enfants ont rempli des sacs d'épicerie avec des feuilles de journaux froissées, puis ils ont scellé les sacs avec du ruban adhésif. Durant la période des jeux extérieurs, ils s'amusent à les projeter d'un coup de pied ou à les lancer de leurs deux mains.

Afin de soutenir les enfants qui expérimentent de tels mouvements créatifs, les éducatrices peuvent commenter et décrire brièvement ce qu'elles voient. Par exemple, lors de la période d'ateliers libres, Justin joue avec des sacs remplis de pois séchés. Lors du rangement, il transporte les sacs sur sa tête et sur ses épaules, et en place d'autres en équilibre sur le bord d'un panier. Pour transporter le panier jusqu'à l'étagère, il marche très lentement à petits pas afin de ne pas faire tomber les sacs. Son éducatrice n'a jamais vu Justin marcher aussi lentement et avec autant de précaution. « Justin, dit-elle après qu'il a placé le panier et les sacs sur l'étagère, tu as trouvé une façon différente de marcher. » Cela fait sourire Justin. « Tu as marché lentement à petits pas afin de ne pas laisser tomber les sacs. »

B. Encourager les enfants à résoudre les problèmes durant les périodes en groupe d'appartenance, les rassemblements et les transitions

Pendant leurs jeux, les enfants créent et résolvent leurs propres problèmes reliés au mouvement; par contre, ils aiment aussi résoudre les problèmes que les éducatrices proposent. Cela constitue une façon pour ces dernières d'introduire de nouvelles idées de mouvements, que les enfants pourront plus tard incorporer à leurs propres jeux et à leur vocabulaire concernant le mouvement. En voici quelques exemples :

- « Comment pouvons-nous nous déplacer sans que nos pieds touchent le sol ? » demande Pierre.
- Un jour, tandis que les enfants manquaient d'enthousiasme durant la période de rangement, l'éducatrice a lancé ce défi : « Je me demande si nous pourrions ramasser tous les blocs en utilisant seulement nos coudes, comme l'a déjà fait Julie. »
- Au cours de la période en groupe d'appartenance, l'éducatrice a emmené les enfants près d'une voie ferrée désaffectée. « Essayons, dit-elle, de trouver toutes les façons de marcher sur la voie ferrée. » Le lendemain, elle a apporté une échelle, qu'elle a posée à plat sur le sol. Les enfants ont poursuivi l'exploration en plaçant des objets entre les barreaux. Ils devaient ramasser les objets tout en marchant d'un bout à l'autre de l'échelle.
- Au cours du rassemblement, l'éducatrice s'est assise sur le sol avec les enfants et elle a déposé un sac de sable sur sa tête. « Tu as mis un sac de sable sur ta tête, s'est exclamé un enfant.
  – Dites-moi à quel autre endroit je pourrais le placer », a répliqué l'éducatrice.
  Les enfants ont fait plusieurs suggestions, puis l'éducatrice a remis un sac à chacun. Alors, les enfants ont mis leur sac sur leurs genoux, sur leur tête, sur leurs épaules, puis ils ont commencé à exécuter différents mouvements avec le sac sur leurs orteils, dans leur dos, et ainsi de suite.

C. Parler avec les enfants de leur façon de se mouvoir

Quand les enfants trouvent des façons créatives de se mouvoir, vous pouvez les aider à prendre conscience de leurs mouvements en les incitant à parler de ce qu'ils sont en train de faire. Durant une période de rassemblement, par exemple, l'éducatrice joue de la guitare et s'arrête. Lorsqu'elle joue, les enfants remuent leurs bras selon le tempo. (Pour distinguer le tempo du rythme, voir la sous-section 13.2.7.B.) Lorsqu'elle s'arrête de jouer, ils s'arrêtent de bouger ; l'éducatrice en profite alors pour décrire ce qu'elle a vu et écouter les commentaires des enfants : « Vous avez remué vos bras de toutes sortes de manières. » Certains enfants ajoutent : « Les miens tournaient en rond. » « J'ai envoyé mes bras en avant et en arrière en frappant des mains. » « Moi, j'ai plié mes bras comme pour faire avancer la locomotive. » Puis l'éducatrice recommence à jouer de la guitare.

D. Encourager les enfants à représenter des expériences par le mouvement

Étant donné que les enfants du préscolaire sont capables de représentation, ils peuvent bouger en s'inspirant d'une image mentale qui reflète une expérience personnelle. Dans les faits, la période de réflexion est un moment privilégié pour représenter des événements par le mouvement. Les enfants peuvent expliquer ce qu'ils ont fait par le mouvement tout aussi bien que par le langage, la chanson ou le dessin. Par exemple, durant la période de réflexion, l'éducatrice demande aux enfants de démontrer ce qu'ils ont fait en utilisant leurs mains ou les autres membres du corps. Justin pointe le doigt vers l'ordinateur, fait bouger ses doigts comme pour taper sur le clavier et les plie comme pour actionner la souris. Benoît fait semblant de dessiner et de découper une feuille. Charlotte et Annabelle se couchent sur le sol et montrent comment elles se sont abritées sous la couverture.

Les enfants aiment aussi mimer des sorties. Un groupe d'enfants de la maternelle, par exemple, est allé au jardin zoologique. Une fois revenus dans leur classe, ils se sont rappelé la visite ; il est vite devenu évident pour l'éducatrice que ce qu'ils avaient trouvé le plus intéressant, c'était le voyage en autobus. « Pouvez-vous montrer ce qui s'est passé dans l'autobus en le mimant ? » Après réflexion et discussion, les enfants se sont assis sur le sol en deux rangées par groupes de deux. Un enfant faisait office de chauffeur et les autres enfants suivaient le mouvement de son volant tandis qu'il faisait semblant de tourner un coin de rue, puis un autre. Les enfants se penchaient tous en même temps de gauche à droite ou de droite à gauche.

Durant les transitions, les enfants aiment bouger comme des objets ou des animaux. Pour aller dehors, pour les préparer au dîner ou à la sieste, vous pouvez les faire marcher comme s'ils étaient des arbres dans le vent, un chien, un ressort ou une locomotive.

13.2.5 EXPÉRIENCE CLÉ Décrire des mouvements

Lorsque les enfants bougent au cours de leurs jeux, il leur arrive de décrire ce qu'ils font. Pendant qu'il descend dans la glissoire, Pierre s'écrie : « On descend ! Une jambe en l'air, une jambe en bas ! » C'est parce qu'ils peuvent faire des choix, qu'ils ont plusieurs choses intéressantes à faire et qu'ils sont entourés d'éducatrices qui leur lancent des défis à leur mesure et qui les écoutent, que les enfants du préscolaire manifestent le désir de parler de toutes leurs expériences, y compris leurs expériences de mouvement. De plus, ils ont développé leurs habiletés langagières, ils peuvent aller au-delà des descriptions sommaires du trottineur (« Moi, en bas. ») et formuler des commentaires plus complexes (« Regarde ! Je glisse en mettant mes mains sur mon front ! »).

Le développement de l'habileté à décrire des actions favorise chez les enfants la prise de conscience de ces mêmes actions, la maîtrise de leurs mouvements et le sentiment de confiance et de réussite (« Regarde, je peux sauter par-dessus tous ces blocs ! »).

Voici des moyens de soutenir et d'encourager les enfants lorsqu'ils décrivent des mouvements qui sont importants pour eux.

PISTES D'INTERVENTION

A. Écouter les enfants lorsqu'ils décrivent à leur façon leurs mouvements

Lorsque les enfants parlent avec vous ou avec quelqu'un d'autre pendant la journée, soyez attentive à la description qu'ils font de leurs mouvements, acceptez leur façon de s'exprimer et manifestez votre intérêt en reformulant leur description. Voici deux exemples tirés de la période des jeux extérieurs.

> BRIAN. – Regarde, Laurence, je peux me tenir debout !
> L'ÉDUCATRICE. – Oui, je vois. Avant tu étais assis sur la balançoire et maintenant tu es debout.
> CHRISTINE. – En haut !... En arrière !
> L'ÉDUCATRICE. – La balle est montée au-dessus de ta tête et elle est tombée derrière toi.
> CHRISTINE. – Elle est allée à reculons.
> L'ÉDUCATRICE. – Tu l'as lancée en haut et elle est retombée derrière toi.

B. Trouver des occasions de commenter la façon de bouger des enfants

Vous pouvez attirer l'attention des enfants sur leur façon de bouger et vous pouvez les encourager à décrire les mouvements qu'ils exécutent en commentant vous-même ce que vous voyez. Cette stratégie est plus efficace quand vous faites des commentaires spontanément, en démontrant votre intérêt, sans déranger ou interrompre le jeu de l'enfant. Voici quelques exemples :

- « Michel, tu as dû t'étirer pour prendre le bloc sur la tablette du haut. »
- « Tu m'as lancé la balle avec précision ; je n'ai pas eu à me déplacer pour l'attraper. »
- « Tu remues tes pieds, Janie.
  – Je peux bouger toutes mes jambes très très vite aussi », répond Janie.

C. Encourager les enfants à planifier leur mouvement, à le réaliser et à y réfléchir

Lorsque les enfants planifient des activités, ils sont portés à parler naturellement de ce qu'ils ont l'intention de faire. Par conséquent, il est intéressant de susciter des occasions tout au long de la journée afin que les enfants puissent planifier des activités et décrire la façon dont ils désirent se déplacer d'un endroit à l'autre ou bouger pour réaliser une activité. Voici deux exemples :

Lors d'une transition :
L'ÉDUCATRICE. – Pensez à une façon de vous déplacer d'ici à la cour.
UN ENFANT. – Moi, je vais sauter.
UN AUTRE ENFANT. – Je vais tenir la main de Tara.
UN AUTRE ENFANT. – Je vais marcher comme un géant et faire de grands pas.

À la collation :
L'ÉDUCATRICE. – Carole, c'est à ton tour de distribuer les serviettes de table. Comment vas-tu le faire ?
CAROLE. – Je vais faire le tour de la table et en donner une à chaque ami.

Les pauses et la période de réflexion favorisent aussi la description des mouvements. En voici quelques exemples :

- « Aujourd'hui, pendant l'atelier, j'ai vu des enfants qui bougeaient de différentes façons. J'en ai vu qui rampaient à quatre pattes, d'autres se sont couchés en rond dans les boîtes en carton. Dites-moi comment vous avez bougé aujourd'hui pendant la période d'ateliers. »
- « Josianne, dis-moi comment tu as fait pour aller chercher le ballon sur la grande glissoire. »
- « Je vous ai vus faire semblant d'être des abeilles. Anne, dis-moi, quels mouvements as-tu faits pour être une abeille ? »

D. Durant les rassemblements, planifier des activités au cours desquelles les enfants utilisent un seul mot pour décrire un seul mouvement

Voici une activité qui est une source de plaisir pour tout le groupe. Vous pouvez commencer cette activité en tapant sur votre tête avec vos deux mains selon un tempo donné. Lorsque les enfants suivent le mouvement et le tempo, vous pouvez ajouter un mot que vous répétez en chantant : « Tape, tape, tape, tape ». Au fur et à mesure que les enfants maîtrisent le mouvement, vous ajoutez d'autres mots en touchant d'autres parties du corps, comme les épaules ou les genoux. Une fois que les enfants se sont familiarisés avec le mouvement et la petite chanson, vous pouvez leur demander de proposer d'autres mouvements. Ainsi, ils pourraient faire des propositions telles que celles-ci : « secoue », « brasse », « saute », « marche », et ainsi de suite. Parfois, les enfants ont de la difficulté à décrire ce qu'ils font. Par exemple, Justin fait la démonstration de ses bras qui tournent. Lorsque l'éducatrice lui demande ce qu'il fait, il sourit et continue son mouvement. André vient à sa rescousse en disant : « Je sais, on peut dire "en haut"

Les enfants imitent les mouvements de l'éducatrice.

quand nos bras sont en haut et "en bas" quand nos bras sont en bas. » Tous les enfants imitent Justin en disant la formule : « En haut, en bas, en haut, en bas... »

13.2.6 EXPÉRIENCE CLÉ Modifier ses mouvements en réponse à des indications verbales ou visuelles

Les enfants qui ont l'occasion de bouger de différentes façons se servent de leurs expériences antérieures pour répondre à des consignes qui demandent de reproduire ou d'interpréter un mouvement. Tandis que les trottineurs sont capables de répondre à de simples directives de mouvement telles que « Va voir papa » ou « Apporte-moi la balle », les enfants du préscolaire peuvent utiliser leurs propres mots pour décrire (« Je secoue. ») et créer leurs propres mouvements dans diverses directions (« Je descends comme ça, une jambe en bas et une jambe en haut. »). Ils sont aussi capables de comprendre et de reproduire des séquences simples de mouvements, comme des pas de danse.

En demeurant attentives aux capacités croissantes des enfants d'effectuer divers mouvements et en leur procurant temps et espace pour bouger selon une manière et un rythme personnels, les éducatrices pourront soutenir l'intérêt des enfants pour l'exécution de mouvements répondant à des indications verbales ou visuelles si elles expérimentent les interventions qui suivent.

PISTES D'INTERVENTION

A. Observer la direction des mouvements des enfants durant les jeux

Les éducatrices sont parfois surprises par la diversité des mouvements que les enfants commandent et exécutent pendant qu'ils jouent.

- « Marche là. C'est plus solide. »
- « Tu es le chien, Justin. Tu pousses ton plat avec ton nez quand tu manges. »
- « Je vais tenir le papier pour toi pendant que tu vas couper. D'accord, Thierry ? »
- « Tu vas mettre les deux pieds dans le chariot, Hélène. »
- « Avance la souris sur la boîte de peinture, Nathan. Tu vas avoir de la couleur ! » (André et Nathan dessinent à l'ordinateur.)

Afin de soutenir un enfant lorsqu'il donne des consignes pour diriger un mouvement, vous pouvez exécuter ce mouvement dans la mesure où vous ne dérangez pas son jeu et que la situation vous le permet.

B. Pendant les jeux de groupe, expliquer simplement les mouvements ou faire une démonstration

Brian, 4 ans, participe à une danse folklorique avec ses parents. Il se tient entre les deux pendant qu'un animateur dit : « Un, deux, trois, lever, un, deux, trois, sauter. » Brian observe l'animateur et s'exécute. Il essaie d'apprendre les pas de danse. Les indications de l'animateur sont simples ; alors, Brian a le goût de participer. Étant donné que les jeunes enfants se concentrent sur une seule chose à la fois, il est préférable de ne leur fournir qu'un type d'indications à la fois, soit des indications verbales ou des indications visuelles, plutôt que les deux à la fois.

Donner des consignes étape par étape

Pour amorcer un mouvement, donnez une consigne simple. Par exemple, au début d'un rassemblement, vous pouvez dire ce qui suit sans faire les gestes : « Secouez vos deux mains. » Faites alors une pause pour donner la chance aux enfants de saisir votre message. Puis, continuez : « Secouez vos deux mains au-dessus de votre tête. » Faites une autre pause afin de vous assurer que tous les enfants ont bien compris. Puis ajoutez : « Y a-t-il d'autres endroits où vous pouvez secouer vos mains ? » Faites une pause, observez les réactions des enfants et recueillez leurs réponses.

Durant la période de planification, vous pouvez essayer de donner des consignes simples. En voici une : « Sautez jusqu'à un jouet avec lequel vous avez le goût de jouer aujourd'hui. »

Faire une démonstration

Au cours des rassemblements et des transitions, faites une démonstration, sans dire un mot, de la façon dont vous souhaitez que les enfants bougent.

Par exemple, si vous attendez l'autobus avec votre groupe d'enfants, vous pouvez entreprendre l'activité suivante en disant : « Regardez-moi et faites comme moi. » Alors, sans dire un mot, vous placez vos mains en avant et les tenez ainsi tout en vous assurant que les enfants comprennent et suivent. Puis, vous placez vos bras sur vos épaules. Et vous recommencez la séquence : bras en avant et mains sur les épaules. Lorsque les enfants ont bien compris le jeu, un enfant prend votre place et suggère deux autres mouvements.

13.2.7 EXPÉRIENCE CLÉ Ressentir et reproduire un tempo régulier

Plusieurs enfants font leur première expérience d'un tempo régulier et répétitif lorsqu'ils sont bébés et qu'on leur chante des chansons en les berçant. Lorsqu'on les balance de droite à gauche ou d'avant en arrière, ils ressentent le mouvement avec tout leur corps. Le bébé ou le trottineur qui est transporté dans un sac à dos ou sur le ventre sent le tempo régulier de la marche, surtout si la personne qui le porte chante en marchant. Lorsque le bébé est capable de se lever lui-même sur le bord de son lit ou sur un meuble, il se balance ou sautille souvent selon un tempo qui est le sien ou au son de la musique qu'il entend. Quand les trottineurs sont capables de se bercer eux-mêmes dans une chaise berçante ou sur un cheval à bascule, ils éprouvent beaucoup de satisfaction à sentir le tempo régulier qu'ils produisent. En plus de toutes ces expériences, qu'ils recherchent et reproduisent encore et encore, les enfants du préscolaire créent et perçoivent leur propre tempo régulier lorsqu'ils se balancent, pédalent et sautent. Avec le soutien des éducatrices, ils peuvent exprimer leur expérience du tempo avec des expressions telles que « tape, tape, tape », « saute, saute, saute » ou « vroum, vroum, vroum ». Ils peuvent aussi suivre le tempo lorsqu'ils chantent ou disent des comptines.

Le fait de sentir et de reproduire un tempo est une expérience appréciée des enfants, une expérience qui les aide à organiser leur façon de se mouvoir et de coordonner leurs mouvements. Les chansons en groupe, les jeux de mains à deux, les danses folkloriques et les rondes, les petits orchestres, les imitations de fanfares et les défilés sont basés sur une reconnaissance et une reproduction d'une vitesse ou d'un tempo communs. Tous ces jeux préparent les enfants à des activités plus complexes ayant un lien avec la musique et l'activité physique.

Nous vous présentons maintenant quelques pistes d'intervention pour soutenir le désir des enfants de ressentir et d'exprimer un tempo régulier.

PISTES D'INTERVENTION

A. Offrir un équipement avec lequel les enfants pourront se bercer, se balancer ou pédaler

Les chaises berçantes et les chevaux à bascule fournissent des occasions sécuritaires et agréables d'expérimenter et de ressentir le tempo régulier. Plusieurs enfants aiment se faire bercer ou se bercer, spécialement lorsqu'ils sont fatigués ou agités, car le mouvement régulier et prévisible les calme. Les balançoires, les tricycles et d'autres jouets à pédales offrent aussi aux enfants des occasions de produire et de ressentir un tempo qui leur est personnel.

B. Produire des balancements selon un certain tempo et battre la mesure d'une mélodie, d'une chanson ou d'une suite de mots

La sensation ou l'expérimentation du tempo régulier débute par des mouvements simples de balancement et d'oscillation; vous pouvez aussi frapper vos genoux pour accompagner une formule rythmique ou les paroles d'une chanson comme « Une, deux, trois, je m'en vais au bois... » ou « Il était une bergère... ». Les enfants du préscolaire peuvent prendre conscience du tempo tout aussi bien en se berçant, en se balançant et en marchant que par le biais d'activités telles que les chansons, les danses et les jeux de mains.

Distinguer le tempo du rythme

Afin d'acquérir la conscience du tempo, il est important de le distinguer du rythme. En se référant au métronome, on peut facilement comprendre ce qu'est le tempo. En effet, le métronome émet une séquence régulière de pulsations ayant chacune une durée égale. Quant au rythme, il est constitué de pulsations de durées variées correspondant à une séquence de valeurs de temps qu'on peut comprendre en se référant aux valeurs des notes de musique. Par exemple, dans la phrase « Au clair de la lune mon ami Pierrot », il y a 4 pulsations égales qui déterminent le tempo, et 11 pulsations correspondant à la valeur de durée de chacune des notes qui composent l'air de la phrase.

Tempo :

Au clair de la **lu** ne **mon** a mi Pier **rot**

Rythme :

Si on détermine que chaque mesure de cette chanson compte quatre temps et que la note noire vaut un temps, les quatre mesures de cette phrase pourraient se lire ainsi :

noire,	noire,	noire,	noire/	blanche,	blanche/	noire,	noire,	noire,	noire/	ronde
Au	clair	de	la	lu	ne	mon	a	mi	Pier	rot
Vite	vite	vite	vite	lent	lent	vite	vite	vite	vite	très lent

Il est plus facile pour les jeunes enfants de prendre conscience du tempo et de le reproduire, car celui-ci est régulier, constant et prévisible.

Se bercer, se balancer ou marquer le tempo lorsqu'on chante ou dit une comptine

Lorsque vous chantez avec les enfants ou que vous récitez des comptines, vous pouvez marquer le tempo en frappant sur vos genoux, vos épaules, votre tête ou vos mains et inviter les enfants à faire de même. D'abord, frappez sur vos genoux selon un tempo régulier et invitez les enfants à vous imiter ; puis, lorsque les enfants vous suivent, ajoutez une chanson ou une comptine correspondant à ce tempo. Quand les enfants seront familiarisés avec cette façon de faire, ils pourront entreprendre eux-mêmes un tempo et ajouter une chanson ou une comptine qui convient. Un jour, lors d'un rassemblement, Denis annonça : « Je vais chanter une chanson. » Il commença à taper dans la paume de sa main gauche avec le bout de l'index de sa main droite. Puis, il ajouta ses propres mots : « Coccinelle, coccinelle, es-tu là ? es-tu là ? »

Si vous bercez un bébé qui est fatigué ou qui a du chagrin, vous pouvez chanter ou réciter une comptine et marquer doucement le tempo sur son dos ou sur ses jambes à l'aide de la paume de la main. Ces petites tapes chaleureuses seront alors une source de bien-être et de consolation en plus de permettre à l'enfant d'acquérir la conscience du tempo.

Marquer un tempo régulier quand les enfants jouent avec les instruments de musique

Un jour, durant la période d'ateliers libres, Brian marchait dans le local en frappant sur un tambour. Afin de le soutenir et de lui permettre de reconnaître le tempo régulier qu'il produisait, son éducatrice s'est mise à marcher derrière lui tout en marquant ce tempo sur ses épaules. En les voyant ainsi marcher, David a pensé qu'ils faisaient un défilé. Il s'est alors joint à eux en marquant le tempo sur le dos de l'éducatrice.

C. Procurer aux enfants des occasions de marcher selon un tempo régulier

Cette stratégie se prête bien à des activités musicales. Faites jouer une cassette pendant une période en groupe d'appartenance ou lors d'un rassemblement et essayez ce qui suit avec les enfants :

- Assoyez-vous sur le sol et balancez les jambes de haut en bas en suivant le tempo.
- Sautez en suivant le tempo.
- Balancez-vous d'un côté et de l'autre, les jambes raides comme un robot, en suivant le tempo.
- Marchez jusqu'au vestiaire en suivant le tempo.

Observez les enfants et incitez-les à inventer de nouveaux mouvements et à diriger le groupe.

D. Observer et reconnaître les mouvements cadencés des enfants au cours de leurs jeux

Lorsque vous serez familiarisée avec les expériences clés concernant le mouvement, vous deviendrez probablement consciente des moments où les enfants bougeront selon un tempo régulier pendant leurs jeux. Voici quelques observations prises sur le vif :

- Deux « policiers » se balancent d'avant en arrière selon un même tempo lorsque leur voiture de patrouille tourne les coins de rue.
- Un petit groupe d'enfants travaille la terre glaise et la frappe sur la table selon un même tempo régulier pour l'aplatir.

- Plusieurs enfants jouent du tambour lors d'un défilé improvisé dans la cour de l'école.

Lorsque c'est possible, profitez-en pour vous joindre à de tels jeux, en prenant soin de ne pas les déranger ou les interrompre, afin de soutenir le tempo régulier que les enfants ont mis en place eux-mêmes. Une éducatrice d'une cellule de soutien mutuel, par exemple, s'est assise avec le groupe d'enfants qui travaillait la terre glaise; elle a pris un morceau de terre et a commencé à le frapper sur la table en suivant les enfants et en accompagnant le tempo ainsi: « boum, boum, boum, boum ». Les enfants l'ont vite imitée.

E. Jouer en groupe selon un tempo régulier

Une éducatrice a proposé à son groupe d'enfants de marcher en répétant:

Tap tap tap les mains
Tap tap tap les mains
Tap tap tap les mains
Tap tap à demain

Chaque enfant pouvait changer la formule à sa guise en nommant différentes parties du corps et en variant la fin:

Tap tap tap les joues
Tap tap tap les joues
Tap tap tap les joues
Et tombe à genoux

Ces mouvements très simples et répétitifs avec une fin bien définie comme « à demain » ou « tombe à genoux » plaisent aux enfants.

13.2.8 EXPÉRIENCE CLÉ Suivre des séquences de mouvements en respectant un tempo commun

Les enfants du préscolaire peuvent éprouver de la difficulté à suivre des séquences de mouvements en respectant un tempo commun, car ils se concentrent plus facilement sur un mouvement à la fois. Cependant, ils manifesteront beaucoup de plaisir à relever le défi consistant à suivre des séquences de mouvements très simples. Les enfants qui commencent à « ressentir » le tempo aimeront choisir eux-mêmes les mouvements et les séquences, et ils voudront partager leurs expériences avec les autres.

Cette expérience clé peut se produire lorsque les enfants jouent ensemble. De plus, les éducatrices peuvent l'introduire au cours des périodes en groupe d'appartenance ou des rassemblements. Voici quelques moyens de soutenir les enfants lorsqu'ils bougent selon une séquence de mouvements et selon un tempo commun.

PISTES D'INTERVENTION

A. Nommer la partie du corps associée à chaque mouvement de la séquence

Un jour, durant la période en groupe d'appartenance, Raphaël tapait sur sa tête puis sur ses genoux. L'éducatrice a noté que Robert avait de la difficulté à imiter cette séquence de mouvements; elle a alors nommé les parties du corps sur lesquelles Raphaël tapait: « tête, genoux, tête, genoux ». Robert a par la suite réussi la séquence. Plus tard, il a effectué une séquence de son cru en la décrivant: « nez, oreille, nez, oreille », et d'autres enfants se sont joints à lui.

B. S'assurer que la séquence de mouvements reste claire et simple

Voici deux stratégies de base que les éducatrices peuvent utiliser pour aider les enfants du préscolaire à expérimenter avec succès une séquence de mouvements selon un tempo commun:

- Bien marquer la fin de la séquence de mouvements.
- Éviter de faire référence à la « droite » et à la « gauche ».

Les enfants sont rassurés lorsque la fin d'une séquence est claire: toucher le sol, un objet ou une partie du corps. Le fait de reconnaître la fin de la séquence facilite la compréhension de la séquence et du tempo. Des mouvements que l'on fait sans toucher quelque chose – comme secouer les mains, tourner en rond, pencher la tête ou agiter les jambes – marquent moins bien la fin d'une séquence et le début de la séquence suivante.

Lorsque les enfants commencent à grimper, à se lancer des balles, à conduire un tricycle et à jouer à d'autres jeux du genre, il importe peu qu'ils entreprennent leur mouvement par la droite ou par la gauche. Il en est de même pour les séquences de mouvements selon un tempo commun. Dans les faits, les enfants d'âge préscolaire réussiront mieux les séquences de mouvements où ils utiliseront leurs deux mains en même temps pour toucher leur tête, ou les deux pieds pour sauter sur le sol.

TABLEAU RÉCAPITULATIF

Le mouvement

Bouger sans se déplacer : se pencher, se tortiller, vaciller, balancer les bras

- Encourager les enfants à explorer diverses positions du corps :
  - observer et reconnaître les positions adoptées par les enfants lors des jeux et prendre conscience de celles-ci ;
  - jouer à des jeux de positions avec les enfants.
- Chercher les occasions de s'étirer, de se balancer, de se pencher et de se bercer avec les enfants.
- Jouer à imaginer et à reproduire des mouvements.
- Prêter attention à la direction, à l'amplitude, au niveau, à l'intensité, à la forme et à la vitesse des mouvements.

Bouger en se déplaçant : courir, sauter, sautiller, gambader, bondir, marcher, grimper

- Accorder aux enfants de l'espace et du temps pour bouger.
- Encourager les enfants à se mouvoir de différentes façons :
  - prêter attention à toutes les formes de mouvements des enfants ;
  - jouer à des jeux de groupe où les enfants pourront courir, sauter et se déplacer de différentes façons.
- Prêter attention à la direction, à l'amplitude, au niveau, au trajet, à l'intensité et à la vitesse des mouvements.

Bouger avec des objets

- Offrir aux enfants du temps et de l'espace pour bouger avec des objets.
- Mettre à la disposition des enfants du matériel varié et facile à manipuler :
  - ajouter du matériel léger qui vole et qui bouge facilement au gré des mouvements des enfants ;
  - ajouter de nouveaux objets à tenir pendant qu'on bouge ;
  - ajouter du matériel qui se fixe aux pieds ;
  - ajouter des balles et d'autres objets à empiler, à lancer, à attraper, à frapper ;
  - ajouter de gros objets à pousser et à tirer.

Exprimer sa créativité par le mouvement

- Observer et reconnaître l'utilisation créatrice du mouvement chez les enfants.
- Encourager les enfants à résoudre les problèmes durant les périodes en groupe d'appartenance, les rassemblements et les transitions.
- Parler avec les enfants de leur façon de se mouvoir.
- Encourager les enfants à représenter des expériences par le mouvement.

Décrire des mouvements

- Écouter les enfants lorsqu'ils décrivent à leur façon leurs mouvements.
- Trouver des occasions de commenter la façon de bouger des enfants.
- Encourager les enfants à planifier leur mouvement, à le réaliser et à y réfléchir.
- Durant les rassemblements, planifier des activités au cours desquelles les enfants utilisent un seul mot pour décrire un seul mouvement.

Modifier ses mouvements en réponse à des indications verbales ou visuelles

- Observer la direction des mouvements des enfants durant les jeux.
- Pendant les jeux de groupe, expliquer simplement les mouvements ou faire une démonstration :
  - donner des consignes ;
  - faire une démonstration.

Ressentir et reproduire un tempo régulier

- Offrir un équipement avec lequel les enfants pourront se bercer, se balancer ou pédaler.
- Produire des balancements selon un certain tempo et battre la mesure d'une mélodie, d'une chanson ou d'une suite de mots :
  - distinguer le tempo du rythme ;
  - se bercer, se balancer ou marquer le tempo lorsqu'on chante ou dit une comptine ;
  - marquer un tempo régulier quand les enfants jouent avec les instruments de musique.
- Procurer aux enfants des occasions de marcher selon un tempo régulier.
- Observer et reconnaître les mouvements cadencés des enfants au cours de leurs jeux.
- Jouer en groupe selon un tempo régulier.

Suivre des séquences de mouvements en respectant un tempo commun

- Nommer la partie du corps associée à chaque mouvement de la séquence.
- S'assurer que la séquence de mouvements reste claire et simple.

LECTURES COMPLÉMENTAIRES

DOYON-RICHARD, LOUISE (1992). *Préparez votre enfant à l'école : 500 jeux psychomoteurs pour les enfants de 2 à 6 ans*, Montréal, Les Éditions de l'Homme.

LAUZON, FRANCINE (1990). *L'éducation psychomotrice : source d'autonomie et de dynamisme*, Sillery, Presses de l'Université du Québec.

LIÈVRE, BRUNO DE (1992). *La psychomotricité au service de l'enfant : notions et applications pédagogiques*, Bruxelles, De Boeck-Wesmael.

PAOLETTI, RENÉ (1994). *Éducation et motricité de l'enfant de deux à huit ans*, Boucherville, Gaëtan Morin Éditeur.

ROY, MARIE et LYSETTE GARIÉPY (1998). *Je danse mon enfance. Guide d'activités d'expression corporelle et de jeux en mouvement*, Montréal, Chenelière/McGraw-Hill.

SAMSON HINDSON, PAULINE (1999). *La psychomotricité par le jeu au préscolaire*, Montréal, Guérin.

CHAPITRE 14

La musique

Les jeunes enfants associent vraiment la musique et les mouvements corporels d'une façon naturelle; il leur est pratiquement impossible de chanter sans se lancer dans une activité physique d'accompagnement.
HOWARD GARDNER, 1983a.

La musique consiste en une série de sons organisés par le rythme, la mélodie et l'harmonie qui vise à susciter une réaction émotive chez la personne qui l'écoute. Elle nous accompagne tout au long de notre vie, soulignant les événements qui se produisent de notre naissance à notre mort. Lorsque Gardner (1983a, p. 105) voulut expliquer l'aspect affectif de l'intelligence musicale, il se référa à un grand compositeur du XXe siècle: Arnold Schoenberg. Il cite Schoenberg comme suit:

> La musique est une succession de sonorités et de combinaisons de sonorités organisées de manière à procurer une impression agréable à l'oreille. [...] Cette impression a le pouvoir d'influencer des parties occultes de notre âme et de nos sphères affectives.

14.1 La musique : un ingrédient important de l'enfance

Dans l'utérus de sa mère, le bébé peut entendre la musique et y réagir en donnant des coups de pied et en bougeant. Les enfants de tout âge sont touchés par la musique. Selon le genre de musique, le moment de la journée, le genre de situation, ils peuvent répondre de façons différentes: en faisant de doux gazouillis ou en pleurant, en s'agitant ou en s'endormant. Les trottineurs créent leur propre babillage musical et chantent parfois des segments de chansons connues et même deux ou trois notes d'une musique qu'ils ont inventée. Les enfants du préscolaire, qui sont solides sur leurs pieds, peuvent se mouvoir au son de la musique ou jouer d'un petit instrument de manière organisée et intentionnelle. Avec le développement du langage et de l'habileté à se représenter les choses (c'est-à-dire à garder des images en mémoire), les enfants peuvent chanter des chansons complètes, voire inventer leurs propres chansons. Ils peuvent aussi associer des situations familières avec de la musique (« Cette musique ressemble à un défilé. » « C'est une musique d'Halloween. ») et bouger en concordance avec celle-ci (« En avant, marche. » « Qui fait le fantôme ? Qui fait le monstre ? »).

Les enfants sont très réceptifs à la musique; ils aiment l'écouter et bouger en l'écoutant. La musique est un langage qui leur permet d'apprendre sur eux-mêmes et sur les autres. Elle les entraîne au cœur de leur monde culturel et des rituels communs comme les anniversaires, les célébrations religieuses, les mariages et les festivals. La musique tient une place importante dans la vie, car elle traduit des émotions, intensifie les expériences et marque les événements historiques et personnels. Le sens musical des enfants et leur habileté à communiquer par la musique croissent dans la mesure où ils évoluent dans une culture ou dans un environnement où les membres de la communauté valorisent et aiment la musique.

14.2 Soutenir les enfants en les considérant comme des musiciens

Six expériences clés du domaine ***la musique***, établies par Elizabeth Carlton (1994), consultante en musique pour la fondation High/Scope, attirent l'attention sur la façon dont les jeunes enfants se développent en tant que musiciens. Les six expériences clé s'attardent à l'éveil musical :

- *Bouger au son de la musique.*
- *Explorer et reconnaître des sons.*
- *Explorer sa voix.*
- *Développer le sens de la mélodie.*
- *Chanter des chansons.*
- *Jouer avec des instruments de musique simples.*

Les éducatrices qui soutiennent ces expériences clés comprennent que la musique doit s'inscrire dans les activités quotidiennes. Elles se rendent aussi compte que la musique fait partie intégrante de la culture de chaque enfant. De ce fait, elles favorisent au maximum les expériences musicales actives de manière à permettre aux enfants de développer leur habileté musicale et leur compréhension de la musique. Les éducatrices abordent les expériences musicales avec plaisir et elles comprennent que les enfants ont besoin de suggérer et de réaliser leurs propres idées dans ce domaine. Dans les faits, elles agissent plus comme les partenaires des enfants que comme des professeurs, des spécialistes ou des artistes.

Dans ce chapitre, nous vous présenterons des suggestions d'interventions en vue de soutenir les expériences clés du domaine ***la musique*** afin que les enfants acquièrent la capacité d'apprécier la musique et d'en faire.

14.2.1 EXPÉRIENCE CLÉ Bouger au son de la musique

Il est naturel, autant pour les enfants que pour les adultes, de bouger au son de la musique. Les humains, à travers les âges, ont toujours réagi aux chants et aux incantations, au son des tambours, des flûtes de bambou, des gongs et des cymbales. La musique et la danse se sont développées parallèlement, car de tout temps les êtres humains dansent, chantent et font de la musique pour appeler la pluie ou le soleil, pour chasser les démons, pour célébrer un événement ou pour pleurer. Même si tous ces rites sont moins présents aujourd'hui, on fait encore claquer les doigts, on tape des mains et des pieds, on chante à Noël, on danse lors des bals des finissants et des mariages. Et les jeunes enfants réagissent avec tout leur corps lorsqu'ils entendent de la musique.

Voici quelques suggestions qui vous aideront à soutenir le penchant naturel des enfants à bouger au son de la musique.

PISTES D'INTERVENTION

A. Faire entendre différents types de musique aux enfants

Les cassettes de musique et les musiciens que vous invitez à votre service de garde ou à votre école fournissent aux enfants des occasions d'entendre différentes sortes de mélodies et de bouger en les entendant. Lorsque vous aménagez votre coin de la musique et que vous choisissez les types de musique que vous désirez utiliser lors des rassemblements et de la période de rangement, pensez à diversifier vos choix en empruntant aux catégories suivantes :

- la musique folklorique et ethnique ;
- la musique classique ;
- la musique contemporaine et le jazz ;
- la musique militaire ;
- les valses, les tangos, la musique de ballet.

Utilisez des instruments de musique pour accompagner les déplacements des enfants. Si vous, un membre de l'équipe ou un parent jouez d'un instrument en particulier, explorez les possibilités d'en faire bénéficier les enfants. Souvenez-vous qu'aucun instrument n'est trop simple ou trop complexe pour stimuler l'intérêt des enfants et inspirer leurs mouvements. Ils aiment écouter, regarder et bouger au son d'un tambour, d'un conga, d'un harmonica, d'une guitare, d'un xylophone, d'un triangle, d'une cithare, aussi bien que d'un piano, d'une flûte, d'un violon ou d'un banjo. Pour les enfants, le fait de voir de près et d'entendre l'instrument de musique et la personne qui en joue, comme le fait de pouvoir bouger au son d'une musique, ajoute une nouvelle dimension à leur compréhension de la musique et leur permet de se percevoir comme étant capables de faire de la musique.

B. Encourager les enfants à créer leur propre façon de bouger au son de la musique

La musique incite les enfants à bouger, peu importe qu'une personne joue d'un instrument pour eux ou qu'ils entendent un enregistrement. Encouragez cet élan naturel, observez leur façon de répondre à la musique entendue, puis imitez-les. Un jour, par exemple, Isabelle a fait jouer une marche militaire lors d'un rassemblement. En entendant cette musique, Daniel, qui était assis sur le sol, a plié ses bras, fermé les poings et balancé les bras d'avant en arrière en suivant le tempo. Isabelle l'a imité et les autres enfants se sont joints à eux. Lorsque Isabelle a arrêté la musique, les enfants ont suggéré de recommencer en faisant des mouvements différents: « On tape des pieds par terre. » « On pourrait sauter. » « Moi, je fais semblant de patiner. » « On met les bras sur le côté et on vole. » Isabelle a fait jouer de nouveau la marche militaire, permettant ainsi aux enfants d'essayer chacun des mouvements proposés.

C. Créer des séquences simples de mouvements avec les enfants

Certaines pièces de musique telles qu'*À la claire fontaine* comprennent deux parties distinctes: un refrain et des couplets. Lorsque les enfants connaissent la chanson, vous pouvez leur faire remarquer et leur indiquer le début et la fin de chaque partie, et créer avec eux un mouvement pour chacune. Par exemple, lors des couplets, les enfants pourraient décider de marcher entre deux points précis du local et, lors du refrain, ils pourraient s'arrêter et balancer les bras dans les airs.

14.2.2 EXPÉRIENCE CLÉ Explorer et reconnaître des sons

Les enfants sont quotidiennement envahis par divers sons: la pluie qui tombe sur le toit de la maison, l'eau qui coule dans l'évier, les oiseaux qui chantent, les portes qui se ferment, le moteur de l'auto, le bruit de pas sur le trottoir, le chien qui jappe, le tic tac de l'horloge, la sirène de l'auto de patrouille, etc. Étant donné que les enfants d'âge préscolaire développent leur capacité de se représenter les choses, ils aiment écouter, reconnaître les sons et les associer avec des images mentales. Voici quelques suggestions qui vous permettront de soutenir cette expérience clé.

PISTES D'INTERVENTION

A. Évaluer l'environnement sonore

Plusieurs facteurs permanents déterminent les genres de sons que les enfants entendent dans un environnement favorisant l'apprentissage actif: l'emplacement, le climat et la construction de l'immeuble. Cependant, peu importe où vous vous trouvez, vous pouvez adopter plusieurs stratégies pour offrir un environnement sonore intéressant et faciliter l'apparition de sons naturels.

Mettre à la disposition des enfants des instruments de musique simples

Faites en sorte que les enfants aient à leur disposition une grande variété d'instruments de musique simples lors de la période d'ateliers libres et tout au long de la journée: des tambours, des cloches, des hochets, des triangles, des xylophones, etc. (Voir la sous-section 5.2.1.H. concernant la musique.) Les enfants aiment jouer de ces instruments et ils aiment entendre les autres en jouer.

Mettre à la disposition des enfants du matériel avec lequel ils peuvent produire des sons

Ce matériel peut comprendre de l'équipement électronique tel qu'une chaîne stéréo, un magnétophone, un tourne-disques, un lecteur de disques compacts ou un centre d'écoute et divers accessoires comme des disques, des cassettes, des disques compacts englobant plusieurs types de musique. Vous pouvez aussi offrir du matériel recyclé et des instruments de cuisine, comme des cuillers, des baguettes chinoises, des casseroles, des couvercles, ainsi que des contenants de toutes sortes, des billes, des pois et du riz qui pourront servir à faire des percussions.

Créer des moments de calme pour écouter

L'environnement favorisant l'apprentissage actif s'avère parfois très bruyant. Les enfants sont alors tellement concentrés sur leurs activités respectives qu'ils ne sont pas conscients de l'intensité du bruit. Par conséquent, il est important de susciter des moments de tranquillité pendant la journée afin d'aider les enfants à retrouver leur calme intérieur. Voici ce qu'ont fait Isabelle et Ruth, deux éducatrices de la maternelle, lors d'une chaude journée de printemps. Après une période active de jeux à l'extérieur, elles ont regroupé leurs enfants dans un local où les fenêtres étaient ouvertes. Après leur avoir demandé de se coucher sur leur tapis et de fermer les yeux, elles leur ont suggéré d'écouter les bruits qui émanaient de la cour où jouaient encore des enfants et de nommer ce qu'ils entendaient: « J'entends Jasmin qui appelle Jean. » « J'entends des pieds... des pieds qui courent. » « Ça, c'est la porte... oui, c'est la porte. » « La cloche de la récréation. » « On n'entend presque plus rien, les enfants sont en rang, je pense. »

Les collations et les repas sont des moments privilégiés où les enfants peuvent écouter et repérer les sons environnants: les pas dans l'escalier, le vent

Lors d'une promenade, les enfants et les éducatrices font une pause pour écouter le bruit de l'eau qui coule dans le ruisseau.

à l'extérieur, le chant des enfants du local voisin, la pluie qui frappe contre les fenêtres. Vous pouvez aussi faire une sortie et effectuer une collecte de sons avec les enfants : une collecte dans leur tête ou à l'aide d'un magnétophone. Au retour, les enfants pourront parler des sons qu'ils ont entendus.

B. Prêter attention aux sons qui attirent les enfants

Observez les réactions des enfants lorsqu'ils entendent des sons. Après que les blocs soient tombés avec fracas, Nicolas a regardé avec étonnement, a souri et a repris son activité. Lors des jeux extérieurs, Emmanuelle et Stanley courent le long de la clôture en imitant à tue-tête le son d'une sirène de pompiers. Daniel agite l'eau du bac à eau avec un bâton puis avec une grosse cuiller en bois, et plus tard avec un fouet, tout en prêtant l'oreille au bruit que produit chaque instrument. Hélène et Pierre fredonnent les premières notes d'une chanson pendant qu'ils dessinent.

Vous pouvez montrer votre intérêt de différentes façons : faire un bref commentaire (« Oh là là ! tout un bruit ! »), imiter le bruit qu'ils font (imiter la sirène du camion de pompiers), vous joindre aux enfants qui explorent le monde sonore (laisser tomber une roche dans le bac à eau).

C. Jouer aux devinettes de « sons » avec les enfants

Vous pouvez susciter l'intérêt des enfants pour les sons environnants en jouant avec eux aux devinettes lors des périodes en groupe d'appartenance ou lors des rassemblements.

- Lorsque les enfants sont familiarisés avec les instruments de musique, vous pouvez placer quelques instruments dans une très grande boîte (boîte d'appareil ménager) et demander aux enfants d'y entrer à tour de rôle. L'enfant qui s'y trouve prend un instrument, en joue et les autres enfants devinent quel instrument ils ont entendu. Le même jeu peut se faire sous une table recouverte d'un drap.
- Chaque enfant peut mettre dans un contenant opaque fermé par un couvercle quelque chose qui fera du bruit. À tour de rôle, chacun agite son contenant et les autres devinent ce qui occasionne le bruit.
- Lors des ateliers libres, des sorties ou des jeux extérieurs avec les enfants, enregistrez les bruits environnants et les sons produits par les enfants qui s'amusent avec des instruments de musique. Au début de la période en groupe d'appartenance, faites écouter les bruits ou les séquences de bruits et demandez aux enfants de nommer les bruits qu'ils croient entendre.

D. Inciter les enfants à décrire les sons qu'ils entendent

Lorsque les enfants écoutent des sons, les reconnaissent ou jouent aux devinettes, encouragez-les à parler de ces expériences. Ces conversations peuvent s'amorcer de façon spontanée ; sinon, vous pouvez les provoquer en faisant de brefs commentaires sur ce que vous entendez (« J'ai entendu la poulie qui tournait ; on aurait dit quelqu'un qui jouait de la trompette. ») ou en posant une question ouverte (« À quoi pensiez-vous lorsque vous entendiez le vent ce matin ? »).

14.2.3 EXPÉRIENCE CLÉ Explorer sa voix

Au cours de leurs jeux, les jeunes enfants utilisent leur voix de façon expressive pour imiter des personnages et des animaux, pour dramatiser une situation, pour s'exclamer lors d'une découverte ou d'un succès, pour exprimer leur désarroi. L'éducatrice prêtera attention à ces expressions vocales, qui servent non seulement à améliorer la dynamique du jeu, mais aussi à explorer les qualités expressives de la voix ; ces explorations conféreront couleur et richesse au registre et au timbre de la voix lorsque les enfants chanteront. Passons maintenant aux interventions que vous pouvez utiliser pour soutenir l'exploration vocale des enfants.

PISTES D'INTERVENTION

A. Écouter et reconnaître les vocalises créatrices des enfants

L'éducatrice manifestera de l'intérêt pour toutes les façons dont les enfants utiliseront leur voix. Vous pouvez le faire en commentant ce que vous entendez et en incorporant les vocalises entendues dans les jeux que vous animez et dans les conversations que vous avez avec les enfants. Par exemple, à la période d'ateliers libres, trois « chiens huskies » vont et viennent à quatre pattes entre le coin de la maisonnette et le coin des blocs, certains en appelant tels des loups (« Aou ! aou ! »), d'autres en jappant (« Wouf ! wouf ! »). Pour signifier la fin prochaine de la période, l'éducatrice commence son intervention par « Aou ! aou ! » en faisant le tour des coins, les mains placées sur la tête en guise d'oreilles de chien.

B. Encourager les enfants à jouer avec leur voix

Lors des périodes en groupe d'appartenance, des rassemblements et des transitions, favorisez l'exploration des variations de la voix. Voici des exemples d'interventions en ce sens :

- Lors de la période de réflexion, une éducatrice a dit aux enfants de son groupe : « Aujourd'hui, j'ai entendu quelqu'un qui chantait *Fais dodo* à sa poupée. »
- Voici comment un enfant a utilisé sa voix pour expliquer un moment mémorable : « J'ai entendu quelque chose quand maman a renversé de l'eau sur le feu, c'était comme sssss. »
- Tout en racontant des histoires lors des rassemblements, Paul, un éducateur, s'arrête de temps en temps pour demander aux enfants de chanter ou de faire des bruits en relation avec ses histoires : des oiseaux qui chantent, un bébé qui pleure, un chat qui boit du lait, le vent qui siffle, une mère qui berce son enfant, des enfants qui chantent autour d'un feu de camp.
- À la fin de la journée, un groupe d'enfants et une éducatrice jouent à un jeu de sons et mouvements. Un enfant dit « chuka, chuka, chuka, chuka » et les autres enfants l'accompagnent par un mouvement qu'ils inventent.
- À partir des sons connus de son groupe, une éducatrice a fabriqué des cartes de sons, qu'elle continue d'enrichir de sons nouveaux. Sur une carte, elle a dessiné une locomotive au-dessus de laquelle elle a écrit « Tchou, tchou ». Sur une autre carte, elle a collé une photo prise lors d'une visite chez le dentiste, tandis que celui-ci faisait une démonstration de la fraise, et elle a écrit « Zzzzz ». Les enfants aiment « lire » ces cartes, et certains ont même enrichi la collection de nouvelles cartes de leur cru. Cette éducatrice a fait part de l'intérêt des enfants pour ce jeu aux éducatrices de sa cellule de soutien mutuel, qui ont décidé d'explorer cette idée.
- Lors d'un rassemblement, deux éducatrices ont raconté une histoire mettant en scène une petite souris qui parlait d'une voix forte et aiguë et un gros ours qui parlait d'une voix douce et grave.

14.2.4 EXPÉRIENCE CLÉ Développer le sens de la mélodie

Les jeunes enfants trouvent beaucoup de satisfaction à chanter et à fredonner des parties de chansons de façon répétée. Lorsqu'ils entendent souvent les mêmes chansons, certaines paroles captent leur attention et ils aiment les fredonner à tous moments. C'est en rassemblant tous ces bouts de chansons que les enfants développent le sens de la mélodie. Voici quelques suggestions pour soutenir la démarche de ces chanteurs en herbe.

PISTES D'INTERVENTION

A. Écouter et reconnaître la tonalité et la mélodie

Lorsque vous observez les enfants, que vous jouez et parlez avec eux, écoutez les fragments de chansons et les phrases qu'ils chantent ou disent. Un matin, par exemple, Laurence et Annie, deux éducatrices, firent les observations suivantes : un groupe d'enfants, installés dans le bateau à bascule, chantaient *Il était un petit navire* tout en se berçant ; dans le coin de la lecture et de l'écriture, un enfant regardait le livre *Le petit Yawatha* en chantant *A ani cou ou ni* et un autre s'amusait à répéter les lettres « IAIAO » de la chanson *Dans la ferme à Mathurin*. Voici comment les deux éducatrices ont démontré leur intérêt pour ces diverses expériences.

- Laurence s'est assise dans le bateau et elle a chanté avec les enfants. Sa voix a aidé les enfants à adopter une même tonalité.
- Annie, qui voulait informer les enfants de la fin de l'atelier, a entonné *A ani cou ou ni* dans

la même tonalité que celle qu'avait utilisée l'enfant; tous les enfants l'ont rejointe en chantant la même chanson.

- Les éducatrices ont commencé le rassemblement en chantant *Dans la ferme à Mathurin*, accompagnées à la cithare par Annie.

B. Jouer à des jeux d'association de tons avec les enfants

Les enfants qui chantent et fredonnent des parties de chansons commencent à être conscients que les mélodies sont faites de séries de tons qui varient du grave à l'aigu. Lorsque vous écoutez les enfants, notez les variations de tons qui leur semblent les plus convenables. Alors, pour de brèves périodes comme lors des transitions, jouez avec eux à des jeux d'association de tons afin de les aider à stabiliser leur sens de la tonalité et de la mélodie. Voici quelques exemples de ces jeux que vous pouvez utiliser lors des déplacements à l'intérieur ou à l'extérieur.

- Chantez ou jouez (à l'harmonica, à la flûte ou utilisez un magnétophone, etc.) deux notes à l'intérieur desquelles se situe le registre utilisé par les enfants (habituellement entre le *mi* du milieu et le *do* qui le suit). Demandez aux enfants de répéter après vous et prêtez attention à la justesse de leur réplique. Répétez en utilisant trois notes.
- Chantez ou jouez les trois premières notes de *Frère Jacques*. Demandez aux enfants de continuer la chanson et écoutez attentivement. Poursuivez le même processus avec une autre chanson, comme *Mon merle a perdu son bec*.

Il est important que les enfants continuent les chansons en adoptant la même tonalité que vous. Avec l'expérience et le temps, ils pourront décoder les tonalités et savoir placer leur voix plus facilement.

C. Chanter les commentaires faits aux enfants au lieu de les dire

Lors des jeux et des conversations avec les enfants, saisissez l'occasion de chanter ce qu'habituellement vous diriez. Voilà une façon de leur faire prendre conscience qu'une chanson est constituée de phrases et de soutenir leur intérêt pour les chansons. Ainsi, à partir d'une simple phrase de leur cru, ils pourront ajouter une mélodie et composer de courtes chansons de manière spontanée et dans une perspective ludique. Puis, plus tard, et spontanément, ils auront l'idée de jumeler quelques phrases pour en faire une chanson plus élaborée. Par exemple, vous pouvez chanter des phrases comme celles-ci: « Je te vois, je te vois. » « Merci beaucoup pour cette bonne soupe, cette bonne soupe aux cocottes de pins. » « Georges met son manteau et Marie-Lou met ses bottes, Jacques met ses mitaines, on s'en va jouer dehors. » Si vous chantez ces phrases en adoptant le registre propre aux enfants, qui est plus haut que votre propre registre, ceux-ci pourront plus facilement vous répondre en chantant aussi.

D. Jouer à « Devinez la chanson »

Lorsque vous connaissez le répertoire des chansons des enfants de votre groupe, vous pouvez jouer avec eux à « Devinez la chanson ». Voici comment une éducatrice a déjà entrepris ce jeu. Elle s'est mise à fredonner *Meunier, tu dors* lors de la collation, puis les enfants ont tout de suite identifié la chanson. Ils lui ont aussitôt demandé d'en fredonner une autre. Elle a fredonné *Il était une bergère*, puis les enfants ont pris tour à tour la relève. Julie a fredonné *Marianne s'en va-t-au moulin* et Manon, *Alouette*, et ainsi de suite. Dans les jours qui ont suivi, les enfants ont demandé à l'éducatrice de jouer de nouveau à ce jeu, et celle-ci a proposé des variations: fredonner en tenant ses lèvres fermées à l'aide des doigts, fredonner en disant une voyelle ou une syllabe: « i i i i », « la la la la », « ba ba ba ba ».

14.2.5 EXPÉRIENCE CLÉ Chanter des chansons

Les enfants du préscolaire prennent plaisir à chanter les chansons au complet. Lorsqu'ils le font, ils se sentent « grands » parce qu'ils peuvent accompagner leurs grands frères, leurs grandes sœurs et leurs parents lorsqu'ils chantent à l'église, dans les fêtes, à la maison, dans l'auto. Le fait de connaître et de pouvoir chanter *Bonne fête* au complet leur permet de participer activement aux fêtes de tous et chacun, du bébé à la grand-maman. Étant donné qu'ils accroissent leurs compétences langagières et leurs capacités de représentation, les enfants de 3 à 4 ans peuvent se remémorer les mots et les mélodies des chansons qu'ils ont entendues plusieurs fois et qu'ils ont eu l'occasion de reprendre seuls ou en groupe, à la maison, au service de garde ou à la maternelle. L'important est qu'ils puissent chanter à leur manière quand ils en ont le goût, dans la joie, dans la détente et de façon satisfaisante pour eux. Voici des suggestions en vue de soutenir les jeunes chanteurs.

PISTES D'INTERVENTION

A. Chanter avec les enfants

Les enfants du préscolaire aiment les chansons enfantines, les chansons traditionnelles, les chansons de folklore et les chansons associées avec des célébrations ou des fêtes particulières. Ils apprennent à chanter en entendant chanter, en se jumelant avec quelqu'un qui chante et en chantant plusieurs fois la même chanson jusqu'à ce qu'elle devienne leur.

Nous vous présentons le répertoire de deux éducatrices élaboré pour elles-mêmes et leurs enfants à l'automne. À la fin du printemps, tous les enfants pouvaient reconnaître ces chansons, la plupart d'entre eux pouvaient les chanter en entier avec leur groupe d'appartenance et certains pouvaient les chanter seuls ou avec des amis.

Chansons enfantines

- *Une poule sur un mur*
- *À Paris, à Paris, sur mon petit cheval gris*
- *Pomme de reinette*
- *Un, deux, trois, nous allons au bois*
- *Saint-Pierre et Saint-Simon*
- *Bateau, ciseau, la rivière*
- *Dodo, l'enfant do*
- *Savez-vous planter des choux?*

Chansons familières

- *Il était un petit homme, pirouette*
- *Dans la ferme à Mathurin*
- *Si tu aimes le soleil*
- *Les roues de l'autobus*
- *Michaud est monté dans un grand pommier*
- *Mon âne, mon âne*
- *J'ai un beau château*
- *Tous les légumes, au clair de lune*
- *Une araignée sur le plancher*

Chansons folkloriques

- *Meunier, tu dors*
- *M'en revenant de la jolie Rochelle*
- *Il court, le furet*
- *Alouette*
- *Derrière chez nous y'a un étang*
- *Près de la fontaine*
- *À Saint-Malo*
- *Mon merle a perdu son bec*
- *Sur la route de Berthier*
- *Les cloches du hameau*

Chansons pour des occasions spéciales

- *Le temps des pommes*
- *La sorcière (Dans un grand cimetière...)*
- *Le bouillon de sorcières*
- *Mon beau sapin*
- *D'où viens-tu, bergère?*
- *Gai lon la, gai le rosier*
- *Il était une bergère*
- *Il était un petit navire*
- *Bonhomme! Bonhomme!*

Chanter lors des rassemblements

Étant donné que tous les enfants se retrouvent lors des rassemblements, il est agréable de chanter des chansons connues et aimées de tous, et d'en ajouter de nouvelles. Les enfants qui ont moins d'expérience seront alors transportés par l'enthousiasme des plus expérimentés. L'accompagnement de claviers, de xylophone, de guitare ou de cithare permet aux enfants de garder la même tonalité; toutefois, il n'est pas indispensable.

Voici comment vous pouvez procéder pour ajouter une nouvelle chanson. Premièrement, chantez la chanson au complet, puis observez les enfants et notez si certains d'entre eux semblent la connaître en tout ou en partie. Deuxièmement, chantez une phrase, arrêtez-vous et reprenez-la avec tout le groupe. Recommencez ainsi pour chaque phrase de la chanson, progressivement et lentement. Lorsque vous avez chanté toutes les phrases, reprenez la chanson au complet avec les enfants en effectuant une pause entre chaque phrase. Naturellement, les enfants ne sauront pas la chanson en entier, mais ils continueront de l'apprendre lorsque vous reprendrez le processus plus tard.

Il est important de ne pas freiner l'élan et l'enthousiasme des enfants qui voudront chanter avec vous certaines phrases qu'ils connaissent. Souvenez-vous aussi de l'importance de la répétition ; ainsi, chantez la chanson jour après jour jusqu'à ce que les enfants la maîtrisent bien et qu'ils aient du plaisir à la chanter en entier.

Chanter lors des ateliers libres

Les enfants aiment chanter en jouant. Si vous bercez un bébé, vous pouvez chanter *Dodo, l'enfant do* ou *Fais dodo, Colas.* Si vous conduisez un autobus ou un bateau, vous pouvez chanter *Les roues de l'autobus* ou *Il était un petit navire.* Si vous vous joignez à des enfants dans le coin des blocs, vous pouvez transformer les paroles de *Frère Jacques* de la façon suivante : « J'empile les blocs, j'empile les blocs, un par un, un par un, je construis mon château, je construis mon château, je suis fière, je suis fière. »

Vous pouvez aussi mettre à la disposition des enfants des livres de chansons illustrés ou des livres de contes pour enfants qui contiennent des chansons. Cette initiative vous permettra de vous joindre à un ou deux enfants et de chanter de façon naturelle avec eux.

Chanter lors des périodes en groupe d'appartenance

Les enfants adorent se servir d'un magnétophone pour chanter, s'écouter par la suite et jouer à reconnaître la voix de leurs amis. Ils aiment aussi illustrer les chansons qu'ils connaissent.

Chanter lors des jeux à l'extérieur

Lorsqu'ils se balancent, les enfants chantent de façon naturelle, seuls ou avec les personnes qui sont tout près d'eux. Vous pouvez vous joindre à eux, qu'ils chantent ou non, leur donner des élans ou vous balancer et chanter.

Chanter lors des rencontres de parents

Lorsque vous commencez ou terminez une rencontre de parents par une chanson, vous aidez le groupe à se détendre et vous pouvez présenter aux parents de nouvelles chansons qu'ils pourront reprendre avec leurs enfants à la maison. Vous pouvez aussi demander aux parents de vous communiquer les chansons favorites de la famille et les ajouter à votre répertoire.

B. Débuter par les gestes

Il est plus facile pour les enfants de concentrer leur attention sur des gestes plutôt que sur des mots. Lorsque vous enseignez une chanson, il s'avérera plus utile pour les enfants d'apprendre en premier les gestes qui l'accompagnent, puis les mots. Dans le cas des chansons de doigts ou de gestes, vous pouvez commencer en faisant les gestes en premier, puis chanter lentement la chanson en faisant les gestes et en proposant aux enfants de vous imiter. Peu à peu, les enfants apprendront les paroles et ils pourront se joindre à vous.

C. Inciter les enfants à composer leurs propres chansons

Les enfants qui ont souvent l'occasion de chanter aiment composer leurs propres chansons, soit en changeant les mots d'une chanson qu'ils connaissent, soit en créant leurs propres paroles et leur propre mélodie. Voici quelques suggestions pour encourager un tel processus :

- Demeurez attentive aux chansons que les enfants chantent de façon spontanée tout au long de la journée. Manifestez de l'intérêt pour ces chansons en les commentant, en les chantant ou en demandant aux enfants de les chanter lors des périodes en groupe d'appartenance ou lors des rassemblements.
- Demandez aux enfants de changer les mots d'une chanson qu'ils connaissent. Lors d'une période d'ateliers libres, une éducatrice a demandé aux enfants de raconter leurs expériences en chantant ce qu'ils avaient à dire sur l'air de *Père Noël.* Une autre éducatrice a proposé aux enfants de changer les paroles de *Dans la ferme à Mathurin.* Les enfants ont proposé « Mon voisin a un

magasin i-a-i-a-in et dans son magasin il y a des... » en l'honneur du dépanneur du coin où ils avaient déjà fait une visite.

- Lors d'un rassemblement, demandez aux enfants s'ils veulent montrer une chanson à leurs pairs. Lorsque Pierre, un éducateur, a proposé cet exercice aux enfants de son groupe, Thomas a répondu qu'il désirait en présenter une. Il a commencé par battre la mesure de sa chanson en frappant dans ses mains, puis il a chanté la première phrase de la chanson ; il a alors fait une pause afin que le groupe reprenne cette phrase en chœur. Il a continué ainsi jusqu'à la fin de la chanson. Les enfants se sont montrés très intéressés, car la mélodie était assez facile et l'histoire parlait d'un petit poussin que Thomas avait vu à la ferme.

14.2.6 EXPÉRIENCE CLÉ Jouer avec des instruments de musique simples

Les enfants d'âge préscolaire aiment jouer avec des instruments de musique. Même s'ils aiment faire du bruit, ils commencent à organiser les sons qu'ils produisent selon un tempo régulier, un rythme particulier et une phrase musicale simple. Par le biais d'essais et d'erreurs, certains enfants parviennent même à jouer des chansons qui leur sont familières sur des claviers ou sur un xylophone. Ils aiment aussi utiliser des instruments pour imiter les fanfares, faire des défilés et danser. Voici quelques suggestions que vous pourrez mettre en œuvre pour stimuler les enfants à jouer avec des instruments de musique simples.

Ces enfants jouent de plusieurs instruments à la fois, car ils sont les seuls membres de la fanfare des pompiers.

PISTES D'INTERVENTION

A. Aménager un coin de la musique

Pour aménager un coin de la musique, choisissez une grande variété d'instruments : des blocs de bois, des tambours, des xylophones, des tambourins, des triangles, des clochettes, des maracas, des planches à laver, des contenants de toutes sortes, des cuillers en bois, des bouteilles en verre remplies d'eau et accordées pour chaque note d'une octave, des instruments de musique fabriqués par vous ou les enfants, et ainsi de suite. (Pour de plus amples informations, vous pouvez vous référer à la sous-section 5.2.1.H., portant sur l'aménagement d'un coin de la musique.)

B. Susciter des occasions de jouer avec des instruments de musique

Même s'il est intéressant de présenter et d'utiliser des instruments de musique lors des périodes en groupe d'appartenance et lors des rassemblements, les enfants ont aussi besoin de décider par eux-mêmes d'explorer ces instruments et d'en jouer. Si vous installez un coin de la musique et rendez les instruments accessibles, les enfants pourront choisir, sur une base quotidienne, de jouer avec les instruments lors de la période d'ateliers libres. Ainsi, dans un service de garde, Sara a répété *Frère Jacques* au xylophone et a joué cet air plusieurs fois sans se lasser. Aude, David et Janie ont joué du tambour en chantant *Mon beau sapin* et en défilant dans le local.

Si vous n'avez pas assez de place pour installer un coin de la musique, gardez certains instruments dans la remise extérieure ou transportez-les afin que les enfants puissent les utiliser à l'extérieur.

C. Jouer avec des instruments de musique lors des périodes en groupe d'appartenance et lors des rassemblements

Plusieurs éducatrices privilégient les moments en groupe d'appartenance et les rassemblements pour sortir les instruments de musique afin de permettre aux enfants de s'accompagner lorsqu'ils chantent en groupe. Voici d'autres façons d'utiliser ces instruments lors de ces périodes.

Faire des défilés

Un enfant est choisi comme leader du défilé et il joue de son instrument sur un tempo régulier. Les autres enfants doivent respecter ce tempo sur leurs propres instruments et défiler dans le local ou à l'extérieur en suivant le leader. Tour à tour, chaque enfant aura la chance de décider du tempo et de devenir le leader du défilé.

Deux éducatrices d'une cellule de soutien mutuel qui observaient leurs enfants en train de défiler ont suggéré d'ajouter une phrase que les enfants avaient inventée lors de la période d'ateliers libres: « On aime les rats, on aime les souris... ». Une éducatrice qui s'était proposée comme leader a utilisé cette phrase pour mettre en place le tempo. D'abord, tous les enfants ont répété la phrase, après quoi ils y ont ajouté les instruments et la marche. Le jour suivant, des enfants ont réalisé des masques de rats et de souris pour faire leur propre défilé lors de la période d'ateliers libres.

Danser

Offrez des instruments de musique à la moitié de votre groupe et proposez à l'autre moitié de danser au son de la musique exécutée par le premier groupe. Puis, inversez les rôles. Effectuez ce jeu autant à l'intérieur qu'à l'extérieur tout en permettant à chaque enfant de choisir le rôle dans lequel il est le plus à l'aise: instrumentiste ou danseur.

Raconter des histoires

Lorsque vous lisez ou racontez des histoires comme *Blanche-Neige* ou *Les trois petits cochons,* demandez aux enfants de choisir des instruments de musique pour accompagner les situations dramatiques et certains moments précis. Permettez-leur de reconsidérer leur choix et de proposer des instruments plus appropriés à la situation. Dans les jours qui suivent, reprenez l'histoire jusqu'à ce qu'ils soient satisfaits du résultat et rassasiés.

Jouer à des jeux du type « On bouge, on fige »

Les enfants aiment inventer leurs propres variantes du jeu « On bouge, on fige » en utilisant des instruments de musique. Julie, par exemple, a proposé un jeu où elle et trois de ses amis jouaient du tambour pendant que les autres enfants dansaient. Lorsque le groupe arrêtait de jouer, les enfants devaient se figer comme des statues. Un autre groupe a suggéré une version modifiée de la chaise musicale, où une partie du groupe réalisait la musique sur des instruments très simples et l'autre partie tournait autour des chaises. Lorsque la musique s'arrêtait, les enfants devaient se trouver une chaise. Le jeu s'est déroulé sans qu'on retire de chaises, l'accent étant mis sur le mouvement et sur l'arrêt.

D. Utiliser des instruments de musique pour indiquer une transition

Les enfants adorent jouer d'un instrument de musique pour indiquer une transition: de la période d'ateliers libres à la période de rangement, des jeux à l'extérieur à la rentrée à l'intérieur, et ainsi de suite. Dans une maternelle, un parent avait construit une petite scène surélevée. Les enfants y montaient et jouaient d'un instrument de musique pour indiquer au groupe la fin d'une activité et le passage à une autre. Les enfants peuvent aussi choisir de jouer d'un instrument comme le triangle, ou de chanter une comptine ou une onomatopée comme *Cocorico.*

TABLEAU RÉCAPITULATIF

La musique

Bouger au son de la musique
- Faire entendre différents types de musique aux enfants.
- Encourager les enfants à créer leur propre façon de bouger au son de la musique.
- Créer des séquences simples de mouvements avec les enfants.

Explorer et reconnaître des sons
- Évaluer l'environnement sonore :
  - mettre à la disposition des enfants des instruments de musique simples ;
  - mettre à la disposition des enfants du matériel avec lequel ils peuvent produire des sons ;
  - créer des moments de calme pour écouter.
- Prêter attention aux sons qui attirent les enfants.
- Jouer aux devinettes de « sons » avec les enfants.
- Inciter les enfants à décrire les sons qu'ils entendent.

Explorer sa voix
- Écouter et reconnaître les vocalises créatrices des enfants.
- Encourager les enfants à jouer avec leur voix.

Développer le sens de la mélodie
- Écouter et reconnaître la tonalité et la mélodie.
- Jouer à des jeux d'association de tons avec les enfants.
- Chanter les commentaires faits aux enfants au lieu de les dire.
- Jouer à « Devinez la chanson ».

Chanter des chansons
- Chanter avec les enfants :
  - chanter lors des rassemblements ;
  - chanter lors des ateliers libres ;
  - chanter lors des périodes en groupe d'appartenance ;
  - chanter lors des jeux à l'extérieur ;
  - chanter lors des rencontres de parents.
- Débuter par les gestes.
- Inciter les enfants à composer leurs propres chansons.

Jouer avec des instruments de musique simples
- Aménager un coin de la musique.
- Susciter des occasions de jouer avec des instruments de musique.
- Jouer avec des instruments de musique lors des périodes en groupe d'appartenance et lors des rassemblements :
  - faire des défilés ;
  - danser ;
  - raconter des histoires ;
  - jouer à des jeux du type « On bouge, on fige » ;
  - utiliser des instruments de musique pour indiquer une transition.

LECTURES COMPLÉMENTAIRES

COMEAU, GILLES (1995). *À la découverte de la musique*, Vanier, Ont., Centre franco-ontarien des ressources pédagogiques.

MAJOR, HENRIETTE (1999). *100 comptines*, Montréal, Fides.

MALENFANT, NICOLE (1995). *Jeux sonores et jeux musicaux pour les enfants de 2 à 7 ans*, Belœil, Les Ateliers du petit matin.

MALENFANT, NICOLE (1996). *L'éveil sonore et musical de l'enfant de 0 à 3 ans*, Belœil, Les Ateliers du petit matin.

CHAPITRE 15

La classification : reconnaître les similitudes et les différences

On dit qu'il y a classification lorsque deux objets distincts ou plus sont traités de façon équivalente.
SUSAN SUGARMAN, 1981.

Tout en explorant leur monde, les jeunes enfants recueillent, classent et organisent des informations dans une tentative pour donner un sens à leurs actions et à leurs expériences. La classification, c'est-à-dire le processus qui consiste à regrouper des choses en s'appuyant sur des propriétés et des caractéristiques communes, est une stratégie de base que les enfants utilisent pour classer et organiser le matériel, les individus et les événements qui font partie de leurs jeux. Au cours du processus de classification, les jeunes enfants commencent à construire des relations entre des objets semblables et à traiter de façon identique des situations et du matériel semblables.

15.1 L'apprentissage portant sur les caractéristiques des choses : le point de vue des enfants

L'apprentissage portant sur les caractéristiques des objets et des individus commence dès la petite enfance. Quand ils utilisent tous leurs sens pour faire des explorations, les bébés découvrent que le matériel possède plusieurs qualités. Quand ils font des explorations avec leur bouche, les poupons apprennent que certains objets sont agréables à sucer, à goûter, à mâchouiller. Les poupons reconnaissent aussi des voix et des visages familiers et y répondent, de même qu'ils réagissent à certains bruits avec plaisir et intérêt ou avec inquiétude et crainte. Quand ils font des explorations avec leurs mains et leurs pieds, les poupons découvrent que certains objets se balancent, tombent ou roulent pendant que d'autres demeurent fermement en place. Les trottineurs qui ont développé leur agilité sont encore plus portés à explorer leur univers que les poupons, ce qui leur permet de découvrir que les objets roulent, font du bruit, se lancent, bondissent, s'écroulent et se transportent.

Après une période importante d'**explorations sensorimotrices**, les jeunes enfants développent la capacité de ce que Jean Piaget (1962, 1965) appelle la **pensée intuitive**, qui consiste pour les enfants d'âge préscolaire à avoir l'habileté à former des conclusions et à planifier des actions en se basant sur des impressions physiques immédiates. Les enfants du préscolaire sont des explorateurs avides; ils sont curieux de découvrir par le biais d'expériences de première main la nature des choses et leur fonctionnement. Au même moment, leur habileté croissante à former des images mentales les rend capables de construire des relations entre des objets semblables: « Cette pâte à modeler me fait penser à du dentifrice. » Ils ont assez développé leur langage pour commencer à décrire (dans leurs propres mots, parfois de façon elliptique) les relations qui les étonnent: « Tous ceux qui écoutent les Télétubbies sont des bébés parce que les Télétubbies parlent en bébés. » Comme le souligne Bernard Voizot (1973, p. 197):

> Réaliser les opérations élémentaires concrètes comme les sériations ou les classifications [...] nécessite donc un développement du langage verbal, une évolution des images mentales conscientes.

Le tri, une activité de base reliée à la classification, se présente dans le jeu des enfants comme un moyen d'arriver à une fin. Les enfants d'âge préscolaire aiment faire le tri d'une collection d'objets afin de trouver ce qui pourra répondre à leur besoin immédiat. Par exemple, ils peuvent choisir toutes les autos de métal pour jouer, tous les morceaux de papier brillant pour faire du collage ou toutes les perles bleues pour faire un collier. Les règles qu'ils choisissent pour trier (tous les morceaux de papier brillant) peuvent demeurer les mêmes ou changer lors du tri (passer des morceaux de papier brillant à des morceaux rouges). Ils éprouvent aussi de la satisfaction à regrouper des objets identiques. Ainsi, lors du rangement, les enfants peuvent avoir du plaisir à ranger tous les blocs carrés sur une tablette et tous les blocs triangulaires sur une autre. Ils aiment également trier des objets semblables mais non identiques, par exemple lancer tous les blocs de bois peints dans un contenant et tous les blocs de bois non peints dans un autre.

Le fait d'explorer les caractéristiques des choses, de les trier et de les apparier permet aux enfants de construire leur compréhension du monde physique et social. Pour les jeunes enfants, les façons d'organiser et de communiquer leurs observations sont très intuitives et, de ce fait, uniques: « On a besoin seulement des longs carrés. » « Je vais me marier seulement quand il fera noir. » Néanmoins, ces expériences précoces de classification sont essentielles au développement de la pensée logique.

15.2 Soutenir les découvertes et les expériences de classification des enfants

Sept expériences clés se rapportant au domaine ***la classification*** décrivent la manière dont les enfants trient et organisent à partir de leurs observations. Les quatre premières expériences clés sont les plus faciles à observer dans le jeu des enfants d'âge préscolaire:

- *Explorer, reconnaître et décrire les similitudes, les différences et les caractéristiques des objets.*
- *Reconnaître et décrire les formes.*
- *Trier et apparier.*
- *Utiliser et décrire les objets de différentes façons.*

Les trois autres expériences clés, qui exigent une logique plus rigoureuse, s'adressent surtout aux enfants de la fin de la période préscolaire:

- *Tenir compte de plus d'une caractéristique d'un objet à la fois.*
- *Discriminer les concepts « quelques » et « tous ».*
- *Décrire les caractéristiques qu'un objet ne possède pas ou indiquer la catégorie à laquelle il n'appartient pas.*

Les éducatrices soutiennent ces expériences clés de classification dans un contexte de jeu. Lorsqu'elles observent les enfants et se joignent aux jeux qui comportent des expériences de classification, elles cherchent à comprendre la logique intuitive particulière à chaque enfant. En tant que professionnelles, les éducatrices sont responsables de l'établissement d'un environnement psychologique sécurisant et, par conséquent, logique pour les enfants. Elles comprennent aussi l'importance de valoriser et d'accepter les explications intuitives des enfants, même si ces explications paraissent inadéquates à un adulte. Nous verrons maintenant chacune des expériences clés du domaine ***la classification*** et nous proposerons des moyens de soutenir le développement de la logique chez les enfants.

15.2.1 EXPÉRIENCE CLÉ Explorer, reconnaître et décrire les similitudes, les différences et les caractéristiques des objets

Les enfants d'âge préscolaire vivent une période où ils explorent leur univers et commencent à converser. Parfois, ils s'arrêtent pour réfléchir à leur action et pour commenter les caractéristiques significatives des objets avec lesquels ils sont en train de jouer. Une texture, un son, un mouvement ou un motif particulier devient utile et significatif pour les enfants, qui commencent alors à comprendre à leur façon les similitudes et les différences qui existent entre les objets : « On ne peut pas voir le vert [du crayon] sur le vert [du papier]. » « Il y a quelque chose de changé. Tu as déplacé la tablette pour ranger les blocs. » Les stratégies suivantes permettent de soutenir et d'encourager la pensée des enfants lorsqu'ils explorent, reconnaissent et décrivent les similitudes, les différences et les caractéristiques des objets qui font partie de leurs jeux.

PISTES D'INTERVENTION

A. Fournir aux enfants du matériel intéressant

Les enfants explorent le matériel qui suscite leur curiosité et ils parlent de celui-ci. Alors, pour les encourager à explorer les différentes caractéristiques des objets, vous devez leur fournir du matériel qui les intéressera. Ce matériel peut comprendre des articles utilisés à la maison (mousse à raser, huile pour bébé, papier d'aluminium, papier émeri, papier paraffiné, papier crépon), des objets provenant de la nature qui possèdent des caractéristiques intéressantes (cailloux, noix, coquillages), du matériel dont les parties bougent (outils, ustensiles de cuisine, instruments de musique, appareils photo) et du matériel que les enfants peuvent modifier (argile, pâte à modeler, ordinateur et logiciel pour dessiner, eau, sable, gélatine de couleur). Vous pouvez vous reporter à la sous-section 5.2.1, qui contient une liste de tout le matériel susceptible d'intéresser les enfants.

Il est également important de considérer le matériel adapté aux besoins immédiats des enfants, comme des boîtes pour construire des forts, un annuaire téléphonique pour jouer au réceptionniste ou des clous pour faire de la menuiserie. À cet effet, une éducatrice a fait part de cette observation à ses coéquipières :

> Richard est fasciné par les objets qu'il peut manipuler, faire bouger et transformer. Il est aussi captivé par les résultats immédiats de ses actions, que ce soit avec de l'eau et une éponge, une lampe de poche, un métronome, un vaporisateur, un réveille-matin, un ballon, une balle ou des jouets à assembler. Nous devrions utiliser ce genre de matériel lors des périodes en groupe d'appartenance et dans les coins d'activités.

B. Favoriser la collection d'objets

Les enfants du préscolaire sont des collectionneurs naturels d'objets divers qui captent leur intérêt. L'éducatrice qui soutient la démarche des enfants collectionneurs se donne les moyens de connaître les caractéristiques des objets qui attirent l'attention des enfants de son groupe.

Allouer des moments pour la collection d'objets

Lorsque les enfants sont à l'extérieur dans la cour, lors d'une promenade ou d'une excursion, donnez-leur le temps d'examiner et de ramasser les objets qui attirent leur attention. Par exemple, au cours d'une sortie visant à constater le point du vue offert du haut d'une colline, les éducatrices ont été étonnées de voir que les enfants manifestaient le désir de s'arrêter, d'examiner et de ramasser ce qu'ils voyaient le long du parcours. Ils s'attardaient à de vieux morceaux de papier, à des fourmis, à des insectes morts, à des morceaux de bois, à des cailloux ou à des bouchons de bouteilles. L'arrivée au sommet de la colline pour regarder le paysage s'est avérée moins intéressante que la cueillette et l'examen des objets qui avaient précédé.

Écouter les commentaires et les descriptions des enfants

Les objets que les enfants ramassent peuvent paraître banals aux adultes. Néanmoins, ce sont les « trésors » des enfants, et lorsqu'on a un trésor, on aime en parler à ses amis. « C'est une mégaroche ! » s'exclame Aude en soulevant une roche de ses deux mains pour voir ce qui se cache dessous. Hélène a trouvé un crayon feutre sur le trottoir : « Regarde, il a perdu son bouchon. Il va sécher ! » D'autres enfants sont fascinés par tout ce qui est vivant : « La coccinelle bat des ailes... elle essaie de se retourner à l'endroit. » « Viens sentir, il y a un arbre qui sent Noël. »

drôle

C. Accepter les dénominations d'objets choisies par les enfants

Les mots choisis par les enfants pour nommer des objets informent les éducatrices de la vision qu'ont

les enfants des objets et des caractéristiques qu'ils retiennent. Josianne a trouvé un ver de terre qu'elle veut rapporter à la maison dans un contenant. « Je vais le mettre dans de la terre molle, dit-elle.
– De la terre molle. Qu'est-ce que c'est ? réplique l'éducatrice.
– C'est de la terre qui garde de l'eau », répond Josianne.

Dans un groupe, les enfants utilisent souvent, dans le coin des arts plastiques et dans le coin de la maisonnette, des morceaux de polystyrène trouvés dans des boîtes d'emballage. Certains enfants nomment ces morceaux du « maïs soufflé » à cause de leur forme, tandis que d'autres les nomment des « flocons », car ils sont légers et blancs.

D. Encourager les enfants à fabriquer des étiquettes pour identifier le matériel

Au cours de l'année, les enfants trouvent et collectionnent des objets qu'ils veulent ajouter au matériel déjà existant du local. En leur proposant de fabriquer des étiquettes pour identifier ce nouveau matériel, on leur donne l'occasion de se concentrer sur les caractéristiques des objets. Ainsi, dans un groupe, un enfant a identifié un panier de marrons en collant un marron sur le devant du contenant. Un autre enfant a identifié un contenant de perles multicolores en faisant des points avec des crayons feutre sur l'étiquette qu'il avait découpée.

E. Lors de la résolution de problèmes, écouter ce que les enfants disent au sujet des similitudes, des différences et des caractéristiques des objets

L'écoute et le soutien manifestés aux enfants lorsqu'ils résolvent des problèmes les aident à considérer les objets selon une nouvelle perspective et, par le fait même, à découvrir et à comprendre de nouvelles caractéristiques de ces objets. Voici quelques exemples qui illustrent cette affirmation :

- Karl et Denis jouent ensemble avec des figurines de dinosaures. Karl veut avoir le grand tricératops avec lequel Denis joue. « Denis, j'ai besoin de celui qui a trois cornes parce que j'ai son bébé et que son bébé veut sa maman. » Denis s'arrête pour réfléchir ; Karl continue : « Si tu me donnes la maman, je vais te donner tous les jaunes. » Denis lui répond : « D'accord, tiens. » en lui tendant le tricératops et en ramassant tous les dinosaures jaunes.
- Corinne et Anne jouent aux abeilles. Quelques enfants les rejoignent dans le coin des blocs et commencent à construire une maison. Mais quand ils choisissent certains blocs de formes différentes, Corinne s'exclame : « Attendez. On a besoin des ronds pour faire les gâteaux de miel et des pointus pour faire les piqûres ! »

Très drôle

15.2.2 EXPÉRIENCE CLÉ
Reconnaître et décrire les formes

Les enfants sont particulièrement attirés par les formes des objets. Ils aiment jouer avec des blocs de mêmes formes parce qu'ils peuvent facilement les empiler et les faire tenir en équilibre. Ils sont aussi impressionnés lorsqu'ils réussissent à reproduire des formes en dessinant, en collant, en modelant et en combinant des objets : « J'ai fait un cercle. » Ils remarquent également les formes irrégulières : « C'est comme un triangle, mais c'est un petit peu rond. » Voici quelques pistes d'intervention qui pourront aider les éducatrices à soutenir cet intérêt des enfants pour les formes.

PISTES D'INTERVENTION

A. Offrir une variété de matériel de formes régulières

Voici une liste d'objets de formes régulières que vous pouvez mettre à la disposition des enfants : des blocs, des boîtes, des retailles de tapis, des assiettes, des couvercles, des contenants, des moules à biscuits, des couvertures, des foulards, des serviettes, des anneaux, des bracelets, des boutons, des perles, des bouchons de bouteilles, des cartes, des livres, des dominos, des morceaux de bois, des tambourins, des triangles.

Plusieurs éducatrices offrent, dans le coin des arts plastiques, un assortiment de formes régulières déjà taillées en cercles, en triangles, en rectangles et en carrés que les enfants peuvent coller : des morceaux de papier, du tissu, du papier émeri, du carton, du ruban, du treillis, du polystyrène, du balsa.

B. Utiliser du matériel de formes régulières lors des périodes en groupe d'appartenance

Lors des périodes en groupe d'appartenance, observez comment les enfants utilisent du matériel de formes régulières comme le matériel pour coller, les blocs, les boutons et les contenants de nourriture. Écoutez les commentaires qu'ils font sur les formes, comme celui de la petite Rachel tandis qu'elle observait un bloc : « Ça ressemble un petit peu à un triangle. »

C. Observer et reconnaître les jeux où les enfants reproduisent des formes

Lors de certains types de jeux, les enfants reproduisent spontanément des formes ; c'est le cas lors des jeux de mouvements et de danse, des activités de peinture, de dessin, de pâte à modeler ou de collage, lors des jeux avec des craies sur le pavé, des activités de menuiserie ou des jeux dans le sable. L'observation attentive des enfants pendant ces activités vous fournira des informations sur leur compréhension et sur leurs intérêts au sujet des formes. En voici un exemple :

> Un jour, Patricia et Angèle avaient besoin d'une scène pour danser ; alors elles ont pris le ruban-cache de couleur et ont commencé à dessiner leur scène sur le plancher. Patricia traçait le pourtour avec le ruban-cache et Angèle marchait dessus pour le faire adhérer au sol. Lorsqu'elles sont revenues à leur point de départ, elles ont pris du recul pour observer leur scène. Elles ont trouvé qu'il y avait trop de « coins » pour que ce soit un cercle, mais qu'elles pourraient y danser quand même.

D. Écouter les conversations au sujet des formes

Lorsque les enfants font des collections, jouent avec des objets de formes régulières et fabriquent leurs propres formes, écoutez ce qu'ils disent au sujet des formes. Gardez en tête le fait que le développement de la pensée et le goût de partager leurs découvertes sont plus importants à cet âge que l'exactitude de leurs conclusions, qui s'améliorera avec le temps et l'expérience.

> - « Ça va faire cinquante sous. Tu me donnes des sous ronds et des sous carrés. »
> - « J'ai besoin d'un triangle pour faire ma couronne. »

15.2.3 EXPÉRIENCE CLÉ Trier et apparier

Lorsqu'ils jouent, les enfants trient et apparient du matériel afin de répondre à leurs propres besoins. Ils regroupent les objets à leur manière lorsqu'ils trient des blocs, des oursons, des figurines afin de trouver ce dont ils ont besoin. Étant donné qu'ils peuvent se former une image mentale, ils retiennent une caractéristique telle que « rouge » afin de classer leurs blocs. Voici quelques pistes d'intervention à l'intention des éducatrices qui désirent soutenir les enfants lorsqu'ils trient et apparient.

Dans le coin des arts plastiques, cette petite fille a décidé de faire un cercle en collant des pompons de différentes couleurs sur une feuille de papier.

PISTES D'INTERVENTION

A. Mettre à la disposition des enfants du matériel pour trier et apparier

Si vous avez mis en place un environnement favorisant l'apprentissage actif en suivant les suggestions apportées au chapitre 5, vous avez déjà organisé chacun des coins de votre local en y disposant du matériel de jeu riche et varié pour trier et apparier : des blocs, de petites autos, des figurines de personnes ou d'animaux ; des collections de noix, de cailloux, de coquillages, de cocottes, de boutons, de billes, de bouchons de bouteilles, de perles, de crayons feutre, de contenants divers, d'ustensiles, de vaisselle, de foulards, de cravates, de chapeaux, de gants, de cartes, d'outils, d'instruments de musique et de balles. Chacun des coins peut être enrichi

des objets que l[illegible] apportent de la r[illegible] dans la nature, d[illegible] marché, chez le[illegible] fleurs, dans un d[illegible] mettre à la disposition [illegible] et de construction qu'ils utiliseront pour fabriquer des objets semblables ou ils pourront apparier de manière à faire [illegible] pour faire des boules, du papier pour faire des billets ou de l'argent, des cure-pipes pour faire des bracelets). Si vous avez un ordinateur, procurez-vous des logiciels qui favorisent le tri et l'appariement d'objets, comme Perlinpinpoint.

B. Considérer le temps pris par les enfants pour choisir et ranger le matériel comme une occasion intéressante de trier et d'apparier

La façon dont le local est divisé et dont le matériel est rangé fournit aux enfants des occasions de trier et d'apparier. Lorsqu'ils donnent suite à leur planification, les enfants rassemblent le matériel dont ils ont besoin, ils l'utilisent selon leurs propres intentions, puis le rangent à la place qui lui est réservée, de manière à pouvoir le retrouver lorsqu'ils en auront encore besoin. Le rangement du matériel semblable dans des endroits bien organisés permet aux enfants de le retrouver facilement tout en exerçant les fonctions de tri et d'appariement.

N'oubliez pas que les contenants et les tablettes que vous choisissez pour le rangement auront une influence sur le type de tri que les enfants feront. Un contenant pour les ustensiles divisé en compartiments incite les enfants à trier des fourchettes, des couteaux et des cuillers ou à trier les perles selon les différentes couleurs. Les paniers et les contenants sans division favorisent le tri d'objets plus nombreux, comme les crayons de bois dans un même panier et les crayons feutre dans un autre. Une tablette sur laquelle on a collé une photo pour identifier le mobilier d'une maison de poupée encourage les enfants à classer eux-mêmes ce mobilier et à changer son agencement d'un jour à l'autre. Il est aussi intéressant d'identifier le matériel de façons variées, ce qui favorise l'utilisation par les enfants de divers processus pour trier et apparier. Ainsi, une étiquette sur laquelle on trouve le dessin du pourtour d'un bloc ou la photographie d'un panier incite les enfants à associer le bon bloc au bon dessin et le panier de marionnettes à la bonne photo de panier.

Il peut être utile de faire participer les enfants au rangement du nouveau matériel, ce qui les obligera à réfléchir sur le classement et à prendre des décisions basées sur les ressemblances et les différences.

C. Observer et reconnaître le tri et l'appariement que les enfants font spontanément

Dans un environnement favorisant l'apprentissage actif, le tri et l'appariement du matériel font partie intégrante du jeu des enfants. En voici deux exemples :

- Amélie met de petits oursons en plastique dans un plateau de cubes de glace. Elle place d'abord une paire d'oursons rouges dans une alvéole, puis une paire d'oursons bleus dans une autre, puis une paire d'oursons verts et finalement une paire d'oursons jaunes.
- Lors de la période en groupe d'appartenance, Jasmin choisit tous les blocs rectangulaires et les place en rangée sur le tapis.

Quand les enfants ont terminé leur activité ou qu'ils prennent une pause pour constater le résultat de leur travail, il est souvent possible pour l'éducatrice de parler avec eux des décisions qu'ils ont dû prendre ou qu'ils auront à prendre pour trier et apparier les objets qu'ils ont utilisés ou qu'ils désirent utiliser. En voici un exemple :

> Après la visite d'une quincaillerie, Christian regarde les dépliants qu'il a rapportés, puis il découpe et colle des photos de sonnettes de portes sur une feuille jaune. Linda, l'éducatrice, le rejoint.
>
> « C'est une sonnette comme celle-ci que je voudrais avoir dans ma maison, dit-elle en désignant une sonnette en forme d'étoile.
> – Moi, j'aime celle-là parce que mon père en a une pareille sur son uniforme de pilote d'avion, répond Christian.
> – On dirait des ailes.
> – Oui, des ailes comme sur son uniforme. »
>
> Christian continue son collage et trouve deux séries de sonnettes, dont certaines sont identiques. Après les avoir collées, il croise le regard de Linda, qui le rejoint une seconde fois.
>
> « Tu as ajouté des sonnettes », dit-elle.
>
> Christian fait signe que oui et montre deux sonnettes identiques.
>
> « Celles-là, c'est pour la même porte... si une sonnette se brise, on la remplace par l'autre !
> – Ces deux-là pourraient être pour une autre porte, ajoute Linda en indiquant deux sonnettes identiques en forme de fleur.
> – Oui », répond Christian en commençant à relier chaque paire de sonnettes par des traits de crayon de différentes couleurs.

D. Demander aux enfants de faire des productions semblables

Lorsque vous voyez des enfants faire des productions semblables ou identiques, vous pouvez profiter de ce fait pour les encourager à reproduire la même expérience lors des périodes d'activités en groupe d'appartenance. Fournissez à chaque enfant du matériel d'art ou de construction, tels des blocs, de la pâte à modeler, des cure-pipes ou des objets à coller, et demandez aux enfants de faire des productions semblables ; observez attentivement ce que chacun fait. Même si certains enfants réalisent des choses différentes les unes des autres avec le matériel, d'autres vont probablement s'engager dans la création d'objets identiques ou semblables. Joël, par exemple, a fait deux personnages presque identiques avec des cure-pipes. « J'ai fait deux garçons, dit-il. Mais celui-là est un peu triste parce que ses jambes sont croches. » Christian a construit deux tours identiques avec des blocs. L'ordre des formes et des couleurs est identique pour chacune des tours, qui sont aussi de la même hauteur.

15.2.4 EXPÉRIENCE CLÉ Utiliser et décrire les objets de différentes façons

Lorsque les enfants jouent ou réalisent leurs projets, ils découvrent par le biais de leurs actions et de leurs observations qu'ils peuvent utiliser le matériel de diverses façons. Cette constatation renforce leur compréhension des caractéristiques variées qu'on peut attribuer aux objets et les rend plus souples et plus créatifs dans l'utilisation du matériel pour résoudre des problèmes de tous les jours. Voici de quelles façons les éducatrices peuvent soutenir l'évolution de ces habiletés à utiliser et à décrire un objet de différentes façons.

PISTES D'INTERVENTION

A. Être attentive aux différentes façons dont les enfants utilisent le matériel

Dans un milieu favorisant l'apprentissage actif, les enfants sont libres d'explorer le matériel et de découvrir les multiples usages de celui-ci. Ils apprennent que les blocs ne servent pas juste à construire ; ils peuvent aussi servir à faire des téléphones, des tables miniatures, de la nourriture, des poids, et plus encore. Les foulards, qui constituent également un type de matériel polyvalent, permettent de faire des capes, des ailes, des couvertures de bébé, des toits, des laisses pour les chiens ou des bandages pour les « bras cassés ».

Observer l'utilisation que les enfants font du matériel

Parfois, les enfants travaillent avec le même matériel pendant plusieurs jours ou plusieurs semaines. C'est alors l'occasion pour les éducatrices d'observer les différentes utilisations qu'ils font du matériel. Quand Anne et Natacha jouent aux abeilles pendant l'hiver, elles utilisent des blocs pour construire les murs de leur « ruche », pour faire des « piqûres d'abeilles » ainsi que des « gâteaux de miel ronds ». Elles s'assoient et dorment sur des blocs, sautent en bas des blocs et fabriquent des tables avec des blocs. Elles utilisent une passerelle faite de blocs pour faire rouler les « gâteaux de miel » hors de la « ruche ». Elles tiennent des blocs de « pollen » dans chaque main. Elles se fixent des blocs aux pieds avec du ruban-cache pour ne pas rester prises dans le « miel ». Elles collent sur des blocs des messages que les abeilles s'envoient.

Reconnaître ce que les enfants font avec le matériel

« Regarde, Fabienne, on a mis des souliers d'abeilles ! s'exclame Anne en montrant les blocs fixés à ses pieds.

– Vous avez collé des blocs à vos pieds pour faire des souliers d'abeilles », reconnaît Fabienne en se penchant pour regarder les souliers de plus près tout en profitant de l'occasion pour vérifier si les blocs sont attachés de façon sécuritaire.

Suggérer aux enfants de s'adresser les uns aux autres

Lorsque c'est possible, faites en sorte que les enfants puissent devenir une référence pour leurs pairs.

- Danielle a fait une paire de souliers à l'ordinateur. Elle les a découpés et maintenant elle ne sait pas comment les faire tenir sous ses pieds. « Peut-être que tu pourrais parler à Anne et à Natacha, elles se sont déjà fait des souliers », suggère l'éducatrice.
- Tandis que plusieurs enfants sont à l'ordinateur, Pierre, l'éducateur, fait ce commentaire à André : « On dirait que les lignes de Thierry sont plus épaisses. »

B. Encourager les enfants à utiliser du matériel pour résoudre des problèmes

Quelquefois, les enfants résolvent les problèmes qu'ils éprouvent dans leur jeu en utilisant le matériel d'une façon nouvelle. L'éducatrice qui soutient les enfants lors de ces moments a pour effet d'augmenter non seulement leur sens de l'initiative et de l'efficacité, mais aussi leur compréhension des caractéristiques et du fonctionnement des objets. Dans les situations qui suivent, Karine trouve une nouvelle utilité pour des gants, pendant qu'Aude découvre qu'elle peut se servir de boîtes à la place de blocs :

- « Karine, dit André en apportant le lapin avec lequel il est en train de jouer, veux-tu arranger la cheville de mon lapin ? » Karine regarde autour d'elle, puis elle prend une paire de longs gants blancs et les attache autour de la patte du lapin.
- Aude, qui construit une maison pour les rats, n'a pas assez de blocs de bois. « Béatrice, dit-elle à son éducatrice, j'ai besoin de blocs.
  – Tu as besoin de blocs, réplique l'éducatrice.
  – Mais... tout le monde les utilise, ajoute Aude.
  – C'est vrai, convient Béatrice. Je me demande si tu ne pourrais pas utiliser autre chose à la place. »

Aude regarde autour d'elle et voit des boîtes en carton que les enfants ont utilisées en début de semaine pour faire un train. Elle en prend deux pour compléter sa maison pour les rats.

15.2.5 EXPÉRIENCE CLÉ Tenir compte de plus d'une caractéristique d'un objet à la fois

Il arrive que les enfants d'âge préscolaire se concentrent simultanément et brièvement sur deux caractéristiques d'une expérience ou d'un objet qui est pour eux significatif. Par contre, à cette étape de leur vie, ils sont portés à confondre l'utilisation de termes comme « l'un ou l'autre » et « l'un et l'autre ». Au cours d'une même journée, ils peuvent osciller entre deux formes de pensée. Par exemple, pendant que plusieurs enfants parlaient de la couleur de leur peau, François leur a dit que sa peau était brune. Plus tard dans la journée, un enfant lui a fait cette remarque : « Toi, tu es brun. » François a répondu : « Non, je suis haïtien. » Voici quelques pistes d'intervention à l'intention des éducatrices qui désirent soutenir les enfants lorsqu'ils commencent à tenir compte de plus d'une caractéristique à la fois.

PISTES D'INTERVENTION

A. Écouter les enfants lorsqu'ils parlent de plus d'une caractéristique à la fois et se demander à quoi ils font référence

Lorsque les enfants utilisent le matériel, écoutez leurs commentaires et leurs observations. Comme la capacité de tenir compte de plus d'une caractéristique à la fois n'est pas encore acquise, ne soyez pas surprise si un enfant mentionne deux caractéristiques mais ne tient compte que d'une :

- Dans le coin des blocs, Amanda montre un bloc qu'elle a utilisé pour faire une chaise « spéciale ». « C'est un bloc bleu et carré », dit-elle à son éducatrice. Lorsque Amanda ajoute d'autres chaises « spéciales », elle utilise des blocs qui sont bleus mais non carrés, des blocs carrés mais qui ne sont pas bleus ou encore des blocs bleus et carrés. La suite des commentaires d'Amanda porte uniquement sur la façon dont elle a aligné ses nouvelles « chaises » et placé ses personnages sur celles-ci. « Ces chaises spéciales sont juste un petit peu spéciales. »
- « Je vais te pousser plus haut et plus vite », dit Charlotte à André qui est assis sur une balançoire. Après quelques poussées, André s'exclame : « Je vais plus haut et plus vite ! »
- Après avoir mis quelques éponges dans le bac à eau, Félix regarde les éponges et dit : « C'est lourd et c'est mouillé. »

B. Utiliser des étiquettes afin d'encourager les enfants à trier le matériel en tenant compte de deux caractéristiques

Même si la réussite de cette stratégie n'est pas assurée, il vaut la peine de l'essayer. À cet effet, voici

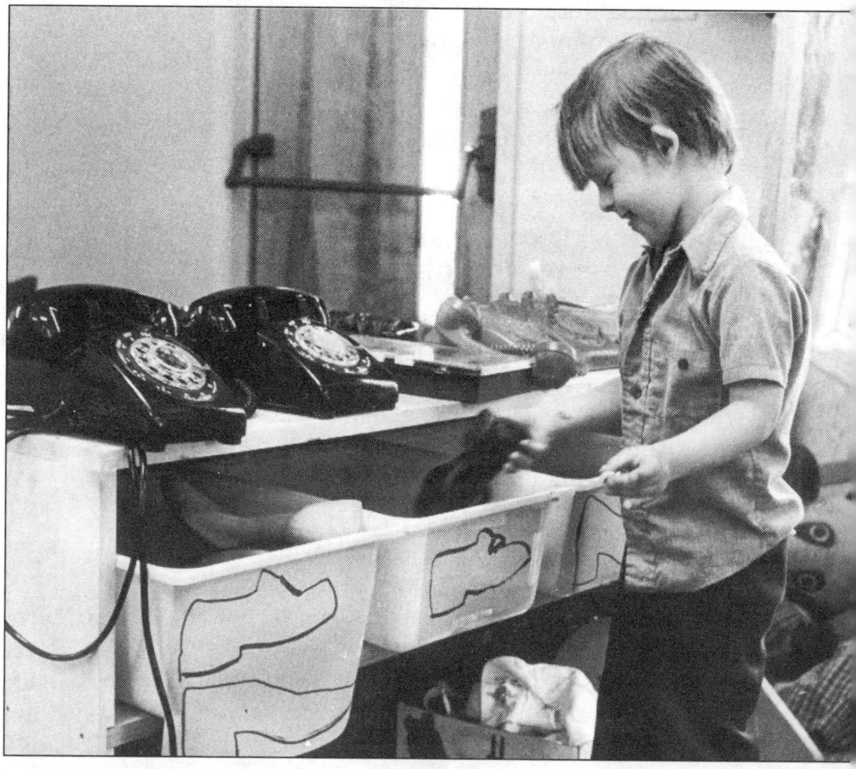

Ce garçon range un soulier en tenant compte de deux caractéristiques : un talon bas et des lacets.

ce qui s'est passé dans un service de garde. Étant donné que les enfants s'intéressent aux dinosaures, les éducatrices d'une cellule de soutien mutuel ont ajouté des dinosaures en plastique dans le coin des jeux et des jouets. Il y avait de petits dinosaures et des plus gros (les enfants les ont appelés les « bébés » et les « mamans ») de quatre couleurs différentes (bleus, jaunes, verts et mauves). En premier lieu, les éducatrices ont placé tous les dinosaures dans un panier, puis, après avoir remarqué que les enfants se référaient souvent à la taille et à la couleur, elles ont conçu une autre façon de les ranger. Elles ont en effet recouvert l'intérieur de huit boîtes de papier bleu, jaune, vert ou mauve, de sorte qu'elles ont pu placer les gros dinosaures bleus dans la grande boîte bleue, les petits dinosaures bleus dans la petite boîte bleue, et ainsi de suite pour tous les autres.

Après la première journée, les éducatrices ont constaté que les enfants avaient bien accueilli leur initiative. Elles se sont rappelé qu'un enfant avait dit : « Regardez, les dinosaures ont des nouveaux lits. » Les jours suivants, elles ont observé que certains enfants pensaient à ranger les dinosaures en tenant compte de la taille et de la couleur. D'autres ne tenaient compte que d'une caractéristique à la fois, ce qui les obligeait à trouver un moyen de faire entrer les gros dinosaures dans les petites boîtes en les plaçant la tête la première.

C. Apprécier la complexité des jeux de devinettes des enfants

Au préscolaire, certains enfants commencent à s'intéresser aux devinettes et aux énigmes. Pour jouer à ces jeux, ils doivent retenir simultanément dans leur tête des images mentales et la signification des mots, ce qui constitue tout un défi. Voici l'observation qu'a faite une éducatrice d'un jeu de devinettes mettant en présence Isabelle, Lise et Maryse :

- Isabelle entreprend un jeu de devinettes en utilisant les cartes d'un jeu d'associations. Elle tient une carte devant elle de telle sorte que je ne puisse voir l'image et elle dit : « Devine ce qu'il y a sur l'image. » Lise et Maryse observent et se joignent à nous une fois qu'elles ont compris le jeu.
- Quand je pose des questions comme « Est-ce un animal ? une plante ? quelque chose que tu portes ? quelque chose sur quoi on peut se promener ? », Isabelle répond généralement de façon appropriée. Puis je demande « Est-ce un poisson ? » et elle répond « Non » parce qu'elle connaît le nom du poisson : c'est un requin. Lorsqu'elle tient l'image d'un épi de maïs et que je demande si c'est une plante, elle répond « Non », mais lorsque je demande si on peut le manger, elle répond « Oui ». Alors je dis : « C'est un épi de maïs ! Une plante qu'on peut manger. » Elle me montre l'image et dit : « Non, on ne peut pas manger les plantes. Les plantes, c'est vert et c'est dans la terre. »
- Isabelle donne parfois des indices pour m'aider à deviner : « Ça vole. » « Ça va dans l'eau. » « On peut rouler dessus » (des patins à roulettes). « C'est toi et quelque chose d'autre » (une personne et un chien).
- Quand je tiens une carte et qu'elle doit deviner ce que cette carte représente, elle pose des questions comme « Est-ce un animal ? » et je réponds en lui fournissant un indice : « Non, mais on peut se promener dessus. » Elle lance : « C'est une auto, un camion, un autobus. » Alors j'ajoute : « Mais ça n'a pas de roues. » Quand finalement elle donne sa langue au chat, elle voit le bateau sur la carte et dit : « Les bateaux ont des roues, on ne peut pas les voir parce qu'elles sont dans le fond de l'eau. »
- Lise est un peu moins patiente à ce genre de jeu. Lorsque je lui demande un indice, elle me montre l'image. À la carte suivante, je lui demande : « Est-ce un animal ?
  – Non, répond-elle, ça a des rayures, c'est un zèbre ! »
- Maryse tient une image d'un costume de majorette. Lorsque je demande si c'est quelque chose qu'on peut porter, elle répond « Non » et nous montre l'image en disant : « Je ne sais pas qu'est-ce que c'est. » Isabelle décide que c'est un « costume de tambour ».
- Lorsque je réfléchis au déroulement de ce jeu, je me dis que mes indices pour le bateau manquaient de clarté ; j'aurais dû dire : « On peut naviguer dessus » ou « Ça va sur l'eau ». Je suis fascinée lorsque je constate qu'Isabelle croit que les bateaux ont de longues jambes avec des roues qui vont jusqu'au fond de l'eau.

- Lise, la plus jeune, a aimé jouer avec ses amies et faire partie du groupe. Lorsqu'elle voyait l'image, elle avait du plaisir à nous dire le plus tôt possible ce qu'il y avait sur celle-ci.
- Maryse pouvait répondre aux questions dans la mesure où elle connaissait très bien l'objet représenté. Elle aurait peut-être plus de facilité à jouer avec de vrais objets. Je crois que je vais fabriquer un jeu semblable en collant des objets – plutôt que des images – sur les cartons (une clé, une feuille, un caillou, un clou, etc.) et recommencer le jeu avec Maryse. Peut-être qu'Isabelle et Maryse aimeraient fabriquer elles-mêmes les cartes de jeu.

15.2.6 EXPÉRIENCE CLÉ Discriminer les concepts « quelques » et « tous »

Les enfants du préscolaire commencent à percevoir les relations entre les parties d'un ensemble (quelques blocs) et l'ensemble (tous les blocs). Ils commencent aussi à utiliser les termes « quelques » et « tous » de façon appropriée. Leur compréhension est basée sur leurs expériences avec les ensembles de matériel, tels les blocs, les billes ou les crayons, et leur jugement s'appuie sur ce qu'ils voient. L'ensemble de « tous les blocs », par exemple, inclut généralement tous les blocs qui se trouvent dans une boîte ou sur une tablette plutôt que tous les blocs de la maternelle, du service de garde, du magasin ou du monde. Si le terme « tous » est habituellement utilisé pour « tout ce [les crayons] que je peux voir », le terme « quelques » indique ordinairement « ce que je veux ou ce dont j'ai besoin ». Voici comment les éducatrices peuvent soutenir la compréhension naissante des parties et du tout chez les enfants.

PISTES D'INTERVENTION

A. Ranger le matériel semblable au même endroit

Lorsque vous rangez le matériel semblable au même endroit, vous encouragez par le fait même les enfants à penser en fonction des concepts « quelques » et « tous » chaque fois qu'ils doivent choisir ou ranger les jouets dont ils ont besoin pour jouer. Un enfant qui a l'intention de dessiner regarde l'ensemble des marqueurs et se demande s'il va utiliser toutes les couleurs ou seulement quelques-unes. Un enfant qui s'amuse dans le coin des blocs peut se demander : « Est-ce que je vais prendre tous les blocs de carton et quelques blocs de bois pour construire ma maison ? » Lors du rangement, un enfant se demandera : « Est-ce que tous les ciseaux vont dans cette boîte ou quelques ciseaux dans cette boîte et les autres dans l'autre boîte ? » « Est-ce que j'ai bien ramassé tous les marrons ou est-ce qu'il en reste encore quelques-uns à ramasser ? »

B. Prêter attention à l'utilisation que font les enfants des mots « quelques » et « tous »

Lorsque les enfants trouvent, utilisent et rangent le matériel destiné aux jeux à l'intérieur et à l'extérieur, soyez attentive à l'utilisation qu'ils font des mots « quelques » et « tous ». Par exemple, une éducatrice a entendu cette phrase pendant que certains enfants se balançaient sur un pneu suspendu : « Tous les enfants en sandales, levez-vous ! Tous les enfants en espadrilles, assoyez-vous ! » Lors d'une période de réflexion, elle a entendu Anne parler dans les termes suivants de la maison de bois rond qu'elle avait fabriquée avec Claire : « Je n'ai pas mis toutes les pièces de bois, Claire en a mis quelques-unes. »

15.2.7 EXPÉRIENCE CLÉ Décrire les caractéristiques qu'un objet ne possède pas ou indiquer la catégorie à laquelle il n'appartient pas

Les descriptions portant sur l'absence de caractéristiques (« n'a pas de roues », « n'a pas de capuchon ») font appel à deux capacités de la part des enfants : la capacité de former des images mentales et celle de penser à deux choses à la fois. Il s'agit de deux processus complexes de la pensée pour les enfants du préscolaire. Par exemple, lorsque Charles dit : « Je ne veux pas de ce camion, il n'a pas de roues », il doit se référer à deux images de camions – l'une d'un camion avec des roues et l'autre d'un camion sans roues – et les comparer. Chelsea fait de même lorsqu'elle dit aux enfants qui se balancent sur un pneu suspendu : « Tous les enfants qui ont un capuchon, mettez-vous debout ! Tous les enfants qui n'ont pas de capuchon, assoyez-vous ! » Afin de départager les enfants dont le manteau possède un capuchon et ceux dont le manteau n'en a pas, elle a dû choisir une caractéristique que possédait le vêtement de quelques enfants du groupe (« un capuchon ») puis se faire une image mentale de tous les autres enfants qui ne possédaient pas de capuchon.

Voici maintenant des stratégies d'intervention à l'intention des éducatrices qui désirent soutenir les enfants qui font des descriptions portant sur l'absence de caractéristiques (« n'a pas de graines ») ou sur la classe à laquelle une chose n'appartient pas (« qui n'ont pas de capuchon »).

PISTES D'INTERVENTION

A. Favoriser l'utilisation du symbole Ø pour représenter le concept « ne ... pas »

Le symbole Ø est le symbole universel qui signifie « ne ... pas ». Plusieurs enfants ont déjà vu ce symbole sur des affiches interdisant la cigarette, la présence d'animaux ou le virage à droite en auto. Une fois qu'ils ont compris la signification de ce symbole et qu'ils en ont pris connaissance dans des endroits divers, ils aiment pouvoir dire qu'ils sont capables de le « lire » et de l'« écrire ». C'est pour cette raison que deux éducatrices, Laurence et Béatrice, ont commencé à utiliser le signe Ø sur le tableau des messages. Par exemple, quand Béatrice s'est absentée pour une journée, Laurence a dessiné la figure de Béatrice (des cheveux bruns moyennement longs, des lunettes) avec le signe Ø dessus et l'a affichée sur le tableau des messages. Les enfants ont vite compris ce que cela voulait dire : « Béatrice ne sera pas là aujourd'hui. » Plus tard, à la fin de l'automne, quand André a constaté que la piste cyclable de la cour était détrempée, il a fait une pancarte sur laquelle il a dessiné une bicyclette avec le signe Ø. Il a cloué sa pancarte sur une baguette de bois et il est allé la planter au milieu de la piste avec Béatrice et quelques enfants. D'autre part, quand David a voulu signifier à Anne et à Natacha, qui jouaient aux abeilles, qu'il en avait marre de se faire piquer par les abeilles, il a dessiné une abeille avec le signe Ø et a affiché son dessin à l'entrée du coin où il jouait. Les « abeilles » ont lu le message et se sont envolées vers d'autres enfants plus réceptifs à leur jeu.

B. Prêter attention à l'utilisation de la négation que font les enfants

Lorsque les enfants jouent et travaillent, soyez attentive aux moments où ils se rendent compte que quelque chose ne possède pas telle caractéristique ou n'appartient pas à tel groupe.

- Corinne décide de faire prendre un bain aux poupées, mais elle s'aperçoit que quelques poupées ne peuvent pas être mouillées. Alors elle place sur la table toutes les poupées qui peuvent être lavées, et sur le lit toutes les poupées qui ne peuvent pas être lavées.
- Un jour, Isabelle écrit les mots « MICHELLE » et « ISABELLE » sur une feuille de papier. Elle va voir l'éducatrice Michelle et lui dit : « Toutes les deux, on a ELLE dans notre nom, mais moi je n'ai pas de M et toi tu n'as pas de S. »
- Quand Justin arrive un matin d'automne, il regarde les crochets du vestiaire et il constate que quelques enfants ont mis un manteau et que d'autres n'en ont pas mis. Alors il va chercher une feuille de papier et il dessine le symbole Ø, qui représente chaque enfant qui ne porte pas de manteau. Lors de la causerie, il prend sa feuille et « lit » : « Corinne n'a pas mis son manteau ce matin. Pierre n'a pas mis son manteau ce matin... » Lorsqu'il a terminé, l'éducatrice Béatrice s'exclame : « Tu as fait tout un inventaire ! »

TABLEAU RÉCAPITULATIF

La classification

Explorer, reconnaître et décrire les similitudes, les différences et les caractéristiques des objets

- Fournir aux enfants du matériel intéressant.
- Favoriser la collection d'objets :
  - allouer des moments pour la collection d'objets ;
  - écouter les commentaires et les descriptions des enfants.
- Accepter les dénominations d'objets choisies par les enfants.
- Encourager les enfants à fabriquer des étiquettes pour identifier le matériel.
- Lors de la résolution de problèmes, écouter ce que les enfants disent au sujet des similitudes, des différences et des caractéristiques des objets.

Reconnaître et décrire les formes

- Offrir une variété de matériel de formes régulières.
- Utiliser du matériel de formes régulières lors des périodes en groupe d'appartenance.
- Observer et reconnaître les jeux où les enfants reproduisent des formes.
- Écouter les conversations des enfants au sujet des formes.

Trier et apparier

- Mettre à la disposition des enfants du matériel pour trier et apparier.
- Considérer le temps pris pour choisir et ranger le matériel comme une occasion intéressante de trier et d'apparier.
- Observer et reconnaître le tri et l'appariement que les enfants font spontanément.
- Demander aux enfants de faire des productions semblables.

Utiliser et décrire les objets de différentes façons

- Être attentive aux différentes façons dont les enfants utilisent le matériel :
  - observer l'utilisation que les enfants font du matériel ;
  - reconnaître ce que les enfants font avec le matériel ;
  - suggérer aux enfants de s'adresser les uns aux autres.
- Encourager les enfants à utiliser du matériel pour résoudre des problèmes.

Tenir compte de plus d'une caractéristique d'un objet à la fois

- Écouter les enfants lorsqu'ils parlent de plus d'une caractéristique à la fois et se demander à quoi ils font référence.
- Utiliser des étiquettes afin d'encourager les enfants à trier le matériel en tenant compte de deux caractéristiques.
- Apprécier la complexité des jeux de devinettes des enfants.

Discriminer les concepts « quelques » et « tous »

- Ranger le matériel semblable au même endroit.
- Prêter attention à l'utilisation que font les enfants des mots « quelques » et « tous ».

Décrire les caractéristiques qu'un objet ne possède pas ou indiquer la catégorie à laquelle il n'appartient pas

- Favoriser l'utilisation du symbole Ø pour représenter le concept « ne ... pas ».
- Prêter attention à l'utilisation de la négation que font les enfants.

LECTURES COMPLÉMENTAIRES

BARRATTA-LORTON, MARY (1980). *Faites vos jeux*, Montréal, Éditions du Renouveau pédagogique.

GARDNER, HOWARD (1997). *Les formes de l'intelligence*, Paris, Odile Jacob.

CHAPITRE 16

La sériation : créer des séries et des séquences

À partir de ses premières expériences avec les objets, l'enfant est capable de construire des relations entre ceux-ci ; les relations de différences entre les objets, lesquelles forment la base de la sériation, sont aussi la base de la compréhension du nombre chez l'enfant.
CHARLES HOHMANN, 1975.

Les enfants du préscolaire commencent à utiliser le processus de sériation, qui consiste à ordonner les objets en se basant sur leurs différences et sur les variations graduelles de leurs caractéristiques. La sériation, comme le processus de classification (voir le chapitre 15), s'établit sur la conscience qu'ont les enfants des caractéristiques des objets ; elle est un moyen de plus pour eux de comprendre le monde. Lors de la classification, les enfants regroupent les objets selon leurs caractéristiques communes (tous les crayons de bois dans un panier, tous les crayons feutre dans un autre), tandis que dans la sériation, les enfants attribuent un ordre logique à une série d'objets basé sur les variations graduelles d'une seule caractéristique (ordonner tous les camions de pompiers du plus grand au plus petit) ou selon une séquence de caractéristiques qui se répètent (une perle rouge, une perle bleue, une perle verte, une perle rouge, etc.). Parfois, les enfants plus âgés arrivent à associer une série à une autre (placer les petites, les moyennes et les grandes tasses sur les petites, les moyennes et les grandes soucoupes), ce qui est une forme plus avancée de sériation.

Le psychologue de l'éducation Charles Hohmann (1991, p. 55) définit la sériation comme étant le fait de trouver de l'ordre dans les différences :

> Les différences peuvent être la base pour ordonner les objets en une collection, par exemple pour ordonner ceux-ci selon la dimension, le poids, la texture ou l'intensité de la couleur. De la même façon qu'on peut ordonner les différentes teintes entre le bleu et le vert, les différences utilisées pour ordonner les objets sont habituellement des différences de degré. Elles impliquent une progression, comme de grand à petit, de lourd à léger, de rude à doux. Par conséquent, toutes les différences qui peuvent être graduées – dimension, poids, intensité de couleur, température, son, force de résistance – peuvent servir de base pour ordonner une collection d'objets.

16.1 La création par les enfants de séries et de séquences

La conscience de la différence chez les enfants commence lorsqu'ils sont poupons, tandis qu'ils manifestent leur préférence pour une formule de lait plutôt que pour une autre ou qu'ils refusent la nourriture qui n'est pas à la température désirée. Les trottineurs, grâce à leur nouvelle mobilité et à leur propre exploration, qui se fait par essais et erreurs, découvrent les différences qui sont évidentes telles que « plus gros » et « plus petit ». Après plusieurs tentatives pour empiler, par exemple, ils découvrent qu'en plaçant le plus gros bloc en premier et le petit bloc en deuxième la tour sera plus solide.

Grâce à leur nouvelle habileté à retenir des images mentales et à leur capacité croissante d'exprimer leur pensée et leurs expériences par des mots, les enfants du préscolaire peuvent reconnaître et décrire des variations parmi des choses semblables (« J'ai de grandes mitaines parce que mes mains sont plus grandes, comme celles de mon père ! »). Ils peuvent aussi prendre des décisions en se basant sur ces variations (« Je veux la plus grande. »).

Les enfants du préscolaire aiment aussi disposer des objets en séries ou en séquences pour réaliser quelque chose qu'ils souhaitent particulièrement ou dont ils ont besoin, comme un collier de perles ou une rangée de blocs ordonnés selon leurs dimensions pour faire un escalier. Lorsqu'ils créent de telles séquences, ils découvrent de nouvelles combinaisons, et étant donné qu'ils ne sont pas très préoccupés par les règles – même les leurs –, leurs séquences changent souvent après une ou deux répétitions. Ils aiment également les défis où, à la manière d'un casse-tête, ils devront associer une séquence à une autre ou en ordonner une pareille.

Travailler avec les différences et les variations graduelles pour ordonner ou créer des séquences, voilà une façon importante pour les enfants d'organiser leur univers et de lui donner un sens. Le processus de sériation aide aussi les enfants à résoudre certains problèmes qu'ils éprouvent dans leurs jeux : « C'est une petite porte, je vais la faire plus grande. » Même si leur logique peut sembler peu orthodoxe (« Ma mère et mon père sont plus grands que ma maison. Ma maison est plus grande que moi. »), leurs tentatives réfléchies pour organiser et exprimer leur compréhension des différences, des séries et des séquences leur permettent de développer la logique de l'ordre ; par conséquent, ces tentatives méritent un appui inconditionnel.

16.2 Soutenir les enfants dans leur création de séries et de séquences

Trois expériences clés du domaine ***la sériation*** décrivent la façon dont les enfants ordonnent les objets en se basant sur les différences. La première expérience clé porte sur les différences évidentes :

- *Comparer les caractéristiques (plus long/plus court, plus gros/plus petit).*

Les deux autres expériences clés concernent l'habileté à explorer des distinctions plus fines et à créer des séquences :

- *Ordonner plusieurs objets selon une série ou une séquence et en décrire les particularités (gros/plus gros/encore plus gros, rouge/bleu/rouge/bleu).*
- *Associer un ensemble d'objets à un autre par essais et erreurs (petite tasse – petite soucoupe, moyenne tasse – moyenne soucoupe, grande tasse – grande soucoupe).*

Les éducatrices qui soutiennent les expériences clés de la sériation comprennent que, dans un environnement favorisant l'apprentissage actif, de telles expériences surgissent et abondent à l'intérieur d'un contexte de jeu. La logique de l'ordre et de la séquence émerge petit à petit lorsque les enfants manipulent du matériel et discutent des façons de répondre à leurs besoins et de donner suite à leurs projets. Voici quelques suggestions à l'intention des éducatrices qui désirent soutenir ces jeunes créateurs d'ordre et de séquences.

16.2.1 EXPÉRIENCE CLÉ
Comparer les caractéristiques (plus long/plus court, plus gros/plus petit)

Lorsqu'ils jouent ou travaillent avec le matériel, les jeunes enfants observent des différences et comparent les caractéristiques qui sont significatives pour eux. Ils sont souvent étonnés par les dimensions respectives des objets : « On a une plus grosse maison. » « La boîte brune est moins grosse. » Parfois, ils observent et comparent d'autres caractéristiques telles que la couleur : « Le blanc et le vert font un vert plus pâle quand on les mélange. » Nous présentons maintenant des façons de soutenir les explorations et les observations des enfants qui comparent les caractéristiques des choses.

PISTES D'INTERVENTION

A. Offrir aux enfants du matériel dont les caractéristiques peuvent être facilement comparées

Des ensembles d'objets de dimensions différentes. Étant donné que la dimension relative des objets a un impact significatif sur les jeunes enfants, il est utile de leur offrir des ensembles d'objets en deux tailles. (Consulter l'encadré intitulé « Matériel pour comparer les dimensions ».)

Du matériel que les enfants peuvent modeler et modifier. Vous pouvez offrir aux enfants du matériel qu'ils utiliseront pour fabriquer de grandes et de petites créations. Cela comprend du matériel flexible comme de la terre glaise, de la pâte à tarte, de la pâte à modeler, de la cire d'abeilles, du sable humide ; des blocs et du matériel de construction comme du fil de fer, des cure-pipes, des boîtes et de la colle ; du matériel pour dessiner et peindre.

Du matériel aux caractéristiques contrastantes. Même si les jeunes enfants réussissent facilement à comparer des dimensions, ils remarquent aussi d'autres distinctions évidentes. Pensez à faire provision de matériel par paires dont les caractéristiques sont contrastantes, comme du sable sec et du sable humide, des cailloux rugueux et des cailloux doux, des macaronis droits et des macaronis courbés, des crayons à colorier pâles et des crayons à colorier foncés. Offrez aussi aux enfants une variété d'instruments de musique avec lesquels ils pourront jouer de façon contrastante (vite et lentement, fort et doux).

B. Ranger et étiqueter le matériel de telle sorte que les enfants soient portés à comparer les caractéristiques des objets

Encore une fois, pensez aux étiquettes et aux contenants de rangement qui ont un rapport avec l'intérêt des enfants pour les dimensions des objets. Par exemple, rangez les grands clous dans un contenant transparent et les petits clous dans un autre, les grands dinosaures dans un panier et les petits dans un autre, et ainsi de suite.

C. Demeurer attentive aux comparaisons que font les enfants et soutenir leur réflexion

Lorsque les enfants jouent et travaillent, ils font des observations qui fournissent aux éducatrices attentives des indices sur leur façon de faire des comparaisons :

- « Ça devient plus long, plus long ! » s'exclame Jacob tout en roulant son morceau de pâte à modeler.
- « Mes bras sont trop courts pour cette chemise », dit Justin à son éducatrice.

Matériel pour comparer les dimensions

Ensembles comprenant de petits et de grands objets :

dinosaures	animaux de la ferme	poupées
couvertures	pinceaux	éponges
balles	seaux	cymbales
tambours	camions	autos
boutons	clous	coquillages
blocs	boîtes	

- « Les tiennes sont les plus grandes », dit Anne à son éducatrice, en regardant toutes deux les traces qu'elles ont faites dans la neige.
- Chelsea se lave les mains ; son éducatrice la rejoint à l'évier voisin et ouvre au maximum le robinet. « Le mien coule plus lentement », dit Chelsea. Poursuivant l'idée de Chelsea, l'éducatrice ralentit le flot de son robinet. « Le tien coule plus lentement que le mien », remarque Chelsea.

Quelquefois, les enfants font des comparaisons entre les caractéristiques pour résoudre les problèmes qui se présentent dans leur jeu. Par exemple, Camille et Pauline ont construit une tour si haute qu'elles ne sont plus capables d'atteindre le sommet. Pauline essaie de se tenir sur un bloc, mais ce n'est pas assez haut ; alors, les deux fillettes demandent l'aide de l'éducatrice. Celle-ci répond : « Vous essayez de vous tenir sur un bloc, mais vous n'êtes pas assez hautes. » Par cette remarque, l'éducatrice manifeste son intérêt et indique qu'elle constate leur effort pour résoudre leur problème. « On a besoin de quelque chose de plus haut », dit Pauline. Elle regarde autour d'elle et aperçoit une chaise de bois, qu'elle va chercher. Camille l'imite et va chercher une chaise encore plus haute, puis elles terminent leur tour avec satisfaction.

16.2.2 EXPÉRIENCE CLÉ Ordonner plusieurs objets selon une série ou une séquence et en décrire les particularités (gros/plus gros/encore plus gros, rouge/bleu/rouge/bleu)

Lors de leurs jeux, les enfants du préscolaire ordonnent parfois les objets en séries ou en séquences. Ainsi, Christian ordonne et colle des bandes de papier et des boutons selon un modèle en alternance : bande de papier, bouton, bande de papier, bouton, et ainsi de suite ; il fait ainsi le cadre de son dessin.

Avec de la pâte à modeler et des moules à biscuits, un enfant a réalisé une série d'étoiles.

Les séries reflètent souvent des différences de tailles qui sont en relation avec les rôles au sein de la famille : « Ça c'est le papa, ça c'est la maman, ça c'est le bébé. » Comme les enfants sont les plus petits de la famille, ils sont particulièrement conscients de la taille et du statut de chacun de ses membres. Lorsqu'ils créent des séries qui comprennent trois ou quatre tailles (« gros/très gros/très très gros »), le modèle de leur série est généralement constitué à partir de deux éléments qui alternent, comme des bâtonnets et des cercles, des cailloux et des coquillages ou des perles rouges et des perles bleues. Voici comment les éducatrices peuvent soutenir les jeunes enfants lorsqu'ils ordonnent les objets afin de faire des séries ou des séquences.

PISTES D'INTERVENTION

A. Offrir aux enfants des collections et des ensembles de matériel

Des ensembles d'objets de trois ou quatre formats. Comme les enfants du préscolaire prêtent facilement attention aux différences de dimensions, il est important de leur offrir des objets semblables ou identiques sauf pour ce qui est de la taille. On peut alors leur procurer des ensembles d'objets gradués, comme des mesures, des tours d'anneaux à empiler, des cuillers de bois pour la cuisine, des plats pour mélanger, des

Matériel de trois ou quatre formats différents

cartons	boutons	boîtes
papier	rondelles de branches	pneus
coussins	sacs de haricots	anneaux à empiler
coquillages	poupées	blocs
autos	camions	

entonnoirs, des poupées gigognes, des boîtes et des blocs encastrables. (Voir l'encadré intitulé « Matériel de trois ou quatre formats différents. ») pour une liste de matériel intéressant.

Du matériel que les enfants peuvent utiliser pour faire leurs propres séries ou séquences. Lorsque le matériel approprié est mis à la disposition des enfants, ceux-ci démontrent un intérêt pour créer leurs propres séries ou séquences, comme des familles dont les membres sont de tailles différentes ou des bracelets aux motifs simples. Le matériel qui suit favorise ce genre de créations : des blocs, de la terre glaise et du matériel pour coller (pour faire des tours, reproduire des personnages ou des objets et réaliser des constructions de dimensions différentes) ; du papier, de la peinture, des crayons de cire, des crayons feutre, des crayons à la mine (pour peindre ou dessiner sa famille, des spirales, des monstres, et ainsi de suite) ; des perles, des formes géométriques de différentes couleurs et de dimensions variées, des bâtonnets et du matériel pour coller (pour faire des colliers, des bracelets, des trains aux motifs simples).

Des programmes d'ordinateur qui permettent aux enfants de réaliser des séries et des séquences. Si vous possédez un ordinateur, demeurez à l'affût des logiciels qui permettent de créer des séries et des séquences, comme Perlinpinpoint.

B. Observer et écouter les enfants lorsqu'ils font des séries ou des séquences

Les enfants manifestent souvent leur intérêt pour les séries ou les séquences en parlant de ce qu'ils font :

- « Ça c'est le papa, ça c'est la maman et ça c'est le bébé chat », dit Anne en dessinant une famille de chats.
- « Mets les plats les uns dans les autres et secoue-les pour faire du bruit », suggère André à ses copains musiciens.
- « J'ai besoin d'un E », dit Annabelle en plaçant les lettres magnétiques en ordre : A, B, C, D.

Il arrive aussi que les enfants ne parlent pas des séries ou des séquences qu'ils ont réalisées :

- À la période de réflexion, Léa montre la peinture qu'elle a réalisée : « J'ai fait deux arcs-en-ciel », dit-elle. Les deux arcs-en-ciel sont composés de deux séquences de couleurs semblables. « Regardez, dit l'éducatrice, cet arc-en-ciel a du vert, du rouge, du mauve et du jaune, et celui-là a du vert, du rouge, du mauve et du jaune. »
- Un jour, à la période en groupe d'appartenance, les enfants ont fait des ombres derrière un drap blanc. Pendant qu'il était spectateur, Mathieu a prêté attention à la coupe en brosse des cheveux de Thomas : « Ses cheveux sont courts ! » Tous les autres enfants se sont alors mis à observer les silhouettes et à comparer les cheveux de chacun. Ils se sont entendus pour affirmer que Carmen, avec sa queue de cheval, avait les plus gros cheveux, qu'Alfred, avec ses cheveux bouclés, avait de gros cheveux, que Vincent, avec ses cheveux courts et raides, avait de petits cheveux et que Thomas avait les

Remarquez la séquence que l'enfant a créée pour réaliser son cerisier à droite.

cheveux les plus petits. Mathieu est allé derrière le drap pour aligner les quatre enfants et il a demandé à l'éducatrice de prendre une photo de l'ombre ainsi projetée.

C. Proposer aux enfants de représenter des familles, des colliers, des bracelets ou des trains

Lors de la période en groupe d'appartenance, mettez à la disposition des enfants du papier et des marqueurs ou de la pâte à modeler et proposez-leur de faire leur famille. Pendant que certains enfants choisiront de dessiner ou de faire autre chose, certains pourront créer les membres de leur famille dans une variété de tailles qui correspondent à l'âge ou à leur perception de l'importance qu'ils accordent à chacun. Ainsi, Lise a placé par ordre de grandeur les personnages qu'elle venait de réaliser : le papa, la maman, le grand frère et la petite sœur.

Une autre façon d'observer les enfants lorsqu'ils réalisent des séquences consiste à leur offrir de la ficelle et des perles et de leur suggérer de faire des colliers ou des bracelets, ou de leur donner de petits blocs et de petits personnages ou animaux et de leur suggérer de faire des trains. Pendant que certains enfants enfileront les perles ou aligneront leurs blocs au hasard, d'autres créeront des séries ou des séquences. Vous pouvez aussi donner aux enfants de petits plateaux perforés et des chevilles de couleurs, et observer les motifs qu'ils feront.

À la période de rangement, cette fillette place la famille des pandas en les associant aux dessins sur le mur.

D. Lire des histoires aux enfants et les encourager à représenter les histoires qui parlent des liens de parenté

Dans les histoires traditionnelles pour enfants comme *Le Petit Chaperon rouge* ou *Boucle d'or*, les liens de parenté jouent un rôle important. Lorsque les enfants ont entendu ces histoires un certain nombre de fois, vous pouvez planifier des périodes en groupe d'appartenance où ce thème sera repris. Voici quelques activités que vous pouvez considérer après avoir lu *Boucle d'or*, par exemple :

- Offrez aux enfants du matériel qui leur permettra de faire des images qui serviront à animer l'histoire. Voyez si les enfants associent les images des ours, des plats, des chaises ou des lits selon la taille.
- Offrez aux enfants une variété de matériel – pâte à modeler, boutons, blocs, cure-pipes – et encouragez-les à réaliser leurs propres ours, lits, chaises et plats. Remarquez les enfants qui penseront à réaliser les objets et les ours en proportion de la taille.
- Demandez aux enfants de représenter l'histoire. Observez comment ils font pour personnifier le gros papa ours, la moyenne maman ours et le bébé ours. Incitez-les à utiliser des objets en proportion de leur rôle.
- Pour une représentation avec de la musique, demandez aux enfants de choisir en premier le personnage qu'ils souhaitent jouer, puis le type de son représentant, par exemple, le papa qui regarde la nourriture, qui mange, qui dort, etc. Ainsi, les enfants pourront décider de faire des sons graves pour le papa, des sons moyens pour la maman et des sons aigus pour le bébé.

16.2.3 EXPÉRIENCE CLÉ
Associer un ensemble d'objets à un autre par essais et erreurs (petite tasse – petite soucoupe, moyenne tasse – moyenne soucoupe, grande tasse – grande soucoupe)

Parfois, les enfants aiment associer un ensemble d'objets à un autre parce que, ce faisant, ils répondent à leur besoin de jeu ou résolvent un problème qui se présente. Ils désirent trouver le couvercle qui s'ajuste à la boîte de métal pour faire un tambour, ou ils cherchent des chaises pour les personnages de la maison de poupée. De plus, ils aiment relever le défi consistant à regrouper, à la manière d'un casse-tête, des ensembles d'objets ou ressentir le pouvoir que procure le fait de décider qui va prendre la plus grosse tasse, le plus grand couvercle ou le plus gros ballon.

Voici des pistes d'intervention visant à soutenir les tentatives des enfants pour regrouper, ordonner ou créer des ensembles d'objets.

PISTES D'INTERVENTION

A. Offrir aux enfants des ensembles d'objets à ordonner

Les enfants sont portés à utiliser des ensembles d'objets qui s'apparient lorsque ce matériel a un lien avec leur jeu ou leurs intérêts. Ils aiment jouer avec des objets de dimensions variées qu'ils peuvent apparier, tels des tasses et des soucoupes, des bouteilles et des couvercles, des moules à muffins en métal et des moules à muffins en papier, des enveloppes et des cartes, des poupées et des vêtements. Par exemple, lorsqu'elles jouaient dans le coin « salon de beauté », Johanne et Liette ont décidé d'apparier les bigoudis de dimensions différentes avec leurs attaches respectives pour réaliser des mises en plis et des permanentes.

B. Étiqueter certaines boîtes de rangement avec des étiquettes de dimensions croissantes correspondant aux dimensions des objets

Pour fabriquer des étiquettes selon un ordre donné, tracez le pourtour des objets d'un ensemble. Par exemple, tracez et découpez les pourtours d'une petite, d'une moyenne et d'une grande cuiller et collez chacune des étiquettes sur un bac à rangement. Alors, chaque fois que les enfants voudront ranger les cuillers, ils pourront se fier aux étiquettes. Ils peuvent aussi réaliser des étiquettes lors des périodes en groupe d'appartenance.

C. Observer la manière dont les enfants ordonnent les objets des ensembles

Lorsque vous avez mis à la disposition des enfants des ensembles d'objets qu'ils peuvent mettre en ordre, observez la manière dont ils s'y prennent pour les regrouper ou encore pour créer leurs propres ensembles d'objets. Voici l'exemple d'un enfant qui a ordonné un ensemble d'objets :

> Un jour, Oscar a utilisé de la pâte à modeler pour réaliser trois modèles d'autos de tailles différentes. Puis, il a décidé de faire une « piste de course composée de trois rampes » avec des bandes de pâte à modeler attachées au bout de la table et il a fabriqué, au milieu de chacune, une bosse en guise d'« obstacle à surmonter ». Il a travaillé longtemps à réaliser des rampes proportionnelles à chaque auto. Juste avant le rangement, Manuel, un éducateur, a aidé Oscar à disposer ses rampes et ses autos sur un grand carton afin qu'il puisse présenter le tout lors de la période de réflexion. Comme les enfants du groupe avaient assisté à une course d'autos la semaine précédente, ils avaient bien des choses à raconter.

TABLEAU RÉCAPITULATIF

La sériation

Comparer les caractéristiques (plus long/plus court, plus gros/plus petit)

- Offrir aux enfants du matériel dont les caractéristiques peuvent être facilement comparées:
  - des ensembles d'objets de dimensions différentes;
  - du matériel que les enfants peuvent modeler et modifier;
  - du matériel aux caractéristiques contrastantes.
- Ranger et étiqueter le matériel de telle sorte que les enfants soient portés à comparer les caractéristiques des objets.
- Demeurer attentive aux comparaisons que font les enfants et soutenir leur réflexion.

Ordonner plusieurs objets selon une série ou une séquence et en décrire les particularités (gros/plus gros/encore plus gros, rouge/bleu/rouge/bleu)

- Offrir aux enfants des collections et des ensembles de matériel:
  - des ensembles d'objets de trois ou quatre formats;
  - du matériel que les enfants peuvent utiliser pour faire leurs propres séries ou séquences;
  - des programmes d'ordinateur qui permettent aux enfants de réaliser des séries et des séquences.
- Observer et écouter les enfants lorsqu'ils font des séries ou des séquences.
- Proposer aux enfants de représenter des familles, des colliers, des bracelets ou des trains.
- Lire des histoires aux enfants et les encourager à représenter les histoires qui parlent des liens de parenté.

Associer un ensemble d'objets à un autre par essais et erreurs (petite tasse – petite soucoupe, moyenne tasse – moyenne soucoupe, grande tasse – grande soucoupe)

- Offrir aux enfants des ensembles d'objets à ordonner.
- Étiqueter certaines boîtes de rangement avec des étiquettes de dimensions croissantes correspondant aux dimensions des objets.
- Observer la manière dont les enfants ordonnent les objets des ensembles.

LECTURES COMPLÉMENTAIRES

BARATTA-LORTON, MARY (1980). *Faites vos jeux*, Montréal, Éditions du Renouveau pédagogique.

PIAGET, JEAN et BÄRBEL INHELDER (1998). *La psychologie de l'enfant*, Paris, Presses Universitaires de France, 1996.

CHAPITRE 17

Les nombres

L'enfant du préscolaire possède un concept du nombre, concept qui contient les racines à partir desquelles les mathématiques modernes se sont développées.
ROCHEL GELMAN et C.R. GALLISTEL, 1986.

Les enfants du préscolaire commencent à construire un concept du nombre opérationnel par le biais de leurs interactions avec les personnes et les objets. Selon le psychologue du développement John Flavell (1963, p. 310), ces enfants acquièrent la compréhension « des propriétés essentielles et fondamentales du système du nombre, prémisses sous-jacentes à la nature et à la fonction du nombre ». Cette compréhension, les adultes la tiennent pour acquise dans leurs opérations mathématiques de tous les jours.

17.1 Le développement du concept de nombre

Les enfants d'âge préscolaire construisent leur notion du nombre à partir du concept de la permanence de l'objet qu'ils ont acquis lorsqu'ils étaient des poupons et des trottineurs. Par le biais de leurs explorations sensorimotrices, les poupons et les trottineurs découvrent que les objets existent indépendamment de leurs propres actions et des actions des autres sur eux. Ils apprennent que si une auto roule hors de leur vue, sous le divan, ils peuvent la retrouver, la transporter dans un panier, la placer quelque part et la retrouver le lendemain matin. L'existence distincte des objets signifie que ceux-ci peuvent donner lieu à la manipulation, au tri, au classement et à la quantification. Étant donné que les objets existent (plutôt que d'apparaître et de disparaître de façon arbitraire), les jeunes enfants concluent, avec justesse, qu'il est naturel et raisonnable d'estimer leur nombre en ces termes : « Plus de biscuits ! » « Deux camions ! »

Le concept de nombre, chez les enfants d'âge préscolaire, émerge lorsqu'ils trient des objets semblables en groupes ou en collections. Par exemple, ils commencent à comprendre que le fait de compter quatre autos miniatures implique qu'ils se concentrent sur les ressemblances entre les autos ; même si les autos ne se ressemblent pas toutes vraiment, elles appartiennent à un seul ensemble de quatre objets et peuvent être comptées comme égales. Leur compréhension du nombre, par conséquent, est en relation avec leur compréhension de la **classification** (regrouper des objets en se basant sur des caractéristiques communes) et se développe en même temps qu'elle.

Au même moment, les enfants du préscolaire commencent à comprendre que, quoique les quatre autos de l'ensemble aient des caractéristiques similaires, chaque auto est différente parce qu'elle est un élément d'une suite ordonnée : il y a une première auto, une deuxième, une troisième et une quatrième. À cet égard, la compréhension du nombre chez les enfants du préscolaire est en relation avec leur compréhension de la **sériation** (trouver un ordre dans la différence) et se développe avec elle. En d'autres mots, les autos peuvent être comptées en ordre comme des membres distincts d'un groupe (sériation), mais une fois comptées, elles représentent simplement quatre autos, soit des membres équivalents d'une même groupe (classification).

La compréhension du nombre chez les enfants d'âge préscolaire implique aussi leur compréhension naissante du concept de **correspondance de un à un** comme base de l'équivalence numérique. En associant un ensemble de quatre autos miniatures avec un ensemble de quatre personnages miniatures, par exemple, ils commencent à voir que le nombre d'autos et le nombre de personnages sont les mêmes. Ils en viennent à comprendre que lorsque deux ensembles d'objets peuvent être associés dans un rapport d'un à un (une auto, un personnage), il y a le même nombre d'objets dans les deux ensembles.

Finalement, la compréhension du nombre chez les enfants du préscolaire est modelée par le développement de leur sens de la **conservation**, que l'on peut définir ainsi : la compréhension naissante de l'idée qu'une quantité d'objets demeure la même, peu importe la forme ou la disposition des objets qui doivent être comptés. Les enfants de cet âge commencent seulement à devenir conscients qu'une pile de quatre autos miniatures et une rangée de quatre personnages miniatures ont le même nombre même si les objets sont disposés de façons différentes dans l'espace. Ces enfants sont souvent partagés entre la vérité des apparences (si l'ensemble des personnages prend plus de place et semble plus grand que l'ensemble des autos, c'est qu'il y en a plus) et la vérité du dénombrement et de l'association (si l'on compte les autos et les personnages, ou si on les associe un à un, on arrive au même nombre pour chaque ensemble). Quand les enfants travaillent avec de grandes quantités d'objets, les apparences l'emportent généralement sur le dénombrement et l'association. Quand ils travaillent avec de petites quantités, cependant, le dénombrement et l'association ont plus de poids que les apparences.

La formation d'une compréhension de base des prémisses qui sous-tendent l'utilisation des nombres est une tâche importante pour les jeunes enfants. Pour acquérir une telle compréhension, ils doivent être capables d'exercer leurs capacités du moment concernant les nombres, même si leurs conclusions s'avèrent simples et erronées. Lorsque les jeunes enfants font des observations et tirent des conclusions en utilisant leur nouvelle notion du nombre, ils construisent les fondements de la pensée logique et font des apprentissages au sujet des relations : « Youpi ! » s'exclame Arianne lorsqu'elle fête ses 5 ans. « Maintenant, je suis la plus vieille de mon groupe ! » À travers plusieurs expériences consistant à ordonner, à comparer, à faire correspondre de un à un et à compter des collections d'objets, les enfants mettent en place les connaissances dont ils auront besoin dans les années futures pour comprendre et utiliser les mathématiques.

17.2 Soutenir la compréhension du nombre chez les enfants

Trois expériences clés du domaine *les nombres* révèlent la manière dont les enfants du préscolaire développent leur compréhension de la nature et de l'utilisation des nombres. Dans la première expérience clé, les enfants sont souvent influencés par les apparences :

- *Comparer le nombre d'objets de deux ensembles afin de comprendre les concepts « plus », « moins » et « égal ».*

Dans les deux autres expériences clés de ce domaine, les jeunes enfants ont souvent recours à des stratégies plus logiques pour arriver à des conclusions concernant le nombre d'objets :

- *Associer deux ensembles d'objets selon une correspondance de un à un.*
- *Compter des objets.*

Les éducatrices qui reconnaissent l'importance de ces expériences clés portant sur le nombre comprennent que les enfants qui fréquentent des milieux éducatifs favorisant l'apprentissage actif s'y engagent spontanément tout au long de la journée tout en donnant suite à leurs initiatives et à leurs intérêts. Elles comprennent aussi que les jeunes enfants découvrent les concepts reliés aux nombres en manipulant des objets plutôt qu'en participant à des sessions d'exercices dirigées par des éducatrices. Lorsque les enfants jouent et résolvent les problèmes qui surgissent, les éducatrices appuient les multiples occasions d'explorer le nombre qui se présentent de façon naturelle. Pour apporter un soutien approprié à la compréhension des jeunes enfants qui comparent, associent et comptent des ensembles d'objets, elles peuvent s'inspirer des pistes d'intervention qui suivent.

17.2.1 EXPÉRIENCE CLÉ Comparer le nombre d'objets de deux ensembles afin de comprendre les concepts « plus », « moins » et « égal »

Lorsque les jeunes enfants comparent les quantités d'objets qui les entourent, ils commencent à élaborer la notion de quantité. En parlant des tomates de son jardin, Diane place ses mains ensemble comme pour faire un plat et explique : « En premier, on en a eu comme ça. » Elle continue : « Maintenant, on en a comme ça », dit-elle en faisant un grand cercle avec ses bras.

En plus de faire de telles comparaisons de façon rudimentaire, les enfants d'âge préscolaire utilisent le calcul, ou dénombrement, pour établir des comparaisons entre de petits nombres d'objets : « Regarde », dit David au sujet d'une « gentille araignée » qu'il vient de peindre. « Elle a une, deux, trois, quatre, cinq, six, sept, huit... huit pattes, mais seulement deux yeux et une seule bouche ! »

Voici des stratégies pour les éducatrices qui veulent soutenir les enfants lorsqu'ils comparent des quantités d'objets.

PISTES D'INTERVENTION

A. Offrir du matériel pour comparer les quantités d'objets

Si vous avez suivi les indications présentées au chapitre 5 pour faire provision de matériel favorisant l'apprentissage actif, vous pouvez déjà offrir aux enfants plusieurs ensembles d'objets qu'ils pourront utiliser pour comparer des quantités. En voici quelques exemples.

Des objets simples. Ce matériel comprend des ensembles d'objets que les enfants peuvent compter, tels des blocs, des perles, des autos, des poupées, des boutons et des contenants faciles à aligner et à compter. Leurs collections personnelles de cailloux, de coquillages, de feuilles, de cartes, de bouchons de bouteilles, et ainsi de suite, font aussi partie du matériel que les enfants aiment compter.

Du matériel d'arts plastiques. Un coin d'arts plastiques bien garni peut aussi inciter les enfants à comparer les nombres. Ainsi, Jonas compte six cuillers à café et sept bouchons de bouteilles sur son collage. « Il y en a plus de ceux-là », dit-il en montrant du doigt les bouchons. Plusieurs enfants aiment comparer les quantités d'objets utilisés pour réaliser leurs travaux d'arts plastiques.

B. Écouter les enfants quand ils comparent des quantités de façon spontanée

Lorsque les enfants jouent et travaillent, écoutez les observations qu'ils font et les questions qu'ils se posent au sujet des nombres. N'oubliez pas de réprimer vos questions lorsqu'elles ne sont pas essentielles, car les jeunes enfants apprennent plus facilement lorsqu'ils se posent eux-mêmes des questions que lorsqu'ils répondent aux questions posées par les adultes.

Comparer les quantités d'objets

En observant et en écoutant attentivement les enfants, vous noterez qu'ils comparent souvent les quantités d'objets avec lesquels ils jouent :

- « Les assiettes ? dit Thierry à Audrey qui fait semblant d'être un cuisinier, on en a des tonnes de celles-là ! »
- Lors de la période d'ateliers libres, les enfants découvrent qu'il y a un nouvel appareil photo dans le local. Comme plusieurs enfants désirent prendre des photos, l'éducatrice Fabienne aide les enfants à fabriquer un tableau indiquant dans quel ordre ils utiliseront l'appareil photo. L'ordre est indiqué par la suite des symboles personnels des enfants. Brian est le premier sur la liste et Charlotte compte le nombre de symboles entre celui de Brian et le sien. « Un, deux, trois. Trois personnes, et après ce sera mon tour ! » dit-elle.

Comparer les quantités d'objets et de personnes se trouvant sur les images

Les enfants aiment comparer le nombre d'objets et de personnes qui se trouvent sur leurs propres photos et dessins tout aussi bien que dans les magazines, les livres ou les photos d'autres provenances : « Regarde, j'ai beaucoup de dents... plus que ma mère ! dit Jonathan au sujet du dessin qu'il est en train de faire, et beaucoup de bouches. Maintenant, je peux parler plusieurs fois. »

Comparer les âges

Même si l'âge est un concept abstrait, plusieurs enfants du préscolaire connaissent leur âge et aiment le comparer à celui des autres enfants. Par exemple, Anne, Jonathan et Jacob dessinent : « Tu sais quoi ? dit Jonathan à Jacob. Ma sœur est plus vieille que nous. Elle a sept ans.
– Mon cousin a huit ans ! dit Anne. C'est plus vieux que sept. Un, deux, trois, quatre, cinq, six, sept, huit ! »

C. Accepter les découvertes des enfants au sujet des nombres

Il est important de souligner de nouveau que, étant donné que les enfants du préscolaire évaluent la quantité des objets en utilisant la meilleure logique possible pour eux, les adultes qui les accompagnent doivent accepter leurs conclusions même si elles sont inexactes. Par exemple, quand Arianne a eu 5 ans et qu'elle a affirmé : « Youpi ! Maintenant, je suis la plus vieille de mon groupe ! », son éducatrice a accepté son évaluation au lieu de lui expliquer qu'elle est, de toute façon, la plus âgée du groupe puisqu'elle est née avant tous les autres enfants. Arianne sait que cinq est plus que quatre ; alors, pour elle, avoir cinq ans fait d'elle une enfant plus vieille que les enfants de quatre ans. Quand elle avait quatre ans, elle ne pouvait être plus âgée que les autres, qui avaient aussi quatre ans. Ses conclusions représentent sa compréhension de la logique des nombres. Avec l'âge et l'expérience, elle modifiera sa logique quand elle commencera à construire une compréhension des parties ou des fractions des nombres (quatre ans et deux mois, quatre ans et sept mois, et ainsi de suite).

17.2.2 EXPÉRIENCE CLÉ
Associer deux ensembles d'objets selon une correspondance de un à un

Au cours de leurs jeux, les enfants du préscolaire aiment associer des ensembles d'objets selon la correspondance de un à un : une tasse pour chaque soucoupe, une bague pour chaque doigt, un casque pour chaque pompier, un pinceau pour chaque contenant de gouache. Généralement, l'association de deux ensembles d'objets dans une série de paires vise un but fonctionnel de leur jeu (« On est des pompiers. On a besoin de casques de pompiers ! »). Tout en formant des paires d'objets, les enfants acquièrent de l'expérience avec les équivalences (un casque pour chaque tête signifie qu'il y a le même nombre de casques que de têtes), même s'ils ne peuvent pas encore penser à ce qu'ils font en ces termes. Ces expériences d'association selon une correspondance de un à un soutiennent aussi le début de la compréhension du calcul, étant donné que celui-ci demande que l'on associe un mot représentant un nombre (un, deux, trois, etc.) à un et à un seul élément compté.

Voici des façons de soutenir les expériences des enfants dans la correspondance de un à un.

PISTES D'INTERVENTION

A. Offrir du matériel permettant l'association selon la correspondance de un à un

Les enfants utiliseront à peu près tout ce qui est à leur portée pour créer des ensembles personnels et significatifs (des ours et des blocs, des cercles et des chatons, de gros cylindres et de petits cylindres). Ce type de matériel, qui est décrit au chapitre 5, appuiera les enfants dans l'apprentissage du concept de correspondance de un à un, et en particulier le type de matériel suivant : les ensembles d'objets qui se comptent et les ensembles d'objets que les enfants peuvent associer dans la correspondance de un à un, comme des chevilles et des plateaux perforés, des contenants d'œufs et des œufs en plastique, des pots et des couvercles, des marqueurs et leurs bouchons, ou encore un jeu de dames chinoises.

Les enfants associent les ensembles d'objets selon une correspondance de un à un. Cette petite fille prépare le repas pour quatre personnes et sert des œufs brouillés dans chacune des assiettes.

B. Observer la création par les enfants d'ensembles d'objets correspondants

Observez les ensembles d'objets correspondants que les enfants créent afin de servir leurs propres fins. Voici quelques exemples de créations que vous pourriez observer :

- Lors de la période en groupe d'appartenance, Jonathan aligne et compte 12 blocs, puis il place un ourson sur chaque bloc.
- Anne aligne sept oursons en plastique et donne à chacun un morceau de pâte à modeler. « Ils ont chacun quelque chose à manger », dit-elle à son amie Roxanne.
- Audrey transporte trois chaises près de la table du téléphone. « J'ai mis trois chaises pour trois enfants », dit-elle.
- Anne, Martin et Benoît construisent une maison de blocs avec plusieurs chambres à coucher. Dans chacune des chambres, ils placent un lit, un toutou et une couverture.

C. Encourager les enfants à parler de leurs arrangements de un à un lors de la période de réflexion

Généralement, quand les enfants sont absorbés dans leur jeu ou dans leur projet, ils sont réticents à interrompre ce qu'ils sont en train de faire pour parler de la correspondance de un à un que vous venez de les voir réaliser. À la période de réflexion, cependant, ils peuvent être plus réceptifs à l'idée de penser à cet aspect de leur activité. Dans les faits, avec un peu d'encouragement de votre part, les enfants peuvent être disposés à montrer comment ils ont associé deux ensembles d'objets et à parler de la correspondance qu'ils ont effectuée.

D. Encourager les enfants à rassembler et à distribuer le matériel

« Kevin, dit l'éducatrice, s'il te plaît, apporte assez de paires de ciseaux pour que chaque personne à notre table en ait une. » En demandant aux enfants de rassembler et de distribuer le matériel nécessaire aux activités, l'éducatrice leur donne l'occasion d'accomplir des expériences de correspondance de un à un.

Lors des collations et des repas. Vous pouvez mettre en place un tableau de tâches de telle sorte que chaque enfant ait la chance de rassembler et de distribuer assez de verres, de serviettes de table, de cuillers, d'assiettes, et ainsi de suite, pour chaque personne qui se trouve à la table.

Lors des périodes en groupe d'appartenance et des rassemblements. Quand il faut rassembler et distribuer du matériel comme des instruments de musique, des carrés de tapis ou des pots de colle, vous pouvez demander aux enfants de le faire à votre place.

Lors des parties de cartes. De simples jeux de cartes comme « La bataille », les jeux de mémoire, les jeux de cartes inventés ou des cartes fabriquées par les enfants fournissent de multiples occasions d'expérimenter la correspondance de un à un parce que la personne qui distribue les cartes doit s'arranger pour donner à chacun le même nombre de cartes et que les joueurs doivent associer les cartes semblables. Lors de ces jeux, l'éducatrice doit éviter de diriger ou de corriger le processus de distribution des cartes et les règles établies par les enfants. Les problèmes auxquels les enfants font face sont significatifs et ils doivent pouvoir les résoudre à leur manière.

17.2.3 EXPÉRIENCE CLÉ Compter des objets

Lorsque les enfants voient des objets, ils se mettent spontanément à les compter parce qu'ils aiment compter.

- Karine compte les biscuits de pâte à modeler qu'elle est en train de faire. « J'ai quatre biscuits », dit-elle.
- Lors de la collation, Jessica compte 12 personnes autour de la table.
- Claude compte les 12 blocs avec lesquels il joue et dit : « J'ai 14 blocs. »
- Lors du rangement, Arianne compte 16 oursons miniatures qu'elle dépose dans un pot.
- Félix lance la balle en bas de la tour et compte les rebondissements de la balle lorsqu'elle atteint le sol.
- Dans la balançoire, Claudine a compté 15 balancements après une poussée de son éducatrice.

Dans sa description des enfants qui ont environ 4 ans, le psychologue Howard Gardner (1991, p. 75-76) observe ceci :

> Souvent avec une vitesse et une férocité surprenantes, les enfants d'âge préscolaire voient le monde comme une arène où l'on peut compter. Ils veulent tout compter : les visages dans un dessin, les perles, les blocs, les « grammes », les chandelles, les trous, les pneus, les lettres, les lumières.

Le plaisir des enfants à compter a aussi retenu l'attention de la psychologue du développement Rochel Gelman. Celle-ci, qui a passé les dernières décennies à travailler avec les jeunes enfants et leurs éducateurs, a étudié la relation entre le fait de compter pour les enfants et leur compréhension du nombre. Chez les enfants de 3 ans et plus, Gelman a trouvé que l'habileté de l'enfant à compter est gouvernée par un ensemble de principes de calcul qui surgissent spontanément pour à la fois guider et motiver sa compétence à compter. Les principes élaborés par Gelman et Gallistel (1986) sont les suivants :

- **Le principe du un à un.** L'enfant utilise un et seulement un nom de chiffre pour chaque élément compté : « un, deux, trois » ou « quatre, douze, seize ».
- **Le principe de l'ordre stable.** L'enfant utilise les noms de chiffres dans un ordre stable de façon conventionnelle (« un, deux, trois ») ou non conventionnelle (« six, sept, dix »).
- **Le principe du nombre cardinal.** L'enfant utilise le nom du dernier chiffre compté, qui décrit le nombre d'éléments d'un ensemble : « Un, deux, trois... trois serpents ! »
- **Le principe de l'abstraction.** L'enfant compte une partie d'un ensemble d'éléments divers, comme le fait de compter les blocs rouges dans une construction faite de blocs de différentes couleurs.
- **Le principe de l'ordre variable.** L'enfant reconnaît que l'ordre dans lequel les objets sont comptés peut être variable. Six balles restent toujours six balles, peu importe par quelle balle on commence à compter.

Habituellement, les enfants du préscolaire utilisent les deux premiers principes lorsqu'ils comptent : un nom de chiffre pour chaque élément compté et un ordre stable de noms de chiffres. Plusieurs enfants du préscolaire emploient aussi le principe du nombre cardinal. Il n'est pas courant de voir des enfants de 3 et 4 ans utiliser les deux derniers principes même si ces capacités sont aussi en développement à ce moment de leur vie. De plus, les enfants du préscolaire comptent généralement les objets qu'ils utilisent ou fabriquent parce qu'ils aiment compter plutôt que pour comparer des ensembles afin de déterminer leur équivalence (quoiqu'ils puissent le faire si on le leur demande). Les éducatrices peuvent soutenir le plaisir de compter chez les enfants en adoptant les pistes d'intervention qui suivent.

PISTES D'INTERVENTION

A. Offrir des ensembles d'objets à compter

Un environnement bien garni qui favorise l'apprentissage actif contient divers ensembles d'objets que les enfants pourront compter. Comme nous l'avons mentionné précédemment, les enfants peuvent compter les perles, les grammes, les chevilles, les trous, les biscuits, les personnages, les blocs, les roues, les oursons, les rebondissements d'une balle, les balancements, etc. Lorsque vous évaluez le matériel dont les enfants disposent pour compter, soyez attentive à ce qui suit.

- **Des blocs.** Les blocs sont des objets lisses, agréables, durables, qui se manipulent et se comptent facilement. Les enfants aiment les empiler, les utiliser pour construire et les incorporer à leurs jeux de rôles. Il est intéressant de posséder plusieurs ensembles de blocs : des blocs creux, des blocs multicolores, des blocs aimantés, des blocs à encastrer, des miniblocs, des blocs de bois, des blocs de mousse recouverts de tissu, des blocs en plastique ou en carton rigide.
- **Des ensembles de petits objets.** Les ensembles de petits objets dont les enfants peuvent remplir leurs mains sont des éléments intéressants à compter. Ce genre de matériel comprend les perles de diverses dimensions, les bouchons de bouteilles, les cailloux, les petits coquillages, les marrons, les boutons, les animaux et les personnages miniatures, les pastilles pour jouer au bingo ou aux dames, ou de la nourriture comme des raisins, du maïs soufflé, de petits biscuits carrés ou circulaires ou en forme de poissons et d'animaux.
- **Des objets salissants.** Plusieurs enfants sont portés à compter le matériel salissant et humide. Par exemple, ils aiment compter les vers de terre trouvés dans le jardin après la pluie, les insectes dénichés sous des roches ou sous des souches en décomposition, le nombre de seaux d'eau dont ils auront besoin pour remplir le bac à eau ou la petite piscine, le nombre d'essuie-tout qu'ils leur faudra pour éponger un dégât d'eau, le nombre d'impressions qu'ils pourront faire sur une feuille de papier ou le nombre de cailloux nécessaire pour faire déborder l'eau d'un seau.
- **Des logiciels.** Les enfants invitent souvent leurs amis à venir compter avec eux à l'ordinateur. Plusieurs logiciels sur le marché permettent cet exercice, tel Adibou. Je lis. Je calcule !
- **Du matériel avec des chiffres.** Une fois qu'ils ont commencé à compter, certains enfants aiment compter toutes sortes d'objets. On peut maintenir l'intérêt de ces enfants pour l'écriture des chiffres en mettant à leur portée du matériel comme des calculatrices, des machines à écrire,

Cette éducatrice comprend que les jeunes enfants apprennent la notion de nombre en travaillant avec du matériel de manipulation intéressant. Cette petite fille compte le nombre de morceaux de pâte à modeler qu'elle vient de couper.

des cartes, de l'argent de Monopoly, des étampes avec des chiffres, des collants ou des chiffres aimantés.

- **Des jeux de société.** De simples jeux de société avec des dés et des pions à déplacer incitent les enfants à compter les espaces lorsqu'ils déplacent leurs pions. Cependant, en tant qu'éducatrice, n'oubliez pas que le respect des règlements n'est pas important à cet âge. Les enfants inventent leurs propres règles, qui consistent généralement à parcourir le trajet avec un pion et à compter pour arriver à un point précis.

B. Écouter les enfants lorsqu'ils comptent, peu importe le moment de la journée

Lorsque les enfants jouent et travaillent avec des objets, soyez attentive aux occasions qu'ils saisissent pour compter. Les anecdotes racontées précédemment sont typiques des occasions spontanées de compter que vous pouvez observer.

C. Accepter l'ordre numérique adopté par les enfants

Comme le mentionnent Gelman et Gallistel (1986, p. 244), « les enfants peuvent compter sans utiliser les mots ou les séquences conventionnels ». Les deux exemples suivants précisent la signification de cette affirmation.

- Un jour, Jonathan enfilait des perles. Il a réussi à compter de façon conventionnelle les vingt-cinq premières perles, puis il a compté les suivantes ainsi : « Vingt-sept, vingt-neuf, cinquante, soixante, soixante-six. » Son éducatrice a été impressionnée lorsqu'elle a constaté qu'il pouvait compter jusqu'à vingt-cinq et a acquiescé au total final de soixante-six perles. Elle ne s'est pas préoccupée du fait que Jonathan soit passé de vingt-cinq à vingt-sept, puis à vingt-neuf, à cinquante, à soixante et enfin à soixante-six, parce qu'elle savait qu'avec le temps il acquerrait l'habileté à compter dans un ordre correct un plus grand nombre d'objets, lorsqu'il aurait compris la logique du dénombrement de grands ensembles. Par contre, elle a constaté que Jonathan avait utilisé les trois premiers principes du calcul, soit le principe du un à un, celui de l'ordre stable et celui du nombre cardinal. Si vous reprenez les enfants lorsqu'ils comptent, vous risquez de les décourager et de réprimer le plaisir qu'ils prennent à compter spontanément les objets de leur environnement.
- Un jour que Julie comptait les trombones restants dans une boîte, elle a terminé ainsi son décompte : « Quarante, quatre-vingt-dix, soixante, vingt. Vingt trombones ! » Alors, comme si elle venait d'avoir une idée, elle a ajouté : « Eh, regarde, j'ai une, deux, trois quatre piles de trombones ! Vingt trombones et quatre piles ! » Même si l'ordre utilisé par Julie pour compter n'était pas conventionnel, cela ne l'a pas empêchée de reconnaître qu'elle avait ordonné « vingt » trombones en quatre groupes. Cette idée qu'avait eue Julie indiquait sa compréhension du concept selon lequel un nombre peut être divisé en parties.

D. Écouter les enfants lorsqu'ils parlent des chiffres

Lorsque les enfants prennent goût aux chiffres, les références aux nombres et aux quantités commencent à se glisser dans leurs conversations. Voici quelques exemples de commentaires que vous pourriez entendre :

- Christiane, qui joue avec un « bébé dinosaure », dit à Sara : « Il a seulement huit ans. »
- « Ça va coûter 300 dollars pour sortir Christiane de prison », affirme Félix.
- « Si ton auto a un accident, tu gagnes 120 points. Si ton auto a un autre accident, tu gagnes 220 points. »
- « Qu'est-ce qui va se passer dans cinq minutes ? demande l'éducatrice pour souligner la fin prochaine de l'activité et le début du rangement.
  – Quatre autres minutes », répond Pierre.

Parfois, les enfants font appel à leur compréhension des nombres pour résoudre des problèmes qui surgissent durant leurs jeux. Lorsque l'éducatrice Fabienne et les enfants ont fabriqué un tableau pour indiquer l'ordre dans lequel les enfants utiliseraient le nouvel appareil photo, certains enfants ont fait des lignes à côté de leur nom, indiquant ainsi combien d'enfants utiliseraient l'appareil avant eux.

E. Observer les enfants lorsqu'ils reconnaissent les chiffres écrits

Lorsqu'ils comptent et deviennent conscients des chiffres qui les entourent (dans les livres, sur les panneaux, sur le clavier et l'écran de l'ordinateur, sur le calendrier), les enfants apprennent à reconnaître quelques chiffres écrits :

- En regardant l'écran de l'ordinateur, Brigitte pointe le doigt vers les chiffres et les nomme : « Trois, quatre, cinq. » Lorsqu'elle voit le chiffre 11, elle dit : « Deux numéros un. »
- En regardant un livre, Karine voit le chiffre trois. « J'ai trois ans, comme ça », dit-elle.

F. Soutenir les enfants qui démontrent de l'intérêt pour les chiffres

Occasionnellement, certains enfants commencent à faire et à écrire des chiffres pour eux-mêmes. Voici quelques exemples de situations amorcées par les enfants que vous pourriez observer :

- Tout en travaillant avec de la pâte à modeler et des rouleaux d'essuie-tout, Félix se tourne vers son ami et dit : « Regarde, j'ai fait un neuf ! » De fait, c'est ce qu'il avait fait.
- Brian s'affaire dans le coin des blocs et observe la structure qu'il vient de réaliser. « Ça ressemble à un huit ! » dit-il. Puis il ajoute un bloc pour faire un huit complet.
- Dans le coin de la lecture et de l'écriture, Thierry regarde une bande dessinée. Le lendemain, à la période d'ateliers libres, il entreprend de réaliser sa propre bande dessinée. Il divise une feuille en six parties, fait un dessin et écrit un chiffre dans chaque partie. Les chiffres représentent l'ordre dans lequel il a réalisé ses dessins. Il explique ses dessins à l'éducatrice, qui écrit pour lui ce qu'ils représentent.

TABLEAU RÉCAPITULATIF

Les nombres

Comparer le nombre d'objets de deux ensembles afin de comprendre les concepts « plus », « moins » et « égal »

- Offrir du matériel permettant de comparer les quantités d'objets :
  - des objets simples ;
  - du matériel d'arts plastiques.
- Écouter les enfants quand ils comparent des quantités de façon spontanée :
  - comparer les quantités d'objets ;
  - comparer les quantités d'objets et de personnes se trouvant sur les images ;
  - comparer les âges.
- Accepter les découvertes des enfants au sujet des nombres.

Associer deux ensembles d'objets selon une correspondance de un à un

- Offrir du matériel permettant l'association selon la correspondance de un à un.
- Observer la création par les enfants d'ensembles d'objets correspondants.
- Encourager les enfants à parler de leurs arrangements de un à un lors de la période de réflexion.
- Encourager les enfants à rassembler et à distribuer le matériel :
  - lors des collations et des repas ;
  - lors des périodes en groupe d'appartenance et des rassemblements ;
  - lors des parties de cartes.

Compter des objets

- Offrir des ensembles d'objets à compter :
  - des blocs ;
  - des ensembles de petits objets ;
  - des objets salissants ;
  - des logiciels ;
  - du matériel avec des chiffres ;
  - des jeux de société.
- Écouter les enfants lorsqu'ils comptent, peu importe le moment de la journée.
- Accepter l'ordre numérique adopté par les enfants.
- Écouter les enfants lorsqu'ils parlent des chiffres.
- Observer les enfants lorsqu'ils reconnaissent les chiffres écrits.
- Soutenir les enfants qui démontrent de l'intérêt pour les chiffres.

LECTURES COMPLÉMENTAIRES

DELHAXHE, A. et A. GODENIR (1972). *Agir avec les nombres,* Bruxelles, Labor.

FORGET, NICOLE (1998). *Je m'éveille: activités à la maternelle,* Montréal, HRW.

I.C.E. MULTI MÉDIA (1998). *Adibou. Je lis. Je calcule! 4-5 ans,* Saint-Sauveur-des-Monts/Meudon, Coktel.

PIAGET, JEAN (1964). *La genèse du nombre chez l'enfant,* Neuchâtel, Delachaux et Niestlé, 1941.

PIAGET, JEAN (1980). *La genèse des structures logiques élémentaires: classification et sériations,* Neuchâtel, Delachaux et Niestlé.

CHAPITRE 18

L'espace

L'intelligence spatiale naît de l'action de l'enfant sur le monde.
Howard Gardner, 1983b.

Anne remplit sa feuille à dessin de gouache ; Charles fait deux piles de blocs et place un long bloc sur les deux piles pour former un pont. Les jeunes enfants comme Anne et Charles veulent trouver par eux-mêmes la solution à des problèmes matériels comme remplir une surface de peinture ou créer une surface continue avec des blocs. Par ces actions et ces réflexions, les enfants construisent une compréhension de base des **relations spatiales**. Selon Jean Piaget et Bärbel Inhelder (1981, p. 5) :

> [...] les notions spatiales fondamentales [...] reposent simplement sur des correspondances qualitatives faisant appel aux concepts de voisinage et de séparation, d'ordre et d'enveloppement.

Le voisinage et la séparation sont des termes signifiant « proche » et « éloigné ». Les enfants d'âge préscolaire aiment remplir et vider, couper et coller. Ce genre d'expériences satisfait leur désir de créer de la proximité (regrouper des coquillages dans un panier, coller des morceaux de papier un par-dessus l'autre) et de la séparation (vider le panier des coquillages qu'il contient et couper les feuilles de papier en lisières ou en morceaux). L'ordre implique l'emplacement ou la position des objets les uns à la suite des autres. Les enfants aiment faire rouler des balles tout autant qu'empiler et aligner des blocs, parce qu'ainsi ils créent un ordre spatial, ils règlent la position des balles et des blocs dans l'espace. L'enveloppement implique le cadre ou le contenant des objets. Les jeunes enfants aiment entrer dans des boîtes, enrouler de grandes écharpes autour d'eux, ce qui leur permet d'expérimenter et de comprendre le concept d'enveloppement.

Les psychologues Monique Laurendeau et Adrien Pinard (1970, p. 34) décrivent la vision de l'espace d'un jeune enfant en ces termes : « Le jeune enfant considère que tout est visible de tous les points de vue. » Le psychologue Hans Furth (1969, p. 34) voit une qualité « élastique » dans le concept de l'espace du jeune enfant : « Pour l'enfant qui se trouve au stade préopératoire, c'est comme si un espace vide possédait des dimensions élastiques tout comme un espace occupé. »

18.1 Construire une compréhension de base de l'espace

L'expérience des enfants et leur compréhension des relations spatiales débutent dans la petite enfance lorsqu'ils arrivent à suivre des yeux la trajectoire des personnes et des objets. Puis, lorsqu'ils peuvent se déplacer en se traînant, en rampant à quatre pattes et en trottinant vers l'éducatrice ou vers des objets intéressants, ils apprennent à explorer l'espace en allant d'un endroit à un autre. Ils deviennent habiles à trouver les jouets qu'ils ont vus rouler hors de leur champ de vision ou que quelqu'un a cachés. Les trottineurs aiment transporter leurs jouets favoris et passer du temps à placer des objets à l'intérieur d'autres objets, à les retirer et à recommencer le processus.

Les enfants du préscolaire se déplacent dans l'espace de façon plus audacieuse que les poupons ou les trottineurs : ils grimpent à l'échelle, glissent en bas de la glissoire, pédalent sur un tricycle, dévalent la pente d'un monticule. Ils peuvent aussi retrouver leur chemin dans leur quartier, dans le service de garde ou dans l'école. Ils prennent plaisir à faire et à défaire des casse-tête, des blocs Lego, des piles de blocs, des suites d'objets et des encastrements. La maîtrise croissante du langage leur permet de parler de leurs expériences spatiales les plus marquantes :

- « Regarde, j'ai peinturé l'intérieur et l'extérieur de la boîte. »
- « On reste un à côté de l'autre... collés ensemble ! »

Ils peuvent également se représenter mentalement des objets et des personnes dans l'espace (« Je sais où est ma mère, elle est à la maison. »), planifier un trajet pour se rendre à un endroit précis (« Je m'en vais dans le coin des arts plastiques pour chercher des ciseaux. ») et se dessiner dans des lieux différents (à l'intérieur d'une auto, sur une balançoire, et ainsi de suite).

Tout en travaillant avec des personnes et des objets et en résolvant des problèmes spatiaux (« Ça ne rentrera pas dedans, il faut agrandir la porte. »), les enfants du préscolaire accroissent leur conscience des relations spatiales de leur environnement immédiat. Cette connaissance leur permet de se déplacer et d'agir avec confiance dans un environnement donné. De plus, ils construisent une compréhension plus complexe de l'espace, compréhension que le psychologue Howard Gardner (1983b, p. 176) décrit comme étant

> [...] l'habileté à reconnaître les possibilités d'un même élément ; l'habileté à reconnaître les transformations d'un élément en un autre ; et la capacité de produire un graphique représentant une information spatiale.

18.2 Soutenir la compréhension de l'espace des enfants

Six expériences clés du domaine *l'espace* présentent les façons dont les enfants du préscolaire s'y prennent pour construire leur compréhension des relations spatiales. Les trois premières expériences impliquent **une action exercée sur des objets** :

- *Remplir et vider.*
- *Assembler et démonter des objets.*
- *Modifier la forme et la disposition des objets (emballer, entortiller, étirer, empiler, inclure).*

Les trois autres expériences impliquent non seulement une action, mais aussi **des observations et des interprétations relatives aux relations spatiales** :

- *Observer des personnes, des lieux et des objets à partir de différents points d'observation.*
- *Expérimenter et décrire l'emplacement, l'orientation et la distance dans des lieux diversifiés.*
- *Expliquer les relations spatiales dans des dessins, des illustrations, des photographies.*

Les éducatrices qui soutiennent ces expériences clés sont conscientes de l'importance de l'aménagement et du matériel. Elles comprennent que les apprentissages concernant le **voisinage** se font dans la mesure où les enfants peuvent être près des personnes et des objets, et dans la mesure où ils désirent être près de ceux-ci ; les apprentissages concernant la **séparation** se font dans la mesure où les enfants évoluent dans des espaces assez vastes pour pouvoir prendre du recul par rapport aux objets et qu'ils ont à leur disposition du matériel à démonter, à couper, à scier, etc. ; les apprentissages concernant l'**ordre** se font parce qu'il y a des blocs à empiler, des perles à enfiler et des balles à faire rouler ; les apprentissages concernant l'**enveloppement** se font parce qu'il y a de petits espaces où les enfants peuvent se blottir et du matériel pour construire leurs propres espaces fermés ; les apprentissages concernant l'**espace** se font parce que les enfants peuvent se déplacer librement et donner suite à leurs intentions en utilisant les objets qui les intéressent.

Nous présentons maintenant les expériences clés ainsi que les pistes d'intervention qui permettront aux éducatrices de soutenir les enfants au cours du développement de leur pensée logique concernant les relations des objets dans l'espace.

18.2.1 EXPÉRIENCE CLÉ Remplir et vider

Les simples actions de remplir et de vider sont des activités intéressantes pour les enfants du préscolaire. Plusieurs d'entre eux trouvent un bien-être dans l'action de remplir, de verser et de dévider parce qu'ils peuvent utiliser du matériel et faire des actions qui leur sont familières tout en prêtant attention à ce qui se passe autour d'eux. De même, ils acquièrent de l'expérience en regroupant des objets (remplir) et en les séparant (vider), actions qui pourront les aider « à voir les objets comme regroupés et séparés dans l'espace » (Flavell, 1963, p. 328). Les éducatrices pourront s'inspirer des pistes d'intervention qui suivent pour soutenir les enfants dans de telles expériences.

PISTES D'INTERVENTION

A. Offrir aux enfants du matériel à remplir et à vider

Du matériel pour verser. Ce type de matériel comprend du sable, de l'eau, du sel, de la farine et toute autre matière du même genre qui peut se verser d'un contenant à l'autre, se modeler ou se tasser dans des contenants de formes variées. Un bac à sable et un bac à eau placés dans le local offrent aux enfants des occasions de vivre ces expériences. À l'extérieur, un carré de sable à proximité d'un robinet permet l'utilisation d'un plus grand éventail de contenants et l'expérimentation d'activités plus salissantes.

Du matériel de petites dimensions. Ce type de matériel comprend des ensembles d'objets dont les enfants peuvent remplir leurs mains, comme des animaux miniatures, des perles, des coquillages, des cailloux, des boutons, des capsules de bouteilles ou des jetons.

Une variété de contenants et de cuillers. Les enfants aiment remplir et vider des tasses, des plats, des chaudrons, des contenants de nourriture, des berlingots de lait, des boîtes, des entonnoirs, des pailles, des chaudières, des wagons, des brouettes, des sacoches, des valises, des boîtes à lunch, des sacs et des enveloppes. Même s'ils ramassent souvent les objets avec leurs mains, ils utilisent aussi des cuillers, des pelles, des truelles de toutes dimensions. Dans les jeux d'eau, ils aiment découvrir les divers usages de contenants, comme des bouteilles en plastique qu'ils peuvent presser (shampooing, ketchup, moutarde, etc.) ou des compte-gouttes, des poires, des pompes.

Des logiciels. Si un ordinateur est à la disposition des enfants, il serait intéressant de vous procurer des logiciels qui leur permettront de dessiner, de colorier, de remplir de couleurs ou de modifier des formes variées, ou encore d'ajouter des éléments dans un espace donné ou d'en enlever.

B. Observer le jeu des enfants lorsqu'ils remplissent et vident

Certains endroits sont propices aux expériences reliées au fait de remplir et de vider : autour des bacs à sable et à eau ; dans le carré de sable ; près de l'évier lorsque les enfants lavent les vêtements des poupées, la vaisselle ou les pinceaux ; dans le coin de la maisonnette ; dans le coin des jeux et jouets. Les enfants aiment aussi remplir les bacs de jouets et les tablettes de rangement.

C. Imiter les actions des enfants

Pour vous joindre au jeu des enfants qui remplissent et vident, placez-vous à leur niveau, trouvez votre propre contenant et votre propre matériel et

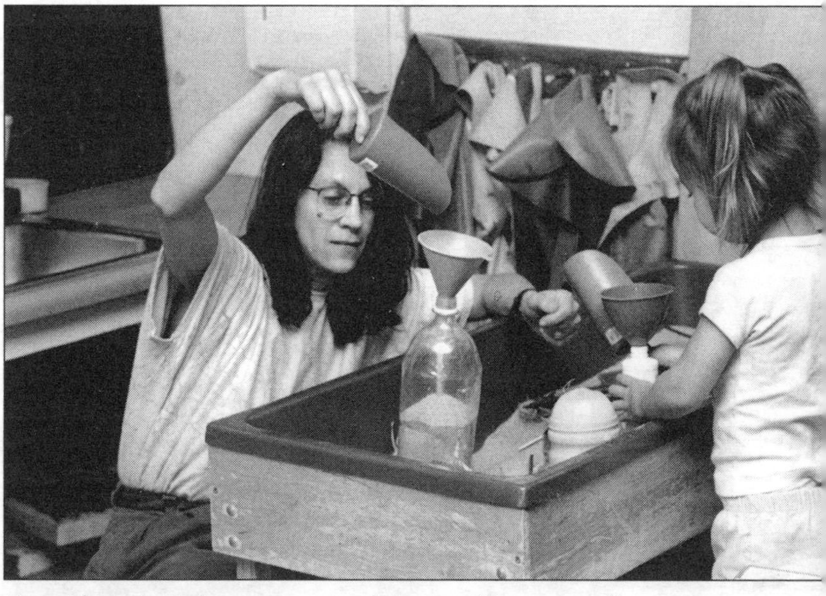

Cette éducatrice imite sa partenaire de jeu en utilisant une pelle et un entonnoir pour remplir un contenant de sable.

reproduisez les gestes des enfants. Observez et imitez les subtiles variations de leurs jeux afin de pouvoir apprécier ce qui s'avère souvent une tâche plus compliquée qu'elle n'en a l'air. Lorsque les enfants voient que vous adoptez leur façon de faire, ils sont plus portés à entamer une conversation sur ce qu'ils font ou sur un sujet n'ayant aucun lien avec l'action en cours.

D. Prévoir la répétition des jeux

Quoique les enfants commencent à remplir et à vider dès qu'ils sont poupons et trottineurs (remplir de céréales une tasse et renverser celle-ci sur le sol), en grandissant ils ne se lassent jamais de cette activité, y prenant toujours autant de plaisir. Alors, il est important de soutenir ce type de jeu chaque fois qu'il se produit. Plusieurs enfants refont encore et encore les expériences visant à remplir et à vider en y ajoutant des variations personnelles, en explorant et en créant, en socialisant autour d'une tâche agréable ou en recherchant détente et répit lors d'une journée plus mouvementée.

18.2.2 EXPÉRIENCE CLÉ Assembler et démonter des objets

Le fait d'assembler et de démonter des objets offre aux enfants des défis concernant l'espace, et leur procure le sentiment d'accomplir quelque chose. Grâce aux essais et erreurs, à la persévérance et à la répétition, les enfants améliorent la qualité de leurs premières expériences en assemblant et en démontant. Ces expériences aident les enfants à résoudre des problèmes ayant trait à l'espace, car au préscolaire ils explorent leur univers et posent des questions telles que celles-ci : « Comment est-ce que je peux faire tenir ma brosse à dents dans ce trou ? » « Quelle partie de ma fermeture éclair entre dans l'autre ? » « Est-ce que je peux faire un camion avec les blocs Lego ? » Les éducatrices utiliseront les pistes d'intervention qui suivent pour soutenir les enfants dans leurs expériences d'assemblage et de démontage.

PISTES D'INTERVENTION

A. Offrir aux enfants du matériel qui s'assemble et qui se démonte

L'enfant ajuste avec minutie les longs blocs dans le cadre qu'elle a assemblé.

Du matériel acheté. Lors de vos achats de matériel éducatif, pensez à des objets que les enfants peuvent facilement assembler et démonter, comme des camions et des autos comportant des pièces amovibles, des wagons qui se relient les uns aux autres et des voies ferrées, des casse-tête, des jeux d'engrenage, des poupées et des vêtements, des marqueurs, un jeu de construction de maison en bois rond.

Du matériel d'usage courant. Les enfants aiment assembler et séparer du matériel d'usage courant, comme des boîtes de pellicule de film 35 mm, des boîtes de métal avec leurs couvercles, des contenants en plastique avec leurs couvercles ; des vis et des écrous ; des bijoux qui s'agrafent ; des clés et des porte-clés ; des tournevis à lames multiples ; des vêtements avec des boutons, des fermetures éclair, des boutons-pression et des cravates.

B. Procurer aux enfants du matériel pour fabriquer des objets à assembler et à démonter

Tout en développant leur habileté à assembler et à démonter, les enfants aiment fabriquer leur propres objets qu'ils assemblent eux-mêmes et qu'ils peuvent par la suite démonter.

- Jasmin coupe une longue lisière de papier bleu, fait une entaille dans celle-ci et fixe une autre lisière jaune dans l'entaille.
- Lise dessine un cœur, le découpe puis le replace dans l'espace laissé libre sur la feuille de carton. « Regarde, j'ai fait un casse-tête ! »

Pour favoriser ce type d'expérience, le matériel d'arts plastiques et de menuiserie doit être abondant et à la portée des enfants. (Consulter la liste du matériel d'arts plastiques et de menuiserie aux sous-sections 5.2.1.D. et G.)

C. Accorder du temps aux enfants afin qu'ils puissent travailler par eux-mêmes

Comme les jeux d'assemblage et de démontage débutent souvent par des essais et des erreurs, les enfants ont besoin de temps pour pouvoir faire leurs propres expériences et leurs propres découvertes ; ils n'ont surtout pas besoin de se voir dicter par les éducatrices une façon de résoudre leur problème.

Si vous désirez vous joindre à un enfant qui travaille à assembler ou à démonter des objets, procurez-vous du matériel semblable au sien et imitez les gestes qu'il exécute. Essayez de suivre son rythme afin de comprendre ce qu'il est en train d'expérimenter. Une conversation peut s'amorcer si l'enfant émet un commentaire sur ce qu'il fait ou sur ce que vous faites :

THOMAS. – C'est le bras de mon robot.
L'ÉDUCATRICE. – Je vois !
THOMAS. – Regarde, il peut prendre des choses.
L'ÉDUCATRICE. – Il a pris une paille.
THOMAS. – Oui, c'est parce que j'ai fait comme une pince. (Il se retourne et classe le matériel autour de lui afin de trouver du matériel pour continuer à réaliser son robot.)

D. Lors de la période de réflexion, encourager les enfants à parler des objets qu'ils ont assemblés et démontés

Lorsque vous avez l'occasion d'observer des enfants qui assemblent et démontent des objets, encouragez-les à parler de leur expérience durant la période de réflexion. Voici quelques exemples dont vous pouvez vous inspirer :

- « Aujourd'hui, j'ai vu Céline faire un château avec des blocs Lego. »
- « J'ai vu Johanne défaire son collier de perles. »
- « À la période de rangement, j'ai remarqué qu'André et Félix ont mis de l'ordre dans les blocs Lego. »
- « Jasmin, tu as fait quelque chose avec des lisières de papier que tu as assemblées. Peux-tu nous dire comment tu t'y es pris pour les faire tenir ensemble ? »

E. Lors des périodes en groupe d'appartenance, présenter du matériel qui s'assemble et se démonte

Lorsque vous mettez à la disposition des enfants du matériel à assembler et à démonter lors de la période en groupe d'appartenance, vous leur donnez l'occasion d'expérimenter des moyens d'assembler des objets d'une façon personnelle et significative. Un jour, deux éducatrices ont rempli pour chaque enfant une boîte de chaussures avec des écrous, de longues vis et des bouts de bois dans lesquels elles avaient percé des trous. Lorsque les enfants ont ouvert leurs « boîtes à surprises », ils se sont tout de suite mis à l'ouvrage. Certains ont passé toute la période à entrer les vis dans les trous et à les fixer avec les écrous. D'autres ont découvert qu'ils pouvaient faire tenir les morceaux de bois ensemble à l'aide des vis et des écrous. D'autres encore ont constaté qu'ils pouvaient construire quelque chose (une maison, une fenêtre) en vissant les pièces de bois les unes aux autres selon un plan qu'ils avaient élaboré dans leur tête. À la fin de la période, chaque enfant avait travaillé à sa manière et les résultats de leur travail étaient diversifiés.

18.2.3 EXPÉRIENCE CLÉ Modifier la forme et la disposition des objets (emballer, entortiller, étirer, empiler, inclure)

Les enfants du préscolaire qui vivent dans des milieux favorisant l'apprentissage actif et qui ont l'occasion d'explorer et d'utiliser une variété de

Lors de la période d'ateliers libres, une petite fille enroule les cheveux de son éducatrice.

matériaux changent spontanément la forme et la disposition des choses en les emballant, en les entortillant, en les étirant, en les empilant et en les incluant. Par le biais de telles manipulations, ils apprennent que le matériel peut être modelé et réarrangé tout en demeurant essentiellement le même. Quoique, pour la majorité des enfants du préscolaire, un morceau de pâte à modeler roulé en un long cylindre leur semble plus gros que le morceau initial, ils savent que le morceau et le cylindre sont tous deux faits de la même pâte à modeler. En remodelant et en réarrangeant le matériel, les enfants du préscolaire découvrent qu'ils peuvent envelopper, rapprocher ou éloigner les choses en les nouant, en les tordant, en les étirant et en les compressant. Voici des pistes d'intervention à l'intention des éducatrices désirant soutenir les jeunes enfants qui élaborent leur compréhension de l'espace en changeant la forme et la disposition du matériel.

PISTES D'INTERVENTION

A. Offrir aux enfants du matériel à façonner et à organiser

Dans un environnement favorisant l'apprentissage actif, la plus grande partie du matériel mis à la disposition des enfants peut être modelée et réorganisée. Les listes de matériel présentées à la sous-section 5.2.1 font état de ce type de matériel. Par contre, certains matériaux favorisent mieux que d'autres ce genre d'expériences, comme c'est le cas pour le matériel suivant.

Des blocs. On peut utiliser des blocs de toutes sortes, comme des blocs de construction en bois de formes différentes, de gros blocs creux, des blocs de carton rigide, de petits blocs multicolores, des blocs de construction légers, des blocs à bouton-pression ou des blocs aimantés. Tout en les transportant, en les empilant, en les alignant et en faisant des ponts et des maisons, les enfants apprendront sur le voisinage, la séparation, l'ordre et l'enveloppement.

Du papier et du tissu. Toutes les sortes de papier et d'enveloppes, de bouts de tissu, de foulards et d'écharpes, de serviettes de table, de serviettes, de couvertures de poupée, de nappes, de vêtements de poupée et de déguisements fourniront aux enfants des occasions d'entourer et de cacher des choses lors de leurs jeux, favorisant ainsi l'essor de la notion d'enveloppement.

De l'argile et de la pâte à modeler. Ces matériaux flexibles permettent aux enfants de former et de déformer en étirant, en moulant et en modelant.

Des bandes de caoutchouc et des élastiques. Ces matériaux qui s'étirent permettent aux enfants de rapprocher ou d'éloigner les objets en les étirant et en les tordant.

Du fil, des lacets, de la laine, des rubans, de la corde, de la broche et des cure-pipes. Ce matériel flexible permet aux enfants de composer avec des actions complexes, comme entortiller, faire des boucles, attacher ou coudre.

B. Soutenir les enfants lorsqu'ils réorganisent les choses pour résoudre des problèmes

Les exemples qui suivent présentent la démarche de deux éducatrices qui soutiennent deux enfants qui tentent de résoudre un problème. Dans le premier cas, une éducatrice observe les efforts de Joseph pour atteindre un dinosaure qui est hors de sa portée, et dans le deuxième cas, une autre se joint à Érika, qui cherche une façon de mettre un toit sur sa maisonnette.

- L'éducatrice observe Joseph qui cherche à atteindre un dinosaure placé sur une tablette hors de sa portée. Il prend trois gros blocs, qu'il place à la manière d'un escalier. Il monte dessus et prend son dinosaure. L'éducatrice, tout en évitant d'intervenir, a reconnu l'habileté de Joseph à résoudre son problème de **séparation** en construisant un escalier pour se rapprocher du dinosaure.
- Érika désire placer un toit sur sa maisonnette. Elle appuie un carton sur le mur de la maison, mais celui-ci tombe au milieu parce qu'il ne peut rejoindre le mur opposé. Elle place le carton sur le mur opposé, et le même phénomène se produit. « Que se passe-t-il ? » demande Linda, son éducatrice. « Ça tombe toujours », répond Érika. Linda, qui ne veut pas intervenir, car elle voit bien les efforts d'Érika pour résoudre son problème, répond tout simplement « Hum » et fait une pause. Alors, Érika dit : « Tiens-le. » Suivant les instructions d'Érika, Linda tient le côté du carton qui n'atteint pas le mur. Pendant ce temps, Érika transporte des blocs pour construire un mur intérieur assez haut pour qu'il soutienne le toit. À la fin de la journée, Linda raconte le fait à l'autre éducatrice de sa cellule de soutien mutuel : « J'avais envie de dire à Érika de prendre un carton plus long, mais je ne l'ai pas fait, et Érika a trouvé sa propre solution. Jamais je n'aurais pensé à construire un nouveau mur ! »

C. Vérifier si les enfants sont conscients de la manière dont ils s'y prennent pour façonner et organiser les objets

Lorsque les enfants façonnent et organisent le matériel, ils indiquent souvent par leurs commentaires qu'ils sont conscients des changements qu'ils effectuent :

- À un moment, Jasmin organise un ensemble de lettres en bois de façon à écrire son nom. Puis, il a l'idée de réorganiser « ses lettres » selon un ordre nouveau, comme NIMSAJ, puis comme JAMSIN. « Qu'est-ce que ça veut dire ? » demande-t-il à son éducatrice. Jasmin commence à prendre conscience que l'**ordre spatial** des lettres a un sens.
- Karine, qui, par inadvertance, a coloré son nez avec un marqueur vert, décide de se laver pour enlever la couleur. « Regarde, dit-elle à son éducatrice en montrant la débarbouillette. Mon nez vert est disparu. Il est sur la débarbouillette. »
- Charlotte écrit des lettres qu'elle veut poster. « Celle-là, elle est pour toi, Anne, dit-elle à son éducatrice. J'ai fait beaucoup de pliages pour la mettre dans l'enveloppe. »

D. Recueillir des indices des enfants afin de pouvoir commenter les changements qu'ils ont effectués

Souvent, les enfants vous apportent des choses ou vous appellent pour vous montrer ce qu'ils ont façonné et organisé. Vous pouvez leur offrir du soutien et de l'encouragement en commentant ce que vous voyez et les modifications qu'ils ont apportées :

THOMAS. – Regarde mes images !
L'ÉDUCATRICE. – Tu as découpé des collants et tu en as mis partout.
THOMAS. – Ça, c'est une figure.
L'ÉDUCATRICE. – Oh ! oui, je vois.
THOMAS. – Celle-là a des gros morceaux et des petits morceaux. Ça a été difficile de les décoller.
L'ÉDUCATRICE. – Je t'ai vu travailler pour décoller tous ces petits morceaux.
THOMAS. – C'est pour mon père. (Il place les images dans son cartable.)

18.2.4 EXPÉRIENCE CLÉ Observer des personnes, des lieux et des objets à partir de différents points d'observation

Les enfants d'âge préscolaire qui possèdent une bonne mobilité et une bonne dextérité peuvent se placer dans toutes sortes de positions nouvelles et insolites. Ils peuvent se tenir la tête en bas sur des barres fixes, grimper au sommet d'un monticule ou d'un amas de blocs, ramper autour d'un objet pour savoir si toutes ses parties ont été peintes. Ils se déplacent facilement d'un endroit à l'autre, ce qui leur permet de constater que s'ils changent de position, ils voient les objets d'une autre façon. Afin de soutenir les enfants dans cette expérience clé, voici des pistes d'intervention à l'intention des éducatrices.

PISTES D'INTERVENTION

A. Offrir aux enfants de l'équipement de jeu robuste

À l'extérieur. Mettez à la disposition des enfants de l'équipement de jeu qui leur permettra de grimper et de changer de position, comme des balançoires, des structures de jeu avec des échelles et des barres fixes horizontales et verticales, des cages à grimper, des toiles d'araignée en chaîne ou en corde, des souches, des tourniquets, des échelles fixes, des monticules, des ponts, des glissoires, des maisons de bois, des tunnels, des balançoires à bascule, des tricycles, une dune, des anneaux et des pneus suspendus, un petit trampoline, de grosses chambres à air.

À l'intérieur. Le matériel d'intérieur comprend des blocs robustes, des boîtes en carton, des tabourets, un petit escabeau, un bateau berçant et un hamac. Si vous avez accès à un gymnase ou à un local réservé à la psychomotricité, aménagez-le avec du matériel semblable à celui qui est utilisé à l'extérieur et à l'intérieur.

B. Encourager les enfants à ramper, à rouler, à sauter, à se coucher sur le dos

Pendant les transitions, les périodes en groupe d'appartenance, les rassemblements et les périodes de jeu à l'extérieur, incitez les enfants à bouger de différentes manières afin qu'ils puissent constater que leur vision des objets se modifie selon les différents points d'observation qu'ils adoptent.

- Quand Robert, l'éducateur de Louis, l'a transporté sur son dos pour aller à la glissoire, Louis a dit : « Robert, je peux voir dans tes poches ! »
- « Fais-moi encore tourner, dit Laura à son éducatrice. Je veux encore voir embrouillé ! »
- Lors de la période en groupe d'appartenance, l'éducatrice a recouvert le dessous des tables avec un papier épais qu'elle a collé et elle a déposé des coussins sous chacune des tables. Les enfants se sont couchés sur le dos et ont dessiné avec des crayons de cire sur le papier situé au-dessus d'eux.
- Des enfants se montraient très intéressés par le cocon qu'ils venaient de trouver. Le lendemain, lors du rassemblement, l'éducatrice a mis à leur disposition des couvertures et des foulards afin qu'ils puissent rouler dans leur propre cocon.

C. Se joindre aux enfants en adoptant une variété de positions

Lorsque vous jouez ou parlez avec les enfants, permettez-vous d'adopter des positions variées. Glissez, grimpez, suspendez-vous par les mains ou les genoux aux barres fixes, roulez en bas de la pente, rampez dans le tunnel, couchez-vous sur le dos pour regarder les nuages ou le plafond, tenez-vous en équilibre sur une souche ou sur un tabouret. En vous joignant aux enfants de cette manière, vous avez l'occasion de voir les choses du même point d'observation qu'eux et vous suscitez des occasions d'échange naturelles.

D. Faire des promenades avec les enfants

Des promenades à pied dans le voisinage permettent aux enfants de voir les choses de différents points de vue. Un jour, un voisin de l'école a invité les enfants de la maternelle et leur éducatrice à venir cueillir des pommes dans sa cour. Tout en dégustant leur pomme assis dans la cour, deux des enfants ont fait ces observations :

> LE PREMIER ENFANT. – Je peux voir notre école mais pas la porte.
> LE SECOND ENFANT. – Oui, mais on peut la voir quand on entre dans l'école.
> LE PREMIER ENFANT. – Je peux la voir de ma cour, mais pas d'ici.

18.2.5 EXPÉRIENCE CLÉ Expérimenter et décrire l'emplacement, l'orientation et la distance dans des lieux diversifiés

En explorant des environnements qui leur sont familiers et en y jouant, les enfants expérimentent des emplacements, des orientations et des distances

Ces deux enfants prennent une pause pour regarder en se tenant la tête en bas.

de manière significative pour eux et ils commencent à les décrire. Ils sont généralement plus portés à parler de l'emplacement des personnes et des objets qui sont significatifs pour eux (« J'ai donné un coup de marteau sur le clou. » « Hubert est en prison sous la table. ») que des orientations ou des distances, qui sont plus abstraites.

Dans un environnement favorisant l'apprentissage actif, les enfants se sentent libres d'expérimenter un langage qui parle de l'espace sans craindre d'être repris ou ridiculisés. Par exemple, Joseph et Nicolas sont assis l'un près de l'autre au coin de la table. « Je pense que tu es entre les deux, dit Joseph à Nicolas.
– Moi aussi », répond Nicolas.

Même si l'expression « entre les deux » est inappropriée, l'éducatrice ne reprend pas les enfants.

Les éducatrices savent reconnaître que la compréhension des expressions qui se rapportent à l'espace est issue des expériences et des actions des enfants. Les enfants ont besoin de vivre plusieurs expériences du concept « entre » (être entre deux personnes dans le train des blocs, mettre du beurre entre deux tranches de pain) avant de pouvoir utiliser correctement ce mot dans leurs conversations. Les éducatrices peuvent soutenir de la façon suivante les jeunes enfants qui expérimentent des emplacements, des orientations et des distances variés au sujet de personnes ou d'objets familiers et qui parlent de ces expériences.

PISTES D'INTERVENTION

A. Offrir aux enfants du matériel qu'ils peuvent mettre en mouvement

Les enfants peuvent organiser et mettre en place la plus grande partie du matériel mentionné dans ce livre. Mais vous pouvez considérer aussi le matériel et les pièces d'équipement qui sont destinés à être mis en mouvement. Gardez en mémoire le fait que la période en groupe d'appartenance est un bon moment pour introduire un tel matériel. Ce matériel comprend des objets avec des roues, comme des véhicules-jouets ou des véhicules sur lesquels les enfants peuvent se promener ; des objets qui roulent, comme des balles, des bobines, des perles, des tubes, des goujons, des billes, des anneaux, des cerceaux ; des objets qui tournent, comme des toupies, des moulins à vent, des jeux de société à roulette ; des objets qui dégouttent, comme de l'eau, de la peinture, de la colle ; l'équipement de jeu pour l'extérieur que les enfants peuvent faire bouger de façon prévisible, comme des balançoires, des tourniquets et des balançoires à bascule. Un tel matériel peut aider les enfants à expérimenter l'orientation et la distance et à prendre conscience de celles-ci.

B. Offrir aux enfants des occasions de bouger

Tout au long de la journée, l'enfant qui apprend de façon active expérimente des emplacements, des orientations et des distances avec tout son corps et par le biais des actions qu'il fait avec les objets. De fait, une façon d'évaluer un milieu d'apprentissage actif consiste à observer la **liberté de mouvement** que chaque partie de l'horaire quotidien offre aux enfants. Si, pendant une période donnée, les enfants doivent demeurer immobiles longtemps, c'est le signe qu'il faut modifier cette partie de l'horaire.

C. Parler avec les enfants des emplacements, des orientations et des distances

Tout en observant les enfants et en jouant avec eux, recherchez des indices qui pourront vous donner de l'information sur ce qu'ils pensent au sujet des emplacements, des orientations et des distances des choses :

> ARIANNE. – (Elle se tient sur le trapèze avec ses deux mains et tournoie.) Je tourne en rond, en rond, en rond !

Par son commentaire spontané, Arianne indique le plaisir qu'elle a à tourner et sa compréhension du terme « tourner en rond ». Une réplique de l'éducatrice, à ce moment précis, peut consolider l'intérêt et la compréhension d'Arianne en ce qui concerne le fait de tourner en rond, et peut-être l'amener à amorcer une conversation à ce sujet.

> L'ÉDUCATRICE. – Tu tournes en rond, en rond, en rond sur le trapèze !
> ARIANNE. – (cessant de tourner) Je l'ai entortillé. Mais je peux maintenant tourner de l'autre côté. (Les cordes du trapèze sont entortillées ; alors, en se déroulant, le trapèze va tourner dans l'autre sens.)

Plutôt que de donner des directives aux enfants, suivez les leurs dans la mesure du possible. Cela permet aux enfants de traduire leurs pensées en mots.

> ARIANNE. – Maintenant, c'est ton tour.
> L'ÉDUCATRICE. – D'accord. (Elle tient le trapèze et lève ses pieds dans les airs.)
> ARIANNE. – Non, pas comme ça. (Elle rit.) Tu dois tourner pour entortiller la corde serré, et après tu lèves tes pieds.
> L'éducatrice suit les directives d'Arianne.
> ARIANNE. – Ça y est ! Maintenant, tu tournes en rond, en rond, en rond !

D. Soutenir les enfants lorsqu'ils éprouvent et résolvent des problèmes quant à l'emplacement des objets et des personnes

Peu importe le moment de la journée, les enfants sont susceptibles d'éprouver des problèmes reliés à des emplacements ; ils doivent résoudre ces problèmes en faisant appel à leur compréhension naissante des relations spatiales. Les éducatrices peuvent les aider à clarifier leur pensée, comme dans l'exemple suivant :

> Nous sommes à la période de rangement. Brian et Lise ont placé tous les blocs longs sur la tablette de rangement à l'exception d'un bloc. Brian place le bloc directement sur l'étiquette indiquant les dimensions des blocs – cette étiquette, qui représente le pourtour d'un bloc, est collée sur la tablette même. Lise prend le bloc et le place sur la pile de blocs. Brian le remet sur l'étiquette.
> LISE. – Non. Il va là. (Elle place le bloc sur la pile.)
> BRIAN. – Non. Il va là. (Il place le bloc sur l'étiquette.)
>
> Les deux enfants tiennent le bloc et se poussent l'un l'autre.
> L'ÉDUCATRICE. – Il semble y avoir un problème à cause de ce bloc.
> BRIAN. – Il va sur l'étiquette.
> LISE. – Non, il va là sur les autres blocs.
> BRIAN. – Il va là.
> LISE. – Il va là, en haut.
> L'ÉDUCATRICE. – Vous êtes en train de me dire qu'il y a deux places pour le bloc. Il peut aller sur l'étiquette et il peut aller sur les autres blocs.
>
> Brian et Lise tiennent encore le bloc.
> L'ÉDUCATRICE. – À quoi pensez-vous ?
>
> Ni l'un ni l'autre ne répond. Puis, Brian prend la parole.

BRIAN. – Parfois, on peut le mettre sur la pile.
LISE. – Parfois, sur l'étiquette.

La tension diminue. Les enfants placent le bloc sur la pile. Quand Lise s'éloigne, Brian prend le bloc, le place sur l'étiquette, puis le replace sur la pile et se déplace pour effectuer une autre tâche de rangement.

E. Encourager les enfants à explorer leur environnement immédiat

Que ce soit au service de garde ou à la maternelle, plus les enfants explorent leur univers et se sentent chez eux, plus ils explorent à leur aise **les emplacements, les orientations et les distances** qui mobilisent leur attention, et plus ils en parlent. Voici quelques façons d'encourager de telles explorations.

Implanter la séquence planification – ateliers libres – réflexion

Pendant cette période, tout en réalisant leurs propres initiatives, les enfants choisissent des **emplacements** (« Je veux jouer à l'ordinateur, à côté d'André. »), se meuvent selon des **orientations** diverses (« On fait semblant que tu es pris en haut et on grimpe pour te sauver. ») et expérimentent les **distances** (« On va au pont, c'est moins loin que les arbres. »).

Valoriser la période de rangement

Même si la période de rangement semble prendre toujours trop de temps, souvenez-vous qu'en remettant les jouets sur les tablettes les enfants assimilent de manière naturelle et fonctionnelle l'emplacement et l'orientation des objets.

Faire des promenades avec les enfants

Profitez de toutes les périodes à l'horaire pour marcher à l'intérieur et à l'extérieur de la garderie ou de l'école, pour aller au parc, pour regarder les parterres des voisins, pour observer la construction ou la rénovation d'un immeuble. Tout en se familiarisant avec ces promenades, les enfants incorporent souvent des éléments de ces expériences dans leurs jeux et dans leurs conversations : « On va faire un gros escalier qui monte haut, haut, haut comme celui de la grosse maison. » « On fait semblant de faire la sieste en dessous du pommier comme on a fait chez madame Dubé. »

18.2.6 EXPÉRIENCE CLÉ Expliquer les relations spatiales dans des dessins, des illustrations, des photographies

Les enfants aiment regarder des illustrations et des photographies d'objets et d'endroits familiers ; spontanément, ils indiquent ce qui attire leur attention : « Les singes ont des casquettes sur leur tête ! » Cependant, ils ne font que commencer à remarquer et à commenter l'emplacement des choses dans les dessins et les photographies. Chez plusieurs enfants, la capacité de discuter de l'emplacement des éléments d'une illustration se manifeste une fois qu'ils sont capables de faire leurs propres représentations par le biais du dessin. Quand ils regardent une illustration ou un de leurs dessins qui est particulièrement signifiant pour eux, ils s'arrêtent parfois à considérer un détail qui attire leur attention. « Ça, c'est la porte du coffre de l'auto, elle est ouverte. » Les éducatrices peuvent s'inspirer des pistes d'intervention qui suivent pour soutenir les enfants qui commencent à observer et à commenter les relations spatiales que contiennent les dessins, les illustrations et les photographies.

PISTES D'INTERVENTION

A. Présenter aux enfants une grande variété de matériel pictural

Les enfants réagissent avec intérêt au matériel qui comporte des illustrations ayant un lien avec les expériences qu'ils vivent à la maison, au service de garde, à la maternelle et dans leur quartier. Lorsqu'ils feuillettent des livres illustrés, des revues, des catalogues et des albums de photos, qu'ils utilisent des logiciels, qu'ils regardent des dessins, des peintures ou des livres qu'ils ont fabriqués, il leur arrive de commenter l'emplacement des choses qu'ils voient.

B. Offrir aux enfants du matériel qui leur permettra de réaliser des illustrations

Un coin d'arts plastiques accessible et bien garni (voir la liste du matériel d'arts plastiques à la sous-section 5.2.1.D.) stimule les enfants à réaliser leurs propres dessins ou peintures à la période d'ateliers libres et à dénicher le matériel dont ils ont besoin pour faire les illustrations nécessaires à la période de réflexion ou à la période en groupe d'appartenance.

C. Lors de la période de réflexion, procurer aux enfants des occasions de présenter leurs dessins

Les enfants qui dessinent sont portés à insérer dans leurs dessins des détails significatifs se rapportant à l'espace, et à commenter ces détails lors de la période de réflexion et de la période qui suit une sortie:

- Dans un dessin qu'il a réalisé pour une période de réflexion, Alexis indique que certains ours sont dans l'avion et que d'autres sont à l'extérieur de l'avion.
- Un jour, Jonathan s'est présenté à la période de réflexion avec quatre dessins qu'il avait faits spécialement pour cette période. « Ça, ce n'est pas un dessin, c'est un plan », a-t-il dit à son groupe. Ce commentaire a eu pour effet de lancer une conversation chez les enfants et l'éducatrice au sujet du plan de Jonathan et des autres plans et cartes géographiques que les enfants avaient déjà vus. Le lendemain, l'éducatrice a ajouté dans le coin de la maisonnette quelques cartes géographiques et un plan qu'elle avait réalisé consécutivement à la conversation des enfants. L'intérêt des enfants pour les plans et les cartes s'est intensifié dans les mois suivants, et les conversations ont repris lors de la confection d'autres cartes, de jeux avec des plans et de la présentation de cartes durant la période de réflexion.

D. Afficher des photos et des dessins de structures réalisées avec des blocs

Parfois, les enfants voient une photo ou un dessin d'une structure faite avec des blocs et ils décident d'en fabriquer une semblable. Lorsque les enfants ont compris ce principe de reproduction, ils désirent instantanément interpréter les relations spatiales qu'ils voient dans les photos et les dessins avec lesquels ils travaillent. « Voyons, j'ai besoin d'un gros bloc en bas… et d'un long entre les deux, là. » Quelques enfants peuvent, à la vue de ces photos et de ces images, décider d'ajouter des détails ou d'introduire des variations plutôt que de suivre le plan à la lettre.

E. Regarder des images dans les livres avec les enfants

Lorsque vous regardez les images des livres avec les enfants et que vous demeurez attentive à leurs commentaires, vous pouvez découvrir ce qui attire leur attention et entendre des commentaires se référant aux relations spatiales: « La maman singe est en haut de l'arbre. Il ne faut pas qu'elle échappe son bébé en bas. C'est pour ça qu'elle le tient fort. »

F. Prendre des photos des enfants en action

Garder à portée de la main un appareil photo prêt à fonctionner

Vous pourrez ainsi prendre des photos des enfants à n'importe quel moment de la journée. Si vous prenez des photos sur une base régulière, les enfants se familiariseront avec cette activité et continueront de jouer au lieu d'arrêter leur mouvement pour « prendre une pose ».

Prendre des photos des processus de construction et de modelage

Lorsque les enfants font du modelage, des jeux de construction ou qu'ils réorganisent un lieu, ils se concentrent sur le moment présent et sur le matériel qu'ils utilisent. Si vous prenez une série de photos à différentes étapes du processus, vous leur donnez la chance de voir et peut-être de commenter les changements qu'ils ont apportés à chacune des étapes. « Là, les cure-pipes sont droits… Ici, je les tourne… Là, je fais des boucles autour de la pâte à modeler. »

Prendre des photos de différents points d'observation

Lors des jeux à l'extérieur, vous pouvez prendre des photos en vous plaçant sous la structure de jeu et au-dessus de celle-ci, devant ou derrière la balançoire ou la glissoire, en vous couchant sur le gazon ou en vous installant à l'intérieur du tunnel. Lors des jeux à l'intérieur, vous pouvez prendre des photos en vous plaçant sous une table, sur un escabeau, près de la porte et près des fenêtres. Vous pouvez aussi prendre sous différents angles des photos des objets usuels ou des créations des enfants.

Faire en sorte que les enfants puissent voir les photos prises

Faites circuler les photos lors de l'accueil ou lors des périodes en groupe d'appartenance. Écoutez et soutenez les commentaires des enfants à propos de ce qu'ils observent : « C'est drôle ! On voit seulement du gazon et le dessus de tes souliers ! » À la fin de la période en groupe d'appartenance, vous pouvez suggérer aux enfants de placer les photos dans des albums qui seront rangés dans le coin de la lecture et de l'écriture afin qu'ils puissent les regarder à leur guise.

TABLEAU RÉCAPITULATIF

L'espace

Remplir et vider

- Offrir aux enfants du matériel à remplir et à vider :
  - du matériel pour verser ;
  - du matériel de petites dimensions ;
  - une variété de contenants et de cuillers ;
  - des logiciels.
- Observer le jeu des enfants lorsqu'ils remplissent et vident.
- Imiter les actions des enfants.
- Prévoir la répétition des jeux.

Assembler et démonter des objets

- Offrir aux enfants du matériel qui s'assemble et qui se démonte :
  - du matériel acheté ;
  - du matériel d'usage courant.
- Procurer aux enfants du matériel pour fabriquer des objets à assembler et à démonter.
- Accorder du temps aux enfants afin qu'ils puissent travailler par eux-mêmes.
- Lors de la période de réflexion, encourager les enfants à parler des objets qu'ils ont assemblés et démontés.
- Lors des périodes en groupe d'appartenance, présenter du matériel qui s'assemble et se démonte.

Modifier la forme et la disposition des objets (emballer, entortiller, étirer, empiler, inclure)

- Offrir aux enfants du matériel à façonner et à organiser :
  - des blocs ;
  - du papier et du tissu ;
  - de l'argile et de la pâte à modeler ;
  - des bandes de caoutchouc et des élastiques ;
  - du fil, des lacets, de la laine, des rubans, de la corde, de la broche et des cure-pipes.
- Soutenir les enfants lorsqu'ils réorganisent les choses pour résoudre des problèmes.
- Vérifier si les enfants sont conscients de la manière dont ils s'y prennent pour façonner et organiser les objets.
- Recueillir des indices des enfants afin de pouvoir commenter les changements qu'ils ont effectués.

Observer des personnes, des lieux et des objets à partir de différents points d'observation

- Offrir aux enfants de l'équipement de jeu robuste :
  - à l'extérieur ;
  - à l'intérieur.
- Encourager les enfants à ramper, à rouler, à sauter, à se coucher sur le dos.

→

- Se joindre aux enfants en adoptant une variété de positions.
- Faire des promenades avec les enfants.

Expérimenter et décrire l'emplacement, l'orientation et la distance dans des lieux diversifiés

- Offrir aux enfants du matériel qu'ils peuvent mettre en mouvement.
- Offrir aux enfants des occasions de bouger.
- Parler avec les enfants des emplacements, des orientations et des distances.
- Soutenir les enfants lorsqu'ils éprouvent et résolvent des problèmes quant à l'emplacement des objets et des personnes.
- Encourager les enfants à explorer leur environnement immédiat :
  - implanter la séquence planification – ateliers libres – réflexion ;
  - valoriser la période de rangement ;
  - faire des promenades avec les enfants.

Expliquer les relations spatiales dans des dessins, des illustrations, des photographies

- Présenter aux enfants une grande variété de matériel pictural.
- Offrir aux enfants du matériel qui leur permettra de réaliser des illustrations.
- Lors de la période de réflexion, procurer aux enfants des occasions de présenter leurs dessins.
- Afficher des photos et des dessins de structures réalisées avec des blocs.
- Regarder des images dans les livres avec les enfants.
- Prendre des photos des enfants en action :
  - garder à portée de la main un appareil photo prêt à fonctionner ;
  - prendre des photos des processus de construction et de modelage ;
  - prendre des photos de différents points d'observation ;
  - faire en sorte que les enfants puissent voir les photos prises.

LECTURES COMPLÉMENTAIRES

BELBÉOCH, OLIVIER ET COLL. (1994). *Vivre l'espace, construire le temps*, Paris, Magnard.

I.C.E. MULTI MÉDIA (1998). *Adibou. Je lis. Je calcule ! 4-5 ans*, Saint-Sauveur-des-Monts/Meudon, Coktel.

LENTSCHAT, GILBERT (1996). *L'enfant, l'espace, les apprentissages : à l'école maternelle*, Strasbourg, CRDP d'Alsace.

LURÇAT, LILIANE (1982). *Espace vécu et espace connu à l'école maternelle*, Paris, ESF.

CHAPITRE 19

Le temps

Certains individus sont plus habiles que d'autres à manipuler le temps, et cela, entre parenthèses, colore fondamentalement leur point de vue philosophique en tant qu'enfants et adultes. Certaines différences individuelles parmi les plus durables chez l'enfant se rapportent précisément à ce trait.
ARNOLD GESELL, 1987.

Les enfants du préscolaire fondent leur conception du **temps** sur des activités sensorielles et actives, car le temps est un concept abstrait (on ne peut le voir, l'entendre, le toucher, le goûter ou le sentir).

- « Ça fait longtemps que Justin est parti », dit Thomas, qui s'ennuie de son ami absent depuis trois jours.
- « J'ai perdu ma bouteille de lait cette année, ça fait trois semaines ! » dit Brian à Hélène en parlant d'un événement qui s'est produit il y a plusieurs jours.

Ils commencent à construire leur propre signification du temps, ce qui représente tout un exploit pour eux.

Les adultes mesurent le temps de façon objective en utilisant des montres et des calendriers. Cette mesure du temps est basée sur le mouvement des planètes : les jours sont mesurés par la rotation complète de la Terre sur son axe en 24 heures, et le calendrier d'une année est basé sur l'orbite complète de la Terre autour du Soleil en 365 jours. Lorsque nous considérons à quel point cette mesure du temps est éloignée de celle des enfants, laquelle s'appuie sur leurs propres expériences quotidiennes, nous constatons sans surprise que les montres et les calendriers ne sont pas significatifs ni compréhensibles pour eux. Jean Piaget (1969) remarque que la notion du temps pour l'enfant est « égocentrique », en ce sens que, pour lui, le passage du temps est conditionné par ses actions, ses perceptions et ses sensations. Le temps s'arrête, court ou avance normalement pour les jeunes enfants, suivant ce qu'ils font.

19.1 Le développement de la notion du temps

Bien qu'il puisse prendre plusieurs années aux enfants pour comprendre la notion du temps à la manière des adultes, plusieurs capacités fondamentales qui permettent de comprendre le temps émergent pendant les années préscolaires. Étant donné qu'ils sont capables de garder des images mentales en tête, ils peuvent se souvenir et parler de choses qui sont arrivées dans le passé ou qu'ils veulent voir arriver dans l'avenir. Cette conscience émergente des séquences du temps est un changement remarquable de la conception unidimensionnelle du temps chez les tout-petits – pour qui n'existe que le présent. Le psychologue John Phillips (1969, p. 20) explique ceci :

> [Pour les poupons,] le temps est limité à tout ce qu'englobe un événement unique, comme bouger une main de la jambe à la figure, sentir la tétine et

commencer à la sucer ou entendre un son et voir ce qui le produit.

Les enfants du préscolaire, même s'ils sont encore centrés sur le présent, peuvent se rappeler le passé et penser à l'avenir immédiat. Lorsqu'elle étudiait des conversations d'enfants se rapportant au temps, l'éducatrice Lorraine Harner (1981, p. 503) a découvert ceci :

> [Les enfants du préscolaire] ont maîtrisé quelques rudiments du système ordonné que sont les relations entre le passé, le présent et l'avenir. Ils possèdent une compréhension de base des événements qui précèdent ou qui suivent le moment présent dont ils parlent.

Leur participation à des événements tels que les anniversaires, les fêtes, les voyages et les activités de la fin de semaine forment la base de leur intuition au sujet des séquences du temps : « Dans une journée, une journée après aujourd'hui, ça va être ma fête », dit Jonathan à ses amis.

Les enfants de cet âge se font aussi leurs propres idées de la durée en se basant sur leurs expériences reliées au fait de devoir attendre ou de devoir se dépêcher. Jasmin, qui termine un casse-tête, dit à Joseph : « Tu dois attendre un peu parce que je ne suis pas prêt. » En tant que membre actif de leur famille et de leur communauté, les enfants vivent des expériences qui les incitent à concevoir les intervalles de temps à leur manière. Les secondes, les minutes et les heures ont peu de sens pour eux, mais ils vivent dans une société où les adultes se réfèrent au temps d'une façon telle qu'ils peuvent comprendre facilement : « le temps du dodo », « le temps du rangement », « le temps du souper », « le printemps », « le temps qui passe ».

Le développement croissant du langage des enfants et leur capacité de conservation des images mentales favorisent chez eux l'expression d'idées personnelles relatives au temps :

- « La lune s'est levée, alors c'est la nuit. »
- « Ce sera bientôt l'hiver, parce qu'il n'y a plus de feuilles dans les arbres. »

Certains enfants rendent leur compréhension du temps plus concrète en apportant un objet ou un jouet de la maison pour continuer de penser à leurs parents et se rappeler qu'ils vont retourner dans leur famille à la fin de la journée. Ils peuvent aussi avoir à composer avec des événements majeurs, comme des naissances, des divorces ou des décès, qui sont susceptibles de les ébranler et de les amener à réajuster la notion du temps qu'ils s'étaient construite : « On s'en va chez ma grand-mère, dit Louise à son éducatrice. Mon oncle Gérard est mort, il était malade et très vieux. Moi, je ne suis pas vieille, je ne vais pas mourir, hein ? » Lorsque les horaires établis se modifient, les enfants peuvent avoir de la difficulté à s'habituer aux nouveaux horaires et à réajuster leur notion du temps : « Vendredi, je m'en vais chez mon père, mais là on n'est pas encore vendredi. C'est dans combien de dodos, vendredi ? » demande Arianne à son éducatrice. Cet événement de la vie d'Arianne étant significatif, il est important pour elle de savoir où se situe le vendredi par rapport au moment présent.

19.2 Soutenir les enfants dans leur compréhension du temps

Quatre expériences clés du domaine ***le temps*** décrivent la façon dont les enfants du préscolaire expérimentent et commencent à comprendre le temps. Les trois premières se rapportent à la durée :

- *Commencer et arrêter une action à un signal donné.*
- *Expérimenter et décrire des vitesses de mouvement.*
- *Expérimenter et comparer des intervalles de temps.*

La dernière expérience clé de ce domaine se rapporte aux séquences du temps :

- *Prévoir, se rappeler et décrire des séquences d'événements.*

Les éducatrices qui soutiennent ces expériences clés concernant le temps comprennent que les enfants du préscolaire expérimentent et conçoivent le temps d'une façon très personnelle, et que leur mesure du temps a peu à voir avec les unités de temps standard des horloges et des calendriers. Les enfants relient plutôt les intervalles et le passage du temps à des événements familiers, à des lieux et à des sensations.

Les éducatrices comprennent aussi que, dans un milieu favorisant l'apprentissage actif, l'horaire quotidien est élaboré de façon à soutenir les intentions des enfants et à leur redonner le contrôle de ce qu'ils font avec leur temps. Elles se rendent compte que les enfants sont moins nerveux et plus confiants lorsqu'ils peuvent travailler à leur rythme et qu'ils ne sont pas poussés à terminer une activité en même temps que les autres ou dans certaines limites de temps. Quand le temps tire à sa fin, les éducatrices aident les enfants à planifier un autre moment pour continuer leur activité, soit le même jour ou le jour suivant.

Les éducatrices pourront s'inspirer des pistes d'intervention qui suivent afin de soutenir les enfants dans leur apprentissage de la **durée** et des **séquences du temps.**

19.2.1 EXPÉRIENCE CLÉ Commencer et arrêter une action à un signal donné

Une façon concrète d'expérimenter les intervalles de temps consiste à commencer et à arrêter une action à un signal donné. Parfois, lors des jeux de rôles, les enfants incorporent des expériences d'arrêt et de départ qu'ils ont vécues auparavant avec les feux de circulation, les minuteries des appareils ménagers ou les réveille-matin: « Après la sonnerie du réveille-matin, dit Sara (la maman) à Claudine (la sœur), on doit se lever et aller se coiffer. » Ils inventent aussi leurs propres signaux d'arrêt et de départ: « On prend le tricycle chacun notre tour pendant 20 minutes », dit Justin à Audrey. Il enfourche le tricycle, fait deux fois le tour de l'allée réservée aux tricycles, s'arrête et dit: « Maintenant, c'est ton tour, Audrey. » Quelques enfants commencent à prendre conscience que certaines actions, comme broyer des pommes dans le mixeur, comportent un point de départ et un point d'arrêt, et nécessitent des jugements comme le fait de décider du moment où les pommes seront assez homogènes pour faire de la bonne compote. Les éducatrices peuvent soutenir l'intérêt des enfants quant aux actions relatives au départ et à l'arrêt en utilisant les pistes d'intervention qui suivent.

PISTES D'INTERVENTION

A. Offrir aux enfants du matériel qu'ils peuvent utiliser pour signaler un départ et un arrêt

Les enfants aiment explorer les minuteries que les adultes utilisent couramment, et jouer avec celles-ci. Ce genre de matériel comprend des minuteries de cuisine, des sabliers, des minuteries mécaniques qui font « tic tic tic » et qui sonnent ainsi que des réveille-matin. Souvenez-vous que les enfants passent généralement beaucoup de temps à secouer et à renverser le sablier, et à faire sonner la minuterie avant de satisfaire complètement leur curiosité et de commencer à utiliser ces objets selon leur fonction spécifique.

Des instruments de musique et des magnétophones permettent aussi aux enfants de donner un signal de départ et d'arrêt, comme le démontre l'exemple qui suit: « Johanne, dit Joël, quand je frappe sur le tambourin, tu commences à danser, d'accord? Quand j'arrête, tu arrêtes. »

Certains logiciels adaptés permettent à des jeunes enfants d'expérimenter les fonctions de départ et d'arrêt. Ainsi, dans le logiciel Adibou Je lis Je calcule, un robot commence à cueillir des fleurs et s'arrête au signal donné par l'enfant, tandis que dans le logiciel Adibou Je découvre la nature et les sciences, l'enfant peut faire rouler et arrêter une auto.

B. Informer les enfants du début et de la fin des périodes à l'horaire

Par le biais de l'horaire quotidien, les enfants expérimentent régulièrement des intervalles de temps qui débutent et cessent selon une séquence constante. Le fait de connaître l'ordre dans lequel se suivent les périodes de l'horaire quotidien et de connaître l'événement qui donne le signal du début et de la fin de chaque période procure aux enfants le sens de l'anticipation et celui de la maîtrise du temps. Voici quelques exemples de signaux que vous pouvez considérer à certains moments de la journée.

- **L'accueil.** L'accueil débute à l'arrivée de chaque enfant, quand tous les enfants se réunissent en rond sur le tapis pour se saluer, nommer les absents, faire le calendrier (le jour, la date, le temps qu'il fait), échanger, « lire » le tableau des messages, et elle se termine quand l'éducatrice demande à un enfant de proposer une façon de bouger pour se déplacer vers les tables de planification.
- **La période d'ateliers libres.** Cette période débute lorsque chaque enfant entreprend l'activité qu'il a planifiée, et elle se termine cinq

Ces petites filles jouent à un jeu de départ et d'arrêt qu'elles ont planifié pour la période d'ateliers libres.

minutes après que l'éducatrice a donné le signal suivant: « Il reste cinq minutes avant le rangement. » À la fin des cinq minutes, elle peut demander à un enfant de sonner une cloche, elle peut faire entendre une musique ou encore elle peut entamer la chanson du rangement.

- **Le rassemblement.** Il commence quand une première éducatrice et un premier enfant quittent la table de la collation et vont s'asseoir au lieu de rassemblement. Il se termine lorsque l'activité est terminée et qu'une éducatrice dit: « On va s'habiller pour aller jouer dehors. »

C. Chanter, danser et jouer d'instruments de musique ensemble

Lorsque les enfants chantent, dansent et jouent d'instruments de musique ensemble, cela donne des occasions de répondre à un signal de départ ou d'arrêt. Lors d'un rassemblement, par exemple, des enfants et leurs éducatrices combinent la musique avec la danse: à tour de rôle, les enfants jouent de la musique pendant que les autres dansent sur cette musique. Les enfants ont décidé que les danseurs doivent s'immobiliser quand le son du tambourin cesse de se faire entendre et qu'ils peuvent recommencer à danser quand ils en réentendent le son. Chaque enfant se retrouve une fois au tambourin, puis les rôles changent. Le même groupe a aussi inventé sa propre version de la chaise musicale. Un enfant joue d'un instrument et les autres circulent autour des chaises. Lorsque l'enfant cesse de jouer, les autres enfants s'assoient sur les chaises disponibles; celui qui reste debout doit jouer de l'instrument, et le jeu recommence. Le nombre de chaises demeure constant tout au long du jeu, ce qui permet à tous les enfants de jouer.

D. Soutenir l'intérêt que les enfants portent aux expériences de départ et d'arrêt

Lorsque les enfants s'amusent à des jeux de rôles et de faire-semblant, il y a beaucoup de chances pour que vous puissiez observer des expériences de départ et d'arrêt. Souvent, quand les enfants construisent des autos ou des trains assez gros pour qu'ils y montent, ils avertissent leurs passagers quand vient le temps du départ (« Tout le monde à bord ! ») ou de l'arrêt (« Tout le monde descend ! »). Plusieurs enfants d'une maternelle qui avaient assisté à une course d'autos pendant la fin de semaine ont apporté la semaine suivante des photos de la course prises par leurs parents ; quant à l'éducatrice, elle a apporté les articles et les photos parus dans les journaux locaux. Les enfants ont proposé de placer le tout dans un album que chacun pourrait consulter. Dans les mois qui ont suivi, l'intérêt des enfants étant toujours aussi marqué pour le sujet, certains parents ont fourni des revues spécialisées sur les autos et les courses d'autos. Les enfants se sont fabriqué des pistes de course et des drapeaux de signalisation indiquant le départ et la fin de la course, l'arrêt au puits d'essence, le drapeau du vainqueur, etc. Les éducatrices ont soutenu l'intérêt des enfants en leur fournissant le matériel dont ils avaient besoin et en proposant d'inventer et de dessiner des modèles de voitures de course.

19.2.2 EXPÉRIENCE CLÉ Expérimenter et décrire des vitesses de mouvement

Lors de leurs déplacements et de leurs jeux, les enfants commencent à prendre conscience du rythme des objets qui bougent : « Cet hélicoptère va très vite », dit Arianne en observant les hélices qui tournent si vite qu'elle ne voit plus qu'un grand cercle un peu flou. Les enfants sont aussi fiers d'exercer leur habileté à se mouvoir selon des rythmes différents : « Chut ! on s'approche lentement, d'accord ? » « Regarde, je m'habille très vite. » « On doit se dépêcher de terminer notre casse-tête, c'est presque le temps du rangement. » Voici des pistes d'intervention pour l'éducatrice qui désire soutenir l'intérêt grandissant des enfants concernant les vitesses de mouvement.

PISTES D'INTERVENTION

A. Offrir aux enfants du matériel qu'ils peuvent mettre en mouvement

En utilisant du matériel qu'ils peuvent mettre en mouvement, les enfants ont l'occasion d'explorer l'idée qu'ils se font de ce qui va vite et de ce qui va lentement. Ce matériel comprend des objets comme des roues et des objets qui roulent, qui pivotent et qui dégoulinent ; des chaises berçantes, des chevaux et des balançoires à bascule ainsi que de simples balançoires, qui permettent aussi aux enfants de faire l'expérience de rythmes différents et de mouvements réguliers. Ces expériences les aident à acquérir une conscience de base des unités de temps. Par exemple, le mouvement régulier « en avant, en arrière » du cheval à bascule est semblable à celui de la pendule de l'horloge. Chaque mouvement constitue une façon de mesurer le temps. Les enfants ne mesurent pas réellement le temps lorsqu'ils se bercent ou se balancent, mais ils ont l'occasion d'intérioriser la sensation d'unités de temps régulières et équivalentes. (Voir aussi, à la sous-section 13.2.7, l'expérience clé *ressentir et reproduire un tempo régulier.*)

Les programmes d'ordinateur axés sur le dessin permettent aussi aux enfants de dessiner et d'effacer leurs traits à la vitesse désirée. Lorsqu'ils explorent un nouveau programme, les enfants sont souvent portés à travailler rapidement. Plus ils sont familiarisés avec le programme et les possibilités qu'il offre, plus ils dessinent avec précision, et plus le rythme de leurs mouvements tend à ralentir.

B. Offrir aux enfants des occasions de bouger à différentes vitesses

Il est important de donner aux enfants l'occasion de bouger à leur propre vitesse tout au long de la journée. Certains enfants regardent les livres rapidement ; d'autres s'attardent à chaque page. Certains enfants s'habillent rapidement, pendant que d'autres empiètent sur le temps qu'ils pourraient passer à l'extérieur car ils prennent beaucoup de temps à mettre leur manteau, leur foulard, leur tuque, leurs bottes et leurs mitaines. Lors de la période d'ateliers libres, certains enfants se déplacent d'un type de jeu à l'autre, pendant que certains demeurent toute la période à la même place. Par exemple, dans le coin des arts plastiques, un enfant peint au chevalet en faisant délibérément des gestes lents, pendant qu'un autre fait rapidement deux peintures, puis va jouer dans le coin des blocs.

Faire jouer de la musique lente et rapide

Lorsque vous faites jouer de la musique lors du rangement, des transitions et des rassemblements, choisissez-la en fonction du tempo. Un air de marche ou une musique de danse peuvent inspirer aux enfants des mouvements plus ou moins rapides. D'autre part, lorsque les enfants sont particulièrement agités, une musique calme ou une berceuse peuvent favoriser leur concentration et ralentir le rythme de leurs mouvements.

Mimer des histoires qui demandent de bouger selon différentes vitesses

Les histoires comme *Le Bonhomme en pain d'épice* comprennent des instructions de mouvements : « Cours, cours, aussi vite que possible. Tu ne peux m'attraper, je suis le Bonhomme en pain d'épice ! ». Vous pouvez aussi utiliser les histoires composées par les enfants. Par exemple, dans un groupe, les enfants demandaient souvent à l'éducatrice de mimer une histoire, composée par deux enfants, qui parlait de chevaux qui couraient dans un pré et retournaient à l'écurie pour se reposer. Les dessins des deux enfants et le texte qu'ils avaient dicté à l'éducatrice avaient été réunis en un livre.

Encourager les enfants à verser eux-mêmes le jus et le lait

Verser du jus ou du lait dans des verres requiert une certaine maîtrise de la part des enfants. Cette expérience leur permettra d'expérimenter les notions de rapidité et de lenteur : « Ça coule trop vite. » « Bravo, ça n'a pas débordé, j'ai versé lentement. » Vous pouvez enrichir cette expérience en modifiant les facteurs qui entrent en jeu dans cette expérience : le poids du contenant, ses dimensions, la quantité de liquide à l'intérieur, la forme du bec verseur ou la grosseur des verres.

C. Écouter et soutenir les observations faites par les enfants au sujet de la vitesse

Les enfants à qui l'on donne l'occasion de bouger et de faire les choses selon des vitesses variées sont souvent portés à faire des commentaires sur la vitesse de leurs mouvements dans la mesure où celle-ci est un aspect important de leurs actions. Par exemple, un jour, Brian a construit, avec de gros blocs creux, une rampe de lancement suivie d'une piste. Il a poussé fortement son autobus du haut de la rampe pour voir sur quelle distance l'autobus se déplacerait avant de s'écraser sur les blocs ou de basculer.

> L'ÉDUCATRICE. – (après que l'autobus eut percuté les blocs) On dirait que ton autobus a encore basculé.
> BRIAN. – Il allait très vite !
> L'ÉDUCATRICE. – Hum ! Je me demande comment il pourrait aller plus loin tout en allant aussi vite.
> BRIAN. – (regardant son montage et réfléchissant un moment) J'ai une idée ! Je vais faire la route plus large et je vais la faire plus longue !

Il reprend son expérience, et cette fois son autobus se rend plus loin tout en allant très vite.

19.2.3 EXPÉRIENCE CLÉ Expérimenter et comparer des intervalles de temps

Au préscolaire, les enfants ont une perception subjective et vivante du temps. Par exemple, pour un enfant de 3 ou 4 ans, attendre cinq minutes avant de pouvoir aller dans la structure de jeu peut sembler très long. Un enfant de cet âge parlera d'un événement qui s'est passé le mois précédent en ces termes : « Ça fait très, très longtemps, ça fait beaucoup, beaucoup de semaines. » Prenant exemple sur les adultes qu'ils entendent, ils se réfèrent aussi à des intervalles de temps en utilisant les nombres qu'ils reconnaissent. Ainsi, ils parleront d'une montre submersible de cette façon-ci : « Elle peut rester sous l'eau pendant 100 minutes. » Ils évaluent également les intervalles de temps en puisant dans leurs connaissances au sujet de l'horaire quotidien, comme le fait Félix, qui enveloppe des objets lors de la période d'ateliers libres : « J'ai juste le temps de finir ce paquet avant le rangement. » Dans un environnement favorisant l'apprentissage actif, les enfants savent que s'ils ont besoin de plus de temps, ils peuvent l'obtenir (« On retourne le sablier une autre fois ! »). En général, les enfants sont plus portés à faire des commentaires sur leurs expériences qui se rapportent à de longs intervalles que sur leurs expériences qui concernent de courts intervalles. Les éducatrices peuvent soutenir les enfants dans la prise de conscience des intervalles de temps en se référant aux pistes d'intervention qui suivent.

PISTES D'INTERVENTION

A. Établir et suivre un horaire quotidien régulier

Un horaire quotidien régulier permet aux enfants d'expérimenter et de prévoir des intervalles ayant une durée variable. La durée des périodes varie à l'intérieur d'une même journée (la période d'ateliers libres est plus longue que la période de réflexion) et d'un jour à l'autre (parfois, la période des jeux à l'extérieur dure plus longtemps). Cependant, la perception qu'ont les enfants de la longueur de chaque période est plus subjective que réelle. Ils diront, par exemple, que la période de rangement (10 minutes) est plus longue que la période qu'ils viennent de passer à l'extérieur (30 minutes) parce qu'ils n'aiment pas beaucoup faire du rangement et qu'ils adorent jouer à l'extérieur.

B. Relier la durée à des actions ou à des événements familiers

Quand les enfants évaluent le temps, ils prennent comme repères certains événements familiers. Jonathan a très hâte à son anniversaire. Il sait que ce n'est pas aujourd'hui, ce sera quand il fera plus chaud dehors; alors, il dit: « Quand la neige va être toute fondue, ça va être ma fête. » Quand les enfants demandent « Combien de temps ça va prendre avant que...? » ou quand vous ne pouvez répondre immédiatement à la demande d'un enfant, utilisez des repères concrets dans votre réponse plutôt que de faire référence à des unités de temps qui sont abstraites pour les enfants. Voici quelques exemples:

- « Je vais aller voir ton dessin quand j'aurai fini de raconter l'histoire à Thierry. »
- « On va pouvoir aller dehors quand tous les jouets seront rangés sur les tablettes. »
- « Après la sieste, on va vérifier si les masques de plâtre sont secs. »

C. Accepter les observations des enfants au sujet du temps

« Il est neuf heures, c'est tard », dit Hélène en s'adressant à son amie qui vient d'arriver à la garderie. Pour un adulte, cette remarque peut sembler inappropriée, mais pour Hélène elle exprime son sentiment, qui pourrait se traduire ainsi: « J'avais hâte que tu arrives. » Les enfants font des expériences et émettent des commentaires sur le temps d'une façon qui est significative pour eux. Voilà pourquoi il est important que les éducatrices soutiennent leur façon de raisonner plutôt que de la « corriger ».

D. Mettre des sabliers à la disposition des enfants

Lorsque vous mettez des sabliers à la disposition des enfants, ceux-ci sont portés, dans un premier temps, à les explorer plutôt qu'à les utiliser pour mesurer le temps: ils aiment les secouer, les renverser et observer le sable qui s'écoule. Une fois ces expériences réalisées, cependant, les enfants utilisent les sabliers dans leurs jeux pour définir des périodes

qui ont un sens pour eux. Par exemple, Marc et Jean, qui construisent une maison dans le coin des blocs, se servent d'un sablier pour indiquer la matinée et la soirée. Ils ont décidé que si le sable était en haut du sablier, c'était la nuit, et que s'il était en bas, c'était le matin : « C'est le temps d'aller se coucher, on a assez travaillé pour aujourd'hui ! » Parfois, les enfants font appel au sablier pour déterminer à qui c'est le tour de parler ou de jouer : « Quand le sable sera en bas, ce sera à mon tour, d'accord ? »

On peut mettre à la disposition des enfants des sabliers de différentes tailles, pour qu'ils prennent conscience des séquences de temps plus ou moins longues.

19.2.4 EXPÉRIENCE CLÉ Prévoir, se rappeler et décrire des séquences d'événements

Les enfants du préscolaire prévoient et se rappellent les événements marquants. Dans un milieu où les enfants se sentent en confiance, ils attendent avec impatience les périodes de la journée à venir, les anniversaires, les célébrations familiales et même les événements relatifs à leurs jeux de rôles : « Va te coucher, mon bébé. Après la sieste, grand-maman va venir faire un pique-nique avec nous. » Ils se souviennent et parlent des événements passés qui ont été significatifs, comme lorsqu'ils ont appris à faire un collier spécial, lorsque leur grand-père a fait du maïs soufflé ou lorsqu'un proche ou leur animal est mort.

Chez les enfants tout comme chez les adultes, l'anticipation et le souvenir d'événements significatifs sont teintés d'émotions qui rendent ces événements mémorables. En d'autres mots, les enfants prévoient et se rappellent les événements qui les ont marqués, ce qui leur procure un sentiment d'ordre et de maîtrise. En gardant à l'esprit des images ou des événements significatifs et en parlant de ce qui est arrivé ou de ce qu'ils espèrent voir arriver, les enfants commencent à donner forme à leur compréhension de la suite des événements. Les éducatrices peuvent soutenir la propension croissante des enfants à prévoir et à se rappeler les moments significatifs de leur vie en adoptant les pistes d'intervention qui suivent.

PISTES D'INTERVENTION

A. Établir et maintenir un horaire régulier

Un horaire régulier procure aux enfants un sentiment de maîtrise de leur propre vie, car il est composé d'un ensemble périodique d'activités communes qui les situent dans le temps :

- « Bientôt, ça va être la période de réflexion, puis après on va aller jouer dehors », dit Justin à un enfant nouvellement arrivé.
- « Ça ne vaut pas la peine d'apporter d'autres blocs, dit Charlotte à Corinne à la fin de la période d'ateliers libres. C'est presque le temps du rangement. »

La séquence planification – ateliers libres – réflexion est conçue pour aider les enfants à prévoir et à se rappeler le travail et le jeu sur une base quotidienne. Lors de la planification, les enfants décident de ce qu'ils désirent faire ; à la période d'ateliers libres, ils mettent à exécution leur planification ; à la période de réflexion, ils parlent de ce qu'ils ont fait et de ce qu'il reste à faire ou de ce qu'ils voudraient faire de plus. (Les chapitres 6 et 7 abordent l'horaire quotidien et la séquence planification – ateliers libres – réflexion.)

B. Aider les enfants à apprendre l'horaire quotidien et à prévoir les diverses périodes

Une fois que l'horaire quotidien est établi, voici comment vous pouvez aider les enfants à prévoir chaque période :

- Informez les enfants de la fin d'une période et du début d'une autre : « Encore cinq minutes avant le rangement ! »
- Donnez le signal du début et de la fin d'une période (au moyen du son d'un instrument de musique ou d'une cloche, d'une chanson, etc.).
- À la fin d'une période, demandez aux enfants quelle période vient après : « Qu'est-ce qu'on fait habituellement après le rassemblement ? »
- Présentez brièvement les activités des périodes en groupe d'appartenance et des rassemblements afin que les enfants sachent à quoi s'attendre : « Aujourd'hui, nous allons utiliser la peinture à l'eau durant la période en groupe d'appartenance. »

C. Lors de la planification, converser avec les enfants qui sont prêts à faire des plans détaillés

L'expérience quotidienne de la planification et de la réalisation de cette planification renforce la capacité des enfants de prévoir ce qu'ils veulent faire avant de passer à l'action. Certains enfants commencent à faire des plans plus détaillés lorsqu'ils deviennent davantage familiarisés avec le processus de planification, le matériel contenu dans les différents coins, leur éducatrice et leurs pairs.

Lorsque vous êtes en présence de ces enfants, utilisez les stratégies de conversation qui suivent afin de les aider à élaborer leurs idées :

- Parler des lieux et du matériel.
- Parler des détails.
- Parler de la séquence.
- Rappeler aux enfants leurs expériences et leur travail antérieurs.

Lors de la période d'ateliers libres, ces enfants ont fabriqué un sablier avec des bouteilles de ketchup. Ils constatent l'efficacité de leur sablier.

D. Encourager les enfants à se souvenir des événements

La période de réflexion incite les enfants à se souvenir des événements sur une base quotidienne. Un jour, Corinne, qui était très fière d'un collier avec un cœur qu'elle venait de réaliser, avait beaucoup à dire lors de la période de réflexion : « J'ai tracé le cœur, puis j'ai dessiné des rayures, puis j'ai colorié un cercle, puis les autres. Puis j'ai percé un trou et j'ai passé une corde dedans et Fabienne l'a attachée. » (Voir les sections 7.5 et 7.6, qui traitent de la période de réflexion.)

Les enfants se rappellent aussi certains événements significatifs lorsqu'une conversation ou une situation évoque des souvenirs. En regardant le livre *Caillou et la nourriture*, Jessica revoit une de ses expériences passées : « Quand j'étais petite, ma grand-mère venait à la maison. Elle faisait de la compote de pommes juste pour moi. »

E. Illustrer l'ordre des événements quotidiens avec les enfants

Faites des tableaux avec les enfants afin de les aider à percevoir les séquences : les périodes de l'horaire quotidien, les étapes d'une recette, le moment de prendre la parole ou d'accomplir des tâches quotidiennes ou hebdomadaires. Par exemple, un tableau de l'horaire quotidien, constitué à partir de photos des enfants en action pendant chaque période, décrit les séquences de l'horaire de façon que les enfants puissent « lire » le tableau par eux-mêmes. Une équipe d'éducatrices a préparé un tableau de tâches à faire lors de la collation en utilisant les symboles représentant chaque enfant et en les collant à l'aide de velcro chaque fois que les enfants changeaient de tâche. Les enfants aiment aussi « lire » des recettes simples pour faire un pudding, des sandwiches, une salade, de la compote ou des biscuits. Ils peuvent aussi « écrire » leur propre recette et la faire en utilisant de vrais ingrédients ou en faisant semblant.

F. Observer la représentation des séquences que font les enfants

Parfois, les enfants représentent les séquences d'un événement dans leurs dessins, leurs peintures et dans leurs jeux de rôles. Plusieurs semaines après le décès de la grand-mère d'Hélène, celle-ci a organisé des funérailles. Avec ses amis, Hélène a repris les différentes séquences des funérailles comme s'il s'agissait d'un événement réel. Ils ont fait semblant d'aller se recueillir auprès de la dépouille au salon funéraire, se sont rendus à l'église, puis au cimetière où ils ont jeté de la terre sur le cercueil. Le fait de reproduire des événements réels permet aux enfants de leur donner une signification personnelle.

G. Informer les enfants des changements apportés à l'horaire quotidien

Le fait de savoir ce qui va se passer dans la journée procure aux enfants un sentiment de sécurité et de bien-être. Quand des changements sont apportés à l'horaire, comme une sortie, la venue d'un visiteur ou tout autre événement spécial, ils peuvent continuer d'éprouver un sentiment de contrôle lorsqu'on les informe de ces changements en début de journée.

Une bonne façon d'informer les enfants au sujet des changements apportés à l'horaire consiste à utiliser un tableau de messages lorsqu'on réunit les enfants le matin pour l'accueil. Ce tableau peut être constitué d'un grand carton sur lequel on fixe un grand papier, ou d'un vrai tableau sur lequel on peut écrire avec des craies ou des marqueurs. Les messages sont de simples dessins illustrant les changements que les enfants doivent connaître. Par exemple, le dessin d'une figure avec de longs cheveux noirs, des lunettes et une toque de cuisinier informe les enfants de la venue de madame Giroux, qui remplacera la cuisinière; le dessin d'une pomme leur rappelle qu'ils iront au marché acheter des pommes. On peut aussi coller des dessins ou des photos sur ce tableau. (Voir à la sous-section 8.4.1 la façon d'illustrer des messages.)

H. Faire participer les enfants au processus de changement

Les enfants peuvent participer aux décisions concernant certains changements, comme l'ajout de matériel ou la modification de l'aménagement. Lors d'une période en groupe d'appartenance, les enfants ont déballé une boîte contenant de nouveaux blocs, ils ont décidé de l'endroit où ces blocs seraient rangés et ont fabriqué des étiquettes pour les identifier. Les enfants peuvent aussi déplacer les tablettes amovibles et réorganiser le lieu de rangement pour l'arrivée du nouveau matériel, comme un établi. Lorsqu'ils prennent une part active à la planification des changements qu'ils pourraient apporter à l'environnement ou à l'horaire, ils ont l'impression de maîtriser ce qui leur arrive.

I. Cultiver des plantes à l'intérieur et à l'extérieur

Les enfants aiment voir pousser et se transformer les plantes qu'ils ont mises en terre, qu'ils ont transplantées ou apportées de la maison. Vous pouvez les inciter à prendre des photos de façon périodique afin de constater les changements qui se produisent.

J. Observer les changements saisonniers

- « Ça sent comme s'il allait pleuvoir », dit Jessica tandis que le ciel se couvre et que le vent se lève.
- Par une chaude journée de printemps, Charlotte fait cette constatation en regardant par la fenêtre : « Ça dégoutte de partout dehors et la fenêtre est chaude. »
- Dans le coin de la maisonnette, Anna remplit des contenants de riz. « Ça, c'est de la nourriture que je cache pour l'hiver. L'hiver, ça vient après l'été. » Lors d'une promenade au parc, Anna et ses amies ont observé les écureuils qui transportaient des glands et des noix.

Comme nous l'avons noté précédemment, les enfants du préscolaire prévoient les événements significatifs et se souviennent d'eux. À l'âge de 3 et 4 ans, les enfants commencent à découvrir les saisons, ils se rappellent et prévoient certaines informations concrètes et observables au sujet de celles-ci. Par conséquent, il est important pour les éducatrices de demeurer attentives aux conversations des enfants et de relever leurs formulations afin de soutenir leurs idées, peu importe le niveau auquel elles se situent.

K. Planifier la célébration de fêtes en tenant compte de la compréhension du temps qu'ont les enfants

Les mois précédant l'événement

Habituellement, les éducatrices qui planifient des événements spéciaux utilisent le calendrier et amorcent leurs activités environ un mois avant

Ces enfants expérimentent les changements saisonniers d'une façon tout à fait personnelle. En été, on mange des glaces à l'extérieur ; en hiver, on glisse sur la neige.

l'événement prévu. Pour les enfants, cependant, la prévision d'une activité un mois à l'avance peut être dénuée de signification, spécialement en ce qui a trait aux activités qui n'ont pas de lien avec leur vie quotidienne. Alors, au lieu de planifier un événement un mois à l'avance et pour que la planification devienne plus significative pour les enfants, l'éducatrice laissera l'événement poindre dans les conversations ou les actions des enfants. Elle écoutera les enfants attentivement, parlera avec eux et observera leurs jeux afin que les connaissances et la compréhension des enfants concernant l'événement se révèlent naturellement. Plusieurs facteurs peuvent inciter les enfants à parler d'une fête qui approche ou à y jouer : ils en ont entendu parler dans leur famille, leurs parents font des préparatifs, les magasins sont décorés en conséquence, l'événement est annoncé dans les différents médias. Vraisemblablement, les enfants vont commencer à montrer leur intérêt pour un événement durant les jours qui le précèdent plutôt que des semaines à l'avance. C'est à ce moment que les éducatrices vont songer à leurs interventions touchant l'événement à partir des intérêts exprimés par les enfants.

Juste avant et pendant l'événement

Une fois que les enfants ont exprimé leur intérêt pour un événement à venir, il est important de les écouter, de les observer et d'interagir avec eux pour découvrir ce qu'ils savent de cet événement et dans quelle mesure il les intéresse. Les éducatrices peuvent alors concevoir des moyens de soutenir et d'accroître les idées et les intérêts des enfants en ajoutant du matériel dans les coins, en planifiant des sorties et des activités en groupe d'appartenance, en recevant des invités spéciaux, en interagissant avec les enfants lorsqu'ils intègrent des éléments de l'événement à leurs jeux de rôles ou de faire-semblant, et en parlant de l'événement avec les enfants. Les éducatrices noteront sans doute divers types de champs d'intérêt dans leur groupe, mais elles devront s'habituer à de telles différences afin de soutenir adéquatement les activités des enfants en relation avec une fête ou un événement particulier. Elles doivent aussi reconnaître qu'aux yeux de certains enfants d'autres activités peuvent être aussi importantes (peut-être même plus) que l'événement spécial.

Après l'événement

Un des changements les plus dramatiques qui puissent survenir dans certains centres éducatifs est la transition qui a lieu après l'Halloween. Un jour, le centre ressemble à un « paradis d'Halloween » et, le jour suivant, il est complètement dénudé. C'est à croire que la fête n'a jamais eu lieu et que les éducatrices mettent une croix sur la journée passée et portent leur attention au prochain événement majeur indiqué au calendrier. Cependant, cela ne fonctionne pas ainsi avec les enfants, qui vont continuer à « ressentir » l'événement plusieurs jours après qu'il est passé. Tout cela parce que lorsqu'un événement a été vécu, il devient réel, concret pour les enfants. Quand un événement devient partie intégrante de leur expérience, ils veulent le comprendre et le revivre. Alors, une occasion spéciale qui est encore fraîche dans leur mémoire va généralement engendrer une variété de jeux et d'activités. Certains enfants vont revivre l'événement par le biais de projets de construction et de projets d'arts plastiques, auxquels ils vont souvent ajouter une nouvelle idée tout en faisant progresser leur jeu. Les éducatrices doivent rester attentives à l'emploi du temps des enfants quand cela se produit et continuer à soutenir leur jeu en offrant un matériel approprié et en interagissant avec eux.

Par exemple, deux semaines après l'Halloween, des éducatrices se sont rendu compte que l'intérêt des enfants était encore manifeste pour les jeux se rapportant à ce thème. Lors de leur planification, elles ont décidé de continuer à chanter des chansons reliées à l'Halloween lors des rassemblements, à garnir le coin des arts plastiques de « brillants » et de matériel servant à faire des masques et des costumes, et à laisser dans le coin de la maisonnette le chaudron servant à faire des potions magiques, le chapeau de sorcière et la grande cuiller de bois. Naturellement, l'Halloween est restée un sujet parmi d'autres que les éducatrices abordaient lors de leur planification ; elles ont aussi discuté des courses d'autos et de la construction de châteaux, et elles ont fait leur planification en fonction de ces champs d'intérêt.

TABLEAU RÉCAPITULATIF

Le temps

Commencer et arrêter une action à un signal donné

- Offrir aux enfants du matériel qu'ils peuvent utiliser pour signaler un départ et un arrêt.
- Informer les enfants du début et de la fin des périodes à l'horaire.
- Chanter, danser et jouer d'instruments de musique ensemble.
- Soutenir l'intérêt que les enfants portent aux expériences de départ et d'arrêt.

Expérimenter et décrire des vitesses de mouvement

- Offrir aux enfants du matériel qu'ils peuvent mettre en mouvement.
- Offrir aux enfants des occasions de bouger à différentes vitesses :
  - faire jouer de la musique lente et rapide ;
  - mimer des histoires qui demandent de bouger selon différentes vitesses ;
  - encourager les enfants à verser eux-mêmes le jus et le lait.
- Écouter et soutenir les observations faites par les enfants au sujet de la vitesse.

Expérimenter et comparer des intervalles de temps

- Établir et suivre un horaire quotidien régulier.
- Relier la durée à des actions ou à des événements familiers.
- Accepter les observations des enfants au sujet du temps.
- Mettre des sabliers à la disposition des enfants.

Prévoir, se rappeler et décrire des séquences d'événements

- Établir et maintenir un horaire régulier.
- Aider les enfants à apprendre l'horaire quotidien et à prévoir les diverses périodes.
- Lors de la planification, converser avec les enfants qui sont prêts à faire des plans détaillés.
- Encourager les enfants à se souvenir des événements.
- Illustrer l'ordre des événements quotidiens avec les enfants.
- Observer la représentation des séquences que font les enfants.

→

- Informer les enfants des changements apportés à l'horaire quotidien.
- Faire participer les enfants au processus de changement.
- Cultiver des plantes à l'intérieur et à l'extérieur.
- Observer les changements saisonniers.
- Planifier la célébration de fêtes en tenant compte de la compréhension du temps qu'ont les enfants :
  – les mois précédant l'événement ;
  – juste avant et pendant l'événement ;
  – après l'événement.

LECTURES COMPLÉMENTAIRES

BELBÉOCH, OLIVIER ET COLL. (1994). *Vivre l'espace, construire le temps*, Paris, Magnard.

I.C.E. MULTI MÉDIA (1998). *Adibou. Je découvre la nature et les sciences !*, Saint-Sauveur-des-Monts/Meudon, Coktel.

I.C.E. MULTI MÉDIA (1998). *Adibou. Je lis. Je calcule ! 4-5 ans*, Saint-Sauveur-des-Monts/Meudon, Coktel.

BIBLIOGRAPHIE

AINSWORTH, MARY, D. SALTER, MARY C. BLEHAR, EVERETT WATERS et SALLY WALL (1978). *Patterns of Attachment: A Psychological Study of the Strange Situation,* Hillsdale, N.J., Erlbaum.

ANGERS, PIERRE (1984). *L'activité éducative: une théorie, une pratique,* Montréal, Bellarmin.

ARNHEIM, RUDOLF (1974). *Art and Visual Perception,* réimpression, Berkeley, Calif., University of California Press, 1954.

ASHER, STEVEN R., PETER D. RENSHAW et SHELLEY HYMEL (1982). « Peer Relations and the Development of Social Skills », dans Shirley Moore et Catherine Cooper (sous la dir. de), *The Young Child: Reviews of Research,* vol. 3, Washington, D.C., NAEYC, p. 137-158.

AYERS, WILLIAM (1989). *The Good Preschool Teacher: Six Teachers Reflect on Their Lives,* New York, Teachers College Press.

BANET, BERNARD (1976). « Toward a Developmentally Valid Preschool Curriculum », dans C. Silverman (sous la dir. de), *The High/Scope Report, 1975-1976,* Ypsilanti, Mich., High/Scope Press, p. 7-12.

BARBOUR, NITA (1987). « Learning to Read », dans Carol Seefeldt (sous la dir. de), *The Early Childhood Curriculum: A Review of Current Research,* New York, Teachers College Press, p. 107-140.

BARTH, BRITT-MARI (1993). *Le savoir en construction: former à une pédagogie de la compréhension,* Paris, Retz, coll. « Pédagogie ».

BERGEN, DORIS (1988a). « Stages of Play Development », dans Doris Bergen (sous la dir. de), *Play as a Medium for Learning and Development,* Portsmouth, N.H., Heinemann, p. 27-44.

BERGEN, DORIS (1988b). « Methods of Studying Play », dans Doris Bergen (sous la dir. de), *Play as a Medium for Learning and Development,* Portsmouth, N.H., Heinemann, p. 49-66.

BERRUETA-CLEMENT, JOHN, LAWRENCE SCHWEINHART, STEVE BARNETT, ANN EPSTEIN et DAVID P. WEIKART (1984). *Changed Lives: The Effects of the Perry Preschool Program on Youths through Age 19,* Ypsilanti, Mich., High/Scope Press.

BERRY, CARLA F. et KATHY SYLVA (1987). *The Plan-Do-Review Cycle in High/Scope: Its Effect on Children and Staff,* manuscrit non publié (accessible à la High/Scope Educational Research Foundation, Ypsilanti, Mich.).

BOLLES, EDMUND BLAIR (1988). *Remembering and Forgetting: An Inquiry into the Nature of Memory,* New York, Walker.

BOWLBY, JOHN (1978). *Attachement et perte,* Paris, Presses Universitaires de France, 1969.

BRIZIUS, JACK A. et SUSAN A. FOSTER (1993). *Generation to Generation: Realizing the Promise of Family Literacy,* Ypsilanti, Mich., High/Scope Press.

BRONFENBRENNER, URIE (1979). *The Ecology of Human Development: Experiments by Nature and Design,* Cambridge, Mass., Harvard University Press.

BRUNER, JEROME (1980). *Under Five in Britain,* Ypsilanti, Mich., High/Scope Press.

BRYANT, BRIDGET, MIRIAM HARRIS et DEE NEWTON (1980). *Children and Minders,* Ypsilanti, Mich., High/Scope Press.

BULLOCK, MERRY et PAUL LÜTKENHAUS (1988). « The Development of Volitional Behavior in the Toddler Years », *Child Development,* vol. 59, nº 3 (juin), p. 664-674.

CAPLAN, NATHAN, MARCELLA H. CHOY et JOHN K. WHITMORE (1992). « Indochinese Refugee Families and Academic Achievement », *Scientific American,* vol. 266, nº 8 (février), p. 36-42.

CARLTON, ELIZABETH B. et PHYLLIS S. WEIKART (1994). *Foundations in Elementary Education: Music,* Ypsilanti, Mich., High/Scope Press.

CASE, ROBBIE (1985). *Intellectual Development: Birth to Adulthood,* Orlando, Fla., Academic Press.

CHANCE, PAUL (1979). *Learning through Play,* New York, Gardner Press.

CLAY, MARIE M. (1975). *What Did I Write? Beginning Writing Behavior,* Portsmouth, N.H., Heinemann Educational Books.

CLEMENS, SYDNEY G. (1991). « Art in the Classroom: Making Every Day Special », *Young Children,* vol. 46, nº 2 (janvier), p. 4-10.

CRARY, ELIZABETH (1984). *Kids Can Cooperate*, Seattle, Parenting Press.

CURRY, NANCY E. et CARL N. JOHNSON (1990). *Beyond Self-Esteem : Developing a Genuine Sense of Human Value*, Washington, D.C., NAEYC.

DALCEGGIO, PIERRE (1991). *Qu'est-ce qu'apprendre ?*, Montréal, Service d'aide à l'enseignement, Université de Montréal.

DALTON, JOANNE (1991). *State of Affairs Report of Clayton Thinkers*, Denver, The Clayton Foundation.

DAS, RINA et THOMAS J. BERNDT (1992). « Relations of Preschoolers' Social Acceptance to Peer Ratings and Self-Perceptions », *Early Education and Development*, vol. 3, nº 3 (juillet), p. 221-231.

DE LOACHE, JUDY, VALERIE KOLSTAD et KATHY ANDERSON (1991). « Physical Similarity and Young Children's Understanding of Scale Models », *Child Development*, vol. 62, nº 1 (février), p. 111-126.

DERMAN-SPARKS, LOUISE (1989). *Anti-Bias Curriculum : Tools for Empowering Children*, Washington, D.C., NAEYC.

DEVRIES, RHETA et LAWRENCE KOHLBERG (1987). *Programs of Early Education*, New York, Longman.

DEWEY, JOHN (1925). *Comment nous pensons*, traduction de l'anglais Dr O. Decroly, Paris, Flammarion.

DEWEY, JOHN (1933). *How We Think : A Restatement of the Relation of Reflective Thinking to the Educative Process*, Boston, Heath.

DEWEY, JOHN (1947). *Expérience et éducation*, Paris, Bourrelier.

DEWEY, JOHN (1954). « John Dewey », dans Robert Ulrich (sous la dir. de), *Three Thousand Years of Educational Wisdom : Selections from Great Documents*, Cambridge, Mass., Harvard University Press, p. 615-640.

DEWEY, JOHN (1958a). *Art as Experience*, réimpression, New York, Capricorn Books, 1934.

DEWEY, JOHN (1958b). « Le credo pédagogique de Dewey », dans Chün-sheng Wu, *La doctrine pédagogique de John Dewey*, Paris, Librairie philosophique J. Vrin, p. 255-272.

DEWEY, JOHN (1963). *Experience and Education*, réimpression, New York, MacMillan, 1938.

DEWEY, JOHN (1968). « My Pedagogic Creed », dans Toby Talbot (sous la dir. de), *The World of the Child*, Garden City, N.Y., Anchor Books, p. 387-397.

DEWEY, JOHN et JAMES MCLELLAN (1964). « What Psychology Can Do for the Teacher », dans Reginald D. Archambault (sous la dir. de), *John Dewey on Education : Selected Writings*, New York, Random House, p. 195-211.

DIMIDJIAN, VICTORIA JEAN (1986). « Helping Children in Times of Trouble and Crisis », dans Nancy E. Curry (sous la dir. de), *The Feeling Child : Affective Development Reconsidered*, New York, The Haworth Press, p. 113-128.

EISNER, ELLIOT W. (1990). « The Role of Art and Play in Children's Cognitive Development », dans Edgar Klugman et Sara Smilansky (sous la dir. de), *Children's Play and Learning : Perspectives and Policy Implications*, New York, Teachers College Press, p. 43-58.

ELKIND, DAVID (1974). *Children and Adolescents*, New York, Oxford University Press.

ELKIND, DAVID (1987). « Early Childhood on Its Own Terms », dans Sharon L. Kagan et Edward Zigler (sous la dir. de), *Early Schooling : The National Debate*, New Haven, Yale University Press, p. 98-115.

ELLIS, MICHAEL J. (1988). « Play and the Origin of Species », dans Doris Bergen (sous la dir. de), *Play as a Medium for Learning and Development*, Portsmouth, N.H., Heinemann, p. 23-25.

ERIKSON, ERIK H. (1976). *Enfance et société*, 6e éd., Neuchâtel, Delachaux et Niestlé, 1950.

ESBENSEN, STEEN B. (1987). *The Early Childhood Playground : An Outdoor Classroom*, Ypsilanti, Mich., High/Scope Press.

EVANS, BETSY (1992). « Helping Children Resolve Disputes and Conflicts », *High/Scope Extensions* (mai-juin).

FEIN, GRETA G. (1981). « Pretend Play in Childhood : An Integrative Review », *Child Development*, vol. 52, nº 4 (décembre), p. 1095-1118.

FEIN, GRETA G. et SHIRLEY S. SCHWARTZ (1986). « The Social Coordination of Pretense in Children », dans Greta G. Fein et Mary Rivkin (sous la dir. de), *The Young Child at Play : Reviews of Research*, vol. 4, Washington, D.C., NAEYC, p. 95-111.

FLAVELL, JOHN H. (1963). *The Developmental Psychology of Jean Piaget*, Princeton, N.J., Van Nostrand.

FORMAN, GEORGE E. et DAVID S. KUSCHNER (1983). *The Child's Construction of Knowledge : Piaget for Teaching Children*, Washington, D.C., NAEYC.

FROMBERG, DORIS P. (1987). « Play », dans Carol Seefeldt (sous la dir. de), *The Early Childhood Curriculum : A Review of Current Research*, New York, Teachers College Press, p. 35-74.

FURTH, HANS G. (1969). *Piaget and Knowledge: Theoretical Foundations*, Englewood Cliffs, N.J., Prentice Hall.

GARDNER, HOWARD (1982). *Art, Mind, and Brain: A Cognitive Approach to Creativity*, New York, Basic Books.

GARDNER, HOWARD (1983a). *Frames of Mind: The Theory of Multiple Intelligences*, New York, Basic Books.

GARDNER, HOWARD (1983b). « Spatial Intelligence », *Frames of Mind: The Theory of Multiple Intelligences*, New York, Basic Books, p. 170-204.

GARDNER, HOWARD (1991). *The Unschooled Mind: How Children Think and How Schools Should Teach*, New York, Basic Books.

GARDNER, HOWARD (1996). *L'intelligence et l'école: la pensée de l'enfant et les visées de l'enseignement*, Paris, Retz.

GARDNER, HOWARD (1997). *Les formes de l'intelligence*, Paris, Odile Jacob.

GARIÉPY, LISETTE (1999). *Jouer, c'est magique*, programme favorisant le développement global des enfants, tome 2, Québec, Les Publications du Québec.

GARLAND, CAROLINE et STEPHANIE WHITE (1980). *Children and Day Nurseries*, Ypsilanti, Mich., High/Scope Press.

GARVEY, CATHERINE (1990). *Play*, Cambridge, Mass., Harvard University Press.

GELMAN, ROCHEL et C.R. GALLISTEL (1986). *The Child's Understanding of Number*, 2e éd., Cambridge, Mass., Harvard University Press.

GESELL, ARNOLD (1987). *L'enfant de 5 à 10 ans*, Paris, Presses Universitaires de France.

GIBSON, LINDA (1989). *Literacy Learning in the Early Years: Through Children's Eyes*, New York, Teachers College Press.

GINSBURG, HERBERT et SYLVIA OPPER (1979). *Piaget's Theory of Intellectual Development*, Englewood Cliffs, N.J., Prentice Hall.

GIORDAN, ANDRÉ (1998). *Apprendre!*, Paris, Belin.

GOLEMAN, DANIEL (1989). « The Roots of Empathy Are Traced to Infancy », *New York Times* (28 mars), p. B 20-B 21.

GOLOMB, CLAIRE (1974). *Young Children's Sculpture and Drawing: A Study in Representational Development*, Cambridge, Mass., Harvard University Press.

GOLOMB, CLAIRE (1988). « Symbolic Inventions and Transformations in Child Art », dans Kieran Egan et Dan Nadaner (sous la dir. de), *Imagination and Education*, New York, Teachers College Press, p. 222-235.

GOLOMB, CLAIRE (1992). *The Child's Creation of a Pictorial World*, Berkeley, Calif., University of California Press.

GOODMAN, KENNETH (1986). *What's Whole in Whole Language?*, Portsmouth, N.H., Heinemann Educational Books.

GOODMAN, KENNETH (1989). *Le pourquoi et le comment du langage intégré*, Richmond Hill, Scholastic-TAB Publications.

GREENSPAN, STANLEY et NANCY T. GREENSPAN (1985). *First Feelings*, New York, Viking.

GREENSPAN, STANLEY et NANCY T. GREENSPAN (1986). *Le développement affectif de l'enfant: de la naissance à quatre ans: premières émotions, premiers sentiments*, Paris, Payot.

HALE-BENSON, JANICE E. (1986). *Black Children: Their Roots, Culture, and Learning Styles*, Baltimore, Johns Hopkins University Press.

HALL, NIGEL (1987). *The Emergence of Literacy*, Portsmouth, N.H., Heinemann Educational Books.

HALLIDAY, MICHAEL (1973). *Explorations in the Functions of Language*, Londres, Edward Arnold.

HARNER, LORRAINE (1981). « Children Talk about the Time and Aspect of Actions », *Child Development*, vol. 52, nº 2, p. 498-506.

HARRIS, PAUL L. (1989). *Children and Emotion: The Development of Psychological Understanding*, Oxford, Basil Blackwell.

HARTUP, WILLARD W. (1983). « Peer Relations », dans E. Mavis Heatherington (sous la dir. de) et Paul H. Mussen (dir. de la collection), *Socialization, Personality, and Social Development. Handbook of Child Psychology*, vol. 4, New York, Wiley, p. 103-196.

HARTUP, WILLARD W. (1986). « On Relationships and Development », dans Willard W. Hartup et Zick Rubin (sous la dir. de), *Relationships and Development*, Hillsdale, N.J., Erlbaum, p. 1-26.

HARTUP, WILLARD W. et SHIRLEY G. MOORE (1990). « Early Peer Relations: Developmental Significance and Prognostic Implications », *Early Childhood Research Quarterly*, vol. 5, nº 1 (mars), p. 1-17.

HAUSER-CRAM, PENNY, DONALD E. PIERSON, DEBORAH KLEIN WALKER et TERRENCE TIVNAN (1991). *Early Education in the Public Schools: Lessons from a Comprehensive Birth-to-Kindergarten Program*, San Francisco, Jossey-Bass.

HIEBERT, ELFRIEDA H. (1990). « Research Directions : Starting with Oral Language », *Language Arts*, vol. 67, n° 5, p. 502-506.

High/Scope Child Observation Record (COR) for Ages 2½-6 (1992). Ypsilanti, Mich., High/Scope Press.

HINDE, ROBERT A., GRAHAM TITMUS, DOUGLAS EASTON et ALISON TAMPLIN (1985). « Incidence of "Friendship" and Behavior toward Strong Associates versus Nonassociates in Preschoolers », *Child Development*, vol. 56, n° 1 (février), p. 234-245.

HOHMANN, CHARLES (1975). « Finding Order in Difference : Seriation in Elementary Curricula », dans C. Silverman (sous la dir. de), *The High/Scope Report, 1974-75*, Ypsilanti, Mich., High/Scope Press, p. 14-16.

HOHMANN, CHARLES (1990). *Young Children and Computers*, Ypsilanti, Mich., High/Scope Press.

HOHMANN, CHARLES (1991). *The High/Scope K-3 Curriculum Series : Mathematics*, Ypsilanti, Mich., High/Scope Press.

HOHMANN, CHARLES, BARBARA CARMODY et CHICA MCCABE-BRANZ (1995). *High/Scope Buyer's Guide to Children's Software*, Ypsilanti, Mich., High/Scope Press.

HOHMANN, MARY (1991). « Key Experiences : Keys to Supporting Preschool Children's Emerging Strengths and Abilities », dans Nancy Brickman et Lynn Taylor (sous la dir. de), *Supporting Young Learners*, Ypsilanti, Mich., High/Scope Press, p. 63-70.

HOHMANN, MARY, BERNARD BANET et DAVID P. WEIKART (1979). *Young Children in Action*, Ypsilanti, Mich., High/Scope Press, chap. 6, p. 147-169.

HOLLOWAY, SUSAN D. et MARINA REICHHART-ERICKSON (1988). « The Relationship of Day Care Quality to Children's Free-Play Behavior and Social Problem-Solving Skills », *Early Childhood Research Quarterly*, vol. 3, n° 1 (mars), p. 39-53.

HOPKINS, SUSAN et JEFFREY WINTERS (sous la dir. de) (1990). *Discover the World : Empowering Children to Value Themselves, Others, and the Earth*, Philadelphie, New Society Publishers.

HOWES, CAROLEE (1987). « Social Competency with Peers : Contribution from Child Care », *Early Childhood Research Quarterly*, vol. 2, n° 2 (juin), p. 155-167.

HOWES, CAROLEE (1988). « Peer Interaction of Young Children », *Monographs of the Society for Research in Child Development*, série n° 217, vol. 53, n° 1.

INHELDER, BÄRBEL (1969). « Some Aspects of Piaget's Genetic Approach to Cognition », dans Hans G. Furth, *Piaget and Knowledge : Theoretical Foundations*, Englewood Cliffs, N.J., Prentice Hall, p. 22-40.

INHELDER, BÄRBEL et JEAN PIAGET (1980). *La genèse des structures logiques élémentaires : classifications et sériations*, Neuchâtel, Delachaux et Niestlé, 1964.

JORDAN, DANIEL C. (1976). « The Process Approach », dans Carol Seefeldt (sous la dir. de), *Curriculum for the Preschool-Primary Child : A Review of the Research*, Columbus, Ohio, Merrill, p. 273-303.

KARRBY, GUNNI (1988). « Time Structure and Sex Differences in Swedish Preschools », *Early Child Development and Care*, vol. 39, n° 1, p. 45-52.

KATZ, LILIAN G. et DIANE E. MCCLELLAN (1991). *The Teacher's Role in the Social Development of Young Children*, Urbana, Ill., ERIC.

KOHLBERG, LAWRENCE et THOMAS LIKONA (1987). « Moral Discussion and the Class Meeting », dans Rheta DeVries et Lawrence Kohlberg (sous la dir. de), *Programs of Early Education : The Constructivist View*, New York, Longman, p. 143-181.

KOHLBERG, LAWRENCE et ROCHELLE MAYER (1972). « Development as the Aim of Education », *Harvard Educational Review*, vol. 42, n° 4 (novembre), p. 449-496.

LAURENDEAU, MONIQUE et ADRIEN PINARD (1968). *Les premières notions spatiales de l'enfant : examen des hypothèses de Jean Piaget*, Neuchâtel, Delachaux et Niestlé.

LAURENDEAU, MONIQUE et ADRIEN PINARD (1970). *The Development of the Concept of Space in the Child*, New York, International Universities Press.

LEWIS, MICHAEL (1986). « The Role of Emotion in Development », dans Nancy E. Curry (sous la dir. de), *The Feeling Child : Affective Development Reconsidered*, New York, The Haworth Press, p. 7-22.

LIKERT, RENSIS (1967). *The Human Organization : Its Management and Value*, New York, McGraw-Hill.

LIKONA, THOMAS (1973). « The Psychology of Choice Learning », dans Thomas Likona, Ryth Nickse, David Young et Jessie Adams (sous la dir. de), *Open Education : Increasing Alternatives for Teachers and Children*, Courtland, Open Education Foundation, State University of New York.

LIPPITT, GORDON (1980). « Effective Team Building Develops Individuality », *Human Resource Development*, vol. 4, n° 1, p. 13-16.

MACAULEY, DAVID (1988). *The Way Things Work*, Boston, Houghton Mifflin.